JUDÍOCONVERSOS E INQUISICIÓN EN CALATAYUD

Álvaro López Asensio

AGRADECIMIENTOS:

A Dña. Timna Segal, presidenta de la Asociación Sefarad Aragón y a
D. Vicente Zalaya, Director de las Editoriales Libros Certeza y Riopiedras,
por haberme otorgado el premio "Bahyá Iben Paquda 2012".
También a Gema Morata Guerrero por su asesoramiento informático.

FOTO DE PORTADA:

Detalle del fresco que se encuentra en el claustro de la colegiata de Santa María la Mayor de Alquezar
(Huesca), que datan del finales del siglo XV. En él se representa la circuncisión de Jesús por un rabino
vestido como el Sumo Sacerdote del Templo de Jerusalén y no como los rabinos de esa centuria. Jesús fue
circuncidado en la sinagoga de Nazaret, cuyo oratorio se representa en la pintura. En la escena de la
derecha aparecen unos judíos vestidos con indumentaria de la época. Uno de ellos señala con el dedo a
Jesús, como si quisiera reconocerlo como mesías. En la escena aparecen los dos elementos propios de la
ceremonia judía de la circuncisión: la vela encendida (detrás de Jesús) y una cesta con dos tórtolas para la
ofrenda (encima de la mesa).

Depósito Legal: Z 934-2016

I.S.B.N.: 978-84-7213-192-7

Maquetación del libro: Álvaro López Asensio.

Impresión:Ulzama Digital.

Editado por: Riopiedras Ediciones

A mi buen amigo José Luis Jiménez Pérez (Sacerdote),
con afecto y profunda admiración.

LISTA DE ABREVIATURAS

ACA.- Archivo de la Corona de Aragón.

ADT.- Archivo Diocesano de Tarazona.

AHN.- Archivo Histórico Nacional (Madrid).

AHPZ.- Archivo Histórico Provincial de Zaragoza.

APBG.- Archivo Parroquial de Belmonte de Gracián.

APNC.- Archivo de Protocolos Notariales de Calatayud.

APND.- Archivo de Protocolos Notariales de Daroca.

APNZ.- Archivo de Protocolos Notariales de Zaragoza.

FOL.- folio.

IDEM.- Igual que el anterior.

Op. Cit.- Obra Citada con anterioridad.

P.- Página.

Reg.- Registro.

1.- LA POLÍTICA DE EXCLUSIÓN SOCIAL CONTRA LOS JUDÍOS

1.1.- CRONOLOGÍA DEL ANTISEMITISMO

1.1.- EL ANTISEMITISMO EN EL IMPERIO ROMANO

1.1.1.- EL ANTISEMITISMO EN EL IMPERIO ROMANO

1.1.1.1.- CONDICIÓN SOCIAL DE LOS JUDÍOS EN EL IMPERIO ROMANO

Aunque careciese de vida propia, la religión romana fue considerada como una especie de institución Estatal. Pese a que era de obligada observancia para todos los individuos del Imperio, en realidad, apenas disponía de verdaderos creyentes. Ante esta indefinición religiosa, Roma supo asumir las creencias de los diferentes pueblos y lugares de su vasto territorio, incluido el hebreo.

A pesar de que los romanos concedieron a los judíos autonomía en el plano religioso y civil, lo cierto es que siempre intentaron recortar sus derechos, privilegios y libertades. Ejemplos claros los encontramos cuando el procurador romano, Poncio Pilato, quiso anular la prohibición hebrea de las imágenes; o cuando el Emperador Calígula habló de levantar una estatua pagana en el Templo de Jerusalén.

Frente a estos dos casos y a las continuas amenazas y vejaciones a las que fueron sometidos por las autoridades romanas, no es extraño pensar que los sectores más radicales de la sociedad judía se levantaran en armas contra la ocupación de Roma, prefiriendo la muerte antes que las humillaciones y abominaciones que los otros pueblos y naciones del Imperio admitían con resignación. El pueblo judío fue el único que supo permanecer firme en sus convicciones sin hacer concesiones. La dominación romana en Palestina desencadenó dos guerras de resistencia armada:

- **"Primera guerra judía" (66-70 d.C.).** El emperador Nerón encarga al entonces general, Vespasiano, sofocar la rebelión judía de Palestina contra el poder de Roma. La décima Legión Fretense permanece apostada durante tres años en el Monte de los Olivos esperando el momento propicio para asaltar contra la ciudad de Jerusalén. Tras ser nombrado Vespasiano (66-79 d.C.) emperador, este confía la toma de la ciudad en su hijo Tito, quien en el año 70 de nuestra Era la arrasa, destruye el Templo (símbolo religioso y de unidad del pueblo) y deporta a la mayoría de su población hacia las principales comunidades y territorios del Imperio. A este éxodo masivo se le denomina "la gran diáspora".

- **"Segunda guerra judía" (133-135 d.C.).** Los judíos que permanecen todavía en Palestina, deciden de nuevo levantarse contra Roma por la continua humillación y paganización a la que se ven sometidos. En el año 135 de nuestra Era, el emperador Adriano consigue sofocar la revuelta con consecuencias nefastas para la historia del Pueblo hebreo, como la salida sin retorno de Palestina, la destrucción de lo que queda en pie de Jerusalén, así como la profanación del Templo para dedicar un altar al dios romano Júpiter. Con los escombros se reconstruye una nueva Jerusalén romana, que llamarán *Aelia Capitolina* (esta ciudad coincide con la actual "*ciudadela*" amurallada de la ciudad Santa).

Estas dos diásporas supusieron la expulsión definitiva de los judíos de Palestina hacia otras provincias del Imperio, incluida Hispania. Es falsa la creencia de muchos historiadores cuando afirman que los judíos vinieron a la Península Ibérica tras esos dos éxodos masivos. Lo cierto es que, mucho antes de que los romanos la ocuparan, aquí ya había comunidades judías conviviendo desde el 2.500 a. C., territorio que ellos denominaron *Sefarad*[1] o "tierra lejana".

Se dice también, aunque sin fundamento, que las palabras *Iberia, Ibérica* y río Ebro provienen del vocablo hebreo *Ivrí*, que significa precisamente *hebreo*.

Algunos también sostienen la hipótesis de que Calatayud (además del tradicional significado árabe de *Castillo de Ayyud*) podría derivar del hebreo *qal'at-alyahud*, que se traduce como *castillo de los judíos* o *Castillo de Job*, nombre típicamente hebreo que significa: "*más grande paciencia y favores de Dios*".

1.1.1.1.1.- La expansión del judaísmo tras la diáspora judía

La rápida expansión y crecimiento demográfico del judaísmo por todo el Imperio Romano[2] fue posible, entre otras causas, al gran número de nacimientos que experimentaron las comunidades hebreas de la diáspora, a la facilidad que tenían de adaptarse en los países extranjeros (sin dejarse asimilar), a los privilegios que siguieron manteniendo[3] y, sobre todo, al gran número de conversiones provenientes del paganismo. A estos nuevos conversos podemos clasificarlos en dos grandes grupos, según el grado de su adhesión[4]:

- Los *prosélitos* (que en hebreo significa "venir hacia") se incorporan al judaísmo mediante la circuncisión y un baño ritual (para suprimir su existencia servil de esclavo e iniciarse en su nueva vida en libertad). El *prosélito* está obligado a observar la Ley de Moisés y las prescripciones de la Toráh.

- Los *temerosos de Yahvé* se incorporan a la sinagoga (tras abandonar el culto a los dioses paganos y adherirse al culto judío) con un grado menor de compromiso por no estar circuncidados. Asisten a ciertas reuniones del servicio sinagogal y observan algunos de los preceptos más importantes de la Ley, como el *sabbat* y las normas dietéticas judías o *cashrut*.

---

[1] LOPEZ ASENSIO, A.; *"Genealogía judía de Calatayud y Sefarad"*, Zaragoza, 2005, p. 13. Hace más de 2.500 años que los judíos están presentes en la Península Ibérica. Ya sabemos que cuando Nabucodonosor conquistó Israel (587 a.C.), no todos los deportados fueron a Babilonia, sino que una minoría vino a Sefarad, como así relata el profeta Abdías cuando dice «...*los deportados, este ejército de los hijos de Israel, poseerán Cannaán hasta Serepta, y los deportados de Jerusalén , que están en Sefarad, poseerán las tierras del Negrev (desierto de Arabá, al sur de Israel)*» (Abdias 1, 20). Sefarad en lengua hebrea significa "lejísimo", nombre que ellos mismos comienzan a utilizar, mantener y difundir cuando llegaron a la Hispania prerromana.

[2] AUZOU, F.; *"La tradición bíblica"*, Madrid, 1961, p. 354. Las grandes colonias judías se encuentran en Mesopotamia, Siria, Asia Menor y Egipto y, cada uno de estos países puede contar entre sus habitantes con más de un millón de judíos(1), hasta un máximo de ocho millones en todo el Imperio (de cada diez romanos uno era judío).

[3] La no obligación de rendir culto al Estado y a la ciudad, la no representación de imágenes objeto de culto (la del emperador y dioses romanos), la protección por ley de las sinagogas, el derecho a respetar el sábado, la igualdad civil de todos los judíos, así como tener tribunales propios. Cada comunidad tenía un sanedrín local con poderes legislativos, ejecutivos y judiciales. Estos últimos podían emitir sentencias en causas secundarias.

[4] LEIPOLDT, J.-GRUNDMANN, W.; *"El mundo del Nuevo Testamento"*, Madrid, 1973, tomo I, p. 323.

1.1.1.1.2.- El cristianismo y el nacimiento de la judeo-fobia

Tras la muerte de Jesucristo, en Palestina coexisten sin tensiones sociales el cristianismo y el judaísmo. Los miembros de ambas comunidades religiosas son judíos, por lo que las primeras predicaciones cristianas se dirigieron a ellos y, más concretamente, a los habitantes de Jerusalén, Judea, Samaría, Galilea y principales colonias hebreas de la "diáspora" (Alejandría, Grecia y Asia Menor).

El problema surgió cuando la gran mayoría de esos judíos rechazan las doctrinas cristianas para aferrarse a la Ley y tradiciones de Moisés, dando así la espalda a las predicaciones que estaban efectuando los discípulos de Jesús de Nazareth. La misión Apostólica de Pablo de Tarso (San Pablo) fue determinante para cambiar la estrategia de la primitiva Iglesia y superar el bloqueo judío. Pablo se pronunció en contra de la Ley judía en beneficio de la nueva Ley del amor de Jesucristo, enseñanza que caló profundamente entre las comunidades no judías (integradas por paganos o gentiles). Su evangelización triunfó con éxito por plantearles un estilo de vida nada familiarizado con las normas judías (no es necesario circuncidarse, se puede comer todo tipo de alimentos, etc.). La expansión del cristianismo hizo que se desarrollase por primera vez el camino hacia la diferenciación y la animadversión, favoreciendo así el fenómeno de la judeofobia en todo el Imperio romano.

A partir del siglo II de nuestra Era progresa la literatura de los cristianos Apologistas y de los Santos Padres de la Iglesia, quienes centrarán sus ataques en consideraciones de tipo religioso. Aunque condenan al pueblo judío e incluso sugieren una actitud represiva hacia ellos, no existe, sin embargo, indicios claros de crítica xenófoba o racista. Cuando en sus textos aparece mencionada la palabra "raza", siempre es para expresar su identidad religiosa, no su origen étnico[5]. En el polo opuesto encontramos la actitud de los autores clásicos griegos y latinos (Manetón, Cicerón, Marcial, Juvenal, Tácito, etc.), quienes no reflejan en sus escritos ese elemento de rechazo hacia el mundo judío que descubrimos en los primeros autores cristianos.

Por último, decir que (en el año 305 de nuestra Era) se celebró el concilio hispano de Elvira (Granada). En él encontramos las primeras referencias documentales sobre la situación social de los judíos de la Península Ibérica, así como las primeras medidas antijudías que se dictan contra ello[6]. A través de sus cánones se demuestra no sólo la existencia de comunidades judías arraigadas ya en el territorio, sino incluso su prosperidad y la práctica de un activo proselitismo; de ahí que la religión judía se presente como una seria competidora del cristianismo y que el concilio proponga combatir su implantación.

---

[5] GONZÁLEZ SALINERO, R.; "*Judíos y cristianos durante la antigüedad tardía: entre la convivencia y la controversia*", Barcelona, 2006, p. 17.

[6] Cuatro de sus ochenta y un cánones se refieren a los judíos, concretamente los números 16, 49, 50 y 78. El canon 16 prohíbe a los cristianos contraer matrimonio con mujeres judías bajo pena de excomunión durante cinco años (este matrimonio facilita que los hijos abracen la religión judía y no la cristiana). El canon 49 amenaza con la excomunión perpetua a los cristianos que hagan bendecir sus tierras por judíos. El canon 50 prohíbe que miembros de las dos religiones se sienten a una misma mesa. Por último, el canon 78 sanciona con otros cinco años de excomunión al cristiano que cometa adulterio con una mujer judía.

1.1.1.2.- EL ANTISEMITISMO EN ÉPOCA HISPANO-VISIGÓTICA

1.1.1.2.1.- Condición social de los judíos hispano-visigodos

En el año 414 de nuestra Era, el rey visigodo, Ataúlfo, abandona las Galias y cruza los Pirineos. Es la primera incursión de los visigodos en Hispania. Tras luchar contra vándalos, suevos, alanos e incluso bizantinos, somete a los hispano-romanos hasta controlar toda la Península Ibérica. La hegemonía política de la administración visigótica duró unos tres siglos, terminando con la invasión de los musulmanes en el año 711.

Los visigodos profesaban esencialmente el credo arriano[7], lo que provocó la división religiosa del territorio porque los nativos hispano-romanos eran de tradición Católica. Ambas creencias religiosas convivieron, por entonces, con otras herejías de la cristiandad, como los neumáticos o macedonianos[8], nestorianos[9], monofistas[10], monotelistas[11], etc.

- Los visigodos de credo arriano fueron muy tolerantes con los judíos de la Península Ibérica, a quienes les otorgaron los mismos derechos que a los cristianos católicos, como tener esclavos, restaurar las sinagogas ya existentes, y mantener su propio ordenamiento jurídico para resolver sus diferencias tanto civiles como penales. Aunque este reconocimiento no fue aplicado siempre con el mismo rigor, lo cierto es que convivieron en un plano de igualdad con arrianos y católicos[12].

- La situación cambió cuando el rey Recaredo (586-601 d.C.) se convierte al catolicismo[13] en el III Concilio de Toledo[14], celebrado en el año 589. Esta decisión terminó con la

---

[7] El arrianismo debe su nombre al obispo Arrio (256-336 de nuestra Era), quien se formó en Antioquia, fue sacerdote de Alejandría y después obispo libio, y desde aproximadamente el 318 difundió la creencia de que no hay tres personas en Dios, sino una sala persona, el Padre. Los arrianos afirman que Jesucristo no es divino, sino alguien que fue creado por Dios para apoyarlo en su plan de salvación. No reconocen el misterio de la Trinidad, sino sólo el poder divino del Padre. Las doctrinas arrianas fueron condenadas y declaradas herejía en el concilio de Nicea (325 de nuestra Era), convocado por el emperador Constantino. Atanasio consigue que se declare una definición de la fe en el credo que actualmente se recita en la iglesia católica, reafirmándose en la Trinidad.

[8] El defensor de esta doctrina fue Macedonio, obispo de Constantinopla. Sostiene que el Espíritu Santo es una derivación del Hijo, pero del Hijo considerado sólo hombre, no Dios. Por consiguiente, los neumatómacos, que significa adversarios del Espíritu Santo, tampoco consideraban era Dios la tercera persona de la Santísima Trinidad. El macedonianismo fue una consecuencia del arrianismo. Esta herejía fue condenada por la iglesia Romana en le primer Concilio de Constanza en el año 381 de nuestra Era.

[9] El defensor de esta doctrina fue Nestorio, obispo de Constantinopla. Sostiene que la Virgen María es madre de Cristo hombre, pero no de Cristo como Dios. Por tanto, no considera a la Virgen madre de Dios. Esta herejía fue condenada en el primer Concilio de Efeso del año 431, y en el segundo Concilio de Constantinopla del año 553 de nuestra Era.

[10] El defensor de esta doctrina fue Eutiques, abad de un monasterio de Constantinopla. Sostiene que Jesucristo es sólo Dios, pero no hombre. Tras la unión de las dos naturalezas (humana y divina), la humana había sido absorbida por la divina. Esta herejía fue condenada por el Concilio de Calcedonia del año 451, y en el segundo Concilio de Constantinopla del año 553 de nuestra Era.

[11] El defensor fue Macario de Antioquia, obispo de esa ciudad. Su doctrina surgió como consecuencia de las teorías elucubradas por Sergio, patriarca de Constantinopla, que quiso armonizar, con toda la buena fe, el monofisitismo con el catolicismo, dando como resultado el monotelismo. Los monoteístas admitían la doble naturaleza de Jesucristo (humana y divina), pero creían poseía una sola voluntad. Esta herejía fue condenada en el tercer Concilio de Constantinopla en el año 680 de nuestra Era.

[12] En el plano jurídico, su situación estaba regulada por el código teodosiano, garantizador de la tolerancia religiosa, recogido por Alarido en el año 506 en la *lex romana visigothorum*.

[13] A principios del año 587, Recaredo, que ya debía tener simpatías católicas, se hizo bautizar en Secreto. Desde entonces intentó convencer a los obispos arrianos para que aceptaran la doctrina trinitaria, celebrando tres años, a los que animó a reunirse con obispos católicos para discutir los problemas teológicos y determinar cuál era la verdadera fe; una reunión conjunta de obispos católicos y arrianos, con fuertes polémicas entre ambos bando. Recaredo no logró convencer a los arrianos, por lo que determinó optar por el catolicismo. Estaban presentes muchos nobles visigodos y, al parecer, casi todos ellos siguieron a su rey.

[14] El 8 de mayo del 589 se inició el III Concilio de Toledo. Recaredo hizo profesión de fe católica y anatematizó a los arrianos, lo que favoreció la conversión de los nobles y pueblo visigodo al catolicismo. Varios obispos arrianos, todos de origen godo, abjuraron

dualidad religiosa hispana en favor de la Iglesia Católica, convirtiéndose así en la religión oficial del Estado. A partir de entonces, los judíos pasaron de ser hombres con ciertos derechos sociales y políticos[15] a convertirse en perseguidos. El III Concilio de Toledo (año 589) decretó una serie de medidas antijudías[16] que, con mayor o menor intensidad, seguirán vigentes hasta el fin del mandato visigodo.

1.1.1.2.2.- La iglesia y la Monarquía sobre la cuestión judía

A partir de la conversión de Recaredo al catolicismo, las fuentes literarias visigóticas (actas de los concilios toledanos y las *leges visigothorum*) reflejan una evidente discordia y rivalidad religiosa entre la propia Iglesia Católica y la comunidad judía. Es evidente que este antijudaísmo subyacente fue producto de una unión interesada entre el Estado y la Iglesia. Reyes y obispos unieron sus fuerzas para lograr erradicar el problema judío, con los siguientes acuerdos y prohibiciones:

* Año 612: El rey Sisebuto accede al trono con la voluntad de cumplir los preceptos del III concilio de Toledo. Recordemos que este Concilio restablece las normas represivas dictadas por el anterior concilio de Elvira, llegando incluso a plantear la expulsión de los judíos.

* Año 616: El rey Sisebuto decreta la conversión forzosa de los judíos, bajo pena de muerte o exilio del territorio hispano. A partir de entonces, las medidas contra los judíos aumentarán en cantidad y en radicalidad.

* Año (621-631): El rey Suintila suprime las leyes antijudías de su antecesor Sisebuto. Muchos exiliados vuelven a sus hogares y muchos conversos al judaísmo.

* Año 633: Se celebra el IV concilio todelano[17]. El rey Sisenando (623-35) ordena la separación total entre judíos y cristianos. A los conversos se les impide todo trato con los judíos, quedando sometidos a un control permanente a través de interrogatorios y vigilancia. A los Obispos, clérigos y fieles se les prohíbe ayudar a los judíos bajo pena de anatema. A los judeo-conversos se les niega la posibilidad de ejercer cargos públicos y mantener cualquier relación con sus parientes judíos. Además se confirma la prohibición de que los estos no tengan esclavos cristianos.

públicamente de sus creencias. Asistieron al concilio setenta y dos obispos (además de los cinco metropolitanos). Las resoluciones del sínodo arriano de Toledo del 580 fueron condenadas. Las decisiones del Concilio adquirieron fuerza de ley al publicar el rey un Edicto de confirmación del concilio. La desobediencia era castigada con graves penas (la confiscación de la mitad de los bienes para los nobles y clase media –llamados *honestiores*-; y el destierro y la pérdida de sus bienes para los de clase baja –llamados inferiores-).

[15] Cuando los dirigentes visigodos se convirtieron al cristianismo, lo hicieron bajo la confesión arriana (creen que Jesús no es Dios, ni hijo de Dios), mientras que el resto de la población hispano-romana siguieron perteneciendo a la confesión romana. Hasta que los visigodos no abandonaron sus postulados arrianos favorecieron, sin duda, una política de tolerancia hacia los judíos, tal vez motivada por su influencia económica. Durante este corto período los judíos gozaron de plenos derechos civiles, políticos y judiciales.

[16] El concilio prohibirá a los judíos casarse con los cristianos, ejercer cargos públicos y tener esclavos bajo pena de confiscación de bienes. Estas medidas pretendían marginar socialmente a los judíos, forzando su conversión. La Corona necesitaba el apoyo de la iglesia en su lucha contra la nobleza díscola. La pastoral antijudía se entendió como una concesión a iglesia frente a los judíos, que en aquella época, los consideraba como "deicidas" y "ministros del anticristo".

[17] En el reinado del rey visigodo, Sisenando (623-35), se celebró el IV Concilio de Toledo presidido por Isidoro de Sevilla. En este concilio se implantan de nuevo las normas antijudías del anterior, introduciendo medidas represoras contra los conversos, a los que se les prohíbe todo trato con los judíos bajo pena de ser interrogados y castigados. Estas disposiciones fueron asumidas por el Estado, quien las elevó a norma común.

- Año (642-52): El rey Chindasvinto muestra su benevolencia con los judíos, a quienes permite volver al reino y recuperar sus tierras.

- Año (653-672): El rey Rescenvinto declara que "*el judaísmo contamina el suelo del país*". Los judíos no pueden tener esclavos, ni ocupar cargos públicos, ni testimoniar contra los cristianos en los tribunales de justicia.

- Año (680-87): El rey Ervigio vuelve a la política de conversión forzosa, lo que desencadena la huida de muchos judíos al Norte de África, concretamente a Marruecos.

- Año (672-680): El rey Wamba suaviza la política antijudía.

- Año 694: Se celebra el XVII concilio de Toledo. En el canon VIII se decreta la esclavitud de todos los judíos por haber realizado conversiones ficticias, y por conspirar con los musulmanes marroquíes para conquistar el reino. Además se toman ciertas medidas xenófobas, como ordenar que todos los judíos sean reducidos a la esclavitud, la confiscación de sus bienes, y la separación de los hijos -a partir de los siete años- de sus padres para educarlos en la fe cristiana, entre otras cuestiones.

- Año 711: Invasión musulmana de la Península Ibérica. Cambia la condición social de los judíos bajo la nueva administración islámica.

Las prohibiciones y la política antijudía visigoda tienen naturaleza social y laboral, nunca religiosa o litúrgica. Es evidente que las dos principales instituciones de poder, la Iglesia y el Estado, unieron sus esfuerzos para crear un nuevo marco ideológico y jurídico contra los judíos, a los que pretenden excluir socialmente[18]:

- Uno de los objetivos que persiguen las disposiciones antijudías fue la conversión de los judíos al cristianismo a través de dos métodos: uno por atracción (camino por el que se avanzó poco a pesar de la insistencia de Isidoro de Sevilla); y el otro por la fuerza, que provocó el problema de los conversos criptojudíos (los que judaizan en secreto).

- A nivel político se reducen muchos de sus derechos civiles (deniegan sus reuniones, incapacidad jurídica para acusar y testificar en juicios contra cristianos, inhabilitación para ocupar cargos públicos, discriminación fiscal, etc.).

- También se fomenta la segregación social con la prohibición de matrimonios mixtos y la ruptura de todo tipo de relaciones judeo-cristianas. Procuran separar y enfrentar a los propios judíos, destruyendo sus lazos familiares y su organización socio-benéfica interna. Así mismo, imponen un sistema de vigilancia y control sobre los conversos que dependerá directamente de los obispos.

- La legislación civil, canónica y patrística de la época aporta una imagen deplorable de la religión judía. Los Obispos y Santos Padres visigodos (como Isidoro de Sevilla, Idelfonso de Toledo, Julián de Toledo y Braulio de Zaragoza) reprochan la incredulidad hebrea y las precauciones que los cristianos deben tomar contra la influencia que los judíos ejercen sobre los cristianos. El objetivo de esta corriente intelectual cristiana es fomentar, entre sus fieles, el desprestigio del judaísmo.

---

[18] GONZÁLEZ SALINERO, R.; Op. Cit. "*Judíos y cristianos durante la antigüedad tardía...*", p. 143 ss.

- El ordenamiento jurídico, ya desde época arriana, prohíbe a los judíos tener esclavos cristianos para que no se conviertan a la religión judía. La conversión de cristianos al judaísmo será castigada con penas muy severas, no sólo para el que se bautiza, sino también para el judío que promueve dichas conversiones.

Pese a que las medidas contra los judíos fracasaron en su propósito, sin embargo, fueron un excelente caldo de cultivo para que la sociedad cristiana fuera poco a poco alimentando la discriminación y marginación social hacia sus convecinos judíos, un sentimiento que irá creciendo con el tiempo en las posteriores etapas históricas.

1.1.1.2.3.- La defensa de la fe judía por encima de todo

Si la Iglesia-Estado visigoda tenía como objeto perseguir, reprimir y forzar la conversión de los judíos, estos intentaron mantener –por todos los medios- la moral alta para que la Iglesia fracasara en su estrategia. El mismo empeño que los cristianos pusieron en convertirlos, pusieron los judíos en defender y conservar sus creencias y tradiciones.

Ante la difamación, el odio, la humillación y la persecución a la que se vieron sometidos; los judíos difundieron en sus escritos y sermones el sentimiento de autoestima que necesitaban como Pueblo, algo necesario para luchar contra esa situación social adversa. Su literatura tendrá también cierto tinte apologético, pues era necesario suscitar entre ellos desprecio hacia los *goyim* (los no judíos) que les perseguían.

1.1.1.3.- EL ANTISEMITISMO EN ÉPOCA HISPANO-MUSULMANA

1.1.1.3.1.- Condición social de los judíos en Al-Andalus

Muchos historiadores sostienen que los musulmanes fueron recibidos como libertadores por los judíos de la Península Ibérica y que, incluso, les ayudaron activamente en su conquista[19]. A partir de ese momento, la condición social de los judíos cambió radicalmente; ya que de estar perseguidos por los hispano-visigodos, pasaron a un estado de aceptación y reconocimiento de su identidad personal y religiosa[20].

Los cristianos (mozárabes) y judíos pudieron elegir entre la conversión al Islán o permanecer en su creencias[21]. Bajo el reconocimiento de gentes protegidas (*ahl al-dhimma*), los

---

[19] VALLE, C. del; *"El mundo judío"*, Madrid, UNED, 1976, p. 288. "Una buena parte de Castilla fue conquistada por judíos bereberes bajo el mando de Kaulan al-Yahudi (el judío). Los propios judíos españoles, que ya en el último período del reino visigodo habían establecido contactos con sus correligionarios norteafricanos en vistas a lograr una posible intervención árabe en la península, fueron conscientes del significado de la invasión y le prestaron el máximo apoyo. Un símbolo de su voluntad de colaboración se dio, por ejemplo, en la toma árabe de Toledo. Fueron los propios judíos quienes abrieron las puertas de la ciudad a los asediadores".

[20] IBIDEM, p. 288.

[21] Es probable que en este período inicial al Islam no le interesara la conversión masiva de nuevos adeptos, por ser una fuente importante de ingresos fiscales si mantenían sus anteriores creencias. Aun con todo, las ventajas que la conversión ofrecía a los hispanos-visigodos hicieron crecer sensiblemente el número de musulmanes, de tal modo que, a partir del siglo IX, con el endurecimiento de las políticas integristas de los Omeyas, la mayor parte de la población de la Península estaba islamizada. A estos nuevos conversos se les llamó muladíes (*muwalladun*), es decir, de estirpe hispana pero de credo musulmán.

cristianos y judíos pudieron conservar sus respectivos credos religiosos (ambas consideradas *ahl al-Kitab* o gentes del libro, es decir, depositarias de la antigua tradición bíblica). Esta condición social estuvo sujeta a un pacto de vasallaje (*ahd*) de mutuo acuerdo entre las partes.

Los musulmanes se comprometían a defender sus vidas, garantizar la posesión de sus bienes, respetar sus lugares de culto, no reducir a sus mujeres e hijos a la esclavitud, acatar sus tribunales de justicia[22] y permitir que se organizaran en aljamas con autonomía política y social. Esta institución aljamial permanecerá vigente hasta el mismo momento de la expulsión de 1492.

En contrapartida, los judíos y cristianos aceptaron pagar impuestos extraordinarios (*dhimmi*) sobre la renta *per cápita*[23] y los bienes agropecuarios[24]. También tuvieron que reconocer un *status* social inferior: denegar el ejercicio de ciertos cargos públicos, prohibición de casarse y mantener relaciones sexuales con musulmanas, etc. Pese a ello, algunos judíos (no así a los cristianos) pudieron desempeñar (según épocas y gobiernos) algún puesto administrativo de importancia[25].

Veamos algunos datos históricos sobre las relaciones que mantuvieron judíos y musulmanes en Al-Andalus:

- Años 610-612: Mahoma comienza su predicación en la Meca.

- Años 711-714: Conquista y sometimiento militar de la Península Ibérica. Su ocupación no se hará efectiva hasta cuarenta años después.

- Años 714-896: Período de entendimiento y colaboración entre judíos y musulmanes. La población judía de Al-Andalus se identificó plenamente con la cultura árabe. Aceptó su lengua, sus trajes, sus costumbres y asimiló su civilización.

- Años 896-822: El rey Alhaquen I reprimió a los judíos, por lo que muchos de ellos tuvieron que emigrar al Norte de África.

- Años 825-865: La tolerancia impuesta bajo los reinados de Abderraman II y Muhamad I favoreció el impulso económico de las juderías de Al-Andalus, lo que atrajo a muchos judios norte-africanos y centro-europeos.

- Año 1013: Guerra civil entre el poderoso Muhammad ben Hisen y el líder musulmán Suleimán (y su aliado Ramon Borell). Los judíos de Córdoba y Tarragona ayudaron a Muhamad por ser más tolerante con ellos. Al vencer Suleimán fueron perseguidos y confiscados sus bienes. La academia hebrea de Córdoba fue cerrada. Muchos judíos huyeron a Granada, Toledo, Málaga y Zaragoza, entre otras ciudades islámicas.

---

[22] El testimonio de los judíos y cristianos ante los tribunales musulmanes era inferior, al igual que la indemnización en los casos de sanción o sentencia por delitos de sangre. Las acusaciones de blasfemia eran habituales y el castigo era la muerte. Como no podían testificar en un tribunal para defenderse, debían convertirse para salvar la vida.

[23] La *gizya* podía ser individual o colectiva, pudiendo pagarse en metálico al final de cada mes lunar. Generalmente se estimaba en un 20% del rendimiento del trabajo o beneficio laboral.

[24] El *Harag* era un tributo sobre la tierra y el ganado y generalmente se pagaba en especie. Aunque no tenía tarifa fija, variaba según el territorio y su riqueza.

[25] Los dos hombres más famosos fueron Hasday Ibn Saprut y Samuel ha-Nagid o Nagdela (993-1056). El primero fue ministro y encargado de las finanzas de Abderramán III (912-961) y de su hijo Alhaquem II (961-977). Como político, médico y conocedor de lenguas extranjeras, le hizo ser un mecenas de la cultura judía, incluso fundó la academia de Córdoba. El segundo fue visir del rey Habas de Granada, de su hijo Badis y de varios emires de la dinastía Zirita. En 1027 fue nombrado *nagid* (príncipe) de los judíos.

- Año 1061: Como consecuencia del elevado poder de la comunidad hebrea y de la política tan nefasta que llevó a cabo el Visir judío del reino de Granada, Yosuf Ibn Nagdela, en esa ciudad se asesinaron a más de 1.800 judíos.

- Año 1085: Tras la conquista de Toledo por los castellanos, los almorávides dejaron de perseguir a los judíos por el perjuicio socio-económico que supuso su pérdida.

- Años 1090-1106: Al perder el favor de Granada, el dirigente almorávide Yusuf Ben Tasufin ordena restituir los bienes incautados a los judíos. Este gesto fue acompañado de financiación para su causa bélica. También decretó que los judíos de Lucena se convirtieran al Islam para conseguir más apoyo económico.

- Año 1148: Invasión almohade de Al-Andalus y destrucción de la ciudad judía de Lucena. Los judíos son perseguidos, lo que provoca que emigren a los reinos de Aragón, Castilla y Navarra. Sus monarcas los reciben con entusiasmo.

- Año 1162: Sublevación de los judíos y musulmanes de Granada contra los invasores almohades. Fuerte represión contra ellos por oponer resistencia.

- Año 1212: El imperio almohade se disuelve tras su derrota en las Navas de Tolosa, naciendo así el reino independiente de Granada y la dinastía nazarí (último reducto musulmán en la Península Ibérica hasta el año 1492).

Pese a que la condición social de los judíos de Al-Andalus no fue siempre igual, lo cierto es que podemos distinguir dos etapas bien diferenciadas, períodos que marcarán un antes y un después en la historia de los judíos bajo esa administración musulmana:

1. La primera etapa abarca el período que comprende el emirato independiente (años 756-912), el califato de Córdoba (años 912-1031) y los primeros reinos de Taifas (años 1031-1086). A pesar de las diferencias sociales que hubo entre las dos comunidades religiosas, en general, este fue un tiempo de tolerancia islámica marcada por la cooperación de ambos pueblos semitas, ambiente que ayudó a restablecer la condición social de los judíos. Muchos de ellos alcanzaron un alto grado de relevancia económica y social. La cultura hebrea, muy influenciada por la árabe, alcanzó y vivió una verdadera edad de oro y esplendor intelectual, como luego veremos.

2. La condición social de los judíos cambia por completo con la segunda etapa almorávide (años 1102-1145) y almohade (años 1147-1212). El fundamentalismo religioso de ambas tribus hizo que se respirase un ambiente de más intolerancia hacia ellos. Ambas tribus son partidarias de aplicar las *leyes de Omar* que prohíben a cristianos y judíos desempeñar cargo público, tener esclavo musulmán, una casa más alta que la del vecino musulmán, no poder montar a caballo, no tener nuevas casas de oración (iglesias y sinagogas), ni practicar de forma llamativa sus propias religiones. Por el contrario, tendrán permiso para utilizar su vestimenta habitual y la obligación de pagar el tributo para seguir practicando sus respectivos credos[26].

El objetivo político de los almorávides era conseguir la unidad del Islan[27], rota a finales del siglo XI por culpa de los reinos de Taifas. Para conseguirlo, se sometieron a la

---

[26] KÜNG, H.; *"El judaísmo"*, Madrid, 2007, p. 156.

[27] UBIETO, A; "Notas sobre la crónica de San Juan de la Peña", *en Pirineos, n° 6*, 1950, pp. 63-4934.

autoridad del Califa de Bagdad, al que consideraron su jefe político y espiritual. La finalidad de este pueblo era conquistar las Taifas musulmanas del Norte peninsular con rapidez[28]. Pero cautivados por las riquezas de Al-Andalus sucumbieron al lujo y a los excesos, lo que motivó una cierta decadencia moral en todo el territorio islámico.

Los almohades tuvieron que intervenir para reconducir la situación y evitar eldesmoronamiento político, administrativo y moral de Al-Andalus. Estos eran más sincretistas que los almorávides, lo que les llevó a destruir muchas iglesias y sinagogas. A los judíos no les quedó más remedio que convertirse o emigrar a los reinos cristianos del Norte (Aragón, Castilla y Navarra), cuya presencia fue muy bien acogida por sus reyes.

1.2.- EL ANTIJUDAÍSMO EN EL IGLESIA MEDIEVAL

1.2.1.- CAUSAS DEL ANTIJUDAÍSMO ECLESIAL

1.2.1.1.- LA POSTURA DE LA IGLESIA

Hasta el siglo XIII, la Iglesia define al judío como aquel que profesa la Ley de Moisés, sigue fielmente el Talmud y se rige por sus tradiciones. En efecto, aunque en esa centuria las relaciones entre judíos y cristianos siguieron siendo fluidas[29], lo cierto es que la postura oficial de la Iglesia fue de rechazo hacia el judaímo. Este se consideró una amenaza para los cristianos, de ahí que nazca un sentimiento antijudío sustentado más en un sistema ideológico que en acontecimientos y circunstancias históricas o puntuales.

Será en el siglo XIV -coincidiendo con las epidemias de la peste negra[30]- cuando comiencen a decretarse los primeros cánones, bulas y medidas de represión contra los judíos, alcanzando su máxima virulencia en los primeros años del siglo XV con la Disputa de Tortosa (1412-1414), como luego veremos.

Estudiemos ahora alguno de los factores más importantes (relacionados entre sí) que favorecieron ese cambio de mentalidad eclesial:

A.- El fenómeno de las cruzadas

Las cruzadas (años 1.095-1270) tuvieron consecuencias catastróficas para muchos judíos

---

[28] A comienzos del siglo XII la conquista almorávide de los reinos de Taifas de Al-Andalus quedó consolidada. Tras su victoria en la batalla de *Zallaqa*, en octubre de 1086, tomaron Granada, Málaga y Sevilla (1090); Córdoba, Carmona, Murcia y Almería (1091); Denia, Játiva y Alcira (1092); la ciudad de Valencia a pesar de que inicialmente fue conquistada en 1092, no será hasta (1102) cuando se haga definitivamente; Badajoz, Lisboa y Cintra (1094); Zaragoza (1110); Lérida y Tortosa (1114), Baleares (1115).

[29] San Agustín los protegió en sus escritos, ya que eran un "testimonio vivo de cómo las promesas hechas por Dios al pueblo de Israel se habían cumplido en Jesucristo". Es más, a finales del siglo XII, concretamente en el año 1199, el papa Inocencia III elaboró una *constitutio pro iudais*, texto que ponía el acento en la necesidad de amparar a dicha comunidad.

[30] A partir del año 1348 se desencadenaron en los reinos Peninsulares y por toda Europa varias epidemias de peste negra. En Aragón se lanzaron violentos ataques a las juderías, debido a que se acusaba a los hebreos de haber sido los culpables de la propagación de la citada epidemia.

hispanos y europeos, ya que existía la creencia de que colaboraban con los musulmanes en la defensa de los Santos Lugares de Tierra Santa. Es muy probable que, el sentimiento anti-islamista que vivió Europa por las cruzadas, fuera después la consecuencia del anti-judaísmo reinante durante toda la Baja Edad Media[31].

B.- Los judíos mataron a Jesús y lo crucificaron

La Iglesia culpó permanentemente a los judíos de haber alentado y permitido la crucifixión de Jesús, naciendo así la acusación de que eran "deicidas". La Iglesia tenía la misión de recordar durante la Semana Santa que Jesús murió por culpa de los judíos, de ahí que durante esos días proliferen los sermones contra ellos. Las autoridades civiles también custodiaron las puertas y accesos de las juderías para evitar incidentes y saqueos.

C.- La Iglesia olvida sus orígenes y se cree en posesión de la vedad

La Iglesia se aleja de sus raíces bíblico-hebreas por la influencia helenística que recibe del movimiento escolástico, así como por la universalización del mensaje cristiano. Una toma de conciencia de los orígenes veterotestamentarios hubiera evitado el monólogo apologético de la Iglesia contra los judíos, en beneficio del diálogo ecuménico y respeto mutuo.

D.- La Iglesia es la heredera de la Palabra de Dios

La Iglesia reclama el derecho exclusivo sobre la Biblia hebrea, pero no le tributa el estudio y la interpretación que merece (abusan de la exégesis alegórica o interpretación literal de las Sagradas Escrituras). La Iglesia está convencida de que tiene la salvaguarda de la Palabra de Dios, que utiliza para legitimar su misión y, con ella, justificar su propia existencia en una sociedad analfabeta y supersticiosa (de ahí su facilidad para manipular a los fieles contra los judíos).

E.- La Iglesia utiliza símbolos artísticos para ridiculizar el mundo judío

También el antijudaísmo tuvo raíces teológicas, psicológicas y catequéticas importantes. La Iglesia utilizó los retablos, las imágenes, los capiteles, los pórticos y demás símbolos monásticos y catedralicios para catequizar las conciencias de los cristianos. La sinagoga será representada con los ojos vendados (con una bandera rota o con las tablas de la Ley cayéndose), es decir, al judaísmo más obstinado, ciego, vencido y rechazado. Estas figuras fueron perfectas para transmitir a los fieles enseñanzas y sentimientos desfavorables hacia el mundo judío de aquella época.

F.- La Iglesia persigue la usura

A partir del siglo XII, la Iglesia instruye a sus fieles en aquellas cuestiones morales que

---

[31] KÜNG, H.; Op. Cit. *"El judaísmo"*, p. 164.

hay que evitar por ser contrarias a la doctrina cristiana. La usura[32] será una de ellas. La especialización de los judíos en esta práctica financiera hizo que la cristiandad asociara al judaísmo con la usurería, de ahí que vivan sometidos a ciertas leyes restrictivas y adquieran fama de avariciosos y ricos explotadores[33].

G.- La Iglesia es el único medio para la salvación eterna

Como veremos más adelante, el judaísmo piensa que tanto los judíos como los *goyim* (los no judíos o gentiles) pueden alcanzar la salvación, siempre que vivan de acuerdo a los mandatos de Yahvé (llamados preceptos *noaquíticos*). La Iglesia, por el contrario sostiene que el "no cristiano" está condenado de ante mano, de ahí sus esfuerzos para forzar la conversión de los judíos y salvar sus almas.

H.- La Iglesia contra el proselitismo judío hacia los conversos

El judaísmo reconoce y acepta las diferencias culturales (considerándolas como positivas y beneficiosas en el plan salvífico de Yahvé), siempre que no atenten contra el cumplimiento de la Ley de Moisés. Por tanto, el objetivo del judaísmo no es convertir a los *goyim* (a los no judíos), sino respetar a todo aquel (judío o no) que actúa de acuerdo con lo que Yahvé manda. Dios retribuye de acuerdo a las acciones y no a la fe[34].

Caso diferente será el proselitismo[35] de los judíos hacia los conversos convertidos al cristianismo. Los judíos procuraron, en todo momento, relacionarse con ellos para que siguieran viviendo según las costumbres y tradiciones hebreas. la Inquisición, por el contrario, los perseguirá para mantenerlos alejados de los judíos y, por consiguiente, firmes en la fe cristiana.

I.- La Iglesia se cierra al ecumenismo religioso

No hubo ningún diálogo de religión. La Iglesia celebró disputas, concilios y sínodos para perseguir a los judíos e imponerles normas degradantes.

1.2.1.2.- LA DISPUTA DE TORTOSA Y SUS CONSECUENCIAS

1.2.1.2.1.- El Papa Luna y la Disputa de Tortosa

En el año 1412, el Papa Benedicto XIII, nuestro Papa Luna, convocó en Tortosa a los

---

[32] La usura es un término que su utiliza para referirse a los intereses de los préstamos o cuando los tipos de interés se perciben como desmesurados o excesivamente altos. En la Edad Media la usura se practicaba camuflada en los préstamos en forma de *comandas* y *censales*, como luego veremos.

[33] CASANOVAS MIRÓ, J., "Aspectos cotidianos de la relación entre judíos y cristianos. La imagen que del judío tiene el cristiano", en Del pasado judío en los reinos medievales hispánicos, Cuenca, 2005, p. 110.

[34] LOPEZ ASENSIO, A.; *"Sabiduría judía de Calatayud y Sefarad"*, Zaragoza, 2008, p. 93.

[35] VEASE EL CAPÍTULO: (1.1.1.1.1.- La expansión del judaísmo tras la diáspora judía).

principales rabinos de las aljamas de la Corona de Aragón para debatir tres ideas fundamentales: la primera, dilucidar cual de las dos religiones es la verdadera; la segunda, hacer una catequesis eficaz que consiga convencer a los rabinos de las verdades doctrinales de la Iglesia; y la tercera, clarificar si el Mesías había venido ya en la figura de Jesús de Nazareth. A esta conferencia eclesial se la conoce como la Disputa de Tortosa.

Los organizadores trataron de hacer una catequesis y no un debate o disputa. El modelo escogido era el mismo que se empleaba en las cátedras de cualquier Estudio General de la época, donde, tras la exposición de la lección magistral, los alumnos (que habían tomado notas) podían hacer preguntas aclaratorias pero no rebatir la explicación[36]. Con este método pedagógico pretendían que los rabinos escuchasen, pero apenas hablasen. El objetivo era lograr la conversión de los judíos, es decir, la "solución final" del judaísmo.

Aunque la conferencia se convocó en noviembre de 1412, no dio comienzo hasta el 15 de enero de 1413. Aunque las actas contabilizan la asistencia de hasta 22 rabinos[37], en realidad asistieron muchos más[38]. La aljama de Calatayud estuvo representada por Samuel Ha-Leví y Mosse Ben Musa, como después veremos.

En abril de 1414, la Disputa de Tortosa había terminado. Es indudable que el Papa Luna obtuvo cierto éxito ya que, 14 rabinos solicitaron el bautismo, lo que provocó la conversión masiva de judíos en todas las aljamas aragonesas y, muy especialmente, en Zaragoza, Calatayud, Alcañiz, Daroca, Fraga y Barbastro, como luego veremos.

Aunque contento por las conversiones conseguidas, el papa Luna no obtuvo el resultado esperado al no conseguir la "solución final" del judaísmo (la conversión de todos los judíos). Para presionar todavía más y alcanzar este objetivo, el 11 de mayor de 1415 mandó publicar la bula *Etsi Doctores Gentium*, cuyo contenido podemos resumir en los siguientes puntos[39]:

1. La prohibición de leer el Talmud tanto en público como en privado[40]. Los obispos deben recoger -en el plazo de un mes- todos sus ejemplares, así como cualquier escrito relacionado con él.

2. La prohibición de circular y utilizar cualquier libro *ebrayco* que contradiga los dogmas y ritos cristianos, especialmente el que llaman *Macellum*[41] o libro del *sacrificio de Isaac*.

3. La prohibición de pronunciar los nombres de Jesús, María, la Eucaristía o cualquier otro

---

[36] SUÁREZ BILBAO, F.; *"Cristianos contra judíos y conversos"*, p. 463.

[37] SERRANO Y SANZ, M.; *«Orígenes de la dominación española en América"* Madrid, 1918,, p. 30.

[38] AMADOR DE LOS RÍOS, J.; *«Historia social, política y religiosa de los judíos de España y Portugal"*, Madrid, 1875-76, Tomo II, p. 627. De la conferencia se conservan tres manuscritos: uno en el Vaticano; otro en el Escorial; y el tercero, parcial, en Gerona. Se trata, por tanto, de un episodio histórico bien documentado.

[39] AHN, Clero Secular-Regular, Carpeta 3.618, Nº 16 (dado el 11 de mayo de 1415). VÉASE TAMBIÉN: MARCO I DACHS, L.; *"Los judios en Cataluña"*, Barcelona, 1985, p. 204.

[40] AMADOR DE LOS RÍOS, J.; Op. Cit. *"Historia Social..."*, Tomo I, p. 631. "Que ningún fiel o infiel, de cualquier estado, condición o secta que sea, ose pública ni ocultamente oír, leen ni enseñar la referida doctrina (del Talmud)... fallamos y mandamos que dentro de un mes desde el dia de la publicación de la constitución presente, se recojan y guarden en la iglesia Catedral de cada diócesis todos los libros o volúmenes y qualesquiere escritos, que contengan la precitada doctrina, ya a modo de glosa, apostilla, suma o compendio...".

[41] AMADOR DE LOS RÍOS, J.; Op. Cit. *"Historia Social..."*, tomo II, Cap. I, p. 631. "...Estatuimos también que de aquí en adelante no pueda ningún judío leer, oír ni conservar aquel librillo, intitulado entre ellos Macellum... Y lo mismo juzgamos de azul que osare retener algún libro, breviario, o escrito, que contenga maldiciones, vituperios, o de nuestros contra nuestro Salvador Jesucristo, la Sacratísima Virgen su Madre, o alguno de los santos, o ya contra la fe Católica, los sacramentos eclesiásticos, los vasos sagrados, libros, u otros eclesiásticos ornamentos, o ministerio, ya contra cualesquiera cristianos".

sacramento[42]. También la fabricación de cruces, cálices y ornamentos litúrgicos. Los cristianos que compren estos objetos serán inmediatamente excomulgados.

4. La prohibición de actuar como jueces en cualquier causa.

5. En el plazo de dos meses se deben cerrar las sinagogas. Sólo permanecerán abiertas una por comunidad[43]. Si la sinagoga había sido antes iglesia, será cerrada definitivamente.

6. Ningún judío puede ser médico, cirujano, droguero, proveedor, casamentero, ni tener oficio público que pueda intervenir o decidir en asuntos de cristianos. Queda totalmente prohibido comer con ellos, bañarse en el mismo baño, tener mayordomos y agentes cristianos, así como aprender en sus escuelas y talleres cualquier ciencia, arte u oficio.

7. Los reyes deben hacer cumplir las leyes que les obligan a vivir en barrios separados de los cristianos.

8. La obligatoriedad de llevar siempre cosido en la ropa y sobre el pecho un distintivo en forma de rodaja: mitad roja y mitad amarilla. Las mujeres la llevarán en el cubre cabezas, a la altura de la frente.

9. La prohibición de ejercer de prestamistas y de establecer contratos de compraventa con cristianos. Los jueces y los oficiales que permitan estas prácticas, perderán sus cargos y serán excomulgados.

10. Quedan prohibidos y anulados todos los contratos en los que hubiera intervenido un judío; incluso los firmados a través de terceras personas.

11. Se declara nulo cualquier testamento hecho por judíos.

12. La obligación de predicarles tres sermones al año, con la posterior lectura de esta Bula.

---

[42] AMADOR DE LOS RÍOS, J.; Op. Cit. *"Historia Social..."*, tomo II, capítulo III, p. 634. "Será castigado con igual pena todo judío que... en la hebrea o en otra lengua, osare apodar a Cristo, Nuestro Señor, a la Virgen, su madre, o a alguno de los Santos, al Sacramento de la Eucaristía, u a otro cualquier sacramento o misterio, cruz, vasos sagrados, ornamentos eclesiásticos, o cualquiera otra cosa, que sea tenida entre los cristianos por sagrada o religiosa, o se halle dedicada al culto divino; y porque los judíos, no sólo mueven sus lenguas en desprecio de la cruz, los vasos sagrados y otros eclesiásticos ornamentos y libros de los cristianos, sino que también acostumbraron con hechos y obras a ir temerariamente contra estas cosas, Nos, para que llegue sobre esto a los judíos la oportunidad, mandamos que al judío que fabricare, hiciere o compusiere cruz, cáliz, vasos sagrados, u otras cosas que han de dedicarse al sagrado misterio, u otros ornamentos eclesiásticos, lo mismo que al que osare recibirlos o retenerlos, por vía de penda o de otro modo, con libros de cristianos en los cuales estuviere escrito el nombre de Jesucristo o de la Santa Virgen, sea separado del trato de los cristianos... El cristiano que por el contrario entregare a los soberbios judíos alguna de las cosas susodichas y aquí prohibidas, ya con pretexto de arte, ya por otra causa, se conceptuará a sí mismo, por este solo hecho, ligado con sentencia de excomunión".

[43] AMADOR DE LOS RÍOS, J.; Op. Cit. *"Historia Social..."*, tomo II, p. 637. "...Por cuanto, así por leyes imperiales como por decretos de nuestros predecesores, los Pontífices Romanos, está prohibido a los judíos fabricar sinagogas y ampliar o engrandecer las antiguas y más recientes; y ellos no obstante, según llegamos a saber, en diversas partes del mundo no sólo las construyen de nuevo, sino que amplían las antiguas con fábricas muy más preciosas, violando muchas veces, con servil audacia, los antedichos decretos. Nos, no queriendo disimular por más tiempo tales cosas... pasados doce meses desde que fuere hecha la publicación de la presente en sus Iglesias Catedrales, los cuales computarán por sí o por otros (sus delegados), hagan cerrar todas las sinagogas existentes en su diócesis, de tal manera que no quede entrada alguna en ellas a los judíos. Donde sólo hubiere una sinagoga, si no fuere preciosa, no se cerrará, sin embargo, donde hubiere dos o mas, se dejará una sola de las menos bellas. En los lugares donde, conforme al tenor de esta nuestra constitución, aconteciere que fuesen cerradas todas las sinagogas, sin hubiere muchas, o una, si no hubiere más, no se pondrá impedimento a los judíos para que, si quieren, puedan hacer por esta vez una sola casa al señor, de fábrica competente, al arbitrio del Diocesano o de su Vicario General... Respecto de aluna sinagoga, que en algún tiempo haya sido iglesia, o sobre esto insistiere la fama, sea luego cerrada".

En el año 1415, las aljamas de judíos de Aragón escriben al rey Fernando I (1412-1416) para pedirle que, la disposición de la bula referente a los contratos hechos con usura por los judíos, no comprenda los firmados con anterioridad a dicha pragmática[44].

Aunque la bula papal nunca se aplicó realmente, el rey Fernando I ordena (en el año 1418) la derogación de sus imposiciones por estar en desacuerdo con su contenido. Con ello quiso evitar la ruina de muchas aljamas por las conversiones en masa que produjo la Disputa y posterior publicación de de dicha bula.

El nuncio Apostólico de la Iglesia romana, cardenal Eusebio Pisano, revoca (el 28 de febrero de 1419) los acuerdos de la bula de Benedicto XIII contra los judíos[45]. No olvidemos que Aragón ya había retirado la obediencia al Papa Luna en beneficio del de Roma. Benedicto XIII estaba sólo y sin seguidores en el castillo de Peñíscola.

El papa romano Martín V (1417-1431) deroga definitivamente el contenido de la bula antijudía *Etsi Doctores Gentium* en el año 1419.

El 21 de marzo de 1419 y, a petición de los propios judíos, el rey Alfonso V (1416-1458) -gracias a su cultura humanístico-profana poco dada al fanatismo religioso- ordena erradicar definitivamente las durísimas disposiciones de Benedicto XIII contra los judíos del reino, concediéndoles nuevos privilegios y libertades. Veamos el contenido de esta derogación[46]:

1. Que les devuelvan sus libros *judaycos* (una vez revisados por maestros). Previamente se debe comprobar si contienen errores contra la Iglesia y su doctrina.

2. Que puedan encuadernar libros cristianos y eclesiásticos (breviarios y misales).

3. Que tengan tribunales de justicia propios para juzgar causas entre judíos. Pueden ejercer también de árbitros en pleitos amigables entre cristianos y judíos.

4. Que les devuelvan sus sinagogas para que puedan orar en ellas; así como venderlas o avalarlas en créditos hipotecarios en forma de *censales* o *comandas*.

5. Que puedan ejercer profesiones liberales (corredor, *metge*, *cirugico*, cambiador, procurador, etc.) y arrendar bienes.

6. Que puedan tener tiendas o *botiquas* entre los cristianos.

7. Que no lleven roda o distintivo diferenciador, ni tampoco hábitos e indumentaria propia de judíos.

8. Que puedan hacer toda clase de contratos con cristianos.

9. Que puedan hacer testamentos y que sus descendientes conversos hereden en igualdad de condiciones que cualquier judío; como así hizo la judía bilbilitana, Çeti Enforna, cuando en 1469 incluyó en su testamento a su hijo converso Jayme Soler[47].

---

[44] ACA, Cancillería, Cartas Reales, Fernando I, caja 16, N° 1.941 (sin fecha).

[45] ZURITA, J., "Anales de la Corona de Aragón", (libro XII, Cap. LXXII) dice al respecto: «En este año (1419), estando el cardenal Pisano legado apostólico en Barcelona (cardenal del Papa Martín V de Roma) , el postrero de febrero, a instancia del rey, suspendió la pragmática (pragmática) que Benedicto (XIII) había promulgado contra los judíos de que en estos anales se hace mención (tomo XI, cap. XLV), fundándose en que era muy perjudicial no sólo contra aquella gente pero contra los cristianos mismos. Y de allí se fue el legado para el Papa que estaba con su corte en Florencia».

[46] VEASE APÉNDICE DOCUMENTAL N°: 7.

[47] VEASE APÉNDICE DOCUMENTAL N° 10.

10. Que no se les obligue a escuchar sermones fuera de las juderías. Estos sólo versarán sobre cuestiones de fe.

1.2.1.2.2.- Las consecuencias de la Disputa de Tortosa en Calatayud

La Disputa de Tortosa suscitó entre la sociedad cristiana un profundo odio y malestar hacia el mundo judío, que tuvo que soportar la marginación, la segregación e incluso la intolerancia. Los judíos de Calatayud no fueron una excepción, al contrario, las autoridades cristianas llegaron incluso a tomar decisiones muy perjudiciales para sus intereses. Entre los acontecimientos más importantes del antisemitismo bilbilitano, conviene destacar:

- Tras finalizar la Disputa de Tortosa, los jueces eclesiásticos de Calatayud prohíben a los judíos toda participación legal, social y financiera con los cristianos[48] de la ciudad, vetándoles incluso a salir fuera de la judería. Esta la dividieron en dos barrios independientes para que, provisionalmente, vivieran a un lado los judíos y, al otro, los conversos recién bautizados que todavía no encontraban acomodo en el barrio cristiano.

- También les prohíben bajar al río a coger agua, acudir a los molinos a moler grano y a los hornos a cocer pan. A los transgresores les imponen fuertes y cuantiosas multas. El 23 de noviembre de 1414, el príncipe Alfonso reprende a las autoridades civiles y eclesiásticas de Calatayud por haber aprobado dichas disposiciones, ordenando que no se les moleste ni se fuerce su bautismo[49].

- Este clima de crispación social hizo que en Calatayud se sucedan revueltas antijudías, como las que protagonizaron los conversos neófitos, Luís de Santa Cruz y Gonzalo de Aranda[50]. Simulando que iban a comprar, robaron 100 florines de oro de una tienda de tejidos situada en el mercado de la ciudad, propiedad del judío Açach Abulacen.

- Otro grupo de conversos exaltados, dirigidos por el converso bilbilitano, Johan Çit, *"se presentan en la aljama (armados) y comienzan a robar a los judíos, entablando batalla con ellos, hiriendo a algunos e incitando al pueblo a un asalto a la aljama con la frase: mantemoslos a los judíos[51]"*. El príncipe Alfonso mandó que lo encarcelaran junto a sus cómplices.

- No todos los conversos de Calatayud persiguieron a sus antiguos correligionarios judíos. La mayoría de ellos tuvieron la valentía de defenderles, denunciando ante el rey el maltrato que los clérigos de la ciudad daban a los judíos[52].

- El 1 de diciembre de 1414, el príncipe Alfonso se dirige al Vicario Episcopal de Calatayud[53] para expresarle su preocupación por las multas que imponían a los judíos

---

[48] MOTIS DOLADER, M.A."*Los judíos en Aragón en la Edad Media*", Zaragoza, 1990, p. 134.

[49] VEASE APÉNDICE DOCUMENTAL Nº 2.

[50] MOTIS DOLADER, M.A.; Op. Cit. "*Los judíos...*", p. 135.

[51] IBIDEM, p. 135.

[52] ACA, Cancillería, Registros, Nº 2.391, fol. 122 vto.

[53] VEASE APÉNDICE DOCUMENTAL Nº 3.

cuando salían de la judería sin el distintivo. Al parecer, las autoridades aljamiales expusieron su preocupación al Príncipe, quien se comprometió a solucionar el problema.

- Ese mismo día, el príncipe Alfonso envió también otra misiva a las autoridades civiles de Calatayud para que reprobaran la actitud de aquellos judíos que se negaban a pagar el impuesto real de la *peyta* o pecha[54], quizá como medida de protesta por el trato discriminatorio que estaban recibiendo de las autoridades cristianas.

- En el año 1415, tras publicarse la bula papal *Etsi Doctores Gentium*, en Calatayud predica fray Vicente Ferrer. Para la ocasión *"levantandose un tablado como se acostumbraba, con un altar para decir misa y predicar en la plaza del mercado, convirtió allí a un judío muy docto, llamado rabí Juçe Jumiel[55]"*. La tradición nos cuenta que lo hizo también en otros tres lugares más: en la iglesia de San Andrés, desde el balcón de la plaza del mercado (donde aún se puede contemplar un mosaico conmemorativo con su retrato), y desde los dos peirones que llevan su nombre (uno encima de la puerta de Zaragoza y otro junto a la iglesia de la Peña).

- El 10 de noviembre de 1418, el Rey Alfonso V (1416-1458) escribe al Asesor del reino de Aragón, Fernando Dis Daux[56] y al Gobernador o *Bayle* de Calatayud[57], para que el Concejo de la ciudad no vuelva a imponer las medidas antijudías que aprobó en 1414. Al parecer, el oficial eclesiástico (con la colaboración del *Bayle* de la ciudad) habían encarcelado ya a varios judíos, lo que hizo que alguno emigrase a tierras de Señorío buscando protección. El rey manda al Gobernador que no se les moleste e insulte, ordenando además que se haga copia de los procesos abiertos contra ellos para revisarlos.

- En el año 1419, el rey Alfonso V deroga definitivamente la pragmática del papa Luna contra los judíos, rehabilitando así su condición social.

- El 6 de marzo de 1420, el rey Alfonso V ratifica la anulación de las disposiciones antijudías aprobabas -en 1414- por las autoridades civiles y eclesiásticas de Calatayud, especialmente, aquella que ordenaba dividir la judería en dos para que vivieran a un lado los judíos y al otro los conversos bautizados tras la Disputa de Tortosa. También da licencia a los judíos para que puedan cambiar de domicilio sin permiso (como antes hacían). El objetivo es permitir que vuelvan a sus antiguos hogares[58].

1.2.2.- PROHIBICIONES DE LA IGLESIA CONTRA LOS JUDIOS

1.2.2.1.- LA SEGREGACIÓN POR EL VESTIDO

1.2.2.1.1.- La indumentaria o vestimenta de los judíos

En el siglo XV, la vida urbana garantizaba una mayor calidad de vida que la rural, dando lugar a una estructura mucho más compleja, marcada por la diferenciación social en el vestido.

---

[54] MOTIS DOLADER, M.A.; Op. Cit. *"Los judíos..."*, p. 135.

[55] LAFUENTE, V. de; *"Historia de la ciudad de Calatayud"*, Calatayud, 1881, Tomo II, p. 69.

[56] VEASE APÉNDICE DOCUMENTAL Nº 5.

[57] VEASE APÉNDICE DOCUMENTAL Nº 6.

[58] VEASE APÉNDICE DOCUMENTAL Nº 8.

La revolución económica que experimentaron las ciudades en este siglo y -muy especialmente la de Calatayud- impulsó la industria textil, lo que favoreció que apareciera el terciopelo y las prendas de seda y pieles.

Atrás quedan las modas del románico del siglo XII (que habían buscado lo solemne inspirándose en el orientalismo bizantino y la tradición clásica); la gótica del siglo XIII (animada por un nuevo espíritu de elegancia en la libertad de movimientos y en la naturalidad), y las modas internacionales del siglo XIV que, al introducir el sistema de botones, consiguieron formas más amplias y elegantes en la indumentaria.

En el siglo XV, cristianos, judíos y moriscos utilizaron la misma moda en el vestir. El traje masculino y femenino se componía (además de la camisa[59] interior común en ambos sexos) de las siguientes variedades de ropa[60].

- Las prendas semi-interiores se vestían sobre la camisa interior, quedando total o parcialmente ocultas por los vestidos a cuerpo que se ponían encima. El *jubón*[61] fue la principal prenda semi-interior del hombre, una pieza compuesta de mangas o sin ellas que cubría el abdomen de cintura para arriba, dejando al descubierto las piernas cuyos muslos se cubrían con unas medias o *calças*. Las mujeres se ponían una adaptación femenina del *jubón* masculino (llamado en Calatayud *alminyara*), cubriendo las piernas con faldillas (cuando los trajes de encima eran largos) o *calças* (si lo hacían de corto).

- Las prendas para vestir a cuerpo eran las que se ponían sobre los vestidos semi-interiores. La mujer era tradicional que se pusiera la *saya*[62] o *gonela*[63]. El hombre se vestía, por el contrario, bien con unas prendas cortas hasta la cintura que dejaban al descubierto total o parcialmente los muslos para combinarlos con *calças*, bien con otras cuyo largo variaba entre la rodilla y el tobillo. A los primeros se les dio el nombre de *jaquetas*[64], *ropas* o *ropetas*; mientras que a los segundos se les llamó simplemente sayos[65].

- Trajes de encima. Bajo esta denominación se agrupaban una serie de ropas que se ponían sobre *sayos* y *sayas*, pero que admitían otro vestido. En este sentido, fueron muy

---

[59] SOTO, S. de; "Discurso histórico del traje de los españoles desde los tiempos más remotos hasta el reinado de los reyes Católicos", *en Memorias de la Real Academia de la Historial, tomo IX, 1878*, p. 200 ss.

[60] LOPEZ ASENSIO, A.: *"La judería de Calatayud"*, Zaragoza, 2003, p. 247 ss.

[61] APNC, tomo 83, 1487, Forcén López, p. 26. El judío y sastre bilbilitano Manuel Corcoz vendió a Pedro Simal, vecino de Calatayud, entre otras cosas *huna dozena de jubones. APNC, tomo 4, 1445, p. 304. García de Penya fiel vendió al judío bilbilitano Yuçe Buena Vida...un jubon de vellut quardeno (azul)*. El *jubón* empezó a utilizarse a partir de 1370, influenciada por la moda internacional. Esta prenda tiene su origen inspirador en el jubón de armar que se llevaba sobre las armaduras. La confección de estas piezas se especializó dentro de la sastrería con un nuevo oficio de *jubonero*, llegando incluso a crear gremio propio distinto de los sastres.

[62] APNC, tomo 156, 1478, Jayme de Santangel, pag. 87 vto. Yuçe Azarías e Soli, judíos conyuges de Calatayud, vendieron al venerable Fray Johan de Sayas, comendador del Santo sepulcro en Torralba de los Frailes, unas casas con sus pertenencias, entre las que se encontraban: *tres camenyas de ropa encarnadas, 6 orejeros, seis sayas de mager la una verde, la otra cardena, la otra de panyo çaragoçano, las otras viexas, dos marlotas de panyo....*

[63] La *saya* o *gonela* era una especie de túnica de paño, generalmente larga, hueca y sin mangas. El nombre de gonela era como se la conocía popularmente en Aragón.

[64] Las *jaquetas* eran unas prendas cortas, acolchadas y sumamente ceñidas, que dejaba los muslos al descubierto, con origen en el traje militar. Se vestían sobre el *Jubón*..

[65] Al *sayo* masculino fue un traje sencillo, cerrado y ablusado, abierto o cerrado a *burel*. El *sayo* corto que llegaba a la rodilla se le llamó *sayco chiquo*, mientras que el sayo de los más pequeños fueron los *sayuelos*. De un hombre vestido con *sayo* o *jaqueta* y de una mujer en *gonela*, se decía que iba en cuerpo.

utilizados entre las mujeres los *mongiles* (trajes cortos, flotantes y amplios que disimulaban las formas del cuerpo) y los *hábitos*[66] (prendas igual que los *mongiles* en el corte, pero largos hasta el suelo).

- Los sobretodos eran las prendas destinadas a llevarse encima de todas las demás, como ropas de abrigo. Entre las más usuales para hombres y mujeres (adaptados a sus múltiples variedades) fueron el *tabardo*[67], el *capuz*[68] o *capirote*, el *manto*[69] y, en menor medida y sólo llevado por hombres, la *garnacha*[70].

- Los tocados fueron, durante siglos (especialmente en el XV) los complementos más usuales para cubrir la cabeza de hombres y mujeres de cualquier rango y condición, ya que, tanto en casa como fuera de ella, rara vez se llevaba la cabeza al descubierto.

- El calzado fue un elemento importante dentro de la indumentaria, no sólo por su gran variedad de colores, formas y materiales, sino también por su elegancia cuando se combinaban con las *calças*. Entre los hombres fueron muy utilizados los *borceguíes* de cuero o terciopelo[71], las *chinelas*, las *galochas* y las botas altas hasta media pierna o incluso hasta la rodilla. Las mujeres usaron con frecuencia los famosos *chapines*, una especie de zapatos altos cuyas suelas a veces alcanzaban más de cuatro dedos de grosor.

1.2.2.1.2.- La *cofradria que bisten los esnudos* de Calatayud

La primera y única referencia que tenemos de esta cofradía data del 5 de mayo de 1492, cuando el comisario de la expulsión, Pero Sancho de Pero Marta[72], ocupó y expropió para el rey unas casas que dijeron eran de la *cofradria que bisten los esnudos*, que lindaban con las casas de Levi Albuhacen[73] y con la carrera.

En la aljama judía de Zaragoza existió, desde principios del siglo XV, una cofradía

---

[66] SIGÜENZA PELARDA, C.; *"La moda en el vestir en la pintura gótica aragonesa"*, Institución Fernando el Católico, Zaragoza, 2000, p. 95.

[67] El *tabardo*, que en su origen fue un vestido de camino, se convertirá en el siglo XV en la prenda más usual del ropero de ambos sexos. Aunque con aspectos muy variados, el *tabardo* en este siglo, siguió conservando su rasgo diferenciador, es decir, sus dos grandes mangas transformadas en tiras pendientes de los hombros y su gran largura.

[68] El *Capuz* vino a ser el heredero de los *mantos* cerrados con capuchón, cuya punta se hizo más larga para colgar en forma de una pequeña cola sobre la cabeza.

[69] También los *mantos* y las *clochas* o capas fueron una alternativa de sobretodos para llevar en los trajes de encima y de las *sayas*. APNC, tomo 4, 1445, Anthon Martinez de la Justicia, p. 304. "García de Penyafiel vende a Yuçe Buena Vida, judío de Calatayut, una ropa de monagui forrada de panyo bau e con cortapesa de vellut blau e las mangas forradas del dito vellut. Item una ropa de grana morada con presles muestras e mangas. Item un manto de mastre viller forrado de camelot. Item un manto de monoqui negro forrado de florent blau. Item un jubon de vellut quardeno. Item una barreta de aquella negra larga. Item una barreta de grana doble de vencable. Item una correa de argent el caxillo negro. Item unas calças italianas de grana morada", (todo) por precio de 56 florines.

[70] La *garnacha* fue un traje que tuvo su origen en el siglo XIII. Era de forma muy particular, suelto, amplio, caracterizado por el corte especialísimo de sus cortas mangas que formaban cuerpo con el resto del vestido. Este traje fue usado por reyes, nobles y burgueses hasta el siglo XV, que quedó relegado a individuos de ciertas profesiones y a ciertos usos.

[71] BERNIS MADRAZO, C.; Op. Cit. *"Trajes y modas en la España de los Reyes Católicos. Las mujeres"*, en Consejo Superior de Investigaciones Científicas, Madrid, 1978-79, pp. 43-44.

[72] LOPEZ ASENSIO, A.: Op. Cit. *"La judería de Calatayud"*, p. 246.

[73] APNC, tomo N° 277, Anónimo, año 1492, p. 1-19 vto. "Eadem die ocupo el dicho (comisario) Pero Sancho (de Pero Marta) unas casas que dixeron eran de la cofradria que bisten los esnudos, que affuentan con casas de Levi Albuhacen e con la carrera, las quales dixo que en la magestat de rey ocupaba".

llamada *Malvisar*[74] o *Malbisse Aromin alias de vestir pobres*[75], nombre que proviene del verbo hebreo *malvisar* (vestir o dar vestido). Por lo tanto, la cofradía *Malbisê Arhumîm* sería la de los *vestidores de desnudos* o *vestidores de pobres*.

El profesor Serrano y Sanz[76] destaca que, al frente de esta cofradía zaragozana estaban dos mayordomos pañeros, hecho que, al margen de la casualidad, lleva a pensar que estuviera integrada por sastres, comerciantes de tejidos y traperos (vendedores de ropa usada o de segunda mano).

Es posible que, tanto en Zaragoza como en Calatayud, el gremio de los sastres sufragara (a través de la cofradía benéfica *Malvisar*), la compra de tela y ropa para vestir dignamente a los pobres y necesitados de la comunidad hebrea.

El carisma de la cofradía nace de las recomendaciones de la propia Torá, cuando en (Ex 22,25) obliga al judío a respetar y no tomar en prenda los vestidos con los que se abriga el prójimo[77].

Aunque la cofradía de *Malvisar* no solucionó el problema de la pobreza, sí que ayudó a dignificar la condición del necesitado, evitando que contrajera impureza al vestir inapropiadamente, como así prescriben las normas rabínicas.

1.2.2.1.3.- La imposición de llevar un distintivo judío

La segregación por el vestido fue otra de las múltiples medidas que la Iglesia adoptó contra los judíos. La Iglesia les obligó, en muchas ocasiones, a llevar un distintivo para debilitar su autoestima y que la gente les rechazara. El objetivo era forzar una lenta pero segura estrategia hacia el fenómeno de las conversiones.

- Año 1215: El concilio IV de Letrán obliga (por primera vez) a los judíos de la cristiandad a llevar, en su indumentaria, un distintivo diferenciador: un *capirote* o *capuchón* de corte puntiagudo[78] sobre la cabeza, y una franja amarilla o roja cosida en el vestido.

- En el año 1218, el Papa Honorio III 1216-1227) -en su bula *In generali concilio*- exige a los judíos que usen ropa especial y distintiva.

- Años 1318-19: El arzobispo de Zaragoza, Pedro López de Luna (1317-1345), celebra el primer concilio Provincial Cesaraugustano. Tras recoger literalmente una disposición del V concilio Provincial de Tarragona -celebrado en el año 1242 (por entonces Zaragoza pertenecía a esa jurisdicción eclesiástica)- se establece que los judíos y sarracenos de las

---

[74] CANTERA BURGOS, F.; "*La cofradía de Mal Visa de Zaragoza y su censal de Oliete*" (Sefarad, tomo VII, 1947, p. 147-151) y "*Cofradías judias de Zaragoza*", (Sefarad, tomo VII, 1947, p. 369-371).

[75] BLASCO MARTINEZ, A.; Op. Cit. "*Instituciones Sociorreligiosas judias de Zaragoza (siglos XIV-XV): Sinagogas, Cofradías, Hospitales*", *en Sefarad*, 50, p. 22.

[76] SERRANO Y SANZ; Op. Cit. "*Los orígenes...*", p. 44.

[77] "Si tomas en prenda el manto de tu prójimo, se lo devolverás al ponerse el sol, porque con él se abriga; es el vestido de su cuerpo. ¿Sobre qué va a dormir, si no?. Clamará a mi, y yo le oiré, porque soy compasivo" (Ex 22,25).

[78] GARCIA VISLLOSLADA, P.; "*Historia de la Iglesia Católica*", BAC, Madrid, 1953, tomo II, p. 819. Véase también la Nota nº 108.

diócesis aragonesas lleven un hábito que los distinga de los cristianos[79].

- Año 1415: En la bula *Etsi Doctores Gentium*, el Papa Luna obliga a los judíos a llevar de nuevo los vestidos y distintivos decretados no sólo en los anteriores concilios y sínodos eclesiásticos, sino incluso por los mismos monarcas[80]. En el corto tiempo que estuvo vigente la bula papal, los judíos aragoneses llevaron cosido sobre el pecho[81] un círculo de tela mitad roja y mitad amarilla (llamada popularmente *rota* o *roda*). Las mujeres, por el contrario, se la pusieron a la altura de la frente.

- Año 1419: El rey Alfonso V (1416-1458) deroga la pragmática del papa Luna y ordena a los judíos que no lleven *rota, hábitos, capirotes* y *tabardos* que les diferencie de los demás ciudadanos.

- También en Castilla se tomaron decisiones en este mismo sentido. Las cortes de Madrigal de 1476, revisando las disposiciones relativas a los judíos de años anteriores (1443 y 1462), acordaron regular la indumentaria judía prohibiendo atavíos ostentosos[82]. Posteriormente en las Cortes de Toledo de 1481 se volvió a regular la vestimenta, obligando a los varones a colocarse *"sus senniales coloradas en el hombro drecho"*[83], y a las mujeres *"luneta açul en el hombro drecho en la ropa de ençima"*. La dimensión de este distintivo era aproximadamente de 4 dedos de diámetro.

1.2.2.2.- PROHIBICIÓN DE LA IGLESIA PARA CONSTRUIR SINAGOGAS

1.2.2.2.1.- La sinagoga: consideraciones generales

Etimológicamente hablando la palabra "sinagoga", tal y como la conocemos en la actualidad, proviene del vocablo griego *synagôgê* –derivación del verbo *synagô*- que significa juntar, reunir.

Esta palabra traduce el término hebreo *kenest* (reunión), de dónde toma también el sentido de *reunión para la oración y la instrucción* (Neh 8, 9). También se la llamó *bet ha-Keneset* (casa de oración), *bet-têfillah* (casa de oración) o *keneset ha-gedoláh* (el gran lugar de reunión para la lectura pública de la Ley).

Los judíos bilbilitanos llamaron indistintamente a sus sinagogas con los nombres de *sinoga*[84] (lugar donde se reúnen los miembros de la aljama para la oración) y *midrás*[85] (lugar

[79] AZNAR GIL, F., *"Concilios provinciales y sínodos de Zaragoza de 1215 A 1563"*, Zaragoza, 1982, p. 12.

[80] CUELLA ESTEBAN, O.; Op. Cit. *"Los judíos bilbilitanos en tiempos del Papa Luna"*; Actas del primer encuentro de Estudios Bilbilitanos, tomo II, p. 134.

[81] AMADOR DE LOS RÍOS, J.; Op. Cit. *"Historia Social..."*, p. 556. "Siguiendo los antiguos decretos, los cuales mandaron que fuesen distinguidos públicamente los judíos de uno y otro sexo en los pueblos cristianos, por la calidad de su traje, respecto de los fieles, estatuimos que los judíos en aquellas partes, donde los judíos no llevaren al presente tan claro y manifiesto el signo referido, como disponemos en esta constitución, lo muestren eminente, fijo, y partido de color rojo y amarillo, los varones en el traje o prenda exterior sobre el pecho, las hembras sobre la frente, de la magnitud y forma que va designado en las presentes (letras). Los varones judíos que fueren trasgresores de esta ley, serán castigados con la pena arriba expresada".

[82] MOTIS DOLADER, M. A.; Op. Cit. "Historia de los judíos...", p. 188.

[83] IBIDEM, p. 187.

[84] APNC, tomo 44, 1478, Leonart de Sancta Fe, p. 59. El judío bilbilitano, Jaco Enrodrich, tenía unas casas suyas en la judería, con su bodega, que confrontan con las casas de los herederos de Yuçe Cuellar y con la *sinoga mayor*. APNC, tomo 24, 1455, Jayme García, p. 144 vto. "Sia a todos que clamada plegada congregada et ajuntada el aljama de los judios de la ciudat de Calatayut, dentro

donde se estudia y profundiza la Toráh). La Iglesia la llamó en sus documentos oficiales *casa oratorio* o simplemente *oratorio*, como así se desprende de las licencias concedidas por el obispo de Tarazona, Don Pedro Pérez Calvillo (1354-1391), a los judíos de Calatayud para reconstruir las sinagogas Mayor y Menor[86] de la judería.

Las sinagogas no sólo fueron lugares para celebrar el culto y la oración, sino también espacios de reunión comunitaria y escuelas de formación bíblica y rabínica en las *madrassas* dependientes de ellas. También fue un centro de información general[87] donde se daban a conocer los bandos, las noticias comunitarias, extravíos, ventas de edificios, nacimientos, bodas, fallecimientos, etc.

1.2.2.2.2.- Sinagogas documentadas en Calatayud

No sabemos a ciencia cierta cuantas sinagogas hubo realmente en Calatayud. En estos momentos tenemos documentadas (entre los siglos XIV y XV) al menos nueve y otra como probable, sin contar las tres *madrassas* o escuelas de formación para adultos que pudieron también albergar sus correspondientes oratorios[88]:

1. **Sinagogas propiamente dichas:** la sinagoga Mayor; *la sinagoga llamada madrassa de los texedores* (conocida como sinagoga Menor), la *sinoga chiqua de las mujeres*; la sinagoga de *las carnecerias*.

2. **Oratorios privados o *minyanim*:** el oratorio de Bayel ben Constantin; el oratorio de Mosse ben Saprut; el oratorio de Aharon Ibn Yahya (Aharon Abinafia o Abenabez); el nuevo oratorio de Yuçe Abinafia, alias Abencabra (que tras su conversión se cristianizó bajo el advocación de iglesia de San Pablo); el oratorio de la casa que la cofradía de la *Pía Almoina*, y la *sinoga vieia cerrada*. Es muy probable (aunque no está documentada) que la casa de la *cofradria que bisten los esnudos* hubiera tenido también un pequeño oratorio para uso interno de los cofrades, muy acostumbrados a hacer allí oración y limosna.

3. **Las *madrassas* o escuelas de formación:** A finales del siglo XIV encontramos documentadas en Calatayud tres *madrassas*[89]: la *madrassa Mayor* de titularidad pública

---

en la sinoga mayor de la judería de la dita ciudat...". APNC, tomo 192, Johan Remon, 1488, p. 124; "Plegados el aljama de judios de Calatayut en la sinoga mayor, por voz y llamamiento de...".

[85] APNC, tomo 4, 1445, Anthon Martínez de la Justicia, p. 300; "...En el midras mayor de aquella, los otros midrases cerrados...". APNC, Tomo 5, 1446, Anthon Martínez de la Justicia, p. 236; "...En el midras mayor de aquella...".

[86] LOPEZ ASENSIO, A.; Op. Cit. *"Sabiduría judía..."*, p. 142.

[87] LOPEZ ASENSIO, A.; Op. Cit. *"La judería de Calatayud"*, p. 149 ss. Véase también: LOPEZ ASENSIO, A.; Op. Cit. *"Sabiduría judía..."*, p. 186 ss.

[88] LOPEZ ASENSIO, A.; Op.Cit. *"Sabiduría judía..."*, p. 153.

[89] LOPEZ ASENSIO, A.; Op. Cit. *"Sabiduría judía..."*, p. 150. El término madrassa o madraza proviene del árabe *al-madrasa*, nombre utilizado por los musulmanes para llamar a sus escuelas o academias coránicas. Los judíos heredan este término para designar también a las suyas rabínicas. Cuando los alumnos adolescentes abandonan la escuela elemental, pasan a las *madrassas* para profundizar en el estudio de la Toráh y del Talmud. Si la sinagoga fue el centro de la vida espiritual y litúrgica de los judíos durante la Edad Media, la *madrassa* será el referente cultural e intelectual de todo judío. Allí era leída, explicada, comentada, discutida y asimilada la Sagrada Escritura y las prescripciones rabínicas contenidas en el Talmud y la Misná para un mejor conocimiento de Yahvé y, por extensión, para alimentar una vida interior coherente con la Ley y con la praxis religiosa cotidiana.

(dependiente de la Sinagoga Mayor y gestionada por la cofradía *Talmutora*), y las dos de tituralidad privada: la de Rabí Yaco ben Kalinah y la de Rabí Yom Tob Farhi. Los judíos pagaban por asistir a sus enseñanzas y utilizar sus fondos bibliográficos.

1.2.2.2.3.- Medidas contra las sinagogas y el culto judío

En la Edad Media, la licencia para construir las sinagogas y mezquitas era competencia exclusiva de los Obispos diocesanos. La Iglesia casi siempre intentó que no se construyeran muchas en las juderías para no favorecer la expansión del judaísmo. Tampoco auspició que se reformaran las existentes, para que no compitieran en belleza y tamaño con los Templos cristianos.

Los reyes aragoneses buscaron siempre el equilibrio de poderes para no defraudar a la Iglesia y no perjudicar a los judíos que tanto le ayudaban con sus préstamos, impuestos y auxilios médicos. La ayuda del monarca fue siempre decisiva para que los judíos consiguieran los correspondientes permisos de construcción o rehabilitación de sus sinagogas. Los Obispos solían conceder dichas licencias por venir de la Corte Real. Los judíos también aprovechaban su mediación para restringir las medidas coercitivas que les imponía la Iglesia.

Veamos a continuación cual fue la estrategia política que adoptó la Iglesia -en esta época- con respecto a los edificios sinagogales y, muy especialmente, con aquellos que se transformaron en capillas cristianas tras la Disputa de Tortosa:

- El papa Calixto II (119-1124) protegió la libertad de conciencia y el culto de los judíos en su bula *Sicut Iudaeis*. Otros papas posteriores -como Eugenio III (1145-1153), Clemente III (1187-1191), Celestino III (1191-1198)- siguieron protegiendo sus derechos con parecidas letras Pontificias.

- El papa Gregorio IX (1227-1241) será el primero que restrinja los derechos de los judíos para proteger a los cristianos. Una de las primeras medidas que decreta es de 1234, cuando ordena que los judíos puedan reformar sus viejas sinagogas, pero no levantar otras nuevas[90].

- Es curioso como el concilio IV de Letrán, celebrado en el año 1215 y conocido por sus medidas antijudías, no se pronuncie contra la rehabilitación y construcción de sinagogas.

- Posteriormente, el papa Inocencio IV (1243-1254) prohibió a los judíos levantar sus sinagogas por encima de las Iglesias cristianas, pero nada dice sobre su edificación.

- El 30 de noviembre de 1411, el papa Luna manda a Domingo, obispo de Huesca, para que se informe secreta, fiel y prudentemente sobre si los judíos de la Corona de Aragón han construido nuevas sinagogas o ampliado y mejorado las ya existentes sin la correspondiente licencia. La información solicitada debía llegar con prontitud al papa, quien decidirá y deliberará sobre el asunto[91].

---

[90] AMADOR DE LOS RÍOS, J.; Op. Cit. *"Historia Social..."*, p. 556. "Contra inhibitionem de lectorum filiorum archidiaconi et Capitulo corduvensium sicut accepimus judaei Corduvensis civitatis quandam sinagogam superfluae altitudinis tener ibidem construere de novo presumant".

[91] CUELLA ESTEBAN, O.; *"Bulario aragonés de Benedicto XIII", en Fuentes Históricas Aragonesas,* nº 36, Institución Fernando el Católico (Zaragoza, 2003), Tomo II, documento nº 1.296, p. 609.

- El 27 de julio de 1414, ante las súplicas de Luís Benítez (laico de Tamarite de Litera) y del propio Concejo de la villa, el papa Luna manda al oficial eclesiástico de Lérida que autorice transformar la sinagoga de Tamarite (entonces vacía por la conversión de casi todos los judíos de la población) en capilla dedicada a San Benito[92].

- El 7 de diciembre de 1414, el clérigo y converso de Monzón, Juan Salvador Comuel -con el apoyo del Concejo de la villa- solicita al papa Luna que transforme la sinagoga que construyó su abuelo, en una Iglesia consagrada al Salvador. En dicho Templo se instituye un beneficio patrimonial que pague el salario de dicho clérigo[93].

- El 17 de marzo de 1415, el papa Luna ordena al oficial eclesiástico de la Archidiócesis de Zaragoza que permita a los fieles de Belchite convertir la sinagoga de la Villa en Iglesia, pues está edificada dentro del barrio cristiano y los judíos viven en un espacio separado[94].

- El 27 de abril de 1415, el Papa Luna manda erigir en capilla la sinagoga de la villa de Barbastro. Todos sus judíos se habían convertido tras la Disputa de Tortosa. También manda que se destine como cementerio cristiano el espacio contiguo a ella[95].

- El 11 de mayo de 1415, el papa Luna ordena en la bula *Etsi Doctores Gentium* que, en el plazo de dos meses, se cierren las sinagogas aragonesas. Sólo podía permanecer abierta una por comunidad[96]. Si la sinagoga había sido antes Iglesia, esta debía cerrarse definitivamente.

- El 9 de julio de 1415, el papa Luna autoriza al converso de Calatayud, Johan Martínez de la Cabra (antes Yuçe Abencabra), a que convierta su oratorio sinagogal en Iglesia bajo la advocación de San Pablo, como luego veremos.

- Año 1419: El rey Alfonso V (1416-1458) deroga la pragmática del papa Luna, y ordena que devuelvan a los judíos sus sinagogas para que puedan orar en ellas.

1.2.2.3.- INSTRUCCIONES DE LA IGLESIA CONTRA EL TALMUD Y LIBROS EBRAYCOS

1.2.2.3.1.- Los judíos y su amor por los libros

En el último tercio del siglo XV se establecen talleres de imprenta en Aragón. La imprenta popularizó los libros y abarató sustancialmente su coste, facilitando así su adquisición entre particulares. Antes de que se introdujera la imprenta en el reino, los libros eran muy caros y sólo estaban reservados al alcance de unos pocos, de ahí que en ocasiones se avalen en los préstamos hipotecarios y crediticios o se empeñen para conseguir dinero fácil y rápido.

Será a finales de esa centuria cuando se comience a imprimir los primeros libros en

[92] Registro de Aviñón 344, fol. 691r-vto. CUELLA ESTEBAN, O.; Op. Cit. "Bulario aragonés...", tomo III, p. 201.

[93] Registro de Aviñón 347, fol. 339 v.-340 r. CUELLA ESTEBAN, O.; Op. Cit. "Bulario aragonés...", tomo III, p. 230.

[94] Registro de Aviñón 347, fol. 445 vto. CUELLA ESTEBAN, O.; Op. Cit. "Bulario aragonés...", tomo III, p. 260.

[95] Registro de Aviñón 347, fol. 364 vto. CUELLA ESTEBAN, O.; Op. Cit. "Bulario aragonés...", tomo III, p. 276.

[96] VEASE LA NOTA Nº 43.

hebreo. Uno de los impresores que contribuyeron a su difusión fue el judío de Híjar, Eliezer ben Alantansi[97], quien -a partir de 1487- publicó en papel varias obras en hebreo de gran belleza y calidad literaria: como la Toráh con varios *haftarot*[98] y un *meguilot*[99] (actualmente se custodia un ejemplar en la Biblioteca Nacional de Madrid).

A parte de la lectura en las bibliotecas aljamiales o *madrassas*, los judíos y conversos de Calatayud también tenían libros *ebraycos* en sus casas[100], entre los que podemos destacar[101]:

A.- El *çidur* o sidur

El *Sidur Tefilá* (*Sidur* de oración) contiene una completa colección de Salmos, himnos y oraciones proverbiales para el rezo de los tres oficios diarios sinagogales (mañana, tarde y anochecer). Pero el *Sidur* no sólo es rezo, sino también estudio, instrucción moral y guía ética. El *Sidur* fue el texto religioso judío de más amplia circulación, sobrepasando incluso a la *Tanaj* o Biblia hebrea[102].

B.- La *Tanaj* o Biblia hebrea

La documentación inquisitorial estudiada revela que las Biblias que manejan los judíos de Calatayud incluyen -en todo o en parte- los libros del canon hebreo[103]. La Biblia estaba siempre escrita en *ebrayco*.

C.- La Torá o libro de la Ley

La Torá[104] está compuesta por los cinco primeros libros de la Biblia hebrea (Génesis,

---

[97] LOPEZ ASENSIO, A.; Op. Cit. *"Sabiduría judía..."*, p. 131.

[98] Selección de textos proféticos que se releen en el oficio del *sabbat*, después de la lectura de la Torá.

[99] Los cinco libros sagrados de la *Tanaj* o Biblia hebrea, que se suele leer en las fiestas importantes hebreas: Rut, Cantar de los Cantares, Eclesiastés o *Qohelet*, Lamentaciones y Esther.

[100] LOPEZ ASENSIO, A.; *"Costumbres judías de Calatayud y Separad"*, Zaragoza, 2008, p. 162.

[101] IBIDEM, p. 168 ss.

[102] Existen cuatro tipos de plegarias contenidas en el *Sidur*: la plegaria de petición (considerada por la mayoría de los judíos como la verdadera finalidad de toda oración); la de agradecimiento, la de alabanza a Dios y las plegarias que básicamente son de introspección y de confesión, por lo que rezarlas sirven para "juzgarse a sí mismo".

[103] Mientras que los cristianos católicos fijan su canon en 43 libros para el Antiguo Testamento y 27 libros para el Nuevo Testamento; los judíos recopilan -en su Biblia o *Tanaj*- un total de 24 libros. Los judíos (al igual que las iglesias cristianas protestantes para el Antiguo Testamento) no admiten los libros escritos en griego (considerados apócrifos): Eclesiástico o Ben Sira (180 a.C.), Sabiduría (10 a.C.), Judit (200 a.C.), Tobías (200 a.C.), los dos de los Macabeos (90 a.C.), Nº 3 de Esdras (150 a.C.), Nº 4 de Esdras (100 a.C.) y algunas secciones del libro de Esther (114 a.C.), además de Baruch, la epístola de Jeremías (150 a.C.), la Canción de los tres jóvenes (100 a.C.), una historia dramática llamada "Susana" (100 a.C.), Bel y el Dragón (100 a.C.) y la oración de Manasés (120 a.C.). El canon hebreo también recoge otros 16 nuevos libros apócrifos(400) considerados de segunda categoría, llamados *deuterocanónicos*: el libro de Enoc, el de los Jubileos, los testamentos de los 12 patriarcas, los salmos de Salomón, el testamento de Job, la Asunción de Moisés, las vidas de los Profetas, el martirio de Isaías, el Testamento de Abraham, el II de Baruch o Apocalipsis de Baruch, la vida de Adán y Eva o el Apocalipsis de Moisés, los Oráculos de Sibila (libros 3, 4, 5), III y IV libro de los Macabeos, II libro de Enoc o libro de los secretos de Enoc, y III de Baruch.

[104] La palabra Torá procede del verbo *yarah*, que en hebreo significa: *arrojar, lanzar, instruir* (Ex 15,4; Nm 21, 30; 1 Sm 20, 36; Sal 11, 2; 64, 5). También se utiliza para decir, mostrar con la mano, designar con el dedo (Gn 46, 28; Ex 15, 25; Prov 6, 13), es decir,

Éxodo, Levítico, Números y Deuteronomio), de ahí que también se llame: *Pentateuco*. Siguiendo la tradición, los judíos de Calatayud guardaban el rollo de la Ley[105] en el "Armario de la Torá" (*Aaron* Torá) que se custodiaba en la sinagoga. Fuera de su formato original (un rollo recogido sobre dos palos o varas), la Torá también se editó en forma de libro para hacer más manejable su lectura en el ámbito privado.

D.- El *Salterio* o libro de los Salmos

Uno de los libros más apreciados por los judíos de Calatayud fue sin duda el *Salterio*[106], la recopilación de los Salmos y versos más bellos de la literatura Sapiencial hebrea o *ketubim*. Rezar los Salmos en la Sinagoga o en el hogar era algo habitual entre los judíos, de ahí la proliferación de este tipo de ejemplares para uso particular.

E.- El *libro de profecias* o proféticos

El libro de los profetas contiene una recopilación de todas las obras de la literatura profética o *nebihim*. En esta extensa obra, los judíos de Calatayud no solo leían los cuatro libros de los profetas mayores (Isaías, Jeremías –con lamentaciones y Baruc-, Ezequiel) y de los doce menores (Oseas, Joel, Amós, Abdías, Jonás, Miqueas, Nahum, Habacuc, Sofonías, Ageo, Zacarías y Malaquías), sino incluso los llamados históricos o *"profetas Anteriores"* (Josué, Jueces, I y II de Samuel, 1-2 de los Reyes).

F.- El libro rabínico del Talmud

Una de las obras más consultadas y estudiadas por todos los judíos aragoneses era el Talmud en su versión Babilónica. La gran cantidad de volúmenes y extensión de la obra hacía difícil su adquisición, siendo generalmente consultado en las bibliotecas de las *madrassas* o escuelas rabínicas aljamiales.

G.- El libro *Macelum* (*sacrificio* en su versión latina)

Los judíos aragoneses lo conocían con el nombre de *Akedat Yizhaq* (el *Sacrificio de Isaac* en versión hebrea). Este libro fue una de las obras mistológicas más leídas por los judíos de la Península Ibérica y, muy especialmente por los de Calatayud, ya que su eminente rabino, Açach Arama[107], escribió uno de sus mejores y más bellos comentarios.

---

indicar una dirección. La Torá indica, por tanto, el sentido direccional que debemos tomar, como es la enseñanza y la instrucción (Is 1, 10;30, 9; 42, 4, 21; Mi 4, 2; Mal 2, 6; Prov 28, 9; Job 22, 22; Sal 94, 12).

[105] Técnicamente, la Torá está escrita en un rollo de pergamino tratado de animal puro o *casher*, y escrito por un escriba especializado.

[106] La palabra *salterio* proviene del griego *psalterion* (instrumento de cuerda que acompañaba a los Salmos cantados). El salterio se llama *tehillim* en hebreo (*himnós* o en griego), de ahí que comprenda la colección de ciento cincuenta salmos o himnos: del Salmo 10 al Salmo 148 (del 9 al 147 en la *Tanaj* o Biblia hebrea).

[107] LOPEZ ASENSIO, A.; Op. Cit. "*Sabiduría judía...*", p. 263 ss.

1.2.2.3.2.- Los libros de la tradición rabínica: Torá, Misná y Talmud

Como ya sabemos, los judíos de Palestina se sublevaron contra la dominación romana en el año 66 d.C. La revuelta terminó con la estrepitosa derrota de los judíos, lo que provocó que se destruyera el Templo y la ciudad de Jerusalén.

Con la derrota política también vino el desprestigio y la pérdida de autoridad de los principales grupos religiosos vinculados al Templo de la ciudad Santa (*Sanedrín, fariseos, saduceos,* etc.). Para paliar esta situación surge un nuevo grupo de intelectuales (los rabinos) que, con el tiempo, irán logrando mayor influencia religiosa y espiritual no sólo entre la población judía de Palestina, sino incluso entre las florecientes comunidades hebreas de Babilonia[108] y de la diáspora.

Este nuevo movimiento rabínico será el que comience a interpretar de forma distinta las Escrituras desde sus dos fuentes principales: la Torá escrita o *Toráh Shebijtav,* y la Torá oral o *Toráh She-bealpé.* El conocimiento de la Torá constituye el más alto bien en la vida de un judío, por lo que su aprendizaje merece los mayores esfuerzos[109]:

La Misná, que significa enseñanza, repetición o estudio[110], se redactó entre los siglos I y II de nuestra Era, cuando los rabinos fijaron por escrito la Torá oral. Las explicaciones legales de la Misná fueron recopiladas -entre los siglos III y IV- en la *Guemará*[111] que significa *compilación.* La Misná y la *Guemará* juntas constituyen el Talmud (estudio o aprendizaje) que es el cuerpo oficial de la Ley y la tradición judía. La *Toseftá* es un *suplemento* de la Misná.

La Misná se divide en seis capítulos, llamados órdenes (agricultura, fiestas, vida familiar, ley civil, prescripciones sacrificales y dietéticas, así como las normas sobre la pureza ritual). Cada orden contiene varios tratados o *massket,* sumando un total de 63 manuales. Cada tratado se divide en capítulos o *pasahiot,* y estos a su vez en *mishanayyot.* Se designa como *mishanayyot* al conjunto de la Ley judía en su totalidad, aplicándose tanto a la parte legal de la Misma, como a las codificaciones posteriores (reglas jurídicas, prescripciones rituales, discusiones minuciosas con elementos de homilías sobre la Escritura, anécdotas, ejemplos, parábolas, etc.).

El contenido del Talmud está basado en las Sagradas Escrituras, en las explicaciones de los preceptos y en la forma de cumplirlos[112]. En él se tratan las materias más variadas: leyes y prescripciones salpicadas de enseñanzas y discusiones, cuestiones de filosofía, cosmología,

---

[108] GÜNTER STEMBERGER; *"Los derechos de las mujeres en el mundo rabínico".* Universidad de Viena, Biblid, 2005, p. 43 y 44.

[109] LOPEZ ASENSIO, A.; Op. Cit. *"Sabiduría judía...",* p. 57.

[110] El término Misná (*Misnáh*) procede de la raíz hebrea *shaná* que equivale a la aramea *tanna.* De ahí que Misná sea sinónimo de enseñanza y repetición.

[111] GONZALO MAESO, D.; *«El legado del judaísmo español».* Madrid, 1972, p. 151.

[112] La Toráh es la fuente primera de los siete preceptos morales básicos que obligan a todo ser humano como tal (los siete preceptos de los hijos de Noé; Gn 9, 1-7). También hay que observar los 613 preceptos o *Mitzvot* formulados dentro de 1 texto bíblico y debe cumplir todo judíos desde que alcanza los trece años (365 son negativos e imponen abstenerse de alguna acción -uno por cada día del año- y 248 preceptos positivos –uno por cada órgano del cuerpo-. Dentro de esas normas de vida, destacan de modo especial las relativas a la observancia del sábado, al día de descanso total, a la oración y a la alimentación. Esta última distingue entre los productos aptos y no aptos para el consumo humano (*casrhut*), la separación estricta de los alimentos lácteos y cárnicos, etc.; en definitiva, son el resultado de la interpretación de las palabras bíblicas dentro de la tradición judía (Lev 11). La liturgia y las oraciones sinagogales, el calendario judío, las fiestas de origen bíblico o postbíblico, contribuyen a dar también un carácter diferenciador de la comunidad judía. Las leyes sobre pureza ritual o las relativas al matrimonio y al divorcio, dan también al judaísmo una imagen propia de identidad como pueblo. Estos preceptos bíblicos son comentados, explicados, ampliados e implementados por las diferentes exégesis o comentarios, plasmándose por escrito las tradiciones orales: la Misma y el conjunto en la que está incluida: el Talmud.

teología, ciencias, referencias históricas, anécdotas, enigmas, etc.

La tradición es su fuente y fundamento. Se puede afirmar que el Talmud es la historia total y el alma profundamente creyente de los judíos en sus primeros cinco siglos de diáspora[113]. Existen dos versiones codificadas del Talmud[114]:

1. El Talmud palestino o de Jerusalén, conocido como *Talmud Eretz Israel* o *Yerushalmí*, terminó de recopilarse en el siglo V. Esta obra comenta 39 de los 63 tratados de la Misná y, en gran parte, se limita a asuntos puramente legales. Fue impreso por primera vez en Venecia en el año 1523.

2. El Talmud Babilónico o *Talmud Bavlí* es una versión posterior finalizada en el siglo VI. Contiene más textos hebreos que el anterior, abarcando 37 tratados de la Misná. Aunque sus dos terceras partes tratan de materias no legales o *Haggadá*[115], su influencia y autoridad ha sido tan importante que, cuando se alude al Talmud, se entiende siempre la versión babilónica. Se imprimió por primera vez alrededor de 1482 en la Península Ibérica.

La interpretación del Talmud se llama *midrash*. La literatura *midráshica* o rabínica se extiende históricamente desde el siglo I hasta el siglo XIV, incorporando también una recopilación de los *responsa* o doctrina impartida por los rabinos cuando eran preguntados por cuestiones legales y de costumbres.

1.2.2.3.3.- Medidas contra los libros *ebraycos*

La unidad del judaísmo en la Edad Media no fue monolítica, ya que los usos y costumbres de los judíos orientales (Oriente Próximo y norte de África) contrastaban con el de los occidentales (Europa y *Sefarad*) y, aunque la fe religiosa era la misma, las manifestaciones religiosas y literarias diferían notablemente.

Los judíos orientales gozaban de sabios maestros y firme tradición, en cambio los occidentales carecían de buenos rabinos y de una lengua común. Ante estas diferencias, los judíos occidentales optaron por potenciar más las tradiciones y vida religiosa a través del estudio del Talmud, una obra que se aceptó como fundamento y de la cual emanaron numerosos códigos y resúmenes que fueron norma para la vida judía medieval.

En efecto, si la sinagoga es el alma del judaísmo; el alma de la sinagoga no es sólo la Biblia o *Tanaj*, sino también el Talmud, libro considerado el alma de la comunidad. Los cristianos del medievo sabían que prohibir su lectura dañaba directamente el orgullo y la identidad nacional del Pueblo judío, de ahí que las autoridades eclesiásticas siempre intenten privarles de su estudio y enseñanza.

---

[113] LOMBA FUENTES, J.; «*La filosofía judía de Zaragoza*», Zaragoza, 1988, p. 45.

[114] BONNIM, P.; "*Sangre judía*", Barcelona, 1998, p. 26.

[115] La *Haggadá* deriva del verbo hebreo *Hifil* y a su vez del *Hagad*, que significa contar o narrar. Contiene comentarios históricos, folklóricos, tradicionales, teológicos, morales y de carácter popular de la Torá y en ningún caso estrictamente legales.

- Sobre el año 1200 comienzan los estudios cabalísticos en los reinos cristianos de la Península Ibérica.

- El 13 de junio de 1239, el papa Gregorio IX (1227-1241) no sólo dispuso -en su bula *Si vera sunt*- medias contra las sinagogas[116], sino que también mandó recoger y quemar los libros del Talmud porque creía que vertían calumnias contra Cristo[117] y su Iglesia[118]. Los papas Honorio IV (1285-1287) e Inocencio IV (1243-1254) ratificaron este mismo decretal.

- En el año 1263, el rey Jaime I de Aragón (1213-1276) ordena que sean tachados (de los libros *ebraycos*) aquellos pasajes que resultan peligrosos o contrarios a la fe cristiana, bajo pena de quemar todas las ediciones.

- En el año 1267, el arzobispo de Tarragona Abril Peláez (1257-1269), como provincial y superior por entonces de los obispos aragoneses, recibió una orden del papa Urbano IV (1261-1264) para que los Dominicos y Franciscanos censuraran todos los libros *judaycos*. El objetivo era controlar que no hubiera alusiones negativas hacia la Iglesia y su doctrina.

- El 25 de octubre de 1268, el rey Jaime I -con el ánimo de defender los intereses y la cultura hebrea- concedió a los judíos de Barcelona y del resto de lugares de la Corona -como Calatayud- no estar obligados a enseñar a los cristianos sus libros *ebraycos* para comprobar si tenían aseveraciones contra la fe, Jesucristo y la Virgen María[119]. Las averiguaciones estaban reservadas sólo al rey o a los Delegados que él designara[120].

- Año 1415: La bula del papa Luna *Etsi Doctores Gentium* prohíbe la lectura del Talmud[121], tanto en público como en privado; así como aquellos libros piadosos hebreos que pudieran contradecir los dogmas y ritos cristianos, como el *macellum*[122]. En el año 1419, el rey Alfonso V (1416-1458) derogó definitivamente esta disposición.

- En el año 1431, el Papa Eugenio IV (1431-1447) prohíbe a los judíos (en el concilio de Basilea) el estudio del Talmud.

1.2.2.4.- LAS JUDERÍAS: BARRIOS SEPARADOS

1.2.2.4.1.- La judería frente a la aljama

Los judíos de la diáspora[123] han preferido vivir siempre en comunidad. La práctica

---

[116] VEASE APÉNDICE DOCUMENTAL Nº 20.

[117] Aunque son escasas las referencias, el Talmud presenta a Jesucristo como hijo de un tal *Pandera* o *Pantira* (que algunas fuentes lo identifican como "soldado") y de una mujer adúltera a la que su esposo, carpintero, repudió. Se dice también que era embaucador y fomentador de la apostasía entre el pueblo judío, al que pertenecía; de motivo por el cual fue ejecutado.

[118] GARCIA VILLOSLADA, PL; Op. Cit. *"Historia De la iglesia Católica"*, tomo II, p. 819.

[119] ACA, Real Cancillería, Nº 8, fol. 66.

[120] ACA, Real Cancillería, Nº 19, fol. 106 y 111.

[121] VEASE LA NOTA Nº 40.

[122] VEASE LA NOTA Nº 41.

[123] VEASE EL CAPÍTULO: (1.1.1.1.- CONDICIÓN SOCIAL DE LOS JUDÍOS EN EL IMPERIO ROMANO).

religiosa no sólo ha sido para ellos un referente histórico, sino también un signo de identidad que ha favorecido una estructura sólida dentro de la propia vida comunitaria[124].

Desde la Alta Edad Media, las comunidades hebreas se han organizado en torno a dos instituciones básicas: los órganos de gobierno (la política) y la sinagoga (la religiosa). Si la organización política que rige, gobierna y administra a toda la comunidad hebrea (con su compleja estructura civil, social, cultural y religiosa) recibió el nombre de *aljama*[125] o *aljama de los judíos*[126], el espacio físico donde habitan se denominó *judería*[127].

Para dejar claro la diferencia de matiz que existe entre ambos vocablos, se puede afirmar que la *aljama* de judíos de Calatayud habitan o viven en el recinto de la *judería*, considerada como un barrio más de la ciudad[128]. Los notarios bilbilitanos del siglo XV nunca utilizaron el término *aljama* para identificar al recinto habitado por los judíos, sino que lo hicieron con el término *judería*[129].

Por el contrario, los judíos de Calatayud utilizaron entre ellos la expresión hebrea *cal* para designar:

- El recinto donde vivían: *"extra callum seu judariam ipsum civitatis morari seu facere incolatum*[130]" (que vivan y moren fuera de la ciudad, en su *cal* o judería).

- El nombre de sus propias calles y barrios: *cal del varranco*[131] (calle o barrio del barranco), etc.

Los notarios y la administración aragonesa apenas emplearon la palabra *"cal"* en sus escritos oficiales. Sin embargo, en Cataluña, Mallorca y el Rosellón francés sí que fue habitual su uso.

No hay una unanimidad a cerca de su traducción y significado. La opinión más consensuada la vincula con la dicción hebrea *qahal* (reunión, asamblea, comunidad); aunque para

---

[124] VILLATORO, V.; *"Del call a la sinagoga"* (els jueus a Catalunya), Barcampva. 1992, p. 30.

[125] La palabra aljama, *aldjama'a*, es de origen árabe y se traduce como reunión de hombres. La comenzaron a utilizar los árabes cuando llamaron *djama'a al-yehoud* (la reunión de los judíos) a las comunidades judías situadas en las villas y ciudades del Al-Andalus, de ahí que la sociedad cristiana las llamara *aldjama'a*.

[126] ROMANO, D.; *"Aljama frente a judería, call y sus sinónimos"* (Sefarad XXXIX), 1979, p. 352. En la Baja Edad Media la palabra aljama se usó en un sentido colectivo amplio, ya que iba acompañado de un genitivo plural, denominándose "aljama de los judíos".

[127] ALBERCH R./ARAGÓ N. J., *"Los judíos en las tierras gironenses"*, Cuadernos de la revista de Girona, Diputación Provincial de Gerona, p. 14.

[128] APNC, tomo 54, 1477, Leonart de Sancta Fe, p. 195. El judío bilbilitano, Brahem Paçagon, tenía unas casas suyas "al varrio de la judería que confrontan con las casas de Huda Xucran y con las casas de Yuçe Paçariel".

[129] APNC, tomo 5, 1445, Anthon Martínez de la justicia, p. 300. "Plegada e ajuntada el aljama de los judíos de la juderia de Calatayut en el midras mayor de aquella...".

[130] MOTIS DOLADER, M.A.; Op. Cit. *"Los judíos en Aragón..."*, p. 70. El rey Martín dictó en Zaragoza el 27 de marzo de 1398 una orden para que los judíos de Calatayud no habitaran junto a los cristianos. En esta orden regia se denomina a la judería con la afección *"cal"*.

[131] APNC, tomo 27, 1455, Benedicto Ram, p. 4 vto. El converso bilbilitano, Jayme de Santangel, vende al judío de Calatayud, Yuçe Alazan, unas casas sitas "al varrio de Villanueva en la ciudat" (barrio de la judería) que confrontan con casas de Johan Alazan, con las casas y corral de Salomon La Papa, con la "cal del varranco", con la carrera "et con casas vuestras e de Mosse Alazan ermano vuestro" por precio de 3.000 sueldos".

otros podría derivar de las palabras latinas *calleru*[132] (callo, duricia), *callis*[133] (ruta, camino), o *callum*[134](134) (barrio, *ghetho*). Particularmente me inclino a pensar que la palabra *cal* provenga de la afección hebrea *qahal*, por varias razones:

- Porque sólo es utilizada por los judíos bilbilitanos y no por la comunidad cristiana.
- Porque la pronunciación es prácticamente igual.
- Porque los judíos la emplean para identificar su espacio físico o nombrar sus calles y barrios, cosa que no hicieron los cristianos.

1.2.2.4.2.- La evolución urbana de la judería bilbilitana

Entre los siglos IX y X, la Calatayud musulmana adelantó su principal muralla para acoger a un buen número de viviendas que se habían construido "extramuros" y a ambos lados de la puerta de Alcántara (por las inmediaciones del Castillo de Dña. Marina y Reloj Tonto). La muralla siguió el trazado de la actual calle de San Miguel, plaza de San Andrés, cuesta de Santa Ana, hasta morir en el montículo del entonces castillo de la Peña.

Al Oeste del Barranco de las Pozas y entre los castillos de la Peña y *Torremocha* se construyó también otro lienzo de muralla, cerrando así un nuevo espacio urbano que se cederá a los judíos[135]. Esta judería tuvo inicialmente tres vías de acceso: la puerta de San Andrés, la de Toledo (en la muralla Sur a la altura del Puente Seco) y la *Fueriega* (en la muralla Oeste).

En 1882 se encontró en Calatayud[136] una lápida sepulcral que, según los expertos, data del 11 de *Marheswan* del 4.680 desde la creación del Mundo, es decir, el 9 de octubre del 919 de nuestra Era. Esta lápida funeraria pertenece a esta época fundacional del recinto hebreo.

La Calatayud conquistada por los cristianos consideró a la judería como parte integrante de la ciudad. Pero el creciente antisemitismo hizo que el rey Jaime I (1213-1276) obligara a los judíos a vivir separados de los cristianos para protegerlos de cualquier brote de violencia[137], como el acaecido en 1279, cuando una multitud de bilbilitanos irrumpió violentamente en la judería, mientras los frailes de la Orden de Predicadores estaban en su sinagoga predicando contra la mala costumbre que tenían de hacer proselitismo entre los conversos de la ciudad[138]. El mismo rey autorizó, en 1294, la construcción de una nueva puerta en el barrio de la *Torremocha* para protegerlos de los cristianos. Este postigo elevó a cuatro las vías de comunicación exterior de la judería bilbilitana.

Como consecuencia de la alta densidad de población y del poco suelo edificable que

[132] ALBERCH R./ARAGÓ N. J.; Op. Cit. "Los judios...", p. 9. "Los que defienden la traducción de callosidad o dureza, quieren significar con ello una acepción peyorativa, es decir, la aljama en tanto que una especie de quiste en la ciudad, como un panadizo o una excrecencia".

[133] VIDAL, P.; "*Les juifs des anciens comtés de Rousisillon et de Cerdagne*", Mare Nostrum 2003, p. 19.

[134] VIDAL, P.; Op. Cit. "*Les juifs des...*", p. 19.

[135] LOPEZ ASENSIO, A.; Op. Cit. "*La judería de Calatayud*", p. 60.

[136] CANTERA BURGOS, F.; "*Las inscripciones hebraicas de España*", Madrid, 1956, p. 286.

[137] BAER, Y.; Op. Cit. "*Historia de los judios en la España cristiana*", p.81.

[138] IBIDEM, cap. IV, p. 135.

tenía la judería[139], las autoridades bilbilitanas permitieron, en la segunda mitad del siglo XIV, ampliarla[140] hacia el vecino barrio cristiano de *Villanueva*. Esta ampliación supuso el adelanto del muro de separación interno (línea imaginaria de casas) incorporando el espacio de la actual calle del Recuerdo, Plaza de la *Jolea*[141] y entorno de la plaza de la Higuera.

A partir de entonces tanto judíos como cristianos denominaron *Villanueva*[142] o *Varrionuevo*[143] a las inmediaciones de este Sector: los unos como parte integrante de la judería, los otros como un barrio más de la ciudad (Plaza de la Higuera, tramo final del Bañuelo y la calle del Cuartelillo, donde estaba ubicada la desaparecida iglesia de la Santo Domingo).

En el año 1362 el rey de Castilla conquista Calatayud en la llamada guerra de los Pedros (1362-1366). Los castellanos destruyeron la iglesia de la Peña en un ataque sin precedentes[144]. El barrio de la judería quedó seriamente deteriorada. Cuando el rey aragonés Pedro IV (1336-1396) reconquista la ciudad (año 1366), una de sus primeras medidas fue consolidar el caserío de la judería, así como los muros exteriores que la rodeaban[145].

Tardó unos cuantos años la judería bilbilitana en recuperar sus viviendas y anterior entramado urbano. En el año 1398 el rey Martín I (1396-1410) –a petición de Yolanda, esposa de su hermano Johan- escribe a los oficiales de Calatayud para que prohíban la construcción de más casas junto a las torres y almenas de las murallas. Al parecer, desde la guerra con Castilla, muchos judíos habían edificado sus casas en la pared exterior de la muralla causando muchos inconvenientes y perjuicios para la defensa del caserío judío[146].

Tras la expulsión de 1492, la judería se integró definitivamente en el callejero de la ciudad con el nombre de *barrio de Villanueva*. Esto llevó consigo una transformación integral del entorno con la apertura de nuevos viales, tal y como los conocemos hoy.

1.2.2.4.3.- La segregación en barrios: la judería

Pensar que los judíos vivieron en barrios separados plantea serios interrogantes sobre si

---

[139] MOTIS DOLADER, M.A.; Op. Cit. *"Los judíos en Aragón..."*, p. 52. El 22 de Enero de 1405, con motivo de las medidas adoptadas en las Cortes de Maella, se realiza un *fogaje* o censo general en todo el reino. Los resultados orientativos de la aljama judía de Calatayud arrojaron una cifra de población importante: entre 900 y 1000 habitantes. Según estos datos estadísticos, entre finales del siglo XIV y principios del XV la comunidad hebrea bilbilitana obtuvo el mayor índice demográfico de su historia, índice que contrasta con los 300 judíos que salieron para el exilio en 1492.

[140] REGNE, J.; *"Catalogue..."*, Responsa N° 259, 460, 476.

[141] La etimología de la palabra *jolea* proviene de la afección *jodea* o *judea*, palabras que atestiguan que su entorno perteneció a la judería.

[142] APNC, tomo 24, 1455, Jayme Garcia, p. 60. "Garcia Perez et Yolant, conyuges de la ciudad de Calatayud venden a Sento Avayut, judío menor de dias, unas casas sitas en Villanueva, barrio de la ciudat que confrontan con las casas de Simón de Santa Clara et con la carrera de dos partes (no precio)".

[143] APNC, tomo 24, 1455, Jayme Garcia, p. 29. "Garcia Perez... (tenía) unas casas con la bodega e vaxillos dentro de aquellos al varrio de varrionuevo que confrontan con las casas de Simon de Santa Clara e con la carrera de dos parte".

[144] LAFUENTE, V. de la; Op. Cit. *"Historia de Calatayud"*, tomo 1, p. 306. "Hubo de pasar parte de sus tropas a la parte de Armantes y Ribota, viniendo por los cerros de la Soledad a comunicarse con el Real, que acampaba hacia la parte del camino de Paracuellos y Val de Herrera. Dirigíanse desde allí los principales ataques contra la iglesia de la Peña, apenas acabada de restaurar; la cual quedó demolida con las enormes bolas de piedra que lanzaban contra ella las poderosas lombardas que traían los sitiadores".

[145] LOPEZ ASENSIO, A.; Op. Cit. *"La judería de Calatayud"*, p. 65.

[146] ACA, Cancillería, Cartas Reales, Martín I, Caja 2, N° 103 (dado el 15 de junio de 1398).

su marginación la propiciaron los cristianos, o fue una opción de las propias comunidades hebreas para guardar las distancias y preservar la diferencia. Ante esta cuestión habría que preguntarse si a los judíos se les marginó o se automarginaron. Parece que, desde un principio, decidieron vivir espontáneamente en barrios diferentes para defender su integridad religiosa y familiar frente a la actividad profesional y convivencial que desarrollaban fuera de la judería[147].

Pero la evolución del sentimiento antisemita hizo que, a finales del siglo XIII, las juderías fueran espacios totalmente separados[148], bien por la necesidad judía de agruparse, bien por la voluntad cristiana de tenerlos agrupados. Se puede decir, a modo de conclusión, que tanto el antisemitismo cristiano como la conciencia de pertenencia judía se proyectaron en el espacio físico de la judería, lugar que, por un lado les diferenció de los demás y, por otro les unió en su propia conciencia e identidad como Pueblo elegido[149].

- Año 1179: El concilio III de Letrán obliga a todos los judíos a vivir en barrios separados para que no convivan con los cristianos. Esta medida se contrapone con la política de integración que practicaron los musulmanes en sus casi cuatro siglos de dominación en Aragón[150].

- Año 1215: El concilio IV de Letrán obliga a los judíos a quedarse en sus barrios el Viernes Santo, a fin de que su presencia no perturbe los actos penitenciales de los cristianos, dispuestos en esas fechas a romper la paz social contra los que mataron a Jesucristo.

- Año 1291: Como consecuencia de los duros y violentos ataques que sufrió ese año la judería de Barcelona, el rey Alfonso II (1162-1196) autoriza colocar puertas en todas las juderías de la Corona para cerrarlas por la noche y, muy especialmente, en Semana Santa.

- Año 1312: El concilio de Vienne convocado por el papa, Clemente V (1305-1314), ratifica las antiguas disposiciones que obligan a los judíos a vivir en barrios separados y a llevar la *rota* como distintivo segregacionista.

- Año 1392: Como luego veremos con mayor amplitud, en la diócesis de Tarazona se celebró un sínodo diocesano convocado por los Vicarios Generales del Obispo, Fernando Pérez Calvillo(1392-1404). En él se elaboró una pastoral[151], llamada *Dominica del buen Pastor*, en la que prohíbe a sus diocesanos vivir mezclados con los judíos. Recordemos que Calatayud pertenece a la mitra turiasonense.

- Año 1398: Parece que esta exhortación pastoral nunca se cumplió, ya que seis años más tarde (el 27 de marzo de ese año) el rey Martín I (1396-1410) volverá a recordar a las autoridades civiles de Calatayud su vigencia: *ha ordenado nuestra santa madre la iglesia que los infieles e inmundos judíos vivan separados de los seguidores de Cristo, para que los infieles a causa de la vecindad no contaminen con errores su pureza y corrompan su*

[147] VILLATORO, V.; oP. CIT. *"Del cal a la sinagoga"*, p. 31.

[148] ALBERRCH, R./ARAGÓN. J.: Op. Cit. *"Los judíos en las tierras gironeneses"*, p. 32.

[149] LOPEZ ASENSIO, A.; Op. Cit. *"La judería de Calatayud"*, p. 47.

[150] La suerte de los judíos cambió radicalmente bajo dominio musulmán. De su condición de perseguidos pasaron a ser plenamente aceptados y reconocidos. Por los cronistas musulmanes sabemos que hubo una estrecha colaboración entre ambos pueblos. Muchas de las ciudades sometidas eran entregadas bajo la custodia de judíos, prueba inequívoca de la confianza que depositaron en ellos.

[151] LAFUENTE, V.; *"España Sagrada"*, Real Academia de la Historia, Madrid, 1866, Tomo 50, p. 70.

limpio espíritu con las pestilentes punzadas de sus pérfidos propósitos[152].

- Año 1406: Como los problemas de convivencia no se solucionaban y la crispación entre ambas comunidades iba en aumento, el Obispo y Administrador Apostólico de la diócesis de Tarazona, Don Francisco Clemente (1404-1406), tuvo que intervenir en la crisis exigiendo a sus fieles cristianos no sobrepasar los límites de las juderías. También les pide que sean cautos y precavidos con los judíos[153].

- Año 1408: El rey de Aragón, Juan 1 (1387-1396), ordena la separación de judíos y conversos, renovando la legislación en torno al distintivo de sus vestiduras. Mas tarde él mismo anuló estas disposiciones.

- Año 1415: En la bula *Etsi Doctores Gentium*, el papa Luna ordena que los reyes deben hacer cumplir las leyes que obligan a los judíos a vivir en barrios separados de los cristianos.

- Año 1415: Tras la Disputa de Tortosa, los Jurados de la ciudad de Zaragoza piden al rey, Fernando I (1412-1416), que restablezca aquellas *ordinaciones* que prohíben a los judíos y musulmanes vivir entre cristianos y vestir como ellos[154].

- Año 1416: La aljama de judíos de la Almunia de Doña Godina solicita la ejecución de una provisión dada anteriormente por el rey Fernando I. En ella se prohíbe que los cristianos vivan mezclados con los judíos. Tal petición se hace porque aún residen entre los judíos cinco familias cristianas, a las que ordena vender sus casas[155].

- Año 1417: Los Jurados de Zaragoza informan al rey, Alfonso V (1416-1458), que algunos vecinos de la iglesia de San Andrés (situada junto a la judería zaragozana) han solicitado (sin su consentimiento y de acuerdo con algunos conversos) estrechar el espacio de la judería que linda con los límites de dicha parroquia para que, las casas de los conversos que viven allí queden separadas del caserío judío[156].

1.2.2.5- PREDICACIONES IMPUESTAS A LOS JUDÍOS

Los fueros de Aragón recogidos en la compilación de Huesca fueron aprobados por el rey Jaime I (1213-1276) hacia el año 1247, convirtiéndose en una de las colecciones jurídicas más antiguas de la Península Ibérica medieval. En esta recopilación civil se dice que los Arzobispos, Obispos, Dominicos (Orden de Predicadores) y Franciscanos (Orden Menor) pueden predicar a los judíos y éstos escuchar sus sermones con paciencia[157].

---

[152] A.C.A. - Reg. 2.190, fol. 149. "Statuit mater nostra Sacrosancta Ecclesia judeos ipsos infiedeles et fetidos seorsum et ab ipsis habitare christicolis, ne immundi vicinitate illorum puritate inficerent errores, ac scelerum vulneribus putridis pure mentis corrumperent". También: AHN, Clero Secular-Regular, Carp. 3.614, N° 3 (dado el 27 de marzo de 1398).

[153] LOPEZ ASENSIO, A.; "*Episcopologio del arcedianado de Calatayud*", en Actas del IV Encuentro de Estudios Bilbilitanos de la Institución Fernando el Católico de la DPZ. Calatayud, 1997, Tomo II, p. 246.

[154] ACA, Cancillería, Cartas Reales, Fernando I, caja 8, N° 919 (dado el 28 de enero de 1415).

[155] ACA, Cancillería, Cartas Reales, Fernando I, caja 22, N° 2.764 (sin fecha).

[156] ACA, Cancillería, Cartas Reales, Alfonso V, caja 5, N° 537 (dado el 20 de mayo de 1417).

[157] PEREZ MARTÍN, A.; Op. Cit. "Los fueros de Aragón...", p. 457. "Volumus etiam et satatuimus, quod quandocunque archiepiscopi, episcopi, fratres predicatores vel minores accesserint ad villas vel loca, ubi sarraceni vel iudei habitaverint seu moram

Esta normativa estará vigente en Aragón durante toda la Edad Media y, además, facilitará que la Iglesia legisle en sus concilios provinciales y diocesanos sobre el asunto. Veamos a continuación los acuerdos históricos de naturaleza política y eclesiástica que se acordaron sobre este tema.

- En el año 1278, el Papa Inocencio III (1198-1216) regula -en la bula *Vineam Soreth*- los criterios para seleccionar a las personas que tienen que predicar a los judíos.

- Año 1268: El rey Jaime I (1213-1276) promueve una acción misionera dirigida a los judíos y sarracenos. Los religiosos Dominicos serán los encargados de predicarles. Pero al notar que les acompañan multitud de cristianos desaprensivos (provocando tumultos y agresiones hacia los judíos), ordenó que sólo fueran diez hombres elegidos por ellos.

- Año 1279: El 19 de abril, el rey Pedro III (1276-1285) manda una orden a todos los oficiales reales para que obliguen a los judíos aragoneses a escuchar en sus sinagogas los sermones de los frailes Predicadores, así como defender a los conversos de las molestias que les causan los judíos[158].

- Año 1279: El 21 de junio, el rey Pedro III ordena, al Justicia de Calatayud, que intensifique la seguridad de los muros y puertas de la Judería. El objetivo es que los cristianos no insulten a los judíos que asisten a las predicaciones que se realizan en el interior de la sinagoga Mayor[159].

- Año 1279: El 28 de junio, el rey Pedro III prohíbe que ninguno de los frailes Menores de Calatayud predique a los judíos en sus sinagogas, sino sólo a los que tengan autorización[160]. Esta orden ratifica la que ya ordenó su padre en el mismo sentido. Así mismo manda que la conversión de los judíos no se haga a la fuerza, sino por el método de la persuasión. Los judíos quedan obligados a escuchar los sermones con resignación.

- Año: 1279: El 8 de octubre, El rey Pedro III ordena a los oficiales de Aragón (entre ellos el de Calatayud), Cataluña y Valencia que no permitan a los cristianos ir a las sinagogas de los judíos en tiempos de predicación[161]. Una vez más, esta medida evitó que los frailes fueran con gente inapropiada mientras predicaban a los judíos, provocando los acostumbrados desórdenes públicos. En los sermones se recurría al temor, al ultraje y a la violencia antes que a la persuasión[162].

- Año 1297: Un edicto del rey Jaime II de Aragón (1291-1327) ordena someter a los judíos bajo la jurisdicción de los obispos aragoneses y bajo la Orden de los Dominicos. Los judíos deben oír sus predicaciones y deliberar sobre las dudas que tengan a cerca de las verdades de fe cristiana.

- Año 1311: Las Cortes aragonesas de Barcelona ordenan que, cuando las autoridades eclesiásticas visiten las juderías y morerías de la Corona para predicar la Palabra

---

feccerint, et verbum Dei dictis iudeis vel sarracenis proponere voluerint vel sarracenis proponere voluerint, ipsi ad vocaciones ipsorum conveniant, et paciencer audiant predicaciones eorum...".

[158] BAER, Y.; Op. Cit. *"Historia de los judíos de la España cristiana"*, p. 182.

[159] Regné, Responsa nº 723, 731-736, 746-748. VÉASE TAMBIÉN: BAER, Y.; *"Historia de los judíos de la España cristiana"*, volumen I, documento nº 117.

[160] ACA, Real Cancillería, Registros, Nº 41, fol. 94.

[161] ACA, Real Cancillería, Nº 42, fol. 148 vto.

[162] CASANOVAS MIRÓ, J.; Op. Cit. *"Aspectos cotidianos de la relación entre judíos y cristianos. La imagen..."*, p. 128.

Divina[163], los judíos estarán obligados a escucharla en actitud sumisa.

- Año 1326: El inquisidor dictó sentencia de confiscación de bienes contra varios judíos de Calatayud. El Rey insta al Inquisidor a que anule esta sentencia[164], obligándole además a no destruir sus *madrassas* o academias talmúdicas.

- Año 1330: El rey Alfonso III (1285-1291) se casa con Leonor de Castilla. Su influencia sobre el rey hace que pronto cambie su política beligerante con respecto a los judíos: les obliga a escuchar los sermones de los padres Dominicos en las sinagogas, les impone subsidios extraordinarios y les ordena hacer la declaración de bienes. El endurecimiento de estas medidas hace que muchos judíos de Aragón, Cataluña y Valencia emigren fuera de la Corona para evitar represalias[165].

- El 11 de noviembre de 1338: el rey Pedro IV (1336-1387) envía una carta al *Bayle* de Calatayud para que anule las anteriores cláusulas de la reina Leonor que tanto perjudicaron a los judíos de la entonces Villa[166].

- Año 1414: El 18 de noviembre, el infante Alfonso escribe a su padre el rey, Fernando I (81412-1416), informándole de las consecuencias tan negativas que tienen las predicaciones de fray Vicente Ferrer sobre los judíos y musulmanes de la ciudad de Zaragoza. Asimismo, le hace llegar su protesta formal por la acusación que dicho predicador ha vertido contra él, al afirmar que el infante había prohibido a los judíos acudir a los sermones poque estos habían sobornado a los miembros del Consejo[167].

- Año 1415: El 11 de mayo, nuestro papa Luna decreta que se prediquen tres sermones a todos los judíos de la Corona de Aragón mayores de doce años[168]. El primero versará sobre el mesianismo de Jesús; el segundo demostrará la encarnación o venida de Jesús como hijo de Dios; el tercero y último probará que Cristo y todos los acontecimientos del Nuevo Testamento están recogidos y contenidos en las Sagradas Escrituras veterotestamentarias. Al final se leerá el contenido de la bula *Etsi Doctores Gentium*.

---

[163] PONS, A.; *"Los judíos del reino de Mallorca"*, Palma de Mallorca, 1984, vol. I, p. 122.

[164] FINKE, H.; *"Acta Aragonesia"*, Berlín, año 19081922, vol. II, N° 548, p. 74 vto.

[165] LOPEZ ASENSIO, A.; Op. Cit. *"La judería de Calatayud"*, p. 49.

[166] ACA, Cartas Reales, Pedro IV, caja 27, N° 3.705.

[167] ACA, Cancillería, Cartas Reales, Fernando I, caja 11, N° 1.279 (dado el 18 de noviembre de 1414).

[168] AMADOR DE LOS RÍOS, J.; Op. Cit. *"Historia Social, política..."*, tomo II, cap. XII, p. 648. "...Por tanto establecemos, pues, y ordenamos que en todas las ciudades, villas o lugares donde habiten judíos en suficiente número, sean al arbitrio del Diocesano deputados maestros de la Sagrada Escritura u otros varones idóneos, que los elegirá el mismo Diocesano, para que les digan tres públicos sermones al año, el primero de los cuales será en el segundo domingo de Adviento, el segundo en el día siguiente a la resurrección del Señor, y el tercero en el domingo, en que se cante el evangelio (cum appropinquasse Iesus Ierusalem, videns civitatem, flevit super eam), debiendo estar presentes todos los judíos de uno y otros sexo, de doce años arriba, que puedan hallarse en aquella ciudad o lugar. Y queremos y mandamos resueltamente, que contra todos los judíos que se negasen a asistir, se proceda por los referidos Diocesanos como por sustracción de la comunión cristiana, hasta que satisficieren competentemente, al arbitrio de los mismos Diocesanos. Será materia del primer sermón, el declarar ampliamente la deseada vendida del verdadero Mesías, Jesucristo, Nuestro Salvador, y mostrarle por las autoridades, que no pueden ser rechazadas por los judíos, que el Mesías, del cual esperan que ha de venir como Cristo, vino ya en muy apartados tiempos, lo cual podrá colegir cualquiera del proceso formado contra los judíos en nuestra curia... Versará el segundo ciertamente sobre aquella materia, que la judaica ceguedad, aún después de ver con sus ojos intelectuales que vino el Señor en carne humana... El que haya de hacer el tercer sermón, debe dirigirse principalmente a declarar a los judíos que, concordado evidentemente los profetas con Cristo y sus Santos, estaban predichas claramente la destrucción del Templo y de la ciudad de Jerusalén, y la perpetua cautividad de aquellos. Por último que, al terminar este sermón, lea el que lo hiciere, públicamente y con voz inteligible, estas nuestras constituciones, para que mejor pueda declararlas a todos, a fin de que las encomienden más eficazmente a la memoria".

- Año 1415: El rey Fernando I de Aragón recibe una carta del clérigo Salvador Danguas, y del converso Jerónimo de Santa Fe, para informarle de las conversiones de todos los judíos de Alcañiz y de los lugares de su *collecta*: Maella, Alcorisa, Castellote, Molinos, la Ginebresa y Rafallas[169].

- Año 1415: El Justicia y Jurados de Alcañiz informan al rey Fernando I de la conversión de los judíos de la villa y de los lugares de su *collecta*: Caspe, Maella, Alcorisa, Castellote y Molinos. El motivo son las predicaciones de los legados papales: Salvador Danguas y Jerónimo de Santa Fe[170].

- Año 1417: Los jurados de Zaragoza informan al rey, Alfonso V (1416-1458), que los Vicarios Generales del Arzobispado de dicha ciudad -a instancia de los conversos- mandaron publicar en las iglesias la bula del papa Luna *Etsi Doctores Gentium*. Recordemos que en ella se obliga a los judíos a escuchar su lectura tras finalizar el tercer sermón[171].

- Año 1419: El rey Alfonso V deroga la pragmática del papa Luna y ordena que no se fuerce a los judíos a escuchar más sermones fuera de las juderías. Estos sólo versarán de cuestiones de fe.

1.2.3.- EL ANTIJUDAÍSMO EN LA IGLESIA ARAGONESA

1.2.3.1.- LOS SÍNODOS Y CONCILIOS ARAGONESES

El 14 de junio de 1318, el papa Juan XXII (1316-1334) eleva al rango de Iglesia Metropolitana la sede de Episcopal de Zaragoza, concediéndole por sufragáneos los obispados de Huesca, Jaca, Tarazona, Pamplona, Calahorra y Albarracín, todos pertenecientes hasta ese momento (al igual que Zaragoza) al arzobispado de Tarragona.

A partir de ese momento, la Archidiócesis zaragozana podrá convocar concilios Provinciales (el integrado por los obispos de una misma provincia eclesiástica, reunidos bajo su metropolitano) y autorizar la celebración de sínodos Diocesanos (Junta o Asamblea del clero de una diócesis -convocada y presidida por el Obispo- para tratar asuntos eclesiásticos internos). Estas reuniones diocesanas fueron imprescindibles no sólo para revisar cuestiones doctrinales y dogmáticas de la propia Iglesia, sino incluso para aprobar nuevas normas que regulen la vida del clero y de los fieles.

Estas Asambleas también abordaron durante siglos el problema judío y musulmán de las diócesis aragonesas; disposiciones que se recopilarán en un capítulo titulado *"De judeos et sarracenos* del *Sinodal cesaraugustano*[172]" que mandó encuadernar el arzobispo de Zaragoza, don Herrando de Aragón[173], en el año 1542 (menos los acuerdos concernientes al sínodo

---

[169] ACA, Cancillería, Cartas Reales, Fernando I, caja 20, Nº 2.520 (sin fecha).

[170] ACA, Cancillería, Cartas Reales, Fernando I, caja 5, Nº 520 (sin fecha).

[171] ACA, Cancillería, Cartas Reales, Alfonso IV, caja 5, Nº 537 (dado el 20 de mayo de 1417).

[172] Archivo de la Catedral de la Seo de Zaragoza, *"Sinodal Cesaraugustano"*, Nº 1-100.

[173] Don Herrando de Aragón (1539-1577) Hermano del arzobispo Juan II y, por tanto nieto del rey Fernando el Católico. Educado en la Orden de Calatrava, dejó todo en 1521 para ingresar en el Monasterio de Piedra, donde fue ordenado sacerdote y permaneció hasta 1535, en que su primo el rey Carlos I lo nombró abad de Veruela y diputado por la bolsa primera del brazo eclesiástico. En 1539 es

diocesano de Tarazona de 1392). Este capítulo lo hemos traducido de su texto original latino y reproducido íntegramente en el Apéndice Documental[174].

1.2.3.1.1.- El Concilio Provincial de Zaragoza de 1318-1319

El Arzobispo de Zaragoza, Pedro López de Luna[175], aprovechó la convocatoria de su primer concilio Provincial[176] para incorporar no sólo las disposiciones que decretó el concilio universal de Vienne[177] contra los judíos y musulmanes (año 1312), sino incluso los cánones que sobre lo mismo aprobó el V concilio provincial de Tarragona celebrado en el año 1242 (por entonces la diócesis aragonesas, incluida la zaragozana, pertenecían a su jurisdicción canónica).

Este concilio provincial ordena que los judíos y sarracenos "*se distingan de los cristianos por su forma de vestir y que no tengan nodrizas o mujeres cristianas, y las cristianas que cohabitan con judíos o sarracenos, si es que no se hubieran apartado de ellos, al menos en dos meses a partir de la publicación de esta constitución y hubieran hecho la penitencia adecuada, nunca sean enterradas en sepultura eclesiástica, a no ser con especial licencia del metropolitano[178]*".

1.2.3.1.2.- El Concilio Provincial de Zaragoza de 1328

El Arzobispo de Zaragoza, Pedro López de Luna, celebra su segundo concilio Provincial en el año 1328. A parte de abordar otras cuestiones de índole pastoral, en él también se desarrollan las medidas sobre judíos y musulmanes que el anterior concilio apenas profundizó[179]. Entre los acuerdos que se tomaron, conviene destacar[180]:

---

nombrado Arzobispo de Zaragoza. Amplió la catedral de la Seo y aplicó las normas del Concilio de Trento. En 1577 muere y es enterrado en la capilla de San Bernardo de la Seo, junto a su madre. VEASE TAMBIÉN: "*Aragonia Sacra*", Tomo XVI-XVII; p. 210.

[174] VEASE APÉNDICE DOCUMENTAL Nº 16.

[175] Don Pedro López de Luna (1317-1345) es nombrado obispo de Zaragoza por el papa Juan XII. El nuevo Obispo era hijo de Lope Fernández de Luna, personaje famoso en el reinado de Pedro III, al que acompañó a la empresa de Sicilia. Su elección fue premeditada, ya que había sido Canónigo, abad de Montearagón y ocupaba en esos momentos el obispado de Avignón desde 1314. Su amistad con el arzobispo de Tarragona y antecesor en Zaragoza, don Jimeno de Luna, y con el rey Jaime II fue determinante para que Zaragoza fuese erigida sede Metropolitana, pasando a tener el rango de Arzobispo. Muere en 1345 y es enterrado en el altar mayor de la Seo. VEASE TAMBIÉN: "*Aragonia Sacra*", Tomo XVI-XVII; p. 210.

[176] Concilio Provincial de Zaragoza celebrado por el arzobispo don Pedro López de Luna en 1318-1319. Véase también: AZNAR GIL, F. R.; Op. Cit. "*Concilios Provinciales...*", p. 46. VEASE TAMBIÉN EL CAPÍTULO: (1.2.2.1.3.- La imposición de llevar un distintivo judío).

[177] Se celebró este concilio en la catedral de Vienne (Viena), entre el 16 de octubre de 1311 y el 6 de mayo de 1312. Fue convocado en 1308 por el papa Clemente V, mediante la bula "*Regnum in coelis*", con la finalidad, oficialmente, de reformar la Iglesia y recuperar Tierra Santa. Sin embargo, sus verdaderas motivaciones, por influencia del rey Felipe IV el Hermoso, fueron la supresión de la orden del Temple y la condena póstuma del papa Bonifacio VIII.

[178] VEASE APÉNDICE DOCUMENTAL Nº 16.

[179] AZNAR GIL, F. R.; Op. Cit. "*Concilios Provinciales...*", p. 46.

[180] VEASE APÉNDICE DOCUMENTAL Nº 16.

A.- Prohibición para decir el nombre de Mahoma

Los musulmanes solían invocar con frecuencia a su profeta Mahoma. La Iglesia considera esta expresión como proselitismo y falta de respeto hacia la religión mayoritaria, de ahí que *"acordes con el Concilio de Vienne, que los sarracenos no invoquen el nombre de Mahoma en voz alta en los templos o mezquitas suyas ni en ningún otro lugar preeminente (ni en ningún lugar elevado)"*.

B.- Prohibición para decir la palabra *zaçala* (*Ençala*)

También tenían la costumbre de pronunciar habitualmente la palabra *ensala*, que se puede traducir como *"si Dios quiere"*. *En nuestra lengua ha pervivido como "ojalá" (oh Dios). Con su prohibición, la Iglesia quiso evitar la normalización de su uso entre los cristianos, cosa que no consiguió: "los sarracenos no invoquen... ni siquiera (con) la palabra Zaçala, que se dice corrientemente entre ellos"*.

C.- Todas las autoridades deben publicar las anteriores prohibiciones

Se insta a las autoridades eclesiásticas y civiles (incluidos los Señores y Nobles) a que pregonen y difundan todas estas prohibiciones y *"si los aludidos señores temporales no prohíben eficazmente dicha proclamación, sean ellos mismos obligados a ello por medio de la censura eclesiástica"*.

D.- El pago del diezmo de sus bienes a la Iglesia

El fuero de Aragón ordena que los judíos y musulmanes deben pagar el diezmo cuando sus heredades fueron, alguna vez, de cristianos[181]. La Iglesia siempre intentó que se cumpliera esta normativa foral vigente: *"Queriendo hacer frente a los gastos de las iglesias, establecemos que, como prerrogativa de ese dominio general, exijan (el pago del diezmo) tanto de los judíos como de los sarracenos, al menos de tierras, casas, posesiones y de otras cosas"*.

E.- Prohibición a los cristianos de servir en casas judías y musulmanas

Para evitar toda convivencia entre los miembros de las tres religiones, se ordena que los cristianos nunca sean esclavos de los judíos y musulmanes, ni que las cristianas trabajen en sus hogares: *"prohibimos también que tomen (judíos y musulmanes) esclavos cristianos y, sobre todo, que retengan mujeres en su servicio"*. Las cristianas no podrán recibir los Sacramentos hasta que no se vayan de dichas casas.

---

[181] PEREZ MARÍN, A.; Op. Cit. *"Los fueros de Aragón..."*, p. 463. *"Sarraceni et iufei tenentur solvere decimas integre de ómnibus hereditatibus quas possident, nisi de eis tantum, que nunquam de chistianis aliquo tempre exierunt"* (libro 7;11.1).

1.2.3.1.3.- El Concilio Provincial de Zaragoza de 1395

El Arzobispo de Zaragoza, García Fernández de Heredia[182], convocó concilio Provincial[183] el 16 de diciembre de 1395. Además de reconocer las medidas antijudías que se habían aprobado en los anteriores concilios provinciales, ahora incorpora dos nuevos cánones que, lógicamente, vincularán al resto de diócesis aragonesas[184]:

A.- La difusión de dichas disposiciones en todos los lugares del reino

Se vuelve a insistir en la obligación que tienen las autoridades civiles y eclesiásticas de todo Aragón (incluidos los Señoríos territoriales) de publicar las anteriores medidas eclesiásticas contra los judíos y musulmanes. Si estos *"no guardaren con eficacia la constitución... dentro de un mes, a contar del día de la advertencia, desde entonces (ipso facto) sean ligados por la sentencia de excomunión"*.

B.- Obligación de hacerlas cumplir

"Asi pues al príncipe defensor de la verdadera fe y adorador vigilante, al señor Rey de Aragón, y a todos los prelados de su reino, barones, nobles, militares [soldados] y universidades [pueblo civil] advertimos y por las entrañas de la divina misericordia rogamos...que observen los estatutos de los sagrados cánones de los concilios y sínodos provinciales para honor de Dios y exaltación de la fe cristiana contra los judíos y los sarracenos y que tenazmente los hagan observar por sus súbditos".

1.2.3.1.4.- El Sínodo diocesano de Tarazona de 1392

Nada más tomar posesión como obispo de Tarazona, Fernando Pérez Calvillo[185], sus

---

[182] Don García Fernández de Heredia (1383-1411) es trasladado desde Vich a Zaragoza, no tomando posesión hasta 1387, momento en el que inicia una profunda visita pastoral a la diócesis. Celebró varios concilios provinciales; en 1389 (reformando las escuelas zaragozanas y autoriza a decir misa en las cárcel de la ciudad); en 1394 en Cariñena (ese mismo año Vicente Ferrer predica a los judíos de Zaragoza para convertirlos y es elegido papa Benedicto XIII); en 1395 (es el que vamos a estudiar) y en 1407. En el año 1410 visitó la ciudad de cuya papa Benedicto XIII, quien regala el relicario de San Valero y sufraga el cimborio de la Seo. En 1411, en pleno interrego por la muerte sin sucesión de Martín I, el arzobispo es asesinado por Antón de Luna, partidario del Conde de Urgel, en el camino de la Almunia. La reina doña Violante, esposa de Juan I, se hizo cargo del cadáver, que con licencia papal, fue trasladado a Teruel, donde fue sepultado en el convento de San Francisco en 1427. VEASE TAMBIÉN: *"Aragonia Sacra"*, Tomo XVI-XVII; p. 210.

[183] AZNAR GIL, F. R.; Op. Cit. *"Concilios Provinciales..."*, p. 47.

[184] VEASE APÉNDICE DOCUMENTAL Nº 16.

[185] Don Fernando Pérez Calvillo (1392-1404) fue hermano y sucesor de don Pedro Pérez Calvillo. Fue Arcipreste de Calatayud y después Deán del Cabildo de la Catedral de Tarazona. En 1384 lo eligieron obispo de Vich. Por haberse indispuesto con el Cabildo de esta ciudad catalana, pidió el traslado a Tarazona en 1392. Trabajó mucho en beneficio del Papa Luna, Benedicto XIII, el cual lo hizo Cardenal en 1397. Después del sitio de Avignon vino a su diócesis, muriendo la poco tiempo, en el año 1404. Su cadáver yace en la capilla de San Lorenzo de la Catedral Turiasonense, en un magnífico sepulcro de mármol frente al de su hermano don Pedro. VEASE TAMBIÉN: LOPEZ ASENSIO, A.; *"Episcopologio del arcedianado de Calatayud, diócesis de Tarazona"*, p. 246. (IV Encuentro de Estudios Bilbilitanos, tomo II").

Vicarios Generales -Pascasio Garlón y Julián de Loba- celebraron en su nombre sínodo diocesano en el año 1392. Además de corregir ciertos abusos y reformar las costumbres del clero[186], la Asamblea abordó también el controvertido problema que tenía en esos momentos la diócesis turiasonense: la difícil convivencia entre cristianos y judíos.

Para ello, tendrán en cuenta no sólo los acuerdos que se tomaron al respecto en el concilio universal de Vienne, sino incluso lo aprobado en los anteriores concilios provinciales cesaraugustanos arriba estudiados. Veamos las nuevas disposiciones que se tomaron[187]:

A.- Obligación de vivir en barrios separados

Se exige a los judíos y musulmanes de la diócesis que vivan en barrios separados. Caso de no existir tal separación, en dos meses se deberá buscar una solución en nuevos barrios o juderías. Los que incumplan la medida tendrán una multa de 20 florines de oro. Ello no impide que puedan seguir disfrutando de sus talleres, tiendas y *boticas* en la zona cristiana, con tal de que no pernocten en ella.

B.- Prohibición de cohabitar con judíos

Se ordena a judíos y musulmanes que no vivan mezclados con los cristianos, pues ello perjudica la convivencia y causa graves daños a los fieles y a sus iglesias.

C.- Prohibición de alquilar a judíos casas en el barrio cristiano

Parece que algunos judíos tenían la costumbre de abandonar sus juderías para vivir de alquiler en el barrio cristiano. Se ordena que -en el espacio máximo de un mes- los judíos se trasladen a las juderías y los cristianos dejen de arrendarles sus viviendas.

D.- Prohibición de comprar carne sacrificada a modo *judayco*

Los cristianos deberán abstenerse de comprar carnes sacrificadas y mercadas en las carnicerías de las juderías. Según las actas del sínodo, los judíos consideran a los cristianos profanos por consumir carnes de animales impuros (cerdo, caracoles, conejo, liebre, congrio, etc.).

E.- Difusión de las medidas

Los párrocos darán a conocer a los fieles estas disposiciones, exigiendo su cumplimiento y excomulgando a quien no las cumpla.

---

[186] CUELLA ESTEBAN, O., "Sínodos medievales aragoneses: el sínodo turiasonense del año 1392", en *Aragonia Sacra*, Tomo XIII; p. 28-29.

[187] VEASE APÉNDICE DOCUMENTAL Nº 17.

1.3.- EL ANTIJUDAÍSMO EN EL ARAGÓN MEDIEVAL

1.3.1.- LA PROTECCIÓN REAL DE LOS JUDIOS ARAGONESES

Las Cortes de Calatayud celebradas en 1461 declararon que la condición para ser *aragonés* era haber nacido de padre aragonés[188], con independencia de la nacionalidad de la madre. También se reconoce la nacionalidad aragonesa a todos los nacidos en Aragón (aunque sus padres fueran *non natos* en el reino).

Algunos opinan que la ciudadanía aragonesa[189] no la daba el origen o la raza, sino más bien la religión. Según esta interpretación, el pueblo hebreo sería considerado extranjero[190] por la comunidad cristiana aragonesa ya que, su religión y no unas fronteras territoriales, constituían el ámbito de su identidad. No podemos compartir esta afirmación, ya que los judíos nunca se sintieron apátridas, sino aragoneses por estar vinculados directamente a la Corona aragonesa.

Los judíos, al igual que los musulmanes, serán patrimonio real desde que Jayme I de Aragón disponga que fueran de su propiedad[191]. Los fueros de Aragón recogen en varios de sus articulados la obligación del rey de protegerlos[192], llegando incluso a llamarlos a partir del siglo XIV: "*nostrae camarae servi speciales*[193]" (a los servicios especiales de nuestra cámara). Esta vinculación facilitó siempre su tutela y protección.

Ningún judío podía abandonar el territorio del reino sin su consentimiento, ni siquiera para empadronarse en un lugar de Señorío bajo la custodia de un noble o para emigrar a otro Estado. Si esto se incumplía, se confiscaban sus bienes pasando a la situación de servidumbre[194]. Si por motivos personales o comerciales abandonaban el territorio, estaban obligados a dejar en casa a su mujer e hijos para garantizar el retorno y como prenda por el pago de sus impuestos[195].

---

[188] MOTIS DOLADER, M.A.; Op. Cit. "*Los judíos en Aragón en la Edad Media*", p. 39

[189] MOTIS DOLADER, M.A.; "La sociedad judía aragonesa en la Edad Media", *en Hª de Aragón - Economía y sociedad,* p.348.

[190] BAER, F.; Op. Cit. "*Historia de los judíos en la Corona de Aragón*", p. 25.

[191] SERRANO Y SANZ, M.; Op. Cit. "Orígnes...", p. 33. "Todos los jodios e moros habitantes en las ciudades, villas o en qualquier lugar de nuestro regno, sian et finquen todos en special guarda del senyor Rey. Et si por ventura alguno dellos se entra en comanda de algun rico ome o de otro de qualquier condicion, sia luego aquello feyto, que pierda la cabeça, e todos sus bienes sian confiscados a los cofres del senyor Rey".

[192] PEREZ MARTÍN, A.; Op. Cit. "*Los fueros de Aragón...*", p. 455. "Statutum est quod omnes homines christiani, iudei, vel sarraceni castra, municiones, turres, vel quelibet alia edificio, ville, palacia et domus, quilibet orti, messes, vinee, arbores, silve, et montes, ganati grossiet minuti, bestie omnes, et bona alia guerreantium vel non guerreantium omnium hominum et singulorum cuiuscunque condicionis sint, amodo sint sub protecciones domini regis...".

[193] FITA/LAMBRES; "Los judíos mayorquines y el concilio de Vienne", *en Boletín de la Real Academia de la Historia,* tomos Nº 80 y 100, Madrid, 1909. El monarca aragonés Pedro lll, fue el primero que utilizó esta expresión con un médico judío de Sicilia, pudiendo haberla traído y expandido después por Aragón.

[194] AMADOR DE LOS RÍOS; Op. Cit. "*Historia social, política...*" Tomo 1, p. 408, Nº 1.

[195] BAER, F.; Op. Cit. "*Historia de los judíos de la España cristiana*", p. 28.

1.3.2.- EL ANTIJUDAÍSMO EN LA SOCIEDAD ARAGONESA

1.3.2.1.- EVOLUCIÓN DEL ANTIJUDAÍSMO EN EL ARAGÓN MEDIEVAL

Cuando (entre los siglos XI y XII) los reyes de Aragón van conquistando la mayor parte del Norte de Al-Andalus (llamado Marca Superior), los judíos prefieren quedarse en sus lugares de residencia y no emigrar a las tierras del Sur islámico, como así hicieron la mayoría de los intelectuales, aristócratas y burguesía adinerada musulmana (sólo quedaron los asalariados y labradores con propiedades y explotaciones agropecuarias). Las causas por las que no emigraron habría que buscarlas en el respeto a sus usos y costumbres, así como a los numerosos privilegios socio-económicos que los reyes les concedían, prerrogativas que en Al-Andalus les negaban.

Las principales ciudades conquistadas por los cristianos durante el primer tercio del siglo XII (como Zaragoza, Calatayud, Daroca, Tarazona, Borja, entre otras) incrementaron notablemente su población judía gracias a la fuerte emigración que provino de Al-Andalus[196]. Recordemos que los almorávides (1102-1145) y almohades (1147-1212) les persiguieron y maltrataron desde todas las instancias de poder.

A lo largo del siglo XIII se hace patente la participación, cada vez más activa, de los judíos tanto en la vida económica como política (interna y externa) de la Corona aragonesa. Su importancia en ese momento radica, precisamente, en el papel de enlace que realizan tanto en Al-Andalus como en los nuevos territorios cristianos.

El protagonismo judío en las cuestiones de Estado despertaron el recelo de muchos cristianos que consideraban exagerado el *status* que disfrutaban algunos judíos. Esta situación se trunca en 1283, cuando se prohíbe definitivamente que ejerzan cargos públicos[197]. A partir de entonces quedan reducidos a ser una mera fuente económica.

Durante el siglo XIV y por causas de muy diversa índole, el antijudaísmo fue tomando forma en la sociedad aragonesa. Poco a poco se puso de manifiesto que las relaciones entre judíos y cristianos no eran en modo alguno simétricas, pues una de ellas llevaba claramente la iniciativa y la otra se encontraba a la defensiva[198]. Había, por tanto, un grupo perseguidor (los cristianos) y un grupo perseguido (los judíos).

En esta centuria, todos los Estados europeos (incluido el aragonés) viven, además de una profunda crisis socio-económica, terribles epidemias de mortandad y guerras intestinas. La causa más fácil era achacar estos males a los judíos, ya que reunían las condiciones más propicias para desempeñar el papel de chivos expiatorios, convirtiéndose así en el "enemigo imaginario" de los cristianos.

A comienzos del siglo XV el antijudaísmo alcanzó su máxima agresividad con la Disputa

---

[196] Con la invasión Almohade de Al-Andalus (año 1048) los judíos emigran a los reinos cristianos del Norte huyendo de la política antijudía que impusieron. En el año 1290 los judíos son expulsados de Inglaterra, lo que hizo que alguno emigrara a Aragón. En el año 1306 los judíos son expulsados de Francia, siendo el reino de Aragón el más beneficiado. En el año 1328, el rey aragonés Alfonso IV acoge a judíos inmigrantes de Navarra, tras las revueltas dinásticas que se sucedían en ese reino. En año 1380 hay matanzas de judíos de Francia que se extienden hasta 1382, los reinos de Aragón y Navarra se benefician una vez mas los movimientos migratorios provocados por estos acontecimientos. En el año 1391 comienza el gran *progrom* contra los judíos en varias ciudades como Sevilla, Valencia y Barcelona. Las juderías aragonesas no se ven tan afectadas, por lo que acogen a judíos que huyen de dichas persecuciones.

[197] CASANOVAS MIRÓ, J.; Op. Cit. *"Aspectos cotidianos de la relación entre judíos y cristianos. La imagen que del judío tiene el cristiano"*, p. 101.

[198] VALDEÓN BARUQUE, J.; "Motivaciones socioeconómicas de las fricciones entre viejocristianos judíos y conversos", *en Judíos, sefarditas, conversos. La expulsión de 1492 y sus consecuencias*, Valladolidd, 1995, p. 70 ss.

de Tortosa. Como ya sabemos, la principal consecuencia de su celebración fue la conversión en masa de multitud de judíos aragoneses.

El fenómeno de las conversiones cambiará por completo el enfoque de los cristianos hacia los judíos. Poco a poco, la antigua animadversión de los cristianos hacia los judíos decreció en favor de los judeo-conversos, de tal manera, que el grupo de cristianos viejos se convirtió en el agresor y el grupo de nuevos conversos en el agredido. El antijudaísmo pasó a un segundo plano. En torno a este problema se creará la Inquisición y surgirá el concepto de "limpieza de sangre", como más adelante veremos.

1.3.2.2.- CONSECUENCIAS DEL ANTIJUDAÍSMO EN EL ARAGÓN MEDIEVAL

Desde el siglo XIII, los cristianos y judíos de Aragón (influenciados por la postura oficial de la Iglesia) no vivieron en un plano de igualdad, ni tuvieron una convivencia pacífica como actualmente se nos quiere hacer creer por intereses políticos o sociales, sino que más bien coexistieron forzados a respetarse en lo profesional y tolerarse en lo interpersonal, religioso y organizativo.

El peso social de los judíos por su número, la extrañeza de sus costumbres, el éxito de sus negocios en el mundo económico y financiero, el vigor de su espíritu corporativo: todo esto fue causa para que naciera poco a poco un odio hacia ellos, que irá incrementándose hasta arraigarse de manera profunda en todo el territorio aragonés. La envidia será uno de los principales motivos que determinará el intenso antisemitismo y odio que soportaron los judíos durante los siglos XIV y XV. Las causas que motivaron esta envidia fueron las siguientes:

A.- La superioridad cultural judía

Como punto de partida hay que decir que la cultura forma parte del ser judío[199]. Los judíos aragoneses tenían escolarización y enseñanza elemental obligatoria desde niños, por lo que todos ellos –hombres y mujeres- sabían leer y escribir; además de aprender otras disciplinas como la aritmética, geometría, gramática hebrea, moral religiosa, historia bíblica, entre otras materias.

En la comunidad cristiana, por el contrario, había un alto índice de analfabetismo, ya que la escuela y la cultura sólo estaban reservadas a la nobleza, a una minoría burguesa, al clero y para aquellos que se preparaban para la vida religiosa. Lo habitual era que los niños, desde su más tierna infancia, ayudaran en las labores domésticas, agrícolas o artesanales para contribuir al sostenimiento del patrimonio económico familiar[200].

Los judíos ostentaron el poder económico de la sociedad bajo medieval, gracias a la capacidad intelectual que les proporcionó la escuela y la cultura. Los cristianos tenían envidia de los judíos porque todos eran cultos y amantes del saber. Esta formación les hizo ser personas aventajadas intelectualmente, refinados en sus formas, educados en el trato, emprendedores en todas las actividades laborales y ávidos en los negocios; algo que los cristianos tenían cierta

---

[199] LOPEZ ASENSIO, A.; Op. Cit *"Sabiduría judía..."*, p. 86.

[200] LOPEZ ASENSIO, A.; *"Oficios de los judíos de Calatayud"*, Sevilla, 2005, p. 198.

dificultad en conseguir por su limitada cultura.

La educación de los judíos aragoneses no terminaba en la escuela primaria, sino que continuaba en los ciclos de formación permanente programados desde las sinagogas y academias rabínicas, llamadas *madrassas*. En ellas se profundizaba en el estudio de la Torá, el Talmud y las prescripciones bíblico-rabínicas; así como en todas las enseñanzas teológico-filosóficas judías que se impartían en el resto de Estados europeos e hispanos (Al-Andalus, Castilla, Corona de Aragón y Navarra). Para ello, contaban con fondos bibliográficos como Biblias, Salterios, la Misná, el Talmud, breviarios piadosos, volúmenes de teología y exégesis bíblica, filosofía, ciencias del saber, etc. El objetivo no era otro que crecer espiritual e intelectualmente.

En Calatayud, la cofradía *Talmutorá* sufragaba el plan de estudios desde el parvulario[201], hasta la formación de adultos en las *madrassas*[202] de la judería. La aljama judía de Calatayud garantizó siempre que, tanto la enseñanza elemental laica, como la religiosa fuera siempre obligatoria, gratuita y universal para todos los miembros de la comunidad (hombres y mujeres).

B.- La superioridad económica judía

La sociedad cristiana aragonesa sentía cierto recelo de los judíos por su alto nivel de vida y por su fuerte poder adquisitivo. Sus inversiones y negocios relacionados con el préstamo dinerario (la banca judía) hizo que los cristianos dependieran económicamente de ellos. La decisión de no exigir al "hermano judío" ningún interés en las hipotecas en forma de censales y comandas, excepto al extranjero o gentil (Lev 25, 35-35; Dt 23, 19-20), acabó por aumentar su influencia y riqueza sobre los principales estamentos sociales y económicos[203] cristianos (nobleza, aristocracia, burguesía y clero), algo que creó un profundo malestar social. La sociedad medieval no asimiló que una minoría étnica, como la judía, controlara la economía de la mayoritaria cristiana.

C.- La superioridad benéfico-social judía

La beneficencia judía es laica, nunca religiosa. Si por un lado, la Iglesia asumía toda la acción social de la comunidad cristiana (hospitales benéficos, comedores para necesitados, hospicios para huérfanos, etc.); por el otro, las propias aljamas judías (no las sinagogas ni los rabinos) serán las encargadas de garantizar el estado de bienestar de los más desfavorecidos de la comunidad hebrea (la mano menor del estamento social[204].

Se puede afirmar que un pobre judío (huérfanos, enfermos, viudas sin descendencia, etc.) tenía garantizadas las necesidades básicas gracias a la solidaridad de todas las instituciones civiles judías, de ahí que los cristianos no soporten que los judíos de clase baja tuvieran más

---

[201] LOPEZ ASENSIO, A.; Op. Cit. *"Sabiduría judía..."*, p. 197.

[202] VEASE LA NOTA Nº 88 y 89.

[203] PONS, A.; PONS PASTOR, A.; *"Los judíos del reino de Mallorca durante los siglos XIII y XIV"*, Palma de Mallorca, 1984, vol. I, p. 161.

[204] A efectos de recaudación fiscal, la aljama judía de Calatayud se dividía en cuatro estamentos sociales: los francos (que por privilegio real estaban exentos de pagar impuestos), los judíos de la Mano Mayor (los aristócratas que por sus negocios y bienes tenían una renta *per cápita* alta), los judíos de la Mano Media (la burguesía que vivía de la práctica artesanal, el comercio y las profesiones liberales) y la Mano Menor (agrupa a los judíos asalariados y con menos recursos económicos como los huérfanos, los enfermos que no pueden trabajar y las viudas que no tienen hijos que las sustenten).

grado de bienestar que los pobres de la sociedad cristiana. Un judío rara vez mendigaba, algo habitual entre los cristianos en las puertas de las Iglesias.

D.- La superioridad político-administrativa judía

Las juderías medievales se hicieron notar por su cohesión, rigor y fuerte organización interna que, vistas desde el exterior, les daban una apariencia de unidad y estabilidad social. A los cristianos le parecía enigmática e inquietante la vida que llevaban dentro de las aljamas, ya que tenían plena autonomía jurídica y política para juzgar y administrar con libertad (sin presiones de los cristianos) su propio destino, es decir, se rigen colectivamente por sus leyes y normas, tienen reconocida su forma de organización interna, así como la capacidad de tratar directamente con las diferentes instancias de poder y funcionarios del monarca.

1.3.2.3.- LA AUTOMARGINACIÓN SOCIAL DE LOS JUDÍOS

Como ya sabemos, tanto el antisemitismo cristiano como la conciencia de pertenencia judía se proyectaron en el espacio físico de la judería, lugar que por un lado les diferenció de los demás y por otro les unió en su propia conciencia e identidad como Pueblo[205]. Es entonces cuando adquieren aquella fama de hombres tímidos, apocados, cobardes, temerosos y recelosos de los que se hace eco la literatura medieval. Veamos algunos ejemplos:

A.- Desde el punto de vista cultural

la Iglesia y la sociedad aragonesa ya no reconocen (en el siglo XIV) la importante contribución intelectual y científica que, desde el siglo XII, venían aportando los judíos a la cristiandad. Es entonces cuando la intensidad de su pensamiento comienza a desarrollarse *ad intra*. Su objetivo ya no será enriquecer culturalmente a la sociedad, sino tan sólo dar respuesta al saber e inquietudes vitales y religiosas que demandan sus propias comunidades y escuelas rabínicas.

B.- Desde el punto de vista legal

El cumplimiento de las normas contenidas en la *Halajá* o Ley judía les animará a separarse del resto de comunidades socio-religiosas (cristiana y musulmana). Su régimen alimenticio propio impedirá que se relacionen con otros que no sean de su religión (porque comen alimentos impuros). La circuncisión les alejará de las prácticas deportivas y sociales como pretexto convivencial. El descanso sabático les aislará al no coincidir con ninguna de las otras fiestas socio-religiosas (domingo y viernes), etc.

---

[205] VÉASE EL CAPÍTULO: (1.2.2.4.3.- La segregación en barrios: la judería).

C.- Desde el punto de vista religioso

Los rabinos e intelectuales judíos redactaron escritos apologéticos para defenderse de los ataques antijudíos de la Iglesia Católica. En realidad, esta literatura estaba destinada a sostener la moral de los judíos desmoralizados por el rechazo, la difamación, el odio y la humillación a la que se veían sometidos. El objetivo último de estos textos fue fomentar el sentimiento vivo de su elección como Pueblo elegido, la esperanza de alcanzar un territorio propio, así como alimentar el desprecio y distanciamiento hacia los *goyim* (los no-judíos).

1.3.2.4.- CRONOLOGÍA ANTIJUDÍA EN LA CORONA DE ARAGÓN

- Año 1179: El Concilio III de Letrán obliga a todos los judíos a vivir en barrios separados para que no convivan con los cristianos. La Iglesia aragonesa tardará en aplicar esta medida.

- En el año 1205, el Papa Inocencio III (1198-1216), en su bula *Etsi non displiceat*, pide a los reyes que no permitan las "maldades" que hacen los cristianos contra los judíos.

- Año 1215: En el concilio IV de Letrán, convocado por el Papa Inocencio III (1198-1216), se decretan medidas antijudías mucho más duras que en el anterior (III concilio de Letrán): el cristiano que tenga deudas con judíos queda dispensado; los judíos son excluidos de las carreras y funciones públicas; se les impone el pago de diezmos a la Iglesia; se les obliga a llevar una señal distintiva (un *capirote* o gorro puntiagudo y una franja amarilla o roja cosida al vestido), los Viernes Santo tienen que permanecer recluidos en sus casas, etc. Estas disposiciones antisemitas fueron proseguidas por el papa Gregorio IX (1227-1241).

- Año 1229: El 22 de abril, el rey Jaime I (1213-1276) ordena a todos los funcionarios de la Corona que protejan a los judíos (sus casas, posesiones y tradiciones), así como que respeten sus derechos[206].

- Año 1260: En Lérida se celebra un sínodo diocesano que excomulga a todo cristiano que vaya a la consulta de médicos judíos y pruebe sus medicinas.

- Año 1283: El rey Pedro III (1276-1285) restringe las posibilidades de los judíos para ejercer cargos públicos y cobrar las rentas reales.

- Año 1291: Como consecuencia de los duros y violentos ataques que sufrió ese año la judería de Barcelona, el rey Alfonso III (1295-1291) autoriza colocar puertas en todas las juderías de la Corona para cerrarlas por la noche, especialmente en Semana Santa.

- Año 1297: Un edicto del rey Jaime II (1291-1327) pone a los judíos bajo la jurisdicción religiosa de los obispos aragoneses, así como al amparo de los Dominicos y Franciscanos.

---

[206] ACA, Cancillería, Registros, Nº 202, fol. 210 vto. "...Mandamus insuper firmiter senioribus maioribus domus repositariis, merinis... et specialiter consilio Calatayubii et juratis et aliis nostris subditis universis..., quod vos et omnes res vestras ubique eundo, stando et redeundo manuteneant, protegant tamquam nostra propria et defendant et quod servent vobis et teneant vestras consuetudiens atque foros in ómnibus et contra eas vos non gravent vol res vestras nec permittant ab aliquibus molestari et quod manía supradicta et singula juvent vos tenere et contra ea vil forum aliquid non veniant ullo modo...".

- Año 1316: Ordenanza dictada por el rey Jaime II (1291-1327) para regular y controlar los traslados de domicilio de los judíos de Aragón a otras aljamas y reinos[207].

- Año 1320: Órdenes dadas por Jaime II para que los cristianos no molesten indebidamente a los judíos del reino[208].

- Año 1324: El rey Jaime II prohíbe a los judíos pasar consultas médicas, ya que se pensaba que las epidemias que sufría la sociedad eran provocadas por sus remedios y pociones mágicas.

- Año 1333: El rey Alfonso IV prohíbe a los cristianos enajenar los bienes de los judíos aragoneses sin su consentimiento expreso[209].

- Año 1348: Durante el reinado de Pedro IV (1336-1387) se celebran en Zaragoza unas Cortes que, a pesar de aprobar algunas medidas positivas para los judíos en materia económica (derecho a prestar dinero bajo usura), también prohíben vivir fuera de las juderías. En ese mismo año, la Corona sufre una gran epidemia de peste y los rumores culpan de nuevo a los judíos de tal desgracia. Las juderías son saqueadas, muriendo muchos hebreos por la exaltación de la masa.

- Año 1354: Tras los sucesos de la Peste negra, los judíos de Aragón tratan de organizarse para afrontar unidos el peligro antisemita que les acusa de propagar la epidemia. Para ello, crean un Consejo formado por los principales judíos de cada uno de los Estados integrantes de la Corona. El intento fracasó debido a las tendencias separatistas (políticas y religiosas) existentes dentro del propio judaísmo.

- Año 1322: El obispo de Zaragoza, Pedro López de Luna (1317-1345), confisca en nombre de la Iglesia los bienes de los judíos de la capital del reino.

- Año 1390: Los Consejeros de la ciudad de Barcelona prohíben a los judíos vestirse como los cristianos, así como alquilarles en sus casas mostradores para que abran tiendas o *boticas*.

- Año 1391: En el mes de junio comienza el gran *progrom* contra los judíos en varias ciudades peninsulares como Sevilla, Valencia y Barcelona. Las aljamas aragonesas no se ven tan afectadas, por lo que acogen a los judíos que huyen de dichas persecuciones.

- Año 1413: el papa Luna convoca la Disputa de Tortosa con el objetivo de luchar contra el judaísmo y provocar conversiones masivas de judíos en toda la Corona de Aragón.

- Año 1415: el papa Luna decreta en su bula *Etsi Doctores Gentium* nuevas medidas contra los judíos.

- Año 1415: El rey Fernando I (1412-1416), tras escuchar las súplicas de los judíos de Teruel, Rabbí y Levi Bitlam, concede protección y salvaguarda a todos aquellos judíos aragoneses que, con sus familias y bienes, trasladen su residencia a la aljama turolense. Además, se les declara francos e inmunes de todas las cargas y deudas que hubieran contraído con otras aljamas antes de su llegada. También ordena al *Bayle* y a los Jueces

---

[207] ACA, Cancillería, Registros, n° 213, fol. 234 (fecha: 5 de noviembre de 1316).

[208] ACA, Cancillería, Registros, n° 222, fol. 117 vto. (dado en diciembre de 1320).

[209] ACA, Cancillería, Registros, N° 486, fol. 20 vto. (dado el 8 de febrero de 1333).

de la ciudad que permitan la entrada de dichos judíos[210].

- Año 1419: El rey Alfonso V (1416-1458) deroga la pragmática del papa Luna, concediendo plena libertad para los judíos.

- Año 1485: Se decreta la expulsión de los judíos de Andalucía, que no llega a materializarse.

- Año 1486: Las autoridades de Zaragoza ordenan expulsar a los judíos de la ciudad y sus alrededores. La orden no se llevó a efecto.

- Año 1492: Los reyes Católicos decretan el Edicto de Expulsión de los judíos de Castilla y Aragón (no de Navarra).

1.3.2.5.- CRONOLOGÍA ANTIJUDÍA EN CALATAYUD

- Año 1284: El rey Pedro III (1276-1285) ordena al Justicia, Jurados y Oficiales de Calatayud que prohíban salir a los judíos de la ciudad y del reino. Los transgresores serán detenidos y llevados ante él[211].

- Año: 1284: El rey Pedro III ordena a Domingo de la Figuera, *Bayle* de la ciudad de Calatayud, a que elabore un informe sobre los incidentes y daños ocurridos en la carnicería de los judíos de Calatayud[212].

- Año 1285: El rey Pedro III ordena, al Justicia de Calatayud, que permita a los judíos de la ciudad ir a Castilla para cobrar sus deudas, además de poder asistir a las ferias castellanas[213].

- Año 1285: El rey Pedro III ordena al Justicia, Jurados y Hombres de Calatayud, que no impidan a los judíos la venta de vino y otros enseres[214].

- Año 1286: El rey Pedro III ordena, al Justicia y Concejo del lugar de Ariza, que no impidan a los judíos de Calatayud transportar sus frutos y mercancías a través de la aduana fronteriza con Castilla[215].

- Año 1308: El rey Alfonso III (1285-1291) manda, a los Oficiales y Consejeros de Calatayud y sus Aldeas, que no molesten a los judíos de la ciudad, ordenando que les restituyan todo lo que les habían quitado[216].

- Año 1314: El rey Jaime II ordena, al *Bayle* de Calatayud, que no prohíba al rabino de su judería degollar la carne según el rito hebreo, ni que les ponga multas por tales infracciones. Antes bien, debe limitarse a percibir los tributos, derechos y *peytas* que la

---

[210] ACA, Cancillería, Cartas Reales, Alfonso III, Caja 10, Nº 1.345 (dado el 10 de noviembre de 1330).

[211] ACA, Real Cancillería, Registros, Nº 43, fol. 98 (dado en Teruel, el 4 de enero de 1284).

[212] ACA, Real Cancillería, Registros, Nº 43, fol. 118 (dado en Zaragoza el 1 de febrero de 1284).

[213] ACA, Real Cancillería, Registros, Nº 56, fol. 100 (dado en Paniza, el 15 de mayo de 1285).

[214] ACA, Real Cancillería, Registros, Nº 57, fol. 146 (dado en Barcelona, el 8 de julio de 1285).

[215] ACA, Real Cancillería, Registros, Nº 66, fol. 235 vto. (dado en Lérida, el 23 de octubre de 1286).

[216] ACA, Real Cancillería, Cartas Reales, Jaime II, caja 37, Nº 4.651 (dado el 9 de enero de 1314).

aljama acostumbra pagar desde antiguo[217].

- Año 1320: El rey Jaime II nombra Juez al judío de Calatayud, Açach Velludo, para que represente a la aljama bilbilitana en las causas y diferencias que tiene con los cristianos[218].

- Año 1326: El rey Jaime II obliga al Obispo de Tarazona, don Beltrán (1324-1342) (como comisario-responsable de la Inquisición en su diócesis) a que derogue las penas de confiscación de bienes que había impuesto a los judíos de Calatayud por haber circuncidado a dos cristianos[219].

- Año 1340: Carta del rey Pedro IV (1336-1387) dirigida al jurista de Ainsa y Juez de la Curia Real, Ximeno Pérez Dueso, solicitándole información sobre la investigación hecha a unos judíos de Calatayud que habían ocasionado perjuicios a un mercader francés de Olorón[220].

- Año 1340: Carta del rey Pedro IV, al *Bayle* de Calatayud, para que no prohíba a los judíos el envío de emisarios a la Corte real, con el fin de esclarecer cierta controversia surgida entre ambas partes[221] (*Bayle* y judíos).

- Año 1342: Carta del rey Pedro IV, al *Bayle* de Calatayud, para que resuelva el subsidio económico que la aljama le había prometido a cambio de archivar unos supuestos delitos de herejía atribuidos a algunos judíos[222].

- El 26 de marzo de 1380, el rey Pedro IV ordena que ningún judío de Calatayud traslade su domicilio o se empadrone en otra judería sin su consentimiento. Con ello quiere evitar los perjuicios tributarios y mercantiles que ocasionan dichas domiciliaciones en la comunidad aljamial y en las arcas reales.

- Año 1398 (27 de marzo): El rey Martín I el Humano (1396-1410) prohíbe a los judíos de Calatayud vivir fuera de los límites de la judería.

- Año 1401. Desde las matanzas de 1391, los judíos de Calatayud optan por marcharse a vivir a otros lugares para sortear el clima de crispación que viven en toda la Corona. Para evitarlo, el rey Martín I prohíbe a los judíos de Calatayud (el 23 de agosto de 1401) empadronarse en otro lugar del reino sin su consentimiento y sin haber saldado primero los tributos y deudas aljamiales[223].

- Año 1408: El rey Juan I (1387-1396) ordena la separación de judíos y conversos, ratificando toda la legislación hasta entonces aprobada en torno al distintivo de sus vestiduras. Mas tarde él mismo anulará estas disposiciones.

- Año 1413: El papa Luna convoca la Disputa de Tortosa. Como ya sabemos, en Calatayud tuvo consecuencias desastrosas por las medidas antijudías que las autoridades

---

[217] ACA, Real Cancillería, Registros, N° 213, fol. 234 (dado el 5 de noviembre de 1316).

[218] ACA, Real Cancillería, Registros, N° 222, fol. 117 vto. (dado en diciembre de 1320).

[219] ACA, Real Cancillería, Registros, N° 229, fol. 239 (dado el 10 de febrero de 1326).

[220] ACA, Real Cancillería, Cartas reales, Pedro IV, caja 12, N° 1.578 (dado el 3 de diciembre de 1340).

[221] ACA, Real Cancillería, Cartas reales, Pedro IV, caja 12, N° 1.578 (dado el 3 de diciembre de 1340).

[222] ACA, Real Cancillería, Cartas Reales, caja 15, n° 2.100 (dado el 2 de diciembre de 1342).

[223] VEASE APÉNDICE DOCUMENTAL N° 1.

eclesiásticas y civiles de la ciudad tomaron contra los judíos. Los reyes tendrán después que prohibirlas para evitar las conversiones masivas y la ruina de la comunidad hebrea bilbilitana.

- Año 1414: Los Jueces eclesiásticos de Calatayud prohíben a los judíos toda participación legal, social y financiera con los cristianos[224]. Estas medidas tan severas no llegaron a ponerse en práctica gracias a la intervención real.

- Año 1415: El papa Luna decreta en la bula *Etsi Doctores Gentium* nuevas disposiciones contra los judíos.

- Año 1419: El rey Alfonso V (1416-1458) deroga la anterior pragmática del papa Luna contra los judíos.

1.3.2.6.- CONTROVERSIAS ENTRE JUDÍOS Y CRISTIANOS EN CALATAYUD

- El 24 de marzo de 1282, el rey Pedro III (12761285) ordena al Justicia, *Bayle* y Jueces de Calatayud que ni ellos, ni nadie de la Villa, hagan daño a los judíos en Semana Santa y en otras fiestas cristianas[225].

- El 5 de agosto de 1284, el rey Pedro III envía una carta a los Jurados de Calatayud para que manden escribir las maldiciones y palabras ociosas que dicen los judíos contra los cristianos[226].

- El 8 de julio de 1285, el rey Pedro III remite, al Justicia de Calatayud, que nadie dicte medidas que agraven más la situación socio-económica de los judíos[227].

- El 12 de septiembre de 1287, el rey Alfonso III (1285-1291) ordena, al Justicia de Calatayud, que nadie moleste a los judíos de dicho lugar[228].

- El 25 de abril de 1288, el rey Alfonso III pide, a los Justicias y Jurados de todas las Aldeas de la Comunidad de Calatayud, que no opriman más a los judíos[229].

- Año 1294: Ante los asaltos y saqueos que sufren los judíos de Calatayud por parte de los cristianos, especialmente en Semana Santa, el rey Jaime II (1291-1327) autoriza -ese mismo año- la construcción de un muro y postigo de cierre (muro y postigo de *Torremocha*) entre el Castillo de la judería (llamado *Constant*) y el de *Torremocha*[230].

- El 25 de mayo de 1301, el Rey Jaime II (1291-1327) envía una carta, a los oficiales de Calatayud, para que no humillen y vejen más a los judíos[231].

- El 8 de junio de 1328, el rey Alfonso IV (1327-1335) envía una carta a Miguel de

[224] VEASE LA NOTA N° 48 y 49.

[225] ACA, Real Cancillería, Registros, N° 60, fol. 68 vto.

[226] ACA, Real Cancillería, Registros, N° 43, fol. 24.

[227] ACA, Real Cancillería, Registros, N° 57, fol. 146.

[228] ACA, Real Cancillería, Registros, N° 70, fol. 169.

[229] ACA, Real Cancillería, Registros, N° 74, fol. 103 vto.

[230] LOPEZ ASENSIO, A.; Op. Cit. *"La judería de Calatayud"*, p. 66.

[231] ACA, Cartas Reales, caja 13, N° 1.715.

Gurrea, viceprocurador del reino de Aragón, para que se persone en Calatayud y averigüe el problema que han tenido algunos hombres de la parroquia de San Andrés y Santo Domingo (parroquias limítrofes con la judería bilbilitana), cuando en la fiesta y procesión del *Corpus Cristi* fueron increpados y blasfemados por los judíos y musulmanes[232]. Esta carta la reciben también el Justicia de Calatayud; el Portero real de la Villa Guillermo de Cardona; el Obispo Beltrán de Tarazona (1324-1342); así como el Juez de la Curia Real, Domingo Sánchez de Barcelona, ciudadano de Zaragoza.

- Año 1348: El rey Pedro IV (1336-1396) dispone que los más prestigiosos judíos de Calatayud, junto con el *Bayle* real, elijan a un hombre armado para que custodie la puerta de la judería aledaña a la iglesia de San Andrés. El motivo es evitar los saqueos y la violencia de los cristianos[233].

- Año 1415: La bula *Etsi Doctores Gentium* del papa Luna restringe la libertad y los derechos de los judíos con sus medidas antijudías.

- Año 1419: El rey Alfonso V (1416-1458) deroga definitivamente las disposiciones de dicha pragmática papal.

---

[232] ACA, Real Cancillería, Registros, Nº 519, Fol. 122 vto. – 125.

[233] LOPEZ ASENSIO, A.; Op. Cit. *"La judería de Calatayud"*, p. 71.

2.- ANTIJUDAÍSMO Y CONVERSIONES JUDÍAS

2.1.- EL FENÓMENO DE LAS CONVERSIONES

2.1.1.- LA CONVERSIÓN EN EL ISRAEL BÍBLICO

2.1.1.1.- EL PECADO EN EL JUDAÍSMO

El pecado en la Biblia es esencialmente una falta y una manera de causar daño[234]. Las Sagradas Escrituras consideran que el pecado no sólo es una falta o trasgresión contra Yahvé y contra lo que Yahvé exige del hombre, sino incluso un atentado contra la relación de ambos[235], una desobediencia, una ofensa, una ruptura, un incumplimiento de los mandamientos dados a Moisés para establecer el *Pacto de la Alianza* en el monte Sinaí: "tu serás mi pueblo, yo seré tu Dios" (Ex 34, 10-28).

El Pueblo de Israel tomó conciencia de la realidad de pecado en la época profético-monárquica (del 1000 al 332 a.C.), cuyo concepto está vinculado directamente a la noción de justicia y salvación personal. Los profetas llaman pecado a todo lo que la persona hace en contra de la voluntad de Yahvé. Por el contrario, justicia o *çedaqa* será todo comportamiento que mantiene la relación con Yahvé. El movimiento profético[236] hace hincapié en la necesidad de practicar las buenas obras que Yahvé manda hacia el prójimo; solo así la vida estará llena de sus bendiciones.

También hay que destacar la relación existente entre el pecado y la muerte. Ambas realidades se sitúan en el estrato personal, donde nace la decisión libre del hombre de elegir el camino de Yahvé (la vida) o seguir por el camino del pecado (la muerte). La opción de ir contra Yahvé (pecado) lleva implícita una recusación de la vida (muerte) por parte del mismo hombre. Pecado y muerte son dos aspectos de esa única realidad, que es el misterio del mal[237].

En resumen, mientras que en el Antiguo Testamento el pecado se concibe como una transgresión hacia Yahvé y hacia la relación interpersonal con los demás hombres; en el Nuevo Testamento se entiende como una falta de fe, una carencia de respuesta a Dios y al amor que se plasma en los hermanos.

2.1.1.2.- EL AMOR BÍBLICO AL PRÓJIMO

La Biblia hebrea o *Tanaj* da mucha importancia a la *hermandad* como signo identificativo de la condición humana. Muchos de sus textos enseñan que el primero y principal

---

[234] Para comprender mejor el significado de pecado, debemos tener en cuenta las siguientes palabras sinónimas que utiliza a menudo la Biblia hebrea: falta, infidelidad, desobediencia, abandono, perfidia, fraude, mentira, injusticia, injuria, violencia, iniquidad, perversidad, desorden, trasgresión, desviación, perdición, negativa, rebelión, impiedad, idolatría, adulterio, prostitución, mancha, abominación.

[235] AUZOU, G., "*La palabra de Dios*", Madrid, 1962, p. 223.

[236] El profeta Ezequiel presenta en (Ez 18, 5-9) un pequeño catálogo de virtudes altruistas relacionadas con el binomio caridad-comportamiento: "El que sea justo y haga juicio y justicia, no banquetee por los montes y no alce sus ojos a los ídolos de la casa de Israel, no manche a la mujer de su prójimo... y no oprima a nadie, y devuelva al deudor su prenda, no robe y dé pan al hambriento y vestido al desnudo, no dé a logro ni reciba a usura, retraiga su mano del mal y haga juicio de verdad entre hombre y hombre, camine en mis mandatos y guarde mis leyes obrando rectamente, ése es justo, vivirá, dice Yahvé". Es interesante observar que ya hace su aparición la virtud positiva de la caridad: dar pan al hambriento y vestido al desnudo.

[237] RUIZ DE LA PEÑA, J. L.; "*La otra dimensión*", Madrid, 1975, p. 74.

mandato de Yahvé es el que se recoge en el decálogo de los Diez Mandamientos de la Ley de Moisés: "amarás a tu prójimo como a ti mismo" (Lev 19, 17 ss.), incluso al extranjero (Lev 19, 34), al enemigo (Ex 23, 4 ss; Prov 25, 21 ss.) o al señor de esclavos (Ex 21, 5). El amor se proyecta hacia el otro, hasta llegar a una solidaridad completa (Dt 15, 12-18; 23, 16 ss.). La Biblia nos invita, en todo momento, a superar nuestro orgullo y amor propio como tentación peligrosa de infidelidad al amor que Yahvé nos tiene[238].

Además del mandato singular del amor al prójimo, en la Ley de *Santidad bíblica* (recogida en la literatura sapiencial) Yahvé rechaza "sembrar discordia entre hermanos" (Prov 6, 19), ya que el hombre tiene que vivir reconciliado con el hermano si quiere obtener la bendición de Yahvé (Sal 133). El hombre se destruye si no supera el odio y la venganza. Cuando guardamos rencor a alguien o tenemos un resentimiento hacia otra persona, somos nosotros los únicos perjudicados, los únicos que sufrimos, los únicos lastimados que nos causamos daño. La falta de perdón es capaz de enfermarnos, envenenarnos y volvernos malos. Cuando uno odia a su enemigo, pasa a depender de él. Aunque no quiera, se ata a él, queda sujeto a la tortura de su recuerdo y al suplicio de su presencia. Toda persona se equivoca si no progresa en la superación del odio y la venganza.

Sólo siguiendo ese camino no se perderá en el laberinto de sus afectos y relaciones interpersonales negativas. El hombre es un ser llamado a la hermandad, no sólo con sus semejantes, sino con toda la humanidad y todos los pueblos de la tierra. Yahvé deja muy claro cual debe ser la dirección del hombre con los semejantes: el amor y el perdón es el objetivo y la meta.

2.1.1.3.- LA PAZ BÍBLICA: *SHALÓM*

Por *Paz bíblica* se entiende el estado de bienestar que el hombre alcanza cuando vive en armonía con la naturaleza, consigo mismo, con el prójimo y con Yahvé. Puede significar también una realidad llena de vida, una plenitud, un logro, la perfección, la victoria, la unanimidad y el gozo.

Pero no es fácil alcanzarla, supone una tensión y sólo se obtiene después de haber superado dificultades. Por ello, nunca es capitulación, neutralidad, pacifismo, fácil conciliación, compromiso; sino que llega como victoria, como la perfecta maduración de la vida, como el éxito, la plenitud, la bendición, la gloria, la riqueza, la salud, la vitalidad y la fecundidad. La paz es el fruto y el signo de la justicia (Sal 37, 11, 37) que da la vida. Veamos algunos enfoques bíblicos para comprender todo esto[239]:

- La palabra hebrea *Shalam* significa paz en el sentido de: realizar, cumplir, llevar a cabo, terminar: (Gen 15, 16; i Re 7, 51; 2 Cro 8, 16; Neh 5, 15; Jer 13, 19).

- Del mismo radical procede el adjetivo *Shalom*, que sirve para calificar la paz como aquello que está entero, intacto, íntegro, exacto: (Dt 25, 15; 27, 6; I Re 6, 7; Neh 1, 12). Incluso se aplica frecuentemente a la buena salud, al vigor físico, a la integridad del cuerpo y a su plena vitalidad: (Gn 29, 6; 33, 18; 2 Sam 20, 9; 2 Re 4, 26; Is 57, 18-19;

---

[238] WOLFF, H. W.; *"Antropología del Antiguo Testamento"*, Salamanca, 2001, p. 252.

[239] AUZOU, G.; *"La palabra de Dios"*, p. 134 ss.

Sal 38, 4). En su totalidad, esta salud o *salvación* es la prosperidad y felicidad perfecta, lo que la Biblia expresa en términos de *bendición* (Nm 6, 26; Dt 29, 18; Is 52, 7; Ez 34, 25; Prov 3, 2).

- La palabra *Shalom* expresa también la paz-prosperidad que garantiza la seguridad vital: (Lev 26, 16; Is 26, 3; Job 21, 9; Sal 69, 23; 119; 165).

- También *Shalom* será el acuerdo, la concordia, la armonía y felicidad que supone las buenas relaciones entre Yahvé y los hombres: (1 Re 8, 61; 11, 4; Prov 16, 7; 17, 1; Job 22, 21).

- La *Paz bíblica* no puede existir al margen del derecho, de la *justicia* o *çedaqa*, de la Ley de Moisés recogida en la Toráh, y de las exigencias de Yahvé. Todas estas palabras se encuentran frecuentemente asociadas y relacionadas entre sí: (Is 32, 17-18; 43, 18; 54, 13-14; 60, 17; Sal 72, 3, 7; 85, 11; Prov 12, 20).

- Los personajes de la Biblia utilizaron el término *Shalom* como saludo, pudiéndose traducir como *vete en paz* y la *paz sea contigo* (Gn 37, 14; 1 Sam 1, 17; 17, 18; 20, 21, 42; 2 Sam 11, 7; 18, 28-29; 2 Re 5, 21; 9, 11, 17, 23, 31; 1 Cro 12, 18). Como en aquellos tiempos, también hoy los judíos la utilizan para saludar, siendo un equivalente a nuestra expresión *buenos días* o *salud*.

La Paz es el término bíblico que mejor expresa el éxito de la *Alianza* entre Yahvé y su pueblo en el monte Sinaí, es decir, el *gozo* de una buena situación de salud y felicidad para el cuerpo, el corazón y el propio yo personal (Is 57, 18; Sal 38, 3). También manifiesta las buenas relaciones que deben existir entre las naciones y entre los propios hombres (Jue 4, 7; 1 Cro 12, 17); así como la salvación en el sentido más amplio de la palabra (Jer 29, 11). Todo ello supone una comunión perfecta con Yahvé.

2.1.1.4.- CONVERSIÓN-RECONCILIACIÓN EN LA BIBLIA

El movimiento profético (del 1000 al 332 a.C.) centra su mensaje en la conversión, expresión que proviene de la palabra hebrea *Shuv* (volver) y con dos significados muy parecidos:

- El sustantivo *teshuvá* indica *vuelta*, cambio de dirección (una rotación de 180 grados), inversión del camino, etc. La conversión hace que el hombre deje de ser espectador y pase a ser actor de su propio cambio interior. La persona se pone de pie y se pregunta: ¿qué estoy haciendo en este estado?.

- *Shuv* significa más bien *responder*. El hombre responde a Yahvé convirtiéndose con él, por él y en él; es lo que en griego se denomina *metanoeo* (*metanoia*) o cambio de opinión, reflexión.

Para el profeta Oseas, la conversión del hombre pone de manifiesto la ternura de Yahvé cuando exclama: *"vuelve, Israel, al Señor tu Dios, porque has tropezado en tu iniquidad. Preparad las palabras que debéis decir y volveos al Señor y decidle: aleja toda iniquidad; acepta lo que está bien y te ofreceremos el fruto de nuestros labios"* (Os 14, 2-3). También el Salmista dice al respecto: *"se recordarán y volverán al Señor todos los confines de la tierra, se postrarán delante de él todas las familias de los pueblos*" (Sal 22, 28). El autor del libro de las Lamentaciones invita a que "*examinemos nuestra conducta y escrutémosla, volvamos al Señor*" (Lam 3, 40). Incluso rabí Aquiba (martirizado por los romanos en el año 135 de la Era cristiana) afirma que la mano derecha de Dios está siempre tendida para acoger cada día a los arrepentidos, y dice: "*volved, hijos del hombre*" (Sal 90, 3).

Los judíos tienen unas fiestas estrechamente relacionadas con la conversión personal y colectiva[240]: la fiesta del *Rosh-ha Sahná* (Año Nuevo) y el *Yom Kippur* (Dia de la expiación de los pecados):

- En la fiesta del *Rosh-ha Shaná* o año nuevo se hace el *tashlih* (que significa "arrojar"). Se busca la orilla de un río y se lee al profeta Miqueas: "*el volverá a tener misericordia de nosotros y aplastará nuestros pecados. Tu arrojarás al fondo del mar todos nuestros pecados*" (Mq 7, 19). A continuación se arrojan simbólicamente los propios pecados al agua para que se purifiquen.

  A la fiesta también se la conoce como *el día del juicio*, ya que tanto hombres como mujeres seremos convocados el día del juicio final para que el Juez divino nos examine de nuestras acciones. El toque del *shofar* (cuerno de carnero sagrado) tiene el poder, como dice el Talmud, de hacer que Yahvé se levante del trono de la justicia para sentarse en el de la misericordia.

- El día del *Kippur* está consagrado íntegramente al ayuno. En este día Yahvé perdona todos los pecados cometidos contra él (pecados personales) y contra los demás (pecados sociales o colectivos). El perdón se hace efectivo si la persona se reconcilia consigo misma, y con el prójimo a quien ofendió.

2.1.2.- LA CONVERSIÓN EN EL ARAGÓN MEDIEVAL

2.1.2.1.- ANÁLISIS DEL FENÓMENO DE LAS CONVERSIONES

2.1.2.1.1.- Causas que favorecieron las conversiones en Aragón

Varios fueron los motivos que propiciaron la conversión de los judíos. Las agresiones, la legislación hostil y las campañas antijudías de la Iglesia tuvieron resultados negativos para ellos. Analicemos alguna de estas causas socio-políticas para comprender mejor el fenómeno de las conversiones:

A.- Medidas de presión popular

En el año 1391 se desencadenaron las matanzas de judíos en las principales aljamas de Castilla y, muy especialmente, en la sevillana[241]. El efecto dominó hizo que en otras de la Corona

---

[240] LOPEZ ASENSIO, A.; Op. Cit- "*La judería de Calatayud*", p. 271 y 281.

[241] El 4 de junio de 1391 la plebe de Sevilla se desencadena y provoca una matanza en la judería. La conmoción y el odio se propagaron por toda la Península. Córdoba, Toledo, Madrid y tantas otras ciudades de Castilla son escenarios de matanzas contra los judíos. Al poco, el movimiento llegaba a Aragón.

de Aragón también se vivieran episodios similares. El 16 de julio fue aniquilada la judería de Valencia, y en agosto la de Mallorca. En Barcelona las autoridades tomaron medidas para defenderlos pero, cuando -el 5 de agosto- llegó la noticia de la matanza de Mallorca, el pueblo hizo una auténtica carnicería. Las de Gerona, Zaragoza y Calatayud escaparon de los asesinatos indiscriminados.

En la Corona de Aragón hubo comunidades hebreas que vieron seriamente diezmada su población, hasta tal punto, que algunas de ellas estuvieron a punto de desaparecer como Barcelona, Lérida, Mallorca, Valencia, Orihuela y Játiva. Por el miedo y la inseguridad reinantes[242], muchos se vieron obligados a convertirse a la fuerza, conducta que sembró la desesperación entre los supervivientes judíos.

B.- Medidas de presión eclesiástica

La Disputa de Tortosa (7 de febrero 1413-13 de noviembre de 1414) y la pragmática antijudía del papa Luna *Etsi Doctores Gentium* de 1415 contribuyeron, en gran medida, a tensionar la situación social y personal de muchos judíos. Las directivas que se tomaron contra ellos provocó el efecto deseado: malestar, desconcierto y numerosas conversiones en todas las aljamas aragonesas y, muy especialmente, en Zaragoza, Calatayud, Alcañiz, Daroca, Fraga y Barbastro.

Aunque la Disputa de Tortosa fue un gran éxito personal para el papa Luna por el elevado número de bautismos[243], la "solución final" judía -que pretendía- no se consiguió del todo. Al contrario, a medida que aumentaban las presiones de las autoridades eclesiásticas, se incrementaba todavía más -entre un grupo de rabinos asistentes- la seguridad de mantenerse en su fe para afrontar dichas presiones. Los pocos que resistieron tenían fuertes y firmes convicciones religiosas. En definitiva, la Disputa no logró amedrentar al judaísmo, produciendo una reacción adversa que le hizo más fuerte de lo que era antes[244].

El gran protagonista fue el judío de Alcañiz, Joshua Ha-Lorqui, que se bautizó con el nombre de Jerónimo de Santa fe (había sido nombrado médico del Papa en febrero de 1412). Este converso, junto a fray Vicente Ferrer, fueron los dos actuantes que lograron con sus predicaciones convertir -durante y después de la Disputa tortosina- a buena parte de los judíos de la Corona de

[242] HISPANIA JUDAICA, *"The Jews in the Crown of Aragón, regesta of the cartas reales in the archivo de la Corona de Aragón"*, Parte II (1328-1493), p. 37.

[243] Pese a que debemos renunciar a cualquier intento de convertir en cifras el descenso demográfico que provocó la Disputa de Tortosa sobre los judíos aragoneses (ya que los documentos no arrojan datos reveladores), sin embargo, hay estudiosos del tema que ya se han atrevido a darlas. Estas hipótesis no dejan de ser meras suposiciones que evidencian la necesidad de clarificar y abordar el tema en profundidad: ZURITA, J., Op. Cit. *«Anales de Aragón»*, tomo XII, Cap. XLV. Zurita señala que tras comenzar la Disputa (año 1413) *«se convirtieron de las sinagogas de Zaragoza, Calatayud y Alcañiz más de doscientos»*, y que en el primer semestre de 1414 *«muchos de los más enseñados judíos de las ciudades de Calatayud, Daroca, Fraga y Barbastro se convirtieron y se bautizaron hasta en número de ciento y veinte familias (unas 500 personas), que eran en gran muchedumbre; y todas las aljamas de Alcañiz, Caspe y Maella se convirtieron a la fe en general, que fueron más de quinientas personas; y tras éstos convirtieron la aljama de Lérida y los judíos de la villa de Tamarit y Alcolea; y fueron en número de tres mil los que entonces se convirtieron a la fe en la corte del Papa y fuera della, según pareció con puro corazón».* SERRANO Y SANZ, M., Op. Cit. *«Los orígenes...»*, p. 63. Serrano y Sanz dice que, tras la Disputa, *«tan grande fue el número de judíos convertidos, que la mayor parte de las aljamas quedaron poco menos que deshechas, y reducidas, con aquella deserción, a la pobreza... Desde las conversiones en masa verificadas a principios del XV apenas había en España la mitad de judíos que a mediados del anterior».* AMADOR DE LOS RÍOS, J., *«Historia social... de los judíos de España...»*, tomo II, p. 441. Amador de los Ríos comenta -siguiendo a Zurita- que, como consecuencia de la Disputa, *«...abrazábanse a la cruz hasta ciento veinte familias de las Juderías de Calatayud, Daroca, Fraga y Barbastro; y ya en los postreros meses del mismo año pedían el bautismo en Caspe, Maella, Tamarite y Alcolea, sobre tres mil quinientos hebreos».*

[244] SUÁREZ BILBAO, F., "Cristianos contra judíos y conversos", *en conflictos sociales, políticos e intelectuales en la España de los siglos XIV y XV*, "XIV semana de estudios medievales", 4-8 de agosto 2003, Nájera 2004, p. 464.

Aragón.

C.- Imposibilidad de ocupar cargo público

El rey Pedro III prohibió a los judíos aragoneses desempeñar cargos públicos de relevancia, como el de *bayle* real (gobernador real). No obstante, permitió que algunos de sus más antiguos colaboradores judíos -como el turiasonense Mosse Portella y el bilbilitano Aaron Abinafia[245]- siguieran ocupándolo casi hasta el final de sus vidas. Mas tarde, en el siglo XIV, esta prohibición fue recogida en la legislación foral aragonesa -a petición de los ricos hombres del reino- haciéndola extensible a todos los judíos de Aragón, Valencia, Ribagorza y Teruel[246].

D.- Legislación civil antijudía

Los fueros de Aragón contenían, en alguno de sus cánones, leyes que restringían la libertad de los judíos y musulmanes en el ámbito personal. Un ejemplo claro lo encontramos en la prohibición de vender una heredad a un cristiano sin previa licencia del *bayle* real, quien recibía un tercio del precio de venta[247]. Este permiso no era necesario si la venta se realizaba a otro judío o musulmán.

E.- Campañas de mentalización

Las predicaciones a la fuerza de los Dominicos y Franciscanos en las sinagogas fueron siempre un atentado contra los derechos y libertades de los judíos durante toda la Edad Media. Estos sermones tuvieron poca respuesta entre los judíos, hasta que llegó fray Vicente Ferrer, cuyas pláticas tuvieron mucho éxito durante la Disputa de Tortosa. La presión social y las medidas antijudías del papa Luna favorecieron que su discurso cosechase frutos positivos, como así relata el propio Zurita: *Infinitos judíos convirtió el maestro fray Vicente Ferrer. Y esperabase que cada día se irían convirtiendo en gran número, así en el reino de Aragón como en todas las provincias de España señaladamente con la predicación del santo varón el maestre fray Vicente Ferrer*[248].

---

[245] LOPEZ ASENSIO, A., *"Sabiduría judía de Calatayud y Sefarad"*, p. 172. Los negocios y patrimonio del judío de Calatayud Aaron Abinafia Sus negocios y patrimonio le hicieron ser un hombre con una enorme influencia social, lo que le permitió acceder a la Corte del Pedro III. Pronto se supo ganar la confianza del monarca, quien le nombró en 1263 *Bayle* de Calatayud, Daroca y Teruel, cargo que desempeñó ininterrumpidamente hasta 1290. También ocupó otros cargos menores: como procurador del rey para ejecutar sus órdenes directas en todo el reino, y como Alcalde de Montoro (año 1277), lugar donde tenía algunas heredades. Pese a que en 1283, el rey Pedro III prohíbe que ningún judío pueda ser *Bayle*, Abinafia siguió gozando de la confianza del monarca.

[246] PEREZ MARTÍN, A., Op. Cit. *"Los fueros de Aragón: la compilación de Huesca"*, Edita el Justicia de Aragón, Zaragoza, 2010, p. 598. *"Item demandan los richos hombres e todos los otros sobreditos, que en los regnos de Aragón e de Valencia, ni en Ribagorça, ni en Teruel no haya bayle que jodio sia"*.

[247] PEREZ MARTÍN, A., Op. Cit. *"Los fueros de Aragón..."*, p. 460. "Nullus iudeus aut sarracennus hereditatem potest vendere christiano nisi baiulo regis assensum prestante et instrumentum etiam confirmate. Si vero iudei aut sarraceni vendiciones inter se fecirint, baiulus domini regis non debet se intromitere, cum eiusdem condicionis maneant apud regem. Tamen baiulus regis debet recipere precii terciam partem cum sit vendicio christiano". VEASE TAMBIÉN la p. 465: "Empcio hereditatis iudei et sarraceni novenario aut tributarii domini regis, ómnibus cuiusque condicionis sint, maneat interdicta, nisi quis assensum domini regis vel predecessorum eisus, super hoc per instrumentum sufficiens valeant demostrare".

[248] ZURITA, J., Op. Cit. *«Anales de la Corona de Aragón»*, tomo XII, cap. 45.

F.- Posibilidad de seguir teniendo vinculación con el judaísmo

La primera generación de conversos bautizados siguió manteniendo relaciones familiares con sus parientes y amigos judíos. En cualquier caso, para los conversos no fue fácil mantener vínculos con el cristianismo ya que, no sólo se trataba de aceptar unos dogmas o unas fórmulas de fe, sino abandonar una tradición, una familia, una forma de ser y unas prácticas culturales milenarias para tomar otras y, todo ello, en el marco de una escasa convicción y con presiones por todos los lados[249].

2.1.2.1.2.- La conversión para mejorar la situación económica

La conversión de los judíos hizo que el resto de miembros de las aljamas hebreas soportaran mayor presión fiscal. Por ejemplo, la aljama judía bilbilitana llegó a pedir, en ocasiones, *deudos* o préstamos en forma de *censales*[250] y *comandas*[251]. La aljama tuvo que recurrir al endeudamiento por *sey posados en muytas e diversas necessidades a las quales quantias pagar e a las otras necessidades suplir, socorrer e complir no podemos sin gran danyo nuestro e de la dita aljama e sigulares daquella*[252]. Cuando esto sucedía, todos los miembros de la misma contribuían solidariamente al pago de estos pasivos financieros.

Los procesos de Inquisición nos proporcionan alguna referencia sobre lo que pasaba en el seno familiar cuando los judíos se bautizaban e incorporaban a la comunidad cristiana: la familia

---

[249] SESMA MUÑOZ, J. A., "La sociedad aragonesa y sus relaciones con la comunidad hebrea en vísperas de la expulsión", *en movimientos migratorios y expulsiones en la diáspora occidental*, Tudela, 200, p. 138.

[250] Los censos a los que estaba obligada la aljama de Calatayud durante el decenio 1480-1492 fueron, entre otros, los siguientes: APNC, Juan Remón, tomo 188, 1484, p. 139 (Miguel Pérez, vecino de Orera recibe del aljama de judíos 233 sueldos y 4 dineros de censo); APNC, tomo 77, 1484, Forcén López, p. 34. (María Lopez mujer de Benito Ram, vecinos de Calatayud y procuratriz suyo, en su nombre recibe del aljama de judíos 650 sueldos de censo); APNC, tomo 77, 1484, Forcén López, p. 235. (Mosse Paçagon y Jaquo Enrodrich, clavarios de Calatayud responden a Pedro Conqua de aquellos 256 sueldos y 8 dineros que en cada año hacían de censo a Cathalina de Conqua, hermana suya); APNC, tomo 57, 1481, Leonart de Santa Fe, p. 133. (Fernando Lopez de Villanova, mercader de Calatayud, procurador de Juan Lopez de Villanova, mercader de Çaragoça, en su nombre recibe del aljama de judíos 1.000 sueldos de censo); APNC, tomo 192, 1488, Juan Remón, p. 32. (Juana de Sayas mujer de Pedro de Santa Cruz, vecino de Calatayud, recibe del aljama de judíos 117 sueldos de censo); APNC, tomo 85, 1489, Forcén López, p. 17. (Mossen Jaime de Santa Cruz, canónigo de Sta. María de la Peña, recibe del aljama de judíos 133 sueldos y 4 dineros de censo); APNC, tomo 85, 1489, Forcén López, p. 17. (Juan Çapata, alguazil del Rey recibe del aljama de judíos 66 sueldos y 8 dineros 210 sueldos de censo); APNC, tomo 85, 1489, Forcén López, p.75. (Juan Gaston, vecino de Maluenda, reciba del aljama de judíos 500 sueldos de censo); APNC, tomo 85, 1489, Forcén López, p. 101vto. (Juan de Villanova, portero del Rey y vecino de Calatayud, recibe del aljama de judíos 233 sueldos y 4 dineros de censo); APNC, tomo 86, 1490, Forcén López, p. 103vto. (Juan de Nueros, jurista de Calatayud recibe del aljama los 266 sueldos y 8 dineros que le deben de censo); APNC, tomo 86, 1490, Forcén López, p. 210vto. (Cathalina de Heredia, viuda de Jaime de Santangel y vecina de Calatayud, recibe del aljama de judíos 43 sueldos y 4 dineros de censo); APNC, tomo 86, 1490 Forcén López, p. 236vto. (Francisco de Contamina, vecino de Calatayud, recibe del aljama de judíos 266 sueldos y 8 dineros censales); APNC, tomo 241, 1490, Alonso Daça, p. 5. (Miguel Pérez, notario vecino de Orera, recibe del aljama de judíos 230 sueldos y 4 dineros de censo anual). APNC, tomo 241, 1490, Alonso Daça, p. 37. (Pedro de Conqua, escudero de Calatayud, recibe del aljama de judíos 200 sueldos de censo); APNC, tomo 241, 1490, Alonso Daça, p. 54vto. (Miguel Lopez, vecino de Çaragoça, procurador de Juan Pérez de Caseda, Mª Lopez de Caseda, herederos de Paulo López, recibe del aljama de judíos de Calatayud 250 sueldos de censo cada año).

[251] APNC, tomo 4, 1445, Antón Martínez de la Justicia, p. 148. La aljama de judíos plegados en la sinagoga Mayor se comprometen en comanda ante Antón Ram, mercader de Calatayud, en 324 florines. La aljama no avala la operación con ninguna propiedad comunal. APNC, tomo 4, 1445, Antón Martínez de la Justicia, p. 300. La aljama plegada en la sinagoga mayor "toda la aljama de aquella en comanda del honor Mossen Johan de Casaldaguila, senyor del lugar de Layava son asaber 350 florines". La aljama no avala la operación con ninguna propiedad comunal.

[252] APNC, tomo 49, 1473, Leonart de Santa Fe, p. 166 ss. Publicado por LOPEZ ASENSIO, A., "*La judería de Calatayud*", Zaragoza, 2003, pp. 174-175.

se quedaba dividida y sus relaciones interpersonales deterioradas[253]. Esto suponía también una ruptura drástica con la aljama, quedando incluso liberado de cualquier obligación económica o tributaria que mantenía con ella. El resto de miembros aljamiales tenían que soportar la parte proporcional de los bautizados, con lo que aumentaba su presión fiscal.

Para evitar el sofocante pago anual de *censos*[254], *comandas*[255], *peytas*[256], *sisas*[257] y *diezmos* eclesiásticos de todas las heredades que fueron alguna vez de cristianos[258], muchos judíos optaban por la conversión, lo que supuso que varias comunidades estuviesen en el frontispicio de la ruina y desaparición.

La legislación foral aragonesa no sólo intentó favorecer el fenómeno de las conversiones, sino que incluso incentivó económicamente a los judíos que decidían hacerlo. El fuero ordenaba que los conversos neófitos conservasen los bienes (muebles, inmuebles y crediticios) que tuvieran antes de bautizarse. Así mismo, les eximía del pago de cualquier deuda hipotecaria aljamial (en forma de *comanda* o *censal*) contraída antes y después de su conversión. Tras su muerte, los hijos y descendientes (los conversos de segunda y tercera generación) tendrán el

---

[253] AHPZ, Caja 15, Nº 6; Proceso inquisitorial contra Juan de Esperandeo, p. 5-5 vto. El 1 de julio de 1489, la vecina y conversa de Calatayud, María de Lanuça (mujer de Jacobo de Luna), dice ante la Inquisición que juzga al bilbilitano, Johan de Esperandeo (menor de días), que "el dia que baptizaron al marido desta deposante, que puede haver cinquo annos poco mas o menos y entonces bautizaron dos fijos tambien desta deposante", se encontró al acusado en la judería y "dixole, porque lloitays?, dixo esta deposante no tengo de llorar que soy viuda en vida, no veys que bautizan a mi marido y a mis fijos?, entonces dixo el dicho Johan Esperandeo a esta deposante: y no enredeys que quedays bien rica que quedays en vuestra Ley y en vuestra juderia, porque le babtizava dos fijos el mesmo dia, dixo el dicho Johan Esperandeo, tendréis dos angilitos emparayso y lo azio por modo descarnio".

[254] Durante la Edad Media la inquisición prohibió manipular el dinero mediante la usura, sin embargo la realidad nos dice que el *censal* fue un sistema crediticio muy utilizado en Aragón. Por el *censal* el prestamista obtenía unos beneficios como consecuencia de la prestación de un dinero con un tipo de interés que tenía también que devolver. La emisión de censales requería de permisos y autorizaciones legales, ya que la utilización incontrolada de la usura estaba totalmente prohibida por las autoridades civiles y religiosas. El *censal* se formalizaba siempre por acta notarial en la que se establecían las bases y condiciones por las que se fundamentaba la compra-venta y estructura censal, en la que un acreedor prestaba temporalmente un capital (la propiedad) a un deudor, con el fin de que cada año (en la fecha que se determinaba en el contrato *censal*) pagase una pensión, con sus correspondientes intereses, hasta su vencimiento. Si llegado el caso de que el deudor no podía pagar la pensión el acreedor embargaba los bienes que este había avalado en la operación.

[255] Las *comandas* eran unos depósitos notariales suscritos por un prestamista a uno o varios prestatarios que en el momento de percibir la cuantía concertada se convertían en deudores. La estructura de la *comanda* fijaba la cantidad prestada, los plazos para su devolución sin intereses y un aval (propiedades del deudor) que garantizaban la devolución de lo prestado en caso de que el prestatario no pudiese devolver el préstamo. Pero esto que parecía aparentemente tan normal y usual fue continuamente denunciado por las instituciones jurídicas y eclesiásticas por existir una complicidad encubierta entre prestamista y prestatario, al permitir este declarar en la *comanda* mayor cantidad de la que realmente recibía ("*Los amigos protectores...*", Serrano y Sanz, pag. 55, tema VII), es decir se registraba la cantidad prestada incluidos los intereses que se acordaban mutuamente, blanqueando lícitamente una usura ilegal.

[256] La Pecha o *peyta* es el impuesto más antiguo que se conoce en Aragón. Su recaudación variaba mucho -según el estado económico de las aljamas-, pero simple era tasada en el *maximun* de esfuerzo económico que aquellas podían dar. La *peyta* se calculaba o cargaba sobre el trabajo manual, las profesiones y las rentas. Esta forma de cálculo trajo consigo continuas protestas por la injusticia distributiva con la que se aplicaba y que en otros posteriores capítulos tendremos oportunidad de estudiar. Su recaudación se pagaba en dos plazos: el día de San Juan de junio y en Navidades (las dos tandas corresponden a dos semestres). La cuantía no era fija, se negocia con el rey, gravando de manera proporcional al patrimonio de cada sujeto pasivo.

[257] Uno de los principales capítulos de ingresos de las aljamas judías era, sin duda alguna, el impuesto indirecto de la *sisa* que se cargaba a determinados artículos de consumo, casi siempre de primera necesidad como el vino, la carne y el pan. Inicialmente la *sisa* se aplicaba detrayendo un porcentaje del peso o porción, para terminar por implantarse después un recargo en el precio, algo semejante a nuestro IVA. Pero la sisa no fue un tributo permanente, sino que el rey autorizaba su aplicación temporal cuando las ciudades y aljamas necesitaban recuperarse de ciertos períodos de crisis económica.

[258] PEREZ MARTÍN, A., Op. Cit. "*Los fueros de Aragón...*", p. 463. "Sarraceni et iudei tenentur solvere decimas integre de ómnibus hereditatibus quas possident, nisi de eis tantum, que nunquam de christianis aliquo tempore exiterunt".

derecho de heredarlos[259]. Veamos algunos ejemplos:

A.- Las deudas contraídas antes de la conversión

El 24 de agosto de 1414, el rey Fernando I (1412-1416) ordena a los conversos bilbilitanos, Pedro, Johan y Leonart de Santangel, que no pagen las cargas hipotecarias que contrajeron con la aljama de judíos de Calatayud antes de su conversión. Este caso concreto creó jurisprudencia en la ciudad, por lo que se hizo extensible al resto de conversos[260].

Pero la comunidad judía de Calatayud se resistió a aceptar esta medida. Los judíos intentaron pactar con los conversos la deuda hipotecaria que dejaron pendiente. La queja surgió efecto, ya que en 1416 encontramos ejemplos de los acuerdos a los que llegaron las tres partes -acreedores, conversos y aljama- para solucionar el problema.

- En el año 1407, ante el notario de Calatayud Pascual Sánchez Vadillo, la aljama de judíos vendió al caballero bilbilitano, *mossen* Gonzalvo de Liñan, 500 florines de oro *censales* y perpetuos (pagaderos cada año el día de San Miguel de septiembre), por 7.000 sueldos de propiedad. En el año 1412, ante el notario de Zaragoza Guallart de Bayona, mosen Gonzalvo vendió (el 14 de octubre) a don Ramón de Casaldáguila, 200 de los 500 florines que la aljama judía le pagaba de *censo* anual. La conversión de muchos judíos durante la Disputa de Tortosa hizo que la aljama no pudiera hacer frente a los pagos solidarios, por lo que el *censal* dejó de pagarse.

  En año 1416, don Ramón negocia con los conversos y judíos el pago del *censal*, acordando que los cristianos nuevos pagarían dos partes y una la aljama de judíos. Pero como no se pudo hacer una estimación del importe, las cuantías se dejaron de nuevo pendientes de pago. Se optó entonces por reducir el *censal* a treinta mil sueldos de principal por mil sueldos de *pensión*, es decir, que lo que tenían que pagar con la reducción no superaría la cantidad de ciento dieciséis florines, seis sueldos y diez dineros anuales. Tras su muerte se hizo cargo del censo (hasta 1435) el escudero zaragozano, Juan de Mur (ejecutor testamentario), quien terminó de pagar la hipoteca. Este mismo año fue anulada definitivamente por su legítimo propietario, Juan de Casaldáliga[261], hijo de don Ramón.

- El 9 de mayo de 1406, la aljama pidió otro *censal* hipotecario al escudero de Zaragoza, García Gil de Ateca, por cuantía de veinticinco mil sueldos de *pensión* y dos mil sueldos de *propiedad*. Como "*la mayor part de los judios... fueron convertidos a la santa fe catoliqua*", el *censo* se dejó de pagar, la deuda aumentó a cinco mil sueldos, que

[259] PEREZ MARTÍN, A., Op. Cit. "*Los fueros de Aragón...*", p. 455. "Ita quod propter hoc nichil de bonis suis mobilibus et immobilibus, ac se moventibus, que prius habebat, amittat; ymo secure ac libere habeas, teneat et possideat universa, auctoritate nostra, salva legitima filiorum, et iure proximorum conversi, ita videlicet, quod de bonis conversi, dicti filii seu proximi nichil, ipso vivente, habeant, sed post mortem eius, illud slum et nichil amplius petere valeant; quam si decessisset in iudaismo vel paganismo petere racionalbilitet potuissent, ut sicut tales ex hoc divinam graciam promerentur, sic et nostram (qui Dei voluntatem et beneplacitum imitari debemus) obtinere noscantur».

[260] ACA, Cancillería, Registros Nº 2.387, fol. 8 vto. "... a nobis humiliter suplicase, ut ob hoc, ne vobis, ne vestrum cuique liceat cum judeis ipsis aliqualiter pro tempore nec forum persuasionibus falsissimis ullatenus immisceri, dignaremur vos et vestrum quemlibet a debitorum quorumvis aliame dictecivitatis Calataiubii... contribuciones omnimode preservare..., quidamus... vos... a solutione et paccametno ipsorum debitorum...».

[261] MARÍN PADILLA, E.; "*Panorama de la relación judeoconversa en el siglo XV: con particular examen de Zaragoza*", Madrid, 2004, p. 258.

sumados a la *propiedad* principal, alcanzó la cifra de treinta mil sueldos. Dada la situación, el acreedor redujo la deuda *censal* (en el año 1418) a mil sueldos, pagando los conversos dos terceras partes[262]. A la muerte de García Gil de Ateca la propiedad del *censo* pasó a sus herederos, que terminaron de cobrarlo íntegramente en 1461.

B.- Las deudas contraídas después de la conversión

Dejando aparte los beneficios fiscales que consiguieron con sus antiguas juderías, el rey también dispone que los Regidores de la ciudad de Calatayud y los Justicias de los Concejos de las Aldeas de la Comunidad deben cobrar a los conversos, no sólo las deudas que tenían pendientes con ellos (antes de su conversión), sino incluso todos los tributos y cargas financieras que adquirieron con posterioridad a su bautismo[263]. También se ordena que los acreedores cristianos deben saldar sus cuentas con los conversos (hipotecas que prestaron cuando eran judíos), con independencia de que éstos tuvieran concedidas moratorias reales para retrasar el pago a sus antiguos acreedores judíos.

- En este sentido, el papa Luna ratificó -(el 31 de marzo de 1413) a la Comunidad de Aldeas de Calatayud y a los lugares de La Vilueña y Valtorres (lugares propiedad del papa)- la moratoria que les concedió el rey Fernando I (1412-1416) para que no pagasen durante unos años las deudas hipotecarias que debían a los judíos. En consecuencia, ordena que los conversos no sean llevados a los Tribunales seculares o eclesiásticos por los acreedores judíos mientras dure tal moratoria[264].

- También el papa Luna faculta al prior de la Colegiata de Santa María la Mayor de Calatayud (el 15 de septiembre de 1414) para que derogue la obligación que tienen los cristianos de la ciudad de prestar juramento de obediencia (ante los Jueces eclesiásticos) en aquellos procesos judiciales relacionados con deudas hipotecarias contraídas con judíos. Tras su conversión entendieron que la moratoria del rey no les afectaba porque el litigio era ya entre dos cristianos, por lo que exigieron el pago de las hipotecas a sus deudores cristianos (*comandas* y *censales* que hicieron cuando fueron judíos). Al ser un conflicto entre cristianos, el competente para resolverlo fue el Tribunal eclesiástico[265].

C.- Un pacto entre las partes para saldar todas las deudas

Una vez bautizados, los conversos bilbilitanos vivieron dos realidades fiscales completamente diferentes. Por un lado, debían pagar la parte proporcional de las deudas contraídas con la comunidad antes de su conversión; por el otro, satisfacer los impuestos que los Concejos municipales les exigían después de su bautismo (el ordinario de la *peyta*, las contribuciones especiales, etc.). Tanto en un caso como en otro, esta recaudación era necesaria para solventar el elevado capítulo de gastos que soportaban dichos Concejos.

---

[262] IBIDEM, p. 260.

[263] CUELLA ESTEBAN, O.; Op. Cit. *"Bulario aragonés de Benedicto XIII"*, tomo III, p. 31.

[264] Registro aviñonés 341, fol. 499 vto.-500 vto. Publicado por CUELLA ESTEBAN, O., *"Bulario aragonés..."*, tomo III, p. 108.

[265] Registro aviñonés 344, fol. 811 r.-vto. Publicado por CUELLA ESTEBAN, O., Op. Cit. *"Bulario aragonés..."*, tomo III, p. 214.

Ambas situaciones fiscales fueron incómodas para los conversos de Calatayud. Con el fin de solucionar el problema, el rey Alfonso V (1416-1458) les autoriza (en marzo de 1420) a colegiarse para solucionar ese doble conflicto de intereses[266].

2.1.2.1.3.- Causas por las que se convierten los judíos de Calatayud

En los procesos de inquisición abiertos a conversos de Calatayud, no sólo encontramos las típicas prácticas *judaycas* que realizaban en la intimidad del hogar, sino incluso algún detalle de los motivos de sus respectivas conversiones. Veamos algunos ejemplos:

A.- Conversión por represalias contra otros judíos o toda la aljama

Como en todas las comunidades socio-religiosas, en la aljama judía de Calatayud también había desavenencias entre sus individuos. Las discusiones, las venganzas, los rencores, los desprecios, los desacuerdos y las ofensas públicas provocaron malestar y descontento en alguno de sus miembros, lo que favoreció que dejasen el judaísmo para evitar sufrimiento personal y conflictividad vecinal. En este sentido, el 21 de julio de 1489, el judío de Calatayud, Asser Abencrespo, declaró ante el Tribunal de la Inquisición que juzgaba al converso bilbilitano, Juan López Coscollán (difunto), que éste le dijo *"que por que se habia fecho cristiano y el dicho Johan Lopez le dixo a este testimonio: cree tu que no me fize cristiano por me, sino por enojo, que una vegada que me dieron una bofetada en la sinoga y de aquella malencoma no fize sino sallir y fazerme cristiano, y dixole que la bofetada le havia dado sobre un lugar de la sinoga*[267]".

B.- Conversión para evitar las agresiones, insultos y crispación social de los cristianos

Hubo también judíos de Calatayud que se bautizaron no sólo para evitar el rechazo y la presión social a la que estaban sometidos por parte de los cristianos, sino incluso para poder ocupar cargos públicos y políticos de relevancia, como así se desprende de la conversación que mantuvo el bilbilitano, Antón de Santangel, con el judío Jehuda Benardut hacia el año 1470. El converso le invitó a bautizarse para eludir las agresiones *(huna pedrada)* y evitar insultos *(judío perro)*, y así *"entrareys en oficio y otras mil honrras"*. Aunque el judío admitió esta realidad, sin embargo, le contestó que padecer estos desprecios por Dios y su Ley era una garantía de salvación[268]. Entonces Antón de Santangel le recomendó que fingiese ser buen_cristiano (creer

---

[266] CUELLA ESTEBAN, O.; Op. Cit. *"Bulario aragonés..."*, tomo III, p. 33.

[267] AHPZ, Caja 12, Nº 7; Proceso inquisitorial contra Juan López Coscollán, p. 5 vto. VÉASE APÉNDICE DOCUMENTAL PORCESOS DE INQUISICIÓN.

[268] AHPZ, Caja 12, Nº 7; Proceso inquisitorial contra Antón de Santangel, p. 19 ss. El 5 de mayo de 1488, el judío de Calatayud, Jehuda Abenardut, afirma ante la Inquisición que juzga al converso bilbilitano, Antón de Santangel (difunto) que, hacia 1470, fue a casa del acusado "por negociar con el dicho Anthon de Santangel, al qual fallo este testimonio estava en el estudio de su casa con hun su fijo, llamado Pedro de Sanctangel... en presencia del dicho su fijo, sobre razones, dixo el dicho Anthon de Santangel a este deposant: Benardut, porque no vos azeys cristiano que stays avatido, captivo y vituperado de un muyo que es huna cosa de no soffrir, el uno vos da huna pedrada, el otro vos dize judio perro, si hos azeys cristiano estareys honrrado acatar vos ha y entrareys en oficios y otras mil honrras, y queste deposante dixo al dicho Anthon de Santangel estas palabras: yo Anthon de Santangel por todas dessas honrras ni por sallir destos vitupios no me quiero fazer cristiano por quanto y tengo bien mi Ley y creo que en aquella me tengo de salvar y tanto quanto mas vituperios passare por sostener la dicha mi Ley, tanto mas me salvara Dios mi anima, y queste testimonio dixo al dicho Anthon de Santangel que todo lo que haveys dicho es verdat, y si a Ihesu Chiristo los cristianos tenian solo por mesias y no por Dios y hombre ha hun me perderia que me doblegaria a creerlo empero que es Dios y hombre nunqua lo creer, y que entonces

que Jesucristo es Mesías) y, al mismo tiempo, practicar el judaísmo para evitar la *captividat*.

C.- Conversión a la *fuerça*

Desconocemos cuál es el matiz que expresan los procesos de Inquisición cuando dicen que los judíos se convertían a la fuerza. Por las declaraciones vertidas por sus protagonistas, parece que, en la mayoría de los casos, no fue por convicciones religiosas, sino más bien por motivos socio-económicos. Es evidente que muchas de las decisiones no fueron libres, sino forzadas y condicionadas por y para algo. El 17 de marzo de 1488, el judío de la villa de Illueca, León Quatorze, manifestó ante la Inquisición que juzgaba al converso bilbilitano, Simón de Santa Clara (difunto), que le dijo *"por que el no se queria fazer crhistiano, sino que su padre lo havia fecho hazer por fuerça christiano, y que pues el Dio comportava aquellos cuernos que tambien los comportaria el"*.

2.2.- EL BAUTISMO COMO SIGNO DE CONVERSIÓN

2.2.1.- EL BAUTISMO Y LA CONVERSIÓN DE LOS JUDÍOS

El bautismo cristiano es un sacramento por el cual, no sólo se perdona el primer pecado de Adán y purifica al hombre del mal para alcanzar la salvación personal, sino que incorpora al neófito a la Iglesia, es decir, a la comunidad de los que creen y celebran su fe en Jesucristo.

Aunque uno de los principales objetivos de la Iglesia -en la Edad Media- era la conversión de los judíos mediante medidas coercitivas, hubo, sin embargo, algunos Papas y Reyes que trataron el asunto con mensajes pacíficos y conciliadores:

- Año 1179: El Concilio III de Letrán prohibió que se obligara a los judíos a bautizase a la fuerza[269].

- Año 1217: El 7 de noviembre, el papa Honorio III (1216-1227) decretó que los judíos no fuesen forzados a bautizarse contra su voluntad, sino que se les recibiera con amor y benevolencia, entre otras medidas[270].

- Año 1296: El rey Jaime II ordenó que los judíos fuesen voluntariamente bautizados sin obstáculo y coacción alguna, anulando cualquier estatuto, costumbre o disposición en contra.

---

el dicho Anthon de Santangel dixo y repuso a este deposante: vos Benardut tomar ne lo que bien vos venga creer que lo que es messias y no Dios y hombre que asi lo ago y lo creo yo; y que entonces este deposante dixo al dicho Anthon de Santangel mal hablais Anthon de Santangel, quessa opinión ya seria quarta Ley, y que entonce el dicho Anthon de Santangel dixo a este deposante: yo no tengo sino una Ley es asaber la vuestra de los judios que es Ley sancta y buena. Empero creo que es venido el mesias y vos podriades lo tener assi y saliriades de aquexa captividat y que entodas las dichas palabras estuvo present el dicho Pedro de Santangel su fijo".

[269] Actas del III concilio Lateranense, artículo *"contra judeos et sarracenos"*, capítulo XXVI.

[270] *"Bullarum, diplomatum et privilegiorum sactorum romanorum Pontificum"*, III, 330, col 2ª. El Papa Honorio III es partidario de que se protegiera a los judíos en sus fiestas y ceremonias religiosas, no permitiendo fuesen apaleados o apedreados, ni destruidas sus casas, cementerios o exhumados los cadáveres.

2.2.1.1.- LOS JUDÍOS RECIBEN CATEQUESIS PARA PODER BAUTIZARSE

El bautismo de los judíos iba acompañado de una preparación catequética previa. Pese al respeto que merecía la opción que tomaban, las conversiones en masa que se produjeron entre los siglos XIV y XV obligaron a la Iglesia a tomarse en serio la formación de los neófitos, sobre todo para evitar decisiones precipitadas, fingidas o poco sólidas.

Desconocemos cuanto tiempo duraba la catequesis en las diócesis aragonesas. Es muy probable que siguieran el criterio del Obispo de Mallorca, Antonio de Galiana (1363-1375) quien, el 1 de julio de 1373, publicó una pastoral en la que establecía un mínimo de veinte días para preparar e instruir a los neófitos conversos en las verdades cristianas[271].

Es indudable que, en los municipios con población judía, la Iglesia enseñó a los conversos recién bautizados las primeras oraciones universales (el Credo, el Avemaría, el Padrenuestro, etc.). Los diez mandamientos no eran de a Iglesia, sino los que Dios dio a Moisés y, por consiguiente, muy conocidos por el judaísmo. En este sentido, el converso bilbilitano, Jaime Ramón, declaró ante el Tribunal de la Inquisición -el 11 de enero de 1488- que "*havia quatorze o quinze anyos, poco mas o menos (hacia 1475), quando yo me fize cristiano et como fue cristiano aprendi la Ley (los diez mandamientos de la Iglesia) et escrevir et el credo, pater noster, avemaria, la salve regina et otras oraciones buenas que agora las se*[272]".

2.2.1.2.- EL BAUTISMO DE LOS JUDÍOS: UN MALESTAR FAMILIAR

Los procesos de Inquisición nos proporcionan alguna referencia sobre lo que pasaba en el seno familiar cuando los judíos se bautizaban e incorporaban a la comunidad cristiana: la familia se quedaba dividida y sus relaciones interpersonales deterioradas. Veamos un ejemplo de esta amarga situación familiar.

En este sentido. el 1 de julio de 1489, la vecina y conversa de Calatayud, María de Lanuça (mujer de Jacobo de Luna), dijo ante la Inquisición que juzgaba al bilbilitano, Johan de Esperandeo (menor de días), que "*el dia que baptizaron al marido desta deposante, que puede haver cinquo annos poco mas o menos y entonces bautizaron dos fijos tambien desta deposante*", se encontró al acusado en la judería y "*dixole, porque llorays?, dixo esta deposante no tengo de llorar que soy viuda en vida, no veys que bautizan a mi marido y a mis fijos?, entonces dixo el dicho Johan Esperandeo a esta deposante: y no enredeys que quedays bien rica que quedays en vuestra Ley y en vuestra juderia, porque le babtizava dos fijos el mesmo dia, dixo el dicho Johan Esperandeo, tendréis dos angilitos emparayso y lo azio por modo descarnio*[273]".

---

[271] PONS PASTOR, A.; Op. Cit. "*Los judios del reino de Mallorca...*", vol. I, p. 109.

[272] AHPZ, Caja 7, N° 7; Proceso inquisitorial contra Jayme Remón, p. 2 vto. VEASE APÉNDICE DOCUMENTAL DE PROCESOS DE INQUISICIÓN

[273] AHPZ, Caja 15, N° 6; Proceso inquisitorial contra Johan de Esperandeo, p. 5-5 vto. VEASE APÉNDICE DOCUMENTAL DE PROCESOS DE INQUISICIÓN.

2.3.- EL BAUTISMO Y LOS CONFLICTOS FAMILIARES CON LOS JUDÍOS

Las mujeres judías fueron, al principio, más reacias a bautizase que los hombres. Cuando ellos abandonaban el hogar, la mujer tenía tres opciones: en primer lugar, pactar la separación de los bienes gananciales y quedarse con la dote matrimonial para casarse con otro judío; en segundo lugar, convertirse también al cristianismo para vivir con su anterior marido judío (no se hace división de bienes); y en tercer lugar, convertirse e iniciar una nueva vida con otro cónyuge cristiano.

Un ejemplo claro lo encontramos cuando el bilbilitano Berenguer de la Cabra se convirtió al cristianismo en una de las sesiones de la Disputa de Tortosa. Enterados en Calatayud de lo sucedido, un grupo de judíos de la aljama y otro de cristianos asaltaron su casa de la judería robando cuantos bienes y joyas encontraron[274]. En agosto de 1414, entabló un pleito con su propia esposa y cuñado judíos, a la que acusó de retener sus propiedades y robar su fortuna y la de su padre (el médico Yuçe Abencabra, convertido con el nombre de Johan Martínez de la Cabra). Desconocemos la sentencia de divorcio y separación de bienes, pero todo hace pensar que su esposa judía se quedó con gran parte del patrimonio familiar. Estas pérdidas se vieron compensadas con los favores que el rey y el papa Luna le otorgaron *a posteriori*, como luego veremos.

2.3.1.- CAMBIO DE NOMBRE TRAS EL BAUTISMO

El antisemitismo latente en la sociedad cristiana obligó a los conversos a cambiar sus anteriores nombres y apellidos judíos por otros cristianos. De no especificarse documentalmente, resulta muy difícil reconocer las raíces judías de muchos de ellos. Aún así , hay algún elemento que los puede identificar:

- Muchos judíos se bautizan adoptando como nombre o apellido el titular de las parroquias en las que se incardinan, o aquellas en las que son bautizados: Salvador, Antonio, Jesús, María, etc.

- Otros los toman de sus padrinos cristianos, resultando complejo identificar documentalmente su ascendencia judía.

- Con frecuencia algunos neófitos adoptan apellidos de cristianos viejos de reconocido prestigio, incluso de familias nobles o gentiles-hombres, hecho que dificulta también averiguar su procedencia judía.

- Con frecuencia ponen el apellido de algún Santo para asegurarse un nuevo protector en la tierra y un mediador en el cielo: Santangel, Santa María, Santa Cruz, Santa Clara, etc.

- Muchos gentilicios suelen remitirnos a apellidos compuestos de origen judío: Perez de Calatayud, Pérez de Moros, Martínez de Maluenda, López de Villanueva, etc.

- Los nombres relacionados con las plantas fueron también muy utilizados por los recién

---

[274] CUELLA ESTEBAN, O.; Op. Cit. *"Bulario aragonés..."*, tomo III, p. 32.

bautizados: Espinosa, Cepeda, de la rosa, etc.

• Los apellidos que hacen alusión a colores, cualidades y cosas son típicamente conversos: bueno, malo, royo, pardo, moreno, puerta, etc.

Hoy en día aún hay miedo a la palabra judío, que se mira como insulto, señal de mala persona y avaro. Si los judíos no hubieran sido expulsados, probablemente los reinos hispanos habrían sido más tolerantes, cultos y prósperos. Seguramente la historia hubiera sido diferente.

2.3.1.1.- LA CONVERSIÓN POR EL BAUTISMO EN LOS PROCESOS DE INQUISICIÓN

Los procesos de Inquisición utilizan una terminología específica para describir la opción personal de convertirse, es decir, la acción de abandonar la antigua creencia judía por la nueva fe cristiana. Las expresiones más habituales que identifican este cambio de identidad, son las siguientes:

A.- Por el bautismo uno se *"convierte a la nuestra sancta fe de cristianos"*

Aquí la palabra *convierte* manifiesta la postura interior de *cambiar* o *mutar* una religión por otra. Esta opción personal tiene un componente vocacional de respuesta hacia una llamada existencial.

• El 26 de marzo de 1488, el Procurador Fiscal de la Inquisición interroga a la conversa de Calatayud, Clara Escobar, quien declara que *"de quatorze anyos a esta parte no ha tubido en aquella mala creencia ni fe de judios, antes se ha convertido a la nuestra sancta fe de cristianos[275]"*.

• El 22 de agosto de 1509, el Procurador Fiscal de la Inquisición acusa al converso y vecino de Sestrica, Pedro Ximenez, que *"despues que se convertio a nuestra sancta fe catolica una y muchas vezes se ha repentido por haverse fecho cristiano[276]"*.

B.- Por el bautismo uno se *"faze cristiano"*

Este término sugiere *tomar postura* por un nuevo estilo de vida y de religión. El neófito siente formar parte de una comunidad de creyentes que le invita al compromiso vital y a la praxis cristiana.

• El 3 de agosto de 1488, la judía vecina de Cetina, Vellida Crenago (mujer de Jehuda Ezdra), declara ante la Inquisición que juzga a la conversa, María del Romeral (mujer de Johan del Romeral y fallecida), que *"la qual (la acusada) se fizo cristiana en Cetina*

---

[275] AHPZ, Caja 9, N° 8; Proceso inquisitorial contra Clara Escobar, p. 23 vto. VEASE APÉNDICE DOCUMENTAL PROCESOS DE INQUISICIÓN.

[276] AHPZ, Caja 20, N° 15; Proceso inquisitorial contra Pedro Ximenez, p. 5. VEASE APÉNDICE DOCUMENTAL PROCESOS DE INQUISICIÓN.

quinze annos poco mas o menos pres que se fizo cristiana...[277]".

- El 21 de julio de 1489, el judío de Calatayud, Aser Abencrespo, explica ante la Inquisición que juzga al converso bilbilitano, Johan López de Coscollán (difunto), que el acusado le preguntó *"que por que se habia fecho cristiano...[278]."*

C.- Por el bautismo uno se *"torna cristiano"*

Esta expresión es sinónima de *volverse cristiano*. El converso siente una transformación interior que le hace mirar hacia otra dirección y dirigirse hacia otro camino. El neófito rompe con su destino para volver hacia otra alternativa religiosa: la fe cristiana.

- El 7 de agosto de 1488, La judía de Calatayud, Mira de Bayo (mujer de Çalema el Bayo), afirma ante la Inquisición que juzga al converso, Alfonso de Sancta Cruz (difunto), que estando (hacia 1473 en casa del acusado (ubicada junto a la puerta de la judería) oyó que dijo varias veces *"razonando de hun judio, que se havia tornado cristiano de su enturado del ira del Dio le vengua que yo hovera trocado[279]".*

- El 12 de enero de 1488, el Procurador Fiscal de la Inquisición interroga al converso y vecino de Calatayud, Johan Pérez de Santa Fe, quien asegura que *"yo fue judio e de edad de diziocho anyos me torne a cristiano por devocion e illumynado de la gracia del esprititu sancto[280]".*

2.3.1.2.- LOS CONVERSOS: TRES GRUPOS TRAS EL BAUTISMO

El hecho de cambiar el judaísmo (tradición, costumbres y religión judía) por la nueva fe y cultura cristiana, supuso para algunos conversos bautizados una profunda renovación de las estructuras mentales y personales de los neófitos conversos. En efecto, la conversión no fue por todos igualmente entendida. La situación personal, social y familiar de cada uno influyó (en mayor o menor medida) en el grado de sinceridad con el que se bautizaron. A la luz de la documentación manejada, podemos distinguir tres grupos bien diferenciados:

A.- Los conversos convencidos de su bautismo

Un grupo poco numeroso de judíos tomó la decisión de abandonar definitivamente el judaísmo para vivir como auténticos cristianos y ser aceptados y plenamente integrados en la

---

[277] AHPZ, Caja 12, Nº 7; Proceso inquisitorial contra María del Romeral, p. 91. VEASE APÉNDICE DOCUMENTAL PROCESOS DE INQUISICIÓN.

[278] AHPZ, Caja 12, Nº 7; Proceso inquisitorial contra Johan López Coscollán, p. 5 vto. VEASE APÉNDICE DOCUMENTAL PROCESOS DE INQUISICIÓN.

[279] AHPZ, Caja 12, Nº 7; Proceso inquisitorial contra María del Romeral, p. 105 vto. VEASE APÉNDICE DOCUMENTAL PROCESOS DE INQUISICIÓN.

[280] AHPZ, Caja 9, Nº 10; Proceso inquisitorial contra Johan Pérez de Santa Fe, p. 4. VEASE APÉNDICE DOCUMENTAL PROCESOS DE INQUISICIÓN.

sociedad cristiana. Para demostrar el convencimiento y la sinceridad de su decisión, no sólo participaron activamente en las persecuciones y agresiones que se hicieron contra los judíos, sino que también denunciaron ante el Tribunal de la Inquisición a muchos conversos acusándolos de falsos bautizados y judaizantes.

B.- Los judíos bautizados con escepticismo

El sector más numeroso estaba formado por aquellos que habían escogido el bautismo para cambiar de vida y alcanzar mayor posición social, algo imposible de conseguir como judíos. Más que el ascenso social, se buscaba la integración dentro de la sociedad mayoritaria, nada más. Para ellos, tanto la doctrina cristiana como la judía tenían (después de la conversión) un valor secundario, pero puestos a elegir preferían la judía.

A este grupo de conversos pertenecen aquellos judíos que siempre se habían distinguido intelectualmente en las aljamas, los mismos que, por su formación en la tradición hebrea, eran los que habían sostenido los bienes materiales, morales y espirituales de sus juderías. La Inquisición perseguirá su agnosticismo religioso, expresado en multitud de locuciones y manifestaciones de la vida cotidiana.

- El 17 de marzo de 1488, el judío de Calatayud, Mosse Quatorze, explica ante la Inquisición que juzga al converso bilbilitano, Simón de Santa Clara (difunto) que, hacia 1455, estaba en Daroca en la festividad del *Corpus Cristi* y vio como "*los cristianos fazian un entremes (obra de teatro) que levaban un canastillo cubierto de lienço de armas reales, y que yban unos diez cristianos como judios cantando y dezian los unos esta canción: "de las coles con el culantro", y el dicho Simon de Sancta Clara llamo a este testigo y dixole: Quatorce, mira no vees el escarnio que fazen de tu Ley, pues el Dios bien lo vee, y este teste dixo: si aya lo vee mas el Dio es grande y aspador, y el dicho Simon de Sancta Clara dixo a este testigo a la he la una Ley, la otra todo es "abalum", que quiere dezir "burla", y mas le dixo el dicho Simon de Sancta Clara a este teste: ni rota (rueda distintiva para los judios) et ni conciencia, que si como vino fray Vicent (Vicente Ferrer,) uviese agora un fray Mahoma de tres la faria, y que a lo que este testigo conocio al dicho Simon de Sancta Clara, conocio ni era cristiano, judio ni moro*"[281].

- El 17 de marzo de 1488, el judío de Calatayud, Leon Quatorze, dice ante la Inquisición que juzga al mismo converso bilbilitano, Simón de Santa Clara (difunto), que "*oyo dizir muchas vezes al dicho Simon de Sancta Clara estas palabras: yo al Dio e un tallador lo tengo, yo he tenido la Ley sancta de Moysen, yo he tenido la Ley de Ihesu Christo, y aun si agora salliesse o viniesse un sant Mahoma, por el Dio de tres la faria, y si esto acabase no avria miedo al Dios, pues todas las Leyes avra andado*"[282].

- El 8 de julio de 1488, el judío de Calatayud, Açach Xuet, asegura ante la Inquisición que juzga al converso bilbilitano, Johan de Sayas (difunto), que "*lo vio coser en dias de domingos y de pascuas mayormente teniendo prisa e que en los dichos dias enterrava*

---

[281] AHPZ, Caja 12, Nº 7, Proceso inquisitorial contra Simón de Santa Clara, p. 54. VEASE APÉNDICE DOCUMENTAL PROCESOS DE INQUISICIÓN.

[282] AHPZ, Caja 12, Nº 7; Proceso inquisitorial contra Simón de Santa Clara, p. 55. VEASE APÉNDICE DOCUMENTAL PROCESOS DE INQUISICIÓN.

obreros judios pa fazer facienda en su casa entre los quales estuvo este deposante algunas vezes e que leyendo este deposante tan mala vida fazia que ni bien era cristiano, ni bien judio, et dixo que entendia de fazer o qual ley queria seguir porque yo que vos no teneys vuestra Ley y dezis mal de los judios y de su Ley y de los moros y de su Ley no se por el Dio que vos haveys de fazer en el otro mundo. E que le respuso: tu loco eres, no sabes que este mundo todo es ayre sino nacer y morir y que el anima de hun perro entra en el cuerpo de hun hombre y la del hombre en el cuerpo de hun perro, con todo, entiendo de encomendar mi anima a todas las tres leyes y la que mejor derecho tenga que se la bien[283]".

C.- Los conversos no convencidos de la fe cristiana

A este grupo pertenecen aquellos conversos insinceros y con crisis de conciencia por haberse bautizado a la fuerza, sin sentido aparente y por pura conveniencia; de ahí que deseen seguir profesando el judaísmo en secreto, es decir, judaizando. Ante los ojos de muchos cristianos y conversos convencidos, su comportamiento religioso era fingido y dejaba mucho que desear

A ellos se sumaron algunos conversos de segunda generación (hijos de los primeros bautizados o neófitos), a quienes les encantaba practicar los ritos y ceremonias que sus padres les habían transmitido e inculcado. Esto no significaba una vuelta a las creencias de sus padres, sino un comportamiento motivado por la costumbre y que, en la mayoría de los casos, se actuaba ya por costumbre y sin conocer el verdadero significado de lo que hacían. Tanto a unos como a otros, la Inquisición les persiguió ferozmente para evitar el escándalo social y religioso de su mal proceder.

- El 13 de agosto de 1488, el judío de Calatayud, Yuçe Çadoch, declara ante la Inquisición que juzga al converso bilbilitano, Anthon de Santangel (difunto), que el acusado *dixo por su propia boca al presente testimonio deposant esta palabras formadas por dos o tres vegadas: quel creya que la creencia que los cristianos creyan era falsa y errada. E que pues que estava entrellos no podia fazer otros sino disimular como quese que creya al contrario de los que demostrava*[284].

- El 3 de noviembre de 1488, el vecino de Calatayud, Pedro de Santa Cruz, manifiesta ante la Inquisición que juzga a su padre, Alfonso de Santa Cruz (difunto), que *los padre y madre deste conffessant bivian como judios en lo que este conffessant conosia y observaban la Ley de Moysen, lo mas que pudian syendo christianos bautizados y que muchas vezes exortaron a este conffessant diciendole que grardasse la Ley de Moysse, que todo lo otro era burla, y cree y assi como lo exortava a este conffessant assi lo exortava a los otros sus fixos*[285].

- El 10 de diciembre de 1488, el Procurador Fiscal de la Inquisición acusa de *judayzar* al

[283] AHPZ, Caja 12, N° 7, Proceso inquisitorial contra Juan de Sayas, p. 50. VEASE APÉNDICE DOCUMENTAL PROCESOS DE INQUISICIÓN.

[284] AHPZ, Caja 12, N° 7, Proceso inquisitorial contra Anthon de Santangel, p. 21 vto. VEASE APÉNDICE DOCUMENTAL PROCESOS DE INQUISICIÓN.

[285] AHPZ, Caja 12, N° 7, Proceso inquisitorial contra Alfonso de Santa Cruz, p. 117. VEASE APÉNDICE DOCUMENTAL PROCESOS DE INQUISICIÓN.

vecino de Ariza, Diego Munyoz, con estas palabras: *dixo en presencia de muchas personas... mas quería ser judio y levar capirote (capucha de judío) y entrar en la sinoga y tener que comer, que no ser cristiano y no tener que comer*[286].

2.3.2.- NOMBRES QUE RECIBEN LOS CONVERSOS EN ARAGÓN

La sociedad aragonesa del siglo XV convivió activamente con todo el grupo de conversos. Si los propios judíos los llamaban *marranos*; los cristianos viejos les dirán conversos o *confessos*, es decir, personas cuya condición social constituye un peligro latente contra la ortodoxia, la pureza de la fe y la integridad del catolicismo.

2.3.2.1.- LOS JUDÍOS LOS LLAMAN *MARRANOS*

Los judíos castellanos, llamaban popularmente *marranos* a los judíos bautizados a la fe cristiana que continúa observando secretamente los ritos judaicos (en Aragón apenas se utilizó). Este vocablo por lo general se hace derivar del conocido anatema de san Pablo: *"Siquis non amat Dominum nostrum Iesum Christum sit anathema. Maranatha"* ("Si alguno no ama al Señor, sea anatema. Nuestro Señor viene", I Corintios 16, 22).

El vocablo extendiose después al conjunto de los judíos conversos y se empleó para denominar al puerco, evidenciando el desprecio y la indignación que provocó la conducta de los mismos, es decir, sucio, contaminado, manchado por haber abandonado el judaísmo. Marrano pasó a significar, pues, judío converso. No hay que olvidar que en la Edad Media el cerdo era un animal odiado por el judaísmo por estar prohibido su consumo por las leyes dietéticas hebreas o *cashrut*. Frente a esta expresión vulgar, podemos destacar dos versiones etimológicas que conviene tener en cuenta:

- Cecil Roth[287] dice que deriva del verbo *marrar*, del latín *aberrare* (desviarse de lo recto), y del sufijo *ano*. Los conversos serían los que se han desviado de la Ley de Moisés.

- Lázaro Schallman[288] sostiene que *"en cuanto a la etimología de la voz marrano, nos parece más conforme a razón su inferencia de dos voces hebreas: 'mar', que significa a un tiempo señor y amargo, amargor, y anús, que significa forzado"*. Obligados, forzados, a convertirse al cristianismo, los judíos de España y Portugal se reconocían diciéndose: *"Mar-anús, esto es, Señor anús, o El Señor es un anús, o Es amargo ser un anús"*.

[286] AHPZ, Caja 20, Nº 15, Proceso inquisitorial contra María del Romeral, p. 12 vto. VEASE APÉNDICE DOCUMENTAL PROCESOS DE INQUISICIÓN.

[287] CECIL ROTH, h.; "Los judíos secretos. *Historia de los marranos*", Buenos Aires, 1946, p. 33-34.

[288] SCHALLMAN, L.; *"Diccionario del hebraísmo y voces afines"*, Buenos Aires, 1952, p. 122.

2.3.2.2.- CRISTIANOS NUEVOS, CONVERSOS O *CONFESSOS*

Los procesos de Inquisición nunca utilizan la palabra *judayzante* para designar a los judíos bautizados, sino que más bien los identifica con el nombre de *conversos, confessos* o *cristianos nuevos*, es decir, personas cuya condición social constituye un peligro latente contra la ortodoxia, la pureza de la fe y la integridad del catolicismo. Tanto judíos como cristianos los despreciaban como personas.

La palabra *judayzante*, por el contrario, es una expresión moderna, que sustituye a todas las demás para universalizar mejor su significado. Sin embargo, sí que es frecuente encontrar el término *judayco* para definir la práctica de ritos y ceremonias hebreas. Veamos los términos que empleó la sociedad bilbilitana del siglo XV para identificar a estos neo-bautizados.

- El vocablo *cristianos nuevos* tenía una connotación desdeñosa, pues trataba de diferenciarlos de los cristianos viejos, *lindos* o de *natura*. En los procesos de Inquisición encontramos algún ejemplo al respecto. El 22 de agosto de 1509, el Procurador Fiscal del Tribunal inquisitorial Oficio acusó al vecino de Arándiga, Leonís de Aragón, de ser *"cristiano nuevo, una y muchas vezes despues que se convirtió a nuestra fe católica ha acostumbrado degollar y degollava las haves al modo judayco*[289]. También el 25 de agosto de 1509, el Comisario del Santo Oficio interrogó (tras ser detenido) a Martín de Aymar *"medico cristiano nuevo del lugar de Atecha*[290].

- La palabra medieval *converso* proviene del verbo latino *convertere* (volver, regresar, dar la vuelta, girar en otra dirección, mutación, revolución, mudanza); por lo que su significado social estaría relacionado con la decisión de cambiar por completo de estilo de vida, es decir, cambiar hacia un nuevo rumbo, dirección o actitud existencial y religiosa. Esta expresión la encontramos cuando el 26 de junio de 1488, el vecino de Calatayud, García Cortés, declaró ante la Inquisición que juzgaba al converso bilbilitano, Antón de Santangel, que estando en la Vilueña habló con Juan el texedor, al cual le dijo *"ven aca Joan por en vida que es de los conversos de Calatayut, que tu algo sabras porque as stado judio*[291]. Asimismo, el 22 de agosto de 1509, el Procurador Fiscal de la Inquisición acusó al vecino de Paracuellos de Jiloca, Pedro Casado, de que *"es converso y desciende de linajes de judios*[292].

- Por último, la dicción *confesso* deriva del verbo latino *confiteor* (confesar, declarar), por lo que su significado hay que entenderlo como "el que confiesa" su nueva fe. Pese a su similitud, esta acepción es completamente diferente en el fondo y en la forma a la anterior. Mientras que *confesso* hace hincapié a una opción interior y personal de la religión; *converso* manifiesta más bien una praxis vital, es decir, un nuevo estilo basado en la acción y en el compromiso moral. En este sentido, el 6 de octubre de 1488, el judío

---

[289] AHPZ, Caja 20, N° 15; Proceso inquisitorial contra Leonís de Aragón, p. 11 vto. VEASE APÉNDICE DOCUMENTAL PROCESOS DE INQUISICIÓN.

[290] AHPZ, Caja 20, N° 15; Proceso inquisitorial contra Martín de Aymar, p. 27. VEASE APÉNDICE DOCUMENTAL PROCESOS DE INQUISICIÓN.

[291] AHPZ, Caja 12, N° 8; Proceso inquisitorial contra Juan de Santangel, p. 3 vto. VEASE APÉNDICE DOCUMENTAL PROCESOS DE INQUISICIÓN.

[292] AHPZ, Caja 20, N° 15; Proceso inquisitorial contra Pedro Casado, p. 4. VEASE APÉNDICE DOCUMENTAL PROCESOS DE INQUISICIÓN.

de Calatayud, Yuçe Çafarti, manifestó ante la Inquisición que juzgaba al converso bilbilitano, Simón de Santa Clara (difunto), que su nuera, llamada Juana de Sayas, dijo al acusado *"que se confesase y fiziese obras de christiano... y el dicho Simon respondio a este deposante... vinte y siete o tranta y siete o quarenta y siete annos ha ube me confesse, y esto entendio este testigo porque havia tanto tiempo que era conffesso y se havia fecho christiano*[293]*".*

2.3.2.3.- UN CEMENTERIO PROPIO PARA LOS CONFESSOS DE CALATAYUD

El cementerio, llamado eufemísticamente *bet jayim* (casa de la vida) y *bet olam* (casa de la eternidad), era para los judíos un lugar sagrado, una prolongación (aunque con una lógica discontinuidad espacial) de la judería. En Calatayud se documentan dos cementerios hebreos de épocas diferentes[294], así como uno específico para los conversos.

En efecto, junto al *fosar de los judíos* estaba situado el cementerio de los *confessos* o judeo-conversos, ambos separados por una tapia. Alli se enterraban a los más observantes del judaísmo y a todos los que querían estar lo más cerca posible de sus antepasados judíos. En este sentido, el 22 de julio de 1488, el judío bilbilitano, Mayr Abensabat, compareció como testigo ante la Inquisición que juzga al converso de Calatayud, Jayme Ramón, diciendo que *"havra quatro o cinquo anyos poco mas o menos que este testimonio deposante hun dia a las quatro oras poco mas o menos em pues de medio dia venido de hun guerto de su padre clamado Effrahim judio, el qual guerto esta en la Plana et passando este testimonio deposante (testigo) por el fosar de la juderia vio a Jayme Remon el vieio que mora en Vallupiel et huno clamado Garcia de Santangel que mora cabo la rua que tiene un fijo medio loco, estavan entramos passeandose por el dicho fosar de los judios et viendolos se parose este testimonio hun poco por ver a que fin andavan por ay y les huya (oía) que yvan favlando y assi se açerquo enca ellos por la noticia que tenia con Jayme Remon et estando este testimonio junto con ellos empresencia suya les huyo dezir a los dichos Jayme Ramon, Garcia de Sant Angel, el huno al otro, asaber es primero dixo Garcia Santangel al dicho Jayme Ramon estas palavras "quanto yo no me quiero enterrar sino en el fosar de los confessos" senyalando con el dedo en donde estava el dicho fosar de los confessos, estava ay quasi junto con el dicho fosar de los judios que no ay sino huna tapia en medio, entonces respuso el dicho Jayme Ramon al dicho Garcia de Sant Angel que assi mesmo que no deliberava quando muriese enterrarse en otra parte sino en el dicho fosar de los confesos et que este deposante noles huyo dizir otras palavras et luego le dixieron que se fuesse y assi este deposante se vio pa su casa*[295]*".*

---

[293] AHPZ, Caja 12, N° 7; Proceso inquisitorial contra Simón de Santa Clara, p. 81. VEASE APÉNDICE DOCUMENTAL PROCESOS DE INQUISICIÓN.

[294] LOPEZ ASENSIO, A.; Op. Cit. *"Costumbres judías de Calatayud y Sefarad"*, p. 108 ss. El más primitivo se encontraba junto al monte que está cerca de la puerta Sur de la judería, situada debajo de las actuales escalinatas de subida a la Peña (calle de *Barrionuevo*). Las lápidas funerarias más antiguas encontradas en Calatayud pertenecen a este emplazamiento: el primitivo cementerio hebreo de Calatayud. Tras la Guerra de los Pedros (1362-1368 d. C.), este primer *"osar de los judios"* (como así también lo denomina la documentación notarial del siglo XV) fue prácticamente devastado por los castellanos cuando atacaron el Santuario de la Virgen de la Peña. Los judíos decidieron entonces construir una nueva necrópolis en un lugar más resguardado y tranquilo situado en la parte Este de la judería, en el término del *Portexuelo*, paraje al que se accede por el primer desvío a mano izquierda desde la antigua *"carrera de Moros"*, a unos quinientos metros (barranco arriba) de la puerta *Furiega* y lindero con el término de la Plana. Por el *Portexuelo* se sube hoy en coche a la ermita de San Roque.

[295] AHPZ, Caja, 7, N° 7, Proceso inquisitorial contra Jayme Ramon, p. 25 vto-26. VEASE APÉNDICE DOCUMENTAL PROCESOS DE INQUISICIÓN.

2.4.- LAS PRIMERAS CONVERSIONES MASIVAS EN EL REINO DE ARAGÓN

2.4.1.- ESTRATEGIA DE CONVERSIONES DE LA DISPUTA DE TORTOSA

Como ya sabemos, el papa Luna convocó la Disputa de Tortosa con el único objetivo de desmoralizar a los principales rabinos e intelectuales de las aljamas de la Corona de Aragón, logrando así la "solución final" del judaísmo[296].

Para ello, convocó inicialmente a los dieciséis rabinos más influyentes de todas las aljamas, sumándose después muchos más. Las juderías tenían que soportar los elevados gastos de manutención de sus Delegaciones en Tortosa. Su prolongada estancia hizo que se quejasen al rey porque estas mermas gravaban sin control sus maltrechas economías. La aljama judía de Calatayud retrasó el pago de su Delegación (los dos rabinos y los asesores judíos que les acompañaron). El rey obliga a los judíos bilbilitanos a pagar el coste de sus estancias[297].

Consciente el monarca del empobrecimiento que esto suponía para las aljamas y a su propio patrimonio real, suplica al papa Luna continuar la discusión teológica con tan sólo unos pocos rabinos (cuatro o cinco), permitiendo a los demás regresar a sus hogares[298]. El papa no sólo rechaza esta petición, sino que manda llamar a ciertos judíos -que se estaban ausentando- para someterlos a un interrogatorio de fe. Ante esta postura intransigente, el rey cede a las pretensiones papales, obligando a esos judíos a personarse de inmediato en Tortosa.

2.4.2.- CONVERSIONES EN ARAGÓN TRAS LA DISPUTA DE TORTOSA

Pese a que debemos renunciar a cualquier intento de convertir en cifras el descenso demográfico que provocó la Disputa de Tortosa sobre los judíos aragoneses (ya que los documentos no arrojan datos reveladores), sin embargo, hay estudiosos del tema que ya se han atrevido a darlas. Estas hipótesis no dejan de ser meras suposiciones que evidencian la necesidad de clarificar y abordar el tema en profundidad:

- Zurita[299] señala que tras comenzar la Disputa (año 1413) "*se convirtieron de las sinagogas de Zaragoza, Calatayud y Alcañiz más de doscientos*», y que en el primer semestre de 1414 «*muchos de los más enseñados judíos de las ciudades de Calatayud, Daroca, Fraga y Barbastro se convirtieron y se bautizaron hasta en número de ciento y veinte familias (unas 500 personas), que eran en gran muchedumbre; y todas las aljamas de Alcañiz, Caspe y Maella se convirtieron a la fe en general, que fueron más de quinientas personas; y tras éstos convirtieron la aljama de Lérida y los judíos de la villa*

---

[296] VEASE EL CAPÍTULO Nº: (1.2.1.2.1.- El Papa Luna y la Disputa de Tortosa).

[297] CUELLA ESTEBAN, O.; Op. Cit. "*Bulario aragonés...*", Tomo III, p. 31.

[298] IBIDEM, p. 29.

[299] ZURITA, J, Op. Cit. "Anales de la Corona de Aragón", tomo XII, cap. 45.

*de Tamarit y Alcolea; y fueron en número de tres mil los que entonces se convirtieron en
la corte del Papa y fuera della, según pareció con puro corazón".*

- Serrano y Sanz[300] dice que, tras la Disputa, *"tan grande fue el número de judíos
convertidos, que la mayor parte de las aljamas quedaron poco menos que deshechas, y
reducidas, con aquella deserción, a la pobreza... Desde las conversiones en masa
verificadas a principios del XV apenas había en España la mitad de judíos que a
mediados del anterior[301]".*

- Amador de los Ríos[302] comenta -siguiendo a Zurita- que, como consecuencia de la
Disputa[303], *"...abrazabanse a la cruz hasta ciento veinte familias de las Juderías de
Calatayud, Daroca, Fraga y Barbastro; y ya en los postreros meses del mismo año
pedían el bautismo en Caspe, Maella, Tamarite y Alcolea, sobre tres mil quinientos
hebreos".*

Aunque la Disputa de Tortosa fue un gran éxito personal para el papa Luna por el
elevado número de bautismos, la "solución final" judía (que pretendía) no se consiguió. Al
contrario, a medida que aumentaban las presiones de las autoridades eclesiásticas, se
incrementaba todavía más -entre un grupo de judíos asistentes- la seguridad de mantenerse en su
fe para afrontar dichas presiones. Los pocos que resistieron tenían fuertes y firmes convicciones
religiosas. En consecuencia, una Disputa cuya persecución no logra amedrentar al judaísmo,
produciendo una reacción adversa que le hizo más fuerte de lo que era antes[304].

El gran protagonista de la Disputa fue el judío de Alcañiz, Joshua Ha-Lorqui, que se
bautizó con el nombre de Jerónimo de Santa fe (había sido nombrado médico del papa en febrero
de 1412). Este converso, junto a fray Vicente Ferrer, serán los dos protagonistas que logren con
sus predicaciones convertir (durante y después de la Disputa de Tortosa) a un buen número de
judíos de Calatayud y de toda la Corona de Aragón, como ya sabemos.

2.4.3.- CONVERSOS DE CALATAYUD EN LA DISPUTA DE TORTOSA

2.4.3.1.- CONVERSIONES EN CALATAYUD ANTES DE LA DISPUTA DE TORTOSA

Antes de la Disputa de Tortosa, la inmensa mayoría de los judíos aragoneses supieron
mantenerse en la fe y en la institución comunitara para no dejarse intimidar por los cristianos y la
propia Iglesia. No hay constancia documental de conversiones masivas anteriores a esta
efeméride, sobre todo en Calatayud. Tan sólo hemos encontrado una única referencia de un
converso fraile, sin más datos sobre los motivos de su bautismo.

- Año 1367: Johan Cebrian, monje converso del Monasterio de Piedra, vende a su hermana

[300] SERRANO Y SANZ, M.; Op. Cit. «*Los orígenes...*", p. 31.
[301] IBIDEM, p. 63.
[302] AMADOR DE LOS RÍOS, J.; Op. Cit.«*Historia social, política...*», Tomo II, p. 441.
[303] VEASE EL CAPÍTULO: (1.2.2.5- PREDICACIONES IMPUESTAS A LOS JUDÍOS).
[304] SUÁREZ BILBAO, F., Op. Cit. "*Cristianos contra judíos y conversos*", p. 464.

Marta, unas posesiones suyas en el lugar de Cocos[305] (Zaragoza).

2.4.3.2.- CONVERSIONES DURANTE LA DISPUTA DE TORTOSA

A pesar de la precaución y limitación con la que hay que acercarse a las cifras demográficas, conviene que tengamos en cuenta algunos acontecimientos que se sucedieron en Calatayud durante y después de la Disputa de Tortosa, a fin de que saquemos alguna conclusión convincente.

La conversión en Tortosa de los dos rabinos de Calatayud (Samuel Ha-Leví y Mosse Ben Musa) provocó que los Delegados bilbilitanos, Berenguer Abencabra (Tradoz Abencabra), Juan de Santangel (Yuçe Azarías) y su hermano Pedro de Santangel (Mosse Azarías), también se bautizaran durante el primer semestre de 1414. También fue sonada la conversión del médico Tradoz Abencabra, como veremos a continuación.

En el siguiente cuadro-resumen vamos a ver los primeros 29 judíos de Calatayud que se convirtieron como consecuencia de la Disputa de Tortosa. Conocemos la identidad de 25 de estas personas gracias a la investigación que ha efectuado Gemma Escrivá[306] y que, posteriormente, ha publicado también Miguel Ángel Motis Dolader[307]. Las 4 últimas personas del cuadro las hemos encontrado en el Archivo de Protocolos Notariales de Calatayud y en el Archivo de la Corona de Aragón. En resumen, hemos contabilizado documentalmente un total de 29 judíos bilbilitanos convertidos durante la Disputa Tortosina.

JUDIO	CONVERSO	FECHA
Hijo de Jaco (Azarías)	Alfonso de Santangel	23 abril 1414
Tradoz Abencabra	Berenguer Abencabra	23 abril 1414
Brahem Çadoch	Miguel Pérez de Calatayud	23 abril 1414
	Miguel Pérez de Calatayud	26 abril 1414
Yuçe Azarías	Juan de Santangel	4 agosto 1414
Mosse Azarías	Pedro de Santangel	4 agosto 1414
Salomon Abensaprut	Cristóbal de Santangel	
Yuçe Azarías	Leonart (Martínez) de Santangel	24 agosto 1414
Mosse Çadoch	García Pérez de Calatayud	30 agosto 1414
Salomon Constantin	Gabriel Constantin	30 septiembre 1414
	Pablo de Santangel (de Paracuellos)	22 octubre 1414
Brahem Chiliella	Luis de Santa Cruz	25 octubre 1414
	Gonzalo de Aranda	25 octubre 1414
	Gabriel Juan de Santangel	21 noviembre 1414
Açach Alvalit	Pascual Pérez de Almazán	21 noviembre 1414
Rabi Aron Satorra	Fernando Zatorre(306)	21 noviembre 1414
Mosse Alvalit	Johan Pérez de Almazán	21 noviembre 1414
	García Pérez de Calatayud	21 noviembre 1414
	Johan de Cevamanos	24 noviembre 1414
	Johan Alonso	11 de enero de 1415

---

[305] AHN, Clero Secular-Regular, Carpeta 3.706, N° 7 (dado el 7 de marzo de 1367).

[306] ESCRIBÁ, G.: *"The Tortosa Disputation: regenta of documents from the archivo de la Corona de Aragón, Fernando I, 1412-1416"*, Jerusalén, 1998.

[307] MOTIS DOLADER, M.A. y COMBESCURE THIRY, M., Op. Cit. *"El libro verde de Aragón"*, p. 40.

Açach Çadoch	Johan Pérez de Almazán	11 enero 1415
Juçe Chiliella	Domingo Marín de Santa Cruz	11 enero 1415
Simuel Azarías	Alfonso Olina	11 enero 1415
	Johan Sánchez de Calatayud	21 enero 1415
	Gilabert de Sata Fe	4 abril 1415
Hijo de Jaco Azarías	Pedro Martínez de Santangel[308]	1414
	Bernardo Díaz[309]	1414
Hijo de Bayel Constantin	Pedro López[310]	1414
Bautizado a los 13 años	Jayme Remon[311]	1414

2.4.3.2.1.- La conversión de los Abencabra y la iglesia de San Pablo

Como ya hemos narrado, el 2 de abril de 1414 se bautiza en Tortosa el judío de Calatayud, Tradoz Abencabra[312], con el nombre de Berenguer de la Cabra. Este médico de profesión e hijo de Yuçe Abencabra, asistió a la Disputa de Tortosa como Delegado de los dos rabinos titulares que representaron a la ciudad de Calatayud.

Tras su conversión, los bienes de su casa fueron saqueados por los judíos y vecinos de la ciudad[313]. Para recompensarle, el rey Fernando I (1412-1416) le concede *guiaje* y exención de impuestos durante cinco años (a partir del 23 de abril de 1414). También el papa Luna le retribuye duplicando la pensión que percibía por asistir médicamente al convento de las Clarisas de Santa Inés de Calatayud, cuya abadesa -llamada Montesina[314]- era la hermana del propio papa. Incluso llega a cobrar 50 florines de la Cámara Apostólica Pontificia por el desplazamiento que tuvo que hacer -desde Calatayud a Peñíscola- para tratar la enfermedad de don Alvaro de Luna[315], familiar del propio papa.

En Calatayud vivía también el médico judío, Yuçe Abencabra, padre de Berenguer Abencabra. Siendo todavía judío prestó sus conocimientos médicos a la familia real, consiguiendo por ello que el Obispo de Tarazona, Pedro Pérez Calvillo, le concediera (en el año

---

[308] El papa Luna le da su apoyo concediéndole (el 28 de junio de 1414) una pensión anual de 80 florines de oro que percibe de los frutos y primicias del Arcedianado de Calatayud, en dos plazos (para Navidad y para la Natividad de San Juan Bautista).

[309] APNZ, tomo 46, Pedro Fernández de Barrionuevo, 10 de octubre de 1426, p. 15. TAMBIÉN: ACA, Cancillería, Diversos-Comunidades, Carp. 61, Nº 55 (dado el 28 de febrero de 1421). Albaran de ocho florines de Bernardo Díaz, converso habitante de Calatayud, por los trabajos que ha sostenido entre Jimeno de Urrea y la Comunidad de Aldeas de Calatayud.

[310] ACA, diversos, varia 30, volumen nº 8, protocolo anónimo, 23 de octubre de 1414, p. 162.

[311] AHPZ, Caja 7, Nº 7; Proceso inquisitorial contra Jayme Remón, p. 27. VEASE APÉNDICE DOCUMENTAL PROCESOS DE INQUISICIÓN. El 22 de julio de 1488, el judío bilbilitano, Yuçé el Bayo, declara ante la Inquisición que juzga a este converso ya fallecido que, hacia el año 1468, lo encontró en una habitación de su casa y le dijo *"que estava faziendo mi tefila (oración judía) al Dio del cielo... y este deposante dize que la devia bien saber pues fue judio y fue de los que se convirtieron al tiempo de sant Vicent (fray Vicente Ferrer)"*. VEASE TAMBIÉN: AHPZ, Caja 7, Nº 7; Proceso inquisitorial contra Jayme Remón, p. 2 vto.

[312] CUELLA, ESTEBAN, O.; «Los judíos bilbilitanos en tiempos del Papa Luna», *en Primer Encuentro de Estudios Bilbilitanos*, Calatayud, 1983, Vol. II, p. 138. «Eadem vero dieta, gracia dei in quodam indeo, notabili medico cibitatis Calatayubii, magne literatura magnique generis, nomine Trodoç Abencabra, et qui una cum aliis pluribus usque ad numerum decem personarum, no computatis uxaribus ac familias suis, qui in manafuerunt quantitate, ad fideum orthodoxam sunt conversi».

[313] VEASE TAMBIÉN EL CAPÍTULO: (2.2.1.2.- EL BAUTISMO DE LOS JUDÍOS: UN MALESTAR FAMILIAR).

[314] CUELLA ESTEBAN, O.; Op. Cit. *"Bulario aragonés..."*, tomo III, p. 32.

[315] Registro de Aviñón 348, Fol. 729 vto. Publicado por: CUELLA ESTEBAN, O.; Op. Cit. *"Bulario aragonés..."*, tomo III, p. 189. "De mandato pape fuerunt solit (30 agosto 1416) magistro Berengario de Avencabra, medico, pro expensas sui adventus de Calataiubio ad Paniscolam pro curatione infirmitatis domini fratris Alvari de Luna, neptis domini nostri pape, quinquaginta floreni Aragonie".

1373) licencia para derribar la antigua sinagoga de su familia (la que construyó su antepasado Aaron Abinafia en el último tercio del siglo XIII) y construir allí un nuevo oratorio junto a la puerta de la judería de San Andrés, entre otras prebendas y privilegios reales[316].

Animado por la decisión de su hijo, Tradoz Abencabra, se bautizó con el nombre de Johan Martínez de la Cabra, motivo por el que el rey Fernando I (1412-1416) le concede, en 1415, la distinción de la *Amprisia Crucis*[317] y el título de caballero o escudero (para que no pagara impuestos). Tanto él como su hijo Berenguer fueron admitidos como parroquianos de la Colegiata de Santa María la Mayor de Calatayud, en la fiesta de San Miguel de 1417 (día 29 de septiembre).

Como ya sabemos, tras su conversión, Johan Martínez de la Cabra solicitó de nuestro Papa Luna -tal vez bajo la tutela e intercesión del monarca aragonés- la transformación en iglesia de su sinagoga-oratorio. El Papa estimó su petición de cristianización bajo la advocación del apóstol San Pablo[318], en una bula[319] despachada en Valencia el 9 de julio de 1415. El converso tendrá además el derecho a ser enterrado en ella, siendo también transmisible a sus legítimos descendientes. Así mismo, le concedió otra bula (fechada también el 9 de julio de 1415) para que esta nueva iglesia fuera erigida con toda dignidad y con las acostumbradas indulgencias para todos aquellos que la visiten en ciertas festividades[320]. Ambas bulas fueron despachadas con registro de salida en Peñíscola, a 15 de julio de 1415.

2.4.4.- CONVERSIONES EN CALATAYUD DURANTE EL SIGLO XV

2.4.4.1.- INTRODUCCIÓN

El objetivo de este capítulo es estudiar, desde un punto de vista documental, el mundo converso de la Calatayud del siglo XV y principios del XVI. Para ello, es importante que conozcamos la identidad de todos los conversos que hemos encontrado -durante este período- en las distintas fuentes documentales estudiadas (protocolos notariales, Archivo de la Corona de Aragón, Archivo Histórico Nacional, procesos de Inquisición, referencias de otros autores, etc.). Veamos los siguientes cuadros-resumen que clasifican, por separado, a los neófitos conversos (conversos de primera generación) de sus hijos y nietos (conversos de segunda y tercera generación).

---

[316] El rey Martín I (1396-1410) le concede (en el año 1402) el privilegio de poder cerrar un pasadizo de la judería que era de libre tránsito y edificar allí unas casas de su propiedad.

[317] BAER, F. Op. Cit. «*Historia de los judíos españoles*», tomo l, p. 825.

[318] LOPEZ ASENSIO, A.; Op. Cit. "*Sabiduría judía de Calatayud y Sefarad*", p. 178.

[319] VEASE APÉNDICE DOCUMENTAL Nº 14. CUELLA ESTEBAN, O.; «*Tesis doctoral*» (Barcelona-1977), p. 333.337. Doc. 53 y 54. VEASE TAMBIÉN: BAER, Y.; "*Historia de los judíos...*", tomo II, documento nº 508, p. 825.

[320] VEASE APÉNDICE DOCUMENTAL Nº 15.

2.4.4.2.- CRISTIANOS NUEVOS QUE NACIERON JUDIOS

Este cuadro-resumen trata de identificar (por orden alfabético) los nombres de 61 conversos bilbilitanos que nacieron siendo judíos y que se bautizaron a lo largo del siglo XV. También damos a conocer (en algunos casos) los nombres, linajes y parentesco que tuvieron cuando fueron judíos, así como el lugar donde se empadronaron después de su conversión.

NOMBRE	LINAJE JUDIO	FECHA CONVERSION	COMENTARIO
Alvarez, Jacobo[321]			Cristiano nuevo. Primo del judío de Arándiga, Jaco Carrillo. Su hermano converso se llamaba Lázaro Alvarez y tuvo un hijo llamado como él.
Alvarez, Leonor[322]			Cristiana nueva. Hermana de la judía llamaba Portugalesa y del converso Johan López de Mayor.
Alvarez, Pedro[323]	Avayut		Cuando era judío se llamaba Açach Avayut. Era hermano del converso Johan Pérez de Santa Fe.
Aragón, Leonis[324]			Cristiano nuevo. Vive en Arándiga.
Aymar, Martín de[325]			Cristiano nuevo. Vive en Ateca y es médico.
Bernat, Johan[326]			Cristiano nuevo de Calatayud
Cabra, Berenguer de la[327]	Abinafia	1492	Cristiano nuevo, Siendo judío se llamaba Tradoz Abencabra o Abinafia. Era Hijo de Yuçe Abencabra o Abinafia que se convirtió con el nombre de Johan Martínez de la Cabra.
Casado, Johan[328]			Cristiano nuevo, a su nieto Pedro Casado se le acusa de judaizar y viven en Paracuellos Jiloca.
Chibilla, Blanca[329]			Cristiana nueva. Casada con Alfonso de Santa Cruz. Cuando era judía se llamaba Blanca.
Çit, Johan[330]	Çahadias		Cristiano nuevo. Hermano del judío Açach Çahadías. Su hijo Pedro Pedro Çit fue también condenado por judaizar.

[321] AHPZ, Caja 12, Nº 7; Proceso inquisitorial contra Jacobo (Jayme) Álvarez, p. 181. VEASE APÉNDICE DOCUMENTAL PROCESOS DE INQUISICIÓN.

[322] AHPZ, Caja 10, Nº 6; Proceso inquisitorial contra Leonor Álvarez, p. 21. VEASE APÉNDICE DOCUMENTAL PROCESOS DE INQUISICIÓN.

[323] AHPZ, Caja 9, Nº 10; Proceso inquisitorial contra Johan Pérez de Santa Fe, p. 85. VEASE APÉNDICE DOCUMENTAL PROCESOS DE INQUISICIÓN.

[324] AHPZ, Caja 20, Nº 15; Proceso inquisitorial contra Leonis de Aragón, p. 11vto. VEASE APÉNDICE DOCUMENTAL PROCESOS DE INQUISICIÓN.

[325] AHPZ, Caja 20, Nº 15; Proceso inquisitorial contra Martín de Aymar, p. 6 vto. VEASE APÉNDICE DOCUMENTAL PROCESOS DE INQUISICIÓN.

[326] AHPZ, Caja 12, Nº 8; Proceso inquisitorial contra Anthon de Santangel, p. 131 vto. VEASE APÉNDICE DOCUMENTAL PROCESOS DE INQUISICIÓN.

[327] VEASE EL CAPÍTULO: (2.4.3.2.1.- La conversión de los Abencabra y la iglesia de San Pablo).

[328] AHPZ, Caja 20, Nº 15; Proceso inquisitorial contra Pedro Casado, p. 1 vto. VEASE APÉNDICE DOCUMENTAL PROCESOS DE INQUISICIÓN.

[329] AHPZ, Caja 12, Nº 7; Proceso inquisitorial contra Alfonso de Santa Cruz, p. 116 vto. VEASE APÉNDICE DOCUMENTAL PROCESOS DE INQUISICIÓN.

[330] ASCZ, sin signatura, Proceso contra Pedro Çit, p. 23 vto. VEASE APÉNDICE DOCUMENTAL PROCESOS DE INQUISICIÓN.

Coscón, Dionis[331]	Paçagon		Cristiano nuevo. Se llamaba Jaco Paçagon.
Daça, Johan (padre)[332]	Campillo		Cristiano nuevo. Su Hermano judío se llamaba Jehuda Campillo
Daça, María[333]			Cristiana nueva. Era pariente de Brahem Alpastán.
Daroqua, Marquesa[334]	Çafarti		Cristiana nueva. Casada con Paulo de Daroqua. Su padre se llamaba Yuçe Çarfati y su hermana judía estaba casada con Benahem Avayut.
Daroqua, Paulo[335]	Abenxuen		Cristiano nuevo. Tío carnal del judío Simuel Abenxuen.
Escobar, Alvaro[336]			Cristiano nuevo. Casado con Catalina.
Escobar, Clara[337]		1465	Cristiana nueva. Era hermana de Alvaro Escobar
García, Enrrique[338]	Benardut		Cristiano nuevo. Se llamaba Mosse Benardut y se convirtió en la expulsión con su padre Jehuda y hermanos.
García, Felipe[339]	Benardut		Cristiano nuevo. Se llamaba Çalema Benardut y se convirtió en la expulsión con su padre Jehuda y sus hermanos.
García, Pedro[340]	Benardut	1492	Cristiano nuevo. Se llamaba Jehuda Benardut y se convirtieron también sus hijos en la expulsión.
Gutierrez de Toledo Miguel[341]			Cristiano nuevo. Cuando se convirtió se fue a vivir a Zaragoza.
Lanuça, Dianita de[342]			Cristiana nueva, Vive en Illueca.
Lanuça, María[343]		1485	Mujer de Jacobo de Luna. Su marido e hijos judíos se bautizaron dos años antes que ella.
Linyan, Johan de[344]			Cristiano nuevo. Vive en Sestrica.

---

[331] LOPEZ ASENSIO, A.; Op. Cit. *"La judería de Calatayud"*, p. 347.

[332] AHPZ, Caja 19, N° 3; Proceso inquisitorial contra Johan Daça, p. 8 vto. VEASE APÉNDICE DOCUMENTAL PROCESOS DE INQUISICIÓN.

[333] AHPZ, Caja 12, N° 7; Proceso inquisitorial contra Johan María Daça, p. 185 vto. VEASE APÉNDICE DOCUMENTAL PROCESOS DE INQUISICIÓN.

[334] AHPZ, Caja 12, N° 7; Proceso inquisitorial contra Paulo de Daroqua, p. 201 vto. VEASE APÉNDICE DOCUMENTAL PROCESOS DE INQUISICIÓN.

[335] AHPZ, Caja 12, N° 7; Proceso inquisitorial contra Paulo de Daroqua, p. 207 vto. VEASE APÉNDICE DOCUMENTAL PROCESOS DE INQUISICIÓN.

[336] AHPZ, Caja 9, N° 8; Proceso inquisitorial contra Clara Escobar p. 23. VEASE APÉNDICE DOCUMENTAL PROCESOS DE INQUISICIÓN.

[337] AHPZ, Caja 9, N° 8; Proceso inquisitorial contra Clara Escobar, p. 23 vto. VEASE APÉNDICE DOCUMENTAL PROCESOS DE INQUISICIÓN.

[338] AHPZ, Caja 19, N° 3; Proceso inquisitorial contra Johan Daça, p. 7. VEASE APÉNDICE DOCUMENTAL PROCESOS DE INQUISICIÓN.

[339] AHPZ, Caja 19, N° 3; Proceso inquisitorial contra Johan Daça, p. 6 vto. VEASE APÉNDICE DOCUMENTAL PROCESOS DE INQUISICIÓN.

[340] AHPZ, Caja 12, N° 8; Proceso inquisitorial contra Anthon de Santangel, p. 53. VEASE APÉNDICE DOCUMENTAL PROCESOS DE INQUISICIÓN.

[341] AHPZ, Caja 12, N° 8; Proceso inquisitorial contra Anthon de Santangel, p. 132. VEASE APÉNDICE DOCUMENTAL PROCESOS DE INQUISICIÓN.

[342] AHPZ, Caja 20, N° 15; Proceso inquisitorial contra Dianita de Lanuça, p. 14 vto. VEASE APÉNDICE DOCUMENTAL PROCESOS DE INQUISICIÓN.

[343] AHPZ, Caja 15, N° 6; Proceso inquisitorial contra Johan de Esperandeu, p. 5. VEASE APÉNDICE DOCUMENTAL PROCESOS DE INQUISICIÓN. VEASE TAMBIÉN EL CAPÍTULO: (2.2.1.2.- EL BAUTISMO DE LOS JUDÍOS: UN MALESTAR FAMILIAR).

[344] AHPZ, Caja 20, N° 15; Proceso inquisitorial contra Pedro Ximénez, p. 24. VEASE APÉNDICE DOCUMENTAL PROCESOS DE INQUISICIÓN.

Lopez de Coscollán, Johan[345]			Cristiano nuevo. Vive en Calatayud.
López de Mayor, Johan[346]			Cristiano nuevo. Hermano de la conversa Leonor Alvarez y de la judía Portugalesa
López de Moros, María[347]			Cristiana nueva, pariente del linaje judío de los Alazan. Estaba casada con Remón López de Villanueva.
López de Tuedela, Anthon[348]	Abembola t	1492	Cristiano nuevo. Se llamaba Salomón Abembolat. Proviene de Huesa del Común pero vivía en Calatayud.
López de Villanova, Gabriel[349]	Paçagon		Cristiano nuevo. Hermano del judío Brahem Paçagon y de Ramón y García de López Villanova. Estaba casado con María López de Moros.
López de Villanova, García (mayor)	Paçagon		Cristiano Nuevo, cuando era judío se llamaba Mosse Paçagon. Aparece en el Libro Verde de Aragón. Padre de Gabriel López de Villanova, llamado Brahem Paçagon
López de Villanova, Garci[350]	Paçagon		Cristiano nuevo. Hermano del judío Brahem Paçagon. Su hija era la conversa María López.
López de Villanova, Ramón[351]	Paçagon		Cristiano nuevo. Hermano del judío Brahem Paçagon y de Gabriel y García de López Villanova.
López de Villanova, Johan	Paçagon		Cristiano nuevo. Cuando era judío se llamaba Mayr Paçagon. Aparece en el Libro Verde de Aragón.
Luna, Violant de[352]			Cristiana nueva. Vive en Illueca.
Maluenda, Johan (mayor)[353]	Truchas		Cristiano nuevo. Cuando era judío se llamaba Mosse Truchas. Se casó con la conversa Aldonça. Aparece en el Libro Verde de Aragón.
Martínez de la Cabra, Johan[354]	Abinafia	1492	Cristiano nuevo. Siendo judío se llamaba Yuçe Abencabra o Abinafia. Padre de Berenguer de la Cabra.
Mercader, Johan[355]	Acrix		Cristiano nuevo. Cuando era judío se apellidaba Acrix. Vive en la Vilueña.
Montesa, Martín[356]	Paçagon		Cristiano nuevo. Se llamaba Jucico Paçagon. Regresó a Calatayud en 1498 y recibió sus bienes.
Montesa, Pedro[357]			Crisitano nuevo. Una vez convertido se marchó a vivir a

---

[345] AHPZ, Caja 12, Nº 7; Proceso inquisitorial contra Johan López de Coscollán, p. 5 vto. VEASE APÉNDICE DOCUMENTAL PROCESOS DE INQUISICIÓN.

[346] AHPZ, Caja 10, Nº 6; Proceso inquisitorial contra Leonor Álvarez, p. 21. VEASE APÉNDICE DOCUMENTAL PROCESOS DE INQUISICIÓN.

[347] AHPZ, Caja 12, Nº 7; Proceso inquisitorial contra María López de Moros, p. 192 vto. VEASE APÉNDICE DOCUMENTAL PROCESOS DE INQUISICIÓN.

[348] APNC, Forcén López (25 de Agosto de 1505).

[349] AHPZ, Caja 12, Nº 7; Proceso inquisitorial contra Gabriel de Santa Cruz, p. 97 vto. VEASE APÉNDICE DOCUMENTAL PROCESOS DE INQUISICIÓN.

[350] AHPZ, Caja 20, Nº 15; Proceso inquisitorial contra Gracia López de Villanova, p. 9. VEASE APÉNDICE DOCUMENTAL PROCESOS DE INQUISICIÓN.

[351] AHPZ, Caja 12, Nº 7; Proceso inquisitorial contra Gabriel de Santa Cruz, p. 97 vto. VEASE APÉNDICE DOCUMENTAL PROCESOS DE INQUISICIÓN.

[352] AHPZ, Caja 20, Nº 15; Proceso inquisitorial contra Violant de Luna, p. 8. VEASE APÉNDICE DOCUMENTAL PROCESOS DE INQUISICIÓN.

[353] AHPZ, Caja 12, Nº 7; Proceso inquisitorial contra Johan de Maluenda, p. 141 vto. VÉASE APÉNDICE DOCUMENTAL PROCESOS DE INQUISICIÓN.

[354] VEASE LA NOTA Nº 317.

[355] AHPZ, Caja 12, Nº 7; Proceso inquisitorial contra Anthon de Santangel, p. 16 vto. VEASE APÉNDICE DOCUMENTAL PROCESOS DE INQUISICIÓN.

[356] LOPEZ ASENSIO, A.; Op. Cit. "La judería de Calatayud", p. 347.

[357] VÉASE APÉNDICE DOCUMENTAL Nº 11.

			Valladolid.
Moros, García de	Vitalis		Cristiano nuevo. Cuando era judío se llamaba Simuel Vitalis.
Pérez de Almazan, Pasqual[358]	Alvalit		Cristiano nuevo. Cuando era judío se llamaba Açach Alvalit.
Pérez de Moros, Felipe[359]			Cristiano nuevo. Tenía una hermana judía llamada Cinha, casada con Mosse Çadoch.
Perez de Santa Fe, Johan[360]	Avayut		Nació en Ariza. Se convirtió a la edad de 18 años. Sus hermanos judíos se llamaban Açach y Jehuda Avayut.
Pina, María[361]			Cristiana nueva, casada con Johan de San Martín. Vive en Ateca.
Plana, Martín de la[362]	Daroca		Cristano nuevo. Cuando era judío se llamaba Haym de Daroqua.
Romeral, Johan de[363]	Jabba		Nació siendo judío, su sobrino carnal (hijo de su hermano) se llamaba Mosse Jabba.
Romeral, María del[364]		1473	Cristiana nueva. Casada con Johan del Romeral. Cuando era judía se llamaba Ladossana.
San Martín, Johan[365]			Cristiano nuevo. Casado con la conversa María Pina. Ambos judíos de Calatayud. Tras la conversión viven en Ateca.
Santa Clara, Pedro (çedaçero)[366]			Cristiano nuevo. Hermana de la judía Çidilla que vive en Arándiga.
Santa Clara, Pedro de (alias platero)[367]			Cristiano nuevo. Se convirtió a mediados del siglo XV.
Santa Clara, Simon de (mayor)[368]			Cristiano nuevo. Vive en Illueca.
Santa Cruz, Alfonso[369]	Buenavida		Cristiano nuevo. Su nieto Gabriel de Santa Cruz declara que era pariente de los Buenavida.
Santa Cruz, Gabriel[370]			Cristiano nuevo. Vive en Caspe pero cuando era judío lo

---

[358] VÉASE APÉNDICE DOCUMENTAL N° 2.

[359] AHPZ, Caja 12, N° 7; Proceso inquisitorial contra Felipe Pérez de Moros, p. 138. VEASE APÉNDICE DOCUMENTAL PROCESOS DE INQUISICIÓN.

[360] AHPZ, Caja 9, N° 10; Proceso inquisitorial contra Johan Pérez de Santa Fe, p. 4. VEASE APÉNDICE DOCUMENTAL PROCESOS DE INQUISICIÓN.

[361] AHPZ, Caja 20, N° 15; Proceso inquisitorial contra María Pina, p. 5. VEASE APÉNDICE DOCUMENTAL PROCESOS DE INQUISICIÓN.

[362] VÉASE APÉNDICE DOCUMENTAL N° 9.

[363] AHPZ, Caja 12, N° 7; Proceso inquisitorial contra Johan del Romeral, el platero, p. 86. VEASE APÉNDICE DOCUMENTAL PROCESOS DE INQUISICIÓN.

[364] AHPZ, Caja 12, N° 7; Proceso inquisitorial contra María del Romeral, p. 92. VEASE APÉNDICE DOCUMENTAL PROCESOS DE INQUISICIÓN.

[365] AHPZ, Caja 20, N° 15; Proceso inquisitorial contra María Pina, p. 17 vto. VEASE APÉNDICE DOCUMENTAL PROCESOS DE INQUISICIÓN.

[366] AHPZ, Caja 9, N° 1; Proceso inquisitorial contra Pedro de Santa Clara, el çedaçero, p. 21 bis vto. VEASE APÉNDICE DOCUMENTAL PROCESOS DE INQUISICIÓN.

[367] AHPZ, Caja 7, N° 7; Proceso inquisitorial contra Pedro de Santa Clara, el platero, p. 4 vto. VEASE APÉNDICE DOCUMENTAL PROCESOS DE INQUISICIÓN.

[368] AHPZ, Caja 12, N° 7; Proceso inquisitorial contra Simón de Santa Clara, p. 55. VEASE APÉNDICE DOCUMENTAL PROCESOS DE INQUISICIÓN.

[369] AHPZ, Caja 12, N° 7; Proceso inquisitorial contra Alfonso de Santa Cruz, p. 116 vto. VEASE APÉNDICE DOCUMENTAL PROCESOS DE INQUISICIÓN.

			hacía en Calatayud. Pariente de Brahem Paçagon.
Santangel, Antón (padre)[371]			Cristiano nuevo. Su hijo es Anthon de Santangel, juzgado por la Inquisición por su conspiración en la muerte de Pedro Arbués
Santangel, Leonart[372]	Abenxoe		Cristiano nuevo. Hermano del judío Haym Abenxoe. Su sobrina judía se llamaba Çidilla.
Soler, Jayme[373]	Enforna		Cristiano nuevo. Su padre judío era Jaco Enforna y su madre Soli. Le incluye en el testamento junto a sus hermanos judíos.
Valtierra, Pedro[374]	Alpastan	1492	Se llamaba Brahem Alpastán. En el año 1504 estaba preso por falsificar moneda. Su hermano fue el judío Simuel Alpastan[375].
Verrozpe, Charles de[376]	Paçagon		Cristiano nuevo. Se llamaba Brahem Paçagon (mayor). Regresó en 1495 y recibió sus bienes.
Ximénez de Rueda, Anthon[377]	Arruet		Cristiano nuevo. Hermano del judío Yuçe Arruet y tío de Bienvenist Arruet.
Ximenez, Pedro[378]	Arruet		Cristiano nuevo. Siendo judío se llamaba Juçe Carrillo. Vive en Sestrica.

2.4.4.3.- JUDIOS QUE SE CONVIRTIERON AL CRISTIANISMO

Gracias a los procesos de Inquisición sabemos que tres judíos de Calatayud se convirtieron a la fe cristiana, pero desconocemos el nombre de pila que adoptaron tras su bautismo:

---

[370] AHPZ, Caja 12, N° 7; Proceso inquisitorial contra Gabriel de Santa Cruz, p. 95. VEASE APÉNDICE DOCUMENTAL PROCESOS DE INQUISICIÓN.

[371] AHPZ, Caja 12, N° 7; Proceso inquisitorial contra Anthon de Santangel, p. 16 vto. VEASE APÉNDICE DOCUMENTAL PROCESOS DE INQUISICIÓN.

[372] AHPZ, Caja 12, N° 7; Proceso inquisitorial contra Leonart de Santangel, p. 165 vto. VEASE APÉNDICE DOCUMENTAL PROCESOS DE INQUISICIÓN.

[373] VÉASE APÉNDICE DOCUMENTAL N° 10.

[374] AHPZ, Caja 12, N° 8; Proceso inquisitorial contra Anthon de Santangel, p. 113. VEASE APÉNDICE DOCUMENTAL PROCESOS DE INQUISICIÓN.

[375] AHN, Clero Secular-Regular, Carpeta 3.625, N° 1 (dado el 29 de enero de 1452). Simuel Alpastan, judio de Calatayud, hermano y procurador de Pedro Valtierra, con el consentimiento del Presidente y Capítulo de canónigos de Santa María la Mayor de Calatayud vende a García de Santangel, hijo de Anthon de Santangel y mercader de Calatayud, el dominio útil y posesión sobre una viña situada en el Pagillo, término de Calatayud, cargada con 10 sueldos anuales de treudo perpetuo, pagadero al dicho capítulo, por precio de 700 sueldos, siendo aprobada la venta por el dicho capítulo.

[376] LOPEZ ASENSIO, A.; Op. Cit. "La judería de Calatayud", p. 347.

[377] AHPZ, Caja 12, N° 7; Proceso inquisitorial contra Anthon Ximénez de Rueda, p. 31 vto. VEASE APÉNDICE DOCUMENTAL PROCESOS DE INQUISICIÓN.

[378] AHPZ, Caja 20, N° 15; Proceso inquisitorial contra Pedro Ximénez, p. 23. VEASE APÉNDICE DOCUMENTAL PROCESOS DE INQUISICIÓN

NOMBRE JUDIO	FECHA CONVERSION	COMENTARIO
Arandiga, Adret de[379]	1492	Cristiano nuevo.
Brahem Paçagon (Menor)[380]		Cristiano nuevo. Regresó a Calatayud en 1498 con su hija también conversa.
Nanyas, Çaçon[381]	1492	Cristiano nuevo de Illueca.

2.4.5.- CONVERSOS DE SEGUNDA GENERACIÓN DE CALATAYUD

2.4.5.1.- HIJOS DE CONVERSOS BAUTIZADOS EN EL SIGLO XV

La segunda y tercera generación de conversos fue mucho más numeroso que la de sus padres o abuelos bautizados (primera generación de conversos). Pese a estar significados bajo el estigma de la limpieza de sangre, sin embargo, estuvieron menos influenciados por el judaísmo que sus padres de origen judío. Aún así, hubo muchos que siguieron judaizando y, por consiguiente, perseguidos por la Inquisición. En Calatayud se abrió proceso a 17 conversos de segunda y tercera generación, número que irá disminuyendo conforme pasen los primeros años del siglo XVI.

NOMBRE	LINAJE JUDIO	COMENTARIO
Benedit, Gracia[382]		Hija de Johan Benedit, cristiano nuevo.
Blanes, Blanca[383]		Hija de Cristianos nuevos.
Cabra, Jorge de la[384]		Hijo de Berenguer de la Cabra, cristiano nuevo en 1414. Casado con Isabel Lunell, procesada por la Inquisición.
Casado, Pedro[385]		Nieto del cristiano nuevo Johan Casado.
Cit, Pedro[386]	Çahadías	Hijo de Johan Çit, cristiano nuevo de la familia judía Çahadías
Çit, Pedro[387]	Çahadías	Su padre se llamaba Johan Çit y fue cristiano nuevo.
Daça, Alonso[388]		Hijo de Johan Daça, el que se hizo cristiano nuevo.

[379] AHPZ, Caja 12, N° 8; Proceso inquisitorial contra Anthon de Santangel, p. 53. VEASE APÉNDICE DOCUMENTAL PROCESOS DE INQUISICIÓN.

[380] LOPEZ ASENSIO, A.; Op. Cit. "La judería de Calatayud", p. 347.

[381] AHPZ, Caja 12, N° 8; Proceso inquisitorial contra Anthon de Santangel, p. 53. VEASE APÉNDICE DOCUMENTAL PROCESOS DE INQUISICIÓN.

[382] AHPZ, Caja 12, N° 2; Proceso inquisitorial contra Gracia Benedit, p. 11. VEASE APÉNDICE DOCUMENTAL PROCESOS DE INQUISICIÓN.

[383] AHPZ, Caja 22, N° 1; Proceso inquisitorial contra Gracia de Blanes, p. 3 ss. VEASE APÉNDICE DOCUMENTAL PROCESOS DE INQUISICIÓN.

[384] ASCZ, sin signatura, Proceso contra Isabel Lunell, p. 4 vto. VEASE APÉNDICE DOCUMENTAL PROCESOS DE INQUISICIÓN.

[385] AHPZ, Caja 20, N° 15; Proceso inquisitorial contra Pedro Casado, p. 1 vto. VEASE APÉNDICE DOCUMENTAL PROCESOS DE INQUISICIÓN.

[386] ASCZ, sin signatura, Proceso contra Pedro Çit, p. 8. VEASE APÉNDICE DOCUMENTAL PROCESOS DE INQUISICIÓN.

[387] ASCZ, sin signatura, Proceso contra Pedro Çit, p. 23 vto. VEASE APÉNDICE DOCUMENTAL PROCESOS DE INQUISICIÓN.

Daça, Ferrando[389]		Hijo de Johan Daça, el que se hizo cristiano nuevo.
Daça, Johan (hijo)[390]		Hijo de Johan Daça, el que se hizo cristiano nuevo.
Herecia, Luys[391]		Su padre Francisco de Heredica, cristiano nuevo, le circuncidó a los 8 años poniéndole el nombre de Jacobino.
Huete, Gonçalvo de[392]		Hijo de Cristianos nuevos.
López, María[393]	Paçagon	Hija del converso García López de Villanova. Estuvo sirviendo en casa de su tío Brahem Paçagon. Vive en Moros.
Mercader, Johan[394]	Acrix	Vive en La Vilueña. Su padre era judío de Calatayu y se apellidaba Acrix.
Pérez de Moros, María[395]		Cristiana nueva. Su padre es el cristiano nuevo Felipe López de Moros, el calcetero. Vive en Terrer
Pérez de Santa Fe, Johan[396]		Su padre fue Cristiano nuevo. Su hija era Constanza Pérez de Santa Fe, alias Ariza, acusada por la Inquisición.
Santangel, Anthon (hijo)[397]		Su padre se llamaba también Johan de Santangel y fue cristiano nuevo. Este es juzgado por la Inquisición por la muerte de Pedro Arbués.
Santangel, Pedro[398]		Hijo de Anthon de Santangel, cristiano nuevo y hermano de Johan de Santangel (hijo)

2.4.5.2.- NOTICIA DE OTROS CONVERSOS DE CALATAYUD

Los testigos que declaran en los procesos de Inquisición nos dan a conocer nuevos nombres de conversos bilbilitanos que fueron juzgados por el Santo Oficio. Con ello pretenden denunciar y desenmascarar su conducta judaizante. La sospecha aumentaba la posibilidad de que fueran investigados y detenidos. Veamos dos ejemplos:

- En el mes de agosto de 1509, el vecino de Calatayud, Johan Garcia, alias Sardinillo, declara a favor del bilbilitano, Anthon de Santangel, diciendo que "*conocio a Simon de*

---

[388] AHPZ, Caja 19, N° 3; Proceso inquisitorial contra Johan Daça, p. 8 vto. VEASE APÉNDICE DOCUMENTAL PROCESOS DE INQUISICIÓN.

[389] AHPZ, Caja 19, N° 3; Proceso inquisitorial contra Johan Daça, p. 8 vto. VEASE APÉNDICE DOCUMENTAL PROCESOS DE INQUISICIÓN.

[390] AHPZ, Caja 19, N° 3; Proceso inquisitorial contra Johan Daça, p. 8 vto. VEASE APÉNDICE DOCUMENTAL PROCESOS DE INQUISICIÓN.

[391] AHPZ, Caja 12, N° 9; Proceso inquisitorial contra Luys de Heredia, p. 10. VEASE APÉNDICE DOCUMENTAL PROCESOS DE INQUISICIÓN.

[392] AHPZ, Caja 20, N° 15; Proceso inquisitorial contra Gonçalvo de Huete, p. 58 vto. VEASE APÉNDICE DOCUMENTAL PROCESOS DE INQUISICIÓN.

[393] AHPZ, Caja 20, N° 15; Proceso inquisitorial contra María López, p. 9. VEASE APÉNDICE DOCUMENTAL PROCESOS DE INQUISICIÓN.

[394] AHPZ, Caja 12, N° 8; Proceso inquisitorial contra Anthon de Santangel, p. 3 vto. VEASE APÉNDICE DOCUMENTAL PROCESOS DE INQUISICIÓN.

[395] AHPZ, Caja 20, N° 15; Proceso inquisitorial contra Pedro María López de Moros, p. 4 vto. VEASE APÉNDICE DOCUMENTAL PROCESOS DE INQUISICIÓN.

[396] AHPZ, Caja 9, N° 10: Proceso inquisitorial contra Johan Perez de Santa Fe, p. 8 vto. VEASE APÉNDICE DOCUMENTAL PROCESOS DE INQUISICIÓN.

[397] AHPZ, Caja 12, N° 8; Proceso inquisitorial contra Anthon de Santangel, p. 7 vto. VEASE APÉNDICE DOCUMENTAL PROCESOS DE INQUISICIÓN.

[398] AHPZ, Caja 20, N° 15; Proceso inquisitorial contra Pedro Ximénez, p. 19 vto. VEASE APÉNDICE DOCUMENTAL PROCESOS DE INQUISICIÓN.

Sancta Clara , mayor, Jorge de la Cabra, Joan de Fariza, Joan Lopez Coscollan, Joan de Sayas, sastre, Ferrando de Buendia, Ferrando Lopez, Joan Daça, Leonart de Sanctangel y Isabel de Linyan, Anthon de Sanctangel, Albaro de Gotor, Jayme de Santa Clara, Joan de Buenafe, Alonso Marixa, de vista y pratica que con ellos tubo y dize que todos los suso dichos eran confesos y tenidos en esta ciudat por personas de malos tratos y usureros e mas eran tenidos en reputacion de malos cristianos que no de buenos[399]".

- El 10 de marzo de 1488, el vecino de Zaragoza, Johan de Soria, declara ante la Inquisición que juzga al bilbilitano Pedro Polo, que *"vio entorno estado el dicho su fijo mucho trabajando de la (pag. 16) dicha enfermedat quasi como muerto vinieron ende cinquo o seys judios e senyal e sepussieron alderredor de la cama a donde estava echado el dicho enfermo e començaron de cantar en ebrayco sabadeando et que echavan fuera a este deposante porque no los viesse et que no se le acuerda de los nombres de los dichos judios, salvo del huno dellos que se llamavadon Simuel el vieio, çapatero de obra chiqua, et que viera ende estar con los dichos judios alderredor del lecho la muger de Pedro Polo e la muger de Gonçalvo de Menes e Marco, hermano de la dicha mueger del dicho Lorenço, e su madre del dicho Marco et el dicho Pedro Polo e que todos estos son conversos[400]".*

2.5.- CONVERSIONES EN CALATAYUD TRAS LA EXPULSIÓN DE 1492

2.5.1.- BAUTIZADOS POR LA EXPULSIÓN DE 1492

1. Desde la Disputa de Tortosa hasta la expulsión de los judíos de 1492, estimamos que en Calatayud se llegaron a convertir a la fe cristiana entre 200 y 250 judíos[401], disminuyendo la población de 1.000 habitantes que tenía a principios del Siglo XV (antes de la Disputa), a 700-750 habitantes tras la Conferencia de Tortosa. Este padrón ya no se recuperará en los años sucesivos, permaneciendo más o menos inalterable durante todo el siglo XV.

2. En mi primer libro[402] ya tuve la oportunidad de estudiar en profundidad la expulsión de los judíos de Calatayud en 1492. Veamos a continuación el número de ellos que salieron de la ciudad entre el 24 y 26 de julio de ese año.

---

[399] AHPZ, Caja 12, N° 8; Proceso inquisitorial contra Anthon de Santangel, p. 130 vto. VEASE APÉNDICE DOCUMENTAL PROCESOS DE INQUISICIÓN.

[400] AHPZ, Caja 10, N° 1; Proceso inquisitorial contra Pedro Polo, p. 16. VEASE APÉNDICE DOCUMENTAL PROCESOS DE INQUISICIÓN.

[401] LOPEZ ASENSIO, A., *"Genealogía judía de Calatayud y Sefarad"*, Zaragoza, 2006, p. 48.

[402] LOPEZ ASENSIO, A., Op. Cit. *"La judería de Calatayud"*, p. 311-373.

ITINERARIO SALIDA	FECHA SALIDA	FECHA EMBARQUE	JUDIOS DE CALATAYUD
Calatayu-Tortosa	25-26 de Julio	31 de Julio	300 judíos
Calatayud-Tudela	25-26 de Julio	31 de julio	150 judíos
Ariza-Sagunto	24 de Julio	31 de julio	150 judíos
TOTAL			600 judíos

3. Si la judería de Calatayud contaba con 700-750 judíos justo antes de la expulsión y, tras ella salieron aproximadamente 600 personas, todo indica que en esos momentos (desde abril de 1492 que se publica el edicto de expulsión, hasta el 24-26 de julio que salen de la ciudad) se convirtieron de golpe entre 100 y 150 judíos para evitar el destierro.

2.5.2.- RETORNOS Y CONVERSIONES TRAS LA EXPULSIÓN DE 1492

El 17 de mayo de 1492, los reyes Católicos ofrecieron a los judíos la oportunidad de quedarse si se bautizaban antes de la salida. La medida iba acompañada de una serie de privilegios incentivadores[403]:

- *"...No permitiremos que por su conversión sean maltratados en sus personas y bienes ni sean injuriados sacarneciddos ni improperados, e que si alguno o algunos los injuriaran de palabra o de fecho en perona o en bienes, mandaremos penar y castigar rigurosament e de tal manera que a los que tal fizieran sean castigados e a los otros exemplo".*

- *"Como sean razon que los que vienen a la fe sean de meior condicion que no eran antes que a ella viniessen".*

- El disfrute de *"todos los fueros, usos, costumbres, constituciones, capitoles o leyes, pragmaticas o privilegios que los otros christianos en comun y en general gozan".*

El 10 de noviembre de 1492, el rey Fernando II (1479-1516) otorgó licencia para que los judíos expulsados *"pudiesen venir ellos con sus hijos e mugeres efaziendas... bevir e morar en los mismo logares donde bebian e moravan al tiempo que eran judios..."*, pero con las siguientes condiciones:

- *"Que se bautizen seyendo presente el obispo o su provisor e el corregidor o alcaldes de la tal ciudat e que traygan fe autentica como recibieron bautismo en la forma susodicha".*

- *"Que las casas e bienes y raizes que ellos vendieron e dexaron les fuersen bueltas e tornadas por las personas que agora las tenian por las quantias... que ellos las vendieron, pagando los mejorameintos que en ellas oviesen fecho".*

- *"E asi mismo, si algunas personas les devian algunas deudas que las fagades pagar las que justa e licitament se fallaren que se les devian non siendo de usura... ni de que las leyes de nuestros reynos quieren e disponen que non sean pagadas".*

---

[403] IBIDEM, p. 346.

Varios fueron los bilbilitanos que regresaron acogiéndose a la medida de gracia otorgada por el monarca:

- *"Salomo Avenbolat, judío habitant en la villa de Guesa, el qual nuevamente es convertido a nuestra sancta ffe catholica et se clama de present Anthon Lopez de Tudela[404]"*.

- El judío bilbilitano Brahem Paçagon[405] regresó ya convertido con el nombre francés de Charles de Verrozpe. El 4 de noviembre de 1495, los Comisarios de la post-expulsión le restituyeron sus anteriores bienes.

- El judío de Calatayud Jucico Paçagon[406] se convirtió con el nombre de Martín de Montesa. El 31 de marzo de 1498, los Comisarios reales Mosen Gonçalvo de Paternoy (Maestre racional) y Domingo Agostín (Lugarteniente del *Bayle*) le devolvieron todos sus bienes.

- Tras la expulsión de los judíos del reino de Navarra del año 1498, el judío bilbilitano Brahem Paçagon[407] y una hija suya de corta edad se bautizaron ante D. Pedro Murillo, subvicario de la iglesia de Santa María de Tudela. Los padrinos fueron Johana D'Ezpeleta, García Ximenez y Miguel de Verrozpe, respectivamente.

- El bilbilitano Pedro García *"el qual seyendo jodio dize que llamavan Jeuda Benardut[408]"*.

- El converso Dionis Coscón *"olim llamado Jaco Paçagon[409]"*.

- Año 1493: Provisión del rey Fernando II dirigida a Pedro Garcés de Marcilla (*bayle* de Teruel) y a Micer Miguel Camañas (Comisario real en los asuntos de los judíos) para que devuelvan a un converso oriundo de Calatayud sus bienes, una vez pagada la deuda que pudiera tener[410].

2.6.- EL *LIBRO VERDE DE ARAGÓN*

2.6.1.- UN LIBRO DE LIMPIEZA DE SANGRE

Al parecer, el libro data de 1507 y fue difundido a lo largo del siglo XVI. Aunque hay

---

[404] APNC, Forcén Lopez (25 de Agosto de 1505).

[405] MOTIS DOLADER, M.A.; *"La expulsión de los judíos del reino de Aragón..."*, Zaragoza, 1990, Tomo II, p. 384.

[406] IBIDEM, p. 384.

[407] IBIDEM, p. 414.

[408] IBIDEM, p. 414.

[409] IBIDEM, p. 421.

[410] ACA, Cancillería, Cartas Reales, Fernando II, Caja 3, Nº 34 (dado el 6 de diciembre de 1493).

varias hipótesis sobre su autoría[411], sin embargo, no está muy claro quién es el autor, por lo que se considera anónimo. Se dice que ése no fue su verdadero título, pero al final se le llamó popularmente así por las velas de color verde que llevaban los conversos condenados en los "Autos de Fe" de la Inquisición, como luego veremos.

El objetivo de este autor desconocido fue recopilar, a modo de *vademécum*, un índice de las genealogías de los principales linajes judeo-conversos de Aragón, desde las conversiones masivas de la Disputa de Tortosa hasta la elaboración del libro en el año 1507. Siguiendo sus propias palabras *"huve clara noticia de la mayor parte de los conversos deste reyno de Aragón y allí deliberé de hazer este sumario por dar luz a los que tuvieran voluntad de no mezclar su limpieza con ellos que sepa de qué generaciones de judíos descienden los siguientes, por que la expulsión general dellos fecha en España en el año 1492 no quite de la memoria lo que fuesen sus parientes[412]"*. Parece que otro de los motivos pudo ser la prohibición de que los conversos accedieran a ciertos cargos públicos de relevancia.

En el año 1601, la Diputación General del Reino de Aragón lo calificó de libelo. Tras ser examinado por expertos teólogos y juristas de la época, estos decidieron catalogarlo como escrito difamatorio, por lo que la Inquisición recomendó quemarlo para evitar su lectura y difusión. En 1615 vuelve la Diputación a solicitar las mismas censuras. En 1620 el Tribunal de la Inquisición prohíbe su lectura bajo pena de castigo físico. Todos los ejemplares que se lograron recoger se quemaron en la Plaza del Mercado de Zaragoza en 1622.

La historiadora Monique Thiry-Combescure ha recopilado y publicado -no sólo en su Tesis Doctoral[413], sino en otra publicación sobre el tema[414]- una retrospectiva de las distintas versiones que existen de la obra. También estudia en profundidad los diferentes linajes conversos de Aragón que en ella se mencionan.

2.6.2.- LOS LINAJES CONVERSOS: LA LIMPIEZA DE SANGRE

2.6.2.1.- LOS LINAJES JUDIOS DE CALATAYUD EN EL *LIBRO VERDE DE ARAGÓN*

Pese a la quema de todos los ejemplares del *Libro Verde de Aragón* en 1622, milagrosamente han llegado hasta nosotros cinco copias[415], las cuales son muy dispares e inconexas entre sí. Por su minuciosidad documental, hemos elegido la versión literal que se

---

[411] Rodrigo Amador de los Ríos lo atribuye a una persona llamada Anchias (Andias o Anquias, según las fuentes). Anchias fue notario de la Inquisición (Zurita, Anales, XX, LXV) que operó entre (1478-1479 y 1500-1505). Manuel Serrano y Sanz atribuye en 1918 el libro a Martín Martínez de Teruel, Tristán de la Porta y Martín de la Raga. Las razones que aduce es que Anquias no fue asesor, como afirma el manuscrito, sino notario del secreto. Latassa lo atribuye a Micer Manente, asesor de la Inquisición en Huesca y Lérida entre 1480-1490 y más tarde fiscal.

[412] CAGIGAS, I. de la; *"Libro verde de Aragón:"* Madrid, 1929, p. 9.

[413] COMBESCURE-THIRY, M., *"El Libro Verde de Aragón. Contribution a l'étude du promléme juif dans la Península Ibérique (XVéme.XVIléme siécles)»*. Dicha tesis doctoral la presentó en la Universidad de Toulouse-Le Mirail, próxima la Navidad del año 1999, siendo dirigido por los profesores André Gallego y Henri Guerreiro, obteniendo la máxima calificación académica.

[414] COMBESCURE-THIRY, M.; MOTIS DOLADER, M.A.; Op. Cit. *"El libro verde de Aragón"*.

[415] El manuscrito 56-5-15 de la Biblioteca Colombina de Sevilla parece ser la copia más fiable y antigua. La segunda se custodia en la Biblioteca Nacional de Madrid (manuscrito 19.167). La tercera en el Archivo Histórico Nacional (con el número 1.282). La cuarta en el Archivo General del Reino de Valencia (manuscrito 3.090). En el Colegio de Abogados de Zaragoza hay una última copia poco fiables de finales del siglo XIX.

encuentra en la Biblioteca Nacional de Madrid (recopilada por Isidro Cagigas[416] en 1929). Este valioso manuscrito nos ayudará a conocer de primera mano los cinco linajes judeo-conversos de Calatayud que allí se recogen, con su correspondiente descendencia o árbol genealógico. Veamos el resultado:

- **Azarías Ginillo:** *"judio de Calatayud siendo moço se convirtio el y su muger quedó judia y como en sus letras era muy leydo estudio leyes despues de xpiano y fue muy excelente jurista y muriosele su primera muger sin haver hijos y caso la segunda vez con Maria Ximenez çit xpiana vieja de la qual huvo tres hijos y tres hijas (todos se casaron y vivieron en Zaragoza, menos Martín de Santangel, que se quedó en Calatayud e inició el linaje de los Santangel de Calatayud); los hijos se llamaron Luys de Santangel, Martín y micer Joan de Santangel; las hijas la una caso con mosen Joan de Embun y no huvo hijos y el dicho su marido mato a ella y a un tal de Marzilla con quien esta adulterava; la otra hija caso con Joan Lopes de Alberuela ni tampoco huvo hijos; la tercera caso con Pedro de Gurrea sidadano de çaragoça y huvieron un hijo llamado Gaspar de Gurrea que caso con Anna de la Cavalleria hija de Lorenzo de la Cavalleria de la qual huvo tres hijos y cinco hijas, los hijos llamados Gaspar, Martín y Joan, las hijas Anna y Angelina que son monjas, Isabel, Luysa y Gostança de Gurrrea doncella, mossen Luys de Santangel hijo de micer Luys que fue judio caso con una hija de don miguel Gilbert y huvo della dos hijos y una hija, los hijos se llamaron Luys y Joan Thomas de Santangel y una hija llamada Aluamunta de Santangel que fue casada con el tesorero (del rey) Gabriel Sanchez y della y de sus descendientes esta scripto largo en el capitulo de Gabriel Sanchez; Luys de Sntangel hijo de mossen Luys y nieto de Azarias Ginillo caso con una hermana de don Lorenzo de Herrera y entre los otros tiene un hijo que es lugarteniente del Alcalde de Pamplona. Joan Thomas de Santangel hermano de los susodichos caso con Gostança de Francia y murio sin hijos y su mugger caso con Sancho Paternoy y tambien murieron los dos sin hios. El susodicho mossen Luys de Santangel fue quemado por assasin de la muerte del Inquisidor a 18 de agosto de 1487 y Joan Thomas de Santangel fue penitenciado en 20 de agosto del mismo año y Luys de Santangel fue penitenciado en 17 de julio de 1491 y este Luys de Santangel era hermano del dicho Joan Thomas. Martín de Santangel hermano de mossen Luys e hijo de micer Luys de Santangel y nieto de micer Luys que fue judio, caso con una hija de Joan Vidal y el y su muger fueron en Francia fuydos por la inquisicion y a el le quemaron la estatua por heretico judaizado y quedoles aca una hija llamada Mari Ximenez Santangel, la qual caso con Bernardino de Spital los quales conjuges huvieron dos hijos llamados Miguel y Martin de Spital y el Miguel fue casado con Ynes Molon llamada Joana de Spital que fue casada dos vezes con micer Garces y micer Agustin Sanchez y de ninguno huvo hijos. Las otras dos fueron monjas en Trasobares y en causas. El otro hijo de micer Luys de Santangel que fue judio y hermano de micer Joan de Santangel fue casado con una hija de Joan Guillen y siendo çalmedina por una mala justicia que hizo fue huyendo a Francia y en ausencia le fue hecho proceso por la inquisicion y fuele quemada la estatua a 17 de março de 1847".*

- **Garci López de Villanova:** *"Mosse Paçagon, judio de Calatayud, hecho xpriano se dijo Garci Lopez de Villanova y dexo un hijo que dezian Abrahan Paçagon judio y con otros despues se baptizo y al qual dixeron Gabriel Lopez de Villanova y despues xpiano el*

[416] CAGIGAS, I. de la; Op. Cit. *"Libro verde de Aragón"*, p. 42 ss.

- 102 -

dicho *Garci-Lopez trapero vino a morar a Çaragoça a la plaza de Sant Gil al otro dixeron Ramon Lopez que en Calatayud le quemaron por la inquisicion quedaron hijos de todos, Mayr Paçagon de Calatayud hecho Xpiano le dijero Joan Lopez de Villanova pariente muy propincuo de Mosse Paçagon huvo hijos a Joan Fernado, Martín Pablo y destos descienden los Lopez de Calatayud y de Çaragoça y del Pablo fue fijo micer Pablo Lopez, cuyo hijo es el doctor Lopez, prior de Santa María del Pilar".*

- **Johan de Maluenda:** *"Mercader de Çaragoça desciende de los Maluendas de Calatayud, los quales judios eran de linaje de los Truchas y el aguelo de este Joan de Maluenda que vive de presente le dezian Mosse Truchas, judio de Calatayuf".*

- **García de Moros:** *"Simuel Viten (Vitalis) judio de Calatayud despues de hecho xpiano le dixeron Garcia de Moros y dejo entre otros hijos a Garcia de Moros (afincado en Zaragoza) procurador de Cortes el qual caso con una hermana de Cajanas nieta de Mosen Espirandeu que quando judio le dezian Azer el Azauel e hija de su hija que se dezia Tereza y desta y de Gacia, conjuges, son hijos Garcia de Moros que caso con una hija de Pedro de Santa Fe que vive a Sant Felipe y maestre Pedro de Moros medico que esta en Castilla y la muger de micer Joan Ram que vive en Cerdeña y la muger de mossen Luys Gonçalez, conservador de Aragon, otra hija tuvo Garcia de Moros que caso con Matheo Ram que fue condenado por los inquisidores por la muerte de maestre Epila".*

- **Johan Lopez de Villanova:** *"Mayr Paçagon como arriba diximos hecho xpiano en Calatayud se llamo Joan Lopez de Villanueva huvo en hijos a Joan Fernando y este tuvo hermanos y hermanas. El uno fue aguelo de Anthon y de Joan Lopez, las hermanas la una fue muger de tal Ramirez de Calatayud y desta desciende Gavi Remirez, la otra hermana caso con tal Alonso Perez de Calatayud, la otra hermana caso con Adan cuyo hijo fue el doctor Adan y caso en Cariñena. Este Fernando Lopez, fijo de Mayr Paçagon judio, fue quemado por hereje, caso con la tal çapata huvo en hijos a Luys Lopz y Joan Lopez y a micer Fernando Lopez. El Luys Lopez caso dos vezes huvo en hijo a Prospero Lopez, este es casado con una hija (conversa) de (judio) Buendia confeso y huvo en hijos a Petronilla Montalegre y a Mari Lopez. El otro hijo Dean Lopez, caso con tal de Sayas huvieron en hijos a Hernado y Joan Lopez, hijo del sobredicho Joan Lopez y una hija llamada Joana Lopez. El Hernando Lopez hijo del sobredicho Joan Lopez caso con una que se dize Anna Fernandez de Çaragoça este compro del rector las casas que fueron del aguelo. El y Fernando quemados".*

2.6.2.1.-CONCLUSIONES: CONVERSOS BILBILITANOS EN EL LIBRO VERDE DE ARAGÓN

NOMBRE JUDIO	NOMBRE CRISTIANO	PARENTESCO
Mosse Paçagon	Garci López de Villanova	Padre de Brahem Paçagon
Mayr Paçagon	Johan López de Villanova	Pariente de Mosse Paçagon
Mosse Truchas	Johan de Maluenda	
Simuel Vitalis	García de Moros	
Azarias Ginillo		

3.- INQUISICIÓN Y CONVERSOS EN ARAGÓN

3.1.- LA INQUISICIÓN MEDIEVAL EN ARAGÓN DURANTE LA EDAD MEDIA

3.1.1.- LA INQUISICIÓN EPISCOPAL

La herejía es un error en materia de fe sostenido con pertinencia. Al autor de una herejía se le llama *heresiarca*, y hereje al cristiano que, en materia de fe, se opone a lo que cree y propone la Iglesia. El jurista Virgilio Pinto[417] ha matizado el concepto de herejía en su sentido formal (herejía teológica) y en su vertiente propiamente delictiva (herejía inquisitorial), delimitando la herejía como un error en el ámbito de las creencias y al hereje como un insumiso en el territorio de las actitudes que le convierte en delincuente.

Para evitar estas desviaciones doctrinales en materia de fe, el concilio III de Letrán - presidido por el papa, Alejandro III (1159-1181)- concedió (en el año 1179) indulgencias a los que tomasen armas contra los herejes y animó a los obispos diocesanos a seguir vigilando los errores en materia de fe. En sus cánones les invitaba a emplear el rigor que fuera necesario contra ellos, ya que constituían una amenaza constante para la cristiandad. Aunque sus propuestas se implantaron con éxito, sin embargo, no se aclaró el procedimiento a seguir en los procesos abiertos, ni los aspectos que regularían la colaboración con las autoridades civiles[418].

Su sucesor, Lucio III (1181-1185), decretó en su bula *ad abolendam* (fechada en el año 1184) combatir específicamente la herejía *cátara*[419] y *valdesa*[420], focalizadas esencialmente en el sur de Francia. A través de ella otorgó a los Obispos potestad para juzgar a los herejes de sus respectivas diócesis[421], pero no en los tribunales eclesiásticos, sino por jueces laicos. Con este nuevo organigrama quedaba constituida la Inquisición Episcopal.

Mas tarde, en el año 1197, el rey Pedro II de Aragón ordenó pena de hoguera para todos los herejes condenados por dichos tribunales[422] y, por consiguiente, su implantación definitiva en todo el territorio de su Corona.

Pese a que todo el esfuerzo por vigilar la herejía recaía en los Obispos, parece que la

---

[417] PINTO, V., "Sobre el delito de herejía (siglos XIII-XIV)", *en perfiles jurídicos,* pp. 195-205. Véase también: GARCIA CÁCEL, R., "Veinte años de historiografía de la Inquisición", *Real Sociedad Económica de Amigos del País,* Valencia, 1996, p. 240.

[418] SANCHEZ HERRERO, J., "La inquisición medieval", *Universidad de Sevilla, Clio-Crimenn,* n° 2, Sevilla, N° 2, p. 17-52.

[419] Los *cátaros* o *albigenses* fue un movimiento religioso que se propagó que, inicialmente, se propagó por Europa occidental a mediados del siglo X, logrando asentarse definitivamente hacia el siglo XIII en el sur de Francia, especialmente en la región de Languedoc. El catarismo afirma una dualidad creadora (Dios-Satanás) y predica la salvación mediante el ascetismo y el estricto rechazo del mundo material, percibido por los cátaros como obra demoníaca.

[420] Los Valdeses es un movimiento fundado por Pedro Valdo, quien siendo un rico mercader de Lyon, en 1173 renunció a todas sus posesiones y se convirtió en un predicador laico itinerante. Valdo y sus seguidores, llamados también "los pobres de Lyon", predicaron contra la jerarquía eclesiástica. Su prédica era sencilla y basada únicamente en la interpretación que ellos daban a la Biblia. Llegó a propagarse por toda Europa. Rechazaron la Misa, las ofrendas, las oraciones por los muertos y la oración en la Iglesia. Reclamaban el derecho de las mujeres y los laicos a predicar sin licencia eclesiástica. Acusaban a la Iglesia por tener propiedades. Algunos ponían en duda la existencia del purgatorio. Consideraban inválidos los sacramentos administrados por sacerdotes indignos. La Iglesia los excomulgó en el concilio de Verona en 1184.

[421] CAPPA, R.; Op. Cit. *"La inquisición española",* p. 11. *"A las anteriores disposiciones... agregamos el que cualquier Arzobispo u Obispo, por si o por su archidiácono o por otras personas honestas e idóneas, una o dos veces al año, inspeccionen las parroquias en las que se sospeche que habitan herejes; y allí obligue a tres o mas varones de buena fama, o si pareciese necesario a toda la vecindad, a que bajo juramento indiquen al Obispo o al Archidiácono si conocen allí herejes, o a algunos que celebre reuniones ocultas o se aparten de la vida, las costumbres o el trato común de los fieles".*

[422] ALCALÁ GALVE, A.; Op. Cit. "Notas sobre la motivación política de la inquisición: sus variantes en la francesa, castellana y aragonesa", p. 308.

actividad de éstos nunca resultó suficientemente efectiva, ya que ejercían la acción represora sin un organigrama definido y sin reglamentación alguna. Ante el fracaso de la "Inquisición Episcopal", el papa Gregorio IX (1227-1241) autorizó -en el año 1231- la implantación de la "Inquisición Pontificia" en su bula *excommunicamus*. Mientras que la "Episcopal" estuvo descentralizada bajo la jurisdicción de los Obispos; la nueva "Pontificia" estará controlada directamente por el Papa y dirigida por los franciscanos y dominicos. Esta nueva estructura centralizada no fue bien acogida por los Prelados de la Corona de Aragón, que veían como limitaba el poder canónico en sus diócesis.

3.1.2.- LA INQUISICIÓN PONTIFICIA EN ARAGÓN

Tras su implantación, el papa Gregorio IX escribió -en el año 1232- al Arzobispo de Tarragona, Poc de Vilamur (1230-1255), para que implantara en su provincia eclesiástica, la nueva "Inquisición Pontificia" con la ayuda de la Orden de los predicadores dominicos.

Gracias a su eficaz gestión, el rey Jaime I de Aragón promulgó -en febrero de 1233- siete constituciones. La 5ª dice así *Nadie podrá decidir en causas de herejía, sino el Obispo diocesano, u otra persona eclesiástica que tenga potestad para ello[423] (el Papa)"*. En la 7ª también se recalca: *"en los lugares sospechosos de herejía, un sacerdote o clérigo nombrado por el Obispo, y dos o tres laicos elegidos por el Rey o por sus vegueres y bailes, harán inquisición de los herejes y fautores, con privilegio para entrar en toda casa y escudriñarlo todo, por secreto que fuese. Estos inquisidores deberán poner inmediatamente sus averiguaciones en noticia del Arzobispo u Obispo, y del vicario o baile del lugar, entregándole los presos[424]*. De lo dicho se deduce que el Tribunal de la "Inquisición Pontificia" tuvo un carácter mixto, pues el clérigo declaraba el caso de herejía, los dos legos entregaban el hereje al *veguer* o al *bayle*, el Obispo emitía la sentencia canónica y el brazo secular materializaba la pena correspondiente.

Tres meses más tarde (el 26 de mayo de 1233), Raimundo de Pañafort consiguió que el mismo Papa autorizase -mediante la bula *Declinante jam mundi vespere[425]*- la instauración del nuevo Tribunal en los territorios de la Corona. Pero no será hasta el concilio provincial de Tarragona de 1242, cuando su arzobispo, Pedro de Albalat (1238-1251), regularice el procedimiento judicial y ordene combatir las tesis *cátaras* del sur de Francia, una amenaza para Aragón y Cataluña por su proximidad fronteriza.

En Castilla, sin embargo, no hubo nunca tribunal de la "Inquisición Pontificia", ya que se prestó poca atención a las herejías[426]. Los encargados de vigilar y castigar los delitos de fe siguieron siendo los Obispos diocesanos, es decir, la llamada "Inquisición Episcopal".

---

[423] CAPPA, R., Op. Cit. *"La inquisición española"*, p. 11.

[424] IBIDEM, p. 11.

[425] IBIDEM, p. 12.

[426] BERNARDINO LLORCA, S. J.; *"Manual de historia eclesiástica"*, Edad Nueva, Valencia, 1934, p. 419.

3.1.2.1.- LA INQUISICIÓN PONTIFICIA Y LOS JUDÍOS ARAGONESES

Entre los siglos XIV y XV, la "Inquisición Pontificia" (llamada también Medieval)a penas intervino en el territorio de la Corona de Aragón en cuestiones relacionadas con la herejía *cátara* y *valdesa*, ya que, por entonces, no constituían ningún peligro para la iglesia aragonesa. Aunque siguió persiguiendo los delitos de fe, centró gran parte de su empeño en el tema judío y converso.

En efecto, los judíos (al igual que los musulmanes) al no estar bautizados, no estaban vinculados a la legislación canónica de la Iglesia y, por consiguiente, no podían ser acusados de herejía ni ser objeto de la actuación inquisitorial. La Inquisición medieval no tenía jurisdicción sobre ellos a no ser que éstos se entrometieran en asuntos contrarios a la fe católica[427]:

- Aquellos conversos que abjuraban del bautismo para volver al judaísmo o al Islam. También aquellos que se decían cristianos, pero practicaban sus anteriores ritos judíos o musulmanes. Quien había profesado la verdadera fe ya no gozaba de libertad para renegar de ella o desnaturalizarla. Los Prelados tenían que reintegrar por la fuerza al seno de la Iglesia a los fieles que la habían abandonado[428].

- Los judíos y musulmanes que hacían proselitismo entre los cristianos (especialmente con los conversos) con intención de atraerlos a sus respectivas religiones.

- Los malos judíos y musulmanes que atentaban contra aquellas doctrinas que eran comunes a las tres religiones, especialmente cuando invocaban a demonios, brujos, blasfemias, sacrilegios, etc.

Un ejemplo muy claro de esta legislación lo encontramos en Calatayud, donde el rey Jaime II anuló -en el año 1226- el embargo de bienes que el Inquisidor de Calatayud y el Obispo de Tarazona, García Frontín II (1219-1254), habían ordenado ejecutar contra unos judeo-conversos (padre e hija) que vivían en la capital del Jalón. Al parecer, la aljama de judíos había ayudado a la hija (de nacionalidad francesa) a volver a su antigua religión *judayca*[429]. Pero el Inquisidor no dio por perdida la batalla y solicitó al Obispo destruir las *madrassas* o escuelas rabínicas de la judería bilbilitana, lugar donde se habían refugiado dichos judíos con la complicidad de toda la aljama. Los Oficiales de Calatayud informaron al rey de lo sucedido, quien escribió al Inquisidor -en diciembre de 1226- para pedirle que desistiera de su propósito[430]. Un siglo después, la Iglesia impuso a la Aljama fuertes multas pecuniarias, pagaderas al tesoro real (febrero de 1327).

También el rey Alfonso III envió -en el año 1228- una carta al *bayle* de Calatayud, Pedro Garcés Deusa, recordándole la misiva que le había enviado su padre, Jaime II, en relación a las penas que aún seguían padeciendo algunos judíos de la aljama bilbilitana por parte de la

---

[427] BLASCO MARTÍNEZ, A., "La inquisición y los judíos en Aragón en la segunda mitad del siglo XIV", *en Aragón en la Edad Media*, n° 7 (1987).

[428] RAPP, F. "*La iglesia y la vida religiosa en occidente a fines de la Edad Media*", Barcelona, 1973, p. 134.

[429] BAER, Y.; Op. Cit. "*Historia de los judíos de la España Cristiana*", p. 316.

[430] IBIDEM, p. 316. "... Siendo, por tanto nuestra voluntad conservar la dicha aljama, en tanto en cuanto sea posible sin causar disgusto a los ojos de Dios, os rogamos que, por consideración a nos y siempre que ello sea posible sin lesionar vuestra conciencia y vuestro deber... ceséis al presente de proclamar que las madrasas deben ser destruidas...").

Inquisición[431].

Asimismo la "Inquisición Pontificia" intervino en Calatayud en 1324 porque un apóstata (que se había cambiado cuatro veces de religión) amenazaba a los judíos con denunciarles ante el Santo Oficio con pruebas falsas. Los judíos decidieron plantar cara y asumir comunitariamente todos los gastos derivados de los procesos que se tramitaran al respecto. Enterado el rey Jaime II de este chantaje, escribió al Inquisidor bilbilitano para recriminar sus malas prácticas: los encerraba en lugares insanos y los vejaba con la tortura[432].

3.1.2.2.- LA INQUISICIÓN PONTIFICIA Y LA HEREJÍA DE LOS *BEGARDOS*

3.1.2.2.1.- el *Sinodal Cesaraugustano* de 1542

En el Archivo de la Catedral del Salvador (Catedral de la Seo) de Zaragoza se encuentra un libro titulado: *"Constitucionum synodalium omniumarchiepiscopatu Cesaraugustani epilogium*[433]*"*. El prólogo de este sinodal está firmado por el arzobispo D. Alonso de Aragón[434] en 1498. En él explica que mandó recopilar las constituciones sinodales del arzobispado aprobadas entre 1318 a 1495 (incluidos los acuerdos de sus tres primeros sínodos celebrados por él: 1479, 1487 y 1495).

Pero sera el arzobispo Hernando de Aragón[435] quien termine y publique el Sinodal en 1542. En el incluyó también las conclusiones del primero[436] y los dos últimos[437] concilios que convocó su padre y antecesor en el cargo, Alonso de Aragón. También ordenó reproducir en su último capítulo las constituciones sinodales del único concilio convocado por el prelado Fadrique de Portugal[438], celebrado el 13 de agosto de 1532.

---

[431] ACA, Cancillería, Registro n° 428, fol. 278-279 (dado el 22 de abril de 1328).

[432] BAER, Y.; Op. Cit. *"Historia de los judíos de la España Cristiana"*, p. 316.

[433] ACSZ, armario 1, Número de Registro 54, Número de orden 100. VEASE TAMBIÉN EL APÉNDICE DOCUMENTAL N° 16.

[434] SERRANO MARTÍNEZ, A., "Episcopologio de Zaragoza", *en Aragonia Sacra, Tomo XVI-XVII*, Zaragoza, 2003, p. 216. El arzobispo D. Alonso II de Aragón (1478-1520) era hijo de Fernando el Católico. Además de los seis sínodos diocesanos que llegó a convocar, seis sínodos diocesanos, a los dos años de su llegada a la sede zaragozana realizó una visita pastoral. Se encargó de publicar una serie de libros claves para la diócesis: desde un misal a la recopilación del *Sinodal Cesaraugustano*, incluso dictó ordenanzas para reformar los vestidos de los eclesiásticos. Pero donde más destacó fue en su labor política y de mecenazgo. En cuanto a la primera alcanzó los títulos de Lugarteniente y Capitán General de Aragón, Canciller del Reino, y ante la ausencia de su padre presidió y dirigió las Cortes de Tarazona de 1484, e incluso Fernando II, tras su muerte, lo nombró Regente en su testamento.

[435] IBIDEM, p. 210. Don Herrando de Aragón (1539-1577) Hermano del arzobispo Juan II y, por tanto nieto del rey Fernando el Católico. Educado en la Orden de Calatrava, dejó todo en 1521 para ingresar en el Monasterio de Piedra, donde fue ordenado sacerdote y permaneció hasta 1535, en que su primo el rey Carlos I lo nombró abad de Veruela y diputado por la bolsa primera del brazo eclesiástico. En 1539 es nombrado Arzobispo de Zaragoza. Amplió la catedral de la Seo y aplicó las normas del Concilio de Trento. En 1577 muere y es enterrado en la capilla de San Bernardo de la Seo, junto a su madre.

[436] AZNAR GIL, F., Op. Cit. *"Concilios provinciales y sínodos de Zaragoza..."*, p. 158. El 11 de diciembre de 1479 convocó su primer sínodo. Consta de 21 constituciones e incluye al final la fórmula de juramento de guardar estas constituciones por parte de vicarios y oficiales de la curia. En él se confirma la reforma de diversos aspectos de la vida de los clérigos.

[437] IBIDEM, p. 159-160. La temática del quinto sínodo de D. Alonso de Aragón (que comenzó el 19 de septiembre de 1515) es esencialmente clerical donde manda imprimir las tasas de las escribanías de la curia eclesiástica. En el último (celebrado el 13 el 13 de octubre de 1520) es de reforma clerical. En él se describe minuciosamente el ritual de la celebración del sínodo diocesano.

[438] SERRANO MARTÍNEZ, A., Op. Cit. "Episcopologio de Zaragoza", p. 217. D. Fadrique de Portugal (1532-1539) es miembro de la familia real portuguesa y, por tanto, descendiente de los Reyes Católicos. Estuvo grandes temporadas fuera por ser Virrey de Cataluña. La diócesis estuvo atendida por varios obispos auxiliares. Intentó, sin conseguirlo, paliar las diferencias entre los dos

El libro tiene una dimensión de 20 cm. de altura y 14 cm de anchura. Las guardas son de piel de cabra (encuadernación vulgar). Se imprimió en Zaragoza en los talleres de Pedro Bernuzi y Bartolomé de Nágera en abril de 1542. El índice y el prólogo contienen las 28 primeras páginas. El cuerpo del sinodal tiene 142 páginas (total 170 páginas).

3.1.2.2.2.- El sinodal y la herejía de los *begardos*

En los sínodos diocesanos y concilios provinciales que celebró la Iglesia aragonesa durante los siglos XIII y XIV, se analizaron y recogieron propuestas para evitar las herejías y frenar su propagación por el territorio. El arzobispo de Zaragoza, Pedro López de Luna, trató de corregir -en su concilio celebrado en 1328- las herejías que entonces amenazaban a todas las diócesis aragonesas, especialmente la de los *begardos*[439] o *beguinos*.

Este movimiento cristiano apareció hacia el año 1215 en Alemania, extendiéndose con rapidez por Francia, Países Bajos y el reino de Aragón. El papa Bonifacio VIII (1294-1303) condenó su doctrina y, muy especialmente, Clemente V (1305-1314) en el Concilio de Vienne celebrado en 1312. Estas condenas fueron mitigadas en el año 1321 por el papa Juan XXII (1316-1334), quien les permitió continuar con su estilo de vida hasta el año 1329, fecha en que volvió a censurarles en su bula *In agro dominico*.

3.1.2.2.3.- Aspecto doctrinal de los *begardos*

Según el *Sinodal Cesaraugustano*, los *begardos* creían que, a través de la oración y la contemplación, el hombre podía alcanzar aquí la santidad y la salvación de Dios si estaba libre de todo pecado. Por tanto, la deificación del hombre –por su comunión y beatitud con Dios- podía ser ya una realidad en la tierra. El concilio provincial de Zaragoza de 1328 consideraba que esta doctrina era la peor de las herejías por dos cuestiones de índole teológica[440]:

A.- Porque iba en contra la resurrección de los muertos y la vida eterna

A todos aquellos que en tierras aragonesas "*se atreven a decir que no hay resurrección de muertos y que no habrá otra vida*", se determina que "*a todo el que dijere tales cosas se le capture por lo expuesto y, si persistiese en lo mismo, sea condenado como hereje. Y, si esto lo hubiese dicho en broma o por cualquier otra ligereza, no menos sea castigado con penas legítimas por los ordinarios de los lugares [obispos] según la cualidad de la culpa y la condición de la persona*".

---

cabildos zaragozanos.

[439] Aunque no se sabe la etimología de la palabra *begardo*, probablemente derive de la palabra *beghem*, que en flamenco antiguo significa pedir (rezar) y no "limosnear", ya que su regla no era mendicante. Otros creen que proviene de la palabra *bega*, nombre que recibe el santo patrón de Nivelles (Francia), lugar donde la tradición dice que se estableció el primer *beguinaje*.

[440] VEASE APÉNDICE DOCUMENTAL Nº 16.

B.- Porque atacaba a la Iglesia y a la fe católica

También se denunciaba la campaña de descrédito que lanzaban contra la Iglesia, pidiendo que *"asuman la pena que merecen según derecho, para que sepan (aprendan a) hablar de la fe católica con reverencia y honor"*.

3.1.2.2.4.- Estilo de vida de los *begardos*

El *Sinodal Cesaraugustano* reconoce que, en medio de esa apariencia simulada de santidad, los *begardos* querían apoderarse de los corazones de los fieles ingenuos con su *veneno mortal de serpientes venenosas*. La Iglesia no podía entender que la oración llegase a relativizar tanto el valor del sacramento de la Eucaristía o la misma humanidad de Jesucristo y, por consiguiente, uno de los pilares de la piedad popular: la veneración de la Hostia Sagrada (exposición del Santísimo). Por ello, en el concilio provincial de 1328 se hará una dura campaña para que, los fieles, no se dejaran engañar por sus falsas apariencias y deslumbrante estilo de vida[441]:

A.- Prohibición de entrar a las diócesis aragonesas sin permiso

La Iglesia restringió la entrada de los *beguinos* a las diócesis de la Provincia Eclesiástica de Zaragoza. Si se descubría que lo hacían sin permiso de los Prelados, serían examinados de sus doctrinas para ver si eran sospechosos de herejía. Los que desobedecían este requisito, serían excomulgados: *"los que fueran descubiertos como desobedientes sean excomulgados y si algunos de otra provincia entraren en esa nuestra provincia de Zaragoza con semejante vestido de beguinos sin letras testimoniales de diocesano, de cuyas diócesis se han retirado, sean llamados por los diocesanos de esa provincia o por su lugartenientes y sean examinados de fe católica y, si fuese necesario, sean apresados, aunque no fuesen sospechosos de fe, y sean obligados a quitarse el vestido o a salir de la provincia"*.

B.- Prohibición de vivir en comunidad

Era costumbre entre los *begardos* estar apartados del mundo para orar. Para ellos, la única oración verdadera era la interior. El espíritu evangélico inspiraba su espiritualidad: pobreza, piedad, pureza y vida en común. Para evitar este carisma, la Iglesia prohibió que mantuviesen reuniones comunitarias en las diócesis aragonesas, y que se hospedasen en las casas de sus familiares por un período no superior a un día: *"muchos beguinos o beguinas que hacen reuniones no se mantengan o cohabiten al mismo tiempo (simultáneamente), ni tampoco dos en la misma casa, a no ser casualmente y por un solo día, y no más, o por razón de consanguinidad o afinidad"*.

---

[441] VEASE APÉNDICE DOCUMENTAL Nº 16.

C.- Prohibición de llevar hábito que les distinga

Los *begardos* llevaban una vida austera y sencilla, de ahí que la regla comunitaria impusiera un hábito común para todos sus miembros. La Iglesia aragonesa prohibió que llevasen traje talar para impedir que hicieran apología y proselitismo de su regla comunitaria: *"no lleven velos ni capuchas contrariamente al modo común, para que no parezca que introducen un nuevo rito de vivir y no aprobado por la iglesia"*.

D.- Prohibición de predicar sin la oportuna licencia

Para evitar que predicasen en la clandestinidad, la Iglesia ordenó que lo hicieran siempre en lugares permitidos y con la correspondiente licencia eclesiástica: *"que no osen reunirse para leer, enseñar o repetir algo, si no es en lugares eclesiásticos (en locales de la iglesia) o en otros en los que les está permitido a los fieles"*.

E.- Prohibición de tener libros y leer la Biblia vulgar

Una de sus señas de identidad era la lectura y el comentario de la Biblia en lengua vulgar, y no en latín como era costumbre en la Iglesia Católica. Para evitarlo, la Iglesia obligó a que las entregaran al clero diocesano: *"que ningún beguino o beguina se apodere, tenga o lea libros de teología en lengua vulgar, sino solamente libros en los que solamente se contengan oraciones; por el contrario, queremos que los que tengan dichos libros sean obligados por censura eclesiástica a entregarlos a los diocesanos"*.

F.- Obligación de observar el concilio de Vienne contra los *beguinos*

Todas estas medidas tenían en cuenta lo aprobado en los anteriores concilios de la Iglesia Universal y, muy especialmente, lo decretado contra ellos en el concilio de Vienne: *"mandando no menos que la constitución del señor Clemente de feliz recordación papa quinto, publicada en el concilio de Vienne contra beguinos y beguinas, que empieza "ad nostram", sea guardada inviolablemente en esta nuestra provincia"*.

3.1.3.- LA INQUISICIÓN MONÁRQUICA MEDIEVAL

3.1.3.1.- LA IMPLANTACIÓN DE LA INQUISICIÓN EN CASTILLA

El 1 de noviembre de 1478, el papa Sixto IV (1471-1484) emitió la bula *Exigit sincerae devotionis*[442] por la que concedía a la reina Isabel de Castilla -y a sus sucesores- la posibilidad de tramitar procesos inquisitoriales sobre los asuntos religiosos de su reino, así como la facultad de elegir tres inquisidores que aplicasen el derecho vigente contra los herejes. En definitiva, se daba

---

[442] AHN, Inquisición, Cód. I, n° 5-18. Inserta en la carta Real a Juan de San Martín y Miguel de Morillo. Publicada por FITA, F., Bol. de la R.A. de la Hª, XV, pp. 479 ss. También: LLORCA, B., Bulario, doc, 3, pp. 48 ss. Asimismo: SESMA MUÑOZ, J.A., "*El establecimiento de la Inquisición en Aragón (1484-1486), Documentos para su estudio*", Zaragoza, 1987, pp. 27-28.

luz verde a la implantación del Santo Oficio en toda Castilla, de ahí que se le llame "Inquisición Monárquica". Con ella, se iniciaba el proceso de descentralización, nacionalización y autonomía con respecto a la anterior "Pontificia" de Roma[443].

La bula de Sixto IV estuvo cierto tiempo sin cumplirse. Por fin, el 27 de septiembre de 1480, se implantó definitivamente en Sevilla[444]. Sus primeros inquisidores fueron fray Miguel de Morillo y fray Juan de San Martín (ambos de la Orden Dominica de Predicadores).

Una nueva bula del propio Sixto IV – fechada el 18 de abril de 1482- criticaba la dureza y excesos que estaban empleando los inquisidores castellanos contra los conversos castellanos. Al parecer, les abrían procesos no para luchar contra la herejía de fe, sino para lucrarse económicamente[445]. El papa concedió a los conversos la prerrogativa de poder apelar dicho procedimiento a la Santa Sede.

Tras muchas deliberaciones y censuras pontificias respecto a los métodos utilizados contra los conversos, por fin en 1483, fray Tomás de Torquemada (de linaje judeo-converso) ocupó el cargo de Inquisidor General de Castilla. En el año 1485, el papa Inocencio VIII (1484-1492) lo ratificó en su puesto y le otorgó amplios poderes para el nombramiento de inquisidores.

A diferencia de la "Inquisición Pontificia" (sujeta a la jurisdicción eclesiástica romana), la "Monárquica" dependía directamente de la Corona castellana. Esta Inquisición será utilizada para unificar el reino, cohesionar el territorio y alcanzar los intereses políticos, sociales y económicos de dicha monarquía.

3.1.3.2.- ESTABLECIMIENTO DE LA INQUISICIÓN MONÁRQUICA EN ARAGÓN

3.1.3.2.1.- Oposición aragonesa a la implantación de la Inquisición

Cuando el rey Fernando II heredó de su padre el territorio de la Corona de Aragón (enero de 1479), pidió permiso al papa Sixto IV para nombrar también aquí inquisidores en las mismas condiciones que se nombraban en Castilla[446]. En un principio, el Papa no estuvo de acuerdo porque, a diferencia de las tierras castellanas, en Aragón ya funcionaba (desde el siglo XIII) la "Inquisición Pontificia".

Aún así, el 29 de diciembre de 1481, el rey implantó la "Inquisición Monárquica" en los territorios de la Corona, apoyándose en la anterior Bula de 1478 que autorizó la de Castilla, como si aquel documento valiera para todos los reinos y señoríos de los reyes Católicos. Los primeros nombramientos no se hicieron esperar. En diciembre de 1481, el rey nombró a Cristóforo de Gualbes y a Juan Orts inquisidores de Valencia, tomando posesión en febrero de 1482. Al mismo tiempo nombró a fray Juan de Épila inquisidor del Tribunal de Zaragoza.

Pero al Papa no le gustó esta decisión, por lo que, el 18 de abril de 1482, suspendió toda

---

[443] BELMONTE DÍAZ, J.; "*Judíos e inquisición en Ávila*", Caja de Ávila, Ávila, 1986, p. 122.

[444] GARCÍA CARCEL, R., Op. Cit. "La inquisición en la Corona de Aragón", *en Revista de la Inquisición*, (1998), n° 7, p. 152.

[445] ARCHIVO VATICANO, Sixto IV, Regesto 674, tomo. XV, fol. 366 ss. Publicada por LEA, C., Op. Cit. "*Historia de la Inquisición Española*", t. I, Madrid, 1983, pp. 845 ss. También: LLORCA, B., "*Bulario Pontificio de la Inquisición española*", Roma, 1949, doc. 6, pp. 67 ss. Asimismo: SESMA MUÑOZ, J.A., Op. Cit. "*El establecimiento...*", pp. 30 ss.

[446] PÉREZ J.; "*Crónica de la inquisición en España*", Barcelona, 2002, p. 93.

actividad inquisitorial en Aragón[447]. El rey Fernando le expondrá -el 13 de mayo de ese mismo año- el inconveniente de su negativa y le suplicará licencia para implantar definitivamente el nuevo Tribunal en el reino[448].

El forcejeo diplomático duró casi seis meses, hasta el 10 de octubre de 1482, fecha en la que el Santo Padre por fin cedió a las pretensiones del rey aragonés[449]. Ese mismo día el papa comunicó también dicha resolución a los inquisidores de Aragón, Valencia, Mallorca y Cataluña[450].

Un año más tarde, el 17 de octubre de 1483, Sixto IV (1471-1484) emitió un breve autorizando a Tomás de Torquemada (Inquisidor General de Castilla) para que lo fuera también de la Corona de Aragón, autorizándole a que designase sustitutos suyos en dichos territorios[451]. Con este polémico nombramiento, al rey sólo le faltaba introducir la Inquisición castellana en Aragón. Para ello, el 15 de enero de 1484 convocó Cortes Generales en Tarazona. Los pactos hicieron que, el 6 de febrero, nombraran -con el beneplácito de Torquemada- a Juan de Colivera como Inquisidor Delegado para el reino de Aragón[452].

Tres meses después (el 4 de mayo de 1484) y antes de que terminaran dichas Cortes, Torquemada delegó sus poderes -para el Tribunal de Zaragoza- en los clérigos, fray Gaspar Juglar y Pedro Arbués[453] (canónigo de la Catedral de la Seo). El 7 de mayo de 1484, el rey ordenó a todos los oficiales y súbditos de sus reinos que prestasen consejo, favor y ayuda a los nuevos inquisidores[454].

Tras el consenso alcanzado en las Cortes de Tarazona para implantar la Inquisición en la Corona, el rey forzó aún más la situación consiguiendo que el Justicia, los oficiales y diputados del reino jurasen solemnemente, en la catedral de la Seo, favorecer al Santo Oficio. La ceremonia se celebró en dos tandas: la primera el 19 de septiembre de 1484 y, pocos días después la segunda, ya que alguno de ellos estuvo ausente en la anterior[455].

Pero si el rey y Torquemada creían que con estas estrategias legales iban a controlar la situación, estaban equivocados. Una oposición frontal de las instituciones aragonesas se abrió paso contra la Inquisición. Todo comenzó cuando Teruel presentó argumentos, el 5 de julio de 1484, contra el Santo Oficio por haber nombrado inquisidor de dicha ciudad a Juan de Colivera y

---

[447] ARCHIVO VATICANO, Sixto IV, Regesto 674, t. XV, fol. 366 ss. Publicada por LEA, C., "Historia de la Inquisición Española", tomo I, Madrid, 1983, pp. 845 ss. También: LLORCA, B., Op. Cit. "Bulario...", doc. 6, pp. 67 ss. Asimismo: SESMA MUÑOZ, J.A., Op. Cit. "El establecimiento...", pp. 30 ss.

[448] ACA, Real Cancillería, Reg. 3684, fol 7. Publicado por LEA, C., "Historia de la Inquisición Española", tomo. I, Madrid, 1983, pp. 850-851. También: LLORCA, B., Op- Cit. "Bulario...", doc. 6, pp. 73 ss. Asimismo: SESMA MUÑOZ, J.A., Op. Cit. "El establecimiento...", doc. 5, pp. 34-35.

[449] AHN, Inquisición, Cód. I, n° 21. Publicada por FITA, F., Bol. de la R.A. de la Hª, XV, pp. 465 ss. También LLORCA, B., Op. Cit. "Bulario...", doc, 3, pp. 75 ss. Asimismo: SESMA MUÑOZ, J.A., Op. Cit. "El establecimiento...", pp. 35-36.

[450] AHN, Inquisición, Cód. I, n° 22. Publicada por FITA, F., Bol. de la R.A. de la Hª, XV, pp. 467 ss. También: LLORCA, B., Op. Cit. "Bulario...", doc, 3, pp. 77-78. Asimismo: SESMA MUÑOZ, J.A., Op. Cit. "El establecimiento..." p. 36.

[451] ACA, Real Cancillería, Reg. 3684, fol. 80-80vto. Inserto en el doc. 9. AHN, Inquisición Valencia, leg. 533, pr. 18. Publicado por SANCHEZ MOYA, M., "Aportaciones a la historia de la Inquisición aragonesa y turolense", en Sefarad, XVIII (1958), pp. 283-290. También: SESMA MUÑOZ, J.A., Op. Cit. "El establecimiento...", pp. 36-37.

[452] ACA, Real Cancillería, Reg. 3684, fol. 80-80vto. AHN, Inquisición Valencia, leg. 533, pr. 18. Publicado por SANCHEZ MOYA, M., Op. Cit. "Aportaciones a la historia de la Inquisición...", en Sefarad, XVIII (1958). pp. 283-290. También: SESMA MUÑOZ, J.A., Op. Cit. "El establecimiento...", pp. 37-38.

[453] CAPPA, R.; Op. Cit. "La inquisición española", p. 64.

[454] ACA, Real Cancillería, Reg. 3684, fol. 14vto.-15. Publicada por CARRERAS, F., "L'inquisició barcelonina", en A.E.C., 1909-10, pp. 150-151. También: en SESMA MUÑOZ, J.A., Op. Cit. "El establecimiento...", pp. 41-42.

[455] ALCALÁ GALVE, A., Op. Cit. "Los orígenes de la Inquisición en Aragón..", p. 44.

a otros oficiales, contradiciendo así sus fueros y privilegios que prohibían nombrar para cargo público a alguien que no fuera turolense[456]. El 19 de ese mismo mes, enviaron mensajeros a Zaragoza para exponer al arzobispo y a los diputados del reino sus conclusiones y desmentir así las falsedades que habían difundido con respecto a su postura contra la Inquisición y sus oficiales[457]. Ellos no impedían a los Inquisidores su entrada a la ciudad, pero estaban en contra de que fueran forasteros. Mas tarde, el 27 de agosto, el síndico y procurador del Concejo de Teruel explicó a la Corporación de la Comunidad de Aldeas los desafueros cometidos por el rey al nombrar como inquisidor de la ciudad a fray Colivera, pidiéndoles apoyo y unión para defender las libertades de la ciudad, como así tenían acordado y estipulado[458].

Si los aragoneses mostraron al principio cierta tolerancia al proyecto real en las Cortes de Tarazona, la oposición de la ciudad de Teruel les hizo recapacitar y ofrecer una contumaz resistencia política y legal para defender los fueros y libertades del reino. A pesar de que dichos diputados juraron fidelidad al rey -en las primeras Cortes celebradas tras ser coronado en la Seo- con la fórmula: *nos, que cada uno valemos tanto como vos, y que juntos podemos más que vos, os ofrecemos obediencia si mantenéis nuestros fueros y libertades, y si no, no*[459], la nueva situación socio-política hacía necesario replantear su lealtad. Las Instituciones aragonesas verán ahora un claro agravio la introducción de un nuevo Tribunal sin haber hecho consulta previa a las Cortes, tan vigilantes de la guarda de los derechos forales.

Los diputados del reino convocaron varias reuniones para analizar la situación y diseñar la estrategia que defendiera los privilegios forales. La primera se celebró el 12 de octubre de 1484 con la asistencia del Duque de Hijar, los señores de Pina y Belchite, así como otros varones de Aragón[460]. Una semana después, el 19 de ese mismo mes, se realizó la segunda con muchísimos más representantes aragoneses[461]. Por último, el 5 de noviembre instaron al Arzobispo de Zaragoza, -que además era Lugarteniente General y diputado- a que asistiera a la

---

[456] FLORIANO, A., "El tribunal del Santo Oficio" en el *Boletín de la R.A. De la H*ª, 1925, pp. 246-251. También: SESMA MUÑOZ, J.A., Op. Cit. "El *establecimiento*...", pp. 68 ss. "Por las quales cossas et obras en fecho y derecho consistentes, claramente parece que todo el vuestro proceymiento asertas censuras, moniciones et edictos et otras qualesquiere cosas son nullas... et la dicha ciudat no haver vedado ni impedido a Inquisicion alguna, directamente ni indirecta, antes haver aquella requerido que se faga a las personas que ha conocido que tenien poder bastant para fazer aquella e consta e parece que vuestra reverencia no debe usar de tal postestat privada ni escandalizar ni inquietar esta tierra mas de lo que la ha scandalizado, inquietado, ni menos tener tal notario tan suspecto a esta ciudat, ni alguazil, ni officiales tales quales a esta ciudat ha traydo contra las constituciones, fueros y privilegios della como fazerlo devays y sea de justicia".

[457] IBIDEM, pp. 239-242. También: SESMA MUÑOZ, J.A., Op. Cit. "El *establecimiento*...", pp. 72 ss. "Y veha el parecer de sus reverencias y a todos estos diga las grandes calupnias y maldades que han quesido imposar a esta ciudat y senyaladament que al Inquisidor nunqua le fue vedado que no entrase en la ciudat, siempre que quiso entrar entro yfue acogido; despues, que movieron los escandalos veniendo de noche a la sala de estavan los regidores e parte del Consello, faciendo citraciones et actos falsos e tirando la vara a un alcalde y aviendo escandalizado la ciudat aquella misma noche, diciendo que tenian cincientos y mil homres de la Comunidat contra la ciudat y faziendo otros deshordenes muy grandes, denegandonos consulta con el senyor Rey, que solo por un dia no la quisieron dar; e estando aposentados en Jhesu Chirsto, fuera de los muros, deliboro de nunqua venir a la ciudat, como nunqua y vino, a fin de incriminar esta ciudat como la incrimino, diziendo que no stava seguro y que no le davan vitualas, lo qual hera falso...".

[458] IBIDEM, pp. 231-232. También: SESMA MUÑOZ, J.A., Op. Cit. "El *establecimiento*", pp. 76-77. "Ante la presencia de vos, honorables regidores y sindico y procurador de las aldeas e de qualquiere de vos, de la Comunidad de Teruel, comparecio e comparesce Alfonso Ximénez, sindico e procurador del Concejo e singulares de la ciudat de Teruel, el qual dicto nomine e en la forma que mejor puede, dize... en virtut de ordinaciones, statutos, privilegios e confirmaciones entre ciudat y aldeas, es ordenado so incorrimiento de grandes penas la ciudat y aldeas, sindicos de cada aqual, ellas hayan de fazer y sean tenidos fazer hun cuerpo, entender en la defension de los fueros, privilegios, libertades, usos e buenas costumbres de la ciudat e aldeas como a cosa comun de aquellos, según dichas cosas e otras constan e parecen por tenor de dichas disposiciones, de la quales vos fara fe e ocular hostension si ver la quereys".

[459] KAMEN, H., Op. Cit. "*La Inquisición española*", p. 51.

[460] ADPZ. Actos 1484, ms. 68, fol. 34 vto. Publicada por SESMA MUÑOZ, J.A., Op. Cit. "El *establecimiento*..", p. 80.

[461] ADPZ. Actos 1484, ms. 68, fol. 38-40vto. Publicada por SESMA MUÑOZ, J.A., Op. Cit. "El *establecimiento*..", pp. 85 ss.

tercera reunión que se convocaba para dos días después[462] (el 7 de noviembre), y a la que tampoco acudió. Un día más tarde (el 8 de noviembre) los diputados le transmitieron de nuevo la necesidad de que se presentara para tratar el tema de las libertades[463], al parecer sin éxito.

Una vez consensuados los argumentos, el 22 de noviembre de 1484, los diputados ordenaron a los administradores de las Generalidades que prepararan 4.000 sueldos de los presupuestos públicos, para enviar una embajada que expusiera al rey las conclusiones políticas y legales acordadas[464].

Al día siguiente, los diputados informaron a los nobles del reino de las conclusiones que se iban a exponer al rey contra la implantación de la Inquisición: "*la confiscacion de bienes e inventariar aquellos de continente que el reo es preso por ellos, e crear alguazir, dar turmento e semejantes cosas que heran en grande libertad de aqueste reyno e contra los fueros, privilegios e libertades de aquel, e que no eran cosas que pertenescian al officio de la Inquisicion, e de dreito era deslibertat aqueste regno*[465]". También Zurita nos dice al respecto: "*comenzáronse de alterar y alborotar los que eran nuevamente convertidos del linaje de judíos, y sin ellos muchos caballeros y gente principal, publicando que aquel modo de proceder era contra las libertades del reino, porque por este delito se les confiscaban los bienes y no se les daban los nombres de los testigos que deponían contra los reos, que eran dos cosas muy nuevas y nunca usadas y muy perjudiciales al reyno*[466]".

La embajada aragonesa encargada de transmitir el parecer de los diputados estaba compuesta por el clérigo agustino Pedro Miguel, y por el jurista micer Pedro de Luna[467]. La Diputación les preparó acreditación para ver a la reina y pedirle que intercediera ante el rey en la resolución de los problemas que llevan[468], así como para pedir a los aragoneses que estaban en el

---

[462] ADPZ. Actos 1484, ms. 68, fol. 46. Publicada por SESMA MUÑOZ, J.A., Op. Cit. "*El establecimiento...*", pp. 89-90.

[463] ADPZ. Actos 1484, ms. 68, fol. 48. Publicada por SESMA MUÑOZ, J.A., Op. Cit. "*El establecimiento...*", p. 90. "A vuestra senyooria havemos enviado hun criado de Jayme Sanchez, notario de la Diputacion, por suplicar a Vuestra Senyoria de parte nuestra para hoy a la una hora empues medio dia quiera ser aquei Vuestra Senyoria, porque el clamamiento e ajuste se es asignado e clamado para la dicha hora, porque el clamamiento e ajuste se es asignado e clamado para la dicha hora. Porque supplicamos ad aquella ser en esta ciudat para la dicha hora, car la presencia de Vuestra Senyoria aprovechara mucho en ello, segunt los negocios son de importancia como ya a Vuestra Senyoria havemos scripto por otra. E Nuestro Senyor Dios prospere Vuestra Illustre Senyoria segunt dessea".

[464] ADPZ. Actos 1484, ms. 68, fol. 51. Publicada por SESMA MUÑOZ, J.A., Op. Cit. "*El establecimiento...*", p. 92. "Los dipputados del regno de Aragon a los honorables Pedro Comor e Johan Pontet, admnistradores de las Generalidades del regno de Aragón... Por quanto por fechos e cosas concernientes ultilidat e beneficio del regno e conservacion de los fueros, privilegios e libertades de aquel, tocantes grant servicio de nuestro Senyor Dios e del senyor Rey e bien del regno, es necesario fazer embaxada a la magestat del senyor Rey, para la qual embaxada, pora las personas por nos nombradas, ha menester quatromil sueldos. Por tanto... mandamos que de qualesquiere peccunias del dito regno que son o seran en vuestro poder, deys e pagueys a Johan Roqua, protero nuestro e de la Dipputacion, los ditos quatromil sueldos".

[465] ADPZ. Actos 1484, ms. 68, fol. 51vto-52. Publicada por SESMA MUÑOZ, J.A., Op. Cit. "*El establecimiento...*", pp. 92-93.

[466] PÉREZ J.; Op. Cit. "*Crónica de la inquisición en España*", p. 97.

[467] ADPZ. Actos 1484, ms. 68, fol. 54 (29 de noviembre de 1484). Publicada por SESMA MUÑOZ, J.A., Op. Cit. "*El establecimiento...*", p. 95. "Por fechos concernientes servicio de nuestro senyor Dios e de vuestra Alteza, e benefficio de aqueste regno e conservacion de los fueros, privilegi et libertades de aquel, enviamos por parte de aqueste reyno a vuestra Magestat a los reverendo e magnifico maestre Pere Miguel, maestro en theologia prior de sant Agostin, e micer Pedro de Luna jurista, informados largment de nuestra intencion. E de aqueste reyo suplicamos humilment a vuestra Alteza, sea de su merced querer hoyt los dichos nuestros embaxadores".

[468] ADPZ. Actos 1484, ms. 68, fol. 54 (29 de noviembre de 1484). Publicada por SESMA MUÑOZ, J.A., Op. Cit. "*El establecimiento...*", pp. 95-96. "Suplicamos humilment a vuestra Excelencia sea de su merçe ser intercessora con la prefata Magestat en que los fueros e libertades de aqeuste reyno sean guardados e observados... lo qual mas largamente sera vuestra Excelencia, por los dichos embaxadores, informada. Suplicamos a Vuestra Magestat en lo que de parte nuestra ad aqeulla diran, splicaran e suplicaran, les quiera dar fe e crehença como a nosotros mesmos, e cerqua de aquello tener tal orden con la Magestat del senyor Rey que aqueste reyno sea conservado en sus libertades e aqeullas no permeter le sean crebantadas e infringidas, lo qual tendremos en gracia e merçet a vuestra Alteza...".

Consejo Real (Alfonso de la Caballería, Gabriel Sánchez, Luis de Santangel y Felipe Climent) que los atendieran adecuadamente y prepararan la audiencia real[469]. También se dieron cartas de presentación para que el cardenal Mendoza y el prior del Prado agilizasen la entrevista de los embajadores aragoneses con el propio rey[470].

Por fin los embajadores recibieron, el 29 de noviembre de 1484, la carta del reino que tenían que entregar en mano al monarca. Los principales razonamientos que allí se exponían contra la Inquisición y en favor de los fueros y libertades del reino, se pueden resumir en los siguientes puntos[471]:

A.- Los fueros prohibían que en Aragón hubiera Inquisición

La clase política aragonesa negaba su apoyo a la Inquisitorial porque era contraria a la legalidad foral. Para impedir su puesta en marcha, los diputados del reino recurrieron a dicho ordenamiento jurídico que prohibía a la Inquisición juzga a alguien, sin que previamente lo hubieran hecho los Tribunales Ordinarios aragoneses. En el caso de hacerse, la sentencia se consideraba nula[472]. También se acogieron al artículo donde decía que el rey no podía hacer Inquisición a ricos-hombres, caballeros e infanzones[473].

B.- El inventario y la confiscación de bienes violaban los fueros del reino

Cuando la Inquisición detenía a un sospechoso de herejía, lo primero que hacía era confiscar provisionalmente sus bienes. Los fueros de Aragón eran contrarios a este procedimiento[474]. La posición de la Diputación estaba muy clara en la carta que entregaron al rey a través de los embajadores. En ella se dice que "*los dichos Inquisidores han crebantado e crebantan las libertades e fueros de aqueste reyno por quanto... la confiscacion de bienes no puede haver lugar en caso o crim alguno... et los dichos Inquisidoores en continent que contra*

[469] ADPZ. Actos 1484, ms. 68, fol. 55 (29 de noviembre de 1484). Publicada por SESMA MUÑOZ, J.A., Op. Cit. "*El establecimiento...*", p. 96. "...Rogando vos (a cada uno de los cuatro aragoneses del Consejo Real) muy afectuosamente en lo que de parte neustra vos diran e explicaran les sea dada fe a crehença como a nosotros mesmos, e cerqua de aquello querer aistir, con los dichos embaxadores, por parte de aqeuste reyno, a la Magestat del senyor Rey, como buen regnicola e persona que siempre ha tuvido e tiene de ayudar a favoreçer las libertades del reyno".

[470] ADPZ. Actos 1484, ms. 68, fol. 59vto.-60 (7 de diciembre de 1484). Publicada por SESMA MUÑOZ, J.A., Op. Cit. "*El establecimiento...*", p. 101. "Porque segut la persona que es vuestra senyoria tan grave et grande e tan principal en el Cosexo del dicho senyor Rey e visto quanto puede aprovechar en aquesto, havemos deliberado scrivir la presente a vuestra senyoria por la sperançaque aqeuste reyno tiene en vuestra senyoria, rogando ad aeulla, tan affectuosamente quanto podemos, que en lo que vuestra senyoria pora con laMagestat del senyor Rey, quiera mirar en el interesse de aqueste reyno e en el despacho de los dichos mesageros, por forma que el servivio de nuestro senyor Dios no cesse e las libertades de aqueste reyno queden sin violacion alguna".

[471] ADPZ. Actos 1484, ms. 68, fol. 55vto.-58vto. Publicado por SERRANO Y SANZ, M., Op. Cit. "Orígenes...", pp. 507-508. También: SESMA MUÑOZ, J.A., Op. Cit. "*El establecimiento...*", pp. 97-100.

[472] PEREZ MARTÍN, A., Op. Cit. "*Los fueros de Aragón...*", p. 582. "Item que inquisicion no sia feyta contra ninguno nunqua en ningun caso, e si feyta es la inquisicion e no es iudgada, que no sia dado indicio por ella, ni vaya a acabamiento, e si dada es sentencia que no venga a exequucion" (8.36.7).

[473] IBIDEM, Op. Cit. "*Los fueros de Aragón...*", p. 547. "Item quod ipse nec sucesores sui habeant inquisitonem de cetero, nec possint eam facere inter richos homines, milites, ac infanciones Aragonum" (8.29.4).

[474] PEREZ MARTÍN, A., Op. Cit. "*Los fueros de Aragón...*", p. 408. "Statutum est quod omnes homines christiani, iudei, vel sarraceni castra municiones, turres, vel quelibet alia edificia, ville, palacia et domus, quilibet ortim messes, vinee, arbores, silve, et montes, ganati grossi et minuti, bestie mones, et bona alia guerreantium vel non guerreantium omnium hominum et singulorum cuiuscunque condicionis sint, a modo sint sub protecione omnium regis..." (libro 7.1.1).

dalguno prociden, en virtut de su inquisicion, a capcion de su persona, luego procehen a confiscacion, occupacion o inventariacion et abnotacion de los buenos de aquel et esto contra los fueros[475].

C.- El secretismo de denunciantes y testigos era ilegal

El secretismo con el que se preservaba la identidad de los denunciantes al inicio de los procesos inquisitoriales, transgredía la libertad que tenían los reos al derecho de información de cualquier testimonio verbal o escrito instruido en cualquier causa judicial[476]. El incumplimiento de esta práctica era contraria al espíritu foral aragonés.

D.- La tortura contradecía los cimientos forales

La aplicación de la Tortura (para conseguir información) era también contraria a la legislación foral, que promovía la *paz real*, es decir, el derecho que tenían todos los aragoneses a la seguridad de sus personas y bienes, así como la obligación de alistarse al ejército para asegurar la paz del reino. El comportamiento de todos los aragoneses mayores de 14 años (mayoría de edad en Aragón) debía ser ejemplar e ir en esa dirección[477]. Aunque los fueros no contemplaban la tortura, sin embargo, si que permitían el azote cuando el adúltero no quería pagar la multa de 60 sueldos (o cualquier otra cuantía) por la pena de dicho delito[478].

E.- Los forasteros no podían ocupar cargos públicos en Aragón

En la misiva que los embajadores de la Diputación entregaron al rey se dejaba muy claro que *"segunt la dispossicion del fuero ninguna persona que no sea natural del reyno de Aragón tener ni posseyr officio alguno qualquiere que sea, ahun ecclesiastico, ni aquel exercir por si ni por subsituydo o substituydos dell en el dicho reyno de Aragon*[479]".

A los inquisidores de Castilla se les consideraba extranjeros y, por consiguiente, su nombramiento contravenía los propios fueros. Por su condición de castellano, *"el dicho Torquemada no sea natural ni domiciliado del dicho reyno, ante de otro reyno, asi el como los dichos subtituydos del, no podian ni pueden exercir el dicho officio de Inquisidores en el dicho reyno"*. El Inquisidor General no tenía ninguna autoridad en Aragón para nombrar a inquisidores, jueces, alguaciles[480] y demás oficiales que, sobre todo al principio, tampoco eran aragoneses.

---

[475] ADPZ. Actos 1484, ms. 68, fol. 55vto.-58vto. Publicado por SERRANO Y SANZ, M., Op. Cit. "Orígenes...", pp. 507-508. También: SESMA MUÑOZ, J.A., Op. Cit. "*El establecimiento...*", pp. 98.

[476] ALCALÁ GALVE, A., Op. Cit. "*Los orígenes de la Inquisición en Aragón.*", p. 54.

[477] PEREZ MARTÍN, A., Op. Cit. "*Los fueros de Aragón...*", p. 414. "Hac pace constituimos, quod si aliqui in regno Aragonum guerram inter se moverint vel fecerint, ad monicionem nostram per nostras literas vel per nostros nuncios sibi factam, de guerra illa cessent penitus et desistant, et una pars ab altera ad invicem teneatur recipere iusticie complementum" (libro 7.2.1).

[478] IBIDEM, Op. Cit. "*Los fueros de Aragón...*", p. 499. "Si coniugatus vel coniugata captus fuerit adulterium perpetrando, amittat vestes, et sovat de colonia LX sueldos. Si coniugatus cum coniugata XXX solidos, et amittant vestes. In manu tamen rei sit quod solvat caloniam, aut açotetur. Et si fortte persolvere non poterit açotetur" (libro 8. 1.1).

[479] ADPZ. Actos 1484, ms. 68, fol. 55vto.-58vto. Publicado por SERRANO Y SANZ, M., Op. Cit. "Orígenes...", pp. 507-508. También: SESMA MUÑOZ, J.A., Op. Cit. "*El establecimiento...*", pp. 97.

[480] ADPZ. Actos 1484, ms. 68, fol. 55vto.-58vto. Publicado por Publicado por SERRANO Y SANZ, M., Op. Cit. "Orígenes...", pp. 507-508. También: SESMA MUÑOZ, J.A., Op. Cit. "*El establecimiento...*", pp. 98. "Los dichos Inquisidores crebantan las libertades

F.- La Inquisición condenaba a los opositores

Los Diputados y demás defensores de las libertades del reino incurrían en pecado mortal por ir en contra de la actuación de los representantes del Santo Oficio[481], y posicionarse en contra del establecimiento de la Inquisición en Aragón.

G.- No respetaban la autonomía municipal de Teruel

La decisión de Torquemada de poner Tribunal de la Inquisición en Teruel, no sentó nada bien a la ciudad. Su fuero le concedía total autonomía política y jurídic, algo imposible de manipular y controlar desde fuera[482]. Incluso el Justicia de Aragón no tenía autoridad alguna sobre su ordenamiento foral. La ciudad se levantó en armas para defender sus privilegios, pero al estar aislada territorialmente, se quedó sola e indefensa para luchar contra un soberano que movilizó sus fuerzas e impuso su potestad. Los turolenses vieron ultrajadas las libertades que, el mismo rey, juró en su día defender.

El 10 de diciembre de 1484, el rey respondió con evasivas a la carta entregada por la embajada aragonesa. El monarca pedía a los nobles y diputados del reino que cooperasen con él y ayudasen a la inquisición[483]. Los diputados le contestaron -el 5 de enero de 1485- que no estaban en contra de la Inquisición que ellos mismos juraron en la catedral de la Seo, es decir, aquella que perseguía la herejía y se dedicaba a reconducir a los pecadores y herejes al seno de la Iglesia, sino aquella que pretendía con sus actuaciones canónicas quebrantar los fueros y libertades del reino: *"humilment suplicamos a Vuestra Magestar sea de su merced querer minar aquestos Reynos con ojos de clemencia, e quererlos conservar con sus libertades, las quales son la anima de aquellos, las quales con tan grandes e senyalados servicios e efussion de sangre han obtenido e ganado de los Reyes de gloriosa memoria, predecessores de Vuestra Magestat, e crehen no menos obtendran e esperan de Vuestra Alteza. E así... pues la dicha Inquisicion se faga canónicamente e justa los fueros e libertades de aqueste reyno[484]"*.

El 18 de enero de 1485, la embajada regresa a Zaragoza con la respuesta escrita del rey. En ella rechazaba frontalmente los argumentos de los Diputados aragoneses, que podemos resumir en los siguientes puntos[485]:

- Que los inquisidores *"han mostrado su poder (obediencia) e comission al illustre Arçobispo nuestro fijo, e a sus vicarios generales, e otros officiales ecclesiasticos a quien de derecho son tenidos de los mostrar"*.

---

e fueros del dicho reyno, por quanto como segunt la dispossicion del fuero de aqueste reyno ninguno no puede crear ni tener alguatzir ni otro official que insignias de alguatzir levar pueda, sino vuestra Alteza estando en el dicho reyno, o su Lugartenient General, dos algutzires tan solamente, e el rigient el officio de la Governacion, hun alguatzir, et no otro ninguno...".

[481] ALCALÁ GALVE, A., Op. Cit. *"Los orígenes de la Inquisición en Aragón.."*, p. 56.

[482] SESMA MUÑOZ, J. A.; Op. Cit. *"Establecimiento..."*, p. 20-21.

[483] ACA, Real Cancillería, Reg. 3684, fol. 29vto. Publicada por SESMA MUÑOZ, J.A., Op. Cit. "El establecimiento...", pp. 102-103.

[484] ADPZ. Actos 1484, ms. 68, fol. 66vto.-67vto. Publicado por SERRANO Y SANZ, M., Op. Cit. "Orígenes...", pp. 161-162. También: SESMA MUÑOZ, J.A., Op. Cit. "El establecimiento...", pp. 109-110.

[485] ADPZ. Actos 1484, ms. 635, fol. 66vto.-37. Publicado por SESMA MUÑOZ, J.A., Op. Cit. "El establecimiento...", pp. 111-112.

- Ante la afirmación de que el Inquisidor General no podía desempeñar su cargo por no ser aragonés, *"es de maravillar que alguna persona docta diga que los fueros del reyno comprehenden el officio de la sancta Inquisicion de la heretica pravidat, no otros officios e officiales ecclesiasticos puestos e creados por el Santo Padre"*.

- Que los inquisidores nos son funcionarios reales, sino apostólicos, por lo que tienen derecho a usar sus propias insignias y armas y, por consiguiente, *"ningun fuero del reyno los puede comprehender como dicho es"*.

- Ante la prohibición foral de secuestrar los bienes de los acusados, *"no se faze agravio ni contrafuero en la confiscacion e mucho menos en la sequestracion e inventariacion, pues aquello se fazer porque esten en seguredat los bienes para fazer dellos lo que lo inquisidores por justicia mandaren que se faga"*.

- Los oficiales de la anterior "Inquisición Pontificia" -que representaban al General de la Orden de los Dominicos o a sus Priores Provinciales- no eran aragoneses, sin que hubiera habido con anterioridad protestas por ello. Los fueros no tenían competencia alguna con respecto a la Inquisición y a sus correspondientes actuaciones.

- Que los informes que el rey tenía sobre Teruel no coincidían con la versión aragonesa, ya que vecinos de dicha ciudad le habían manifestado que *"no se els fazia contrafuero en fazer la inquisicion las personas que eran idas a la fazer e que assi havia sido determinado en la Diputacion, e tal respuesta se les havia dado por los Diputados"*.

- En definitiva, con estos argumentos el rey justificó su implantación argumentando que la defensa de la fe era prioritaria y estaba por encima de los fueros, ya que estos no podían amparar y defender la herejía. La Inquisición se consideraba a sí misma como institución de derecho divino, estando por encima de cualquier ordenamiento jurídico no canónico, como así recomendaba la Sede Apostólica.

Tras el regreso de los embajadores, los diputados de Zaragoza convocaron -el 16 de febrero de 1485- al resto de compañeros a una reunión para debatir las propuestas del rey[486]. El 28 de ese mismo mes decidieron convocar también al duque de Híjar[487]. No tenemos constancia documental de los debates, acuerdos y conclusiones tomados en esas reuniones. Por la documentación conservada sabemos que la Diputación, la Inquisición y la propia institución monárquica mantuvieron la polémica hasta el asesinato de Pedro Arbués.

3.1.3.2.2.- Intereses políticos a favor del establecimiento de la Inquisición en Aragón

En la actualidad, no hay unanimidad acerca de las causas por las que el rey Fernando II decidió introducir la Inquisición en la Corona de Aragón. No sabemos, a ciencia cierta, cuales pudieron ser sus verdaderos motivos políticos, aunque todo parece indicar que pudieron ser los siguientes:

---

[486] ADPZ. Actos 1484, ms. 635, fol. 72. Publicado por SESMA MUÑOZ, J.A., Op. Cit. *"El establecimiento..."*, pp. 140.

[487] ADPZ. Actos 1484, ms. 635, fol. 75vto-77. Publicado por SESMA MUÑOZ, J.A., Op. Cit. *"El establecimiento..."*, p. 144.

A.- Fortalecer el papel de la monarquía en los asuntos internos

Desde que se celebró el compromiso de Caspe (año 1412), en la Corona de Aragón se consolidaron fuertes Gobiernos o Diputaciones que redujeron el papel del monarca en las decisiones internas de cada Estado[488]. Para tener más peso ejecutivo en el territorio, el rey debía hacerse fuerte y vencer esa rigidez foral que restringía su autoridad. La Inquisición jugó un papel importante para la consecución de este objetivo, es decir, le ayudó a modificar las estructuras políticas y los resortes de poder de cada Estado.

B.- Establecer la unidad política y religiosa *ad intra*

La Inquisición será utilizada para unificar el reino, cohesionar el territorio y alcanzar los intereses políticos, sociales y económicos de la monarquía aragonesa. Para conseguirlo, utilizó la lucha contra la herejía y la defensa de la religión. En efecto, la Inquisición le permitió intervenir activamente en asuntos religiosos sin la fiscalización del Papa, lo que la hizo un instrumento eficaz para controlar las Diputaciones, someter al Justicia de Aragón que le limitaba sus actuaciones cuando defendía los fueros y libertades, reducir la influencia de los Obispos y la Iglesia sobre sus súbditos, así como doblegar la oposición de la nobleza que se creía intocable y pretendía apropiarse de las riendas de la vida pública del Estado.

C.- Evitar la unidad política con Castilla

El Rey no pretendía unir los dos reinos, sino proyectar su unidad, la cual no podría obtenerse sino a costa de la asimilación de Aragón a Castilla. Por consiguiente, luchar contra la Inquisición equivalía, en último término, a luchar para que Aragón mantuviera su soberanía frente a la captación centralizadora de Castilla[489].

D.- Debilitar el poder de los Concejos

Durante el siglo XV, los reyes aragoneses descentralizaron la gestión política y administrativa hacia los Concejos. A partir de entonces, la autonomía municipal legislará y regirá gran parte de la vida cotidiana de los ciudadanos. El rey era consciente de que la Corona había perdido influencia y caudillaje en favor de los municipios. Por ello, emprenderá una reforma municipal –a mediados de la década de los ochenta de esa centuria- para desterrar la corrupción administrativa existente y conseguir mayor protagonismo en la política de proximidad. La Inquisición jugará un papel importante en la consecución este objetivo. Gracias a su ayuda el rey también pudo contar con abundante información confidencial de una buena parte de la población del reino.

E.- Acabar con el poder socio-económico de los conversos

La Inquisición fue, en opinión del historiador Maurice Kriegel, un eficaz instrumento

---

[488] SESMA MUÑOZ, J.A., Op. Cit. *"Violencia institucionalizada: el establecimiento de la inquisición..."*, p. 670.

[489] ALCALÁ GALVE, A., Op. Cit. *"Los orígenes..."*, p. 53.

para luchar contra los conversos, es decir, *"la expresión de un plan, compartido con ellos por los judíos, para conquistar España o destruirla desde dentro[490]"*. La Inquisición, por tanto, *"aspiraba a la vez a destruir a los conversos y a eliminar a los judíos"*.

Es indudable que uno de los motivos del establecimiento de la Inquisición fue evitar la enorme influencia de los conversos sobre la sociedad cristiana del siglo XV. En efecto, su elevado número (hemos calculado que más del 20% de la población era conversa o de linaje converso), la falsa convicción cristiana de muchos de ellos (eran cristianos solamente de nombre), así como su poder político (tenían los puestos más influyentes) y económico (era una emergente y nueva burguesía) fueron aspectos más que suficientes para formar una especie de Estado dentro de otro Estado, un verdadero poder fáctico con el que controlar a la sociedad y hacer daño a muchos cristianos viejos y aristócratas, a los que llegaron a considerar sus enemigos[491].

En definitiva, el objetivo último de la Inquisición era frenar el poderío converso para lograr así su verdadera asimilación social, hecho que no se produjo hasta bien entrado el siglo XVI.

F.- Conseguir mayor financiación económica

El historiador hebreo Netanyahu sostiene que la finalidad principal del Santo Oficio era conseguir dinero de los aterrorizados conversos para sanear las maltrechas arcas reales[492]. También Llorente afirma que para el rey Católico fue una excelente *"ocasión de confiscar inmensas riquezas[493]"*, sin explicar en qué consistió esa ocasión.

3.1.3.2.3.- La sede y su consolidación definitiva

Parece que el Santo Oficio tuvo su sede inicial en unas casas situadas entre la Seo y el palacio arzobispal, espacio que se trasladaría casi de inmediato a *"las casas de santo Joan, que son del Castellán[494]"* de Amposta de la Orden de San Juan de Jerusalén (Orden de Malta), es decir, al área geográfica de San Juan de los Panetes y torreón de la Zuda de la capital del reino. Ese mismo documento nos confirma que, el 7 de febrero de 1485, el rey autorizó a los inquisidores zaragozanos a usar también las cárceles de la Aljafería, que pasaría a ser el cuartel general del Santo Oficio por real orden de 12 de enero de 1486[495].

Unos días más tarde, desde el 7 de febrero de ese mismo año, dos equipos completos de Jueces con sus nuncios, alguaciles y procuradores fiscales se trasladaron a dicho palacio,

[490] VALDEON BARUQUE, J., *"Cristianos, musulmanes y judíos en la España medieval: de la aceptación al rechazo"*, Valladolid, 2004, p. 2.

[491] LLORCA, B.; "La inquisición española y los conversos judíos o marranos", *en Sefarad*, 2, 1942, p. 113 ss.

[492] NETANYAHU, B., Op. Cit. "¿Motivos o pretextos?. La razón de la Inquisición", .p. 6.

[493] LLORENTE, J. A.; Op. Cit. *"Memora histórica sobre cuál ha sido la opinión de España acerca de la inquisición"*, p. 23.

[494] ACA, Real Cancillería, Reg. 3684, fol. 38-38vto.. Publicado por SESMA MUÑOZ, J.A., Op. Cit. *"El establecimiento..."*, p. 133. "E quanto a lo de la Aljaferia para tener la carcel, el fiscal lieva carta del merino para que exentamente la de, e porque parecia que las casas del Santo Joan, que son del Castellan, eran dispuestas para el officio e que todos los officiales se podian aposentar en ellas, lieva el fiscal cartas para el Castellan e su porcurador, usareys de las que mejor vos vengan".

[495] ALCALÁ GALVE, A., Op. Cit. *"Los orígenes de la Inquisición en Aragón..."*, p. 77.

convirtiéndose a partir de entonces en la Sede oficial de la Inquisición en Aragón. En los cuatro años posteriores se abrieron también Tribunales descentralizados en los obispados y principales ciudades aragonesas. Henry Charles Lea[496] cree que se puede hablar de Tribunales propiamente dichos en Huesca[497], Calatayud, Barbastro, Tarazona, Daroca y Jaca.

Por fin, el 11 de febrero de 1486, el papa Inocencio VIII (1484-1492) se atreve a nombrar a Torquemada Inquisidor General de todos los territorios peninsulares de los reyes Isabel y Fernando. Con este nombramiento, en Aragón queda consolidado de manera definitiva y efectiva el Tribunal de la Inquisición.

Con posterioridad, el 11 de noviembre de ese mismo año, el propio Inocencio VIII ratificará de nuevo a Tomás de Torquemada como Inquisidor de la Corona de Aragón[498,] otorgándole de nuevo amplios poderes para el nombramiento de inquisidores[499].

3.2.- LA MUERTE DE PEDRO ARBUÉS Y LA INQUISICIÓN

3.2.1.- ESTADO DE LA CUESTIÓN

El primero en sistematizar los sucesos del asesinato de Pedro Arbués fue el historiador aragonés, Jerónimo Zurita[500], el cual sólo revela la identidad de los asesinos materiales, omitiendo por discreción los nombres de importantes señores cristiano-viejos aragoneses que se opusieron al Santo Oficio con todas sus energías. También oculta la identidad de los asistentes a las reuniones secretas en las que se preparó la propia muerte de Arbués. Tampoco ahonda en la autenticidad de la oposición fuerista a las presiones del rey Fernando por imponer su Inquisición castellana en Aragón, ni en la supuesta participación real en el asesinato. Todos los argumentos inculpan a los conversos, los auténticos artífices de la muerte del Inquisidor porque recaudaron para matarlo.

El canónigo e historiador zaragozano, Diego de Espés[501], sigue literalmente a Zurita en su obra manuscrita, por lo que apenas aporta nada desde un punto de vista historiográfico sobre el incidente. Como única novedad conviene destacar la descripción del recorrido que hicieron, la noche de autos, los asesinos por las calles de la ciudad hasta llegar a la catedral de la Seo, a la que entraron por la puerta de la calle Pabostría para ejecutar sus planes.

---

[496] LEA, H.C., Op. Cit. *"Historia de la inquisición en España"*, vol. I, documento 12, pp. 787-804.

[497] ACA, Real Cancillería, Reg. 3684, fol. 69vto-70vto. Publicada por SESMA MUÑOZ, J.A., Op. Cit. *"El establecimiento..."*, pp. 190-191. *"...Para lo qual han sido diputados e creados inquisidores en algunos obispados e ciudades de nuestros reynos, especialmente en el obispado de Huesca, los quales, prosiguiendo su Sancto Oficio, confiscaran e declararan ser confiscados a nuestra camara e fisco muchos bienes de tales criminosos..."*

[498] ZURITA, J., Op. Cit. *"Anales de la Corona de Aragón"*, tomo IV, XX, xlix. También: GALVE GALVE, A., Op. Cit. *"Los orígenes de la inquisición en Aragón..."*, p. 36.

[499] LLORCA, B., *"Bulario pontificio de la inquisición española", Roma, 1949*, p. 49 ss. Parece que el papa suavizo las condiciones que habrían de reunir los inquisidores delegados: bastaba que fueran clérigos buenos y temerosos se Dios, pero con titulación (maestros, licenciados o doctores en teología) o dignidad eclesiástica (canónigos).

[500] ZURITA, J, Op. Cit . Op. Cit. "Anales de la Corona de Aragón", *en Institución Fernando el Católico*, vol. VIII, Zaragoza, 1977.

[501] ESPES, D., *"Historia eclesiástica de la ciudad de Çaragoça desde la venida de Iesu Christo, señor y redemptor nuestro hasta el año 1575"...*, tomo II, sig. 20-48, p. 678. Esta obra manuscrita se encuentra en la biblioteca del Archivo Capitular de la Catedral de la Seo de Zaragoza.

El autor anónimo (atribuido a Anchías, asesor de la Santa Inquisición) del *Libro Verde de Aragón*[502] dedica un pequeño capítulo a *"la muerte del bienaventurado maestre Épila"*. Delante tiene la obra de Zurita y Diego de Espés, por lo que apenas se sale del guión oficial, salvo para insinuar que Gabriel Sánchez, el tesorero del rey, escribió a los conversos para que matasen a Arbués y así desapareciera la Inquisición de Aragón. Esta afirmación nadie la defenderá con posterioridad.

También Vicencio Blasco de Lanuça[503] en su famosa *historia de la vida de Pedro Arbués* (publicada en el año 1624), sigue la misma línea argumental que los anteriores. En un lenguaje popular y lleno de imaginación describe el suceso sin ninguna novedad historiográfica. Es la primera obra monográfica dedicada exclusivamente a la vida, muerte y milagros del Inquisidor General. Todos los historiadores y eclesiásticos posteriores copiaron sus argumentos. En ese mismo año se llegó a publicar varias obras sobre el Inquisidor para iniciar e impulsar su proceso de beatificación, y conseguir su definitiva aprobación por el papa Alejando VII en 1664. Este acontecimiento favoreció la difusión de su vida y martirio para popularizar su devoción.

Entre los autores que publicaron durante esta centuria obras relacionadas con figura de Arbués, conviene destacar a José Antonio Llorente[504], Diego García de Trasmiera[505], Miguel Antonio Francés de Urrutigoyti[506], José Alberto Medrano[507], Juan de Arruego[508], Diego García[509], Bartolomé Lupardi[510], Lorenzo Matheu y Sanz[511], Manuel José de Sesé[512], José Tafalla Negrete[513], Francisco de Arcos[514], Tomás Chacón[515], Francisco Fernández de Marmanillo[516],

[502] MOTIS DOLADER, M.A. y COMBESCURE THIRY, M., Op. Cit. *"El libro verde de Aragón"*, Zaragoza, 2003, p. 202-203.

[503] BLASCO DE LANUNA, V., *"Historia de la vida, muerte y milagros del siervo de Dios Pedro Arbués de Épila"*, Zaragoza, 1624, en edición facsímil publicada por el Ateneo de Zaragoza.

[504] LLORENTE, J. A.; *"Memora histórica sobre cuál ha sido la opinión de España acerca de la inquisición"*, Madrid, 1812.

[505] GARCIA DE TRASMIERA, D., *"Epítome de la sancta vida, y relación de la gloriosa muerte del venerable Pedro Arbués, Inquisidor Apostólico de Aragón. A quien la obstinación hebrea dio muerte temporal, y la liberalidad divina, vida eterna"*, Monreal, Búa y Portanova, Impresores del Santo Oficio, 1647.

[506] FRANCES DE URRUTIGOYTI Y LERMA, M.A., *"Devoción que el venerable siervo de Dios Pedro de Arbués, primer inquisidor apostólico del reyno de Aragón, reveló a mosen Blaco Gálvez el año de 1490"*, Hospital Real, 1652.

[507] MEDRANO, J.A., *"Descripción breve de las fiestas que ha hecho la ilustrissima Metropolitana iglesia de Çaragoça, al inclyto mártir Pedro de Arbués, su canónigo, y primer inquisidor del Reyno de Aragón, por la declaración de su martyrio, hecha por la Santidad de nuestro santissimo Padre Alexando VII"*, Zaragoza, Diego Dormer, 1662.

[508] ARRUEGO, J. De, *"Cláusula del breve de la Beatificación del Santo Pedro de Arbués, y por otro nombre maestro Épila, explicadas"*, Zaragoza, 1664.

[509] GARCIA, D., *"Epítome de la Santa vida y relación de la copiosa muerte del venerable Pedro Arbués"*, Madrid, Díaz de la Carrera, 1664.

[510] LUPARDI, B., *"Relación del aparato, y ceremonias de la Basílica de San Pedro. En la beatificación del glorioso mártir Pedro de Arbués. Canónigo de la Santa Iglesia Metropolitana de Çaragoça. Primer Inquisidor del reyno de Aragón"*, Zarragoza Diego Dormer, 1664.

[511] MATHEU Y SANZ, L., *"Aplauso en la beatificación del mártir invicto, el beato Pedro de Arbués, llamado comúnmente el maestro de Épila, canónigo de la Seo de Zaragoza, y primer Inquisidor de Aragón"*, Valencia, Gerónimo Vilagrasa, 1664.

[512] SESE, M.J. De, *"Relación de las célebres fiestas, que en solemnes cultos a San Pedro Arbués, nuevamente declarado mártir insigne por la Santidad de Alexandro VII, se consagraron en la Imperial ciudad de Çaragoça"*. Zaragoza, 1664.

[513] TAFALLA NEGRETE, J., *"Descripción de las fiestas que consagraron a la celebridad del martirio y beatificación solemne de san Pedro Arbués, su Illustríssima Iglesia metropolitana: su Tribunal del Santo Oficio de la Inquisición: la imperial ciudad de Çaragoça y el noblísimo reyno de Aragón"*, Zaragoza, Diego Dormer, 1664.

[514] ARCOS, F., *"Missa y sermón conque el Consejo Supremo de la General Inquisición celebró grave la beatificación del mártir ilustrísimo, y gloriossísimo Pedro Arbués... en Santo Domingo del Real en la Corte en 14 de septiembre del año 1664..."*, Valencia, Gerónimo Vilagrasa, 1655.

[515] CHACON, T., *"Breve relación de la solemnísma fiesta... celebrando la beatificación del glorioso martyr Pedro de Arbués"*, Palermo, Búa, 1665.

Ignacio de Santa Cruz Aldana[517] y Contreras[518].

En el siglo XVIII muy pocas son las obras relacionadas con la vida de Pedro Arbués, tan sólo encontramos la de Salvador Velasco y Herrera[519] y la de Roque Alberto Faci. Se trata de libros de difusión biográfica para suscitar fervor popular. Todos describen, a su manera, la muerte del mártir Arbués y culpan a los conversos de su materialización, el mismo razonamiento que Vicencio Blasco y sus predecesores.

En el año 1867 fue, por fin, canonizado. Este acontecimiento impulsó nuevas publicaciones con la misma finalidad religiosa, pero sin ninguna novedad histórico-biográfica. En este sentido, conviene mencionar el magnífico trabajo de síntesis del italiano Giussepe Gozza[520], Urbano Gascón y Guimbao[521], así como la del alemán Zirngierble[522].

Todos estos escritores han permitido que otros estudiosos más contemporáneos hayan podido profundizar en la figura y muerte del Inquisidor, como Manuel Serrano y Sanz[523], e Yitzhak Baer[524]. Ellos han sido los primeros en actualizar las causas que motivaron su muerte, argumentos que luego ha sabido sintetizar a la perfección Ángel Alcalá Galve[525], quien ha analizado de manera realista las causas que motivaron la implantación de la Inquisición en Aragón, así como las conexiones que hubo entre la monarquía y los conspiradores conversos que propiciaron su asesinato.

También Monique Combescure Thiry[526] y, muy especialmente, José Ángel Sesma[527], han tratado con acierto el origen de la Inquisición en Aragón. Ambos defienden la teoría de una posible infiltración de elementos del bando real[528] -en las reuniones de conversos previas a la muerte de Arbués- para convencerles de que, si lo mataban, no les molestarían los inquisidores y se produciría el colapso de su aparato represivo. Asimismo se les transmitió la idea de un

---

[516] FERNÁNDE DE MARMANILLO, F., *"San Pedro Arbués, sol de inquisitores. Vida de San Pedro Arbués Inquisidor apostólico primero de el reyo de Aragón, y Tribunal de la ciudad de Zaragoza..."*, Logroño 1665.

[517] SANTA CRUZ ALDANA, I., *"Solemne festividad y sacra pompa que celebró la Inquisición esta nueva España... a su esclarecido martyr beato Pedro Arbués, Inquisidor Apostólico primero del reyno de Aragón, canónigo de...Zaragoza, en su beatificación"*, México, Ruíz, 1667.

[518] CONTRERAS, J. "Los modelos regionales de la Inquisición española: consideraciones metodológicas", *en problemas actuales de la historia*, Salamanca, 1993, pp. 83-99.

[519] VELASCO Y HERRERA, S., *"Escala prodigiosa, representada en la vida del colegial... de san Clemente... y primer inquisidor de Aragón el señor san Pedro Arbués Martyr, especialísimo protector en todo género de enfermedades..."*, Sevilla, Juan de la Puerta, 1702.

[520] GOZZA, G., *"Della vita miracoli e culto del martire San Pietro di Arbués, canonico regolare della chiesa Metropolitana di Saragozza"*, Roma, Tipografia Salviucci, 1867.

[521] GASCON Y GUIMBAO, U., *"Historia de la vida, martirio, culto y milagros del glorioso mártir San Pedro de Arbués, primer inquisidor del reino de Aragón"*, Madrid, Centro Literario, 1868.

[522] ZIRNGIEBL, E. *"Peter Arbues und der Spanien Inquisition..."*, Munich, Volbach Verlag, 1872.

[523] SERRANO Y SANZ, M., Op. Cit. *"Los orígenes de la dominación española en América"* (Nueva Biblioteca de Autores, VI, Madrid, 1918), pp. 151-173.

[524] BAER, Y., Op. Cit. *"Historia de los judíos en la España Cristiana"*, Barcelona, Editorial Riopiedras, 1998, pp. 804-807.

[525] ALCALÁ GALVE, A., *"Los orígenes de la Inquisición en Aragón"*, Zaragoza, Diputación General de Aragón, Departamento de Cultura y Educación, 1984.

[526] MOTIS DOLADER, M.A. Y COMBESCURE THIRY, M., Op. Cit. *"El libro verde de Aragón"*, Zaragoza, 2003, p. 202-203.

[527] SESMA MUÑOZ, J.A., *"El establecimiento de la Inquisición en Aragón (1484-1486). Documentos para su estudio"*, Institución Fernando el Católico, Zaragoza, 1987.

[528] SESMA MUÑOZ, J.A., *"La Diputación del reino de Aragón en la época de Fernando II (1479-1516)"*, Institución Fernando el Católico, Zaragoza, 1977, pp. 346-350.

posterior arreglo con el monarca para solucionar su injustificable actuación.

El beneficiado-bibliotecario de la Iglesia Metropolitana de Zaragoza, Francisco Izquierdo Trol[529], publicó en 1941 una novela sobre Pedro Arbués. En ella se relata de una manera amena y fantasiosa la vida y los sucesos del Santo. Pese a su nulo interés historiográfico, fue el primero en dar a conocer el primer relato que se conoce sobre su asesinato la noche del 15 de septiembre de 1485, texto que se encuentra en el Libro *De Gestis* del Capítulo de canónigos de la catedral de la Seo (tomo correspondiente a los años 1483-1498). También Tomás Domingo Pérez y María Rosa Gutiérrez Iglesias[530] no sólo han comentado y reproducido la literalidad de dicho texto, sino incluso han aportado aportar nuevos y reveladores datos concernientes al funeral, entierro y restricciones del culto que se realizaron en la Catedral *pos-mortem*.

A cerca del sepulcro de Arbués destacan tres interesantes estudios: dos realizados por Daniel Rico Camps[531], quien analiza la primera lápida y el túmulo posterior que mandaron construir los Reyes Católicos, ambos labrados por Gil Morlanes; y el de Schoz-Hänsel[532], que -siguiendo a Joaquín Yarza Linaces[533]- sostiene que el túmulo lo esculpió Juan de Salazar. Ambos autores analizan los sepulcros desde un punto de vista artístico y aportan interesantes documentos sobre su construcción.

3.2.2.- LA FIGURA DE PEDRO ARBUÉS

Pedro Arbués nació en Épila (Zaragoza) en 1441. Aunque Blasco de Lanuza se esfuerza en demostrar que sus padres eran *"de linage principal... y limpios*[534]", lo cierto es que nada se puede demostrar al respecto, siendo más un deseo del autor de probar abolengo y grandeza que otra cosa.

Tras estudiar filosofía -posiblemente en Zaragoza o Huesca- fue ordenado sacerdote, y seleccionado para disfrutar de una de las tres becas reservadas para aragoneses entre las 31 que ofertaba el Colegio Español de San Clemente en la Universidad de Bolonia[535] (Italia). Estas becas fueron fundadas en 1365 por el famoso cardenal primado de Toledo, Gil de Albornoz. Allí residió y amplió estudios desde 1469 hasta que, el 27 de diciembre de 1473, se doctoró en Teología. En sus años de colegial enseñó además filosofia moral en aquella Universidad.

Terminados sus estudios, regresó a la Capital del reino, donde el arzobispo Juan II lo nombró canónigo de la catedral de la Seo, el 30 de septiembre de 1474, tomando posesión de su dignidad eclesiástica el 9 de febrero de 1475. A partir de entonces se le conocerá en el ambiente eclesial como *maestre Épila,* haciendo mención a su lugar de nacimiento.

---

[529] IZQUIERDO TROL, F., *"San Pedro Arbués, primer Inquisidor de Aragón"*, El Noticiero, Zaragoza, 1941.

[530] DOMINGO PÉREZ, T. Y GUTIÉRREZ IGLESIAS Mª. R., "La muerte de San Pedro Arbués y sus consecuencias en el primer libro "de Gestis" del cabildo de la Seo Zaragozana", *en Memoria Ecclesiae, XXV, pp. 261-280.*

[531] RICO CAMPS, D., "El sepulcro de Pedro Arbués y su contexto", *en Boletín del museo e Instituto Camón Aznar,* Zaragoza, 1995, pp. 169-204. VÉASE TAMBIÉN: RICO CAMPS, D., "La imagen de Pedro Arbués, literatura renacentista y arte medieval en torno a don Alonso de Aragón", *en Locus Amoenus, nº 1,* 1995, pp. 107-119.

[532] SCHOLZ-HÄNSEL, M., "Arte e Inquisición: Pedro Arbués y el poder de las imágenes", *en Anuario del Departamento de Historia y Teoría del Arte (UAM),* vol. VI, 1994, pp. 205-212.

[533] YARZA LINACES, J., *"Los reyes católicos. Paisaje artístico de una Monarquía"*, Madrid, 1993, pp. 34-41.

[534] BLACO DE LANUZA, V., Op. Cit. *"Historia de la vida, muerte, y milagros del siervo de Dios Pedro Arbués... "*, p. 20.

[535] ALCALÁ GALVE, A., Op. Cit. *"Los orígenes de la Inquisición en Aragón...",* p. 41.

El culto divino y la frecuente predicación ocuparon sus primeros años de capitular en la Seo zaragozana. En aquellos momentos, era el clérigo más preparado intelectualmente de la Archidiócesis y, por consiguiente, el mejor dotado para asumir las funciones de inquisidor de Aragón. Fray Tomás de Torquemada lo nominó inquisidor del reino de Aragón[536] -junto a fray Gaspar Juglar- en las Cortes de Tarazona, siendo ambos refrendados el 4 de mayo de 1484 sin objeción política y canónica. Nada más tomar posesión, se encontraron encima de la mesa los procesos de siete conversos de judío que, aunque no los iniciaron ellos, si que los resolvieron en tres autos de fe diferentes[537]:

1.- Primer auto de fe: celebrado el 10 de mayo de 1484 en la plaza de la Seo. Predicó el inquisidor Gaspar Juglar y fueron *penitenciados*[538] los siguientes conversos de judío:

- Leonora de Elí por practicar ceremonias *"judaycas* y *quando oya nombrar del Santissimo nombre de Jesus respondia, callad no le nombreys que es nombre de enforcado"*.

- Felipe Salvador, alias Santicos botiguero, por celebrar ceremonias *judaycas*, comer carne en viernes (cuando comenzaba el *sabbat*) y en cuaresma.

- Leonor Catorce (valenciana), mujer de Felipe Salvador, por practicar ceremonias *judaycas*, comer *hamín* y carne en viernes y sábado, así como haber ayunado el ayuno de *quipur*.

- Isabel Muñoz (castellana) por los mismos delitos heréticos que los anteriores, y porque cuando recitaba el credo *"llegava a aquellas palabras: et in Jesum Chiristum, dezia aquí: cayo el asno"*.

2.- Segundo y tercer auto de fe: celebrado el 3 de junio de 1484 en el patio de la casa del Arzobispo. Predicó el inquisidor Pedro Arbués, siendo condenados a muerte los siguientes conversos de judío:

- Dos hombres desconocidos por herejes judaizantes, el uno de ellos fue ahogado porque murió reducido.

- Aldonza de Perpiñán, mujer de Manuel de Almazán, por celebrar prácticas *judaycas* y vestir a doce pobres judíos en honor de las doce tribus de Israel durante varios años. También por haber ayunado el *quipur* y haber dado limosnas a la *çedaqa* (cofradía aljamial que recauda limosnas para necesidades sociales). Fue quemada en estatua por ser difunta.

---

[536] Completaban el Tribunal de Aragón, Pedro Jordán y Juan de Anchías (notarios del Secreto); Rodrigo Sánchez de Zuazo, (canónigo de Calahorra y fiscal); Diego López (originario de Calatayud y alguacil); Juan de Ejea (receptor), y Ramón de Mur (fiscal). El día 19 de septiembre de 1484 prestaron juramento canónico en la catedral de la Seo, prometiendo favorecer los procesos de fe, ayudar al Santo Oficio, a los Oficiales reales, Diputados aragoneses, Nobles y Señores del reino. Estuvieron presentes, entre otros, el Justicia de Aragón, Juan de Lanuza, así como su lugarteniente, Tristán de la Porta, y todas las autoridades locales de la ciudad de Zaragoza.

[537] LEA, H.C., Op. Cit. *"Historia de la inquisición en España"*, vol. I, documento 12: "Memoria de diversos autos de Inquisición celebrados en Çaragoça desde el ano 1484 asta el de 1502 en que se refieren las personas castigadas en ellos", procedente de un manuscrito anónimo del siglo XVII, pp. 852-879.

[538] Pena de cárcel pero en régimen penitenciario abierto (libertad en régimen abierto).

Tras la muerte del Inquisidor Juglar, en enero de 1485, Arbués se quedó sólo al frente del Santo Oficio. Aunque los objetivos eran ir contra los conversos[539], parece que él no fue partidario de iniciar nuevos procesos contra ellos, pues entre febrero y abril de 1485, tan sólo instruyó cuatro nuevos expedientes inquisitoriales[540]:

- Salvador Esperandeo por hacer ceremonias *judaycas*, comió *hamín,* pan *cotaço* (ácimo) durante la Pascua judía y carne en la cuaresma cristiana. Asimismo guardaba el *sabbat,* trabajaba los domingos, ayunaba el *quipur* y escarnecía el crucifijo. Fue quemado en el auto de fe de 24 de febrero de 1486 (viernes), en la plaza de Nuestra Señora del Portillo. Predicó el maestro Crespo, canónigo del Pilar.

- Bernard de Robas, mercader, por celebrar ritos y ceremonias *judaycas,* como ponerse los viernes el *capirote* judío y comer, en alguno de ellos, gallinas y capones con otros conversos. También dijo en alguna ocasión *"cristianos de mala ventura hazen yo el llanto, hagamos nosotros el canto".* Lo quemaron vivo en la plaza de la Seo el 21 de octubre de 1486. predicó en esa ocasión el maestro Martínez.

- Guillermo de Buysan celebraba también ritos y ceremonias *judaycas.* Solía decir que *"qualquier que viniesse contra la ley de Moysen haria mal fin",* y que ella era mejor que la de los cristianos. Fue quemado en la plaza de la Seo el 21 de octubre de 1486. Predicó el maestro Martínez.

- Bartolomé Sánchez por practicar ayunos y comer manjares *judaycos,* ir a la sinagoga y haber dicho a un judío *"Cornelio bien te estas en la ley de moysen que mejor es que la de los cristianos".* Se ajustició el 17 de diciembre de 1486 en la plaza de la Seo. Predicó en ese auto de fe el maestro Martín García.

A pesar de su moderada intervención, en la capital del reino creció cierto recelo y odio visceral hacia su persona por parte del grupo de conversos más elitista y con mayor poder adquisitivo e influencia social de la capital del reino. Desde que tomó posesión, Arbués fue objeto al menos de cuatro atentados antes del que le costó la vida[541]: en la primavera de 1485 un converso lo quiso ahogar en el río Ebro cuando paseaba en compañía de Martín de la Raga. En otra ocasión y por igual fecha, intentaron forzar la reja de la ventana de su dormitorio que daba a la calle del Prior, pero el ruido llamó la atención algunos viandantes que acudieron a su auxilio. También sus verdaderos asesinos estuvieron por algunas veces en la Seo, a la hora de maitines, sin poder encontrarlo para materializar su crimen.

A pesar de estas amenazas, Arbués no llevaba guardia personal, tan sólo cubría su cabeza con un casco con cota de malla y modestamente armado con una lanza de media asta, la misma que, al rezo de maitines, dejó arrimada para orar de rodillas frente al Altar Mayor la madrugada del 15 de septiembre de 1485. En esos momentos, sus captores conversos lo acuchillaron,

---

[539] PÉREZ J.; Op. Cit. *"Crónica de la inquisición en España"*, p. 97.

[540] ALCALÁ GALVE, A., Op. Cit. *"Los orígenes de la Inquisición en Aragón...."*, p. 50. -Véase también: LEA, H.C., Op. Cit. *"Historia de la inquisición en España"*, vol. I, documento 12, pp. 787-804.

[541] ALCALÁ GALVE, A., Op. Cit. *"Los orígenes de la Inquisición en Aragón...."*, p. 64. Véase también: ZURITA, J., Op.Cit. *"Anales de Aragón"*, VIII, p. 504-505. "Aquel Juan de Sperandeo con su cuadrilla emprendió de matar una noche al inquisidor en su aposento dentro de la iglesia, tomándole en la cama, y intentaron de arrancar una reja que salía a la calle de la casa del prior; y esa aquella misma noche a las horas de los maitines entraron en dos cuadrillas en la iglesia, armados y disfrazados, entre las doce y la una; y rodeando toda la iglesia por no no hallar en ella al inquisidor concertaron de volver en la noche siguiente al mismo lugar".

diciendo al caer en tierra: *"loado sea Jesucristo, que yo muero por su Santa Fe*[542]*"*. Expiró de las heridas recibidas en el cuello y brazo la madrugada del 17 de ese mismo mes, a los 44 años de edad. Las fuentes que hablan de él, escritas tras su muerte y con finalidad mitificadora, coinciden en presentarlo como un hombre docto y poco fanático a persecuciones colectivas[543].

En el mismo lugar donde cayó herido, fue enterrado su cuerpo. Encima pusieron una sencilla lauda con yacente en bajorrelieve y epígrafe alrededor labrada y colocada por Gil Morlanes[544], el 28 de septiembre de 1486, un año después del suceso. Más tarde, los reyes católicos encargaron un túmulo con una escultura del Inquisidor y un sepulcro ornado más suntuoso. En sus paredes laterales se reprodujeron paneles historiados del suceso y dos epitafios con la decisión del patrocinio real. No hay unanimidad con respecto a la autoría de este segundo sepulcro. Para Schoz-Hänsel lo esculpió Juan de Salazar[545]; para Rico Camps el mismo Gil de Morlanes, quien lo habría terminado en marzo de 1490, fecha del último recibo de paga[546].

También tenemos constancia notarial de Pedro Lalueza, fedatario de Zaragoza, quien levantó dos actas[547] para confirmar el milagro prodigioso que se le atribuyó tras ser enterrado en el mismo lugar donde cayó muerto. Zurita nos lo describe con bastante precisión: *"el sábado siguiente, a la hora de vísperas, fue sepultado el cuerpo de aquel santo varón con mucha veneración en la misma parte y lugar a donde había caído de las heridas; y al tiempo que ponían en la sepultura el cuerpo, la sangre que se había derramado en aquel lugar -que fue mucha- comenzó como a refrescarse y hervir, como si en aquel instante fuera herido*[548]*"*.

Su proceso de beatificación fue impulsado por el propio emperador Carlos I. La motivación de tal decisión la encontramos en Zurita: *"El emperador don Carlos V de esclarecida memoria, deseó que su nombre fuese consagrado y puesto en el número de los santos por los milagros que Nuestro Señor obró por su siervo; y procuró que el papa Paulo III cometiese que se recibiese información y hiciese examen de los milagros que nuestro Señor había hecho y hacía en la sepultura desde santo varón y inquisidor de la fe que había padecido martirio por nuestra santa fe católica, y a gloria de Dios y buena edificación del pueblo cristiano se pudiese canonizar su memoria*[549]*"*. Tras su beatificación por el papa Alejandro VII, el 17 de abril de 1664, sus restos fueron trasladados a la capilla a él dedicada en la Catedral. El papa Pío IX lo canonizó posteriormente el 29 de septiembre de 1867.

---

[542] DOMINTO PEREZ, T. y GUTIÉRREZ IGLESIAS, R., Op. Cit. "La muerte de San Pedro Arbués....", p. 262.

[543] ALCALÁ GALVE, A., Op. Cit. *"Los orígenes de la Inquisición en Aragón....*", p. 43.

[544] RICO CAMPS, D., Op. Cit. "El sepulcro de Pedro Arbués y su contexto", pp. 169-204.

[545] SCHOLZ-HÄNSEL, M., Op. Cit. "Arte e Inquisición: Pedro Arbués y el poder de las imágenes", pp. 205-212.

[546] RICO CAMPS, D., Op. Cit. "La imagen de Pedro Arbués...", pp. 107-119.

[547] AHPZ, Pedro de Lalueza, 17 de septiembre de 1485, fol. 419-420; Publicado por SESMA MUÑOZ, J.A., Op. Cit. "*El establecimiento...*", pp. 175-176. VÉASE TAMBIÉN: AHPZ, Pedro de Lalueza, 29 de septiembre de 1485, fol. 419-420; Publicado por SESMA MUÑOZ, J.A., Op. Cit. "*El establecimiento...*", pp. 178-179.

[548] ZURITA, J., Op. Cit. *"Anales de la Corona de Aragón"*, vol. VIII, p. 506.

[549] ZURITA, J., Op. Cit. *"Anales de la Corona de Aragón"*, vol. VIII, p. 507.

3.2.3.- ANTECEDENTES DE LA MUERTE DE PEDRO ARBUÉS

3.2.3.1.- LAS REUNIONES PREVIAS DE LOS CONVERSOS DE ZARAGOZA

Todos los investigadores que han escrito sobre las causas y antecedentes de la muerte de Pedro Arbués han seguido el criterio de Zurita, el primer historiador que relató de manera sistemática lo sucedido. Basándose en las declaraciones de algunos procesos de Inquisición abiertos a determinados inculpados y, sobre todo, al testimonio oral y escrito de determinados zaragozanos que vivieron los acontecimientos en primera persona (como luego veremos), Zurita apunta -en sus *Anales de Aragón*- que los principales enemigos de la Inquisición eran los conversos, los cuales utilizaron los resortes legales y políticos de la Diputación del Reino y del Justicia de Aragón para evitar la confiscación de bienes (principal problema que tenían en esos momentos los acaudalados conversos) y, con ello, impedir la implantación del Santo Oficio en Aragón. Zurita procuró salir del paso diciendo lo menos que pudo, por lo que no le pareció conveniente hablar de ello cuando aún vivían descendientes de los conjurados, poderosas familias zaragozanas entroncadas con linajes judíos. Veamos lo que dice:

"Tuvieron diversos ayuntamientos en las casas de las personas del linaje de judíos, que ellos tenían por sus defensores y protectores por ser letrados y tener parte en el gobierno y juzgado de los tribunales, y de algunos más principales de quien se favorecían. Procuraron por este camino de impedir y perturbar el ejercicio de que el santo oficio y haber algunas inhibiciones y firmas del justicia de Aragón sobre los bienes, entendiendo que si la confiscación se quitaba no duraría mucho aquel oficio; y para alcanzar esto ofrecieron largas sumas de dineros, y que sobre ello se hiciese algún señalado servicio al rey y a la reina porque la confiscación se quitase; y señaladamente procuraban inducir a la reina diciendo que ella era la que daba más favor a la inquisición general. Con esto, con diversas dádivas y promesas, insistieron en procurar se proveyese la inhibición del oficio del justicia de Aragón, y nunca la quiso otorgar Tristán de La Porta que era lugarteniente del Justicia de Aragón; y comenzaron a hacer entre los conversos repartimiento de mucha suma de dinero, así para enviar a Roma como a la corte del rey, todo con color de la confiscación, poniendo principalmente fuerza en que se les proveyese la firma por el oficio del justicia de Aragón; y como era gente caudalosa y por aquella razón de la voz de la libertad del reino hallaban gran favor; generalmente fueron poderosos para que todo el reino y los cuatro estados del se juntasen en la sala de la Diputación, como en causa universal que tocaba a todos; y deliberaron enviar sobre ello al rey sus embajadores, que fueron un religioso prior de la orden de San Agustín llamado Pedro Miguel, y Pedro de Luna letrado en el derecho civil[550]".

Todo induce a pensar que los conversos de Zaragoza, deseosos de defender sus personas y haciendas, comenzaron a reunirse con el único propósito de diseñar, por un lado, una campaña política contra la actuación que estaba llevando a cabo la Inquisición, por el otro, la forma de recaudar dinero para que, llegado el caso, el Rey y el Papa ordenaran que se les dejase en paz

---

[550] ZURITA, J., Op. Cit. *"Anales de la Corona de Aragón"*, VIII, p. 503.

para no perjudicar más sus intereses económicos.

Aunque Zurita relata muy de pasada alguna reunión acontecida sin desvelar los nombres de los asistentes[551], las principales fuentes primarias que tenemos para conocer lo que pudo pasar realmente son: el proceso contra Jayme de Montesa (que se conserva íntegro en el Archivo Histórico Provincial de Zaragoza) y la declaración bajo tortura que hizo Sancho Paternoy ante el Santo Oficio y que se reproduce en el *Libro Verde de Aragón* de la Biblioteca Colombina[552]. Los procesos del resto de implicados han desaparecido o se encuentran custodiados en la Biblioteca Nacional de París.

3.2.2.1.1.- La versión de los hechos de Jayme de Montesa

El converso de Zaragoza, Jayme de Montesa, nació en Calatayud. Su casa estaba situada en la plaza de San Andrés, junto a la puerta de la judería bilbilitana. Lindando estaba la casa de Pedro de Taraçona[553], los corrales de la pequeña iglesia privada de San Pablo (propiedad de la familia conversa de los Abencabra) y el cementerio de la iglesia de San Andrés[554]. junto a ella estaban también las casas de García de Santangel[555], las del castellano Álvaro de Luna[556], las de Sperandeo Ram[557] y el castillo de *Costant* o de Dña. Martina.

---

[551] ZURITA, J., Op.Cit. "*Anales de la Corona de Aragón*", VIII, p. 504-505. "Estando el rey en la ciudad de Córdoba las personas que enviaban particularmente a la corte allende de los que fueron por los estados del reino trataban con los privados y principales ministros del rey para que se pusiese remedio en sus pretensiones, y publicaban que se les daba mucho favor; y con una obstinación diabólica deliberaron de ejecutar lo que diversas veces se proponía en sus ayuntamientos: que un Juan de la Abadía, hombre furioso y facineroso, tomase en su cargo de haber personas que se encargasen de matar al inquisidor Pedro Arbués de Épila, y a Martín de la Raga asesor del santo oficio, y a micer Pedro Francés o a dos dellos o al inquisidor; y tomó aquel por principales ministros a un Juan de Sperandeo hijo de Salvador de Sperandeo, que estaba preso por la Inquisición y era hombre de oficio muy bajo y vil, y a Vidal de Uranzo gascón que era su criado y a uno que llamaban Tristanico Leonis tenido por arriscado y valiente, y a otro Antonio Gran Valenciano, y a Bernaardo Leofante de Tolosa; y deliberaban matar aquellos tres que eran los principales ministros que llevaban a su cargo el gobierno del oficio de la inquisición; y que al inquisidor le matasen en la claustra de su iglesia. Y tuvieron sobre ello un ayuntamiento de muchos de los más principales en la iglesia del Temple, y después se juntaron sobre lo mismo en las iglesias de Santa Engracia y de Nuestra Señora del portillo. Y finalmente resolvieron que no se pusiese dilación en matar al inquisidor, porque tuvieron un día a punto de echar en el río a Martín de la Raga asesor del santo oficio, y no lo pudieron ejecutar por hallarse con él acaso don Lope Ximénez de Urrea y don Phelipe de Castro".

[552] COMBESCURE, T. y MOTIS DOLADER, M.A., Op. Cit. "*El libro Verde de Aragón*", pp. 202 ss.

[553] APNC, tomo 52, 1475, Leonart de Sancta Fe, p. 129 Vto. "Pedro de Taraçona, sastre vecino de Valencia... dio a loguero a Pedro Crespo, vecino de Calatayud, unas casas del dito su tio e principal sitas en la dita ciudat de Calatayud, a la puerta de la judería de la ciudat, que confrontan con la carrera, con el corral de la iglesia del senyuor sant Paulo e con corral de los herederos de Jayme de Montesa e con la carrera de dos partes...". VÉASE TAMBIÉN: MARÍN PADILLA, E., "Relación judeoconversa durante la segunda mitad del siglo XV en Aragón: matrimonio", *en Sefarad. XLII*, 1982, p. 11, nota 34.

[554] APNC, tomo 52, 1475, Leonart de Sancta Fe, p. 129vto. "Eadem decima sexta Maii el predicto Domingo Ferrer requirio pormi, Notario infrascripto, fizieso inventario de los bienes e casas que se trabarian en las casas de la predicha Yolant habitana, sitas en la dita ciudat (de Calatayud), vulgarment clamados el Castillo Costant, que confrontan con casas de herederos de Jayme de Montesa, con el cimenterio del senyor San Andres et la carrera".

[555] APNC, tomo 46, 1470, Leonart de Sancta Fe, p. 316vto. "Garcia de Santangel, mercader de la ciudat de Calatayut, otorgo a loguero a Jayme de Santangel, hermano suyo e a Leonort su muller, unas casas suyas en en la ciudat, a la entrada de la puerta de la juderia, con la bodega e vaxillos vinales dentro de aquellas, que confrontan con las casas de los herederos de Jayme de Montesa e con las carreras".

[556] APNC, tomo 37, 1461-62, Leonart de Sancta Fe, p. 152. "Don Anthon de Moros, jurista de la ciudat de Calatayut, asi como procurador de D. Alvaro de Luna, senyor de Stamilla del regno de Castilla, dio a encomienda a Anthon de Valencia, currador de Calatayut, unas casas del dito su principal sitas en la dita ciudat, que confrontan con el castillo clamado Constant e con casas de Jayme Garcia (de Santangel) e con casas de Jayme de Montesa".

[557] APNC, tomo 52, 1475, Leonart de Sancta Fe, p. 90. "Speranden Ram, vecino de la ciudat de Calatayut, vendio a Martín de Montesa, vecino de Calatayut... et de si a todos et qualesquiere otros bienes mobles stantes dentro de las casas de mi habitacion sitas en la dicha

En la capital del reino tuvo fama de buen jurista, lo que hizo que ejerciera el cargo de Lugarteniente del Justicia de Aragón. También fue letrado de la Diputación del reino[558], lo que le permitió relacionarse con el brazo político e influir en su decisión de defender los fueros y libertades contra la Inquisición.

En su proceso inquisitorial compareció contra él una testigo llamada Inés, una moza de servicio de su madre Constanza[559]. Contó que estuvo de moza hacia 1471 y que no consideraba buenos cirstianos ni a su dueña, ni al propio Jayme, ni a sus hermanos: maestre Montesa (fraile del Carmen), Johan, Pedro, Martín y Ferrando. Además manifestó que vió como se casó en su casa una nieta suya, llamada Constanza (hija de Johan de Montesa) con Bernardo Ribas el día de Viernes Santo. Allí vió a también a los judíos bilbilitanos Sento y Jehuda Avayut. El propio Jayme le comentó que se había casado con licencia del oficial de la ciudad. Como ese día celebraban los cristianos la muerte del Señor, Inés dijo a Jayme: *"yo no bailare por cierto senyor, que veo que aquellos que estan en el sermon estan llorando y que yo este baylando no me parecia bien. Baya, baylat* -insistió Jayme- *a aquellos de aqeul lanto Dios les de harto y a nosotros desta alegría, que assi otro dia rediran ellos y ploraremos nosotros*[560]".

Como es lógico, tuvieron que declarar en dicho proceso los judíos nombrados (Sento y Jehuda Avayut[561]), los familiares protagonistas de la declaración (su madre[562] y Bernardo Ribas[563]), asi como algún testigo de la defensa (Francisco Florentín[564], Johan de Nueros[565] y Fernando Torrellas[566]). Encarnación Marín Padilla hace un resumen de los hechos a la vista de todas las declaraciones[567]:

> "El lector se preguntará qué fue lo que en realidad ocurrió en Calatayud, en casa de Constanza López, cierta mañana de viernes Santo entre doce y una del medio día, de una ño que pudo ser el 1471, 1472 ó 1473, mientras en la "torreta del Rey Pasarillo" (de la ciudad de Calatayud) los cristianos oían el sermón que dicho día era costumbre que se dijera. Según Constanza creá no hubo clérigo y se pidió al oficial de Calatayud la licencia. Según Bernardo Ribas se hizo con anillos cambiados y con las palabras con que se acostumbra casar a los católicos cristianos. Y según la defensa se hizo santamente, en el orden,

ciudat de Calatayut, que confrontan con casas de Garcia de Santangel e con el castillo de Constant et con la carrera".

[558] ADZ, actos 1485, ms. 69, ff. 21-21vto. Publicado por SESMA MUÑOZ, J.A., Op. Cit. *"El establecimiento..."*, pp. 162-163. Los Diputados del reino buscan la intercesión de Gabriel Sánchez, tesorero del Rey para que este acepte y conteste "una letra que micer Jayme de Montesa, nuestro advocado, vos scrive el caso como se ha subseguido e en el stamiento que hoy sta".

[559] AHPZ, Proceso de Inquisición contra Jaime de Montesa, J 5-1; 88/4. Publicado por SERRANO Y SANZ, M, Op. Cit. *"Orígenes..."*, p. 509.510. Véase también: BAER, Y., *"Historia de los judíos en la España Cristiana"*, Barcelona, Editorial Riopiedras, 1998, pp. 599-600.

[560] MARÍN PADILLA, E., Op. Cit.. "Relación judeoconversa durante la segunda mitad del siglo XV en Aragón: matrimonio", p. 11.

[561] AHPZ, Proceso de Inquisición contra Jaime de Montesa, J 5-1; 88/4, pp. 127-129.

[562] AHPZ, Proceso de Inquisición contra Jaime de Montesa, J 5-1; 88/4, pp. 143 vto.-144.

[563] AHPZ, Proceso de Inquisición contra Jaime de Montesa, J 5-1; 88/4, pp. 144 vto.-145.

[564] AHPZ, Proceso de Inquisición contra Jaime de Montesa, J 5-1; 88/4, pp. 25 vto-27.

[565] AHPZ, Proceso de Inquisición contra Jaime de Montesa, J 5-1; 88/4, pp. 28.

[566] AHPZ, Proceso de Inquisición contra Jaime de Montesa, J 5-1; 88/4, pp. 29-30.

[567] MARÍN PADILLA, E., Op. Cit.. "Relación judeoconversa durante la segunda mitad del siglo XV en Aragón: matrimonio", pp. 17-18.

mandamiento y costumbre de la Santa Madre Iglesia. Téngase en cuenta que las bodas, desposorios o *esposalicios*[568] en las casas no era un hecho raro... Creo que la presencia de Sento Avayut y su sobrino Jehuda se debió sólo al hecho de compormeterles a satisfacer lo que debían a su parienta Constanza López (tal y como así declararon), para que ésta, a su vez, pudera cortar con ello y fimar los capítulos matrimoniales de su nieta...".

También se dice en su proceso que un judío llamado Lupiel, médico de Calatayud, estaba casado con una judía hija de una prima hermana de su madre Constanza[569]. En 1471, Constanza envió de regalo de boda a esta sobrina ciertos *reales o medios reales* a través de su nieta Constanza (la hija de Johan de Montesa y protagonista de la boda que hemos visto con anterioridad) y su otra nieta llamada también Constanza (hija bastarda de Jayme Montesa, la cual vivía en Calatayud). En casa de la judía les dieron a las niñas *collación* de *esfrillas* (empanadillas) de carne con vino blanco y pasas a Inés, la moza que les acompañaba y a la que no dejaron entrar a la habitación.

En dicho proceso, los testigos de la acusación también vertieron sobre él unas acusaciones que carecían de fundamento. No obstante, en la sentencia[570] quedó probado que cuando iba a Calatayud a visitar a su madre comían ambos carne preparada a modo *judayco*, y durante la comida no permitía que les sirviera más que un criado converso, o hacía que le trajeran las viandas de casa de unos parientes judíos que vivían en la judería. Un Viernes Santo, mientras la comunidad cristiana de Calatayud rezaba en las iglesias, la familia Montesa participó en una boda judía, permitiendo que su hija bailara en todas las que acudían. Cuando algún judío le recordó que no debían bailar porque los cristianos estaban llorando la muerte de Jesucristo, respondió "*otro día reiran ellos y ploraremos nosotros*".

Asimismo, en la sentencia queda confirmado que recitaba oraciones en hebreo y practicaba ritos *judaycos*, como celebrar en privado el *sabbat* y comer *hamín* para honrarlo. También era muy aficionado a tener conversaciones con judíos. Un hermano de Montesa, fraile del Carmen en Calatayud, le reprendió un día por su conducta judaizante, negándose a comer con él y con su madre en presencia de judíos.

Pese a la gravedad de las acusaciones, los inquisidores valoraron que admitiera como ciertas algunas acusaciones de los testigos, como "*que la dicha mesa le acostumbraba a parar (preparar) los viernes a la noche una viexa casera que tenia en su casa e le paraba la mesa y le guisaba los dichos hamines, la qual crehe era conversa; y que todo aquello facia amagadament, que no sabia ninguna cosa dello su muger*".

---

[568] La palabra *esponsalicio* se refiere aquí no sólo al acto de la firma de los capítulos matrimoniales al acuerdo firme y compromiso contraído por los padres o familiares de los contrayentes, sino también al matrimonio contraído ante testigos, con la conformidad de los contrayentes, sin la bendición sacerdotal. En este sentido (MÜLLER-LYER, F., "*La familia*", Madrid, 1930, p. 226), dice al respecto: "Y la Iglesia puso el remate a su obra medieval, cuando el concilio tridentino declaró nulo todo matrimonio contraído sin la bendición sacerdota. Hasta entonces era válido el matrimonio contraído ante testigos, con la conformidad de los contrayentes. Desde el año 1563 se cosnideró como concubinato todo matrimonio contra'dio sin ceremonia religosa, siendo, por lo tanto, prohibido". Era pues válido y admitido el matrimonio de Constanza y Bernardo Ribas.

[569] MARIN PADILLA, E., "Notas de la familia Lupiel de Calatayud (1482-1488)", *en Aragón en la Edad Media, Estudios de Economía y Sociedad, nº 3*, 1980, p. 241.

[570] VÉASE APÉNDICE DOCUMENTAL Nº 22. SERRANO Y SANZ, M., Op. Cit. "*Orígenes...*", pp. 411-420. En el documento 466 se reproduce literalmente la sentencia, fechada en Agosto de 1487, con el título: "*Sentencia de la Inquisición contra Jayme de Montesa*".

Con respecto a su implicación en la muerte de Pedro Arbués -motivo principal por el que se le juzgaba- negó tajantemente en sus primeras declaraciones cualquier participación en el crimen, incluso hubo algún testigo -como el bilbilitano Gimeno de Sayas- que intentó defenderle sin éxito[571]. Todo cambió cuando le sometieron a una sesión de tortura el 10 de agosto de 1487. Fue entonces cuando reconsideró su postura y comenzó a confesar su particular versión de los hechos[572]:

A.- Reuniones previas en casas particulares

Desde el establecimiento de la Inquisición en Aragón, algunos de los conversos más influyentes de la ciudad de Zaragoza tuvieron reuniones informales en las casas particulares de Jaime de Montesa, de *mossen* Luis de Santangel, de Gaspar de Santa Cruz, de Johan de Esperandeo y de Johan de Pero Sánchez, el hermano del tesorero real Gabriel Sánchez. Allí se analizaban las consecuencias negativas que podía tener para ellos la implantación de la Inquisición en Aragón, no sólo para sus negocios sino incluso para sus personas y bienes (mostraban su preocupación por la incautación de bienes tras la acusación e inmediata detención), como así sucedió con los conversos de Sevilla cuando se puso en marcha en Castilla.

En la sentencia de Jayme de Montesa se confirma que en una reunión clandestina que se hizo en su casa, uno de los asistentes planteó por primera vez la necesidad de matar a "*un inquisidor, o dos, o tres, e que assi se guardarian otros de venir a fazer esta inquisicion; e repusso otro: ¡voto a Dios que dezis bien, que si assi lo fiziessemos, otros se escarmentarian, que no faltarian cada ciento o cada dozientos florines para quien lo faga*". Todo quedó en una propuesta que con el tiempo se concretaría y materializaría.

En otra reunión celebrada seis meses antes del asesinato del inquisidor (mediados de marzo) en casa de *mossen* Luis de Santangel, determinaron contratar a hombres armados (guardaespaldas) para proteger sus vidas, tal vez por las amenazas y presiones sociales alentadas por la propia Inquisición.

B.- Primera reunión secreta de conversos

Dos meses antes del asesinato del Inquisidor, además de Jayme de Montesa, se congregaron en la iglesia del Temple los siguientes conversos de Zaragoza: Johan de Pero Sánchez, Gaspar de Santa Cruz, García de Moros (mayor), micer Alfonso Sánchez, micer Johan Sánchez, micer Luis de Castillón, Sancho de Paternoy, Domingo la Naja, Francisco Palomar, *mossen* Luis de Santangel, Martín de Santangel, Pedro Dalmaçan (mayor), y *mossen* Guillen Sánchez. La reunión se convocó a instancia del dicho Johan de Pero Sánchez y de su hermano *mossen* Guillen. Allí hablaron de cómo la Inquisición había ejecutado en auto de fe al también converso, Leonart de Elí, "*al qual todos lo tenian en opinion de buen Cristiano y que si no remediavan en aquello de la inquissicion que asi seria de quadaqual dellos como del dicho Leonart Deli*".

Tras muchas deliberaciones entre ellos llegaron a la conclusión de que contra la Inquisición era difícil luchar, por lo que "*no vehian remedio alguno para ellos sino que se*

---

[571] VÉASE APÉNDICE DOCUMENTAL Nº 24.

[572] VÉASE APÉNDICE DOCUMENTAL Nº 22.

tuviesse forma en que matassen a mastre Epila inquisidor e a micer Martín de la Raga y a micer Pedro Frances porque estos eran los que levaban todo el negocio de la inquisición". Para ello, nombraron a Johan de Pero Sánchez (porque era hombre de dinero), a *mossen* Luis de Santangel y a *mossen* Guillén Sánchez (porque eran hombres de *espada*) para que buscasen y pagasen a las personas más idóneas para hacerlo *"como a ellos pareciesse y segunt la disposición que fallasen".*

C.- Segunda reunión secreta de conversos

Montesa declara bajo tormento que la segunda reunión importante se hizo en la iglesia zaragozana del Portillo. Allí asistieron también varios conversos de ciudades aragonesas, entre ellos el bilbilitano Anthon de Santangel, como luego veremos. Los asistentes preguntaron a los encargados el motivo por el que se retrasaba el asesinato de maestre Épila, a lo que respondieron que *"con difficultat fallavan personas fiadas para ello, empero que ya tenian concierto para ello que muy presto se executarian y assi les fue encargado por otra vez por las sussodichas que con diligencia y secreto se entendiesse en executar el negocio".*

D.- Tercera reunión secreta de conversos

Diez días antes de la muerte de maestre Épila se reunieron en la iglesia de Santa Engracia. Allí se les informó que se habían buscado a unas personas para consumar el homicidio, pero *"que havian algunas noches estado en la Seu a la hora de maytines los que havian de executar el caso para matar al dicho mastre Epila, e que no se havia podido acertar, pero que no podia errarse de muchas noches que no lo matassen".*

E.- Cuarta reunión de conversos

En la sentencia de Jayme de Montesa quedó probado que un día antes del asesinato se reunieron en su casa Juan de Pero Sánchez, Gaspar de Sancta Cruz, García de Moros, entre otros, y decían que *"ahunque supiessen gastar todo quanto dinero havian ganado en las carnicerias, lo gastarian por turbar la Inquisicion de la fe y desfazerla, como dende a hun dia, matando al dicho Inquisidor".*

A pesar de su supuesta colaboración, el Tribunal lo encontró culpable *"de haver passado a los ritus judaycos... Por tanto ...desemparamos, remitimos e relexamos al dicho micer Jayme Montesa, reo condepnado de los crimenes susso dichos, al braço e juez secular, a saber es , el magnifico micer Johan D'Algas, rigient la Cancilleria del Rey nuestro senyor",* quien mandó que le cortasen la cabeza en el mercado de la ciudad y la colgasen en lo alto de un palo. El cuerpo fue quemado después fuera de la puerta Quemada[573] de la ciudad.

---

[573] LEA, H.C., Op. Cit. *"Historia de la inquisición en España",* vol. 1, documento 12, pp. 787-804.

3.2.2.1.2.- La versión de los hechos de Sancho Paternoy

El 29 de enero de 1488, los inquisidores Alfonso Sánchez de Alarcón (Inquisidor) y Martín García (Vicario General del Santo Oficio) sometieron al tormento de la cuerda en el palacio de la Aljafería al zaragozano, Sancho Paternoy[574], tesorero del reino de Aragón, con la finalidad de que declarara la verdad sobre la muerte de Pedro Arbués.

Como era de suponer, comenzó su declaración contando su participación un mes antes de la muerte del Inquisidor, ocultando información de las reuniones anteriores a las que posiblemente él pudo asistir. En agosto de 1485 (un mes antes del asesinato), Johan de Pero Sánchez le mandó llamar, ya de noche, a través de un criado suyo. En su casa estaban también Gaspar de Santa Cruz, *mossen* Luis de Santangel y Mateo Ram.

El anfitrión, Johan de Pero Sánchez, le reveló que tenían intención de matar a maestre Épila, *"el qual tiene concertado Matheo Ram con Sperandeu y Labadía"*. Por el asesinato estaban dispuestos a pagar a los sicarios 1.000 florines. También le dijo *"que Luys de Santangel pagava parte de los dichos dineros"*, y que tenía ganas de asesinarlo *"porque habian dicho quel dicho maese Epila recibia testigos contra el y le fazia processo"*.

Cansado físicamente de la tortura, pidió declarar al día siguiente, siendo su petición aceptada. Una vez repuesto y tras haber reflexionado sobre el alcance de su declaración, contó a los inquisidores: *"que el nunca oyo ni se fallo en parte ninguna donde se fablase de matar ni de dañar a maese Epila... ni sabe quien la ha fecho ni la ha consejado la dicha muerte del Inquisidor, ni nunca ha supido cosa ninguna en esta muerte, ni sabe quien ni quien la ha consejado, ni quien la ha matado, ni en que parte se haya tractado, sino que hablando este este confesante con Joan de Pero Sanchez, que creya seria tres meses antes de la muerte del Inquisidor, y fablando de los hechos de la inquisición de Anchias, no sabe quales desta cosas hablavan, dixo con malenconia el dicho Johan de pero Sanchez: esto yo lo habre de saber"*.

Ante esta contradicción, los inquisidores le sometieron de nuevo a tortura el 8 de febrero de 1488. Otra vez volvió a declarar que quince días o un mes antes de la muerte de Arbués, se reunió en casa de Johan de Pero Sánchez, con *mossen* Luis de Santangel y Mateo Ram. Allí *"el dicho Pero Sanchez dixo que ya veyan como mosen Epila, inquisidor, los tractava tan mal con la parcialidad de sus enemigos, y que si no se fazia alguna cosa que matassen al dicho mosen Epila, que todo era perdido, y assi el dicho Joan de Pero Sanchez, mosen Luys y el Gaspar de Sancta Cruz y Matheo Ram yeste confesante con ellos, fizieron deliberación de matar al dicho mossen Epila, inquisidor, y dieron cargo al dicho Matheo Ram para que buscase uno para que ejecutasse el caso, y alli le prometieron de dar al dicho Matheo Ram mil florines pa el y a los otros que ejecutassen el caso, y dicho Matheo Ram aceptó el dicho cargo, y que el y Badia y Esperandeu darian buen recaudo"*. En su presencia, adelantaron a Mateo Ram cien o doscientos florines para cerrar el trato, quien *"prometio e se obligó de restituyr la cantidat que le fuese librada para executar el caso si no se executava"*.

Dos o tres noches después de la reunión, él mismo y Mateo Ram salieron de casa de Johan de Pero Sánchez y se fueron a casa de Sperandeo. El acusado se quedó fuera vigilando y Mateo entró para hablar. Después los dos se fueron a casa de Pero Sánchez y *"dixole el Matheo Ram como habia hablado con el dicho Esperandeu y que le havia dicho que presto se daria recaudo, que ya lo havian esperao al Inquisidor e que no lo havian podido haver. Terminada la reunión y, sobre las 12 de la noche, Matheo Ram, Esperandeu y Badía salieron para matarlo en la Seo, pero no pudieron hacerlo a hora de maitines porque "no lo habian acertado"*.

---

[574] VEASE APENDICE DOCUMENTAL Nº 23.

No sabemos dónde puede estar archivado su proceso inquisitorial y, por consiguiente, la sentencia y pena que pudo recibir. Milagrosamente se ha conservado estas declaraciones en el *Libro Verde*. Su contenido es de enorme interés dada la escasez de noticias y fuentes relacionadas con la muerte de Pedro Arbués.

3.2.2.2.- CONCLUSIÓN: UN RESUMEN DE LOS HECHOS

En diciembre de 1483 se implantó la Inquisición en Aragón. De inmediato, los conversos de la ciudad de Zaragoza se movilizaron para evitar las persecuciones e incautación de bienes que ya estaban padeciendo por parte del Santo Oficio.

En ese mismo mes comenzaron a realizarse las primeras reuniones clandestinas en las casas particulares de Jayme de Montesa, de *mossen* Luis de Santangel, de Gaspar de Santa Cruz, de Johan de Esperandeo y de Johan de Pero Sánchez, entre otros. El objetivo era idear una estrategia común de actuación contra su establecimiento. En ellas se acordó trabajar en dos direcciones: una política y otra de carácter económico-recaudatorio. En efecto, aprovechando la enorme influencia política que tenían sobre la Diputación -no olvidemos que Jayme de Montesa era uno de sus más prestigiosos letrados- decidieron interferir en la vida pública de esta Institución.

Para ello, aprovecharon las protestas, indignación y frontal oposición que en esos momentos estaba realizando la ciudad de Teruel contra la Inquisición y su implantación en la ciudad. La finalidad era que la Diputación del Reino con sede en Zaragoza se sumase a la protesta. Los de Teruel alegaban que la Inquisición actuaba en contra de su fuero, argumento que aprovecharon los conversos para que los Diputados se pusieran de parte de los turolenses y, al mismo tiempo, defendieran los cánones que contradecían los fueros y libertades aragonesas. Esta confrontación institucional favorecía los intereses del colectivo converso.

Si a esto se suma la preocupación de los Diputados por evitar una castellanización de la vida aragonesa con el nombramiento de inquisidores castellanos, se entiende perfectamente la unión de intereses entre los conversos más influyentes y los Diputados que, pese a jurar favorablemente a su implantación en la catedral de la Seo, no podían permitir la violación de los derechos forales.

Al mismo tiempo, también se acordó recaudar al menos 100.000 florines entre todos los conversos de Zaragoza y principales ciudades de Aragón -como Calatayud y Barbastro- para, llegado el momento, poder donarlos al rey o al Romano Pontífice con el pretexto de impedir que el Santo Oficio no interviniera contra ellos, salvaguardando así la protección de sus personas e intereses económicos.

Pero estas primeras reuniones clandestinas no pasaron inadvertidas para las autoridades zaragozanas y mucho menos para la propia Inquisición, quien informó al Rey de la existencia de sus convocatorias. El 7 de febrero de 1485, Fernando II responde a los inquisidores que *"nos parece cosa muy fea lo que nos screvis de la bolsa de los conversos e de las sobornaciones de los testigos, embiamos a mandar al Governador que reciba dello información e nos la embie; luego vos deveys juntar con el e dar forma como de todo, e por el e por vosotros seamos certificados de la verdat*[575]*"*. Tras la advertencia, el Rey puso en marcha un dispositivo de información y control

---

[575] ACA, Real Cancillería, Reg. 3684, fol. 37vto-38. Publicado por SESMA MUÑOZ, J. A.; Op. Cit. *"Establecimiento..."*, doc. 95,

para que el asunto no se le fuera de las manos.

Convencidos los conversos de que su estrategia legal había fracasando porque el monarca se negaba a admitir los argumentos que la embajada de la Diputación le había entregado, y comprobando que los principales resortes de poder como el Justicia de Aragón y el Arzobispo de Zaragoza también habían rehusado secundar dichos argumentos, entonces decidieron -dos meses antes del asesinato del Inquisidor Arbués- dejar el camino diplomático y recurrir definitivamente a la fuerza.

A partir de entonces, los contenidos de las reuniones clandestinas dieron un giro de ciento ochenta grados. En Julio de 1485 y a instancias de Johan de Pero Sánchez y su hermano *mossen* Guillen, se reunieron en la Iglesia del Temple el porpio Johan de Pero Sánchez y los conversos Gaspar de Sancta Cruz, Garcia de Moros (mayor), micer Alfonso Sánchez, micer Johan Sánchez, micer Luis de Castillón, Sancho de Paternoy, Domingo la Naja, Francisco Palomar, *mossen* Luis de Santangel, Martín de Santangel, Pedro Dalmaçan (mayor), y *mossen* Guillen Sánchez.

La propuesta de matar a uno o varios inquisidores -que alguien propuso en las primeras reuniones- ahora recobrará firmeza. Los asistentes nombraron a Johan de Pero Sánchez (porque era hombre de dinero), a *mossen* Luis de Santangel y a *mossen* Guillén Sánchez (porque eran hombres de *espada*) para que buscasen y pagasen a las personas mas idóneas que se atrevieran a matar a alguno de ellos. Sus muertes harían reflexionar a la Inquisición sobre su actuación anti-conversa.

Un mes antes de la muerte de Arbués, el converso zaragozano Sancho Paternoy fue invitado por Juan de Pero Sánchez a una reunión nocturna en su casa. En ella le estaban esperando también Gaspar de Santa Cruz, *mossen* Luis de Santangel y Mateo Ram. Allí le revelaron que ya habían decidido matar a maestre Épila, y que los ejecutores serían Mateo Ram, Johan de Esperandeo y Johan de La Abadía. La cuantía que iban a cobrar ascendería a 1.000 florines. El propio Luis de Santangel estaba dispuesto a pagar una buena parte de ellos.

Durante los últimos 15 días de agosto se celebraron más reuniones en casa de Juan de Pero Sánchez y de Jayme de Montesa para ultimar los detalles de la muerte del Inquisidor. También se congregaron en la iglesia de Santa Engracia, donde se informó a los asistentes que ya se habían buscado a las personas que iban a ejecutar el homicidio y que lo habían intentado varias veces en la Seo, pero sin éxito. El objetivo era conseguirlo a cualquier precio.

Por el *Libro Verde de Aragón*[576] sabemos que los conversos Johan de Pero Sánchez, Gaspar de Santa Cruz y García de Moros se juntaron la víspera del asesinato en casa de Jayme de Montesa para concretar el plan de acción que se llevaría a cabo la noche del día siguiente, el 15 de agosto de 1485.

---

p. 133.

[576] MOTIS DOLADER, M.A. Y COMBESCURE THIRY, M. Op. Cit. *"El libro verde de Aragón"*, p. 202. En el manuscrito original de la biblioteca Colombina se encuentra en el folio 56.

3.2.4.- EL ASESINATO DE PEDRO ARBUÉS

3.2.4.1.- VERSIONES DOCUMENTALES DE LA MUERTE DE PEDRO ARBUÉS

3.2.4.1.1.- Testimonios coetáneos al asesinato del inquisidor Arbués

La primera noticia documental que se conserva de la muerte de Pedro Arbués la encontramos en el Archivo Capitular de la Seo de Zaragoza, concretamente en el "*Libro de los actos fechos por el capitulo principiado anyo MCCCCLXXXV*", tradicionalmente conocido como el primer volumen de las "*Actas del Cabildo de la Seo de Zaragoza. Siglo XV*[577]". En ellas, el canónigo Anthon de Barberán anotó las decisiones y sucesos más importantes que el Cabildo Metropolitano vivió entre 1468 y 1500. El que más destaca es el relato titulado "*Maestre Epila calonge et inquisidor, martyrio del santo Maestro Epila*[578]" que, al parecer, fue escrito el 17 de septiembre de 1485, el mismo día que murió:

"Miercoles en la noche jueves de manyana a maytinas asi a la una hora apres de media noche dia que se contaba a XV de setienbre del anyo de mil CCCCLXXXV començadas las maytinas del octavario de gloriosa Virgen Maria quando las calonges cantavan el invitatorio el reverent maestre Pedro Epila alias Arbues calonge de la dicha Sey de Çaragoça et inquisidor de la ffe salliendo de la caustra a maytinas en salliendo de la caustra tomo agua bendita en la pila et aginollose a dir oracion al altar mayor et estando aginollado vino un traydor y diole una grant quchillada ent cuello esquierdo que le corto la vena organica et un hotro traydor vino y diole una stoquada en el braço esquierdo que le paso el braço todo y sino que el dicho maestre Epila levava armas secretas ent cuerpo a el lo pasaban de parte a parte et asi con estos dos golpes el dicho calonge et inquisidor cayo en tierra et al albolot sallimos todos del coro y fallamoslo en tierra con mucha sagre perdida y que de continuo perdia. Y asi ceso el oficio y levaronlo a su cambra et alli stubo ferido juebes y biernes. El sabado de manyana asi a la una apres de media noche quasi a la media hora que fue ferido emisit espiritum et mortuus est. El capitol ceso a divinis ab illa hora que el dicho calonge fue ferido et asi mesmo cesaron en todas las iglesias de la ciudat. Duro esto por tiempo de tres dias que ni en la Seu bu eb Sancta Maria ni en ninguna iglesia ni monesterio no se celebro ni dixo misa ni oficio ninguno. El dia que murio que fue sabado de manana que se contaba a XVII del mes de setienbre del anyo de 1485 asi a la huna hora apres de medio noche el Arçidiano de Teruel mossen Pedro de Luna et maestre Martin Guardcia et mossen Martin Scudero calonges vistieron el cuerpo et lo baxaron y sacaron de la cambra y lo posaron en el captil con VI cirios y dos capellanes que dizian el salterio y con un panyo de

---

[577] El códice es un manuscrito de papel grueso verjurado de 124 folios distribuidos en seis cuadernillos sueltos, de estructura y disposición variables de 295x214 mms., foliados con algunos saltos en la numeración, 116 de ellos con cifras arábigas pero alternando con numerales romanos en el primer fascículo.

[578] El relato de la muerte de Arbués queda recogido en mitad del folio 24 recto del primer cuaderno, concluyendo en el folio 27 vuelo, parte ya del segundo fascículo.

brocado y una (cruz) encima[579]".

Ese mismo día, el notario de Zaragoza, Juan de Anchías, levantó acta pública dando testimonio de que vio al *"dito Inquisidor seyer muerto[580]"*. Allí estaban también presentes los dos cirujanos que le asistieron en el lecho de muerte, los maestros Prisco Laurencio y Johan de Valmaseda, los cuales le dijeron que *"era muerto de dos cuchilladas que yndo a los maytines el jueves mas cerca passado le havian dado*. Además *fizieron fe e relación que el dito Inquisidor era muerto... de una cuchillada le havian dado por el pescueço, desde las cervices fasta la barba, de la qual le havian cortado las venas organicas y la barilla"*.

Nueve días más tarde, el 26 de septiembre de 1485, los diputados del reino comunicaron al Rey el atentado y muerte del Inquisidor, así como los alborotos que se produjeron en Zaragoza:

> "Miercoles, que se contava a quatorze dias del presente, a ora de maytinas, acontecio que algunas personas dabolicas e infiales dieron dos cuchilladas al reverendo maestre Pedro de Arbués, alias d'Epila, inquisidor, la una en el cuello la otra en el braço, y esto dentro de la seu e haun el stando agenollado e faziendo oracion, de las quales es muerto. Fue cosa tan nueva e tan grave, tanto iniqua y scandalosa quanto Vuestra Alteza puede considerar, e dio tan grande alteracion en esta ciudat que a la mesma hora repicadas campanas se armaron infinitas gentes e con la oppinion e fantasia que este caso havian fecho fazer los conversos, a quien se fazia la inquisicion, toda aquella gente que stava armada e plegada senyalava e fablava de matar e robar dichas gentes e a mescla de aquello, la juderia e moreria, y es cierto, si el robo se hoviera escomencado a fazer segunt a la gente popular agrada el robar, se huviera stendido a todas las casas que pudieran fallar ropa[581] ... ".

El suceso de la muerte y milagros de Arbués se difundió con rapidez por todas los lugares de Aragón. Entre el 15 y el 30 de septiembre la ciudad de Teruel recogió el triste acontecimiento en su *"Libro de los Jueces"*:

> "Jueves a quinze de setiembre, Viniendo de la claustra a maitines, maestre Epila, canonge de la Seu de Çaragoça e inquisidor de la fe, ciertos homes movidos de espiritu diabolico, estando de rodillas el dicho inquisidor delante el altar, aunque dizen conn jaquete de malla, le dieron ciertas estocadas y no pudiéndole matar le dieron por el cuello y en otras partes del cuerpo, de las quales cuchilladas, apres de aver fecho ordinacion de catolico cristiano, el sabado siguiente a la misma ora dio el anima a Dios.

[579] DOMINGO PEREZ, T. y GUTIÉRREZ IGLESIAS, M.R., "La muerte de San Pedro Arbués y sus consecuencias en el primer libro "de Gestis del Cabildo de la Seo Zaragoza", *en Memoria Eclesiae, XXV*, p. 265. También: IZQUIERDO TROL, F., *"San Pedro Arbués primer inquisidor de Aragón"*, Zaragoza, 1941, p. 57.

[580] AHPZ, Juan de Anchías, 1485, hoja suelta sin foliar. Publicado por SERRANO Y SANZ, M., Op. Cit. *"Los orígenes..."*, pp. 168-169. También: SESMA MUÑOZ, J.A., Op. Cit. *"El establecimiento..."*, pp. 174-175.

[581] ADPZ, Actos, 1485, ms. 69, fol 44-45. Publicado por SERRANO Y SANZ, M., Op. Cit. *"Los orígenes..."*, pp. 168. También: SESMA MUÑOZ, J.A., Op. Cit. *"El establecimiento..."*, pp. 176-177.

Caso tan feo como este no fue visto ni oido en nuestro tiempo. Perdono a los que lo avian fecho. Dizen lo sepultaron allí donde lo fizieron y que brottava la sangre azia arriba desde el suelo, y esto se tuvo en gran maravilla por do toda la jente corria alli, tomando de la sangre, otros besando, otros besando como si fuese San Martin. Estando muerto parecia tener la cara de hombre santo. Esta entredicha la Seu, que no dizen otras oras sino el salmo de la maldicion. La jente estava escandalizada contra los confesos que se hiziera algun gran caso sino por el Arçobispo y el Gobernador, porque aquella ciudat estava muy triste y escandalizada[582]".

3.2.4.1.2.- Testimonios posteriores al asesinato del inquisidor Arbués

A mediados del siglo XVI, (unos cincuenta años después del suceso), Jerónimo Zurita relata en sus *"Anales de la Corona de Aragón"* los acontecimientos desde una perspectiva diplomática, postura muy alejada de la redacción con tintes afectivos de los primeros testimonios escritos. Él tuvo delante las versiones de los procesos de Inquisición, y las actas notariales y eclesiásticas levantadas por los que vivieron los hechos en primera persona. Pese a esta rica y variada fuente documental que dispone, sólo se limita a contar lo sucedido sin revelar por cautela la identidad de ninguno de los protagonistas. Veamos su descripción:

"A la hora señalada entraron en dos cuadrillas Juan de La Abadía, Vidal Duranço y Bernaldo Leofante por la puerta mayor de la iglesia y los otros por la que llaman de la prebostía, y en dos puestos aguardaron hasta que aquel bienaventura varón entró por la puerta de la claustra con una lanternilla en la mano y con una hasta de lanza corta, como aquel que una noche antes había visto que le quisieron entrar a matar dentro de su aposento y presumía que había grande conspiración contra él de los conversos; y llegó a ponerse debajo del púlpito, a la parte de la epístola: y arrimando la hasta la pilar se hincó de rodillas ante el altar mayor arrimado al pilar. Como le vieron, acudieron del uno y del puesto para él; y Juan de La Abadía y Vidal Duranço rodearon por detrás del coro, y Vidal le dio una mu gran cuchillada por la cerviz, y luego se fue huyendo; y Juan de Sperandeo que estaba cerca, arremetió para él con la espada desenvainada y le dio dos estocadas diciendo el inquisidor: "loado se Jesu Cristo que yo muero por su santa fe". Y aquel sacrílego entonces, echó mano al punyal para degollarlo; y habiendo caído en el suelo lo dejó, creyendo que era muerto. Todos se fueron huyendo con tanta turbación que por gran espacio no acertaban a salir por las puertas; y quedó el santo varón tendido en el suelo cuando acudió todo el clero que estaba celebrando los maitines; y estaba repitiendo las mismas palabras y otras en alabanza de Nuestra Señora, cuyas horas estaba rezando, siendo las heridas que tenía mortales. Y acudiendo Manuel de Arinyo por estar su casa muy vecina ala iglesia,

[582] AHPZ, Libro de los Jueces de Teruel, Sección Concejo, vária 27. Publicado por LOPEZ RAJADEL, F., "Crónica de los Jueces de Teruel (1176-1532)", *en memoria de licenciatura*. También SESMA MUÑOZ, J.A., Op. Cit. *"El establecimiento...",* p. 180.

fue el primero que le tomó en los brazos para llevarle a la sacristía[583]".

También a mediados del siglo XVI, el archivero de la Seo e historiador zaragozano, Diego de Espés[584], cuenta con minuciosidad en su *"Historia Eclesiástica de la Ciudad de Zaragoza"* los conventículos y asesinato de Pedro Arbués. Aunque sigue literalmente a Zurita, al cual cita constantemente, añade de su cosecha discursos y frases de los protagonistas sin ningún rigor histórico y documental. Como dato interesante conviene destacar la descripción del recorrido que hicieron, la noche de autos, los asesinos por las calles de la ciudad hasta llegar a la catedral de la Seo, a la que entraron por la puerta de la calle Pabostría para ejecutar sus planes:

> "15 del mes de setiembre deste anno de 1485, los assessinos que eran Juan de la Abadia, Juan de Esperandeu, Vidal de Duranço Gasquon, que era su criado Tristanico, Antonio Gran valenciano y Bernardo Leofant de Tolossa y otros tres que estaban con mascaras y todos bien armados y puestos en orden salieron de casa de Sperandeu y todos juntos fueron por el coso y por la calle que esta el granero nuevo de la ciudat que va a san Andres y de alli salieron a las botigas hondas y passaron por cassa del gobernador don Joan de Moncayo que ahora son del Conde de Fuentes y por el cario de la calle y a la plaça de la Seo y Rodearon por las espaldas de la casa del S. Arçobispo y vinieron a la puerta de la pavostria que estava en el quarto nuevo de la ampliacion de este sancto templo que hizo el excellentissimo don Hernando de Aragon, Arzobispo de esta sancta iglesia...frontero del crucifixo del trascoro la qual hallaron abierta[585]...".

Hacia el año 1550 se publica el *"Libro Verde de Aragón"*. Su autor anónimo (atribuido a Anchías, asesor de la Santa Inquisición) dedica un pequeño capítulo *"la muerte del bienaventurado maestre Épila"*. Delante tiene la obra de Zurita y Diego de Espés, por lo que apenas se sale del guión oficial. Veamos su relato:

> "Y falose por verdad que el dia siguiente, que se contaba a 15 dias del mes de setiembre del precalendado ano de 1485, entre onze y doze horas de media noche, uno, llamado Joan de Esperandeu, assasin, fue a casa de Joan de Labadia y llamo a su puerta y hallo que era acostado. Y dixo le el dicho Esperandeu: "¿A que hora hos acostasteis? ¡Aun estays en la cama¡" Respondieole el Abadia: "yo me acoste una (hora) despues que se hizo de noche". Y le dixo el dicho Esperandeu: "Levantos, que ya se passa la hora". El qual Abadia, levantado, se armo y se puso unas coraças. Y fueron el y el dicho Esprandeu juntos a casa del dicho Esperandeu y hallaron alli

[583] ZURITA, J., Op. Cit. *"Anales de la Corona de Aragón"*, vol. VIII, p. 505.

[584] GRAN ENCICLOPEDIA ARAGONESA 2000, Zaragoza, 2000. Diego de Espés nació en Arándiga en el primer tercio del siglo XVI y murió en Zaragoza en 1602. Se distingue por sus estudios de Filosofía y Teología, así como por su particular afición por la historia y las antigüedades.en 1543 recibió el título de maestro en Filosofía por la Universidad de Zaragoza. Fue beneficiado del Pilar a partir de 1562 y ayudante del mismo en 1578 hasta 1583, año en que obtuvo un beneficio en la Catedral de la Seo, siendo archivero del mismo hasta 1587, en que desempeñó el cargo de secretario de dicho cabildo.

[585] ESPES, D., Op. Cit. *"Historia eclesiástica de la ciudad de Çaragoça..."*, tomo II, sig. 20-48, p. 678.

a Matheo Ram y Vidau Durango, moço de Esperandeu, que era çurrador, y a Tristanico, moço que era de Matheo Ram, hereje, y otros tres que estavan con mascaras, los quales no se puede saber quien eran. Y assi todos juntos fueron por el Cosso y entraron por el trenque que viene a Sant Andres y de alli sallieron a las botigas fondas y passaron por casa del governador, que ahora es del conde de Fuentes, y por el cabo de la carrera y por la plaça de la Seo, y rodearon por detras de casa del arçobispo y vinieron a la puerta de la Pavostria, que es de çaga de la Seo, que la hallaron abierta para los maytines. Entraron en la Seo el dicho Matheo Ram y su escudero Tristanico y Joan de Esperandeu y su moço Vidau Durango, frances. Y el Joan de Labadia se quedo con los que tenian mascaras, a la dicha puerta de la Seo. Viendo el Joan de Labadia que se detenian tanto, entro en el dicha Seo y vio al glorioso martyr, maestre Pedro Arbues, alias de Epila, inquisidor , que estava arrudillado en el pilar, de baxo el pulpito donde solia predicar, entre el altar mayor y el choro, que havia venido a maytines, revestido como canonigo... Entonces el dicho Abadia dixo a Vidau Durango, frances: "¡Dale, traydor: que esse es¡ Y el dicho Vidau le dio una cuchillada de rebes, que le tomava desde la cerviz hasta la barba, que della le corto la varilla y la vena organica. Y como el glorioso martyr se levantasse, turbado del gran golpe, para yr al choro, el Joan de Esperandeu le dio la estocada que le passo el braço de claro en claro. Y con golpes tan grandes, vino a caer donde yo en dia esta su cuerpo sepultado, que es de baxo su sepultura... Y al ruydo, los canonigos, que estavan el el choro, espantados, lo llevaron a su camara, donde vinieron dos famosos cirujanos y le vieron las heridas, y dixeron a los que alli estavan presentes, que las heridas eran mortales y que, según curso de cirugia, no podia escapar de morir. Murio el dicho martyr (al día) siguiente, que se contava a 17 de setiembre, entre una y dos horas despues de media noche, que fue a la mesma hora que lo hirieron. Y en todos los dias que vivio[586]...".

Vicencencio Blasco de Lanuça publica, en el año 1624, su famosa *historia de la vida de Pedro Arbués*. En un lenguaje popular y lleno de imaginación describe el suceso sin ninguna novedad historiográfica. Como es lógico, sigue la línea argumental de los anteriormente autores:

"Iuan de la Abadia con su quadrilla de hombres desalmados, y perdidos, miercoles a la noche catorze de setiembre, del año mil y quatrocientos ochenta y cinco, entró en la iglesia mayor, y Metropolitana, el con dos compañeros, por la puerta principal, y los otros por la de la Pabostria, a fin de no dar que sospechar entrando todos juntos. No avian llegado los maytinantes, pero dieron las doze de la noche, y empeçaron a venir unos y otros, y entrandose en el coro, porque dio la media para la una, y requedando començaron los clerigos el invitatorio del jueves, quinze de setiembre, al mismo punto que los conjurados vieron entrar con su lanterna y habito de coro al santo Maestrepila, por la puerta del claustro, y que

---

[586] MOTIS DOLADER, M.A. Y COMBESCURE THIRY, M. Op. Cit. "*El libro verde de Aragón*", p. 202-203.

llegandose delante el Altar mayor se arrodilló al pie del pulpito de la mano izquierda, arrimado a la coluna, y se puso a rezar con fervorosa devocion, y afecto. En viendo al santo de aquella suerte, acudieron los malhechores de sus puestos, y llegando Vidal Duranso por las espaldas le dio una grande cuchillada por la cerviz, con que le cortó las venas jugulares, la organica atravesando la herida por la barba, hasta cerca la boca. Y bolvio el sacrilego al punto las espaldas, queriendo huyr, y Juan de Esperandeo tiró una estocada al santo inquisidor, que le atravesó el braço, y echando mano a un puñal para degollarle, el inocente cordero cayó en el suelo, diziendo, "loado sea Iesu Christo, que yo muero por su santa fe"... El clero desta santa iglesia dio grandes vozes, y llegandose al santo, y viendole con las heridas mortales, y sin remedio lloró la gran perdida, abominó del atrevimiento. Procuraron cerrar las heridas, atarlas, levantarlo del suelo, tomarlo en braços, y con grandes lamentos llevalo a su aposento por tratar de su remedio, y cura, si alguna era posible. Nuestro Cronista Geronimo Çurita dize, que llegó Manuel de Arinyo, que vivia cerca de la iglesia, y que fue el primero que le tomó en los braços para llevarle a la sacristia, y que el santo murio el mismo Jueves en la noche 15 de setiembre 1485, el qual recibe manifiesto, assi en lo del dia de la muerte, que fue el 17 de setiembre de aquel año, dos dias despues que le hicieron, y casi a la misma hora de que ay muchos actos[587]...".

3.2.4.2.- CONCLUSIONES: UN RESUMEN DE LOS HECHOS

Sobre las 11 de la noche del 14 de septiembre de 1485, los conversos Johan de La Abadía y Johan de Esperandeo fueron a casa de este, donde ya les esperaban Mateo Ram, Vidal Duranço (mozo de Esperandeo), Tristán (mozo de Mateo Ram) y otros tres que ocultaban su rostro con máscaras. Todos juntos fueron a la catedral de la Seo.

A las doce en punto de la noche del 15 de septiembre de 1485, se abrieron las puertas de la catedral de la Seo para dar comienzo el rezo de maitines. Por la puerta de la Pabostría entró Mateo Ram, Johan de Esperandeo, Vidal Duranço y Tristanico. En la puerta principal esperaban Juan de La Abadía y los que tenían máscaras.

Como tardaban en dar señales de vida, La Abadía entró y vio como el Inquisidor Arbués salía del claustro revestido de canónigo y se acercaba al altar mayor, donde se arrodilló junto al púlpito después de dejar en el pilar del lado de la Epístola la lanza que llevaba para protegerse. La Abadía lo identificó y advirtió entonces a Vidal Duranço (que estaba escondido precisamente detrás de ese pilar) que lo matara. Los canónigos, en ese mismo instante, comenzaron a rezar las salmodias de maitines.

En ese preciso instante, Duranço, sin dilación alguna, le infirió una cuchillada en el lado izquierdo del cuello, seccionándole la vena orgánica. Luego Juan de Esperandeo, viendo que Duranço salía corriendo y que el Inquisidor se levantaba, le asestó una estocada por el brazo izquierdo (única zona desprotegida por las mallas metálicas que llevaba), cayendo malherido en el mismo lugar donde se enterró. Ambos se juntaron con los otros cómplices que estaban

---

[587] BLASCO DE LANUZA, V., Op. Cit. *"Historia de la vida, muerte, y milagros del siervo de Dios Pedro Arbués..."*, pp. 73-81.

vigilando en la puerta principal y se dispersaron.

Los canónigos salieron precipitadamente del coro, taparon sus heridas y lo trasladaron a la sacristía para prestarle los más urgentes auxilios. De allí lo trasladaron enseguida a sus aposentos privados para que el médico judío Ebrí le asistiese y curase sus heridas, pero fue inútil porque eran mortales. En los dos días que duró su agonía también le prestaron remedios los cirujanos Prisco de Lorenzo y Johan de Valmaseda, quienes certificaron su muerte el 17 de septiembre ante el notario del Santo Oficio Johan de Anchías. El crimen suscitó gran conmoción y multitudinarios alborotos en la sociedad zaragozana y aragonesa. Cuando el 19 de septiembre de 1486 se celebraron las exequias, la ceremonia se desarrolló con solemnidad y gran participación de gente.

Jaime de Montesa declaró ante los inquisidores *"que apres de la muerte del dicho inquisidor le dixo el dicho micer Alonso Sanchez que (Johan) Abadia y (Johan) Sperandeu y Matheu Ram y hun criado del dicho Sperandeu havian executado la dicha muerte del dicho inquisidor*[588]*"*. Este criado era Vidau Duraço, alias Francés. También participaron Tristán (escudero), Anthon Grant y Bernat del Infant. Además dice que los dichos Johan de Pero Sánchez, Pedro Dalmaçan y Gaspar de Sancta Cruz pagaron a los asesinos 800 florines de oro *"con intençion de cobrar lo que podiesen de los otros (conversos)"*.

3.2.4.3.- LA POSIBLE IMPLICACION DE ALTOS FUNCIONARIOS DE LA CORTE REAL

Como ya sabemos, desde el 7 de febrero de 1485, el Rey ya era conocedor de las reuniones e intrigas de los conversos zaragozanos, motivo por el que ordenó al Gobernador que investigase sobre el asunto para mantenerle informado. Es muy probable que, a partir de entonces, asistieran personas infiltradas para espiar el contenido de dichas reuniones. Es lógico pensar que si el Rey era sabedor de la estrategia conversa, también lo eran sus colaboradores de origen judeo-converso, entre ellos Gabriel Sánchez (tesorero del rey) y Sancho Paternoy (tesorero del reino de Aragón).

Por la declaración bajo tortura de Jaime de Montesa[589] se deduce que, Gabriel Sánchez, no sólo era conocedor de los entresijos de la conjura y de la muerte del inquisidor, sino que apoyó y aceleró el asesinato a través de su hermano y cabecilla de la trama, Johan de Pero Sánchez. En efecto, Montesa cuenta a los Inquisidores que unos días antes de la muerte de Pedro Arbués, el propio Johan le enseñó una carta cifrada escrita por su hermano, Gabriel Sánchez, en la que les decía que *"se maravixava como tanto dilatavan el susodicho negocio de las susodichas muertes de maestre Epila, micer Martin de la Raga e micer Pedro Francés"*, extrañándose de su demora e invitándoles a que lo hicieran cuanto antes por contar con *"los acuestes y espaldas que tenían en la corte, en no poner por execucion el dicho caso de las dichas muertes"*.

Al ser preguntado por esos respaldos, contesto *"que el comprenhendio eran micer Alfonso de la Cavalleria, vicecanciller, y el dicho Gabriel Sanchez, tesorero y el protonotario Phelipe Climent y el secretario Loys Gonçalez"*, es decir, todos los altos cargos conversos de la corte. Interrogado si después del asesinato de maestre Epila tuvo contacto con estos funcionarios

---

[588] VEASE APÉNDICE DOCUMENTAL N° 18.

[589] VEASE APÉNDICE DOCUMENTAL N° 18.

reales, respondió *"que trobandose este confessant en la Diputación (del reino) y veniendo a fabla con el algunos de los sobre dichos e susso nombrados, que cupieron en el dicho consejo, declaro havia estado fecha la dicha muerte tovieron aquella por bien fecha y les plazio mucho, aunque estavan tememorizados de algun alborot que se moviesse"*. En la sentencia de Jayme de Montesa[590] quedó probado que después del homicidio dijo a cierta persona vinculada a la Diputación que *"hartos remedios tenemos, que el senyor Rey es de nuestra parte y han todos los cavalleros de Aragón, que en la Corte tenemos a todos los magnates cortesanos de ste reyno que nos ayudaran"*.

En la declaración bajo tortura que Sancho Paternoy[591] realizó ante los Inquisidores también inculpó directamente al tesorero real, Gabriel Sánchez, en estos términos: *"que quando Johan Sanchez le scrivio a este confesante como en este caso de la dicha muerte cabia el thesorero; y mas le dixo que cabian en el, mossen Guillen Sanchez, micer Luys Santangel, micer Montesa y Gaspar de Santa Cruz"*. Cuando le preguntaron si *"el thesorero Gabriel Sanchez y Joan de Pero Sanchez, scriviesen el uno al otro por cifras, responde y dize este confesante que es verdad que el dicho Joan de Pero Sanchez le dixo que el y su hermano Gabriel Sanchez, thesorero, se scribian por cifras, y esto supo assi mesmo preguntandole este confesante al dicho Joan de Pero Sanchez: ¿Ay letras de la corte?, en que el Joan de Pero Sanchez le respondio: Letras ay, pero no tengo sacadas las cifras"*.

Las declaraciones hechas por Jayme de Montesa y Sancho Paternoy nos originan graves problemas de interpretación. Ambos declararon que el tesorero real propuso y apoyó la muerte del Inquisidor, y que mantuvo con su hermano, Juan de Pero Sánchez, una correspondencia cifrada. Es muy probable que Montesa y Paternoy quisieran mezclar en el crimen a un personaje mediático de gran influencia en la Corte, para ver si lograban así eludir, o al menos en parte, la pena por su delito. Lo cierto es que la Inquisición, que no solía hacer diferencias entre las clases sociales cuando se trataba de perseguir y castigar a los conversos, no implicó en los procesos al tesorero real, y que en la sentencia de Jayme de Montesa ni siquiera se le menciona pese a las graves acusaciones que este vertió contra él.

No obstante, se abre ante nosotros un gran interrogante: ¿los asesinos de Pedro Arbués son los únicos culpables?. Por los procesos se puede intuir que hubo cierta participación desde la Corte. Netanyahu[592] piensa que la misma Inquisición habría encargado el asesinato. Otros, como José Ángel Sesma[593], opinan que el Rey era conocedor de las intrigas por sus más inmediatos colaboradores conversos y que organizó o permitió el asesinato para su interesado uso político. Aunque no sabemos a ciencia cierta los entresijos que pudieron hacer cambiar de opinión al grupo de conversos, todo parece indicar que, desde arriba, se manipuló la estrategia interna y el destino de los fondos pecuniarios recaudados para fines puramente partidistas, sin importarles el destino que luego pudieran llevar los protagonistas de semejante engaño.

Pese a que los conspiradores incriminaron en sus declaraciones a los consejeros reales, estos no llegaron a ser inculpados de traición por su proximidad al Rey y por su cambio de estrategia: perseguir a los culpables para salvar ellos la vida y el prestigio de la Corona. Es más, el tesorero logró que su hermano Juan de Pero Sánchez huyera a Italia. También Sancho Paternoy (maestre racional de Aragón) y Alonso de Alagón (señor de Pina de Ebro y el único no converso)

---

[590] VEASE APÉNDICE DOCUMENTAL Nº 22.

[591] VEASE APÉNDICE DOCUMENTAL Nº 23.

[592] NETANYAHU, B., Op. Cit. *"Los orígenes de la Inquisicion en la España del siglo XV"*, pp. 1053-1061.

[593] SESMA MUÑOZ, M.A., Op. Cit. "Violencia institucioanlizada: el establecimiento de la inquisición...", p. 672.

lograron salvar su vida por su proximidad al monarca.

La impresión que uno obtiene cuando estudia los hechos con imparcialidad es que Pedro Arbués intuía que iba a morir, pero no para qué lo hacía. Él funcionó inconscientemente como peón en la realización de una política que le era personalmente ajena, como mártir necesario no sólo utilizado, sino quizá, permitido y a un oscuramente deseado por el poder, y, oportunamente magnificado por el aparato inquisitorial como oportuna víctima[594].

3.2.4.4.- CONSECUENCIAS DE LA MUERTE DE PEDRO ARBUÉS

Tras la muerte del Inquisidor, el pueblo, hasta entonces hostil a la Inquisición, se echó a la calle la madrugada del atentado con proclamas en contra de los conversos. Había riesgo de que saquearan la judería y la morería zaragozana[595], pero el Arzobispo-Virrey –ayudado por los nobles López Ximénez, Felipe de Castro, Blasco de Alagón y el Gobernador- salió por las calles a caballo para apaciguar a la turba[596].

Días más tarde se realizaron los funerales en la Catedral con toda la solemnidad. A cerca del sepulcro de Arbués destacan tres interesantes estudios: dos realizados por Daniel Rico Camps[597], quien analiza la primera lápida y el túmulo posterior que mandaron construir los Reyes Católicos, ambos labrados por Gil Morlanes; y el de Schoz-Hänsel[598], que -siguiendo a Joaquín Yarza Linaces[599]- sostiene que el túmulo lo esculpió Juan de Salazar. Estos y otros autores más recientes[600] analizan los sepulcros desde un punto de vista artístico y aportan interesantes documentos sobre su construcción.

Si los conversos creían que la muerte del Inquisidor enfrentaría al pueblo con la Inquisición, se equivocaron. Los alborotos y la agitación social se volvieron contra ellos, pues sólo pensaban en vengar la muerte de Arbués y, de paso, contrarrestar el poder e influencia socio-política de este poderoso grupo económico aragonés.

---

[594] ALCALÁ GALVE, A., Op. Cit. "Los orígenes..", p. 33.

[595] ADZ, Actos 1485, ms. 69, fol. 44-45. Publicada por SERRANO Y SANZ, Op. Cit. "Orígenes...", p. 168. También: SESMA MUÑOZ, J.A., Op. Cit. "El Establecimeinto...", doc. 140, p. 177. "Fue cosa tan nueva e tan grave, tanto iniqua y scandalosa quanto vuestra Alteza puede considerar, e dio tan grande alteracion en esta ciudat que a la mesma hora repicadas campanas se armaron infinitas gentes e con la oppinion e fantasia que este caso havian fecho fazer los conversos, a quien se fazia la Inquisicion e fantasia que este caso havian fecho fazer los conversos, a quien se fazia la Inquisicion toda ella gente que stava armada e plegada senyalava e fablava de matar e robar dichas gentes e a mescla de aquello, la juderia e moreria, y es cierto, si el robo se hoviera escomencado a fazer segunt a la gente popular agrada el robar, se huviera estendido a todas las casas que pudieran fallar ropa".

[596] ADZ, Actos 1485, ms. 69, fol 44-45. Publicada por SERRANO Y SANZ, Op. Cit. "Orígenes...", p. 168. También: SESMA MUÑOZ, J.A., Op. Cit. "El Establecimiento...", doc. 140, p. 177. "... Plugo a la bondat e misericordia divina turbar e evitar el dicho scandalo, de lo qual fue principal causa el Illmo. E Reverendisimo senyor Arçobispo, e ayudaronle mucho los nobles don Lop Ximenez, don Felip de Castro e don Blasco de Alagon, ensemble con el governador e muchos que a causa dellos se hubieron bien en el dicho negocio".

[597] RICO CAMPS, D., "El sepulcro de Pedro Arbués y su contexto", en Boletín del museo e Instituto Camón Aznar, Zaragoza, 1995, pp. 169-204. VÉASE TAMBIÉN: RICO CAMPS, D., "La imagen de Pedro Arbués, literatura renacentista y arte medieval en torno a don Alonso de Aragón", en Locus Amoenus, n° 1, 1995, pp. 107-119.

[598] SCHOLZ-HÄNSEL, M., "Arte e Inquisición: Pedro Arbués y el poder de las imágenes", en Anuario del Departamento de Historia y Teoría del Arte (UAM), vol. VI, 1994, pp. 205-212.

[599] YARZA LINACES, J., "Los reyes católicos. Paisaje artístico de una Monarquía", Madrid, 1993, pp. 34-41.

[600] CABALLERO ESCANILLA, S., "Los santos dominicos y la propaganda inquisitorial en el convento de santo Tomás de Ávila", en Anuario de Estudios Medievales, 39/1 (2009), pp. 357-387.

A partir de entonces, los conversos zaragozanos no hicieron más que otorgar, al Tribunal de la Inquisición, el papel de víctima que necesitaba para triunfar en Zaragoza. Y las autoridades, por supuesto, supieron sacar tajada de la oportunidad aprovechando el sentimiento de hostilidad hacia los conversos surgido a raíz del atentado, además trataron por todos los medios de hacer de Arbués un mártir y convencer al pueblo de la santidad de quien había sido víctima de los perseguidores del Santo Oficio.

El Rey también sacó rentabilidad política a esta situación, venciendo así las últimas resistencias internas que tuvo contra el establecimiento del Santo Oficio en Aragón. Pocos fueron ya los que se negaron a su implantación. Con el asesinato de Arbués se desmoronó definitivamente todo el empeño de los defensores de los fueros. También Zurita, a su manera, dice al respecto: «*así permitió Nuestro Señor que cuando se pensaba extirpar este Santo Oficio para que se resistiese y impidiese tan santo negocio, se introdujese con la autoridad y vigor que se requería, cuyo minsiterio -según parecio- fue ordenado por la providencia y disposición divina, pues no fue más necesario en aquellos tiempos contra el judaísmo (los conversos) que en estos que se han levantado tan perniciosas herejías de que la Iglesia Católica es tan perseguida y se recibe tanta disminución en la cristiandad*[601] «.

Como consecuencia de ello, el 26 de septiembre de 1485 (dieciséis días después del atentado) la Diputación escribió al rey -tal vez motivada por la presión y el ambiente popular-expresándole su deseo de colaborar con el esclarecimiento de los hechos[602] y castigar a los culpables. Este gesto supuso el triunfo político del rey en su particular pulso con la Diputación. Además, a través de la Inquisición el monarca obtuvo ingresos extraordinarios y, sobre todo, puso a su servicio una fuente de información y un medio de represión inmejorable[603].

Zurita también nos cuenta que el Arzobispo de Zaragoza, los oficiales reales y las más altas personalidades de la ciudad se juntaron en la Diputación para analizar lo sucedido. Allí se dio poder a todas las autoridades eclesiásticas y seglares para que «*pudiesen proceder contra los que fuesen inculpados en aquel delito con todo rigor, no guardando orden de fueros ni costumbres del reino*[604]». Esta decisión creó gran expectación entre los conversos y, más concretamente, entre los que participaron de aquel delito, pues la Inquisición tenía la puerta abierta para actuar sin impunidad y con más legitimidad que nunca.

Durante los meses siguientes, el Santo Oficio se encargó de castigar a los responsables. Con celeridad fue deteniendo, encarcelando y condenando a los principales cabecillas que aun permanecían en la ciudad. Aunque muchos de ellos pudieron saber por qué morían, fueron docenas de conversos aragoneses los perseguidos y juzgados -sin motivo aparente- para vengar una muerte anunciada y manipulada desde el principio. Sus confesiones -la mayoría de las veces subjetivas y movidas por el miedo- hicieron que muchos ciudadanos estuviesen bajo sospecha.

---

[601] ZURITA, J., Op. Cit. "*Los anales de la Corona de Aragón*", libro 8, (XX. Lxv) p. 507.

[602] SESMA MUÑOZ, J.A., Op. Cit. "El Establecimeinto...", doc. 140, p. 177. "E assi, la ciudat se repposo y quedamos todos con intencion de fazer una acerrima e diligent investiacion pora saber quien ha cometido e cupido en tan gran maleza e fealdat e castigar el dicho caso, para execucion del qual el dicho illustre lugartenient e la Cort dieron poder al Governador, Iusticia de Aragon e Çalmedina, que deslibertadament pudierssen proceyt e proveyt acerqua todo el dicho negocio con acto de Cort, copia del qual con la present enviamos a Vuestra Magestat, e asi lo fazen, que de continuo investigan y entienden en el. E a otra part, la ciudat fizo fazer ciridas e offrecimientos de cincientos florines a quien lo descobriesse e los dichos tres iudges scriven a diversas partes de fuera deste reyno, todo a fin de investigar a descobrir este fecho, y es universal intencion e voluntat de todos prosseguir e castigarlo curdelissimament, si res cruel se puede pensar contra tales delinquentes, no perdonando al regno ni la ciudat a expensas ni al trebajos".

[603] SESMA MUÑOZ, A., Op. Cit. "Violencia institucionalizada: el establecimiento de la Inquisición...", p. 673.

[604] ZURITA, J., Op. Cit. "*Los anales de la Corona de Aragón*", libro 8, (XX. Lxv) p. 506.

Las sanciones punitivas impuestas fueron muy duras por su crueldad y dureza[605], penas que permitieron a la Inquisición culminar su implantación sin obstáculo alguno.

---

[605] THIRY-COMBESCURE, M.; "Contribution a l'etude du probleme juif dans la peninsule iberique (XV-XVII siecles)", Tesis Doctoral, Toulouse, 1999, p. 527. "Los bolseros y consejeros de bolsero fueron: micer Jayme Montesa quemado en persona; Johan de Pedro Sancehz huido y quemada en estatua; Gaspar de Santa Cruz, quemada en estatua. Los que aconsejaron y favorecieron en la dicha muerte: mosen Luys de Santangel descabezado y quemado; micer Francisco de Santa fe, asesor del gobernador, se desesperó en la Aljaferia y, después, fue quemado; Garcia de Moros, mayor, quemado; micer Alonso Sanchez, quemado; Pedro de Almaçan huido y quemada su estatua. Este era abuelo del prior de la Seo llamado mosen Johan Miguel de Artal, padre de su madre. Los que fueron penitenciados, que merecieron no ser quemados y con favor del tesorero Gabriel Sanchez: Sancho Paternoy, maestre racional de Aragón; don Alonso de Alagon, señor de Pina, porque los favorecía aunque no era confeso. Los que fueron asesinos, el que le dio la estocada en el brazo, escuartezado y quemado; Mateu Ram escuartezado y quemado; Johan de Abadia quemado; este se mato en la Aljaferia, que se comio una lampara de vidrio; Vidau Durango, Frances, mozo de Esperandeu, que le dio la cuchillada, escuartezado y quemado; Tristancico, escudro, hido, quemada su estatua".

4.- LOS CONVERSOS DE CALATAYUD Y SU CONEXIÓN CON LA MUERTE DE PEDRO ARBUES

4.1.- ANTES DE LA MUERTE DE PEDRO ARBUÉS

4.1.1.- EL BILBILITANO MARTÍN PÉREZ DE CALATAYUD EN LAS PRIMERAS REUNIONES DE ZARAGOZA

En diciembre de 1485, el bilbilitano Gimeno de Sayas, confesó como testigo ante la Inquisición -a través del notario de Calatayud Pedro Tris- que en el mes de noviembre o diciembre de 1484 bajó a Zaragoza en compañía de Martín Pérez de Calatayud, el cual llamó personalmente a varios conversos para que fueran a casa de Jayme de Montesa[606]. Allí acudieron, entre otros, micer Francisco Ram, Anthon Pérez, Diego de Gotor, Anthon de Gotor, Gaspar de Santa Cruz (mayor de días), García de Moros, los dos Sánchez hermanos del tesorero Gabriel Sánchez, y el dicho Martín Pérez de Calatayut. En un estudio de dicha casa, el bilbilitano Martín Pérez propuso que "*todos quesa fazemos matar hun inquisidor o dos otros seguardaran de venir a fazer esta inquissicion. Entonces Anthon Pérez dijo: voto a Dios que decis bien, que si assi lo fiziessemos otros se scarmentarian que no faltarían cada ciento o cada dozientos florines para quien lo fiziesse*".

Según su versión de los hechos, la propuesta tuvo muy buena acogida entre los asistentes (unos quince en total). Todos la votaron favorablemente menos Francisco Ram y el propio Micer Montesa, quien les reprendió diciéndoles que "*no se fable tal cosa ni se faga, fablen se lo con días, e mal cristiano sea punido y al bueno sea conservado*", es decir, no le pareció buena idea y pidió que lo hablasen con calma, pues tal actitud era de mal cristiano.

Los inquisidores Johan Calvo (Juez del Tribunal) y Tomé Gómez (Procurador Fiscal) no tuvieron en cuenta la declaración de Gimeno de Sayas en la sentencia de Jayme de Montesa, tal vez por los abrumadores testimonios que probaban su participación en las reuniones y conjura, así como su esclarecedora declaración bajo tortura. No obstante, el análisis de la documentación demuestra que, aunque las declaraciones de estos testigos eran tenidas poco en cuenta, sin embargo, si que se consideraban importantes porque ayudaban no sólo a dar mayor credibilidad al posterior arrepentimiento y abjura del acusado, sino incluso a suavizar la pena que le imponía el Tribunal. Aunque los testigos que solían declarar en favor de un acusado eran siempre cristianos (antiguos sirvientes, párrocos, vecinos, amigos, clientes y proveedores, compañeros de trabajo, etc.), los Inquisidores, sin embargo, no aceptaban la declaración de los familiares, criados en activo, ni de aquellas personas que tuvieran una estrecha relación personal con ellos.

Aun así, es poco creíble que el bilbilitano Martín Pérez de Calatayud hubiese asistido a alguna reunión de Zaragoza y, por consiguiente, que de él hubiera salido la propuesta de matar a algún inquisidor para evitar la implantación del Santo Oficio. El hecho que no sea nombrado después en ninguna de las reuniones que se realizaron en Calatayud, y tampoco aparezca en los procesos que abordan directa o indirectamente el tema, indica claramente que juró en falso. No obstante, su manifestación puede tener cierto valor historiográfico por la lista de conversos zaragozanos que participaron en dichas reuniones.

---

[606] VÉASE APÉNDICE DOCUMENTAL N° 24.

4.1.2.- ANTHON DE SANTANGEL ELEGIDO PARA ORGANIZAR LA TRAMA DE CALATAYUD

Dos meses y medio antes de la muerte de Pedro Arbués (a finales de junio de 1484), el judío de Calatayud, Jehuda Abenardut, viajó a Zaragoza para hacer negocios con su paisano Jayme de Montesa. Mientras esperaba que le recibiera en su casa, escuchó las deliberaciones que mantuvieron unos quince conversos zaragozanos encerrados en una habitación. Allí oyó como pretendían recaudar unos cien mil florines de todas las ciudades importantes de Aragón, así como el nombre de alguno de los responsables de esa delicada misión. Cuando, el 13 de septiembre de 1489, dicho judío declaró en el proceso de Inquisición abierto contra Anthon de Santangel, manifestó lo siguiente:

> "Antes que matassen a mestre Epila, inquisidor este deposant e stava en Çaragoça que variados meses o dos y medio poco mas o menos y era mucho amigo de micer Montesa pa hereto quede provado porque havia sido mucho tiempo su advogado, hun dia este deposant fue a fablar con el dicho micer (Jayme) Montesa y fallo en su studio al dicho micer Montesa y a Francco del Rio, micer Francisco Ram, jurista, Garcia de Moros, Fernando de Montesa, procurador de don Lope Ximenez hermano del dicho micer Montesa, micer Sancta Fe, assessor del Governador, Gilabert de Almaçan y otros muchos cuyos nombres no le acueda a este deposant, que eran fasta quinze personas, y dize que como entro en el dicho studio el dicho micer Montesa le dixo a este deposant Benardut sperar has hay de fuera un poco y este deposant sallio de fuera del dicho studio y mandole cerrar la puerta del dicho studio y este deposant de sallida cerrola hazia si y asentase luego en un scalon de parte de fuera del dicho studio y estando assi hoyo este deposant como stavan fablando las suso dichas y dezian alli unos a otros que no se fallavan en los conversos de Aragon cient mil florines de oro y quedavan a tal noble tanto y a tal tanto y a la postre hoyo este deposant como entrellos dezian assi, Johan Sanchez tendra cargo de cobrar los dineros de tal ciudat que no lo podia hoyr, que ciudat nombrava claramente, y assi Garcia de Moros mayor de tal y otros que alli nombraron que no le acuerda a este deposant repartiendose entrellos cadauno el cargo que havian de tener y este deposant no lo pudo oyr todo claro lo que entrellos confabulavan y que stuvieron los suso dichos en el dicho a just y fabla ora y media poco mas o menos[607]".

Unos días después, Jehuda Benardut, bajó de nuevo a Zaragoza para ultimar sus negocios con Jayme de Montesa. Estando otra vez esperando delante de la puerta de su estudio, vio como se reunían allí (durante media hora) varios conversos zaragozanos. Además escuchó como elegían al bilbilitano, Anthon de Santangel (presente también en dicha asamblea), máximo responsable para organizar no sólo la estructura del grupo converso de Calatayud, sino también para recaudar la cantidad de dinero que asignaron a esa ciudad:

---

[607] AHPZ, Caja 12, Nº 8; Proceso inquisitorial contra Anthon de Santangel, p. 16 vto. y ss. también: AHPZ, Caja 12, Nº 7; Proceso inquisitorial contra Anthon de Santangel, p. 13 vto. y ss. VEASE APÉNDICE DOCUMENTAL PROCESOS DE INQUISICIÓN.

"Sintio al dicho micer Montesa y en despues al sallir vio a Johan de Pero Sanchez, heretico, mossen Luys de Sanctangel, heretico, Anthon de Sanctangel, desta ciudat de Calatayut y Galveran de Leon y a Diego de Gotor, heretico, y procuradores, y Domingo Lanaja y a Domingo de Sancta Cruz, preso desta ciudat y dos o tres otros cuyos nombres no el acuerda, y mas dize que quando llego a la puerta del studio hallola cerrada y oyo ruydo de gente dentro y no quiso entrar sino estuvose de fuera junto a la dicha puerta del dicho studio y stando assi este deposant oyo que fablavan los suso nombrados que se havian fablado en el primer dia y a just y de gracia como a Johan de Pero Sanchez havia dado tal cargo y a Garcia de Moros tal los cargos que dicho ha de parte de suso y oyo mas como dixieron al dicho Anthon de Santangel que el hovisse de tomar cargo desta ciudat de Calatayut de plegan y assi stovieron alli juntos los sobre ditos hablando de secreto por spacio de media dia y assi este deposant los vio sallir a los suso nombrados y los conocio muy bien quando sallian[608]".

Ya en Calatayud, Anthon de Santangel eligió la iglesia de San Pedro de los Francos para citar, por medio de amigos de su confianza, a los conversos más acaudalados e influyentes de la ciudad. El 29 de enero de 1488, el Procurador Fiscal de la Inquisición interrogó al vecino de Calatayud, Pedro Polo, el cual dijo que "*hun dia vino Ferrando Lopez* (hombre cercano y amigo de Antón de Santangel) *a mi e dixome que clamase a Jayme de Funes y Marquo Xavar y a Gonçalbo de Menes y a Martin el Plato que nos queria favlar e fuemos a la yglesia de Sant Pedro de la Ruva*[609]".

Esta misma declaración fue tomada como prueba en la sentencia que el Tribunal dictó contra, Anthon de Santangel, en junio de 1528. El juez le acusó de que "*tomo cargo de plegar el dicho a los confessos de Calatayut para la bolsa que se fazian contra la Inquisicion, el qual cargo le daron micer Montesa, Joan de Pero Sanchez, micer Loys de Sanctangel y otros conversos desta ciudat (de Zaragoza) por hereticos condenados en el studio de la casa del dicho micer Montesa*[610]".

Una vez en el templo, Antón de Santangel comenzó la reunión dando lectura de la carta que los hijos de Johan López y Gaspar de Santa Cruz, conversos de Zaragoza, le habían hecho llegar a través de Ferrán López, vecino de Calalatayud[611], con la intención de crear una *bolsa* para recaudar dinero.

Una vez leída la carta, Anthon de Santangel expuso a los asistentes que los conversos de la capital del reino estaban reuniendo una importante suma de dinero[612], y que buscaban el apoyo

---

[608] AHPZ, Caja 12, N° 8; Proceso inquisitorial contra Anthon de Santangel, p. 17 vto. VEASE APÉNDICE DOCUMENTAL PROCESOS DE INQUISICIÓN.

[609] AHPZ, Caja 10, N° 1; Proceso inquisitorial contra Pedro Polo, p. 8-8 vto.. VEASE APÉNDICE DOCUMENTAL PROCESOS DE INQUISICIÓN.

[610] AHPZ, Caja 9, N° 10; Proceso inquisitorial contra Anthon de Santangel, p. 178. VEASE APÉNDICE DOCUMENTAL PROCESOS DE INQUISICIÓN.

[611] AHPZ, Caja 9, N° 10; Proceso inquisitorial contra Anthon de Santangel, p. 4 vto. El 18 de febrero de 1488, el vecino de Calatayud, Johan de Nueros, declaró en el mismo proceso que oyó decir a Anthon de Santangel "*que de Çaragoça havian venido el fijo de Joan Loppez y un fijo de Gaspar de Sancta Cruz a casa de Ferran Loppez y venieron con letras de trehuca dreçadas a micer Domingo al dicho Anton de Santangel*".

[612] AHPZ, Caja 9, N° 10; Proceso inquisitorial contra Antón de Santangel, p. 5. El 18 de febrero de 1488, el vecino de Calatayud, Anthon de Miedes, dijo ante la Inquisición que juzgaba al bilbilitano, Anthon de Santangel (difunto), que "*he oydo de si que vino Letra a persona a Anton de Santangel de los conversos de Çaragoça pa que demandasse plegarse pala dicha bolsa*".

económico de los de Calatayud y Barbastro. Se les informó también que el objetivo último de este dinero era para que el Papa (mediante una bula) y el Rey (por un privilegio) obligasen a la Inquisición no sólo a *"que los bienes no se confiscassen y haver pa que valiesse firma y manifestación*[613]*"*, sino incluso para que *"no se siguiesse y que el no les quiso dar cosa ninguna*[614]*"*.

Tras finalizar este punto del orden del día, los asistentes eligieron a los *bolsas* encargados de la recaudación, cuya responsabilidad recayó en el propio Anthon de Santangel, Martín de Santa Clara y Ferrando Díaz[615]. La función de los *bolseros* era recibir las cuotas, custodiarlas en la caja de caudales y convencer individualmente a los que se negaban a colaborar dinerariamente. Incluso a los que *no tenian dinero que dixessen quanto querian dar y para que dia los darian y que ellos lo ponyan por ellos*[616].

Si muchos conversos bilbilitanos vieron con buenos ojos aportar ciertas cantidades dinerarias para la causa, como Anthon de Blanes[617] y el notario Benito Ram[618] (que tenía unas casas en la judería[619]), otros, sin embargo, se negaron a entregar capital alguno. Entre estos últimos se encontraba Johan Martínez[620] y Pedro Polo[621] (que dijo no querer ir contra Dios y el

---

[613] AHPZ, Caja 10, Nº 1; Proceso inquisitorial contra Pedro Polo, p. 8-8 vto. El día 29 de enero de 1488, el Procurador Fiscal de la Inquisición interrogó al vecino de Calatayud, Pedro Polo, quien declaró que, Antón de Santangel *"alli nos dixo a todos que havian enviado una carta de çaragoça, la qual havia traydo el fijo de Joan Lopez y de Gaspar de Sancta Cruz a Anthon de Sanctangel, e el dicho Anthon de Sanctangel le havia rogado favlarsse con algunos si querian dar alguna cosa pa que en Çaragoça se pudia pa haver una bulla del Sancto Padre pa que los bienes no se confiscassen y haver pa que valiesse firma y manifestación"*.

[614] AHPZ, Caja 12, Nº 8; Proceso inquisitorial contra Anthon de Santangel, p. 9 vto. El 5 de junio de 1489, el vecino de Calatayud, Anthon de Blanes, dijo en el mismo proceso que *"hoyo dezir este deposant a Pedro el Platero que le havia emparados Anthon de Santangel y Martín de Sancta Clara y Ferrando Diez de Calatatayut pa queles dasse cinco florines pa haver bullas y dar al rey dineros pa que la inquisición no se siguiesse y que el no les quiso dar cosa ninguna"*.

[615] AHPZ, Caja 12, Nº 7; Proceso inquisitorial contra Anthon de Santangel, p. 10 vto. El 26 de agosto de 1486, el vecino de Calatayud, Pedro Sancho (menor), manifiesta ante la Inquisición que juzga a Anthon de Santangel (difunto), que*"E mas que ha oydo dezir este deposant a ssu padre Pero Sancho, mayor, ... que eran deputados de la bolssa Martin Clara, Ferrando Diaz e Anthon de Santangel e Martin Perez"*.

[616] AHPZ, Caja 12, Nº 8; Proceso inquisitorial contra Anthon de Santangel, p. 16 vto. El 13 de septiembre de 1489, el judío de Calatayud, Jehuda Abenardut, afirma ante la Inquisición que juzga al converso bilbilitano, Anthon de Santangel (difunto), que *"fue fama en esta ciudat como Ferrando Lopez, Martin de Santa Clara, presos que stan por la sancta Inquisicion en esta dicha ciudat y Anthon de Sanctangel, habitant en la dicha ciudat, plegava pa la bolsa por esta ciudat de los converssos y que les dezian a los que no tenian dinero que dixessen quanto querian dar y para que dia los darian y que ellos lo ponyan por ellos y aun lo hoyo dizir lo suso dicho micer Johan de Nueros y a Rodrigo Cabanyas y que esto fazian por una letra que dizia les havian scripto micer Montesa y Domingo Lanaja"*.

[617] AHPZ, Caja 12, Nº 7; Proceso inquisitorial contra Antón de Santangel, p. 18 vto. El 5 de junio de 1489, el vecino de Calatayud, Anthon de Blanes, vuelve a testificar ante la Inquisición que juzga al bilbilitano, Anthon de Santangel (difunto) que, hacia el año 1487, "hoyo dizir este deposante a Pedro el Platero que le havian empados Anthon de Sanctangel e Martin Clara y Ferrando Diez de Calatayut para que les dase cinquo florines pa hover bullas y dar al Rey dineros pa que la inquisición no se fiziesse y quel no les quiso dar cosa ninguna".

[618] AHPZ, Caja 12, Nº 7; Proceso inquisitorial contra Anthon de Santangel, p. 10 vto. El 26 de agosto de 1486, el vecino de Calatayud, Pedro Sancho (menor), manifiesta ante la Inquisición que juzga a Anthon de Santangel (difunto), que "ha oydo dezir públicamente en Calatayut que los confesos de Calatayut tenian bolsa contra la inquisición e mas dixo que ha hun anyo poco mas o menos que oyo dezir a Venito Ram, mercader de Calatayut que ya le costava la bolssa trenta florines e mas oyo dezir a miçer Bines que si su cunyado Martin Clara havia intervenido en la bolssa que Ferrando Diaz era causa y lo havia ffecho".

[619] APNC, tomo 25, 1456, Jaime Garcia, p. 277Vto. Brahem Alpastan, hijo de Yuçe Alpastan, vendió a Don Benedit Ram, notario de Calatayud, unas casas suyas con la bodega y bajillos vinales en la judería, que confrontan con las casas de Brahem Avendanyon y con las carreras de 3 partes, por el precio de 1.000 sueldos.

[620] AHPZ, Caja 10, Nº 1; Proceso inquisitorial contra Pedro Polo, p. 46. El 23 de agosto de 1496, el vecino y notario de Calatayud, Johan Martínez, manifestó ante la Inquisición que juzga al bilbilitano, Pedro Polo que, hacia el año 1485, habló con Ferrán López y le dijo "como los conversos de Çaragoça havia embiado a Calatayut el fijo de Johan Lopez e al fijo de Gaspar de Sancta Cruz dizieron que havian menester dineros pa obtener huna anima pa los bienes de la enquesta que pagase este testigo con los otros de la dicha ciudat de Calatayut, e este no quiso dar nada passado esto vinieron a este deposante Miguel Perez e Pedro Polo de Calatayut comentando con el testigo que les havia demandado dineros dixo el testigo que no le parecia bien dar nada, e apres vino a este testigo

Rey), el cual declaró ante la Inquisición que también se negaron a dar aportaciones: Martín el Plato (argumentando no ser confeso), Marco Xavar (que era mejor darlo a una huérfana), Jayme de Funes (que prefería ofrecerlos para otros fines sociales como casar a huérfanas) y Gonçalvo de Menes (que no le parecía conveniente). Asimismo rehusó hacerlo el notario Francisco Martínez[622] y Johan Pérez de Santa Fe[623] (alias de Fariza o Ariza), entre otros que desconocemos sus nombres.

Pero uno de los recaudadores de la *bolsa* bilbilitana, Ferrando López, se quejó ante el máximo responsable de la organización, Anthon de Santangel, de que algunos que inicialmente habían dado dinero, ahora se declaraban insumisos y pedían el reembolso de sus aportaciones[624]. Entre los conversos que cambiaron de opinión se encontraba Johan Martínez, Benito Ram y Johan Pérez de Santa Fe[625]. Este cambio de postura pudo estar condicionado a la presión que la propia Inquisición ejercía sobre ellos durante las detenciones e interrogatorios.

Hay que tener en cuenta que muchas de estas declaraciones se hicieron ante el Tribunal de la Inquisición y, por consiguiente, tenemos que considerarlas de dudosa credibilidad. La lógica lleva a pensar que la gran mayoría de los asistentes, por no decir todos, dieron entonces cantidades en metálico a los *bolseros*, pero cuando el Santo Oficio comenzó a investigar las conexiones bilbilitanas de la muerte del Inquisidor, muchos de ellos negaron su participación, algo fácil de hacer porque, en la mayoría de los casos, se cubrían las espaldas entre ellos para no ser juzgados.

La documentación inquisitorial consultada confirma que sólo se celebró una única

---

el Ferrando Lopez que pues no dava que no probase a los otros, e apres el Ferrando Lopez dixo que no havia plegando nada".

[621] AHPZ, Caja 10, N° 1; Proceso inquisitorial contra Pedro Polo, p. 8-8 vto. El día 29 de enero de 1488, el acusado y vecino de Calatayud, Pedro Polo, dijo ante la Inquisición que juzga al bilbilitano, Anthon de Santangel (difunto) que "alli favlando muchas cosas demandamos acuerdo fue este que dixo Martin el Plato y otros soy confesso no y de quiero dar nada y dixe yo Pedro Polo, yo no quiero pleytar con Dios y con el Rey dixo Gonçalbo, bien dize dixo Marquo Xavar el çapatero quelo que haviamos de dar alli que mas valia darlo pa casar a una guerfana e dixo Jayme de Funes quel se tenia ya prendas pa darlos, mas querra darlo pa daquellos que no pa otros, y Gonçalvo de Menes y yo Pedro Polo le tornamos la repuesta de voluntad de todos que no era la voluntatd de ninguno de dar ninguna cosa".

[622] AHPZ, Caja 12, N° 7; Proceso inquisitorial contra Anthon de Santangel, p. 15 vto. El 18 de febrero de 1488, el vecino de Calatayud, Anthon de Miedes, declaró ante la Inquisición que juzga al bilbilitano, Anthon de Santangel (difunto), que "he oyd o dezir que vino letras a persona a Anthon de Santangel de los converssos de Çaragoça para que el demandasse e plegasse para la dicha bolsa e que havia demandado a Francisco Martinez notario e que no quiso dar quien le demando o quien que no le sabe".

[623] AHPZ, Caja 9, N° 10. Proceso inquisitorial contra Johan Pérez de Sancta Fe, p. 22. El 26 de marzo de 1488, el judío de Calatayud, Mosse Montón, declara ante la Inquisición que juzga al bilbilitano, Johan Perez de Sancta Fe (alias de Fariza), que oyó como Miguel de Sayas dijo al acusado "vos haveys copiado en el consejo de la muerte del inquisidor y que el dicho Johan Perez de Fariza dizia por Dios no mi salle y que el dicho Miguel de Sayas dizia por Dios si hiziestes y que le dicho Johan Perez de Fariza dizia por Dios no fize, y que entoces el dicho Miguel de Sayas dixo pues si vos nos y fallasteys, fallo si vuestro dinero, y que entonçes el dicho Johan Perez de Fariza dixo yo no mi falle del dinero no se nada ni digo nada". AHPZ, Caja 9, N° 10; Proceso inquisitorial contra Johan Pérez de Sancta Fe, p. 30. El 30 de marzo de 1489, el Procurador Fiscal de la Inquisición preguntó al acusado, Johan Pérez de Sancta Fe, si que "sabe algo o ha dado dineros para ella, dixo que lo que dixo en la conffession por el fecha, el presente dia y assentada en un registro, de los de la inquisicion es verdat y no otro".

[624] AHPZ, Caja 12, N° 7; Proceso inquisitorial contra Anthon de Santangel, p. 15 vto. El día 29 de enero de 1488, el acusado y vecino de Calatayud, Pedro Polo, declaró ante la Inquisición que juzga al bilbilitano, Anthon de Santangel (difunto) que, ante la negación de algunos conversos de dar dinero, dijo "Ferrando Lopez que plazer fazieamos de dar aquella repuesta que todos y adalgunos que le havia favlado e que adalgunos que le havian dicho de ssi y haver deposado dineros en el cambio gelos queria volver y no tornar cargo desto y que axi gelo dizia a Anthon de Sanctangel y sende de sy xerra ni entendorya mas en ello".

[625] AHPZ, Caja 12, N° 7; Proceso inquisitorial contra Anthon de Santangel, p. 15 vto. El 18 de febrero de 1488, el vecino de Calatayud, Johan de Nueros, volvió a confesar ante la Inquisición que juzga al bilbilitano, Anthon de Santangel (difunto), que le oyó decir "que de Çaragoça havian venido el fixo de Joan Lopez y hun fixo de Gaspar de Sancta Cruz a casa de Ferrando Lopez e vinieron con letras de creença dereçadas de micer Domingo al dicho Anthon de Sanctangel para haver dinero de los converssos para que truxiessen bullas enpero si era pa eso o no que el no lo sabe salvo que le dixo el dicho Anthon de Santangel que los Diaz havian pagado quinze florines de oro a micer Domingo e porque demandaron a Johan Martinez a Venito Ram y a Joan Perez de Fariza e otros muchos que porque non quisieron pagar que geles havia tornado si fue assi o no que no lo sabe".

reunión en San Pedro de los Francos. Parece que tampoco se llegaron a realizar otras *collaginas*[626] o *convites* en Calatayud sobre el tema. Se supone que los *bolseros* cumplieron su finalidad recaudadora y que tuvieron sus propios encuentros para analizar la situación, subsanar los problemas, convencer a los indecisos y corregir las deficiencias organizativas sobre la marcha.

4.2.- DESPUÉS DE LA MUERTE DE PEDRO ARBUÉS

4.2.1.- LOS CONVERSOS SE DEFIENDÍAN DE LAS ACUSACIONES DE LOS CRISTIANOS VIEJOS

Tras el asesinato del Inquisidor, los cristianos viejos y conversos convencidos de su bautismo de Calatayud persiguieron a los conversos más proclives a judaizar por haber sido cómplices -según ellos- de la conspiración y muerte del Inquisidor.

Además de denunciarlos ante el Santo Oficio, solían también recitar y cantar chascarrillos sobre su implicación en dicha muerte. Estas afirmaciones molestaban públicamente a ciertos conversos por sentirse amenazados, presionados, aludidos, involucrados y rechazados, como así sucedió en 1509, cuando la bilbilitana María Ximénez testificó ante la Inquisición que, mientras vivía en Paracuellos de Jiloca, escuchó a los mayores cantar contra los conversos que habían matado al Inquisidor. Entonces el converso Pedro Casado[627], vecino de esa localidad, les reprendió *"diciéndoles que se callasen, sino que el legi dava sendas zarabandas"*, porque le parecía que *profanaban* a Maestre Epila. Los mayores pararon de cantar pero *"despues esta deposante les fizo tornar a cantar diciéndoles que no formasen miedo"*.

El sentimiento antijudío de tiempos pasados se proyectaba ahora hacia el grupo converso. La antigua animadversión de los cristianos hacia los judíos decreció en favor de los judeo-conversos, de tal manera, que el grupo de cristianos viejos se convirtió en el agresor y el grupo de conversos de judío en el agredido. El antijudaísmo pasó a un segundo plano.

4.2.2.- ANTHON DE SANTANGEL JUSTIFICÓ EL ASESINATO DEL INQUISIDOR POR ADÚLTERO

Ante la conmoción social que produjo la muerte de Arbués, el bilbilitano Anthon de Santangel tuvo que oír las fuertes acusaciones que la gente vertía contra los conversos por haber cometido tal crimen. Molesto por los comentarios y, tal vez, por su participación en el proceso conspiratorio, intentó justificar y defender la postura de los conversos imputados de alta traición

---

[626] AHPZ, Caja 9, N° 10; Proceso inquisitorial contra Johan Pérez de Sancta Fe, p. 30. El 30 de marzo de 1489, el Procurador Fiscal de la Inquisición pregunta al acusado, Johan Pérez de Sancta Fe, *"si estuvo en algunas collaginas o convites donde se tratíasse la muerte del inquisidor (D. Pedro de Arbues), dixo que no"*.

[627] AHPZ, Caja 20, N° 15; Proceso inquisitorial contra Pedro Casado, p. 2-2vto. El 22 de agosto de 1509, la bilbilitana, Maria Ximénez (viuda de Marco Xavar) testifica ante la Inquisición que juzga al vecino de Paracuellos de Xiloca, Pedro Casado que, cuando vino la Inquisición a Calatayud (año 1488), vivía en esa localidad y escuchó como cantavan "ciertos mayores andrantes de alli del lugar que no se le acuerda que son agora, dize que cantavan que es cierto que prosa cantavan lo que es cierto que era de los converssos, dize que stando cantando, uno llamado Pedro Casado que en el dicho lugar de Paracuellos amenazo a los desos mayores".

ante el vecino de Calatayud, García de Noviercas, quien afirmó ante la Inquisición que estando en su casa, hacia 1485, el propio Anthon le preguntó qué pensaba sobre la muerte de Arbués. El testigo le contestó que con el tiempo todo se sabría, a lo que Anthon le respondió que *"eran locos o havra se bevido el seso los conversos que lo havran de matar, han le matado ellos diziendo de los cristianos de natura y ha lo muerto hun lavrador porque se echava con su muger el dicho maestre Epila*[628]*"*, es decir, un labrador cuya mujer era amante de maestre Épila. Esta hipótesis careció de fundamento en el momento que los conspiradores confesaron los hechos.

Aún así, el Tribunal de la Inquisición dio gran importancia a esta declaración, pues en la sentencia que dictó en 1528, se consideró probado que el acusado *dixo escusando los confessos estas palabras: cuerpo de Dios eran lo con los confessos que lo havran de matar halo muerto un labrador porque se echava con su mujer*[629].

4.2.3.- LOS CONVERSOS DE CALATAYUD SE DEFENDÍAN ANTE LA INQUISICIÓN

Pero no todos los conversos de Calatayud defendieron a los que participaron en las reuniones conspiratorias. Muchos de ellos, como Anthon de Miedes, confesaron la versión oficial que quería escuchar la Inquisición en esos momentos, es decir, que el dinero recaudado no era para obtener gracias y privilegios, sino para asesinar al Inquisidor. Según su particular versión de los hechos, los bilbilitanos Domingo de Santa Cruz y Ferrando López le pidieron directamente dinero *"pa matar a mastre Epila inquisidor porque fazia la inquisicion*[630]*"*, petición a la que no hizo caso. Es muy probable que este argumento lo utilizaran muchos conversos de Aragón para salvar la vida y evitar sospechas incriminatorias. La intención era ganarse la confianza del Santo Oficio.

Ante las graves denuncias y falsedades que se vertían contra ellos, los conversos bilbilitanos que participaron en la conspiraron intentaron formar un grupo de presión para defenderse de tan graves acusaciones sociales e inquisitoriales. El objetivo era llevar colectivamente una línea de argumentación coherente para evitar que se hiciesen daño unos a otros. Aunque no llegó a materializarse, parece que si intentaron presionar a algunos testigos que pretendían declarar contra Jayme de Montesa en Zaragoza. No olvidemos que él y su familia eran oriundos de Calatayud y muy conocidos en el ámbito converso de esa ciudad.

En este sentido, el converso de Calatayud, Anthon de Miedes, confesó ante la Inquisición

---

[628] AHPZ, Caja 12, Nº 7; Proceso inquisitorial contra Anthon de Santangel, p. 10. El 8 de junio de 1486, el vecino de Calatayud, García de Noviercas, afirma ante la Inquisición que juzga a Anthon de Santangel (difunto) que, hacia 1485, estando en casa del acusado le oyó decir "estas palavras o quasi que vos parece destos traydores de conversos en matar a maestre epila y el dicho testigo respondio ellos o otri la verdat se sabra y el dicho Santangel respondio y cuerpo de Dios eran los locos o havra se bevido el seso los conversos que lo havran de matar han le matado ellos diziendo de los crisitanos de natura y ha lo muerto hun lavrador porque se echava con su muger el dicho maestre Epila". VÉASE TAMBIÉN: AHPZ, Caja 9, Nº 10; Proceso inquisitorial contra Anthon de Santangel, p. 2.

[629] AHPZ, Caja 9, Nº 10; Proceso inquisitorial contra Anthon de Santangel, p. 178. En Junio de 1528, Instruido el proceso contra Anthon de Santangel (difunto), el Tribunal de la Inquisición dicta sentencia. En la explicación de motivos, el Juez le acusa de que "fablando el dicho Anthon de Sanctangel con cierta persona sobre la muerte del bienventurado mastre Epila, inquisidor y de con los podria haver fecho dicha muerte el dicho Sanctangel dixo escusando los confessos estas palabras cuerpo de Dios eran lo con los confessos que lo havran de matar halo muerto un labrador porque se echava con su mujer".

[630] ASCZ, sin signatura, Proceso contra Pedro Çit, p. 8 vto. El 5 de febrero de 1488, el Procurador Fiscal de la Inquisición interroga al vecino de Calatayud, Juan Pérez de Santa Fe (alias de Fariza), quien declara que "antes de la muerte del inquisidor maestre Epila le vinieron a demandar micer Domingo de Sancta Cruz, jurista y Ferrando Lopez, mercader desta ciudat, pa matar a mastre Epila inquisidor porque fazia la inquisicion y este quonfesante dixo que no queria dar cosa ninguna".

haber oído que, Ferrando Díaz, *bolsero* de la trama bilbilitana, había propuesto a García Cortés, escudero de dicha ciudad, *"que si queria que los dos matassen a un testimonio que havia deposado contra micer Montesa*[631]*"*. La declaración no tiene fundamento en el momento que el testigo cuenta algo que ha escuchado de oídas y mediatizado por el ambiente de sospecha que envolvía a toda la comunidad y al círculo converso en particular.

4.2.4.- CONCLUSIONES: UN RESUMEN DE LOS HECHOS

El bilbilitano Antón de Santangel convocó a algunos conversos más próximos a su círculo de amistad, en la iglesia de San Pedro de los Francos. Allí les explicó las conversaciones que había mantenido con los de Zaragoza, y les leyó una carta que le habían hecho llegar los hijos de Johan López y Gaspar de Santa Cruz. En ella se les explicaba el objetivo de la recaudación que estaban haciendo en esos momentos: conseguir bulas del Papa y privilegios del Rey para que la Inquisición no les persiguiera y no incautara sus bienes.

Los asistentes eligieron *bolseros* a Anthon de Santangel, Martín de Santa Clara y Ferrando Díaz para cobrar y custodiar la recaudación conseguida entre los que voluntariamente quisieran participar. Parece que el cobro se realizó luego en sus domicilios particulares. Los que contribuyeron con su ayuda económica fueron Anthon de Blanes y Benito Ram, entre otros. Sin embargo, varios se negaron a pagar porque no lo veían claro, como Johan Martínez, Pedro Polo, Martín el Planto, Marco Xavar, Jayme de Funes, Gonçalvo de Menes, Francisco Martínez y Johan Pérez de Santa Fe. Cuando los dos que habían dado inicialmente aportaciones (Anthon de Blanes y Benito Ram) vieron que la mayoría no había dado nada a la causa, pidieron el reintegro de las cantidades aportadas. Es muy probable que la mayoría de ellos dieran dinero, pero luego, movidos por el miedo y las presiones de la Inquisición cambiaron sus declaraciones para evitar las consabidas represalias.

Alguno de los conversos que asistieron a la reunión de San Pedro de los Francos, como Anthon de Santangel, se defendieron de las murmuraciones sociales que implicaban directamente a los conversos de la muerte de Pedro Arbués diciendo que, su asesinato no lo hicieron los conversos zaragozanos, sino un labrador cuando descubrió que su mujer era amante del Inquisidor.

Para protegerse del rechazo social y de los graves comentarios que vertían contra ellos, decidieron organizarse. Para ello, intentaron crear un grupo de presión que tuviera una misma y coherente línea de actuación, grupo que no llegó a materializarse en su totalidad.

---

[631] AHPZ, Caja 9, Nº 10; Proceso inquisitorial contra Anthon de Santangel, p. 5. El 18 de febrero de 1488, el vecino de Calatayud, Anthon de Miedes, dice ante la Inquisición que juzga al bilbilitano, Anthon de Santangel (difunto), que oyó "dezir a Garcia de Morlanes que Ferrando Diaz, mercader ciudadano de la dicha ciudat havia convidado a uno llamado Garcia Cortes, scudero habitant en la dicha ciudad que si queria que los dos matassen a un testimonio que havia deposado contra micer Montesa".

5.- EL TRIBUNAL DE LA INQUISICIÓN EN CALATAYUD

5.1.- CALATAYUD Y EL TRIBUNAL DEL SANTO OFICIO

Tras ser juzgados y condenados la mayoría de los cabecillas zaragozanos que participaron en el asesinato del Inquisidor, el Santo Oficio abrió sedes en las principales ciudades aragonesas, entre ellas Calatayud. Todo hace pensar que el objetivo era que los judíos, cristianos viejos y un grupo reducido de conversos (los convencidos de su fe cristiana) pudieran denunciar masivamente a los conversos, al parecer, los verdaderos culpables de tan fatídico suceso.

En enero de 1488 se abrió la sede del Tribunal de Calatayud. El primer proceso que se tramitó fue el del bilbilitano, Jayme Ramón[632], el 11 de enero de 1488. En ese mismo mes, también se trasladó de Zaragoza a Calatayud -para su instrucción- el proceso que se abrió, el 13 de junio de 1486, contra el bilbilitano Anthon de Santangel por liderar la trama conspiratoria de Calatayud, como ya hemos visto.

Por las fechas y duración de los procesos a conversos bilbilitanos y de la Comunidad de Aldeas acusados de judaizar sabemos que, la Inquisición de Calatayud tuvo plena autonomía competencial durante dos años y medio -hasta mediados de 1490-. En la sede bilbilitana se desarrollaba todo el procedimiento inquisitorial (denuncias, detención, encarcelamiento, procedimiento judicial, sentencia y ejecución de la pena).

A partir de ese año, Calatayud perdió gran parte de sus competencias en favor de Zaragoza. Por el calendario y el lugar de los interrogatorios conocemos que dichos procesos se iniciaban aquí (denuncias, detención, encarcelamiento, interrogatorios,etc.), pero que el procedimiento judicial -propiamente dicho- y la sentencia se tramitaban en el palacio de la Aljafería de Zaragoza, el cuartel general de la Inquisición en Aragón.

5.1.1.- LA SEDE Y CÁRCEL DE LA INQUISICIÓN EN CALATAYUD

El médico judío, don Tradoz Constantín[633], vivió en la mejor casa de la judería. Cuando la Inquisición se implantó en Calatayud, decidió abrir allí su sede[634] y ejercer su actividad[635]. Esta

---

[632] AHPZ, Caja 7, Nº 7, Proceso contra Jayme (Jacobi) Remon, vecino de Calatayud (comienzo del proceso: 11 de enero de 1488). Nació a finales del siglo XIV y murió en 1488, por lo que vivió unos 100 años. Se bautizó hacia 1414 junto a sus dos hijos, que adoptaron el nombre de María Remón y Johan Remón. A este último le enseñó el oficio de sastre. Padre e hijo estuvieron cosiendo 10 meses (siendo todavía judíos) en la Corte del rey Juan II. Pese a que vivían en la cuesta de San Juan de Vallupié, tenían una botica-taller en el mercado de la ciudad, donde vendían sus confecciones. Provenía del linaje judío de los Alpastan. Sus hermanos de sangre eran Brahem y Oro Alpastán. Su sobrino Çalema declaró cuando era pequeño, le llevaba presentes judíos. Otro familiar, Mosse Alpastan, le oyó rezar en *ebrayco* en su propia casa. Murió al poco tiempo de que la Inquisición le abriera expediente por judaizar. Su abogado defensor, el notario Gil de Magallón, pidió -en el alegato final fechado el 9 de abril de 1492- que en caso de ser condenado no exhumaran su cadáver, sino que lo dejaran enterrado en tierra sagrada. No se llegó a emitir sentencia.

[633] ASCZ, signatura s/n, proceso inquisitorial contra la conversa bilbilitana Isabel Lunell, p. 5 vto. y 23. Publicado por: LOPEZ ASENSIO, A., Op. Cit. *"Sabiduría judía de Calatayud"*, p. 325. Uno de los más eminentes médicos judíos que tuvo la ciudad de Calatayud en el siglo XV fue mastre Tradoz Constantín, cuyo padre (Mosse) y hermano (Salomon) también fueron médicos. A don Tradoz, «a causa de ser tan gran físico yban a visitar eclesiasticos, hidalgos, ciudadanos principales assi hombres como muxeres no reputando ser cargoso a la conçiença» ya que ese hombre «quasi de apasionado nunca sallia». La conversa bilbilitana, Isabel Lunell, mujer de Pedro de la Cabra, mantuvo una estrecha amistad con mastre Tradoz. Los miembros de la familia La Cabra iban a menudo a su casa para visitarle y pedirle "consexos", ya que una hija de ellos estuvo muchos años enferma con el «mal de orinas (cólicos nefríticos)».

[634] ASCZ, Sin Signatura, Proceso inquisitorial contra Isabel Lunell, p. 19. El 21 de agosto de 1488, el médico judío de Illueca, Jehuda Gargonya, declara ante la Inquisición que juzga a la conversa bilbilitana, Isabel Lunell que, hacia 1468, vio "muchas de vezes biviendo mastre Tradoz judio medico en la juderia en las casas donde de presente se exercere el officio de la sancta Inquisicion".

[635] ASCZ, Sin Signatura, Proceso inquisitorial contra Isabel Lunell, pa. 29. El 3 de diciembre de 1488, la judía de Calatayud,

vivienda estaba situada en el barrio hebreo de *Burgimalaco*[636] y lindaba con las casas de Simuel Çarfati[637] y Salomon Xamblel[638]. En esa misma manzana se encontraba también la sinagoga Menor o *sinoga de los texedores*[639], muy cerca del montículo donde se encontraba el Santuario de la Virgen de la Peña[640]. Como Tradoz Constantín murió en 1476, su viuda (Preciosa Santel) y sus hijos (Mosse y Bonafox Constantín) decidieron alquilarla al Santo Oficio en el año 1488.

Parece lógico pensar que la decisión de poner la sede de la Inquisición en la judería bilbilitana -y no en cualquier otro edificio de la ciudad cristiana- era para que (judíos y cristianos) pudieran denunciar a sus amigos, parientes y convecinos conversos con discreción, evitando así las posibles presiones y represalias de tipo social o familiar por haberlo hecho.

La cárcel de la Inquisición bilbilitana estaba situada en la torre mayor del castillo de la Virgen de la Peña[641] (hoy desaparecida), y *bien lejos*[642] de la sede y residencia de los miembros del Santo Oficio. En el sótano o bodega de dicha Torre se solía practicar la tortura a los procesados, de ahí que se le llame popularmente *casa del tormento*[643] o *torre del tormento*[644].

Cuando los inquisidores tomaban declaración a los acusados, no lo hacían en sus celdas de la cárcel, sino que los bajaban a la sala de vistas o juicios que estaba en la sede de la Inquisición de la judería. Pero en casos excepcionales, los Inquisidores subían a la torre para interrogar al acusado, como sucedió el 28 de enero de 1501, cuando Pedro Daça (encarcelado por judaizar) llamó al carcelero, Pedro, para que llamase a los Oficiales. Cumpliendo sus deseos *"dixo al dicho sennor inquisidor y al sennor assessor que el dicho Johan Daça les rogava que*

Preciosa Santel (viuda de don Tradoz Constantín), testifica ante la Inquisición que juzga a la conversa bilbilitana, Isabel Lunell que, hacia 1464, estaba "parida de una fija en las casas que de presente se exercere el officio de la sancta inquisición vino a veer (la acusada) a esta deposante que estava en la cama parida y le estreno hun timbre o florín".

[636] El barrio de *Burgimalaco* esta situado en la margen derecha del Barranco de las Pozas (según se baja). Su ámbito geográfico comprendía un espacio que iba (a lo ancho) desde el llamado *monte viexo* o montículo de la Peña, hasta el propio *Barranco*; y (a lo largo) desde la puerta y muralla Sur de la judería, hasta el final del caserío de esa vertiente.

[637] APNC, tomo 41, 1466, Leonart de Sancta Fe, p. 38 vto. Don Tradoz Constantín tenía unas casas suyas en la judería, con su bodega, que confrontan con las casas de Simuel Çafarti, con el *monte Viexo* y con la carrera.

[638] APNC, tomo 44, 1478, Leonart Santa Fe, p. 84. Unas casas suyas en la judería, que confrontan con las casas de Juan Alazan (que las tiene dadas a loguero a Simuel Alpastan) y con las de los herederos de don Tradoz Constantín.

[639] APNC, tomo 41, Leonart de Sancta Fe, 1466, p. 118. Publicado por: LOPEZ ASENSIO, A.; "La judería de Calatayud" Zaragoza, 2003, p. 140. El 4 de mayo de 1466, los mayordomos de la cofradía judía del "Sombre Holim... antigament clamada de los texedores" deciden reunirse "dentro de la sinoga Menor de la dicha judería endo et segunt que atales e semblantes actos e cosas como por la infrascriptas se han acostumbrado plegar et ajustar a capitol por mandamiento fecho por los mayordomos de la dicha confraria", para pedir un censal de 1.000 sueldos (100 sueldos de pensión anual) al converso bilbilitano Johan de Buendía. Los cofrades avalan el crédito con "la sobre dita sinoga Menor nuestra, sita en la judería de la dita Ciudat que cofronta con las casas de Yuçe Palençuela, con casas de Yuçe Paçariel, con la carrera, et con el monte viexo...", lo que confirma que la *sinagoga Menor* estuvo en el Barranco y barrio de *Burgimalaco*, junto al *monte viexo* o montículo de la Peña.

[640] APNC, tomo 46, 1470, Leonart de Sancta Fe, p. 313. Unas casas suyas con bodega en la judería, que confrontan con el *monte viejo*, con la *carrera* y "con el castillo de santa Maria de la Penya".

[641] CABEZUDO ASTRAIN, J.; "Los conversos aragoneses según los procesos de la Inquisición", *en Sefarad, XVIII, 2,* 1958, p. 278.

[642] AHPZ, Caja 12, Nº 7; Proceso inquisitorial contra Alfonso de Santa Cruz, p. 116 vto. El 28 de octubre de 1489, el vecino de Calatayud, Pedro de Santa Cruz, declara ante los Oficiales de la Inquisición que juzgan a su padre, Alfonso de Santa Cruz, que "en una camara baxa que esta junct con las casas donde los dichos reverendos senyores residen la qual esta bien lexos de la torre del tormento".

[643] IBIDEM.

[644] AHPZ, Caja 12, Nº 7; Proceso inquisitorial contra Alfonso de Santa Cruz, p. 122. El 28 de octubre de 1489, el vecino de Calatayud, Pedro de Santa Cruz, declara ante los Oficiales de la Inquisición que juzgan a su padre, Alfonso de Santa Cruz, que "en una camara baxa questa junct con las casas donde los reverendos senyores Alfonsso Dalarcon y mastre Martin Garcia inquisidores restan, en la qual esta bien lexos de la torre del tormento".

Alvaro López Asensio

quisiera subir a la carcel que queria fablar con ellos. E si luego los dichos sennor inquisidor y assessor subieron a la carcel y mandaron sacarle en presencia al dicho Johan Daça e benido alli el dicho sennor inquisidor le dixo como el carcelero les havia dicho que queria fablar con ellos y asi que mirase que es lo que queria[645]*".*

Pero cuando sospechaban que el acusado mentía en sus declaraciones, recurrían a la tortura como forma no espontánea de obtener información veraz. La Inquisición recurrió al suplicio de forma sistemática, ya que parece que sólo fue un medio para obtener confesiones, nunca un castigo propiamente dicho. En los 21 procesos de abiertos a personas de Calatayud y su Comunidad de Aldeas, tan sólo hemos encontrado dos casos de tortura: a Pedro Polo[646] y María López[647]. También hay que tener en cuenta el martirio que le practicaron a Jaime de Montesa[648]. Los procedimientos de tortura más empleados por la Inquisición aragonesa fueron, entre otros:

A.- El tormento de la Carrucha o cuerda

El tormento de la cuerda consistía en colgar al reo del techo con una polea y con pesas atadas a los tobillos. Las pesas de los pies se soltaban de repente, haciendo que brazos y piernas sufrieran violentos tirones y en ocasiones se rompieran o dislocaran. A Jaime de Montesa y a la bilbilitana María López les torturaron con este aparato.

B.- El tormento de la toca o tortura del agua

Este martirio consistía en introducir una *toca* o palo en la boca del reo, obligándole a ingerir agua para que tuviera la impresión de que se ahogaba. Al bilbilitano Pedro Polo lo torturaron por este procedimiento, porque se declaraba inocente de todas las acusaciones que le imputaba el Procurador Fiscal. Pese a la tortura, los inquisidores no lograron cambiar su declaración de inocencia.

---

[645] AHPZ, Caja 19, Nº 3; Proceso inquisitorial contra Juan Daça, p. 27. VEASE APÉNDICE DOCUMENTAL PROCESOS DE INQUISICIÓN.

[646] VÉASE APÉNDICE DOCUMENTAL Nº 25.

[647] VÉASE APÉNDICE DOCUMENTAL Nº 21. Proceso contra María López, casada con el bilbilitano Pedro de Santa Cruz (AHPZ, Caja 11, Nº 5; comienzo del proceso: 25 febrero de 1488). El padre de María López fue un converso bautizado de Calatayud, de la familia judía de los Quatorze (su hermano era Mosse Quatroze). Tras fallecer su primera esposa (la madre de la acusada), se casó con una mujer conversa de la Almunia de Doña Godina, lugar donde fijó el domicilio conyugal. Al parecer, su madrastra la educó en el judaísmo. María López contrajo matrimonio con el bilbilitano Pedro de Santa Cruz (condenado también por la Inquisición e hijo del converso bautizado Alfonso de Santa Cruz). El matrimonio vivió en unas casas sitas en la Calleja Nueva, muy cerca de la plaza del mercado. La *botica* o tienda que tenían se la realquilaron al judío Açach Truchas. Desconocemos si tuvieron hijos. Aunque se llevaba bien con su suegra Blanca y con sus cuñados Gabriel, Jaime y Domingo de Santa Cruz, sin embargo, tuvo una gran enemistad con su sobrina Isabel López, hija de su hermano Pedro López, vecino de la Almunia de Doña Godina. Es muy probable que esta sobrina la denunciase ante la Inquisición por judaizar, quien además declaró en contra suya en calidad de testigo. El encargado de defenderla fue el jurista y notario de Calatayud, Gil de Magallón. Al no admitir parte de las acusaciones que se le imputaban, los inquisidores la sometieron a tortura el 4 de diciembre de 1488. Tras reconocer allí que durante varios años ayunó el *quipur* judío, creyó que la Ley de Moisés era la buena y dio limosnas para el aceite de la sinagoga, el Tribunal la deja en libertad (sin abjurar) en calidad de *penitenciada*. El 7 de septiembre de 1492, la Inquisición la condena a llevar la *mantilla*, distintivo que portará durante cuatro años, hasta el 7 de septiembre de 1496, decisión que elevarán a definitiva el 24 de febrero de 1505.

[648] VÉASE APÉNDICE DOCUMENTAL Nº 18.

C.- El tormento del potro o ecúleo

El reo era atado de pies y manos a una especie de mesa, cuya superficie estaba conectada a un torno. El giro de sus cuerdas y poleas hacía que las extremidades corporales se tensaran en sentidos opuestos, produciendo un dolor espantoso. En ocasiones también se llegaban a luxar o quebrar las articulaciones.

5.1.2.- LOS PROCESOS DE INQUISICIÓN EN CALATAYUD

5.1.2.1.1.- LA INQUISICIÓN PERSIGUE A LOS CONVERSOS DE CALATAYUD

Hasta la implantación definitiva de la Inquisición en Calatayud (año 1488), los conversos y también el resto de cristianos tenían cierta libertad visitar a sus amigos y parientes en la judería, costumbre que no estaba mal vista en ninguna de las dos comunidades socio-religiosas. A menudo se intercambiaban regalos en señal de amistad, incluso los conversos celebraban pacíficamente sus fiestas sin ningún tipo de problema, algo normal entre personas con lazos de sangre y relaciones de amistad y sociabilidad.

Cuando la Inquisición se estableció en Calatayud, esta práctica desapareció por la presión y el miedo que ejercía el Santo Oficio sobre los conversos, que temían se utilizase como prueba de acusación cualquier trato con sus amigos y familiares judíos: asistir a sus fiestas, funerales, eventos, reuniones lúdicas en la judería, etc.

El 25 enero de 1488, la vecina de Calatayud, Catalina de Funes (acusada de *judayzar*), reconoce ante la Inquisición que *"en tiempos passados antes que el Vicario General lo vedasse, usandose en la ciudat, nos trayeron dos o tres vezes pan çançenno y turrado y he comido y despues que lo vedo el vicario general nunqua mas lo comi*[649].

También en el año 1514, el notario de Calatayud, Gil de Magallón, como Procurador o Abogado Defensor del bilbilitano, Anthon de Santangel (difunto y acusado de judaizar), alega ante la Inquisición que *"fue y es verdat que fue pratica y costumbre en la dicha ciudat de Calatayut y en otras partes del regno de Aragon de tanto tiempo que no ay memoria del principio de aquella fasta que vino la inquisicion, en el dicho regno que los judios en la pascua del pan cancenyo enviavan asi a cristianos de natura como a conversos clerigos y laycos y aquellos aquel recibian, la qual pratica fue decretada fasta que vino la sancta inquisicion en el dicho regno de Aragon*[650].

---

[649] AHPZ, Caja 14, Nº 8; Proceso inquisitorial contra Catalina de Funes, p. 3. VÉASE APÉNDICE DOCUMENTAL PROCESOS DE INQUISICIÓN

[650] AHPZ, Caja 12, Nº 8, Proceso inquisitorial contra Anthon de Santangel, p. 52 vto. VÉASE APÉNDICE DOCUMENTAL PROCESOS DE INQUISICIÓN.

5.1.2.1.2.- LOS PROCESOS ABIERTOS A JUDAIZANTES DE CALATAYUD

En el Archivo Histórico Provincial de Zaragoza se conserva una fabulosa colección de casi 900 procesos de Inquisición (de diferentes épocas) abiertos a personas de toda la geografía aragonesa (estos procesos los identificamos con las sigla: AHPZ). También destaca (por sus fondos en esta materia) el Archivo del Centro de Estudios Teológicos de Aragón (CRETA) que, aunque con tan sólo 19 volúmenes, guarda tres interesantes procesos tramitados contra judaizantes de Calatayud (estos procesos se identifican con la sigla: ASCZ).

Por precaución hemos descartado a seis conversos que el profesor Motis Dolader asegura que son de Calatayud. Un análisis de sus procesos revelan que son vecinos de Zaragoza[651]: Violante de Calatayud, Fernando Daza, Luís González, Jayme de Santa Clara, Luís de Santangel y Pedro Ferrer.

Conozcamos ahora alguno de los aspectos más interesantes de la vida de las 82 personas de la ciudad de Calatayud y su Comunidad de Aldeas (vivas o muertas), acusadas de haber cometido crímenes herejía (blasfemar, judaizar, etc.). Sus datos biográficos han sido sacados de los 21 procesos de Inquisición que se reproducen íntegramente en el Apéndice Documental y otro que, aunque no se ha incluido, también lo hemos estudiado en el presente trabajo de investigación: el de la bilbilitana María López.

1. Proceso contra Anthon de Santangel (difunto), vecino de Calatayud (AHPZ, Caja 12, Nº 8; comienzo del proceso: 13 de junio de 1486)

Nació siendo cristiano en Calatayud hacia 1416 y murió en 1486, un poco antes de que la Inquisición le abriera proceso por judaizar y participar en la muerte del inquisidor Pedro Arbués. Llegó a vivir unos 70 años.

Su padre se llamaba Pedro de Santangel y fue judío-converso, de ahí que Anthon estuviera tan familiarizado con las costumbres y ritos *judaycos*. Su madre, por el contrario, era cristiana vieja y se llamaba María Sánchez de Borbón.

Desconocemos con quien se casó, pero sí que tuvo tres hijos: Anthon de Santangel (que se casó con la hija de Coreano Fidalgo, cristiana de natura que murió en 1493), Pedro de Santangel (que se casó con una hija de Remiro, un reputado cristiano viejo), y una hija que estaba casada en Mallorca con Guiralt de Pamplona, un cristiano *lindo* de esa ciudad.

Aunque vivía en las casas que heredó de sus padres, concretamente en la calle del Obispo de Tarazona (frente a la casa del jurista, micer Johan de Nueros), también pasaba grandes temporadas en Terrer, donde tenía muchas heredades agrícolas que cultivaba con la ayuda de mozos de esa localidad. Hacia 1483 compró también una casa en la puerta de Terrer, edificio en la que nunca vivió.

No tuvo oficio conocido, sino que *"era rico mercader y que tratava mercancías en grueso"*. También se dice que *"yva siempre bien vestido asi en unos dias como en otros"* y que *"tratava con personas religiosas y letradas de buena vida"*. Fue una persona muy religiosa. Tanto en Terrer como en Calatayud iba con frecuencia a misa y daba limosnas. En la ciudad fue, durante 18 años, parroquiano de San Pedro de los Francos, pasando después a pertenecer a la Colegiata de Santa María.

---

[651] COMBESCURE THIRY, M. y MOTIS DOLADER, M.A., Op. Cit. *"El libro verde de Aragón"*, p. 40.

Su alta posición social y política le permitió ser Diputado del reino por dos años, así como varias veces Justicia de Calatayud. Los testigos cuentan que era hombre justo y piadoso, pues mando hacer procesiones para que lloviese y evitar pestilencias. En el año 1468 la ciudad sufrió el azote de la Peste. Muchos de sus habitantes huyeron hacia los pueblos vecinos. Anthon de Santangel se refugió en Maluenda hasta que remitió la epidemia.

Su implicación en la trama del asesinato de Pedro Arbués hizo *"que el dicho Anthon de Sanctangel mayor se havia absentado de la dicha ciudat e y havia ydo fuyendo por miedo del descripto por el Sancto Officio de la Inquisición"*. Tras 14 meses de ausencia en Mallorca (en casa de su hija) regresó a la ciudad durante mes y medio, volviéndose a marchar por miedo a los procesos ya abiertos en Zaragoza contra todos los conversos que se reunieron y participaron en el asesinato de maestre Epila. Su escudero, Francisco de Tabaria, declara en su proceso que, de camino a Mallorca, murió en un mesón de Villareal (Castellón) a primeros de 1486. Un notario de allí levantó acta de su testamento. Cuando moría recitó unas oraciones que, para unos eran oraciones cristianas y para otros *ebraycas*.

Tras su muerte, la Inquisición le abrió un proceso por las denuncias que interpusieron García de Noviercas (por conspirar en la muerte de Pedro Arbués) y la judía Duenya, mujer de Jaco Enrodrich (por haber practicado ritos *judaycos*). La familia nombró abogado defensor al notario Gil de Magallón. En 1493, el Tribunal le declara culpable por haber sido cómplice de la muerte del Inquisidor, tener conversaciones con judíos (a los que les decía que la creencia de los cristianos era falsa y que la verdadera es la de Moisés), manifestar que Jesús es Mesías pero no Dios, dar limosna a judíos, comer alimentos judíos y guardar el sábado.

La sentencia falla (entre otras penas) que sus huesos sean desenterrados y se quemen junto a su efigie o estatua. Así mismo se ordena la incautación de todos sus bienes. El 6 de septiembre de 1493, su hijo Pedro de Santangel nombra a los notarios bilbilitanos Gil Sánchez de Magallón, Pedro Calvo y Miguel Garcés para que recurran dicha sentencia y, muy especialmente, todo lo referente a la expropiación de sus bienes. Como la Inquisición tardaba en resolver, los nietos del acusado apelan de nuevo al Tribunal con nuevas alegaciones. Desconocemos como concluyó el proceso alegatorio.

2. Proceso contra Jayme (Jacobi) Ramon, vecino de Calatayud (AHPZ, Caja 7, Nº 7; comienzo del proceso: 11 de enero de 1488)

Nació a finales del siglo XIV y murió en 1488, por lo que vivió unos 100 años. Se bautizó hacia 1414 junto a sus dos hijos, que adoptaron el nombre de María Remón y Johan Remón. A este último le enseñó el oficio de sastre. Padre e hijo estuvieron cosiendo 10 meses (siendo todavía judíos) en la Corte del rey Juan II. Pese a que vivían en la cuesta de San Johan de Vallupié, tenían una botica-taller en el mercado de la ciudad, donde vendían sus confecciones.

Provenía del linaje judío de los Alpastan. Sus hermanos de sangre eran Brahem y Oro Alpastán. Su sobrino Çalema declaró que cuando era pequeño, le llevaba presentes judíos. Otro familiar, Mosse Alpastan, le oyó rezar en *ebrayco* en su propia casa.

Murió al poco tiempo de que la Inquisición le abriera expediente por judaizar. Su abogado defensor, el notario Gil de Magallón, pidió -en el alegato final fechado el 9 de abril de 1492- que en caso de ser condenado no exhumaran su cadáver, sino que lo dejaran enterrado en tierra sagrada. No se llegó a emitir sentencia.

3. **Proceso contra Johan Pérez de Santa Fe, alias de Ariza, vecino de Calatayud (AHPZ, Caja 9, Nº 10; comienzo del proceso: 12 de enero de 1488)**

Nació en Ariza, en el seno de la familia judía de los Avayut. Se bautizó a los 18 años, tal vez movido por la conversión de su padre que se puso el nombre de *Martiniquo*. Su padrino de bautizo fue el bilbilitano Loys de Santangel. En Ariza seguía teniendo dos hermanos judíos: Açach y Jehuda Avayut. Como este último era muy pobre, le enviaba dinero y telas para que se vistiera decentemente.

Hacia 1460 marchó a Barcelona a casa de *Mossen* Francis de Esnoles, donde debió aprender el oficio de *Calçetero*. En 1468 volvió a Calatayud, donde se caso y trabajó como administrador de los bienes del padre de Martín de Sayas. Por entonces vivía por la Puerta de Terrer, hasta que en 1486 se trasladó al mercado de la ciudad. En ella tuvo también tienda-taller donde vendía sus mercancías. Es muy probable que le ayudaran sus dos hijos, Anthon y Johan, así como asalariados judíos.

Su abogado defensor fue el notario de Calatayud, Gil de Magallón. El Vicario de la iglesia parroquial de Santo Domingo, *mossen* Tomás, dijo en su proceso *"que lo tienen... por loco y esto porque yva disputando por las plaças y calles desta ciudat y que fazia muchos corros de gentes y de aquello se rreyan en esta ciudat muchos, y que es muy fablador, por que no, por que le haya visto fazer otras locuras este deposante al dicho Johan Perez y lo suso dicho sobe porque lo vio"*. Al final no hubo sentencia.

4. **Proceso contra Pedro Çit, vecino de Calatayud (ASCZ, (sin signatura); comienzo del proceso: 16 de enero de 1488)**

Su padre se llamaba Johan Çit y era judeo-converso, del linaje judío de los Çahadías. Tenía un hermano que se llamaba Rodrigo Çit. Los tres fueron a la boda de Yuçe Çahadías (su primo hermano judío). El judío Açach Çahadías era hermano de su padre Johan Çit. Cuando murió este tío, ambos estuvieron con sus primos hermanos judíos siete días encerrados en su casa de la judería, guardando el luto semanal hebreo.

A los 12 años se marchó a Valencia para aprender a coser con maestre Perol y su hermano Galcerán Perol. Estos maestros practicaban muchos ritos judaicos, que le obligaban a observar durante todo el tiempo que estuvo con ellos. En el año 1459 se trasladó a Zaragoza al taller del sastre, Johan de Daroca. Mas tarde regresó a Calatayud, donde abrió su propia casa-taller en el mercado de la ciudad. Sabemos que se casó y tuvo un hijo que le ayudaba en el negocio. Su nieto se llamaba como él, Pedro Çit, el joven. En su taller trabajaban los judíos Mosse Avayut y Asser Abencrespo.

Tras ser juzgado, el 9 de septiembre de 1490, la Inquisición lo dejó en libertad como *penitenciado*. Una vez fuera, comentó a ciertas personas que tuvo que declararse culpable para poder salir de la cárcel. El Santo Oficio le vuelve a detener e interrogar sobre estos comentarios, dejándole de nuevo en libertad.

El 22 de febrero de 1494 se reabre el caso de oficio. Esta vez dijo en público que la Inquisición era la culpable de que la ciudad viviera (en junio de 1492) una epidemia de peste. A pesar de ello, el Juez le deja de nuevo en libertad tras abjurar y reconocer sus erráticas declaraciones.

5. Proceso contra Johan de Esperandeo, menor de días, vecino de Calatayud (AHPZ, Caja 15, N° 6; comienzo del proceso: 17 de enero de 1488)

A la edad de 12 años se fue a Zaragoza a casa de su tío, Johan de Sperandeu (hermano de su padre), para aprender el oficio de sastre. Mas tarde, siendo todavía un muchacho, se marchó al taller de maestre García, sastre de Valencia. Cuando regresó a Calatayud, contrajo nupcias con Sperança. El matrimonio alquiló una casa en el mercado de la ciudad (propiedad de Johan Abat), lugar donde abrieron su propia tienda de sastrería. Tuvo una hija que se casó con Matutano, ambos trabajaban en el taller familiar. En Calatayud se le conocía popularmente como Johan de Esperandeo el joven ó el sordo.

En su declaración final (mayo de 1492) admite las acusaciones del Procurador Fiscal, terminando el sumario sin sentencia el 23 de mayo de 1492. Es muy probable que alcanzara la libertad.

6. Proceso contra Isabel Lunell, viuda de Pedro de la Cabra, vecina de Calatayud (ASCZ, (sin signatura); comienzo del proceso: 18 de enero de 1488)

Isabel Lunell nació en Barbastro, pero desde muy joven se marchó a Zaragoza donde se casó con Johan López, hermano de Fernando López, el que quemó la Inquisición. Ya viuda vino a Calatayud -hacia el año 1455- para casarse con Jorge de la Cabra. Fruto de este segundo matrimonio nacieron Pedro, María e Isabel de la Cabra. Esta última se casó con Pedro López y estuvo mucho tiempo enferma en cama con cólicos nefríticos, que curaba su buen amigo judío don Tradoz Constantin.

Aunque la familia vivía en la Plaza de la Higuera, también tenían otra casa en la puerta de la judería de San Andrés, casa que albergaba la iglesia de San Pablo (anteriormente la sinagoga de su suegro Yuçe Abencabra). La iglesia era propiedad de la familia, por lo que la dotaban de todo lo necesario para celebrar allí misa tres días a la semana.

Su hijo Pedro se casó con una valenciana, la cual no se llevaba bien con su suegra Isabel. Esta intentó separar el matrimonio recurriendo a los hechizos de una curandera y de un judío; ambos remedios no surgieron efecto. Tras la muerte de su padre (hacia 1478), Pedro abrió una puerta desde la iglesia de San Pablo hacia la judería, creando gran desconcierto entre los judíos. Jehuda Benardut le trasladó el malestar de la aljama, comprometiéndose a hablar con los *clavarios* de la misma y *"todo se hara como vosotros querreys"*. Pedro de la Cabra también fue detenido, juzgado y acusado de judaizar por la Inquisición.

En la casa de Isabel siempre hubo servicio. Todos salieron contentos del trato dado menos Anthona de Valtorrés, que fue acusada de robar a sus amos, aunque ella siempre lo negó. Anthona fue la que más negativamente declaró en su proceso inquisitorial. Los que testificaron a su favor dijeron de ella que era buena persona, honrada y de conversación honesta. Los domingos solían verla por la iglesia de San Pablo, Santa María la Mayor y la Peña. También daba limosna en la iglesia de San Agustín, San Pedro Mártir y el Carmen.

El 9 de abril de 1492 reconoce entre el Tribunal de la Inquisición haber judaizado, admitiendo así los crímenes de herejía que le imputaban. El Juez del Santo Oficio la dejó en libertad como *penitenciada*.

7. Proceso contra Catalina de Funes, mujer de Pedro Ferrer, vecina de Calatayud (AHPZ, Caja 14, Nº 8; comienzo del proceso: 25 de enero de 1488)

Catalina de Funes vivía de alquiler en la Rua, en casa de Marquo el *Çapatero*. Estuvo casada con Pedro Ferrer, pero desconocemos más datos sobre su familia y pasado judío. Aunque la Inquisición la juzgó por judaizar, siempre negó las acusaciones de los testigos que declararon en su contra. El 8 de mayo de 1493 admite ante el Procurador Fiscal la práctica de ciertos ritos y ceremonias *judaycas*, archivándose el proceso.

8. Primer proceso contra Luís de Heredia, portero del rey, notario y vecino de Villarroya de la Sierra (AHPZ, Caja 12, Nº 9; comienzo del proceso: 25 de enero de 1488)

Luís de Heredia era hijo de Francisco de Heredia (el tuerto) y de Isabel. Su padre lo circuncidó a los 8 años de edad, poniéndole el nombre de *Jacobico*. La familia vivió más de 18 años en unas casas alquiladas al bilbilitano Pedro de la Cabra.

Siendo un adolescente estuvo al servicio del Vizconde de Biota, conviviendo en palacio con judías y moras de la localidad. Mas tarde, de jovenzano, estuvo con el Señor de Cetina. Tras casarse con una mujer de Villarroya de la Sierra, se fue a vivir a ese pueblo como Portero del Castillo, propiedad del Rey.

No sabemos quien le pudo denunciar. Desde un principio admitió que algunas veces practicó ritos y ceremonias *judaycas*. Entre el 20 y 30 de febrero de 1490 abjura y se arrepiente de sus comportamientos heréticos. El Tribunal lo deja en libertad como *penitenciado*.

9. Segundo proceso contra Luís de Heredia, portero del rey, notario y ahora vecino de Calatayud (AHPZ, Caja 12, Nº 9; comienzo del proceso: 1 de marzo de 1490)

Dos años después de que acabara el anterior proceso, la Inquisición le detiene de nuevo y le acusa de seguir practicando los ritos y ceremonias judías que prometió no volver a hacer nunca más, además de hablar de las malas prácticas que realizaba el Santo Oficio con los conversos.

Tras admitir de nuevo las acusaciones del Procurador Fiscal, el Juez lo declara culpable de herejía por *relapso* o reincidente. El caso se remite al Justicia de Calatayud (autoridad civil) para que ejecute la pena correspondiente que, en estos casos, era la hoguera.

10. Proceso contra Clara Escobar, alias la costurera, vecina de Calatayud (AHPZ, Caja 9, Nº 8; comienzo del proceso: 8 de febrero de 1488)

Clara Escobar nació siendo judía, pero se bautizó hacia 1465. Tras su conversión siguió viviendo durante nueve años como judía. A partir de 1474 dejó el judaísmo para vivir como cristiana. Su madre se llamaba Soli, mujer con la que mantuvo una estrecha relación, cuidó cuando estuvo enferma y asistió a su funeral hebreo (le dejó en herencia un manto suyo de recuerdo). Tuvo también dos hermanos: uno judío al que le daba gallinas degolladas a modo *judayco*; y otro converso que se llamaba Alvaro Escobar, que estuvo casado con Catalina Maraven y vivía en el barrio de San Miguel.

La Inquisición le acusa de judaizar. El Tribunal la declara culpable, pero como admitió los hechos y abjuró de ellos, la dejan en libertad como *penitenciada*.

11. Proceso contra Pedro Sánchez, alias el recadero, vecino de Calatayud (AHPZ, Caja 9, Nº 1; comienzo del proceso: 24 de febrero de 1488)

Poco sabemos de su vida, tan sólo que estuvo casado, tuvo varios hijos y era tendero sin un establecimiento comercial fijo, de ahí que para vender su mercancía fuera de un lugar a otro como *recadero*. Es probable que tuviera una salud delicada, pues tenía como médico de cabecera a un médico judío *apensionado* (una pensión fija para visitarlo) y a Jehuda Lupiel como cirujano, el cual *"fizo en mi casa dos o tres curas buenas a mis fijos"*.

La Inquisición lo detuvo por judaizar. El tendero, Johan García, declaró en su proceso que intercambiaba presentes con judíos durante las fiestas de Pascua hebreas. No hay sentencia firme, siendo muy probable que lo dejaran en libertad por falta de pruebas.

12. Proceso contra Pedro de Santa Clara, alias el çedaçero, vecino de Calatayud (AHPZ, Caja 9, Nº 1; comienzo del proceso: 11 de marzo de 1488)

Pedro de Santa Clara nació siendo judío. Tenía una hermana judía llamada Clara que vivía en la aljama de Arándiga. Tras su conversión se casó y tuvo dos hijos: uno llamado Johan y una hija casada con Granyen el organero. En Calatayud vivía en la calle que sale al mercado *"cabo casa de Gonçalvo de Moros"*, lugar donde trabajaba también como sedero.

Por dos años vivió en incredulidad porque Johan López de Coscollán y Pedro de Santa Clara le decían que no existía la Trinidad (sino el único Dios verdadero), ni la encarnación de Jesucristo, ni la pasión, ni la resurrección, ni la eucaristía. Aunque en 1484 confiesa ante el Tribunal que se arrepiente de haber vivido en el pasado como un judío, sin embargo, deja muy claro que lleva mucho tiempo que lo hace ya como buen cristiano y en el seno de la Iglesia Tras admitir su culpabilidad y abjurar de las acusaciones, el Tribunal le deja en libertad como *penitenciado*.

13. Proceso contra Johan Daça, mercader, vecino de Calatayud (AHPZ, Caja 19, Nº 3; comienzo del proceso: 17 de marzo de 1488)

El bilbilitano Johan Daça (júnior) nació en el seno de una familia conversa (bautizados de primera generación). Su padre se llamaba igual que él y descendía de la familia judía de los Carrillo de Calatayud; de hecho el hermano de su padre era Jehuda Carrillo. Su madre se llamaba Gracia de Blanes (hija de Anthon de Blanes), acusada también por la Inquisición de judaizar. Además del acusado, este matrimonio tuvo otro hijo, llamado Ferrando Daça que, siendo un muchacho, se fue a Valencia a trabajar en una trapería. Cuando regresó (a los 18 años) vivió con su padre (Johan Daça, senior) en Maluenda. También tenían otra casa en el *Banyuelo* de Calatayud, donde pasaban la mayor parte del año.

El acusado se casó con la bilbilitana, María de Moros, hija de Gonçalvo de Moros. Ambos tuvieron dos hijos, llamados Miguel y Alonso Daça (notario que fue de Calatayud). Cuando fue encarcelado por la Inquisición, su mujer intentó pasarle un papel escondido en una camisa con las declaraciones de los que habían testificado contra él. Una vez descubierta la maniobra, declaró todo ante los Comisarios del Tribunal. Desconocemos las consecuencias que tuvo esta mala práctica.

En la cárcel dijo a sus compañeros de celda, maestre García López y Gillabert de Santa Cruz, que declararía lo que fuera para salir de allí. El sumario se instruyó en Calatayud hasta el año 1501, año en que pasó a Zaragoza. Tras confesar su culpabilidad y abjurar de su herejía, parece que lo dejaron en libertad sin sentencia firme.

14. Proceso contra Pedro de Santa Clara, alias el Platero (difunto), vecino de Calatayud (AHPZ, Caja 7, Nº 7; comienzo del proceso: 26 de marzo de 1488)

Hacia el primer tercio del siglo XV se bautizó a la fe cristiana siendo todavía un muchacho. Tras su conversión se fue a vivir a Torrijo de la Cañada, donde ejerció el oficio de platero. Eligió esta localidad porque le permitía moverse profesionalmente entre Castilla y en la Comunidad de Aldeas de Calatayud.

A los 12 años de estar en Torrijo (hacia el año 1480) se compró una segunda vivienda en la calle de San Miguel de Calatayud (cerca del barrio de *Vallupié*). Seis años después la vendió y adquirió otra en el mercado de la ciudad, donde vivió hasta su muerte.

Estuvo casado con Grande de Blanes, hija de Anthon de Blanes. Ambos tuvieron un hijo (que se llamó como él), y una hija, Johana de Santa Clara, que se casó con Johan de Ejea. Esta testificó en su contra porque no se hablaba con sus padres. Al parecer le reprendían mucho y le controlaban bastante la vida, cosa que no permitió y amenazó *"que ella haria quemar assu padre y a su madre"*.

Murió en 1487-88 poco antes de que la Inquisición le abriera expediente. Aunque se instruyó el sumario, no hubo sentencia firme contra él.

15. Proceso contra Pedro Polo, Çapatero, vecino de Calatayud (APHN, Caja 10, Nº 1; comienzo del proceso: 25 de abril de 1488)

Pedro Polo vivía en la Rúa y estaba casado con Angelina. Aunque no sabemos nada de su conversión, de joven aprendió el oficio de zapatero en el taller de Lorenço Adrián, donde le salió una *"pupa"* y le prescribieron no comer sal, lechugas y vinagre para curarla. Cuando tuvo su propio taller en la plaza del mercado de Calatayud, ocupó a judíos y moros que le traían alimentos *judaycos* y a los que les mandaba trabajar en domingo en sus propias casas.

Estuvo presente en la reunión de conversos celebrada en San Pedro de los Francos poco antes de la muerte de Pedro Arbués. Tal vez por esto la Inquisición le abrió un expediente de oficio, acusándolo de judaizar. Desde un principio se declaró inocente aludiendo que era buen parroquiano de San Andrés. El Santo Oficio le torturó hasta que admitió su pena. A su compañero de celda, Gaspar de Santa Cruz, le dijo que había confesado su culpabilidad para salvar la vida. El Tribunal le dejó en libertad como *penitenciado*.

16. Proceso contra Leonor Álvarez, viuda de Sperandeo Ram, vecina de Calatayud (AHPZ, Caja 10, N° 6; comienzo del proceso: 28 de julio de 1488)

Leonor Álvarez se casó con el converso bilbilitano Sperandeo Ram. Su padre se llamaba Jayme Álvarez y su madre como ella. Su hermana era Beatriz y estaba casada con Jayme el Tortosino.

El judío bilbilitano, Jaco Enrrodrich, testificó en su contra diciendo que su tía, la Portuguesa, era pariente de Jayme Álvarez (su padre), por lo que su linaje era judío y, como tal, practicaba ritos y ceremonias *judaycas*. También le denunció Catherina Matheu (casada con Johan Yust, habitante de Carenas), la cual declaró que, cuando sirvió en la casa de sus padres, vio como guardaban el sábado.

Parece que la acusada estuvo poco tiempo detenida. El 26 de enero de 1489 (siete meses después de abrirse contra ella el proceso inquisitorial) juró en su casa –ante los inquisidores- que la confesión que hizo en su día ante la Inquisición se ajustaba a la verdad, motivo por el cual se archivó el expediente.

17. Proceso contra Garcia Benedit, viuda de Johan de San Jorge, vecino de Calatayud (AHPZ, Caja 12, N° 2; comienzo del proceso: 16 de enero de 1489)

Gracia Benedit era hija del converso bilbilitano Johan Benedit. Cuando tenía 14 años se fue a vivir a Huesa del Común con una tía suya, llamada María Benedit (hermana de su padre y casada con Johan el *Pelayre*). Allí aprendió los ritos y costumbres judías porque su tía hacía vida de judía.

La acusada se casó con Johan de San Jorge (apodado el pelligero), viviendo ambos en la Rua. El matrimonio tuvo dos hijos: Johan de San Jorge (que se casó con Agueda, quedando viudo muy joven) y Anthon de San Jorge. En casa de la acusada siempre huvo sirvientas, que luego dirán que les mandaba quitar las grasas y la *glandolilla* (nervio aciático) de las piernas de cordero a modo *judayco*. En sus dos últimas declaraciones (noviembre de 1489) reconoce las acusaciones vertidas contra ella, motivo por el que la dejaron en libertad sin sentencia firme.

18. Proceso contra varios conversos difuntos de la ciudad de Calatayud (AHPZ, Caja 12, N° 7; comienzo del proceso: 30 de septiembre de 1489)

- **Johan Lopez Coscollán:** Se le acusa de judaizar. Al parecer enviaba a la judería a una sirvienta, llamada María, a por *hamin* para comérselo en sábado. También solía guisar a modo *judayco*.

- **Anthon de Santangel:** Repetido, tratado con anterioridad en un proceso independiente que se instruyó contra él.

- **Anthon Ximénez de Rueda (alias Arruet):** Se le acusa de judaizar y jurar en la Ley de Moisés. Posiblemente provenga del linaje judío de los Arruet. Anthon era trapero y comerciante de profesión. Casado con Rica, el matrimonio vivió primero en la Rua y más tarde en el *Banyuelo*, cerca de la judería.

- **Johan de Sayas:** Se le acusa de judaizar. Se casó con Anthona y tuvieron varios hijos, pero sólo conocemos a una que se llamaba María. El acusado era sastre y solía cortar seda, *fustones* y *panyos* en domingos. El judío Açach Xuet declaró ante la Inquisición que era un gran sodomita.

- **Simón de Santa Clara (mayor):** Se le acusa de judaizar. Estuvo casado y vivía en el Mercado de la ciudad, donde tenía también una *botica*. Tuvo un hijo que se llamaba como él, el cual estuvo también preso por la Inquisición. Su hijo Simón se casó con Johana de Sayas y tuvieron dos hijos: Martín y Clara de Santa Clara (nietos del acusado). Ambos testificaron contra su abuelo ante el Tribunal de la Inquisición, diciendo que lo oían recitar oraciones en *ebrayco*. Ya anciano vivió en casa de su hijo hasta su muerte.

- **Anthon de Blanes:** Se le acusa de judaizar. Era corredor de profesión. Su madre y esposa (cuyos nombres desconocemos) daban dinero y *olio* a la sinagoga. Sus hijas se llamaban Gracia (juzgada por la Inquisición) y Grande de Blanes (casada con Pedro de Santa Clara, alias el platero).

- **Johan de Romeral:** Se le acusa de judaizar porque daba limosnas para la *çedaca* de la sinagoga. Procede del linaje judío de los Jabba. El judío bilbilitano, Mosse Jabba, era su sobrino carnal. Estuvo casado con María del Romeral y tuvieron una hija que contrajo matrimonio con el Señor de Cetina, lugar donde vivieron algunos años. Murió en 1476 y lo enterraron (junto a su mujer) en tierra virgen del Monasterio de Piedra.

- **María de Romeral (mujer de Johan de Romeral):** Se le acusa de judaizar porque daba limosna para la cera y el aceite de la sinagoga. Cuando era judía se llamaba Ladossana. Se casó con Johan del Romeral. Se mandó enterrar junto a su marido en tierra virgen del Monasterio de Piedra.

- **Gabriel de Santa Cruz:** Se le acusa de judaizar. Nació siendo judío y estaba emparentada con la familia Paçagon (pariente suyo era Brahem Paçagon). Tras bautizarse se casó y tuvo un hijo que se llamaba como él. Era mercader de profesión.

- **Alfonso de Santa Cruz:** Se le acusa de judaizar. Nació siendo judío, del linaje de los Buenavida. Estaba casado con la conversa Blanca, que cuando era judía se llamaba Blanca Chinillo. El matrimonio vivía en el barrio cristiano de *Villanueva*, junto a la judería. Ambos tuvieron cinco hijos: Paulo, Pedro (juzgado por la Inquisición), Martín, micer Domingo, *mossen* Johan y *mossen* Jayme (canónigo). Su nieto Gabriel de Santa Cruz (juzgado también por la Inquisición) declaró en contra de su abuelo.

- **Johan Daça:** Se le acusa de judaizar. Nació siendo judío, del linaje de los Campillo (hermano suyo era Jehuda Campillo). Estuvo casado y tuvo tres hijos: Johan Daça (cuyo proceso de Inquisición hemos visto más arriba), Miguel Daça (que tenía por costumbre ir a la feria de Medina del Campo a comerciar) y a Ferrando Daça. La familia vivía en el barrio del *Banyuelo*. En un libro tenía una Hostia Consagrada que sacaba cuando juraba en sus negocios. Dejó en testamento que su hijo Johan *"dasse una libra de olio para la sinoga cada semana"*, tal vez para su alma y la de sus difuntos judíos. El proceso comenzó (estando ya muerto) el 21 de febrero de 1488, y terminó el 30 de septiembre de 1489 (archivándose la causa).

- **Felipe Pérez de Moros:** Se le acusa de judaizar. Nació siendo judío, pero desconocemos el linaje. Tenía una hermana judía llamada Cinha que estaba casada con Mosse Çadoch. Tuvo un hijo que se llamaba como él. Un sobrino suyo (con su mismo nombre) testificó contra él diciendo que ayudaba a su hermana judía, a la que solía invitar a casa a comer carne y comida *judayca*.

- **Johan de Maluenda (mayor):** Se le acusa de judaizar. Se sabe muy poco de su vida, salvo que fue sastre, *"empues se fizo trapero y cambiador"*. Contrajo matrimonio con la conversa Aldonça (acusada también de judaizar), la cual tenía una hermana judía casada con uno apellidado Truchas. La familia vivía en el *banyuelo* (cerca de Santa María) y tuvieron dos hijos, García de Maluenda (juzgado por la Inquisición) y Pedro de Maluenda. Al parecer, ambos juraban por la Ley de Moisés para ser creídos por los judíos. Los dos fueron tintoreros de profesión.

- **Ferrando López (el mudo):** Se le acusa de judaizar. Iba con frecuencia a la feria de Medina del Campo en compañía de otros conversos, donde practicaban ritos y ceremonias *judaycas*. El apodo revela que hablaba poco.

- **Leonart de Santangel:** Se le acusa de judaizar. Nació siendo judío, del linaje de los Abenxoe. Era tío de la judía Çidilla, hija de Haym Abenxoe (hermano del acusado) y esposa de Mayr Galleguo, judío de Aguarón. El acusado estaba casado con Margarita de Montesa y vivían en la plaza de Santiago de Calatayud, en una casa alquilada a Miguel de Heredia. Sus hijos se llamaban Isabel de Santangel (mujer de García de Santangel), Catalina de Santangel y Alfonso de Santangel (especiero). Su nieta Sançia Martell, vecina de Maluenda, declaró ante el Tribunal de la Inquisición en su contra, diciendo que le vio comer *hamín* en sábado.

- **Jayme García (el viexo):** Se le acusa de judaizar. Apenas sabemos datos biográficos de él. Estuvo casado con Blanca y tuvo dos hijos: Jayme Garcia (el joven) y una hija que le dio un nieto llamado García Bernat.

- **Jacobo (Jayme) Álvarez:** Se le acusa de judaizar. Nació siendo judío. Su hermano se llamaba Lázaro Álvarez y ambos eran primos de Jaco Carrillo, judío de Arándiga. Vivía con su mujer en la Rúa, cerca de la colegiata de Santa María y del mercado de la ciudad, donde tenía una *botica*. Tanto su hijo como su nieto (notario) se llamaban como él.

- **María Daça (mujer de Benedicto Ram):** Se le acusa de judaizar. Nació siendo judía y era pariente cercana de Brahem Alpastán que, cuando murió en 1450, estuvo en su velatorio hebreo y lloró por él. Se casó con Benito Ram, notario de Calatayud. El matrimonio vivía en la calle Nueva de la *Rua* y tuvieron por hijos a Benito Ram (también notario), Anthon Ram (que murió muy joven) y a tres hijas más, cuyos nombres desconocemos pero no así el de sus maridos: una estaba casada con micer Gabriel, otra con Bernat Garçia y la tercera con Micer Francisco Ram.

- **María López de Moros:** Se le acusa de judaizar. María era hija de Felipe López de Moros, el *calçetero*. Se casó con el mercader y converso Remón López de Villanueva (hermano de Brahem Paçagon (el rico) y de Garçia López de Villanueva). La madre de María, la conversa Justa, vivía en casa de ellos.

- **Paulo de Daroca:** Se le acusa de judaizar. Nació siendo judío, del linaje de los Abenxuen. Su sobrino (el hijo de su hermano) se llamaba Simuel Abenxuen. Su mujer se llamaba Marquesa (conversa e hija del judío bilbilitano Juçe Çarfati). El matrimonio tuvo una hija llamada *Andreyca*. Parientes de su mujer fueron los judíos: Açach Alquer (judío de Illueca) y Mira (hermana de su madre y casada con Benahem Abayut).

19. Proceso contra varios conversos y moros que viven en Calatayud y en pueblos de su Comunidad (AHPZ, caja 20. Nº 15; comienzo del proceso: 22 de agosto de 1509)

- **Pedro Casado (Paracuellos de Xiloca):** Se le acusa de judaizar. En su proceso se dice que *"desciende del linaje de judios y pro tal es tenido nombrado y reputado... que el no sabe si lo es o no porque no conocio a sus aguelos, es verdat que oyo dezir que su aguelo de parte de padre era confesso y que se dezia Johan Casado"*. Cuando mataron al inquisidor Pedro Arbués, reprendió a unos de ese lugar porque culpaban a los conversos.

- **Johan Cortés (Fuentes de Xiloca):** Se le acusa de blasfemar a la Virgen. El testigo Johan Serrano dice ante la Inquisición que oyó *ser confesso*. Cuando estaba en el portal de su casa jugando con otros vecinos, uno de ellos invocó a la virgen y él contestó: *"dessa puta vieja"*.

- **María Pérez de Moros (Terrer):** Se le acusa de judaizar. En su proceso se dice que *"es conversa y desciende de linaje de judios y por tal es tenida y reputada"*. Era hija de Felipe Pérez de Moros (converso) y de María Daça. En 1509 aparece como viuda de Miguel Cortés y madre de García Cortés.

- **Domingo López (Bubierca):** Se le acusa de blasfemar contra Dios, la Virgen y la Iglesia. El testigo Michael de Mesa dice de él que muchas y *"diversas vezes renega de Dios y de Sancta María"*.

- **María de Pina (Ateca):** Se le acusa de judaizar. Estuvo casada con Johan de San Martín, vecino de Ateca. En su proceso se dice que *"Maria de Pina, cristiana nueva, despues de haverse convertido a nuestra fe catolica... y se ha repentido una y muchas vezes porque se hizo cristiana"*.

- **Pedro Ximénez (Sestrica):** Se le acusa de judaizar. Fue mayordomo del Vizconde de Biota y Señor de Sestrica. Cuando era judío se llamaba Yuçe Carrillo. El Procurador Fiscal de la Inquisición dice que *"despues que se convirtió a nuestra sancta fe catolica una y muchas vezes se ha repentido por haverse fecho cristiano"*.

- ***Mossen* Miguel Arnal (Moros):** Se le acusa de judaizar. Parece que intentó comprar las declaraciones de los testigos que iban a declarar contra él.

- **Mastre Martín de Aymar (Ateca):** Se le acusa de judaizar. Nació siendo judío y es cristiano nuevo. Médico de profesión, fue acusado de hablar en *ebrayco* con una paciente conversa.

- **Martín Andrés (Villalba del Perejiles):** Se le acusa de blasfemar y judaizar. Realmente se llamaba Martín García y se le conocía con el apodo de *Andrés*. Parece que dijo: *"mas valia dexar algun bien o renta al bordel que no a la Yglesia"*. También *"que fiel tuviesse a Ihesu Cristo y anuestra senyora su madre que el les daria de bofetadas"*. Preguntado si es converso o desciende de linaje judío, *"dixo que no le era ni desciende tal linaje"*.

- **Anthon Lopez (Calatayud):** Se le acusa de judaizar. El Procurador Fiscal le culpa de haber dicho *"que havia perdido por causa de la Inquisicion los dineros en Teruel (fue juzgado condenado por la Inquisición) y que visto esto mas quisiera ser judio"*.

- *Mossen* **Alonso de Sancta Cruz (Calatayud):** Se le acusa de blasfemar contra la Eucaristía y la Inquisición. Parece que cuando celebraba misa no decía las palabras de la Consagración. También decía que *"la inquisicion no se fazia, sino por robar y quitarles lo suyo y que con tormentos les fazian atorgar lo que no havian fecho"*.

- **Johan de Pomar (Villalengua):** Se le acusa de bigamia. Se casó dos veces -no por el sacramento canónico del Matrimonio- sino por juramento o *"palabras de presente"*. Parece que su primera mujer lo denunció.

- **Alonso Çala (Calatayud):** Se le acusa de blasfemar contra la Inquisición. Llegó a decir: *"que mal poso huviesse el primer judio y su padre, madre y todos sus parientes porque se tornaron cristianos"*.

- **Violant de Luna (Illueca):** Se le acusa de judaizar. Nació judía y, tras convertirse al cristianismo, siguió practicando ritos y ceremonias judías. Se casó con el converso de Illueca, Gaspar Pelijero, *almutaçaf* de dicha villa. Parece que la denunció otro cristiano nuevo llamado Bernardino (tendero de Illueca). La acusada se enfrentó a su marido porque la quería mal.

- **Pedro de Linyan (Moros):** Se le acusa de blasfemar contra Dios y la Virgen. Tenía el título de escudero. Era muy escéptico en temas de religión, ya que llegó a decir que *"Dios no es todo poderoso ni puede hazer ni bien"*.

- **Marta Errando (Velilla de Xiloca):** Se le acusa de judaizar. Estaba casada con Anthon García, vecino de Velilla. El Procurador Fiscal le acusa de encender candiles (durante nueve días en casa) por la muerte de su marido.

- **Catalina Marco (Villaluenga):** Se le acusa de practicar ritos musulmanes. Nació siendo mora y al convertirse se casó con Martín Marquo, vecino de Villalengua. El fiscal dice que *"despues que se convirtió de mora a nuestra sancta fe catolica ha dicho una y muchas vezes que tanto valia la ley de los moros como la de los cristianos y que tambien se podia salvar el moro en su ley como el cristiano en la suya"*.

- **Johan Andrés (Villaluenga):** Se le acusa de blasfemar. Era labrador de profesión. Hablando de los Corporales de Daroca dijo que *"no eran nada sino gotas de sangre o de bermejon"*.

- **María López (Moros):** Se le acusa de judaizar. Su padre era García López de Villanueva, hermano del rico judío Brahem Paçagon. Cuando era una muchacha estuvo sirviendo un tiempo en casa de su tío, lugar donde aprendió los ritos y ceremonias *judaycas* que luego practicó.

- *Mossen* **Miguel Ferrandez (Miedes):** Se le acusa de blasfemo y judaizante. Aunque dice que es cristiano *lindo*, el Procurador Fiscal le acusa de que *"continuamente tiene mucha plática con moros y judios y desciende del linaje dellos"*. Cuando cantó misa fueron muchos judíos a su fiesta.

- **Gonçalvo de Huete (Bubierca):** Se le acusa de blasfemo y judaizante. El Procurador Fiscal dice que *"desciende de linaje de judíos"*. Era sastre de profesión. Tras abjurar de sus herejías (negar que los Corporales de Daroca son una mentira y haber practicado ritos *judaycos*), la Inquisición le deja en libertad como *penitenciado*.

- **Johan de Sos (Morés):** Se le acusa de judaizar. Era albardero de profesión. Parece que se relacionaba mucho con judíos, los visitaba, comía con ellos y practicaba sus ritos.

- **Pedro de la Pica (Aranda de Moncayo):** Se le acusa de blasfemo. Era pastor de profesión. Llegó a decir que los que mataron a Jesucristo no fueron los judíos, sino alguno de sus discípulos.

- **Johan de Deça (Villaluenga):** Se le acusa de practicar ritos musulmanes. El Procurador Fiscal sostiene que *"desciende de linaje de moros y assi ha comido muchas vezes con los moros de sus aldacas y carne travesada por ellos y esto es verdat. Item dize… que ha guardado el biernes por honrra de la secta mahometana y dixo por un moro nuevo que Dios le perdonasse a su Ley y esto es verdat. Item dize… que es criminosso y se fizo crimiadar como moro y esto es verdat"*.

- **Martín de Menes (Ateca):** Se le acusa de blasfemar contra el sacramento de la Confesión, pues llegó a decir *"que diablo, que confesion, por este diablo de confesion, que todo es nada"*.

- **Pedro Garcia, menor (Ateca):** Se le acusa de blasfemar contra la Virgen. En varias ocasiones afirmó que María no era Virgen, sino *corrompida*.

- **Ferrando de Ravanera (Ateca):** Se le acusa de blasfemar contra el sacramento del Bautismo. Parece que repetía continuamente que *"ninguno que fuesse bautizado no podia ser dampnado (dañado)"*.

- **Domingo Garcia (Ateca):** Se le acusa de blasfemar contra la concepción virginal de María. En varias ocasiones llegó a decir que María no se había quedado virgen después del parto.

- **Maria Ximénez (Ateca):** Se le acusa de blasfemar contra la Salvación Eterna. Se caso con Domingo Parient, vecino de Ateca. Solía decir el siguiente refrán: *"en este mundo no me veas mal passar que en el otro no me veras penar"*.

- **Johan Pérez de Somer (Ateca):** Se le acusa de blasfemar contra la Salvación Eterna. También decía la siguiente máxima: *"no me veas en el passar que en el otro no me veras penar"*.

- **Pedro Álvarez (Morés):** Se le acusa de blasfemar contra la Virgen y renegar de Dios. Se dedicaba al oficio de la sastrería. El Procurador Fiscal dice que *"desciende del linaje de judios y de moros y por tal es tenido"*. Llegó a decir en público cosas como: *"reniego de ti Dios que no puedes hazer mal ni bien"*.

- **Leonís de Aragón (Arándiga):** Se le acusa de judaizar. Nació siendo judío y es cristiano nuevo. Tras su bautismo solía degollar aves a modo *judayco*.

- **Marien de Belbis (Villafeliche):** Se le acusa de practicar ritos musulmanes. Nació siendo musulmana y estuvo casada con el moro Yuçe de Arebalo. El Procurador Fiscal la acusa de que *"siendo como es mora, aconsejava y ha aconsejado a algunos moros que se querian hazer cristianos que no lo hiciesen retrayendoles de su bien proposito"*.

- **María de Sus (Ibdes):** Se le acusa de blasfemar contra la Eucaristía y la Salvación Eterna. Se casó con Lope Navarro, vecino de Ibdes. Entre otras cosas, llegó a decir que había dos paraísos y que daba igual ir a uno que a otro.

- **Diego Munyoz (Ariza):** Se le acusa de judaizar. Era labrador de profesión. En presencia de muchas personas dijo, en referencia a los muertos y pobres *"tales palabras: mas queria ser judio y levar capirote y entrar en la sinoga y tener que comer que no ser cristiano y no tener que comer"*.

- **María Sanz (Calatayud):** Se le acusa de bigamia. Estaba casada con Lope de Santa María, vecino de Calatayud. Se casó con él jurando sobre los cuatro Evangelios, y no por el sacramento canónico del matrimonio. También hizo lo mismo con Diego Lobera, con el que vivió después públicamente.

- **Mahoma el Mexo (Almonacid de la Sierra):** Moro y *alfaquí* de dicho lugar. Se le acusa de que *"ha dicho una y muchas vezes ablando del Sacramento del Altar que los clérigos tenian enganyado a todo el mundo y que un frayre havia fecho bien que se havia tornado moro en granada y que los cristianos tenia por santo al papa y por mas que Dios y que mas fazia que no Dios y otras palabras contra nuestra fe catolica"*.

- **Johan Martínez (Arándiga):** Se le acusa de blasfemar contra la Inquisición. Pensaba que lo que se *"fazia en la inquisicion era falso y malo y que no tomavan sino los riquos"*.

- **Johan de Gotor (Arándiga):** Se le acusa de judaizar. Muchas veces ha comido *hamin* en sábado y ha recitado oraciones judías.

- **Johan Candelero (Calatayud):** Se le acusa de blasfemar contra la Inquisición, ya que decía que su objetivo era robar a la gente.

- **Dianita de Lanuça (Illueca):** Se le acusa de judaizar. Nació siendo judía y es cristiana nueva. Desde que se convirtió ha seguido practicando los ritos y ceremonias *judaycas*.

- **Pedro Garcia (Ateca):** Hijo de Diego García, el viejo. Es muy probable que no se llegara a investigar nada sobre él, ya que sólo aparece su nombre en el índice de procesados.

20. Proceso contra Constanza de Ariza, hija de Johan de Ariza, maestrante de Calatayud (AHPZ, Caja 20, N° 15; comienzo del proceso: 4 de febrero de 1514)

Constanza de Ariza era hija de Johan de Ariza, el cual también fue juzgado por la Inquisición. Aunque desconocemos con quien se casó, el matrimonio tuvo cuatro hijos. En febrero de 1514, sus dos hijos varones ya habían muerto. Una de sus hijas se llamaba María de Ariza y vivía en la Plaza del mercado de Calatayud (junto a Leonort de Sancta Fe), en una casa alquilada a Johan López. La otra hija –que se llamaba como ella- vivió siempre con su madre.

La Inquisición le acusa de judaizar. Es muy probable que su proceso se instruyera íntegramente en 1514. Después de ser interrogada por el Procurador Fiscal y admitir las acusaciones que se vertían contra ella, la dejaron en libertad como *penitenciada*.

21. Proceso contra Gracia de Blanes, hija de Anthon de Blanes vecina de Calatayud (AHPZ, Caja 22, N° 1; comienzo del proceso: 22 de febrero de 1514)

La documentación apenas arroja datos sobre su vida. Las acusaciones de los testigos se remontan a los tiempos en que vivía con sus padres que, al parecer, se bautizaron para evitar la expulsión de 1492. Como ella misma dice, fueron ellos los que la iniciaron en la practica de toda clase de ritos y ceremonias *judaycas*. Todo parece indicar que nació judía y sus padres la bautizaron siendo una niña.

Estuvo encarcelada por la Inquisición hasta que, a finales de 1514, se falló sentencia de libertad como *penitenciada*, tal vez por haber admitido su culpabilidad.

22. Proceso contra María López, casada con el bilbilitano Pedro de Santa Cruz (AHPZ, Caja 11, N° 5; comienzo del proceso: 25 febrero de 1488)

El padre de María López era converso bautizado de Calatayud, de la familia judía de los Quatorze (su hermano era Mosse Quatroze). Tras fallecer su primera esposa (la madre de la acusada), se casó con una mujer conversa de la Almunia de Doña Godina, lugar donde fijó el domicilio conyugal. Al parecer, su madrastra la educó en el judaísmo.

María López contrajo matrimonio con el bilbilitano Pedro de Santa Cruz (condenado también por la Inquisición e hijo del converso bautizado Alfonso de Santa Cruz). El matrimonio vivió en unas casas sitas en la Calleja Nueva, muy cerca de la plaza del mercado. La *botica* o tienda que tenían se realquilaron al judío Açach Truchas. Desconocemos si tuvieron hijos.

Aunque se llevaba bien con su suegra Blanca y con sus cuñados Gabriel, Jayme y Domingo de Santa Cruz, sin embargo, tuvo una gran enemistad con su sobrina Isabel López, hija de su hermano Pedro López, vecino de la Almunia de Doña Godina.

Es muy probable que esta sobrina la denunciase ante la Inquisición por judaizar, quien además declaró en contra suya en calidad de testigo. El encargado de defenderla fue el jurista y notario de Calatayud, Gil de Magallón. Al no admitir parte de las acusaciones que se le imputaban, los inquisidores la sometieron a tortura el 4 de diciembre de 1488. Tras reconocer allí que durante varios años ayunó el *Quipur* judío, creyó que la Ley de Moisés era la buena y dio limosnas para el aceite de la sinagoga, el Tribunal la deja en libertad (sin abjurar) en calidad de *penitenciada*. El 7 de septiembre de 1492, la Inquisición la condena a llevar la *mantilla*, distintivo que portará durante cuatro años, hasta el 7 de septiembre de 1496, decisión que elevarán a definitiva el 24 de febrero de 1505.

5.1.3.- OTROS PROCESOS ABIERTOS A CONVERSOS DE CALATAYUD

5.1.3.1.- PROCESOS QUE HAN DESAPARECIDO

5.1.3.1.1.- Nuevos procesos a conversos difuntos

Con anterioridad hemos visto el proceso donde la Inquisición juzga a veinte conversos difuntos de Calatayud (tomo que se encuentra en el Archivo Histórico Provincial de Zaragoza; AHPZ, Caja 12, N° 7; comienzo del proceso: 30 de septiembre de 1489). Un análisis del tomo procesal revela que los inquisidores no encuadernaron (junto a esos 20 expedientes) el de otros siete nuevos conversos que, curiosamente, sí se relacionan en el listado de su índice. Desconocemos donde pueden estar esos siete procesos.

En resumen, la Inquisición juzgó en este tomo procesal a un total de veintisiete conversos difuntos de Calatayud (20 encuadernados, más 7 que faltan). Veamos la identidad de esos siete desaparecidos:

NOMBRE	LUGAR	AÑO	PARENTESCO	ACUSACIÓN
Johan de Ariza	Calatayud	1489	Padre de Constanza de Ariza	*Judayzar*
Jorge de la Cabra	Calatayud	1489	Hijo de Isabel Lunell	*Judayzar*
Fernando de Buendía	Calatayud	1489		
Johan de Buendía	Calatayud	1489		
Diego de la Torre	Calatayud	1489		
Johan López de Mainar	Calatayud	1489		
Isabel de Linyan	Calatayud	1489	Señora de Cetina e hija de Johan y María del Romeral	

5.1.3.1.2.- Noticia de procesos que han desaparecido

Tras examinar detenidamente el índice general de todos los procesos de Inquisición que se encuentran en el Archivo Histórico Provincial de Zaragoza (AHPZ), hemos constatado que – pese a estar relacionados en dicho índice- faltan los expedientes de seis conversos bilbilitanos de sus fondos bibliográficos.

Hay que tener en cuenta que, con anterioridad, este fondo documental estuvo custodiado en la Audiencia Territorial (desde que a principios del siglo XIX se disolviera definitivamente el Tribunal del Santo Oficio). Hay constancia de que en 1853 fueron sacados 450 procesos, de los cuales se conserva un inventario. También se guarda el expediente de la Real Orden de 22 de marzo de 1852, por el que se ordena actualizar el inventario de la totalidad de los procesos desaparecidos[652], incluidos los que extrajo el historiador Antonio Llorente[653].

La desaparición de esos procesos ha hecho imposible su estudio. No obstante, es interesante que conozcamos los nombres de esos seis neófitos para saber más sobre la identidad del grupo converso de Calatayud:

NOMBRE	LUGAR	AÑO	OTROS DATOS	ACUSACIÓN
Miguel López	Calatayud	1481		Herejía y Apostasía
Leonart de Santa Fe	Calatayud	1486		Herejía y Apostasía
García de Santangel	Calatayud	1490		Herejía y Apostasía
Johan Danar (Daymar)	Calatayud	1492		Herejía y Apostasía
Johan Torrellas	Calatayud	1492	Albardero	Herejía y Apostasía
Clara de Blancas	Calatayud	1499	Mujer de Johan de Castra	Herejía y Apostasía

5.1.3.1.3.- Otros conversos juzgados por la inquisición

Una lectura reposada de los 21 procesos de inquisición que se reproducen en el Apéndice Documental (fundamento de nuestro estudio) nos revela la existencia de otros siete conversos de Calatayud juzgados por el Santo Oficio. Ignoramos el paradero de sus expedientes, ya que en el Archivo Histórico Provincial de Zaragoza (AHPZ) -lugar donde se encuentran recopilados la mayoría de los procesos de Inquisición que se conocen en Aragón- no hay rastro de sus nombres, ni de sus correspondientes sumarios. Veamos la relación de estos conversos bilbilitanos que, hasta la fecha, se ignoraba que hubieran sido juzgados por la Inquisición:

- **García López y Gillabert de Santa Cruz.** El 16 de enero de 1501, el vecino de Calatayud, García López (preso), confiesa ante el Inquisidor que *"confabulavan este confesant y Gilabert de Sancta Cruz y Johan Daça, que estaban todos tres en una estancia (de la carcel), y dezian que el dicho Johan Daça por yr se a su casa y a su mujer y fijos se intimetieria y confesaria lo que no havia fecho, y esto dezian creya por*

---

[652] AHPZ, caja 18-15, signatura J2018/25.

[653] José Antonio Llorente extrajo del Archivo inquisitorial de la Audiencia Territorial 19 volúmenes para escribir su *"Historia crítica de la Inquisición Española"*. La mayoría de estos volúmenes se conservan en la Biblioteca Nacional de París, en la llamada *"colección Llorente"*. La mayoría son procesos de los siglos XV y XVI, entre ellos algunos de los más importantes, el de Antonio Pérez (secretario de Felipe II).

que tenia al Johan Daça por hombre truydo y libiano[654]".

- **Gaspar de Santa Cruz.** El 23 de mayo de 1488, el vecino de Calatayud, Gaspar de Sancta Cruz (preso por el Santo Oficio) declara ante la Inquisición que juzga al bilbilitano, Pedro Polo, que *"estando presso en companya de Pedro Polo el presente testigo huyo dizir al dicho Pedro Polo que el dicho Pedro Polo havia oydo dizir que el dayuno de quipur quien quiere que lo ayunara pues no lo ayunase sino affin de hazerse riquo que no era peccado ni heregia[655]".*

- **Simón de Santa Clara (menor).** El 29 de marzo de 1488, el vecino de Calatayud, Lope de Verdejo, afirma ante la Inquisición que juzga al difunto bilbilitano, Simón de Santa Clara (mayor), que *"ha mas de vinte y cinquo annos que huyo dizir a Simon de Sancta Clara (mayor), padre de Simon de Sancta Clara (menor) que agora esta preso por la sancta inquisición[656]...".*

- **Pedro de Santa Cruz.** El 19 de julio de 1488, el judío de Almonacid de la Sierra, Mayr Banobarius, dice ante la Inquisición que juzga al bilbilitano, Alfonso de Santa Cruz (difunto), que *"muchas de vezes salliendo de la juderia et yndo a la cristiandad por muchas vezes con otros muchachos judios, vio a Dalonso de Sancta Cruz, padre de Pedro de Sancta Cruz questa presso por la inquisición[657]...". En el proceso que juzga a su mujer, María López, la judía bilbilitana, Struga (mujer de Yento Avayut) declara ante la Inquisición que "Pedro de Sancta Cruz (mayor) que esta preso por la inquisición[658]...".*

- **Gabriel de Santa Cruz.** El 3 de noviembre de 1488, el vecino de Calatayud, Gabriel de Santa Cruz *"jurista preso que esta por la sancta inquisición[659]* comparece ante el Tribunal del Santo Oficio para declarar contra el proceso abierto a su abuelo, Alfonso de Santa Cruz (difunto). Gabriel era hijo de Pedro de Santa Cruz.

- **García de Maluenda.** El 18 de marzo de 1488, el judío de Calatayud, Jehuda Truchas, expone ante la Inquisición que juzga al difunto bilbilitano, Johan de Maluenda (mayor), que *"su padre llamado Brahem Truchas embiava con hun mesage de casa cuyo nombre no le acuerda por la pascua de pan çançenno pa n çançenno alcahalillas y turrado a huno llamado Johan de Maluenda, cambiador padre de Garcia de Maluenda por*

---

[654] AHPZ, caja 19. Nº 3; Proceso contra Johan Daça, p. 29 vto. y 30. VEASE APÉNDICE DOCUMENTAL PROCESOS DE INQUISICIÓN.

[655] AHPZ, caja 10. Nº 1; Proceso contra Pedro Polo, p. 47. VEASE APÉNDICE DOCUMENTAL PROCESOS DE INQUISICIÓN.

[656] AHPZ, caja 12. Nº 7; Proceso contra Simón de Santa Clara (mayor), p. 58 vto. VEASE APÉNDICE DOCUMENTAL PROCESOS DE INQUISICIÓN.

[657] AHPZ, caja 12. Nº 7; Proceso contra Alfonso de Santa Cruz, p. 108 vto. VEASE APÉNDICE DOCUMENTAL PROCESOS DE INQUISICIÓN.

[658] AHPZ, caja 11. Nº 5; Proceso contra María López, p. 18 vto. VEASE APÉNDICE DOCUMENTAL PROCESOS DE INQUISICIÓN.

[659] AHPZ, caja 12. Nº 7; Proceso contra Alfonso de Santa Cruz, p. 116. VEASE APÉNDICE DOCUMENTAL PROCESOS DE INQUISICIÓN.

heretico condempnado[660]...".

5.1.4.- CONCLUSIÓN: CONVERSOS JUZGADOS POR LA INQUISICIÓN

- En los 21 procesos de inquisición, recopilados en el Apéndice Documental del presente trabajo de investigación, se juzgan a 82 personas de Calatayud y su Comunidad de Aldeas (el 80% del total).

- En el índice del proceso que juzga a varios conversos difuntos de Calatayud[661], se nombra a otras siete personas (el 7% del total) cuyos expedientes están en el catálogo pero no en el tomo encuadernado por los inquisidores.

- En el Archivo Histórico Provincial de Zaragoza se tiene noticia de la desaparición de otros seis procesos de Inquisición a *judayzantes* de Calatayud, es decir, el 6% del total.

- En los 21 procesos de inquisición se nombran a siete nuevos conversos de Calatayud (el 7% del total). Hasta ahora no sabíamos nada sobre su paradero, ya que en ningún Archivo consultado hay constancia documental de su existencia.

- En resumen, tenemos noticia documental de que, entre los años 1486-1515, la Inquisición juzgó a un total de 102 personas de Calatayud y su Comunidad de Aldeas (vivos o difuntos). Al 78% se les acusa de judaizar. Al resto (el 22%) de practicar herejía (blasfemias, afirmaciones contra la Inquisición, los sacramentos y los dogmas doctrinales de la Iglesia, bigamia, descalificaciones, etc.).

5.2.- LA ESTRUCTURA DE LOS PROCESOS DE INQUISICIÓN

5.2.1.- INTRODUCCIÓN

Frente al proceso penal acusatorio de carácter ordinario, oral, publico y probatorio; el proceso inquisitorial se establece como especial, escrito, secreto, basado en la sospecha y en el no dejase notar. El inquisitorial es también arbitrario, es decir, el Juez puede determinar la pena sin sujetarse a ninguna ley que lo limite, frente a las sentenciadas de los códigos legales que regula el derecho común u ordinario que sí lo hacen.

Se ha estudiado y escrito muy poco sobre la forma de proceder de los diferentes Tribunales inquisitoriales de Aragón y Castilla. El hecho de que en los procesos se utilicen escasas normas jurídicas[662] dificulta todavía más su conocimiento, de ahí que este capítulo

---

[660] AHPZ, caja 12. Nº 7; Proceso contra Johan de Maluenda, p. 143. VEASE APÉNDICE DOCUMENTAL PROCESOS DE INQUISICIÓN.

[661] Proceso contra varios conversos difuntos de la ciudad de Calatayud (AHPZ, Caja 12, Nº 7; comienzo del proceso: 30 de septiembre de 1489).

[662] FERNÁNDEZ GIMÉNEZ, Mª. C.; "La sentencia inquisitorial", *en revista de Estudios Histórico-Jurídicos, XXIX,* 2007, p. 1. "Además de esa escasez de estudios se constata el reducido número de normas jurídicas utilizadas por los tribunales inquisitoriales, que se limitan a las reflejadas en las instrucciones, tanto antiguas como nuevas, dadas por distintos Inquisidores Generales. A consecuencia de este vacío jurídico aparecen los Directorios de Inquisidores, verdaderos repertorios jurídicos en los cuales los ministros del Santo Oficio podían encontrar colecciones de leyes, capítulos de jurisprudencia, formularios de autos, etc. Dentro de

pretenda profundizar en la estructura de los procesos y en el personal funcionario que operaba en ellos.

La Inquisición no sólo persiguió y juzgó a los herejes y blasfemos a través de sus Tribunales de justicia, sino que además tuvo como misión primordial la defensa de la fe y la moral cristiana; delitos todos que atentaban contra los principios de la Iglesia.

5.2.2.- VALORACIÓN DOCUMENTAL DE LOS PROCESOS DE INQUISICIÓN

Los procesos de Inquisición analizados constituyen no sólo una fuente inagotable de información para aproximarnos a las dudas de fe y a la contradictoria vida religiosa que tuvieron los conversos de Calatayud, sino también un medio para conocer aspectos tan variados como el interés social, cultural, psicológico, religioso, económico y jurídico del resto de comunidades socio-religiosas con las que convivían (judíos, cristianos viejos y musulmanes).

A pesar de ello, debemos acercarnos con cautela pues los hechos que presentan se hallan mediatizados por la percepción de los propios intervinientes que, sometidos al miedo mediático o propio tormento, suelen contradecirse en los detalles y mentir para evadir la responsabilidad en otras personas o cómplices. Pese a ello, sería un error minusvalorar el interés historiográfico de estas fuentes, de ahí que las hayamos estudiado, analizado, ordenado y citado con la intencionalidad para las que fueron escritas, es decir, reflejar el ambiente previo a la muerte del inquisidor Arbués, las conjuras que realizaron y los motivos que les llevaron a tomar dicha decisión.

La acusación, como en otros procesos de aquella época, se basó en las declaraciones hechas bajo tormento y en las denuncias recíprocas de los inculpados que, a veces, se contradecían la una a la otra en los detalles. Todas las demás cosas que los inquisidores dieron por ciertas y probadas están para el historiador en la frontera de la duda, especialmente porque no se han descubierto más que unos pocos de los documentos originales y únicamente algunos fragmentos de ellos se han publicado. El historiador moderno no puede probar la veracidad de los testimonios de la acusación tal como están. En cambio, las palabras de la defensa pueden rechazarse de plano; su debilidad y su intención están claras y patentes.

5.2.3.- FASE PRE-PROCESAL: LA ACUSACIÓN

5.2.3.1.- LA BÚSQUEDA DE PRUEBAS: LOS *SERMONES DE FE*

Desde la casa-sede de la Inquisición en Calatayud, los inquisidores publican el solemne *Sermón de Fe* (llamado también *Edicto de Gracia*). Con este primer acto no sólo se abre el período de confesión voluntaria para la búsqueda de pruebas en el más absoluto secreto, sino también la autoproclamación del poder del Santo Oficio y su autoridad ante el pueblo.

---

estos directorios destacamos el de Nicolás Eymeric, que recoge la experiencia adquirida por él en Aragón, en el cargo de Inquisidor General. Esta obra doctrinal es de gran relevancia y utilidad práctica, de ahí su aceptación y difusión en Europa".

1. **En la comunidad cristiana**. El Sermón era leído en todas las iglesias de la ciudad al finalizar los actos religiosos de mayor concurrencia de fieles. No se proclamaba una sola vez, sino que constantemente se aprovechaba cualquier fiesta o tiempo litúrgico fuerte (domingos, fiestas mayores, santos patrones, adviento, cuaresma, pascua, días votivos, etc.) para animar a la gente a que denunciase, de forma anónima y confidencial, los casos sospechosos de herejía en la propia sede de la Inquisición.

2. **En la comunidad judía**. Los rabinos estaban obligados a leer el Sermón en la sinagoga durante los tres momentos de oración diaria (mañana, tarde y anochecer), así como en la festividad del *sabbat*. Al parecer, eran bastantes reacios a que allí se difundieran comunicados de otra religión. Ante este rechazo, el 12 de diciembre de 1484, el propio rey Fernando II (1479-1516) tuvo que escribir al Justicia de Calatayud para que obligara a los rabinos de la aljama a leerlos en sus respectivas sinagogas. También ordena que los judíos de la ciudad se sometan a las preguntas que los Comisarios del Santo Oficio les pudieran formular sobre el comportamiento judaizante de algunos conversos[663].

3. **En la comunidad musulmana**. Los musulmanes tenían la obligación de difundir el Sermón los viernes en la mezquita de la ciudad. En los procesos de Inquisición nunca aparecen testigos de este credo religioso. Su discreto contacto con la comunidad cristiana y conversa hizo que se desentendiesen del tema, ya que era una guerra que no iba contra ellos. Pese a ello, la Inquisición abrió algún proceso a musulmanes: a Mahoma el Mexo[664] (vecino de Almonacid de la Sierra), y a otros tres moros conversos que vivían en lugares de Señorío[665](501): Marien de Belbis (Villafeliche), Johan de Deça (Villalengua) y Catalina Marco (Villalengua).

5.2.3.2.- PERÍODO DE GRACIA: LAS DENUNCIAS

Tras el *Sermón de Fe* se abre un período de treinta o cuarenta días para que la gente se anime a declarar sus faltas y las de otros. El secreto de estas denuncias crea indefensión y desconcierto entre la población (conversa o no) que, inseguros de no saber lo que saben de ellos y movidos por el miedo, acuden también a confesar sus intimidades y las del resto de vecinos, parientes y amigos. El objetivo es que, tras la denuncia, el acusado confiese su herejía, se arrepienta de su conducta inapropiada, y se le imponga la penitencia o castigo que corresponda. Veamos las diferentes formas de iniciar el procedimiento inquisitorio[666]:

- **Por acusación directa**. Cuando una persona atribuye a otra un crimen de herejía en presencia del Inquisidor o Juez.

- **Por denuncia**. Una persona pone en conocimiento de los inquisidores la existencia de unos delitos de herejía para que el Juez inicie el proceso pertinente. El denunciante no

---

[663] VEASE APÉNDICE DOCUMENTAL Nº 12.

[664] AHPZ, caja 20. Nº 15; Proceso contra el moro, Mahoma el Mexo, p. 13 vto. VEASE APÉNDICE DOCUMENTAL PROCESOS DE INQUISICIÓN.

[665] AHPZ, caja 20. Nº 15; Proceso contra los moros conversos Marien de Belbis (pag. 12), Johan de Deça (pag. 10 vto.) y Catalina Marco (p. 8 vto.). VEASE APÉNDICE DOCUMENTAL PROCESOS DE INQUISICIÓN.

[666] FERNANDEZ GIMÉNEZ, Mª. C.; Op. Cit. *"La sentencia inquisitorial"*, p. 3.

forma parte del sumario, quedando exento de presentar cualquier prueba posterior (si que puede declarar como testigo sobre lo denunciado). Una vez que el Inquisidor recibe la denuncia, debe informar al Tribunal de los motivos de la misma, así como obtener del denunciante el juramento (sobre los santos Evangelios) que valide la veracidad de sus declaraciones.

- **Por inquisición u oficio.** Cuando el Inquisidor conoce personalmente la existencia de un hecho delictivo, puede iniciar el procedimiento de oficio sin la intervención de un acusador o denunciante.

- **Por rumores.** El Inquisidor incoa expediente por los simples comentarios, indicios, sospechas y rumores de quien ha podido cometer un delito de herejía. El sospechoso es interrogado para verificar esos rumores y juzgarle si procede.

Los judíos que deciden bautizarse a la fe cristiana, son criticados desde dos puntos de vista diferentes: por un lado sus parientes judíos los tildan de apostatas, y por otro la Iglesia los llama herejes. La mayoría de los judíos sintieron por los conversos bautizados rechazo y odio profundo, ya que ocupaban cargos oficiales que les daban la oportunidad de seguir interviniendo en asuntos de su anterior religión judía. Por este motivo, procuraron causales el mayor daño posible en sus denuncias ante el Tribunal del Santo Oficio.

5.2.4.- FASE SUMARIA: LA DETENCIÓN

5.2.4.1.- MEDIDAS CAUTELARES: LA DETENCIÓN

Una vez interpuesta la denuncia (externa o auto-inculpatoria) el caso es examinado por el Juez-Inquisidor del Tribunal, quien ordena el encarcelamiento si ve indicios claros de herejía. La orden de prisión se decreta sin que el acusado sepa los cargos que le imputan. A partir de ese momento, el preso permanece incomunicado hasta el fallo de la sentencia o el archivo del expediente. Nadie podrá darle información sobre las declaraciones de los testigos o la marcha de los acontecimientos. La Inquisición no toleró que ningún familiar se saltara esta norma en el régimen de visitas, ni siquiera la mujer del converso bilbilitano, Johan Daça, cuando intento burlar la vigilancia carcelaria sin éxito. Veamos lo que sucedió:

- En el mes de noviembre del año 1500, el inquisidor interroga a María de Moros, mujer del acusado, Johan Daça, a quien le pregunta "*si havia ella fecho o enviado algun memorial o carta haviso a su marido en especial una que le fue mostrada la qual fallo oy el alguazir en una camisa que se traxo para el dicho inhyabidador, respondio que era verdat que ella ordeno la dicha carta y que la scribio un fijo que es de nueve annos y que la envio al dicho su marydo cosida en una camisa que el envio, oy interrogada pues dize en el albaran que hasentido tres testigos que era el uno Benardut y dos mujeres que diga como lo sintio o quien gelo dixo, respondio que no le dio ninguno haviso dello sino que ella presumio que habya deposado contra su marydo Benardut (judio)... quel dicho sennor inquisidor le mando que hubiese en secreto lo sobre dicho y mandole sopena de excomunion y descrerio y otras penas, que no enviase unas carta ni haviso al dicho*"

Johan Daça[667]*.*

El arresto lo ejecuta el Alguacil del Santo Oficio. El confinamiento lleva consigo el secuestro preventivo de los bienes muebles e inmuebles del acusado, pero nunca los bienes crediticios o hipotecarios (*censos* y *comandas* que debe y le deben). Los bienes incautados cautelarmente eran para la Corona, quien pagaba no sólo el gasto de los encarcelados, sino incluso las costas procesales y los salarios de los funcionarios.

En muchas ocasiones, los familiares se quedaban en la miseria durante el largo tiempo que duraba el proceso. Por ello, la Inquisición asumirá –en algún caso- la manutención de la familia, formará profesionalmente a sus hijos y colocará a las hijas como empleadas del hogar. Por regla general, respetaron la mitad de los bienes gananciales de la mujer, que los fueros de Aragón reconocen como "derecho de viudedad expectante".

- Los bilbilitanos Jayme Salmas y Johan de Santa Fe, como *caplenadores* (administradores-procuradores) de los bienes del notario de Calatayud, Leonart de Sancta Fe, preso por el Santo Oficio de la Inquisición, reciben los 100 sueldos que los judíos de Calatayud, Açach y Jaco Enforna, le debían y pagaban todos los años de un *censo* hipotecario[668].

La Inquisición no solía encarcelar a los clérigos tras la detención sino que, por su condición sacerdotal, procuraban contarles todas las incidencias, denuncias, declaraciones y cargos que había contra ellos en el sumario. Después los dejaban en libertad durante un período de diez días para que preparasen mejor su defensa, algo esencial para poder archivar la causa.

- El 25 de agosto de 1509, el acusado *mossen* Miguel Arnal, presbítero de Moros, pidió al Inquisidor copia de los testigos, el cual se la facilitó y lo dejó en libertad con la condición de que, en el plazo de diez días, volviera a comparecer para su defensa, "*e el dicho mossen Miguel que presente era aceptado lo sobre dicho juro en forma de lo tener y cumplir assi ha la dicha pena*[669]".

- El 1 de septiembre de 1509, el Inquisidor dejó en libertad al acusado Michael Ferrandez, presbítero de Miedes, y "*le assigno X dias pa que mostrasse como los inquisidores y possados le daron por libre*[670]".

5.2.4.2.- PRIMERA AUDIENCIA: LA ACUSACIÓN

Tras las acusaciones de herejía, los inquisidores reciben en audiencia al reo para preguntarle sobre las denuncias y sobre todo tipo de datos personales y familiares: genealogía, oficio, domicilio, etc.

---

[667] AHPZ, caja 19. N° 3; Proceso contra Johan Daça, p. 15. VEASE APÉNDICE DOCUMENTAL PROCESOS DE INQUISICIÓN.

[668] VEASE APÉNDICE DOCUMENTAL N° 13.

[669] AHPZ, caja 20. N° 15; Proceso contra *Mossen* Miguel Arnal, p. 26 vto. VEASE APÉNDICE DOCUMENTAL PROCESOS DE INQUISICIÓN.

[670] AHPZ, caja 20. N° 15; Proceso contra Mosen Michael Ferrandez, p. 43. VEASE APÉNDICE DOCUMENTAL PROCESOS DE INQUISICIÓN.

Cada vez que el acusado desea aclarar o ampliar alguna cuestión relacionada con el primer interrogatorio, se le vuelve a conceder una nueva audiencia extraordinaria. Si tras las entrevistas preliminares los inquisidores siguen teniendo dudas sobre la sinceridad de su confesión, entonces inician la fase judicial o procesal para esclarecer los hechos y demostrar su inocencia o culpabilidad.

5.2.5.- FASE JUDICIAL: EL PROCESO

5.2.5.1.- ETAPA PROBATORIA: LOS TESTIGOS DE LA ACUSACIÓN

El Procurador Fiscal interroga a sus testigos para probar las acusaciones que hay contra el detenido[671]. El objetivo es obtener más información del acusado y consolidar la ya existente. Finalizada la fase probatoria, las declaraciones de los testigos serán comunicadas al reo y a su abogado para que preparen la defensa.

Antes de declarar, los testigos prestan juramento. Por el Tribunal pasan personas de todas las confesiones religiosas, por lo que la fórmula juratoria utilizada es la que cada uno acostumbra a decir en su credo. Una gran mayoría de los testigos del Procurador Fiscal son judíos (el 60%). El resto (el 40%) son cristianos que viven en el entrono vital del acusado (mozas que salieron mal paradas de las casas donde servían; vecinos enemistados, etc.). Tan sólo en una ocasión los testigos fueron todos judíos, concretamente, los que declararon contra el bilbilitano Jayme Remón[672]. Veamos las distintas fórmulas juratorias que se emplearon en cada caso:

1. **Juramento de los testigos judíos.** El testigo judío jura decir la verdad según la fórmula recogida en los fueros de Aragón[673], es decir, por los Diez Mandamientos de la Ley de Moisés que Yahvé le entregó en el monte Sinaí y, en ocasiones, tocando algún pergamino o librito que los contenía. Nunca se jura ante la Torá, pues se considera demasiado sagrada y se conserva únicamente en la Sinagoga.

   - El 14 de mayo de 1488, el judío de Calatayud, Brahem Lapapa (menor de días), antes de declarar contra el bilbilitano, Johan de Sayas, jura ante el Inquisidor "*per Deum sup decem precepta legis Moysi qui diceret omniodam veritate de hiis a ciret qui per juramentum respondit in modum qui sequitur*[674]...".

---

[671] Son cinco las personas que debían estar presentes en el momento de examinar a los testigos. La primera es el Juez o Inquisidor. Su interrogatorio podía ser oral o por escrito, y siempre realizado de una manera prudente y con gran cautela. La segunda es el denunciado, el cual bajo juramento guardaba secreto de todas las preguntas que le eran efectuadas. La tercera es el encargado de transcribir tanto las preguntas del Inquisidor como las respuestas del testigo. En la mayoría de los casos es el notario, y en su defecto podían ser dos religiosos. La cuarta es el Inquisidor asistente. La quinta y última es el testigo examinado. El examen de los testigos debía realizarlo el Inquisidor.

[672] AHPZ, Caja 7, N° 7; Proceso inquisitorial contra Jayme Remón. VEASE APÉNDICE DOCUMENTAL PROCESOS DE INQUISICIÓN.

[673] PEREZ MARTÍN, A.; Op. Cit. "*Los fueros de Aragón...*", p. 553. "Hec est forma qualiter fiat sacramentum iudeorum quando intendunt iurare cotnra christianos, tenentes rotulum in collo...".

[674] AHPZ, Caja 12, N° 7; Proceso inquisitorial contra Johan de Sayas, p. 45 vto. VEASE APÉNDICE DOCUMENTAL PROCESOS DE INQUISICIÓN.

- El 7 de febrero de 1488, el judío de Calatayud, Yuçe Buenavida, antes de declarar contra el bilbilitano, Simón de Santa Clara, jura ante el Inquisidor *"in posse dictoris reverendoris dominus inqusitoribus per Decem precepta legis qui dende dedit Moysi in monte Sinay et coram eo posita e per deum corporaliter tacta et de veritate dicenda*[675] *..."*.

- El 7 de febrero de 1488, el judío de Calatayud, Yuçe Buenavida (ebreus), antes de declarar contra el bilbilitano, Alfonso de Santa Clara, jura ante el Inquisidor *"in posse dictorum reverendos dominorum inquisitorum per decem precepta legis Moysi coram eo posita per eum corporaliter tacta*[676] *..."*.

2. **Juramento de los testigos cristianos.** El testigo cristiano jura por Dios y Jesucristo decir la verdad sobre la cruz y tocando con la mano derecha los cuatro Evangelios. Es muy probable que lo hicieran de rodillas, tal y como ha sido costumbre en la tradición cristiana.

- El 30 de marzo de 1488, los vecinos de Zaragoza, Martino Xavar y Benita Noviercas (matrimonio), en el proceso que juzga al bilbilitano, Pedro de Santa Clara, *"los quales juraron empoder del dicho senyor inquisidor por dios sobre la cruz et los sanctos quatro evangelios por sus propias manos corporalmente tocados que diran verdat de todo lo que sabrian et serian interrogados*[677] *..."*.

- El 17 de julio de 1488, la vecina de Cervera de la Cañada, María Gil, jura ante el Inquisidor que juzga al bilbilitano, Anthon Ximenez de Rueda, que *"çitara per edictum que in pose dicti domini inquisoris juramentum per deum super curçem domini nostri Ihesu Chisti eius facto sacta quatuor evangelia coram eo posita at corporali tacta et per juramentum et in juramentum dixit se sire qui sequit*[678] *..."*.

- El 26 de febrero de 1488, el vecino de Paracuellos de Xiloca, Pedro Fustero, citado por el Inquisidor que juzga al bilbilitano, Johan Perez de Santa Fe, *"juranvit im posse dicti domini inquistoris per Deum sup Deum sup crucem domini nostri Ihesu Cristi cum sup sacro santi quatuor evangelia, coram eo posit sup propia manibus corporaliter tacta qui diceret omnimodam veritatem de his que ciret e sup quibus interrogatus esset in tota presentem causam qui per juramentum respondit e dixit inmodum qui sequitur*[679] *..."*.

3. **Juramento de los testigos musulmanes.** En los 21 procesos de Inquisición estudiados, tan sólo hemos encontrado la declaración como testigo de un musulmán, Aye de Illuequa (vecino

---

[675] AHPZ, Caja 12, Nº 7; Proceso inquisitorial contra Simón de Santa Clara, p. 51 vto. VEASE APÉNDICE DOCUMENTAL PROCESOS DE INQUISICIÓN.

[676] AHPZ, Caja 20, Nº 15; Proceso inquisitorial contra Alfonso de Santa Cruz, p. 102. VEASE APÉNDICE DOCUMENTAL PROCESOS DE INQUISICIÓN.

[677] AHPZ, Caja 7, Nº 7; Proceso inquisitorial contra Pedro de Santa Clara, p. 2. VEASE APÉNDICE DOCUMENTAL PROCESOS DE INQUISICIÓN.

[678] AHPZ, Caja 12, Nº 7; Proceso inquisitorial contra Anthon Ximenez de Rueda, p. 30 vto. VEASE APÉNDICE DOCUMENTAL PROCESOS DE INQUISICIÓN.

[679] AHPZ, Caja 9, Nº 10; Proceso inquisitorial contra Johan Perez de Santa Fe, p. 7. VEASE APÉNDICE DOCUMENTAL PROCESOS DE INQUISICIÓN.

de Brea de Aragón). La fórmula que utiliza es la que establece el fuero de Aragón[680], es decir, por el libro sagrado del Corán y por el ayuno del Ramadán. Desconocemos si tocaba con las manos el propio Corán.

- El 26 de junio de 1488, el moro de Brea, Aye de Illuequa, compadece ante el Inquisidor que juzga al entonces vecino de Villarroya de la Sierra, Luys de Heredia, jurando "*qui in pose dicti domini inquisitoris juravit per "ville ille allabi leq leha illehua" y por las palabras del Alcoram y por el ayuno del romadan et per juramentum et in vin ipiens dixit se scire qui sequitur*[681]...".

5.2.5.2.- IMPUTACIÓN E INTERROGATORIO DEL ACUSADO

Después de las actuaciones rogatorias y pruebas secretas, el proceso continuaba con la publicación de la prueba testifical. Esta publicación contiene íntegramente las declaraciones de los testigos. El acusado responde a todas las preguntas del Procurador Fiscal bajo juramento y capítulo por capítulo, es decir, cada una de las acusaciones contenidas en el catálogo de herejías del sumario.

Ante las preguntas, el reo puede negar o admitir la denuncia, incluso puede dar su versión de los hechos en un sentido o en otro. Este interrogatorio se realiza en presencia del Notario Secreto del Tribunal, el cual anota minuciosamente las palabras de los intervinientes: el hereje convicto, los testigos, el Fiscal y resto de Comisarios.

5.2.5.3.- ALEGATO DEL ABOGADO DEFENSOR

Si los Jueces del Tribunal no archiban el proceso, entonces el acusado nombra a un Procurador (un abogado) para que lo defienda. En los procesos de Inquisición estudiados observamos que los conversos de Calatayud suelen contratar los servicios del jurista y notario, Gil de Magallón, un abogado defensor experto en este tipo de procedimientos.

Abogado y acusado estudian el sumario para preparar la estrategia defensiva. Antes de que llamen a declarar a sus testigos (los testigos de la defensa), el abogado expone ante el Tribunal su alegato, cuya línea argumental se puede resumir en los siguientes puntos:

1. Cuando el reo no es converso de primera generación, el abogado se esfuerza en demostrar que es hijo de familia cristiana y, como tal, criado (por el cónyuge no judío) en la doctrina y costumbres cristianas.

2. El abogado intenta probar en todo momento que el acusado converso (de primera o segunda generación) es buen cristiano. Los testigos de la defensa ratificarán que cumple con parroquia los domingos, se confiesa, guarda los mandamientos, da limosnas a los

---

[680] PEREZ MARTÍN, A.; Op. Cit. *"Los fueros de Aragón..."*, p. 573. "Iuras o sarracene per bille, ylledi ylleu, huahat, hdal, amble, tamon, ham, media, huabi, mecael, yçahach, aleybnec, nunath, huamur, bytayich...".

[681] AHPZ, Caja 12, Nº 9; Primer proceso inquisitorial contra Luys de Heredia, p. 4 vto. VEASE APÉNDICE DOCUMENTAL PROCESOS DE INQUISICIÓN.

pobres cristianos y observa las fiestas y ayunos de la Iglesia.

3. El acusado guarda el descanso dominical para ir a misa. También el servicio y los jornaleros de la casa guarda fiesta para ir a la Iglesia.

4. El acusado lleva una vida reputada y alejada de costumbres profanas y mundanas. No suele relacionarse con judíos, salvo para comprar sus mercancías en el mercado o por negocios.

5. Si el acusado nació judío, es casi seguro que tras su conversión siguió manteniendo relación con sus parientes y amigos judíos. Aunque el abogado justifica dicha relación por los lazos de sangre que les une, siempre deja claro que ello nunca supone un estímulo para seguir practicando los ritos y ceremonias *judaycas*. Incluso la costumbre de intercambiar dulces y regalos alimenticios en las fiestas pascuales judías tampoco debe entenderse como algo judaizante, sino más bien como actos de cortesía propias de las relaciones familiares.

6. El abogado rebate punto por punto todas las acusaciones de los testigos que han declarado contra su defendido. Para reforzar este argumentario, anuncia que presentará testigos que demuestren que no ha judaizado. Incluso negará las acusaciones inculpatorias, concluyendo que -cuando se cometieron- el reo se encontraba en otro lugar o cualquier otra escusa.

7. El abogado hace hincapié en que muchos de los testigos, especialmente judíos y conversos, son falsos o enemigos del acusado. El objetivo es demostrar que gran parte de los testigos de la acusación mienten para perjudicar a sus defendidos.

5.2.5.4.- LOS TESTIGOS DE LA DEFENSA

Aunque los testigos que suelen declarar en favor del acusado son siempre cristianos (antiguos sirvientes, párrocos, vecinos, amigos, clientes y proveedores, compañeros de trabajo, etc.), los Inquisidores, sin embargo, no aceptan la declaración de los familiares, criados en activo, ni de aquellas personas que tengan una estrecha relación personal con él.

Todos juran decir la verdad ante el Inquisidor.El análisis de la documentación demuestra que, aunque las declaraciones de estos testigos son tenidas poco en cuenta, sin embargo, si que se consideran importantes porque ayudan no sólo a dar mayor credibilidad al posterior arrepentimiento y abjura del acusado, sino incluso a suavizar la pena que le imponga el Tribunal.

Entre las fórmulas juratorias más usuales que utilizó el Inquisidor para tomar declaración a los testigos de la defensa, destacan las siguientes:

- En abril de 1489, el vecino y notario de Calatayud, Pedro Ferrer, "*testis pro parte Johannes Perez de (Santa Fe) Fariza predictus et juravit et interrogatum et por juram entimo e posueti per ut sequit*[682]...".

- En abril de 1514, el vecino de Terrer, Martín Pariente, "*testis pre dictus presentatoribus*

---

[682] AHPZ, Caja 9, Nº 10; Proceso inquisitorial contra Johan Perez de Santa Fe, p. 65 vto. VEASE APÉNDICE DOCUMENTAL PROCESOS DE INQUISICIÓN.

juravit per juramentum interrogatus sup questionis[683]...".

- En marzo de 1488, el vecino y vicario de la iglesia de San Pedro de los Francos de Calatayud, Johan Ferrández, *"testis ad instanciam et pro parte dicti Petri Polo citatis pro dictus presentatus juratus et per juramentum interrogatus ut sequitur deposuit[684]..."*.

5.2.5.5.- LOS TESTIGOS FALSOS QUE PERJUDICAN AL ACUSADO

El fuero de Aragón castiga a los falsos testigos con señales físicas externas para su vergüenza y rechazo social. La pena consistía en tonsurarles la cabeza en forma de cruz, marcarles la frente con otra cruz o expulsarlos de la ciudad[685].

En los procesos de Inquisición, el abogado defensor siempre hace constar el grave daño que hacen las declaraciones de los testigos falsos contra sus defendidos. Varios son los motivos por los que alguien puede testar en falso:

1. **Falsos testigos judíos por dinero.** La documentación revela que las acusaciones más duras que se vierten contra los detenidos son las que provienen de los propios judíos de Calatayud. Tal actitud parecería normal, si no fuera por las permanentes denuncias que el abogado defensor hace de estos testigos falsos y el impacto tan negativo que tienen las declaraciones sobre sus clientes. Parece que, en ocasiones, los judíos se dejaron comprar para declarar desfavorablemente.

- En el mes de marzo 1514, el notario bilbilitano, Gil de Magallón, abogado defensor del bilbilitano, Anthon de Santangel, dice con respecto a los testigos judíos de la acusación *"que Bienbenis, judio ya muerto, Naçan Cohen vezino de Alvarazin, Vidal Abenpesat, vezino de Cetina, Açach de Funes, Salomon Axequo, Yuçe Azarias, Yuçe el Bayo y su padre Brahem Alpastan que ahora es cristiano, Jehuda Benardut y sus fijos que agora son cristianos, Adret Darandiga que agora es cristiano, Çaçon Nanyas de Illuequa que agora es cristiano, Levi de Funes de Cetina, todos y cadauno dellos fueron y son malos hombres, malos judios de mala fama, baratos, de pessima conversacion y pronta truatadores de falsos testimonios et personas difamadas de los dichos y otros crimines et delitos et por tales fueron y son avidos, tenidos, nombrados y reputados et tal de los sobre dito fue y es la voz comun y fama publica en las ciudades de Çaragoça, Calatayut, Daroqua y donde quiere que de los dicho judios y cada uno dellos se ha ovido et ha verdadera noticia y aquesto es verdat. Item dize el dicho procurador que es voz comun y fama publica en las ciudades de Calatayut, de Çaragoça et Daroqua et donde quiere que de los sobre dichos judios y cada uno dellos fe ha et ha ovido verdadera noticia que*

---

[683] AHPZ, Caja 12, N° 8; Proceso inquisitorial contra Anthon de Santangel, p. 69. VEASE APÉNDICE DOCUMENTAL PROCESOS DE INQUISICIÓN.

[684] AHPZ, Caja 10, N° 1; Proceso inquisitorial contra Pedro Polo, p. 34 vto. VEASE APÉNDICE DOCUMENTAL PROCESOS DE INQUISICIÓN.

[685] PEREZ MARTÍN, A.; Op. Cit. *"Los fueros de Aragón..."*, p. 486. "Testes autem de falsitate convicti ad modum crucis capite tonsorentur, et cum batallo campane candente ad modum crucis in frontibus figurentur, et ita turpissime de illa villa ubi hoc evenerit expellantur".

quando algunas malas personas por fazer mal quieren han testigos falsos contra bivos o muertos en la inquisicion sude haver et ha reaceso a los dichos judios pa que depssen falso mandandoles y dandoles dineros y esto los dichos judios y cada uno dellos lo han confesado y se han jactado delante de personas de fedignas que han fecho deposiciones falsas contra cristianos en la inquisicion y esto es vedat[686]".

2. **Falsos testigos por venganza.** Los enemigos del acusado tienen ahora la oportunidad de vengarse con una declaración contundente. Las viejas rencillas, discusiones, rencores, prejuicios, traiciones, comentarios inapropiados (entre otras cuestiones) fueron la causa y el pretexto para hacer daño al rival. Aunque para la Inquisición fue difícil discernir estos comportamientos, no lo fue tanto para el abogado defensor que, asesorado por su cliente, desenmascaró sus estrategias y las causas de su enemistad.

- En el mes de septiembre de 1491, el notario de Calatayud, Gil de Magallón, abogado defensor de la conversa bilbilitana, Isabel Lunell, dice que la declaración que hizo Anthona Simón (una antigua sirvienta suya) es falsa porque *"es enemiga capital de la dicha su principal e la ha tractado mal una e muchas vegadas y le lleva mala voluntat e aquesto fue era y es verdat. Item dize el dicho procurador que la dicha Anthona Simon se ha factado una y muchas de vegadas que la faria poner en la inquisicion en presencia de muchas personas e esto por causa e razon que dizia que no le queria pagar una soldada que le devia e aquesto fue era y es verdat. Item dize el dicho procurador que la dicha Anthona Simon es persona de mala fama e mala vida y de por converssacion y que ha acostubrado de hazer muchos y deverssos furtos[687]"*, ya que fue despedida por robar a la propia Isabel Lunell, motivo principal de la rivalidad.

3. **Falsos testigos inducidos a mentir.** El abogado defensor se queja, a menudo, de que el Procurador Fiscal presenta contra sus defendido testigos de escasa reputación y, por consiguiente, fácilmente manipulables. También protesta por el posible soborno a testigos, cuyas rectificaciones y contra-declaraciones tanto perjudicaban a sus clientes.

- El 25 de febrero de 1488, el vecino de Torrijo, Tomás Asensio, dice ante la Inquisición que juzga a la bilbilitana, María López, que le oyó decir a ella y a su marido (Pedro de Santa Cruz) *"que la inquisicion era muy mala cosa, que quemavan los conversos con testigos falsos, senyaladament en Teruel, todos mueren martires[688]"*.

- En septiembre de 1509, el Procurador Fiscal de la Inquisición acusa al vecino de Arándiga, Johan Martínez, de que *"ablando de la inquisición que casa de inquisición que casa de traycion que toman por testigos a tacanyos, putas y rufiantes y tales son los inquisidores como ellos[689]"*, y que invitó a mentir a un judío que *"trabajo por todas sus*

---

[686] AHPZ, Caja 12, N° 8; Proceso inquisitorial contra Anthon de Santangel, p. 53. VEASE APÉNDICE DOCUMENTAL PROCESOS DE INQUISICIÓN.

[687] ASCZ, sin signatura, Proceso contra Pedro Çit, p. 53 vto. VEASE APÉNDICE DOCUMENTAL PROCESOS DE INQUISICIÓN.

[688] AHPZ, Caja 11, N° 5; 89/5 ; Proceso inquisitorial contra María López, p. 10. VEASE APÉNDICE DOCUMENTAL PROCESOS INQUISICIÓN.

[689] AHPZ, Caja 20, N° 15; Proceso inquisitorial contra Johan Martínez, p. 13 vto. VEASE APÉNDICE DOCUMENTAL PROCESOS DE INQUISICIÓN.

guertas con un judio que havia deposado en la inquisición contra Pedro la Cabra, que se desdixiesse prometiendole dar Dios por ello".

• En septiembre 1509, el Procurador Fiscal de la Inquisición acusa a mosen Miguel Arnal, vecino de Moros, de haber *"procurado de juduzir y ha juduzido a algunas personas que se desdixiesse de lo que havian deposado en la inquisición a favor de la fe dandoles dineros porque lo fiziessen*[690]".

5.2.5.6.- CONFESIÓN DE CULPABILIDAD: LA TORTURA

Cuando los inquisidores sospechan que el acusado miente en sus declaraciones, recurren a la tortura (y no al tormento) como forma no espontánea de obtener información veraz. La tortura constituyó un claro agravio contra los fueros[691]. Su uso (al menos en los primeros momentos) fue utilizado como argumento contra la implantación del Santo Oficio en Aragón, como ya hemos visto.

La Inquisición recurrió a la tortura de forma sistemática, ya que parece que sólo fue un medio para obtener confesiones, nunca un castigo propiamente dicho. En los 21 procesos de Inquisición examinados (reproducidos en el Apéndice Documental), tan sólo hemos encontrado dos casos de tortura en Calatayud, la de los conversos Pedro Polo y María López. También reproducimos la tortura que le practicaron a Jayme de Montesa, uno de los cabecillas zaragozanos que intervino en la conspiración y muerte de Pedro Arbués, como ya se ha indicado *ut supra*. Los procedimientos de tortura más empleados por la Inquisición aragonesa fueron, entre otros:

1. **El tormento de la Carrucha o cuerda**. El suplicio de la cuerda consiste en colgar al reo del techo con una polea y con pesas atadas a los tobillos. Las pesas de los pies se sueltan de repente, haciendo que brazos y piernas sufran violentos tirones y en ocasiones se rompan o disloquen. A Jayme de Montesa y a la bilbilitana María López les torturaron con este aparato. Las actas de lo sucedido son bastante elocuentes:

• El 10 de agosto de 1487, en el Castillo de la Aljafería (sede la Inquisición en Aragón) y ante los reverendos inquisidores *"fue puesto aquestion de tormento micer Jayme de Montesa reo con las prestaciones solitas e fazederas en tales o semejantes actos, y puesto que fue en el dicho tormento que se dize el tormento de la cuerda, en presencia de los dichos reverendos padres inquisidores e vicario general fue levantado el dicho micer Montesa con la cuerda del tormento por unas seis almas encima de tierrra e contumado que fue en el dicho tormento por spacio de tres credos rezçados poco mas o menos y esto muy moderament, luego el dicho micer Montesa dixo que lo descendressen del tormento que el dira toda la verdat del tratado de la muerte del inquisidor mastre Epila de que havia estado interrogado e amonestado dixiesse la verdat. Et el dicho reverendo prior e inquisidor qui present era dixole que no la diria estonces el dicho micer Montesa,*

---

[690] AHPZ, Caja 20, Nº 15; Proceso inquisitorial contra Mossen Miguel Arnal, p. 6. VEASE APÉNDICE DOCUMENTAL PROCESOS DE INQUISICIÓN.

[691] VEASE LAS NOTAS Nº 477- 478.

respondio el dicho que si faria a se que el la diria que lo destendiesse con el tormento e assi luego encontinent el dicho reverendo prior e inquisidor mando descender del tormento al dicho micer Montesa, el qual luego fue descendido et despues que fue cobijado e tenydo con su ropa el dicho micer Montesa delante los dichos reverendos padres inquisidores e vicario general e en presencia de mi Johan Dominguez, notario scrivano del dicho Sancto Officio y de los testigos infrascriptos parecio a fazer de si y a otros su confession ordenandose el mesmo micer Montesa la dicha convession e algunas interogaciones de aquella[692]...".

- El 4 de abril de 1488, los Inquisidores de Calatayud, en los bajos de la Torre del tormento de la Iglesia de la Virgen de la Peña, a las 6 de la tarde *"fue puesta aquestrion de tormento Maria Lopez (acusada de judaizar), mujer de Pedro de Sancta Cruz... la qual estava a tada las manos atrás y esta no en el tormento llamado de la carrucha y en presencia del magniffico micer Andres Gutierrez de Quintanilla, asesor de la sancta Inquisicion, dixo y conffeso[693]..."* sobre las cuestiones que se le plantearon.

2. **El tormento de la toca o tortura del agua.** Esta tortura consiste en introducir una *toca* o palo en la boca del reo, obligándole a ingerir agua para que tuviera la impresión de que se ahogaba. Al bilbilitano Pedro Polo lo torturaron por este procedimiento, porque se declaraba inocente de todas las acusaciones que le imputaba el Procurador Fiscal. Pese a la tortura, los inquisidores no lograron cambiar su declaración de inocencia.

- El 2 de abril de 1492, los inquisidores de Calatayud *"inter decima et undecima horas ante meridie juxta dicta pronunciacionem de mandato dicto domino inquisitor fue descendido el dicho Pedro Polo (acusdo de judaizar) a la estancia de las torturas, falli (alli) desnudo fue puesto en la estalereta del tormento del agua. Hatandole fue interrrogado que dixiese todos los ritos y ceremonias judaycas que havia fecho respondio que nunqua los fizo. Hatado fuele empeçada de quimar el agua, e quimada un poco dixo que nunqua penso en cerimonia judayca ni la fizo directament ni indirecta. Hasi le fue quimada el aqua por nueve vezes y siempre dixo que nunqua havia fecho rito ni cerimonias judaycas ni por la pretensa le pasaron ni havia fecho mas de lo que tenia confesado, E asi no dando por acabado el tormento que iniciaron aquel ad prima diem sequentur quemacione y asi se quito del dicho tormento[694]".*

3. **El tormento del potro o ecúleo.** El reo es atado de pies y manos a una especie de mesa, cuya superficie esta conectada a un torno. El giro del torno hacía que las extremidades corporales se tensaran en sentidos opuestos, produciendo un dolor espantoso. En ocasiones también se llegaban a luxar o quebrar.

---

[692] VEASE EL APÉNDICE DOCUMENTAL N° 18.

[693] VÉASE APÉNDICE DOCUMENTAL N° 21.

[694] AHPZ, caja 21. N° 1; Proceso contra Pedro Polo, p. 59 vto. VEASE APÉNDICE DOCUMENTAL PROCESOS DE INQUISICIÓN.

5.2.5.7.- EL ARREPENTIMIENTO: LA ABJURACIÓN

El Tribunal apenas tiene en cuenta las declaraciones de los testigos de la defensa, ya que los delitos de herejía y apostasía pesan como una losa sobre el procesado. Lo que más valora el Tribunal es la abjura de sus errores y conducta inapropiada. Con la abjura, el reo se confiesa culpable, muestra señales de arrepentimiento y manifiesta su deseo de vivir como buen cristiano. El esquema que aparece en los procesos es el siguiente:

1. **El acusado admite su culpa.** La Inquisición valora positivamente que el reo reconozca sus crímenes de herejía y jure, ante los evangelios, haber practicado ritos y ceremonias *judaycas* contrarias a la doctrina y magisterio de la Iglesia.

   - El 17 de agosto de 1491, el bilbilitano, Pedro Çit, abjura ante los inquisidores con la siguiente fórmula: *"puestos ante mi los sacro sanctos quatro evangelios pormi corporalmente con todos y con reverencia a mirados e a todos anematizo e abjuro toda especie de heregia y apostasia que sea o ser pueda o se levante a nuestra sancta fe catholica o ley evangelica de nuestro salvador y redemptor Ihesu Chisto e contra la sancta Sede Apostolica e yglesia romana y senyaladamente y especialmente abjuro e anematizo aquella heregia enque he incurydo la seyedo como sey cristiano buatizado xafre a los ritos y cirimonyas judaycas*[695]*...* (enumera los ritos y ceremonias *judaycas* practicadas por él)".

   - El 10 de mayo de 1488, el bilbilitano, Pedro de Santa Clara, alias *Çedaçero*, afirma ante la Inquisición que *"Puestos ante mi los sacro sanctos quatro evangelios por mis manos corporalmente tocados, e reverentment mirados e acatados anematizo et abiuro toda espeçie de heregia y apostasia que se levante contra la sancta fe catholica y ley evangelica de nuestro redemptor y salvador Ihesu Cristo y contra la sancta Sede Apostolica y Romana yglesia y senyaladamente aquella en que yo he caydo. Porque seyendo Cristiano babtizado passe a los ritus y cerimonias judaycas*[696]*...".*

2. **Confirmación de la fe en Cristo y su Iglesia.** Una vez admitidos los errores y proclamado su arrepentimiento, el acusado pide perdón a Dios por los pecados cometidos, solicitando de los inquisidores misericordia para que no le castiguen severamente. Además afirma que, desde ese momento, quiere vivir y morir en la fe católica; así como estar dispuesto a cumplir cualquier penitencia que le sea impuesta para enmendar su errático comportamiento. Tras estos compromisos abjura de sus errores.

   - En mayo de 1488, la vecina de Calatayud, Clara Escobar, dice en la segunda parte de su abjuración: *"Por tanto abjuro e reniego aquellas y otras qualesquiere heregias y confieso en la santa fe catholica de nuestro salvador y redemptor Ihesu Cristo y ley evangelica y en la sancta romana yglesia y sede apostolica y con la boqua y con el corazon verdaderamente digo e affirmo que la ley de Moysen fue y es muerta y manida*

---

[695] ASCZ, sin signatura, Proceso contra Pedro Çit, p. 35. VEASE APÉNDICE DOCUMENTAL PROCESOS DE INQUISICIÓN.

[696] AHPZ, caja 9. Nº 1; Proceso contra Pedro de Santa Clara, el çedaçero, p. 32 vto. VEASE APÉNDICE DOCUMENTAL PROCESOS DE INQUISICIÓN.

por el adueniamiento de nuestro redemptor y salvador Ihesu Cristo Dios y hombre verdadero e por la santa Ley evangelica quel por ssi nos dio y por sus santos apostoles por todo el universso mundo pieycar fizo y ando y la santa sede apostolica haverse de crier y creher verdadera determino digo y affirmo que no hay otra ley verdadera ni buena sino esta, la qual yo pecadora verdaderament creo con ffirme corazon y entera voluntad y aquella publicamente conffiesso y porque en aquella solamente salvar me entrendo y en ella protesto que agora y para siempre morir y vivir quiero y anssi lo adjuro por stos sacro santos quatro evangelios. E allende desto juro, quiero cometrenisare tal error qual ante de agora fize cometi e perpetre, y digo que ninguno se puede salvar sino en ella e de presente he abjurado e abjuro ni otro error alguno que vaya o venga contra la santafe catholica y ley evangelica esi lo tuviere por cierta sciencia o credulidat o presumpcion o en otra qualesquiere manera[697]...".

- El 20 de febrero de 1490, el entonces vecino de Villarroya de la Sierra, Luys de Heredia, continua su abjuración diciendo: *"e asi abjurados los dichos errores de heregia y apostasia e todas otras qualesquiere heregias e apostasias que sean o se puedan contra la dicha fe catholica y madre sancta yglesia con sincero coraçon verdaderamente digo y afirmo que la ley evangelica de nuestro redemptor y salbador Ihesu Cristo es la verdadera y sancta segunt que la tiene la sancta madre yglesia y los sanctos sacramentos della son buenos y verdaderos y asi lo confieso publicamente creyendo en la dicha sancta fe catholica y ley evangelica del nuestro redemptor y salbador Ihesu Cristo, creyendo los articulos y sacramentos della segunt que la sancta madre yglesia lo tiene y cree, y juro y prometo dasi tener e creer la dicha fe catholica y ley evangelica segunt que la yglesia cree tiene y que no cometere tales errores como he cometido y de presente abjurado ni otro error alguno que esta contra la sancta fe catolica y ley evangelica[698]...".*

3. **El acusado apela benevolencia en la sentencia**. Por último, se vuelve a dirigir a los inquisidores para pedirles justicia y clemencia en sus decisiones, jurando ante los Evangelios respetar, acatar y cumplir de buen grado todas las penitencias, penas y sentencias ejecutorias que le impongan.

- El 10 de mayo de 1488, el bilbilitano, Pedro de Santa Clara, alias Çedaçero, termina su abjuración diciendo que *"por çierta sciencia o credulidat o presumpçion o en otra qualquiere manera juro de luego revelarlo y dezir lo a vosotros sennores inquisidores y vicario general o a quien por tiempo el tal offiçio tendra, y ultra de los suso dicho juro y prometo que reçibre humilmente y con paçiençia qualquiere penitençia que por vuestras reverençias por los dichos cirmenes mios me sera inpuesta invicta y dada y que aquella con todas mis fuerças eficazmente y con efecto cumplire sin diminuçion alguna y sin venir en todo o en parte contra ella por estos sacro sanctos quatro evangelios e quiero consiento e me plaze que si en algun tiempo yo ire a breve en todo, o en parte contra las cosas suso dichas por mi juradas, y abiuradoas lo que Dios no quiera que en tal caso sia hovido y tunido por relapso y subierto a sufrir las penas que de drecho canonico se*

---

[697] AHPZ, caja 9. Nº 8; Proceso contra Clara Escobar, p. 33 vto. VEASE APÉNDICE DOCUMENTAL PROCESOS DE INQUISICIÓN.

[698] AHPZ, caja 12. Nº 9; Primer proceso contra Luys de Heredia, p. 18 vto. VEASE APÉNDICE DOCUMENTAL PROCESOS DE INQUISICIÓN.

requiere que sufra[699] ...".

- El 12 de abril de 1492, el vecino de Calatayud, Pedro Polo, declara ante la Inquisición que: *"assi mismo juro y prometo humilmente y con paçiençia reçibire qualquiere prueva que por vuestras reverencias por las dichas sospechas me sera dado e la cumplir con todas mis fuerças... Assi lo juro y prometo complir por estos sacro sanctos quatro evangelios ante mi puestos y por mi corporalmente tocados y reverentemente mirados[700] ...".*

5.2.6.- FASE FINAL: LA SENTENCIA

5.2.6.1.- FINALIZACIÓN DEL PROCESO: LA SENTENCIA

5.2.6.1.1.- Concepto de sentencia inquisitoria

La palabra latina *sentencia* significa *pensamiento, opinión.* Este es el término con el que todos los textos y obras jurídicas de la época explican el concepto canónico de sentencia inquisitorial. Por tanto, podemos definirla como todo acto jurisdiccional -decidido por los inquisidores del Santo Oficio- que se pronuncia a continuación de la fase probatoria, y cuya consecuencia es la finalización y resolución del proceso con la absolución o condena del acusado[701].

5.2.6.1.2.- La estructura formal de las sentencias

Una vez concluido el proceso, los inquisidores se reúnen con un representante del Obispo de Tarazona y con los llamados Consultores (expertos en teología o derecho canónico) para formalizar la *Consulta de Fe.* Los asistentes valoran las confesiones, las declaraciones de los testigos del Procurador Fiscal y de la defensa, así como las palabras de arrepentimiento y abjura del acusado. Tras el análisis emiten sentencia, que debe ser unánime. A continuación, los miembros del Tribunal la redactarán para hacerla pública.

En caso de discrepancias, se hace necesario remitir el informe a la Suprema Inquisición, es decir, al veredicto y consejo de los inquisidores de la Aljafería de Zaragoza, sede central del Santo Oficio en Aragón. Veamos la estructura de las sentencias contenidas en los procesos de Inquisición estudiados:

1. **Presentación de los miembros que componen el Tribunal.** Todas las sentencias estudiadas comienzan con la identificación de los inquisidores que presiden el Tribunal y que van a fallar el veredicto. Acto seguido sigue el *corpus sententi*e que distingue a las dos partes en

---

[699] AHPZ, caja 9. Nº 1; Proceso contra Pedro de Santa Clara, el *çedaçero*, p. 34 vto. VEASE APÉNDICE DOCUMENTAL PROCESOS DE INQUISICIÓN.

[700] AHPZ, caja 21. Nº 1; Proceso contra Pedro Polo, p. 61. VEASE APÉNDICE DOCUMENTAL PROCESOS DE INQUISICIÓN.

[701] FERNANDEZ GIMÉNEZ, M. C.; Op. Cit. *"La sentencia inquisitorial"*, p. 20.

litigio, es decir, al Procurador Fiscal (ministro también del Santo Oficio y agente denunciante) y al reo denunciado de los crímenes de herejía y apostasía.

2. **El Tribunal enumera las pruebas acusatorias.** Entre las acusaciones más comunes que se citan en las sentencias a judaizantes de Calatayud, podemos señalar -a modo de resumen- la siguiente tabla de afirmaciones heréticas[702]:

- Guardaban el descanso sabático judío, no trabajando ese día como los demás para honrarlo. Como exigía la tradición, ese día se cambiaban de camisa y se ponían mudas limpias. Muchos de ellos trabajaban en domingo las manufacturas de sus talleres artesanales.

- Como los judíos no podían trabajar en sábado, los conversos enviaban el viernes por la tarde a sus mozos o sirvientes a casa de sus amigos y parientes judíos para que les ayudaran a preparar la celebración de la fiesta del *sabbat* (hacer la cena y comida sabática, mantener el fuego del hogar, encender las lámparas de aceite para la luminaria, recoger la mesa, fregar el bajillo, limpiar la casa, etc.). En ocasiones se quedaban a dormir para continuar su labor hasta finalizar la fiesta (el sábado al anochecer).

- Encendían lámparas de aceite o *cienfuelos* los viernes por la noche cuando comenzaba el *sabbat*, cenando después como los judíos.

- Los sábados al medio día comían el *hamín* (potaje a base de verduras, legumbres, carne y huevos cocidos) que les enviaban ya cocinado sus parientes y amigos de la judería.

- Comían la carne sacrificada y mercada en la carnicería de la judería. A la pierna le sacan la *glandolilla* o nervio ciático. También lavaban y salaban la carne para purgarla de restos de sangre.

- No comían tocino, caracoles y anguilas, productos muy típicos en la dieta cristiana, pero prohibidos para los judíos. Procuraban observar las leyes dietéticas judías o *cashrut* sobre la pureza o no de los alimentos.

- Bebían sólo vino *judayco* elaborado por ellos mismos o comprado en la taberna de la judería. Con ello garantizaban su pureza legal para el consumo.

- Celebraban las principales Pascuas judías. En los procesos de Inquisición, además de la Pascua del *rosh hasanna* o del Año Nuevo (llamada del Cuerno), se nombran otras tres importantes Pascuas o fiestas de Peregrinación[703]: *pesaj* o Pascua de los ácimos (llamada *pascua del pan cotaço o çençenyo*); *Savuot* o Pascua de las Semanas (llamada *pascua de Mayo*); y *sukkot* o Tabernaculos (llamada *pascua de cabanybelas*).

- En las Pascuas se solía hacer intercambios. Los judíos les enviaban presentes pascuales típicos como pan *cotaço* (ácimo), *arruquaques, alcahalillas, rosqueras y turrado*s. Los conversos les devolvían los regalos con huevos, lechugas, pan con levadura, vinagre, etc.

- Celebraban los dos principales ayunos de los judíos: el del *yon kipur* (se perdonan los pecados y al que lo observa nunca le falta dinero) y el de la Reina Ester o *purim*. Esos días no comían en todo el día, estaban descalzos en casa y rezaban mucho en el hogar y

---

[702] LÓPEZ ASENSIO, A., *"Costumbres judías..."*, Zaragoza, 2011, p. 236 ss.

[703] IBIDEM, p. 236 ss.

en la sinagoga.

- Solían comer carne en Cuaresma, no guardando la abstinencia que mandaba la Santa Madre Iglesia.

- Asistían a bodas, nacimientos y circuncisiones de parientes y amigos judíos, comiendo de sus viandas y bailando como uno de ellos en sus fiestas.

- Solían ir también al *planto* o velatorio de parientes y amigos judíos, donde lloraban y rezaban por el difunto. Si era familiar directo, asistían a las ceremonias de enterramiento en el *fosar* de los judíos. Después, alguno solía encerrarse con ellos en la judería - durante siete días- para cumplir con la costumbre de guardar el luto riguroso hebreo.

- Llevaban *olio* o aceite a la sinagoga y daban limosnas para el mantenimiento de sus lámparas. Era costumbre poner luz a los difuntos en las sinagogas.

- Tenían mucha conversación con judíos, sobre todo de temas bíblicos, talmúdicos y teológicos.

- Daban limosna para la *çedaca* de las sinagogas (institución benéfica), con el fin de que luego se repartiera entre los más necesitados de la judería o se mantuviera ciertos servicios de beneficencia aljamial.

- A los niños les daban la bendición a modo *judayco* (estos les besan la mano y ellos les acarician la cara sin santiguarlos).

- Rezaban de memoria oraciones judías sinagogales (la *tefilá*) y, muy especialmente, el *Semá* o credo judío.

- Recitaban bendiciones judías (la *berajá*) en muchos acontecimientos de a vida cotidiana: antes y después de comer, cuando se lavaban las manos, cuando se acostaban y levantaban, etc.

- Creían que la Ley de los judíos es Santa y que cada uno se salvaba en su fe.

- Negaban que Jesucristo fuera el Mesías.

- Creían que sólo hay un solo Dios (monoteísmo judío) y no tres dioses en una misma persona (la Trinidad cristiana).

- Tenían dudas sobre su fe y sobre la doctrina de la Iglesia. Manifestaban que no existía la Encarnación, ni la Pasión, ni la Resurrección, ni la Ascensión de Jesucristo, ni en la Eucaristía, entre otros sacramentos y cuestiones dogmáticas.

3.- Alegato positivo del Tribunal antes de la sentencia. Si el acusado abjura de los cargos que le imputan, el alegato del Tribunal (previo al fallo de la sentencia) es favorable. El Tribunal suele ensalzar su colaboración, arrepentimiento y clara voluntad de seguir perteneciendo con fidelidad al seno de la Iglesia. Asimismo se le perdona y anula la pena de excomunión que adquirió desde el mismo momento que cometió las prácticas heréticas.

- En el mes de mayo de 1488, el Juez del Tribunal de la Inquisición que juzga al converso bilbilitano, Pedro de Santa Clara, alias el çedaçero, alega antes de dictar sentencia que *"porque vemos agora el dicho Pedro de Sancta Clara, alias el çedaçero, haverse repentido de los dichos sus crimenes de heregia y apostasia y haver quonffessado aquellos con verdadera quontricion segunt dize y en quanto ver y conoçer podemos haver conocido sus grandes culpas y peccados y abnegados aquellos querer ser restituydo al gremio de la sancta madre yglesia apostolica y romana, la qual no cierra el gremio suyo a los que con buena voluntat y verdadera penitençia se tornan querrendolo reçebir ha abjurado los dichos sus crimenes y errores de heregia y apostasia absolvemos y absuelto denunciamos al dicho Pedro de Sancta Clara. Alias el çedaçero,de la sentencia de executacion mayor de que era ligado del dia que cometio los dichos crimenes de heregia y apostasia. E reduzimoslo en quanto de drecho podemos y devemos al gremio de la sancta madre yglesia apostoloca y romana, ffaziendolo mienbro della e uviendolo a ella si con verdadero coraçon havra tornado a la sancta madre yglesia e mandamientos nuestros guarde y cumpliere[704]...".*

4.- Alegato negativo del Tribunal antes de la sentencia. Este tipo de alegato se emplea como introducción previa a una sentencia desfavorable. Cuando las pruebas incriminan al acusado y, además, este se niega a abjurar de las mismas, el Tribunal suele anunciar penas ejemplares que castiguen su falta de contrición. El objetivo es salvar su alma.

- En la segunda quincena del mes de enero de 1492, el Juez del Tribunal de la Inquisición que juzga por segunda vez al converso bilbilitano, Luys de Heredia, dice (antes de fallar sentencia) que *"consta el dicho Luys de Heredia haver feydo e ser excorado de excomunion mayor del dia que cometio los dichos crimenes de heregia y apostasia aca. E assi muchas vezes por nos ha feydo requerido y amonestado confesasse los dichos errores enteraemente y como devia no lo ha querido fazer antes con animo endurecido ha estado y esta perpetuamente negativo y sumulado en ellos no (pag. 18 vto.) queriendo haver piedat de si mesmo ni de su alma y asi es razon que con el cesse toda concordia y el drecho fielmente y su rigor no calle la pena que merece de la vindicta no ha de ser mejor que la memoria de sus excessos de manera que la pena castigue lo que la spiritual disciplina no puede[705]...".*

- El 9 de abril de 1492, el Juez del Tribunal de la Inquisición que juzga a la conversa bilbilitana, Isabel Lunell, alega (antes de fallar sentencia) que *"ahunque muchas vezes por nos ha seydo requerida y amonestada convesase los dichos errores enteramente y como devia no lo ha querido fazer antes con animo induciendo ha estado y esta pertinaz negativa esmulada en ellos no queriendo haver piedad de su misma ni de su anima y asi es razon que con ella cesse toda misericordia y el dicho se levante y sin rigor no calle la pena que merece do la vindicta no ha de ser menor que la memoria de sus excessos de manera que la pena castigue lo que la espiritual disciplina no puede por ende por otros sean refrenados de cometer los crímenes semejantes e a ella sea castigo de los crímenes ya perpetrados havida manera de liberación y consejo con barones letrados justos pendientes y de buena conciencia sobre el dicho presso cada cosa y parte del segunt quel drecho en tal caso dispone teniendo a Dios ante nuestros ojos con intencion de administrar justicia de consello del magnifico micer Andres Gutierrez de Quintanylla*

---

[704] AHPZ, caja 9. Nº 1; Proceso contra Pedro de Santa Clara, el çedaçero, p. 37. VEASE APÉNDICE DOCUMENTAL PROCESOS DE INQUISICIÓN.

[705] AHPZ, caja 12. Nº 9; Segundo proceso contra Luys de Heredia, p. 18. VEASE APÉNDICE DOCUMENTAL PROCESOS DE INQUISICIÓN.

asesor de este sancto oficio[706]...".

5.2.7.- EL FALLO DE LA SENTENCIA

5.2.7.1.- LOS DISTINTOS TIPOS DE CONDENA

5.2.7.1.1.- La libre absolución

Las sentencias son de dos tipos: absolutorias o condenatorias. Las primeras dan lugar a la absolución y puesta en libertad del procesado, bien porque el Tribunal descubre que no es culpable, bien porque la acusación no ha sido probada.

El entramado judicial del Santo Oficio hizo prácticamente imposible que hubiera sentencias firmes absolutorias. En los procesos a *judayzantes* de Calatayud, tan sólo hemos encontrado dos, algo realmente raro e inusual en este tipo de procedimientos. Los Inquisidores preferían archivar la causa, antes que pronunciarse con un veredicto favorable.

- María Pérez de Moros: El 16 de marzo de 1510, el Inquisidor zaragozano, Domingo Romeo, absuelve a la vecina de Terrer, María Pérez de Moros, quien (tras escuchar su confesión) dice *"que a el le consta ser mujer de buena sana y de buena cristiana y de virtud y por otros justos resparos absolvio a la dicha Maria de la instancia del presente processo, simplemente y no res menos por alguna sorpresa que contra ella podria reservar la condeno y a que dasse y pagasse para las necesidades del sancto officio e para lo que a su reverencia parecera[707]".*

- Pedro Casado: El 7 de septiembre de 1509, el Inquisidor Domingo Romeo, absuelve también al vecino de Paracuellos de Jiloca, Pedro Casado, con la única pena de *"que lieve un (borroso) de cinquo libras a nuestra senora de la guerra presente alli en la señora y que faga dezir alli una misa teniendo una candela en la mano y que para que se diga alli cinquo misas y que de alli la almosna (limosna) que le pareciere, y esto lo absolvio[708]".*

5.2.7.1.2.- La suspensión o archivo de la causa

No a todos los conversos de Calatayud y Comarca (vivos o muertos) juzgados por la Inquisición tuvieron sentencias condenatorias. Estimamos que al 82% de ellos (68 personas de 82 procesados) se les deja en libertad por archivarse su causa. El proceso se sobreseía en estos cuatro supuestos:

---

[706] ASCZ, sin signatura, Proceso contra Isabel Lunell, p. 119. VEASE APÉNDICE DOCUMENTAL PROCESOS DE INQUISICIÓN.

[707] AHPZ, caja 20. Nº 15; Proceso contra María Pérez de Moros, p. 13. VEASE APÉNDICE DOCUMENTAL PROCESOS DE INQUISICIÓN.

[708] AHPZ, caja 20. Nº 15; Proceso contra Pedro Casado, p. 2 vto. VEASE APÉNDICE DOCUMENTAL PROCESOS DE INQUISICIÓN.

1. Cuando el acusado abjura admitiendo total o parcialmente las acusaciones del Procurador Fiscal.

2. Cuando uno de los convictos muere en la cárcel mientras dura el litigio.

3. Cuando no hay suficientes pruebas que incriminen directamente al acusado.

4. Cuando las acusaciones de los denunciantes y testigos no son suficientemente probadas.

Una vez archivado el proceso, el acusado queda libre bajo la amenaza de que el caso puede abrirse -en cualquier momento- si existe la más mínima sospecha de reincidencia herética. En la práctica, la suspensión era una forma encubierta de absolver al delincuente. Veamos a qué personas –vivas o muertas- se les archivó el procedimiento:

- **Archivo de procesos individuales a conversos de Calatayud**: Pedro de Santa Clara (alias el platero y difunto), Jayme Remón (difunto), Johan Perez de Santa Fe (alias de Ariza), Pedro Sánchez (alias el recadero), Leonor Álvarez, Catalina de Funes, Johan Daça, Gracia Benedit, Johan de Esperandeu y Constanza de Ariza.

- **Archivo de procesos colectivos a conversos de Calatayud y su Comunidad**[709]: Johan Cortés (Fuentes de Xiloca), Domingo López (Bubierca), María de Pina (Ateca), Pedro Ximénez (Sestrica), Mossen Miguel Arnal (Moros), Mastre Martín de Aymar (Ateca), Martín Andrés (Villalba del Perejiles), Anthon Lopez (Calatayud), Mossen Alonso de Sancta Cruz (Calatayud), Johan de Pomar (Villalengua), Alonso Çala (Calatayud), Violant de Luna (Illueca), Pedro de Linyan (Moros), Marta Errando (Velilla de Xiloca), Catalina Marco (Villaluenga), Johan Andrés (Villaluenga), Mossen Miguel Ferrandez (Miedes), Gonçalvo de Huete (Bubierca), Johan de Sos (Morés), Pedro la Pica (Aranda de Moncayo), Joan de Deça (Villaluenga), Martín de Menes (Ateca), Pedro Garcia, menor (Ateca), Ferrando de Ravanera (Ateca), Domingo Garcia (Ateca), Maria Ximénez (Ateca), Johan Pérez de Somer (Ateca), Pedro Álvarez (Morés), Leonis de Aragón (Arándiga), Marien de Belbis (Villafeliche), María de Sus (Ibdes), Diego Munyoz (Ariza), María Sanz (Calatayud), Mahoma el Mexo (Almonacid de la Sierra), Johan Martínez (Arándiga), Johan de Gotor (Arándiga), Johan Candelero (Calatayud), Dianita de Lanuça (Illueca) y Pedro Garcia (Ateca).

5.2.7.1.3.- Las sentencias a conversos fallecidos

Cuando la Inquisición tiene pruebas fundadas de que un converso, ya fallecido, ha practicado ritos y ceremonias *judaycas* manifiestas, el Tribunal le abre un proceso *post mortem* para esclarecer los hechos. Si la herejía se considera probada durante el juicio, el Tribunal podía ordenar la exhumación del cadáver para quemarlo con su efigie, como así ocurrió con el bilbilitano Anthon de Santangel.

Al resto de conversos difuntos de Calatayud se les archivó el expediente por falta de pruebas, además de lo desagradable que suponía manipular huesos y restos mortuorios. Veamos algunas sentencias:

---

[709] AHPZ, caja 20. Nº 15; Proceso contra varios conversos y moros que viven en Calatayud y en pueblos de su Comunidad (comienzo del proceso: 22 de agosto de 1509). VEASE APÉNDICE DOCUMENTAL PROCESOS DE INQUISICIÓN.

1. **Anthon de Santangel:** Como ya sabemos, a este bilbilitano se le juzga por dos sucesos muy graves: conspirar en el asesinó de Pedro Arbués y vivir como un judío. Tras varios años de procesamiento judicial, en el año 1518 se falla confiscar sus bienes y desenterrar sus restos para que el clérigo, Francisco Ferrández de Heredia, los queme junto a su estatua. También se prohíbe a sus hijos y descendientes ejercer cargos públicos, eclesiásticos o seculares.

- *"El dicho Anthon de Santangel que haver passado a los ritus y ceremonias judaicas judaizando y haver feydo y ser heretico y apostata verdadero y haver fenecido su vida en la dicha heregia y apostasia y haver incurrido en excomunion mayor y en todas las otras penas y censuras por el drecho contra las tales stablecidas y en confiscacion y por dreyto de todos sus bienes assi mobles como sedientes nombres drechos y acciones y que los devemos de aplicar y aplicamos a la camara y fisco real... E mandamos que sus huesos sean desenterrados de doquiere que stuvieren si discernis sepudieren y relaxamoslas y mandamos las relaxar a la justicia y juez secular y en el lugar dellos la estatua representacion el dicho heretico laxamos a vos el muy circunspecto sennor mossen Francisco Ferrandez de Heredia, para que en ellos fa lo que por justicia fallare poder sy dever e fazer et eudam. E privamos y primados denunciamos a todos los fijos y descendientes del dicho Anthon de Sanctangel por heretico condemnado por linea masculina fasta el segundo grado y por femenina fasta el primero garado inclusive de todos los officios y beneficios y honores assi eclesiasticos como seculares dandolos por inabiles para impetrar y posseer otros oficios[710]".*

2. **Proceso tramitado a otros conversos difuntos de Calatayud:** Johan Lopez Coscollán, Anthon Ximénez de Rueda (alias Arruet), Johan de Sayas, Simón de Santa Clara (mayor), Anthon de Blanes, Johan de Romeral, María de Romeral (mujer de Johan de Romeral), Gabriel de Santa Cruz, Alfonso de Santa Cruz, Johan Daça, Felipe Pérez de Moros, Johan de Maluenda (mayor), Ferrando López (el mudo), Leonart de Santangel, Jayme García (el viexo), Jacobo (Jayme) Álvarez, María Daça (mujer de Benedicto Ram), María López de Moros, Paulo de Daroca.

El proceso no falla sentencia a ninguno de estos imputados (ni individual ni colectivamente). El Tribunal sólo se limita a confirmar que murieron más esperanzados en la Ley de Moisés que en la fe cristiana, lo que supone (según su criterio) un fragante crimen de herejía, sin más consecuencias.

- *"Item dize el dicho procurador fiscal que los dichos defuntos reos y criminosos y qualquiere dellos al tiempo que morieron no quonfessaron los dichos crimenes de heregia y apostasia ni confessaron ni comulgaron ni fizieron ordenes de christianos y assi como hereticos y apostatas thoniendo sperança en la Ley de Moysen murieron y fenescieron sus dias extremos y vanirales y tal de lo suso dicho fue era y es voz comun y fama publica. Item dize el dicho procurador fiscal que los suso dichos denuciados en el tiempo que bivian y qualquiere dellos tenian fama y reputacion de malos christianos de*

---

[710] AHPZ, caja 12. N° 8; Proceso contra Anthon de Santangel, p. 180. VEASE APÉNDICE DOCUMENTAL PROCESOS DE INQUISICIÓN.

haver cometido crimenes de heregia y apostasia[711]...".

5.2.7.1.4.- La libertad cautelar: los *penitenciados*

El Tribunal de la Inquisición suele tener muy en cuenta la actitud de colaboración y arrepentimiento del acusado. Si este admite las denuncias y abjura públicamente sus delitos de herejía y apostasía (de *levi* si es un delito menor, y de *vehementis* si el delito es grave) el juez lo declara *penitenciado*, es decir, pena de cárcel pero en régimen penitenciario abierto[712] (libertad en régimen abierto), que los mismos procesos llaman *"carcel perpetua retenta misericordia...",* *"carcel temporal a nuestro arbitrio y voluntad...", "carcel e por carcel la dicha denunciada la ciudad de Calatayut y tres leguas en derredor...".*

Esta libertad restringía no sólo la vida privada del *penitenciado*, sino incluso todos sus movimientos personales y vecinales. Aunque el Tribunal no es partidario de imponerles penas pecuniarias, sin embargo les prohíbe vestir con lujo, asistir a actos públicos, ejercer profesiones liberales y llevar armas, entre otras normas de convivencia y de conducta. Veamos unos ejemplos:

- **Pedro de Santa Clara, alias el çedaçero:** En el mes de mayo de 1488, los miembros del Tribunal de la Inquisición *"declaramos pentenciamos y en lugar de provian y por previan quondenamos al dicho Pedro de Sancta Clara, alias el çedaçero, a carcel perpetua retenta y le mandamos que no pueda levar ençima de su perssona por arreo oro ni plata ni perlas ni aljoffar ni ambres ni corales ni piedras preciosas ni vestir seda ni grana ni chamelote ni panno riquo alsinio de seze sueldos arriba la vara ni yr a bodas ni a missas nuevas ni a expecta en los de grandes plazeres mundanos ni pueda ser el dicho Pedro de Sancta Clara, alias el çedaçero, advocado notario procurador medico apotecario ni corredor ni tener officio publico alguno ni pueda traher armas de ninguna specie que sean excepto hun cuchillo pequenno ni ande a cavallo en cavallo ensillado mas siempre ste en habiso humil. E porque por no haver venido ase quonffessar en tiempo devido sus hereticos y apostaticos errores ha perdido todos sus bienes. Lorende de declaramos todos los bienes del dicho Pedro de Sancta Clara, alias el çedaçero, ensemble con los ffruytos recebidos del tiempo aqua que começio (comercio) de presente quonfiscados a la camara y fisco del rey nuestro senno, al qual mandamos en virtut de obedinçia en quanto de drecho podemos y devemos aquellos tome por suyos y como suyos[713]".*

- **Clara Escobar:** El 28 de mayo de 1488, los Comisarios del Tribunal de la Inquisición que la juzgan *"declararamos penitenciamos y en lugar e sentincia y por sentencia comdepnamos a la dicha Clara Descobar a carcel pertetua retenta misericordia y le mandamos que no pueda levar encima de su persona por ores oro ni plata ni perlas ni anthossar ni ambies ni corales ni piedras preciossas ni vestir seda ni grana ni maurellite ni panyo riquo alguno de setze sueldos ariba la bara, ni yr a bodas ni a missas nuevas ni*

---

[711] AHPZ, caja 12. Nº 7; Proceso contra varios conversos difuntos de Calatayud, p. 210. VEASE APÉNDICE DOCUMENTAL PROCESOS DE INQUISICIÓN.

[712] VÉASE LA NOTA Nº 538.

[713] AHPZ, caja 9. Nº 1; Segundo proceso contra Pedro de Santa Clara, el çedaçero, p. 37 vto. VEASE APÉNDICE DOCUMENTAL PROCESOS DE INQUISICIÓN.

a espectaculos de grandes plazeres mundanos ni pueda ser meyesa, apothecaria, corredera ni tener otro officio publico alguno mas antes siempre este en habito humilde. Et porque por no haver venida ase conffesar en tiempo divido sus heretiquo y apostaticos errores ha perdido todos sus bienes por ende declaramos todos los bienes de la dicha Clara Descobar ensemble con los suytos recebidos del tiempo aqua que cometio los dichos crimenes haver estado y ser confiscados a la camera e fisco del Rey nuestro Senyor[714]".

- **Pedro Polo:** El 12 de abril de 1492, el Juez del Tribunal de la Inquisición decide que *"devemos pronunçiar y pronunçiamos y declarar y declaramos al dicho Pedro Polo haver seydo y ser sospechoso de los dichos crimenes por el, specialment abjurados. E por que no es razon que las dichas sospechas y crimenes queden inpunidas provamos que en lugar de penitençia mandamos al dicho Pedro Polo que no cometa los dichos crimenes ni errores de heregia y apostasia por el abjurados de que es havido por sospechoso, y asi mismo condepnamos al dicho Pedro Polo a carcel temporal a nuestro arbitrio y voluntat, reservando a nos otra qualesquiere penitençia que a nosotros sera bien vistos deba ser impuesta al dicho Pedro Polo[715]... (se le confiscan sus bienes)".*

- **Gracia de Blanes:** En el mes de febrero de 1514, el Juez de la Inquisición la deja en libertad cautelar con la condición de que no se aleje tres leguas de la ciudad (1 kilómetro), como así ordena la sentencia: *"carcel e por carcel la dicha denunciada la ciudad de Calatayut y tres leguas enderredor a la qual mando que del dicho carcel no sallieesse presus so pena de cofesso e comento y de otras penas arbitrarias en la qual açepto el dicho carcel prometio y se obligo y juro en de no crebantar lo sobre dichas penas[716]...".*

- **Gonzalo de Huete:** El 24 de abril de 1515, el Inquisidor le declara *"penitenciarium proventis"* y le impone una multa de 50 florines. El acusado alega que no tiene bienes suficientes para responder a la multa. Además le dio licencia para que pudiera ir a Arévalo *"dentro el tiempo de la pasa de su pena e con esto que en lo demas la dicha carcel quede en su fuerça[717]".*

- **María López:** En febrero de 1490, los inquisidores del Tribunal *"declaramos y penitenciamos e en lugar de penitençia condenamos a la dicha María Lopez a carcel perpetua retenta misericordia, e le mandamos que no pueda levar encima de su persona ni su cavalgadura, portando oro ni plata, ni perlas, ni aljófar, ni anillos, ni corales, ni piedras preciosas, ni bestir seda, ni grana, ni thamelote, ni panyo rico alguno de preciso de seze sueldos la vara, ni pueda yr a bodas, ni a espectaculo de grande plazer. Assimismo declaramos todos los bienes de la dicha María Lopez ser confiscados a la camara del fisco del rey nuestro senyor con todos los contos e rentas[718]...".*

---

[714] AHPZ, caja 9. N° 8; Segundo proceso contra Clara Escobar, p. 37. VEASE APÉNDICE DOCUMENTAL PROCESOS DE INQUISICIÓN.

[715] AHPZ, caja 10. N° 1; Proceso contra Pedro Polo, p. 62 vto. VEASE APÉNDICE DOCUMENTAL PROCESOS DE INQUISICIÓN.

[716] AHPZ, caja 10. N° 1; Proceso contra Gracia de Blanes, p. 6 vto. VEASE APÉNDICE DOCUMENTAL PROCESOS DE INQUISICIÓN.

[717] AHPZ, caja 20. N° 15; Proceso contra Gonzalo de Huete, p. 59. VEASE APÉNDICE DOCUMENTAL PROCESOS DE INQUISICIÓN.

[718] AHPZ, caja 11. N° 5, 89/5; Proceso contra María López, p. 104. VEASE APÉNDICE DOCUMENTAL PROCESOS DE INQUISICIÓN.

5.2.7.2.- LOS CONDENADOS SON ENTREGADOS A LAS AUTORIDADES CIVILES

Cuando el Tribunal de la Inquisición considera al acusado culpable de herejía y apostasía por judaizar, trasladan el caso al Justicia de Calatayud (máxima autoridad civil) para que ejecute la sentencia (generalmente la hoguera). Si el condenado se arrepentía en el patíbulo, antes de ser devorado por las llamas se le aliviaba la agonía mediante el estrangulamiento por garrote vil. En caso contrario era quemado vivo. Veamos algunos ejemplos:

- **Pedro Çit:** En el mes de julio de 1489, el Tribunal de la Inquisición lo declara culpable. Su arrepentimiento y abjuración no fueron suficientes para poder salvarlo. Tras confiscar sus bienes para el fisco real y prohibir que sus descendientes desempeñen oficios eclesiásticos y públicos, los comisarios fallan *"que devemos remitir y remitimos al dicho Pedro Çit a la justicia e juez secular a saber es al magnifico Miguel de Peralta, justicia de la presente ciudad de Calatayut que es presente para que el comprenda y clemencia le de a pena que segunt sus meritos y culpas merece[719]"*. Ordenan a mosen Esteban Gan, alguacil del Santo Oficio, entregarlo al Justicia de la ciudad.

- **Isabel Lunell:** El 9 de abril de 1492, los comisarios del Tribunal de la Inquisición, tras verificar que la acusada no abjura y niega los hechos que la incriminan, se determina *"que devemos de pronunciar y pronunciamos declarar y declaramos a la dicha Isabel Lunel haver pasado de los ritos y ceremonias judaycas e haver seydo y ser heretica y apostata judayzada y haver seydo y ser excomunicada de excomunicacion mayor del tiempo que cometio los dichos crímenes... e como la madre sancta yglesia contra la dicha heretica judayzada como es piadosa no tiene pena con digna pa los dichos crímenes y errores... devemos remitir y remitimos a la dicha Isabel Lunel a la justicia e juez secular a saberes al magnifico micer Johan de Nueros lugarteniente justicia desta presente ciudat de Calatayut que es presente para que el con piedat y clemencia segunt sus meritos y culpas le de la pena que merece[720]"*. También ordenan a Mosen Esthevan Gan, Alguacil del Santo Oficio, a entregarlo a las autoridades civiles bilbilitanas.

- **Ramón López de Villanova:** El libro Verde de Aragón nos dice que Ramón López, hijo del converso Garci López de Villanova (Mosse Paçagon) fue juzgado y quemado por la Inquisición de Calatayud, acusado de *judayzar[721]*. Desconocemos dónde puede estar su proceso.

5.2.7.3.- LOS REINCIDENTES O *RELAPSOS*

Cuando la Inquisición deja a un *penitenciado* en libertad y este incumple la promesa que hizo de no volver a cometer la herejía por la que fue juzgado, los miembros del Tribunal lo vuelven a detener con la calificación de *relapso* (palabra que significa "quien cae de nuevo"). Se considera *relapso* al que, tras abjurar *vehementi* de una herejía, reincide otra vez en ella. Tras un

---

[719] ASCZ, sin signatura, Proceso contra Pedro Çit, p. 47 vto. VEASE APÉNDICE DOCUMENTAL PROCESOS DE INQUISICIÓN.

[720] ASCZ, sin signatura, Proceso contra Isabel Lunell, p. 119 vto. VEASE APÉNDICE DOCUMENTAL PROCESOS DE INQUISICIÓN.

[721] VEASE EL CAPÍTULO: (2.6.2.1.- Los linajes judíos de Calatayud en el Libro Verde de Aragón).

nuevo proceso, se le condena y separa de la Iglesia, dejando que las autoridades civiles o seculares ejecuten la pena de muerte en la hoguera. En Calatayud tal competencia recae en el Justicia de la Ciudad.

- **Luys de Heredia**: En el últimos días de febrero de 1490, tras abjurar y admitir sus errores, el juez de la Inquisición le condena a *"carcel perpetua retenta misericordia"*, es decir, le deja en libertad como *penitenciario*. A los dos años, la Inquisición vuelve a detenerle (el 6 de marzo de 1492) y reabre el caso porque *"ha stado penitençiado y recovaliado por el Offcio de la Sancta Inquisición... (y que después de ello) por muchas vezes ha ayunado y ha hecho ceremonias judias"*. La Inquisición considera muy grave que incumpliera sus anteriores juramentos, convirtiéndose así en *relapso* o reincidente, es decir, culpable sin opción a perdón alguno. Además de confiscar sus bienes y ordenar que sus descendientes no ocupen cargos públicos, el Tribunal falla *"que devemos remitir e remitimos al dicho Luys de Heredia heretico a la corte e justicia secular, a saber es al magnífico micer Johan de Nueros, lugarteniente de justicia desta presente ciudat de Calatayut que es presente para que el con piedat e clemençia le de la pena que segund sus meritos y culpas merece*[722]*"*. Encomiendan a mosen Sthevan, Alguacil del Sancto oficio, a que lo entregue al brazo secular (al Justicia de Calatayud) para que ejecute la sentencia de pena de muerte en la hoguera.

5.2.8.- FASE DE APELACIÓN: LOS RECURSOS

En el procedimiento inquisitorial las sentencias no pasan nunca a cosa juzgada, por lo que resulta frecuente su revisión. Las principales formas de impugnación, tanto en los Tribunales inquisitoriales como en los reales, son la apelación y la suplicación. La apelación se fundamenta en la posibilidad de error judicial, por lo que es necesario un nuevo examen realizado por otro juez. La consecuencia jurídica más importante de la apelación es la suspensión de la ejecución de la sentencia dictada en primera instancia[723].

Una vez que el Tribunal de la Inquisición (en acto privado) lee al acusado el fallo de la sentencia, esta se pone por escrito ya que, de no hacerse, se considera nula. A partir de entonces, el reo puede apelar su revisión ante el Consejo Supremo de la Inquisición con sede en la Aljafería de Zaragoza. Si el Consejo ratifica la condena, el Tribunal procede a la lectura pública y ejecución de la sentencia. Las apelaciones prosperaron en muy pocos casos.

En los procesos a judaizantes de Calatayud no aparece ningún recurso de apelación, salvo el del difunto Anthon de Santangel. Tampoco aparecen notas adjuntas o marginales que demuestren que el Consejo Supremo de Zaragoza revisase este último caso, ni el de ningún otro bilbilitano.

El proceso de Anthon de Santangel se inició el 13 de junio de 1486, terminando 22 años después (en marzo de 1518) con la sentencia condenatoria que ya conocemos (desenterramiento, quema de huesos y estatua, confiscación de bienes y prohibición a sus hijos y descendientes

---

[722] AHPZ, caja 12. N° 9; Segundo proceso contra Luys de Heredia, p. 19. VEASE APÉNDICE DOCUMENTAL PROCESOS DE INQUISICIÓN.

[723] FERNÁNDEZ GIMÉNEZ, M. C.; Op. Cit. *"La sentencia inquisitorial"*, p. 20.

ejercer cargos públicos, eclesiásticos y otros oficios). Como la sentencia afectaba directamente a los intereses de la familia, su hijo Anthon de Santangel nombró procuradores a Pedro Romeo, Martín López y Pedro Pérez Danyon -notarios de Zaragoza[724]- para que recurrieran la sentencia de su padre y poder así recuperar el patrimonio y dignidad familiar, como ya sabemos.

5.2.9.- EL *AUTO DE FE*: EJECUCIÓN DE SENTENCIA

La ejecución de toda sentencia (menos la absolutoria) implica que el condenado debe participar en la ceremonia denominada *Auto de Fe*. Por regla general, suele ser un acto público ya que, a la Inquisición, le interesaba mucho mostrar al pueblo su poder.

Normalmente se celebran en la plaza mayor de las ciudades, donde se instalan unos cadalsos o tribunas de madera para escenificar el acto. Los acusados van vestidos con el *Sambenito* o *mantilla* inquisitorial y una vela verde en las manos. Tras la lectura de la sentencia, a los *penitencidos* se les deja en libertad con sus correspondientes penitencias, y a los condenados se les quema en la hoguera.

En los procesos de Inquisición a judaizantes de Calatayud tan sólo hemos encontrado un único *Auto de Fe*, el del converso Pedro Çit. Por su contenido sabemos que, en Calatayud, no se hacía en la plaza del Mercado (como parece lógico pensar), sino fuera de la ciudad, en unas eras de propiedad municipal que estaban junto a la puerta de Terrer (a la entrada del barranco del Puente Seco). Allí, encima del cadalso se leían y ejecutaban públicamente las sentencias que se fallaban contra los acusados.

- El 14 de junio de 1494, *"apud civitate Calatayubii en las heras vulgaritem municipate de la pueta Terrer extramuros dicte civitatis situate demane ante me in die coram verendos dominis Frey Petro de Valladolit inquisitore heretice apostatice pravitatis auctoritate apostolica deputato in archiapiscopatu Çesaragustam apostolatu Turasonensis et domino laurenço Ramon deciton doctore vicario generali ad inquirendo dehersi deputato et reverendum iuxto pren et dominum Andrea Matinez obispatu Turiassoem per tribunali sedentibus in quodam cadaffalso indicta platea sunt eras situato profit factu fide sermone in actu per infrascripto per sentencia dicta Petro Çit denunciado[725]..."*

5.3.10.- *LAS MANTILLAS* O *SAMBENITOS*

Las penas impuestas por la Inquisición van acompañadas de un distintivo que, en el siglo XV, se llamaba *mantilla* y que posteriormente se la conocerá como *sambenito*. El objetivo de esta indumentaria es identificar socialmente al condenado. La *mantilla* es el atuendo característico del Santo Oficio tanto para el hombre como para la mujer. Está compuesto de dos piezas rectas de tela (una delante y otra detrás a modo de escapulario) abiertas por los lados (para pasar los brazos) y por arriba (para pasar la cabeza). No tiene *capirote* y su largura era corta (hasta la

---

[724] AHPZ, caja 12, N° 8; Proceso contra Anthon de Santangel, p. 186 ss. VEASE APÉNDICE DOCUMENTAL PROCESOS DE INQUISICIÓN. VEASE TAMBIÉN EL CAPÍTULO: (5.1.2.1.2.- LOS PROCESOS ABIERTOS A JUDAIZANTES DE CALATAYUD); N° 1.- Anthon de Santangel.

[725] ASCZ, sin signatura, Proceso contra Pedro Çit, p. 45. VEASE APÉNDICE DOCUMENTAL PROCESOS DE INQUISICIÓN.

cintura). Sobre la prenda se cose una cruz o se pinta un aspa roja (una delante y otra detrás). Se la llamó también *sambenito* por su color pardo oscuro, similar al hábito de los mojes de la orden Benedictina o de San Benito.

Cuando se celebraban los *Autos de Fe* públicos, los condenados ya llevaban encima de sus ropas estos distintivos inquisitoriales. Si los convictos eran dejados en libertad como *penitenciados* (después de leer la sentencia en el cadalso), tenían la obligación de llevarla siempre encima (salvo en casos especiales) hasta que las autoridades del Santo Oficio lo creyían oportuno.

En este sentido, el Tribunal de la Inquisición de Calatayud ordenó a la *penitenciada*, María López, a llevar puesta la *"mantilla de la pena"* en conmutación por la sentencia de *"cárcel perpetua retenta misericordia"*. Además le obligaron a no esconderse y participar en los actos religiosos de mayor concurrencia (misas y procesiones). El objetivo era darle un escarmiento por su comportamiento herético, además de humillarla socialmente ante la Comunidad cristiana. Veamos los textos[726]:

- *"A XII días de abril del anno mil CCCCLXXXXII, en Calatayud fue impuesta la mantilla de la pena a la dicha maría Lopez en conmutación de la carcel perpetua, la qual le mandaron levar sobre todos sus vestidos patente e públicamente, en su casa y fuera della e que no sela pudisse cubrir con falda de capuz, ni capa, ni con otra cosa alguna, ni se la pudiesse quitar sino para quando se aviesse de acostar en la cama e para se dar algun bestido, la qual oviesse de levar por tanto tiempo como fuesse voluntad de los inquisidores. Item que se quonffesase y comulgase en las tres pascuas del anno y fuesse a misa y a vispras todos los domingos y fiestas solemnes. Item que fuesse a las procesiones quales fuere y que no saliesse del regno de Aragon y lo qual todo le fue mandado so pena de impenitente".*

Cuatro años más tarde, concretamente el 7 de septiembre de 1496, la Inquisición la declara *avilatada* (habilitada o dispensada) de llevar la *mantilla*, orden que elevarán a definitiva[727] el 24 de febrero de 1505:

- *"A VII de setiembre anno de mil CCCCLXXXXVI fue avilatada la dicha María López de la mantilla e otras cosas que arbitrariamente le fueron prohibidas".*

- *"A XXIIII de febrero anno de mil quinientos y cinco los sennores Johan Rodríguez, inquisidor, e su asesor el doctor Quintanilla avilitaron a Maria Lopez en lo de la mantilla y en lo de las otras cosas que arbitrariamente le fueron prohibidas".*

---

[726] AHPZ, Caja 11, Nº 5; 89/5; Proceso Inquisitorial contra María López, p. 104 vto. VEASE APÉNDICE DOCUMENTAL PROCESOS DE INQUISICIÓN.

[727] AHPZ, Caja 11, Nº 5; 89/5; Proceso Inquisitorial contra María López, p. 105. VEASE TAMBIÉN EL CAPÍTULO: (5.1.2.1.2.- LOS PROCESOS ABIERTOS A JUDAIZANTES DE CALATAYUD), Nº 22.- María López.

5.3.11.- CONCLUSIONES: CONDENAS Y PENAS

5.3.11.1.- PROCESOS DE INQUISICIÓN DOCUMENTADOS

NOMBRE	LUGAR	VITAL	AÑO INICIO	AÑO FINAL	ACUSA CION	CONDENA
Alvarez, Jayme	Calatayud	Difunto	26 marzo 1488	9 abril 1492	*Judayzar*	Archivado
Álvarez, Leonor	Calatayud	Vivo	12 enero 1488	8 nov. 1489	*Judayzar*	Archivado
Álvarez, Pedro	Calatayud	Difunto	13 junio 1486	marzo 1518	*Judayzar*	Quema estatua
Andrés, Johan	Calatayud	Viva	8 febrero 1488	28 mayo 1488	*Judayzar*	Penitenciada
Aragón, Leonis de	Calatayud	Vivo	25 abril 1488	22 marzo 1489	*Judayzar*	Penitenciado
Ariza, Constanza de	Calatayud	Vivo	6 febrero 1488	Mayo de 1488	*Judayzar*	Penitenciado
Belbis, Marien de	Calatayud	Vivo	24 enero 1488	11 junio 1489	*Judayzar*	Archivado
Benedit, Gracia	Calatayud	Viva	28 julio 1488	26 junio 1489	*Judayzar*	Archivado
Blanes, Anthon de	Calatayud	Vivo	25 enero 1488	8 mayo 1493	*Judayzar*	Archivado
Blanes, Gracia de	Villarrolla	Vivo	25 enero 1488	Febrero 1490	*Judayzar*	Penitenciado
Çala, Alonso	Calatayud	Vivo	Marzo de 1490	Enero 1492	Relapso	Quemado
Candelero, Johan	Calatayud	Vivo	17 marzo 1488	11 mayo 1501	*Judayzar*	Archivado
Casado, Pedro	Calatayud	Viva	16 enero 1489	25 noviemb 1489	*Judayzar*	Archivado
Çit, Pedro	Calatayud	Vivo	17 enero 1488	17 abril 1492	*Judayzar*	Archivado
Cortés, Johan	Calatayud	Viva	22 febrero 1514	Año 1514	*Judayzar*	Penitenciada
Daça, Johan	Calatayud	Viva	4 febrero 1514	Año 1514	*Judayzar*	Archivado
Daça, Johana	Calatayut	Vivo	16 enero 1488	14 junio 1489	*Judayzar*	Quemado
Daça, María	Calatayud	Viva	18 enero 1488	Abril 1492	*Judayzar*	Quemada
Daroca, Paulo de	Calatayud	Difunto	6 marzo 1488	30 septie 1489	*Judayzar*	Archivado
Deça, Johan de	Calatayud	Difunto	23 agosto 1488	30 septie 1489	*Judayzar*	Archivado
Errando, Marta	Calatayud	Difunto	28 febrero 1488	30 septie 1489	*Judayzar*	Archivado
Escobar, Clara	Calatayud	Difunto	11 febrero 1488	30 septie 1489	*Judayzar*	Archivado
Esperandeu, Johan	Calatayud	Difunto	7 febrero 1488	30 septie 1489	*Judayzar*	Archivado
Ferrandez, Michael	Calatayud	Difunto	1 marzo 1488	30 septie 1489	*Judayzar*	Archivado
Funes, Catalina de	Calatayud	Difunto	31 agosto 1488	30 septie 1489	*Judayzar*	Archivado
Garcia, Domingo	Calatayud	Difunta	3 agosto 1488	30 septie 1489	*Judayzar*	Archivado
García, Jayme (el viexo)	Calatayud	Difunto	8 junio 1488	30 septie 1489	*Judayzar*	Archivado
García, Martín (alias Andrés)	Calatayud	Difunto	7 febrero 1488	30 septie 1489	*Judayzar*	Archivado
Garcia, Pedro	Calatayud	Difunto	21 febrero 1488	30 septie 1489	*Judayzar*	Archivado
Garcia, Pedro (menor)	Calatayud	Difunto	8 febrero 1488	30 septie 1489	*Judayzar*	Archivado
Gotor, Johan de	Calatayud	Difunto	15 febrero 1488	30 septie 1489	*Judayzar*	Archivado
Heredia, Luys de (1°)	Calatayud	Difunto	17 marzo 1488	30 septie 1489	*Judayzar*	Archivado
Heredia, Luys de (2°)	Calatayud	Difunto	24 marzo 1488	30 septie 1489	*Judayzar*	Archivado
Huete, Gonçalvo de	Calatayud	Difunto	25 febrero 1488	30 septie 1489	*Judayzar*	Archivado
Lanuça, Dianita de	Calatayud	Difunto	9 junio 1488	30 septie 1489	*Judayzar*	Archivado
Linyan, Pedro de	Calatayud	Difunta	28 marzo 1488	30 septie 1489	*Judayzar*	Archivado
Lopez Coscollán, Johan	Calatayud	Difunta	1 marzo 1488	30 septie 1489	*Judayzar*	Archivado
López de Moros, María	Calatayud	Difunto	28 febrero 1488	30 septiem 1489	*Judayzar*	Archivado
López de Villanova, Ramón	Paracuellos de Xiloca	Vivo	22 agosto 1509	7 septie 1509	*Judayzar*	Absuelto

Lopez, Anthon	Fuentes de Xiloca	Vivo	23 agosto 1509		Blasfemo	Archivado
López, Domingo	Terrer	Viva	14 agosto 1509	16 marzo 1510	*Judayzar*	Absuelta
López, Ferrando	Bubierca	Vivo	24 agosto 1509		Blasfemo	Archivado
López, María	Ateca	Viva	25 agosto 1509		*Judayzar*	Archivado
López, María	Sestrica	Vivo	27 marzo 1509		*Judayzar*	Archivado
Luna, Violant de	Moros	Vivo	25 agosto 1509		*Judayzar*	Archivado
Lunell, Isabel	Ateca	Vivo	25 agosto 1509		*Judayzar*	Archivado
Maluenda, Johan de	Villalba Perejiles	Vivo	25 agosto 1509		Blasfemo *Judayzar*	Archivado
Marco, Catalina	Calatayud	Vivo	22 agosto 1509		*Judayzar*	Archivado
Martínez, Johan	Calatayud	Vivo	22 agosto 1509		Blasfemo	Archivado
Mastre Aymar, Martín	Villalengua	Vivo	27 agosto 1509		Bigamia	Archivado
Menes, Martín de	Calatayud	Vivo	22 agosto 1509		Blasfemo	Archivado
Mexo, Mahoma el	Illueca	Vivo	27 agosto 1509		*Judayzar*	Archivado
Mossen Arnal, Miguel	Moros	Vivo	27 agosto 1509		Blasfemo	Archivado
Munyoz, Diego	Velilla de Xiloca	Viva	22 agosto 1509		*Judayzar*	Archivado
Pérez de Moros, Felipe	Villaluenga	Viva	27 agosto 1509		Rito arabe	Archivado
Pérez de Moros, María	Villaluenga	Vivo	27 agosto 1509		Blasfemo	Archivado
Pérez de Santa Fe, Johan	Moros	Viva	22 agosto 1509		*Judayzar*	Archivado
Pérez de Somer, Johan	Miedes	Vivo	28 agosto 1509		*Judayzar*	Archivado
Pica, Pedro de	Bubierca	Vivo	29 agosto 1509	24 abril 1515	*Judayzar*	Penitenciado
Pina, María de	Morés	Vivo	22 agosto 1509		*Judayzar*	Archivado
Polo, Pedro	Aranda de Moncayo	Vivo	22 agosto 1509		Blasfemo	Archivado
Pomar, Johan de	Villaluenga	Vivo	22 agosto 1509		Rito arabe	Archivado
Ravanera, Ferrando de	Ateca	Vivo	22 agosto 1509		Blasfemo	Archivado
Romeral, Johan de	Ateca	Vivo	29 agosto 1509		Blasfemo	Archivado
Romeral, María de	Ateca	Vivo	22 agosto 1509		Blasfemo	Archivado
Sánchez, Pedro	Ateca	Vivo	22 agosto 1509		Blasfemo	Archivado
Sancta Cruz, Alonso de	Ateca	Viva	22 agosto 1509		Blasfemo	Archivado
Santa Clara, Pedro (alias el platero)	Ateca	Vivo	22 agosto 1509		Blasfemo	Archivado
Santa Clara, Pedro alias el (çedaçero)	Morés	Vivo	22 agosto 1509		Blasfemo	Archivado
Santa Clara, Simón de	Arándiga	Vivo	22 agosto 1509		*Judayzar*	Archivado
Santa Cruz, Alfonso de	Villafeliche	Viva	22 agosto 1509		Rito arabe	Archivado
Santa Cruz, Gabriel de	Ibdes	Viva	22 agosto 1509		Blasfema	Archivado
Santangel, Anthon de	Ariza	Vivo	22 agosto 1509		*Judayzar*	Archivado
Santangel, Anton de	Calatayud	Viva	22 agosto 1509		Bigamia	Archivado
Santangel, Leonart de	Almonacid de la Sierra	Moro Vivo	22 agosto 1509		Blasfemo	Archivado
Sanz, María	Arándiga	Vivo	22 agosto 1509		Blasfemo	Archivado
Sayas, Johan de	Arándiga	Vivo	22 agosto 1509		*Judayzar*	Archivado

Sos, Johan de	Calatayud	Vivo	22 agosto 1509		Blasfemo	Archivado
Sus, María de	Illueca	Viva	22 agosto 1509		*Judayzar*	Archivado
Ximénez Rueda, Anthon	Ateca	Vivo	22 agosto 1509		No sabe	Archivado
Ximénez, María	Calatayud	Viva	15 febrero 1488	febrero 1490	*Judayzar*	penitenciada
Ximénez, Pedro	Calatayud	Vivo			*Judayzar*	Quemado

5.4.- EL PERSONAL DEL TRIBUNAL DE LA INQUISICIÓN

5.4.1.- INTRODUCCION

Conforme pasaban los años, los conversos bautizados (conversos de primera generación) se iban muriendo. Sus descendientes directos, los conversos de segunda y tercera generación, poco a poco van abandonando las costumbres *judaycas* de sus padres o abuelos bautizados. Las experiencias negativas que tuvieron aquellos con el Santo Oficio les sirvió de escarmiento. También la expulsión de los judíos en 1492 favoreció que, en lo sucesivo, esten menos influenciados por el judaísmo, perdiendo así todo interés por las tradiciones de sus familiares judíos.

La asimilación conversa por parte de la sociedad cristiana hizo que, a partir de 1510, la Inquisición ya no se centre tanto en el problema converso y amplíe su radio de intervención hacia otras formas de herejía, como el iluminismo, el mahometanismo, la bigamia, la blasfemia, la fornicación, sodomía, hechicería, supersticiones, brujería o curandería y, más tarde, el protestantismo. A mediados del siglo XVI, el Santo Oficio también se encargará de controlar y censurar las publicaciones escritas (consideradas heréticas) que circulaban por el reino de Aragón.

Para poder llevar a cabo toda esta ingente labor fue necesaria, además de una estructura coherente, una serie de recursos humanos que la hicieran plausible. El estudio de los 21 procesos de Inquisición a judaizantes de Calatayud nos ha permitido conocer no sólo la relación de sus puestos de trabajo (que veremos a continuación), sino incluso su correspondiente manual de funciones, que podemos resumir en los siguientes puntos[728]:

- El funcionario no debe cobrar *cosa ninguna* por su trabajo, ya que se le paga su salario.

- Tampoco debe recibir ningún *presente*, bajo pena de perder el oficio.

- Ningún oficial puede hablar a solas con los presos.

- No puede haber dos oficiales parientes en el mismo Tribunal.

- Deben trabajar, *"asi en verano como en invierno, seis horas, tres horas antes de comer y tres horas después de comer"*.

- Tienen que ser personas honestas y honradas, tanto en el vestir como en su comportamiento.

- No deben dedicarse a *"mercadurias ni desempeñar cualquier otro oficio"*.

- Deben casarse con mujeres honradas, de buena reputación y genealogía limpia (limpieza

---

[728] MARTINEZ MILLÁN, J.; *"La hacienda de la Inquisición (1478-1700)"*, CSIC, Madrid, 1984, p. 217.

de sangre).

5.4.2.- LOS MIEMBROS QUE COMPONEN EL TRIBUNAL

La máxima autoridad de los Tribunales del Santo Oficio recae en los Inquisidores. Estos están asistidos por un grupo de funcionarios en nómina llamados Oficiales Ordinarios. También les ayudan los voluntarios, personas que no percibían salario alguno pero sí cierto reconocimiento social.

Todos los oficios son nombrados por el Inquisidor General de Zaragoza, a excepción del Receptor de cuentas que lo designa el rey. Los cargos son muy atractivos porque están bien remunerados, y porque cualquiera se puede beneficiar de los privilegios que otorga pertenecer a esa poderosa Institución.

Recordemos que en Calatayud se abrió sede del Santo Oficio en enero de 1488, teniendo plena autonomía competencial y descentralizada hasta mediados de 1490. A partir de entonces, gran parte de sus competencias pasaron a Zaragoza. En este segundo período, los procesos se iniciaban en Calatayud con la detención y encarcelamiento de los acusados, para pasar luego a instruirse en el Palacio de la Aljafería, sede central de la Inquisición en Aragón[729]. Este apunte histórico es esencial para comprender el gran trasiego de funcionarios que pasaron por Calatayud, sobre todo cuando la jurisdicción la tuvo Zaragoza.

5.4.2.1.- LOS INQUISIDORES: JUECES DEL TRIBUNAL

Los inquisidores o Jueces que presiden el Tribunal son más juristas que teólogos, de ahí que todos sean universitarios y tengan conocimientos en Derecho Canónico. Los inquisidores dirigen el proceso de principio a fin, no como meros Jueces que están por encima de las partes, sino más bien como investigadores y acusadores. En el Tribunal de Calatayud solían presidir dos o tres inquisidores.

1. **El Inquisidor General de Aragón**. El Inquisidor General de la Suprema Inquisición de la herética y apostática pravedad de Aragón (palabra esta última que significa: iniquidad, perversidad y corrupción de costumbres) ejercía su cargo en la sede central de la aljafería de Zaragoza. Cuando visitaba ocasionalmente Calatayud solía presidir el Tribunal bilbilitano. Su presencia no era imprescindible.

2. **El Inquisidor de Calatayud**. La Inquisición de Zaragoza nombraba a un Juez o Inquisidor como titular de la plaza de Calatayud,. Su función es la de presidir el Tribunal e instruir los procedimientos judiciales. Su presencia era obligatoria. En Calatayud actuaron como Jueces los siguientes inquisidores:

---

[729] VEASE EL CAPÍTULO: (5.1.- CALATAYUD Y EL TRIBUNAL DEL SANTO OFICIO).

- **Michael de Monterrubio:** Ejerció su cargo desde el 30 de julio de 1486 (en el proceso de Anthón de Santangel), hasta el 14 de febrero de 1489. Los textos dicen de era "*de la orden de los Predicadores, licenciado en sancta teología, Prior del monasterio de Sant Pedro de las Duenyas, inquisidor de la heretica y apastatica pravidat por todo el reyno de Aragón y en los Obispados de Taraçona, en el dicho reyno y Çiguença, Osma y Calahorra en el reyno de Castilla por la sancta fe apostolica dado y deputado*[730]".

- **Pedro de Valladodolit:** Trabajó como Inquisidor desde el 2 de febrero de 1488, hasta el 23 de marzo de 1492. Pertenece a la Orden de Predicadores o Dominicos, siendo además maestro en santa teología y prior del monasterio de San Andrés de Medina del Campo. Los procesos dicen que es "*inquisitore heretice e apostatice pravitate apostolica deputado in archiepiscopus Cesaraugustam, episcopatu Tirasonensi*[731]".

- **Alonso de Alarcón:** Fue Inquisidor de Calatayud desde el 6 de octubre de 1488, hasta el 17 de diciembre de 1489. Pasó después a la sede de Zaragoza.

- **Miquel Navarro:** Estuvo en Calatayud seis meses, desde el 18 de febrero, hasta el 18 de agosto de 1489. Tal vez estuvo haciendo sustituciones.

- **Fray Pascasio Jordán:** Ejerció siempre su oficio en la sede de la Aljafería de Zaragoza. En ocasiones vino a Calatayud como personal de refuerzo. Lo tenemos documentado desde el 27 de marzo de 1511, hasta el 5 de marzo de 1517.

- **Francisco González de Frexneda:** Licenciado en teología, siempre ejerció de Juez en Zaragoza. Aún así, lo tenemos bien documentado en tan sólo dos ocasiones: el 22 de febrero de 1513 (en el proceso contra Gracia de Blanas), y en marzo de 1514 (en el proceso contra Constanza de Ariza).

- **Domingo Romero:** Inquisidor que ejerció en Calatayud durante un año, desde el 24 de febrero de 1509, hasta el 16 de marzo de 1510.

- **Toribio de Saldanya:** Este Inquisidor trabajó –en el año 1494- en el proceso contra Anthon de Santangel. Los textos dicen que es "*inquisidor de la heretica y apastatica pravedat por la autoridad publica en los arzobispado de Çaragoçe e obispados de Taraçona e Lerida*[732]".

- **Bartholome Vinar:** Interviene una sola vez en el proceso contra María de Pina, concretamente el 30 de marzo de 1506.

- *Mossen* **Ludovico (Luys) de Maluenda:** Desde su condición de clérigo fue "*comisario de la sancta inquisicion por el reveredo sennor doctor Domingo Romero, inquisidor*". Aunque estuvo adscrito a la sede de Zaragoza, acompañó a dicho Inquisidor a Calatayud, sustituyéndole (entre el 22 y el 25 de agosto de 1509) en los interrogatorios relacionados con los conversos Pedro Casado[733] y Johan Cortés[734].

---

[730] AHPZ, caja 9, Nº 8; Proceso inquisitorial contra Clara Escobar, p. 32. VEASE APÉNDICE DOCUMENTAL PROCESOS DE INQUISICIÓN.

[731] AHPZ, caja 9, Nº 8; Segundo proceso inquisitorial contra Luys de Heredia, p. 1. VEASE APÉNDICE DOCUMENTAL PROCESOS DE INQUISICIÓN.

[732] AHPZ, caja 12, Nº 8; Proceso inquisitorial contra Anthon de Santangel, p. 69. VEASE APÉNDICE DOCUMENTAL PROCESOS DE INQUISICIÓN.

[733] AHPZ, caja 20, Nº 15; Proceso inquisitorial contra Pedro Casado, p. 1. VEASE APÉNDICE DOCUMENTAL PROCESOS DE INQUISICIÓN.

3. **El Vicario General de Calatayud.** Esta dignidad representa al Obispo de Tarazona. Su presencia era obligatoria por ser la máxima autoridad eclesiástica de Calatayud. Los Vicarios que formaron parte del Tribunal bilbilitano fueron los siguientes:

- **Martino Navarro:** Desempeñó su cargo desde el 13 de febrero de 1488, hasta el 18 de junio de 1490. La documentación dice que era *"presbítero, maestro en sancta teología, Vicario perpetuo del lugar de Cella, Inquisidor assi mismo de la dicha heretica y apostatica pravidat, por todo el reyno de Aragon y en los susos dichos Obispados por la dicha Sancta Sede Apostoloca y deputado, otrossi Vicario General y Juez Ordinario por el reverendisimo Senyor don Andres Martinez por la misericordia divina Obispo de Taraçona. Specialment dado y deputado para inquirir de la dicha heretica y apostatica pravidat a todo el dicho Obispado[735]"*.

- **Martino García:** Ejerció su competencia desde el 11 de junio de 1489, hasta el 2 de abril de 1492. Él mismo dice *"yo el dicho maestre Martin Garcia, Vicario General eso mismo, specialmente creado para el officio de la sancta Inquisición por el muy reverendo sennor don Andres, por la divina misericordia Obispo de Taraçona[736]"*.

- **Berengario Martínez de Daroca:** Desarrolló su oficio desde el 5 de marzo de 1490, hasta el 17 de mayo de 1492. Fue prior de la iglesia de Santa María de la Peña de Calatayud y, como tal, designado *"officialis Vicarii Generali Episcopi ut Turiasonensis[737]"*.

- **Lorenzo Ramón:** Trabajó como representante del Obispo en el año 1494, interviniendo solamente en el proceso de Pedro Çit. Se dice de él que era *"doctor en decretos Vicario General specialiste creado para el Offiçio de la dicha Sancta Inquisicion por el muy reverendo sennor don Andres, por la digna misericordia Obispo de Taraçona[738]"*.

5.4.2.2.- LOS OFICIALES ORDINARIOS DE LA INQUISICIÓN

5.4.2.2.1.- El procurador fiscal: la acusación particular

El Procurador Fiscal era el encargado de investigar las denuncias, elaborar la acusación,

---

[734] AHPZ, caja 20, N° 15; Proceso inquisitorial contra Johan Cortés, p. 7 y 8. VEASE APÉNDICE DOCUMENTAL PROCESOS DE INQUISICIÓN.

[735] AHPZ, caja 9, N° 8; Proceso inquisitorial contra Clara Escobar, p. 32. VEASE APÉNDICE DOCUMENTAL PROCESOS DE INQUISICIÓN.

[736] AHPZ, caja 10, N° 1; Proceso inquisitorial contra Pedro Polo, p. 60. VEASE APÉNDICE DOCUMENTAL PROCESOS DE INQUISICIÓN.

[737] AHPZ, caja 10, N° 1; Proceso inquisitorial contra Pedro Polo, p. 60. VEASE APÉNDICE DOCUMENTAL PROCESOS DE INQUISICIÓN.

[738] ASCZ, sin signatura, Proceso inquisitorial contra Pedro Çit, p. 46. VEASE APÉNDICE DOCUMENTAL PROCESOS DE INQUISICIÓN.

interrogar al acusado y presentar a los testigos para que aporten nuevas pruebas contra del reo o ratifiquen las que ya existen. Veamos los que trabajaron en el Tribunal de Calatayud:

- **Martín de Garcés:** En Calatayud estuvo tan sólo dos meses, es decir, desde el 6 de marzo de 1488, hasta el 1 de mayo de 1488. Los procesos dicen que era "*presbiter habitatore ville de Molina ut Procurator Fiscales et minister sancte inquisicionis*[739]".

- **Domingo Cient Fuegos:** Ejerce en Calatayud desde el 28 de septiembre de 1489, hasta el 5 de marzo de 1490.

- **Michael de Gálvez:** Actuó en Calatayud desde el 13 de septiembre de 1489, hasta el 6 de enero de 1492. A partir de esa fecha se trasladó a la Aljafería. Allí lo vemos interviniendo en el proceso contra la bilbilitana Constanza de Ariza (el 23 de febrero de 1514).

- **Domingo de Galve:** El 25 de agosto de 1509 dirige la acusación contra el bilbilitano Johan Cortés (difunto).

- **Miguel Navarro:** interviene como *fiscali officii inquisicionis* en el proceso contra la conversa de Calatayud, Isabel Lunell (el 23 de septiembre de 1489).

5.4.2.2.2.- Los asesores: juristas consultores

Los asesores son teólogos y expertos juristas. A ellos compete no sólo determinar si en la conducta de los acusados existe delito de fe, sino incluso asesorar al Tribunal en cuestiones procedimentales. A mediados del siglo XVI también supervisaron los libros publicados para censurar y prohibir su lectura en caso de contener errores doctrinales o heréticos. Entre los asesores que se documentan en Calatayud, podemos destacar:

- **Johan de Ardiles:** Este consultor era oriundo de Valladolid. Estuvo en Calatayud siete meses, es decir, desde el 18 de marzo de 1488, hasta el 16 de octubre de 1488. Parece que a partir de esa fecha prestó sus servicios en Zaragoza.

- **Andrés Gutiérrez de Quintanilla:** Estuvo una temporada en el Tribunal de Calatayud, concretamente desde el 30 de marzo de 1489, hasta el año 1490, fecha en la que fue destinado a Zaragoza. Allí permaneció como asesor hasta el 20 de marzo de 1493, su última aparición documental.

- **Andrés de Torrequemada:** El 3 de agosto de 1500 aparece como *inquisitor assessore* interrogando al bilbilitano, Johan Daça[740]. Esta es su única referencia documental encontrada.

---

[739] AHPZ, caja 9, N° 10; Proceso contra Johan Pérez de Santa Fe, p. 18. VEASE APÉNDICE DOCUMENTAL PROCESOS DE INQUISICIÓN.

[740] AHPZ, caja 19, N° 3; Proceso inquisitorial contra Johan Daça, p. 18. VEASE APÉNDICE DOCUMENTAL PROCESOS DE INQUISICIÓN.

5.4.2.2.3.- Los notarios: secretarios del tribunal

El Tribunal contaba además con tres secretarios: **el notario de secuestros** (registra las propiedades y bienes embargados al reo en el momento de su detención); **el notario del secreto** (levanta acta de las declaraciones de los acusados y testigos) y el **escribano general** (es el secretario oficial del Tribunal que ratifica las sentencias y ejecuciones). Veamos los encontrados en la documentación inquisitorial:

- **Johan Dont (Domp):** Aparece como *notarius dicti sancte officii*. Fue fedatario del Santo Oficio de Calatayud desde el 10 de marzo de 1488, hasta el 18 de agosto de 1491.

- **Johan Martínez de Aninyon:** Este *notarius habitatoris Calatayubii* estuvo al servicio del Tribunal dos años, concretamente desde el 2 de febrero de 1488, hasta su traslado a Zaragoza el 2 de febrero de 1490. Después vino alguna vez a Calatayud, circunstancia que aprovechó para ejercer como testigo en el proceso contra Pedro Çit[741], el 26 de febrero de 1494.

- **Johan Pérez:** Ejerce en Calatayud durante poco más de un año, desde el 11 de enero de 1488, hasta el 7 de marzo de 1489.

- **Johan de Uncastillo:** Esta documentado como *notarius scribeanus sancte officii inquisicionis residente Calatayubii*. Aparece trabajando desde el 13 de marzo de 1488, hasta el 16 de diciembre de 1491.

- **Michael Baylo:** Estuvo como fedatario en el Tribunal unos cuatro meses, desde el 13 de febrero de 1488, hasta el 3 de julio de 1488. Con toda seguridad fue destinado a otro lugar.

- **Michael Domingo:** Su presencia en Calatayud se documenta desde el 10 de marzo de 1488, hasta el 17 de diciembre de 1489.

- **Johan Murillo:** Practica su profesión *de present en Calatayut* tan sólo un mes, desde el 8 de junio de 1488, hasta el 3 de julio de ese mismo año. Posiblemente fue trasladado.

- **Martín Pérez:** Este notario estuvo sólo dos meses en el cargo, desde el 15 de de julio de 1488, hasta el 23 de septiembre de 1488. Posiblemente fue trasladado.

- **Francisco de Contamina:** El 18 de agosto de 1498 firma como testigo en la declaración que hace, Justino Torres (vecino de Torres), contra la conversa María Pérez de Moros[742]. Aparece como habitante de Calatayud.

- **Pedro Díaz:** El 11 de marzo de 1488 actua como testigo en la declaración que hace el judío, Açach Enforna, contra Pedro de Santa Clara[743] (alias el *çedaçero*). También era notario público de la ciudad.

- **Martín Adrián:** El 20 de marzo de 1493 lo encontramos como testigo en la sentencia del

---

[741] ASCZ, sin signatura, Proceso inquisitorial contra Pedro Çit, p. 43. VEASE APÉNDICE DOCUMENTAL PROCESOS DE INQUISICIÓN.

[742] AHPZ, caja 20, N° 15; Proceso inquisitorial contra María Pérez de Moros, p. 14. VEASE APÉNDICE DOCUMENTAL PROCESOS DE INQUISICIÓN.

[743] AHPZ, caja 9, N° 1; Proceso inquisitorial contra Pedro de Santa Clara, el *çedaçero*, p. 5. VEASE APÉNDICE DOCUMENTAL PROCESOS DE INQUISICIÓN.

converso Pedro Polo[744].

- **Domingo Çit:** El 8 de junio de 1488 hace de testigo en la declaración que la judía, Soli (mujer de Açach Xuet), efectúa contra Leonart de Santangel[745].

- Aunque no estuvieron destinados en el Tribunal de Calatayud, los notarios zaragozanos: **Johan Valdanyelo**[746] y **Johan Buojes**[747] ejercieron ocasionalmente como testigos en algunos procesos a judaizantes bilbilitanos.

5.4.2.2.4.- Los receptores: los que llevan la contabilidad

La financiación de la Inquisición era un tema que no había que descuidar, por eso se pone en manos del receptor, un funcionario que nombra y paga directamente el rey para llevar la contabilidad, mejorar los ingresos, efectuar los pagos, evitar las corruptelas y racionalizar todos los recursos económicos.

Toda la recaudación que la Inquisición obtenía a través de las multas y bienes que incautaba a los reos era para el monarca, quien luego pagaba el salario de los funcionarios, el alquiler de las sedes, el mantenimiento de las cárceles, etc.

Pero el gasto del organismo era tan grande, que pronto los ingresos fueron insuficientes. El rey Fernando II (1479-1516) procuró controlar el desfase presupuestario que se generaba con nuevas fuentes de ingresos. El déficit se superó gracias a las *canonjías*[748], *juras*[749] y *censos*[750], medidas recaudatorias que acabaron por imponerse en la Institución a partir de la segunda mitad del siglo XVI.

No es de extrañar que, la gran mayoría de los conversos encarcelados fueran hombres de fortuna. La opinión general de la gente era que los acusaban para confiscar sus bienes y obtener dinero fácil, como luego veremos. En los procesos inquisitoriales de Calatayud aparecen estos dos únicos receptores:

- No tenemos los nombres de los primeros receptores del Tribunal de Calatayud, ya que no es habitual que aparezcan en los procesos.

---

[744] AHPZ, caja 10, Nº 1; Proceso inquisitorial contra Pedro Polo, p. 63. VEASE APÉNDICE DOCUMENTAL PROCESOS INQUISICIÓN.

[745] AHPZ, caja 20, Nº 15; Proceso inquisitorial contra Johan Pérez de Santa Fe, p. 18. VEASE APÉNDICE DOCUMENTAL PROCESOS DE INQUISICIÓN.

[746] AHPZ, caja 15, Nº 6; Proceso inquisitorial contra Johan de Esperandeu, p. 5. VEASE APÉNDICE DOCUMENTAL PROCESOS DE INQUISICIÓN.

[747] AHPZ, caja 20, Nº 15; Proceso inquisitorial contra Gonçalvo de Huete, p. 58 vto. VEASE APÉNDICE DOCUMENTAL PROCESOS DE INQUISICIÓN.

[748] Las *canonjías* son rentas o prebendas que se otorgaban al desempeñar el cargo de canónigo en alguna colegiata o catedral. Fue muy frecuente nombrar a inquisidores canónigos de iglesias supra-parroquiales para poder obtener beneficios y una renta que les permitiese vivir y desempeñar funciones en el Santo Oficio. Este salario se lo ahorraba la propia Inquisición de sus presupuestos.

[749] Las *juras* son unos contratos entre el rey y la Inquisición que consiste en que esta cede dinero al monarca a cambio de recibir una pensión o renta anual por parte de la Corona. La Inquisición tiene el dinero por la confiscación de bienes que incauta a los reos y que, previamente, el monarca les ha cedido en todo o en parte.

[750] VÉASE LA NOTA Nº 251. El *censo* o préstamo hipotecario se realizaba mediante escritura notarial entre la Inquisición y un interesado, a cambio de que este le pasase una renta anual con los intereses. También la Inquisición confiscó *censales* de reos, lo que le reportó grandes ingresos por pasar a ser (en todo o en parte) de su propiedad.

- **Johan Ruyz:** El 5 de marzo de 1490 aparece nombrado una sola vez y de manera circunstancial.

- **Pedro Betian:** El 20 de marzo de 1493 lo encontramos como testigo en la sentencia de Pedro Polo[751]. En ella se dice que es *lugartenient e receptor*.

5.4.2.2.5.- Los alguaciles: los ejecutores del tribunal

Los alguaciles son el brazo armado o ejecutivo del Tribunal. Los nombran directamente los Inquisidores, ya que deben ser de su total confianza. Su cometido era detener y encarcelar a los acusados. En la detención les acompañaba también el notario de secuestros y el receptor, quienes levantaban acta de todos los bienes que secuestraban cautelarmente al reo. Los alguaciles que estuvieron en Calatayud son los que se especifican:

- **Rodrigo de Vega:** Los textos dicen que era *comensales alguazirii officii sancte inquisicionis*. Desempeñó su trabajo en Calatayud durante dos meses, desde el 4 de agosto de 1488, hasta el 30 de septiembre de 1488.

- **Bernardino Montanyes:** Este hombre ejerció año y medio de *alguazirius* en Calatayud, desde el 26 de mayo de 1488, hasta el 8 de noviembre de 1489.

- **Antonio de Herrera:** La única referencia que tenemos de este *comensal alguazili officii sancte inquisicionis* data del 1 de septiembre de 1488, cuando el judío de Calatayud, Mosse Alpastan, hace de testigo en el proceso contra Simón de Santa Clara[752] (difunto).

- **Francisco de Contamina:** En el año y medio que estuvo de alguacil en Calatayud, desarrollo un trabajo intenso y de gran protagonismo documental. Su actividad la realizó entre el 27 de febrero de 1488, y el 28 de agosto de 1489.

- **Pedro Margarit:** Este *alguacil officii sancte inquisicionis* era habitante de Calatayud. Lo encontramos ejerciendo casi dos años, entre el 20 de agosto de 1488, y el 4 de junio de 1490.

- **Ferrando de Rebolledo:** El 21 de julio de 1488 ejerce como testigo en la declaración que la judía bilbilitana, Bellida (mujer de Juçe Mayorvidas), hace contra el converso difunto Anthon Ximenez de Rueda[753].

- **Bernardino Ximénez:** El 23 de junio de 1488 firma como testigo en la declaración que el judío bilbilitano, Jehuda Abenardut, efectúa contra el converso difunto Johan Daça[754].

---

[751] AHPZ, caja 10, Nº 1; Proceso inquisitorial contra Pedro Polo, p. 63. VEASE APÉNDICE DOCUMENTAL PROCESOS DE INQUISICIÓN.

[752] AHPZ, caja 12, Nº 7; Proceso inquisitorial contra Simón de Santa Clara (difunto), p. 72. VEASE APÉNDICE DOCUMENTAL PROCESOS DE INQUISICIÓN.

[753] AHPZ, caja 12, Nº 7; Proceso contra Anthon Ximénez de Rueda (difunto), p. 28 vto. VEASE APÉNDICE DOCUMENTAL PROCESOS DE INQUISICIÓN.

[754] AHPZ, caja 12, Nº 7; Proceso inquisitorial contra Johan Daça (difunto), p. 128. VEASE APÉNDICE DOCUMENTAL PROCESOS DE INQUISICIÓN.

5.4.2.2.6.- Los nuncios: carteros y pregoneros

Los nuncios se encargan de realizar los avisos y difundir los comunicados del Tribunal, es decir, llaman a las personas sospechosas cuando son requeridas por los inquisidores, avisan a los deudores cuando vencen los pagos o deudas, llevan las cartas y citaciones, etc. Estos son los nuncios bilbilitanos que conocemos documentalmente:

- **Domingo Gil (Dominicus Egidii):** Fue uno de los primeros que tuvo la Inquisición cuando se implantó en Aragón. Aparece por primera vez nombrado el 30 de julio de 1486 en el proceso contra el bilbilitano, Anthon de Santangel. Parece que el 21 de febrero de 1488 viene destinado a Calatayud, donde estuvo aproximadamente un año, hasta el 14 de febrero de 1489.

- **Johan del Castillo:** Trabajó en el Tribunal bilbilitano desde el 1 de mayo de 1488. Pronto ascendió de categoría, ya que el 27 de julio de 1489 aparece como notario del Tribunal, cargo que desempeñará hasta el 30 de agosto de 1491.

- **Anthon de la Miel:** Aunque comenzó su labor en Zaragoza, el 13 de agosto de 1488 se traslada a Calatayud donde permanece tres años como nuncio, concretamente, hasta el 3 de agosto de 1491.

- **Johan de Segovia:** Sólo estuvo dos meses en Calatayud: desde el 31 de mayo de 1488, hasta el 28 de julio de ese mismo año. No sabemos donde fue trasladado después.

- **Johan de Valdivieso:** Nuncio de Calatayud durante dos años y medio: entre el 2 de septiembre de 1488 y el 5 de marzo de 1490.

- **Jacobo (Jayme) de Monclús:** El 28 de junio de 1488 comienza su actividad de "*nuncio officii sancte inquisicionis habitant Calatayubii*", terminando dos años después, el 16 de julio de 1490.

- **Anthon Juncares:** Aunque estuvo agregado siempre al Tribunal de Zaragoza, el 29 de septiembre de 1488 ejerce de testigo en la declaración que hace la bilbilitana, Johana de Peralta (viuda de Domingo Ferrer), contra el acusado Paulo de Daroqua[755] (difunto).

- Nuncios del Tribunal de Calatayud que aparecen nombrados una sola vez en calidad de testigos: **Johanes de Xeréz**[756]; **Fray Michael Ferrer**[757]; el clérigo **Anthon Navarro**[758]; **Jacobo Monterubeo**[759], **Anthon Ram**[760]; **Pedro Carceramo** y **Agustin Catalán**[761].

---

[755] AHPZ, caja 12, Nº 7; Proceso inquisitorial contra Paulo de Daroqua (difunto), p. 200 vto. VEASE APÉNDICE DOCUMENTAL PROCESOS DE INQUISICIÓN.

[756] AHPZ, caja 14, Nº 8; Proceso inquisitorial contra Catalina de Funes, p. 15. VEASE APÉNDICE DOCUMENTAL PROCESOS DE INQUISICIÓN.

[757] AHPZ, caja 12, Nº 2; Proceso inquisitorial contra Gracia Benedit, p. 15 vto. VEASE APÉNDICE DOCUMENTAL PROCESOS DE INQUISICIÓN.

[758] AHPZ, caja 12, Nº 7; Proceso inquisitorial contra María del Romeral (difunto), p. 92 vto. VEASE APÉNDICE DOCUMENTAL DE PROCESOS INQUISICIÓN.

[759] AHPZ, caja 12, Nº 7; Proceso inquisitorial contra María Daça (difunto), p. 186. VEASE APÉNDICE DOCUMENTAL PROCESOS DE INQUISICIÓN.

[760] AHPZ, caja 12, Nº 7; Proceso inquisitorial contra María Daça (difunto), p. 188 vto. VEASE APÉNDICE DOCUMENTAL PROCESOS DE INQUISICIÓN.

[761] AHPZ, caja 19, Nº 3; Proceso inquisitorial contra Johan Daça, p. 25. VEASE APÉNDICE DOCUMENTAL PROCESOS DE INQUISICIÓN.

- Nuncios de Zaragoza que aparecen como testigos en procesos que se instruyen contra judaizantes de Calatayud: **Johan de Vergara** y **Pedro González**[762].

5.4.2.2.7.- Los porteros de la cárcel

El portero o *Alcaide* de la cárcel se encarga no sólo de mantener el orden en las cárceles de la Inquisición, sino también dirigir a los carceleros. Por razón de su cargo, solía firmar la orden de prisión del reo y apuntar en un libro la fecha de su entrada y salida, además de los bienes y utensilios que poseía en la celda. Tenía prohibido hablar con los presos, así como impedir que nadie se comunicase con ellos sin previa autorización de los Inquisidores. Veamos los que estuvieron en Calatayud:

- **Pedro de Torrejón:** Fue el primer portero carcelario que tuvo la sede de la Inquisición en Calatayud. Ejerció su cargo algo más de un mes: desde el 5 de enero de 1488, hasta el 15 de febrero de ese mismo año.

- **Johan de Torrejón:** Aunque coincidió unos días con el anterior, le sustituyó a partir del 24 de enero de 1481. Tras un año de gran actividad, se marchó a otro destino el 25 de enero de 1489.

- **Domingo Gil:** Ayudó al anterior portero desde el 7 de marzo de 1488, hasta el 18 de febrero de 1489. Posiblemente se trasladó a Zaragoza.

5.4.2.2.8.- Los carceleros: los encargados de los presos

Los carceleros vigilan, asean y alimentan a los presos, manteniendo limpias sus celdas. También atienden todas sus necesidades físicas y espirituales. No tenían poder de decisión, sino que estaban supeditados a las órdenes de los porteros, quienes dirigían y vigilaban su trabajo. Estos son los porteros que prestaron sus servicios en las cárceles de Calatayud:

- **Fernando de Aguirre:** La documentación revela que este *"carcellerius officii sancte Inquisicionis"* comenzó a desempeñar su cargo el 12 de febrero de 1489, estando cinco años en Calatayud, concretamente hasta el 26 de febrero de 1494.

- **Miguel Luzón:** Aparece como ayudante del anterior portero (el titular del puesto). En febrero de 1490 aparece documentado como testigo en tan sólo dos ocasiones[763].

---

[762] AHPZ, caja 20, N° 15; Proceso inquisitorial contra Gonçalvo de Huete, p. 54 vto. VEASE APÉNDICE DOCUMENTAL PROCESOS DE INQUISICIÓN.

[763] AHPZ, caja 12, N° 9; Primer proceso inquisición contra Luys de Heredia, p. 15 vto. VEASE TAMBIÉN: AHPZ, caja 12, N° 7; Proceso contra Johan Daça (difunto), p. 113. VEASE APÉNDICE DOCUMENTAL PROCESOS DE INQUISICIÓN.

5.4.2.3.- PERSONAL VOLUNTARIO DEL TRIBUNAL

Los Inquisidores y Oficiales del Tribunal contaban también con la colaboración de dos figuras auxiliares de carácter voluntario: los familiares y los comisarios. Estos dos grupos eran miembros no asalariados que ofrecían su ayuda a cambio de la distinción social y fiscal que les otorgaba pertenecer al Santo Oficio, además de conseguir su protección jurisdiccional. La misión de ambos grupos era ejercer labores de vigilancia e información, así como ejecutar los encargos que los Inquisidores les asignaban. Gracias a este voluntariado la Inquisición logró expandir su influencia, su fuente de información y su control sobre el vecindario[764].

5.4.2.3.1.- Los familiares: colaboradores laicos

Los familiares del Tribunal son personas (laicos o clérigos) que, con total disponibilidad, cooperan y están al servicio del Santo Oficio, es decir, cargos de confianza que les ayudan en sus tareas secundarias. Convertirse en familiar era considerado un honor, ya que suponía dignidad personal y el reconocimiento público de limpieza de sangre. Los familiares que documentalmente auxiliaron a los inquisidores bilbilitanos son:

- **Mossen Domingo de Senyan:** Hombre de confianza del Inquisidor y Vicario General, Martino Navarro. Estuvo a su servicio desde el 11 de junio de 1488, hasta el 18 de septiembre de 1490.

- **Mossen Anthon Navarro:** También estuvo de familiar con el Vicario General, Martino Navarro. Ejerció su actividad laboral desde el 28 de septiembre de 1488, hasta el 2 de abril de 1492.

- **Mossen Gallardo de Cardesa:** Familiar del Inquisidor y Vicario General, Martín García, desempeñó el cargo desde el 6 de marzo de 1488, hasta el 12 de julio de 1489.

- **Martino de Alarcón:** Aparece nombrado una única vez, el 8 de agosto de 1488, cuando hace de testigo en la declaración del judío de Illueca, Açach Alquer, contra el converso bilbilitano Paulo de Daroqua[765] (difunto).

- **Mossen Miguel Palacio:** Lo conocemos como *"clerigo familiar del sennor Vicario General habitant en Calatayut"* y ejerce de testigo en la declaración que hace -ante el Procurador Fiscal- la bilbilitana Leonor Álvarez[766], acusada de judaizar.

- **García de Valladolid:** Aunque ejerció como notario-escribano en la sede de la Aljafería de Zaragoza, parece que fue también *"familiar del sennor asesor Quintanilla"*, es decir, del Inquisidor Andrés Gutiérrez de Quintanilla. Estuvo en Calatayud desde el 25 de mayo de 1488, hasta el 1 de junio de 1489.

---

[764] TORRES ARCE, M.; "La Inquisición en el ámbito riojano", *en Kalakoritos, n° 12*, 2007, p. 292.

[765] AHPZ, caja 12, N° 7; Proceso inquisitorial contra Paulo de Daroqua (difunto), p. 208. VEASE APÉNDICE DOCUMENTAL PROCESOS DE INQUISICIÓN.

[766] AHPZ, caja 10, N° 6; Proceso inquisitorial contra Leonor Álvarez, p. 26 vto. VEASE APÉNDICE DOCUMENTAL PROCESOS DE INQUISICIÓN.

5.4.3.3.2.- Los clérigos colaboradores

Los comisarios son capellanes que colaboran ocasionalmente con la Inquisición. Su papel principal era asistir a los Inquisidores y, sobre todo, auxiliar espiritualmente tanto a los presos como a todo el personal laico del Tribunal. Estos son los comisarios que se documentan en Calatayud:

- *Mossen* **Johan Codevera:** Este clérigo fue *"priore ressident in monasterio Sant Petrum Martiris civitas Calatayubii sup inquisitoris".* Como superior de la iglesia y monasterio de San Pedro Mártir de Calatayud (la Orden de los Dominicos de la ciudad) ayuda a sus hermanos de convento en las labores pastorales y de gobernanza del Santo Oficio en esa ciudad. Lo tenemos documentado como colaborador desde el año 1492, hasta el 8 de abril de 1503.

- *Mossen* **Ferrando de Castanyeda:** Pertenece también a la Orden de Predicadores (Dominicos) de Calatayud y, como tal, ayudó a su anterior compañero desde el 6 de enero de 1492, hasta el 8 de mayo de 1493.

6.- LOS CONVERSOS Y SU VIDA JUDAIZANTE

6.- LA INQUISICIÓN Y LOS CONFLICTOS SOCIALES

6.1.- MOVIMIENTO ANTI-CONVERSO EN EL SIGLO XV

Tras la Disputa de Tortosa y a lo largo del siglo XV, fue consolidándose en Aragón un conflicto de nuevo cuño: el que enfrentó no sólo a los cristianos viejos con los conversos procedentes del judaísmo[767], sino incluso el suscitado entre los propios judíos con algunos conversos. Veamos que consecuencias tuvieron estas desavenencias de clases:

A.- La guerra de clases entre cristianos viejos y conversos

Los cristianos viejos o de *natura* pensaron que los judíos de siempre, ahora camuflados bajo el ropaje de su conversión, seguían enriqueciéndose a su costa. La vieja dinámica del anterior y excluyente antijudaísmo se proyectaba ahora (en forma de rechazo social) hacia los cristianos nuevos o bautizados.

Los grandes señores territoriales, por el contrario, no tenían motivos de hostilidad hacia los conversos. La nobleza siguió utilizando sus servicios tal y como había hecho antes con los judíos. Es más, muchos conversos establecieron lazos con viejas familias aristocráticas, se introdujeron -bajo su protección- en los circuitos comerciales y participaron activamente en las instancias de poder municipal y estatal. Los cristianos viejos veían con malos ojos la pujanza e influencia que adquirían los conversos.

Tuvieron que pasar varias generaciones para que los conversos, sobre todo los de la primera generación, lograran un lugar de pleno derecho entre los cristianos viejos[768]. Durante años, los conversos constituyeron una sociedad intermedia que fue rechazada tanto por los judíos como por los cristianos de natura. Los judíos los fueron alejando de su entorno por considerarlos traidores. Los cristianos los señalaban y perseguían por ser responsables de la muerte de Jesucristo.

B.- La guerra de religión entre cristianos viejos y conversos

El masivo número de bautizados despertó, entre los cristianos viejos, recelo y desconfianza porque creían que sus conversiones eran -en muchos casos- insinceras. A la mayor parte de ellos se les acusó de seguir practicando su antigua religión. Por eso, el fuero de Aragón condenará (con una multa pecuniaria) a todo aquel que les llamase *renegados*[769].

En efecto, tanto los cristianos viejos como los conversos de judío convencidos de su bautismo advirtieron, a la sociedad cristiana, de la doble moral que tenían los que judaizaban. Al parecer, estos fingían ser buenos cristianos pero luego seguían teniendo relación estrecha con sus

---

[767] VALDEÓN BARUQUE, J., "Motivaciones socioeconómicas de las fricciones entre viejo cristianos, judíos y conversos", *en Sefarditas. Conversos. La expulsión de 1491 y sus consecuencias,* Madrid, 1995, p. 81 ss.

[768] BLASCO MARTÍNEZ, A., "Judíos y conversos en el reino de Aragón: afinidades y diferencias", *en Chrétiens et juifs au Moyen Age. Sources pour la recherche d'une rélation permanente* (Tables Rond8es á Carcassone 23-25 octobre 2003), Eds. F. Sabaté et C. Denjean (Milenio, Lleida 2006), pp. 207-230.

[769] PEREZ MARTÍN, A.; Op. Cit. *"Los fueros de Aragón...",* p. 457. "Statuimus insuper in perpetuum et firmiter sub pena pecuniaria arbitrio iudicis infligenda, ne alicui de iudaismo vel paganismo ad fidem nostram catholicam converso, presumat aliquis cuiuscunque condicionis sit improperare conversiones suma dicendo vel vocando eum, renegat, vil tornadiç, vel consimile verbum".

parientes y amigos judíos. Es indudable que muchas de las críticas lanzadas contra ellos eran porque, a los ojos de muchos cristianos, seguían manteniendo las costumbres rituales de sus antepasados. Por ello, sería más exacto hablar de un "judaísmo sociológico" que estrictamente religioso[770].

C.- La guerra social y religiosa entre judíos y conversos

En las principales ciudades de la Corona de Aragón con población judía, las relaciones entre algunos conversos y los judíos no fueron todo lo buenas que se esperaba. Los judíos consideraban que parte de los conversos se habían bautizado a la fuerza y que, ni siquiera todos los que lo habían hecho eran observantes del judaísmo en secreto[771].

D.- Muchos judíos denunciaron a los conversos de judaizar

Por los procesos de Inquisición sabemos que muchos judíos testificaron contra los acusados conversos. Pero no todos los conversos se vengaron de los judíos de igual manera. En Calatayud, por ejemplo, aunque hubo algunos que agitaron y provocaron saqueos en la judería, una gran mayoría denunció ante el rey el maltrato que los clérigos daban a los judíos, sobre todo en tiempos de la Disputa de Tortosa[772].

En los procesos de Inquisición se enumeran las principales pruebas heréticas con las que los Procuradores Fiscales del Santo Oficio acusaban de judaizar a muchos conversos de Calatayud y Comunidad de Aldeas (no convencidos de su bautismo y fe cristiana) y, por extensión, también a los de Aragón. Estas acusaciones resumen perfectamente la vida cotidiana, los ritos y ceremonias que practicaban en la intimidad del hogar, siempre fuera de las miradas cristianas. Lo que ellos nunca imaginaron es que las conoceríamos gracias al testimonio de sus criados/as cristianos cuando comparecieron ante el Tribunal. Ellos fueron los verdaderos testigos de su vida secreta y de su conciencia dividida. Veamos las acusaciones más importantes[773]

6.1.2.- LA INQUISICIÓN VISTA POR LOS CONVERSOS DE CALATAYUD

En este capítulo vamos a conocer como los conversos vivían la contradicción vital y emocional de su anterior religión judía con la nueva cristiana, así como la opinión que tenían sobre la Inquisición, la doctrina católica, el clero, los cristianos viejos y las relaciones con sus parientes y amigos judíos, entre otras cuestiones de índole social y religiosa.

---

[770] VALDEÓN BARUQUE, J.; Op. Cit. *"Cristianos, musulmanes y judíos en la España medieval: de la aceptación al rechazo"*, p. 22.

[771] HISPANIA JUDAICA; Op. Cit. *"The Jews in the Crown of Aragón, , regesta of the cartas reales in the Archivo de la Corona de Aragón"*, Parte II (1328-1493), p. 50.

[772] VÉASE EL CAPÍTULO: (1.2.1.2.2.- Las consecuencias de la Disputa de Tortosa en Calatayud).

[773] LÓPEZ ASENSIO, A., *"Costumbres judía..."*, Zaragoza, 2011, pp. 111 ss.

6.1.2.1.- LA INQUISICIÓN ROBA A LOS CONVERSOS

Los conversos de judío de Calatayud (al igual que muchos de Aragón) pensaban que el objetivo de la Inquisición *"no era cosa de Dios ni del la yglesia sino para robarles lo suyo*[774]*"*, como llegó a decir el bilbilitano Juan Sardinillo, porque *"algunos tomavan presos los inquisidores que eran mejores que no ellos*[775]*"*. El fin último no era salvaguardar la fe y perseguir la herejía, sino *"por robar y por tomar dinero y que con tormentos fazian confesar a los confessos cosas que no habían*[776] y que *todo lo que se fazia en la inquisición era falso y malo y que no tomavan sino los riquos*[777]*"*.

El Santo Oficio sabía perfectamente que los conversos tenían un desahogado poder adquisitivo y un patrimonio nada despreciable, pretexto que fue aprovechado para recaudar ingresos que sustentasen a la Corona y a toda la maquinaria inquisitorial.

6.1.2.2.- QUIERE MATARLOS PARA QUEDARSE CON SUS BIENES

Los conversos de Calatayud ponían como ejemplo (en sus conversaciones privadas) la cita veterotestamentaria de la viña de Nabot (1 Re 21, 1-16), para ilustrar como la Inquisición hacía con ellos lo mismo que se relata en ese pasaje bíblico: acusarles y matarles para quedarse con sus bienes.

Nabot tenía una viña al lado del palacio de Ajab de Jeroboam, rey de Samaría. Este le pidió que se la vendiese, pero Nabot no aceptó porque era la herencia de sus padres. Ya en casa, Ajab contó enojado a su mujer Jezabel lo sucedió, quien urdió una trama para matar a Nabot y quedarse con la viña. Escribió varias cartas en nombre de Ajab a los ancianos y notables que vivían junto a Nabot quienes, ayudados por dos malvados, le acusaron de haber *"maldecido a Dios y al rey; le sacaron fuera de la ciudad, le apedrearon y murió"*. Cuando Jezabel se enteró de su muerte dijo a Ajab: *"levántate, toma posesión de la viña de Nabot, el de Yizrael, el que se negó a dártela por dinero, pues Nabot ya no vive, ha muerto"*.

El 12 de junio de 1488, el judío de Calatayud, Çalema Abenardut, dijo ante el Tribunal de la Inquisición que el acusado, Ferrando López (difunto), después de haberle contado esta misma historia le comentó que *"assi sera ni mas ni menos esto y dixo Dios gelo demande a nuestros antespassados que bien nos estavamos que ellos nos han puesto en quanto ffuego esta mas, dixo*

---

[774] AHPZ, Caja 12, N° 8; Proceso inquisitorial contra Anthon de Santangel, p. 27. El 20 de abril de 1489, el vecino de Calatayud, Juan Sardinillo, declara ante la Inquisición que juzga al bilbilitano, Juan de Santangel que, hacia 1483, el hijo del acusado (llamado Pedro de Santangel) "dixo a este deposant que la inquisicion no era cosa de Dios ni del la yglesia sino para robarles lo suyo".

[775] AHPZ, Caja 20, N° 15; Proceso inquisitorial contra Mossen Miguel Arnal, p. 6. El 22 de agosto de 1509, el Procurador Fiscal de la Inquisición acusa a Mossen Miguel Arnal, vecino de Moros, de haber dicho "que la inquisición no se fazia sino por robar y por dinero y que algunos tomavan presos los inquisidores que eran mejores que no ellos y esto es verdat. Item dize el dicho procurador fiscal quel dicho mossen Miguel que una y muchas vezes ha dicho que los inquisidores a poder de tormentos fazian quofessar a los confessos y que todo era fallo lo que confesaban y esto es verdat".

[776] AHPZ, Caja 20, N° 15; Proceso inquisitorial contra Alonso Çala, p. 7 vto. El 22 de agosto de 1509, el Procurador Fiscal de la Inquisición acusa a Alonso Çala, vecino de Calatayud, de haber dicho "que la inquisición no se facia sino por robar y por tomar dinero y que con tormentos fazian confesar a los confessos cosas que no havian". VEASE TAMBIÉN: AHPZ, Caja 20, N° 15; Proceso inquisitorial contra Johan Candelero, p. 14 vto. El 22 de agosto de 1509, el Procurador Fiscal de la Inquisición acusa a Johan Candelero, vecino de Calatayud, de haber dicho "que la inquisición no se fazia sino por robar y tomar dinero y que a los inquisidores haverlos rastrassen las mulas y que nunqua mas tornassen a Calatayut".

[777] AHPZ, Caja 20, N° 15; Proceso inquisitorial contra Juan Martínez, p. 13 vto. El 22 de agosto de 1509, el Procurador Fiscal de la Inquisición acusa a Johan Martínez, vecino de Arándiga, de haber dicho muchas veces "que todo lo que se fazia en la inquisición era falso y malo y que no tomavan sino los riquos".

este deposant porque respondio el dicho Ferrando Lopez porque nos estavamos bien en nuestra Ley que quien tiene bien y vista mal esto le contece[778]*".*

La Inquisición estaría representada en las figuras de Ajab y Jezabel. Los conversos, por el contrario, en la imagen de Nabot, que es víctima de la ambición del rey y de la reina. La lectura que hicieron de este pasaje los conversos de Calatayud es clara: ellos también son víctimas de los que ostentan el poder, es decir, de la Inquisición amparada por la Corona. Es curioso la comparación que hacen los judíos entre el nombre de la reina Isabel de Castilla (la que implantó la "Inquisición Monárquica" en su reino) y el bíblico de Jezabel. En este sentido, el judío bilbilitano Manuel Corcoz declaró, el 31 de marzo de 1488, que "*esta inquisicion aze Yzebel, no habeys leydo vos las ystorias de los reyes, ay fallareys como aquella Yzebel fue sentenciada y murio a mala muerte y era fija del Rey, y esta nuestra Reyna es aquella que tanbien se llama Ysabel que quiere quasi dezir Yzebel y tambien fara lasin de aquella*[779]". Esta similitud hace que la comparativa sea más realista.

6.1.2.3.- LA INQUISICIÓN LES INCITA A MENTIR

Toda persona que era detenida y arrestada por la Inquisición, permanecía recluida del mundo exterior hasta la sentencia o el archivo del proceso, pudiendo pasar entre rejas meses o incluso años de confinamiento. Para evitar este sufrimiento, los detenidos solían admitir todas o parte de las acusaciones aunque no fueran ciertas.

El converso bilbilitano Pedro Çit tuvo que mentir para salir de la cárcel diciendo "*lo que nunqua havia penssado ni fecho y que el havia ya conffessado... no stoviere no havia fecho mas havia ni penssado de fazerlo sino por sallir de la carçel havia dicho todo aquello que conffessado havia*[780]". Al vecino de Calatayud, Martino de Clavaría, también le confesó que *todo lo he dicho por miedo de star en la carçel y por sallir de alli*[781]. Pero una vez en libertad, la

---

[778] AHPZ, Caja 12, Nº 7; Proceso inquisitorial contra Ferrando López, p. 151 vto. El 12 de junio de 1488, el judío de Calatayud, Çalema Abenardut, asegura ante la Inquisición que juzga al bilbilitano, Ferrando López (difunto), que hablando del Santo Oficio le dijo "a noche leyendo en la Biblia tope con una historia que dezia como el rey Geroboan demando a Nebot Elizre Eli que le bendiesse su heredat que conffrontava con la heredat del rey, y que le dixo Nebot que no placiese, que la heredat que havia heredado de sus parientes que la bendiesse y que la reyna Azabel (Isabel) le dio el consexo, y que assi se llama esta como aquella que le confexo, que fiziesse haver dos testimonios de su tierra que testifficassen sobre el que havia blasfemado del Dio y que lo mataria y que assi se alçaria con la heredat, y que vino el proffeta y que dixo al rey no cure que alli en aquel lugar mismo por haver fecho lo que has fecho seras matado y lameran los perros tu sangre y assi se cumplio, y dixo el dicho Ferrando Lopez, el mudo, assi sera ni mas ni menos esto y dixo Dios gelo demande a nuestros antespassados que bien nos estavamos que ellos nos han puesto en quanto ffuego esta mas, dixo este deposant porque respondio el dicho Ferrando Lopez porque nos estavamos bien en nuestra Ley que quien tiene bien y vista mal esto le contece".

[779] AHPZ, Caja 9, Nº 1; Proceso inquisitorial contra Pedro de Santa Clara, el çedaçero, p. 24. El 31 de marzo de 1488, el judío de Calatayud, Manuel Corcoz, declara ante la Inquisición que juzga al bilbilitano, Pedro de Santa Clara (alias el çedaçero), que hacia 1484 "fablado muchas cosas el dicho Pedro de Sancta Clara y este deposant vinieron a fablar de la inquissicion y el dicho Pedro de Sancta Clara dixo esta inquisicion aze Yzebel, no habeys leydo vos las ystorias de los reyes, ay fallareys como aquella Yzebel fue sentenciada y murio a mala muerte y era fija del Rey, y esta nuestra Reyna es aquella que tanbien se llama Ysabel que quiere quasi dezir Yzebel y tanbien fara lasin de aquella".

[780] ASCZ, sin signatura, Proceso contra Pedro Çit, p. 28. El 9 de septiembre de 1490, el Vicario del lugar de la Guardia (reino de Castilla), afirma ante la Inquisición que juzga al bilbilitano, Pedro Çit que, en el año 1480, "hablando el dicho Pedro Çit con el presente deposant de las cosas de la inquisicion el dicho Pedro Çit sastre dixo el presente testigo deposant como lo havia prendido y tenido tiempo en la carcel muy fuerte porque dixesse lo que nunqua havia penssado ni fecho y que el havia ya conffessado y dicho que havia ayunado el ayuno de quipur de quanto en su conffession havia dicho no stoviere no havia fecho mas havia ni penssado de fazerlo sino por sallir de la carçel havia dicho todo aquello que conffessado havia".

[781] ASCZ, sin signatura, Proceso contra Pedro Çit, p. 29. El 18 de agosto de 1490, el vecino de Calatayud, Martino de Claveria,

Inquisición lo volvió a detener y juzgar por haber revelado el engaño. Ahora el Procurador Fiscal le acusará de que *empues que abjuro publicamente sus errores digo que no era verdat aquello que havia abjurado y esto ha dicho algunas vezes y dize y confiesa mas que estando este quonfesante en la carçel deste sancto officio de la inquisicion antes abjurase publicamente quonffeso dos ayunos judaycos que el huno era el ayuno de quipur y el otro el de la reyna Ester y dize que los confeso por sallir de la carçel y no porque fuese a dizir y agora dize y confiesa que nunqua tales ayunos el fizo como confeso*[782].

En este mismo sentido, el clérigo bilbilitano, *mossen* Alonso de Santa Cruz, llegó a manifestar que *que la inquisicion no se fazia sino por robar y quitarles lo suyo y que con tormentos les fazian atorgar lo que no havian fecho*[783], palabras que el Procurador Fiscal las consideró constitutivas de delito de herejía.

La mentira surgió efecto, ya que el Santo Oficio la entendió como un deseo de colaboración y arrepentimiento por parte de los acusados. Estos aspectos favorecieron que se abreviara el procedimiento y consiguieran antes la libertad. Los conversos y sus abogados conocían perfectamente cuales eran las reglas del juego y como funcionaba el sistema, que no dudaron en criticar privadamente.

6.1.2.4.- SUS MALAS PRÁCTICAS SON ORIGEN DE EPIDEMIAS

Algunos conversos de judío de Calatayud estaban convencidos de que sus juramentos en falso y sus declaraciones fingidas ante la Inquisición eran la causa de muchas de las desgracias sociales y sanitarias que se vivían en aquella época. El bilbilitano Pedro Çit estaba convencido de que *la pestilencia que venia a la ciudat de Calatayut era por los muchos juratos falsos que havia fecho en la inquisicion por dizir y quonfessar lo que nunqua havia fecho, cometido ni perpetrado, y que injustamente los inquisidores lo havian cadafalsado y entrotado*[784].

6.1.3.- EXPRESIONES JUDÍAS CONTRA LOS CRISTIANOS

6.1.3.1.- REFRANES DESPECTIVOS HACIA LOS CRISTIANOS

1. *"Cristiano de natura, cristiano de mala ventura"*. Los conversos de Calatayud (no

---

asegura ante la Inquisición que juzga al bilbilitano, Pedro Çit, que "fablando con el presente testigo deposant le dixo el dicho Pedro Çit, Martin yo he conffessado que ayune el ayuno de quipur y pleque a Dios que si yo nunqua tal ayuno ni cosa de los que yo he conffessado nunqua fize, que los diablos tienen mi anima sino que todo lo he dicho por miedo de star en la carçel y por sallir de alli".

[782] ASCZ, sin signatura, Proceso contra Pedro Çit, p. 43. El 26 de febrero de 1494, tras la sentencia emitida contra Pedro Çit (que le deja en libertad como penitenciado), la Inquisición lo vuelve a detener y juzgar por ciertas declaraciones que hizo al salir de la cárcel. El Procurador Fiscal le acusa ahora de que "empues que abjuro publicamente sus errores digo que no era verdat aquello que havia abjurado y esto ha dicho algunas vezes y dize y confiesa mas que estando este quonfesante en la carçel deste sancto officio de la inquisicion antes abjurase publicamente quonffeso dos ayunos judaycos que el huno era el ayuno de Quipur y el otro el de la reyna Ester y dize que los confeso por sallir de la carçel y no poque fuese a dizir y agora dize y confiesa que nunqua tales ayunos el fizo como confeso".

[783] AHPZ, Caja 20, Nº 15; Proceso inquisitorial contra *mossen* Alonso de Santa Cruz, vecino de Calatayud, p. 7. El 22 de agosto de 1509, el Procurador Fiscal de la Inquisición le acusa de haber dicho "que la inquisicion no se fazia sino por robar y quitarles lo suyo y que con tormentos les fazian atorgar lo que no havian fecho".

[784] ASCZ, sin signatura, Proceso contra Pedro Çit, p. 41 vto. VEASE APÉNDICE DOCUMENTAL PROCESOS DE INQUISICIÓN.

convencidos de la fe cristiana) solían decir esta máxima de los cristianos viejos. Con ello, daban a entender que estos eran poco dichosos y hombres de mala suerte y fortuna. El espíritu emprendedor de los conversos (heredado de sus antepasados judíos) marcaba una notable diferencia con respecto a los cristianos, como ya sabemos.

- El 21 de febrero de 1488, el vecino de Calatayud, Agustín de Valdión, declara ante la Inquisición que juzga al converso bilbilitano, Pedro de Santa Clara (el platero), que una vez le dijo *"cristianos de natura, cristianos de mala ventura[785]"*.

- El 9 de abril de 1488, la vecina de Calatayud, Andrea Domínguez (mujer de Agustín Tirateri), afirma ante la Inquisición que juzga al bilbilitano, Pedro de Santa Clara (el çedaçero), que en una ocasión le dijo a su marido: *cristiano de natura, cristiano de mala ventura[786]*.

2. *"judíos me da fijos, yo les fare aprender ebrayco"*. Con este dicho popular hebreo, los conversos de Calatayud querían expresar lo mismo que cuando lo pronunciaban los judíos, es decir, el deseo de enseñar a sus hijos cristianos no sólo los ritos y costumbres judías, sino incluso las oraciones y el léxico de su lengua hebrea. Esta transmisión de conocimientos les ayudó a ser más cultos y aventajados que el resto de cristianos viejos.

- El 17 de marzo de 1488, la vecina de Calatayud, María Nunyez (mujer de Johan Pastor), manifiesta ante la Inquisición que juzga al bilbilitano, Johan Daça, que *"una vegada vino un castellano que no sabe como se llama salvo que de judios se abia fecho cristiano y convidolo el dicho su marido y estovo alli en su casa una yantar y estando cabel fuego el dicho converso fablava muchas cosas de cristiano y despues el dicho Joan Daça su marido dixo absento el converso "que agudo es este hombre y que sabido con el ebrayco que sabia y despues con lo cristianego que ha aprendido: judios me da fijos, yo les fare aprender ebrayco[787]"*.

3. *"No hay que fiar en el cristiano aun quando esta en la fuessa"*. Este es otro de los aforismos judíos que asimiló como propios la comunidad conversa de Calatayud. Al igual que los judíos no confian en los cristianos, ni aún muertos, también los conversos desconfian de ellos por pura supervivencia.

- El 5 de febrero de 1488, el judío de Calatayud, Yuçe Hezi, expone ante la Inquisición que juzga al bilbilitano, Johan López de Coscollán (difunto), que hablando con el acusado *"le dixo el dicho Johan Lopez Coscollan estas palabras en ebrayco: "en míname bag gahuti asily vaquener", que quiere dezir: no hay que fiar en el cristiano a*

---

[785] AHPZ, Caja 7, N° 7; Proceso inquisitorial contra Pedro de Santa Clara, el platero, p. 5. VEASE APÉNDICE DOCUMENTAL PROCESOS DE INQUISICIÓN.

[786] AHPZ, Caja 9, N° 1; Proceso inquisitorial contra Pedro de Santa Clara, el çedaçero, p. 23 vto. VEASE APÉNDICE DOCUMENTAL PROCESOS DE INQUISICIÓN.

[787] AHPZ, Caja 19, N° 3; Proceso inquisitorial contra Johan Daça, el çedaçero, p. 2. VEASE APÉNDICE DOCUMENTAL PROCESOS DE INQUISICIÓN.

un quando esta en la fuessa[788]".

6.1.3.2.- EXPRESIONES INSULTANTES HACIA LOS CRISTIANOS

1. **Los *goyim*: gentiles o extranjeros.** La palabra hebrea *goyim* proviene del vocablo bíblico *gerim*, término con el que se llama no sólo a los extranjeros que vivían en tiempos del Israel Bíblico, sino incluso a los socialmente pobres (indigentes, viudas, huérfanos, tullidos y todos los económica y socialmente débiles). Las Sagradas Escrituras recomiendan practicar la caridad con ellos: se les debe permitir recoger los frutos caídos, las olivas olvidadas de los árboles, racimar las viñas o espigar después de la siega (Lv 19, 10; 23, 22; Dt 24, 19-21). Los israelitas, al asistirlos, recuerdan que ellos también fueron *gerim* en Egipto (Ex 22, 20; 23, 9; Dt 24, 18.22).

En la Edad Media pierde su sentido caritativo, empleándose exclusivamente para designar al no-judío de una manera un tanto despectiva, excluyente, discriminatoria[789]. Los *goyim* serán los gentiles que no comparten la religión, la cultura, las costumbres, ni la identidad del Pueblo judío.

- El 6 de marzo de 1488, el judío de Calatayud, Yuçe Çadoch, dice ante la Inquisición que juzga al bilbilitano, Johan Pérez de Santa Fe (alias de Fariza), que hoyo decir al acusado *"muchos motes en ebrayco, senyaladamente que por dizir estos cristianos dizia "goyim" y que también hablando de negocios dizia el dicho Johan Perez: huna vez que querys que agamos, busca hombre como bina entre esta humarafa*[790]".

2. **"*Cercado de perros*": rodeados de perros.** Así como los cristianos llamaban a los conversos *"perros judíos"*, estos también les insultan con la misma expresión. En aquella época, la palabra *"perro"* era sinónimo de traidor, falso, persona sin palabra y honor.

- El 18 de marzo de 1488, el judío de Calatayud, Sento Zecri, explicó a la Inquisición que juzga al bilbilitano, Johan Pérez de Santa Fe (alias de Fariza) que, estando cosiendo en una botica, vino el acusado y dijo a los que allí trabajaban *"ningun judio soys todos cristianos y este deposante dixo no yo soy judio, estuvo hun ratiquo penssando y despues dixole "cebaboni qualabim" que quiere dizir "cercado de perros", y oyendo esto sonrrioso este deposant y el dicho Johan Perez de Fariza, volviose para este deposant porque ya se havia alexado deste deposant y dixole: jodio no te rrias que no lo dixo por ti, sino porque nuestro sennor lo dixo quando estava en la cruz que estuva cercado de judios*[791]".

---

[788] AHPZ, Caja 12, Nº 7; Proceso inquisitorial contra Johan López de Coscollán, p. 7. VEASE APÉNDICE DOCUMENTAL PROCESOS DE INQUISICIÓN.

[789] VEASE EL CAPÍTULO: (1.1.1.1.1.- La expansión del judaísmo tras la diáspora judía).

[790] AHPZ, Caja 9, Nº 10; Proceso inquisitorial contra Johan Pérez de Santa Fe, p. 19. VEASE APÉNDICE DOCUMENTAL PROCESOS DE INQUISICIÓN.

[791] AHPZ, Caja 9, Nº 10; Proceso inquisitorial contra Johan Pérez de Santa Fe, p. 21. VEASE APÉNDICE DOCUMENTAL PROCESOS DE INQUISICIÓN.

3. **Los cristianos son como** *bestias* **de carga o** *asnos.* El bajo nivel intelectual y el alto grado de analfabetismo que tenían los cristianos, hizo que los judíos (al igual que los conversos bautizados) tuvieran una visión negativa de ellos; de ahí que les llamen *bestias* (por los trabajos más bajos que desempeñaban, especialmente los agro-pecuarios) y *asnos* (por su escasa cultura).

- El 4 de julio de 1488, el judío de Calatayud, Açach Enforna, testifica ante la Inquisición que juzga al bilbilitano, Johan de Esperandeo, que *"estando este deposante hun dia viespra de Sant Johan mas cerqua passado arrimado a la tienda de Johan el sastre, sordo, que mora en el mercado, este deposante estando vendiendo beatillos en la dicha tienda a huna muger del dicho Johan el sastre, cuyo nombre no sabe, salvo sabe que es la que oy bive el dicho Johan el sastre, dixo a este deposante estas palavras "enganyala que buena vehema es" que quiere dezir, venia tornado de ebrayco en rromanze: bestia[792]".*

- 17 de mayo de 1492, el inquisidor de Calatayud, Berenguer Martínez de Daroca, interroga al bilbilitano, Johan de Esperandeo, quien le dice que *"algunas vegadas burlando ha dicho algunos cristianos que "hantor", que quiere decir: asno[793]"*

6.2.- LOS CONVERSOS Y SU ESTILO DE VIDA JUDIO

6.2.1.- INTRODUCCIÓN

Los procesos de Inquisición estudiados reflejan que, muchos miembros de la sociedad cristiana y de la propia Iglesia, acusaban a los conversos de ser -en la práctica- tan judíos como antes de bautizarse. Estos mostraban detalles de su conducta que permitía asegurar que obedecían más a la Ley de Moisés que a la de Jesucristo. Los mismos argumentos que la Iglesia había dicho antes de los judíos, ahora los dice de los conversos; de ahí que la Inquisición sea el medio para solventar el problema y evitar que el resto de la comunidad cristiana se contamine.

6.2.2.- LOS CONVERSOS VIVEN COMO JUDÍOS

6.2.2.1.- LOS CONVERSOS SE SIENTEN JUDÍOS

Una vez bautizado, el neófito enfocó su nueva vida de dos maneras distintas: el que siguió manteniendo lazos afectivos y económicos con sus familiares y amigos judíos; o el que rompió todos sus vínculos de sangre con sus parientes y el resto de la comunidad hebrea.

La gran mayoría de los conversos siguió relacionándose con su círculo familiar hebreo. El trato, la conversación y la visita de un converso a un hogar de la judería elevaba su autoestima

---

[792] AHPZ, Caja 15, N° 6; Proceso inquisitorial contra Johan de Esperandeo, p. 3. VEASE APÉNDICE DOCUMENTAL PROCESOS DE INQUISICIÓN.

[793] AHPZ, Caja 15, N° 6; Proceso inquisitorial contra Johan de Esperandeo, p. 10. VEASE APÉNDICE DOCUMENTAL PROCESOS DE INQUISICIÓN.

judayca, además de incrementar su identidad y prestigio entre los judíos[794].

Antes de que se implantara la Inquisición en Aragón, muchos no disimulaban en público su trato preferencial por el mundo judío. Esta actitud cambió radicalmente con la implantación del Santo Oficio. Si antes era un orgullo que todos supieran su judaísmo, ahora lo llevarán en secreto y con cautela. A pesar de las precauciones, muchos de ellos fueron juzgados después por su anterior actitud y manifiesta vida judía.

- El 6 de marzo de 1488, el judío de Calatayud, Yuçe Çadoch, dice ante la Inquisición que juzga al bilbilitano, Johan Pérez de Santa Fe (alias de Fariza), que "*es savida publica que a huno llamado Johan Perez de Fariza habitant en Calatayut que no le falta de judio sino tavardo y caparte*[795]".

- El 20 de mayo de 1488, el vecino de Morota, Michael Bravo, declara ante la Inquisición que juzga al bilbilitano, Esperandeo Ram, que les dijo "*acuerdaseos de cómo hun sabado Albaro el jubonero fizo el enfermo y os comisteys huna gallina y que el dicho Johan Esperandeo dixo y respuso que si que el la comio por amor del dicho Albaro y ahun que dixo el dicho Johan Esperandeo nunqua medie el dixiendolo por el dicho Albaro que judio es y que creya que se havia ydo a Judea a fazer judio*[796]".

- El 14 de julio de 1489, el judío de Cetina, rabí Salomon Axequo, afirma ante la Inquisición que juzga al converso bilbilitano, Leonart de Santangel (difunto), que "*el dicho Leonart de Santangel que aunque de nombre fuesse christiano de voluntad era judio y le vio comer sus hamines en sabados y sus cosas pero porquanto el dicho Leonart de Santangel era hombre discreto y tanto había sus cosas muy secretas y cautamente y assi este testimonio no pudo veer mas del dicho conocimiento que tenia del ser en la voluntad judio*[797]".

- El 25 de junio de 1488, la vecina de Calatayud, Pascuala (mujer de Martín de Baraya), atestigua ante la Inquisición que juzga al bilbilitano, Johan de Maluenda (difunto), que él y su mujer, "*clamada Aldonça bivian como judios, (pag. 141) interrogada como lo sabe respuso porque veya que muchas vezes comian hamin e lo guisavan el sabado pa el domigo y que la mas de la carne que comian era de la juderia*[798]".

- El 20 de abril de 1488, el vecino de Calatayud, Johan Sardinillo, testifica ante la Inquisición que juzga al bilbilitano, Anthon de Santangel (difunto), que Jorge de la Cabra le dijo "*que tenia al dicho Anthon de Sanctangel por un fino judio y no por cristiano y esto dize porque lo vio tratava con judios y tenia mucha conversación con ellos y le vio hazer otras cosas que no le acuerda que no eran de arte de cristianos sino de judio*[799]".

---

[794] BLÁZQUEZ MIGUEL, J.; "*Inquisición y Criptojudaismo*", Madrid, 1988, p. 49.

[795] AHPZ, Caja 9, N° 10; Proceso inquisitorial contra Johan Pérez de Santa Fe, p. 19. VEASE APÉNDICE DOCUMENTAL PROCESOS DE INQUISICIÓN.

[796] AHPZ, Caja 15, N° 6; Proceso inquisitorial contra Johan Esperandeo, p. 3. VEASE APÉNDICE DOCUMENTAL PROCESOS DE INQUISICIÓN.

[797] AHPZ, Caja 12, N° 7; Proceso inquisitorial contra Leonart de Santangel, p. 161. VEASE APÉNDICE DOCUMENTAL PROCESOS DE INQUISICIÓN.

[798] AHPZ, Caja 12, N° 7; Proceso inquisitorial contra Leonart de Santangel, p. 139 vto. VEASE APÉNDICE DOCUMENTAL PROCESOS DE INQUISICIÓN.

[799] AHPZ, Caja 12, N° 7; Proceso inquisitorial contra Simón de Anthon de Santangel, p. 25 vto. VEASE APÉNDICE DOCUMENTAL PROCESOS DE INQUISICIÓN.

6.2.2.2.- LOS JUDIOS LOS CONSIDERAN JUDÍOS

Los judíos decían, citando al rabino Moisés de Egipto, que los conversos bautizados no eran cristianos, sino malos judíos, es decir, judíos a pesar de todo. En efecto, como ya sabemos los judíos nunca entendieron que algunos conversos se bautizaran a la fuerza y que, ni siquiera todos los que lo habían hecho, observaran el judaísmo.

Pese a los conflictos y desavenencias que pudo haber entre algunos judíos y conversos (diferencias que tendrán como resultado las denuncias y declaraciones negativas que realizaron aquellos contra estos ante la Inquisición), la opinión más generalizada es que los judíos respetaron a sus parientes y amigos conversos, ya que sabían que el bautismo no era un obstáculo para que (el que quisiera) siguiera viviendo como judío, sobre todo cuando viajaban a otras ciudades. El anonimato les ayudó a mezclarse con los judíos de esas lugares, quienes los acogían como si de otro judío más se tratara.

- El 11 de enero de 1488, el judío de Calatayud, Jaco Lupiel, asegura ante la Inquisición que juzga al converso bilbilitano, Paulo de Daroqua (difunto), que hacia 1468, el acusado *"provo como el no era christiano y provolo por rrabi Moises de Egipto, el qual dizia que "el judio que se fazia christiano no era christiano antes era mal judio", y que esto dixo el dicho Paulo de Daroqua en ebrayco assi "Ysrael semistamat analpi semistamat ysa eliu" que quiere dezir lo suso dicho y asi esta scripto en el dicho proceso*[800]".

- El 7 de marzo de 1488, el vecino de Calatayud, Martín de Almaçan, explica ante la Inquisición que juzga al converso bilbilitano, Johan de Sayas (difunto) que, *"dixo que havia ydo a Cathalunya y a Barcelona y que yva a las juderías, que el dicho Johan de Sayas se mostrava seer estando con los judios y que assi los sabados como los otros dias y comia, dormia y estava con los dichos judios en la juderia y que comia de los comeres que los judios comian y a hun le pareçe a este testigo que dixo, el dicho Johan de Sayas, que tambien dava a entender a los dichos judios que ayunava sus ayunos*[801]".

6.2.2.3.- LOS CONVERSOS EDUCAN A SUS HIJOS EN EL JUDAÍSMO

Los conversos neófitos (conversos de primera gneración) fueron educados desde niños en la Ley y tradiciones judías, algo que nunca podrán olvidar y llevarán con nostalgia siempre en sus corazones. Al igual que hicieron con ellos, gran parte de esta primera generación de conversos (los no convencidos de la fe cristiana) seguirá transmitiendo a sus hijos muchas de las oraciones, tradiciones, ritos y costumbres judías que les enseñaron de pequeños en la judería. Incluso, en ocasiones, encomendaron la formación de sus hijos (los conversos de segunda generación) a un rabino de la judería para que les instruya en la religión hebrea.

- El 28 de octubre de 1488, el bilbilitano Pedro de Santa Cruz, hijo del converso y acusado por la Inquisición, Alonso de Santa Cruz (difunto), dice que *"su padre y su madre deste*

---

[800] AHPZ, Caja 12, Nº 7; Proceso inquisitorial contra Paulo de Daroqua, p. 204. VEASE APÉNDICE DOCUMENTAL PROCESOS DE INQUISICIÓN.

[801] AHPZ, Caja 12, Nº 7; Proceso inquisitorial contra Johan de Sayas, p. 40. VEASE APÉNDICE DOCUMENTAL PROCESOS DE INQUISICIÓN.

conffessante bivia como judios en lo que este conffessante conocia y observavan la Ley de Moysen lo que mas que pudia leyendo cristianos bautizado y que muchas vezes exortavan a este conffessante diziendo le guardasse la Ley de Moysen que todo lo otro era burla y cree que assi como lo exortava a este conffesssante assi lo exortava a los otros sus fixos y dixo que estavan en terrala en Sant Pedro Martir[802]".

- El 15 de agosto de 1488, el judío de Daroca, Bienvenist Arruet, declara ante la Inquisición que juzga al bilbilitano, Anthon Ximénez de Rueda (difunto), que *"por tiempo de tres annos y mas vio este testimonio deposant como los dichos Anthon Ximenez de Rueda y Riqua su muxer fazian mas vida de judios que de cristianos porquanto en todo el dicho tiempo de tres anyos continuos y mas que alli pratico y continuamente comio el present testimonio deposant porque stava oy encomendado por mano a su padre pa que le diese de comer porque estudiava aquí con un rabi*[803]".

6.2.2.4.- ALGUNOS CONVERSOS SE AMANCEBAN CON JUDÍAS

Muchos conversos acudían con frecuencia a visitar a sus amigos y parientes judíos. En algunos casos la relación de amistad era tan estrecha que, entre ellos, pudo nacer un amor secreto e imposible. Este fue el caso del converso bilbilitano, Leonart de Santangel, quien estuvo amancebado con una judía a la que visitaba repetidas veces, pese a estar casado con una cristiana.

- El 25 de junio de 1488, el judío de Calatayud, Jehuda Benardut, declara ante la Inquisición que juzga al converso bilbilitano, Leonart de Santangel (difunto), que *"a la sazon tenia una mançeba judia y dormia y comia el dicho Leonart de Santangel con la dicha judia mançaba en la juderia y en su casa de la dicha mançebe y esto sabe este testimonio por que lo vio*[804]".

6.2.3.- LOS JUDIOS PRACTICAN LAS COSTUMBRES JUDÍAS

6.2.3.1.- LOS CONVERSOS GUARDAN EL SÁBADO

La Torá evoca al piadoso judío: *"acuérdate del sabbat para santificarlo"* (Ex 20,8), y *"guarda el sabbat para santificarlo"* (Dt 5,12). El *sabbat* enseña que, una vez por semana, uno debe dejar de considerarse el amo del universo y acceder a Yahvé a través del mundo material.

Los judíos de Calatayud (fieles a sus tradiciones) no realizan ninguna actividad laboral o doméstica durante ese día. Los conversos más observantes del judaísmo, siguiendo las costumbres de sus parientes y amigos judíos, también intentaban observarlo. Tanto unos como

---

[802] AHPZ, Caja 12, Nº 7; Proceso inquisitorial contra Alonso de Santa Cruz, p. 122. VEASE APÉNDICE DOCUMENTAL PROCESOS DE INQUISICIÓN.

[803] AHPZ, Caja 12, Nº 7; Proceso inquisitorial contra Anthon Ximénez de Rueda, p. 31 vto. VEASE APÉNDICE DOCUMENTAL PROCESOS DE INQUISICIÓN.

[804] AHPZ, Caja 12, Nº 7; Proceso inquisitorial contra Leonart de Santangel, p. 167 vto. VEASE APÉNDICE DOCUMENTAL PROCESOS DE INQUISICIÓN.

otros procuraban no trabajar y descansar[805].

Los documentos inquisitoriales apenas arrojan datos sobre la celebración del *sabbat* en casa de los conversos, ya que reconocer esto ante terceras personas suponía una denuncia y posterior acusación de la Inquisición. Las declaraciones de los judíos ante el Tribunal del Santo Oficio son las que mejor revelan este secreto, ya que eran ellos mismos los que preparaban y enviaban a sus casas el *hamín* sabático. Para evitar cualquier problema, muchos conversos iban a la judería a celebrar el *sabbat* para no ser vistos por los cristianos y el servicio de la casa.

- El 6 de febrero de 1488, la vecina de Calatayud, Elvira de Bonillo, explica ante la Inquisición que juzga al converso bilbilitano, Pedro de Santa Clara (el *çedaçero*), que *"dixo a esta deposant huno llamado Pero Sanchez que esta casao en Maluenda, que Pedro el Çedaçero muchos sabados yba por la manyana a la juderia y no venia fasta la noche[806]"*.

- El 13 de marzo de 1488, el vecino de Calatayud, Johan de Çiguenta, dice ante la Inquisición que juzga a la bilbilitana, Clara Escobar, que *"vio que muchos sabados que la dicha Clara la costurera se fazia doliente y que no fazia nada el dicho dia del sabado y que luego el domingo stava buena y sana y que su pensamiento deste deposant y de otros era que la dicha dona Clara la costurera se fazia doliente pora guardar los sabados[807]"*.

- El 4 de junio de 1488, el Procurador Fiscal de la Inquisición interroga al converso bilbilitano, Pedro de Santa Clara (el *çedaçero*), quien reconoce que *"en las fiestas et domingos de los cristianos si los gardava no los gardava por devocion que tuviesse sino por aparençia que ninguno no lo indicasse que era mal cristiano et fuese tunido por los cristianos en buena reputacion[808]"*.

- El 9 de agosto de 1488, la vecina de Carenas, Caterina Matheu (mujer de Johan Yust), expone ante la Inquisición que juzga a la bilbilitana, Leonor Álvarez, que *"en todos los dias dentre semana hilava pero no en dia de sabado, a esta deposant no le acuerda que los viesse filar[809]"*.

- El 9 de agosto de 1488, la vecina de la Almunia de Doña Godina, Isabel López (hija de Pedro López), declara ante la Inquisición que juzga a su tía carnal, María López, que estando en su casa vio *"de qual tiempo fasta en tanto que vino la inquisición vio esta deposant que la dicha María Lopez no salia en los sabados y algunos dias y quedavase a dormir en los dichos dias de sabados y estono axostumbrandolo azer[810]"*.

---

[805] LOPEZ ASENSIO, A.; Op. Cit. *"Costumbres judias de Calatayud y Sefarad"*, p. 217.

[806] AHPZ, Caja 9, Nº 1; Proceso inquisitorial contra Pedro de Santa Clara, el *çedaçero*, p. 21. VEASE APÉNDICE DOCUMENTAL PROCESOS DE INQUISICIÓN.

[807] AHPZ, Caja 9, Nº 8; Proceso inquisitorial contra Clara Escobar, p. 22. VEASE APÉNDICE DOCUMENTAL PROCESOS DE INQUISICIÓN.

[808] AHPZ, Caja 9, Nº 1; Proceso inquisitorial contra Pedro de Santa Clara, el *çedaçero*, p. 16. VEASE APÉNDICE DOCUMENTAL PROCESOS DE INQUISICIÓN.

[809] AHPZ, Caja 10, Nº 6; Proceso inquisitorial contra Leonor Álvarez, p. 23 vto. VEASE APÉNDICE DOCUMENTAL PROCESOS DE INQUISICIÓN.

[810] AHPZ, Caja 11, Nº 5; 89/5; Proceso inquisitorial contra María López, p. 14.

6.2.3.2.- LOS CONVERSOS OBSERVAN LAS FIESTAS Y PASCUAS JUDÍAS

6.2.3.2.1.- Celebran las fiestas en sus casas

En los procesos de Inquisición, además de la Pascua del *rosh hasanna* o del Año Nuevo (llamada del Cuerno), se nombran otras tres importantes Pascuas o fiestas de Peregrinación: el *Pesaj* o Pascua de los ácimos (llamada *"pascua del pan cotaço o çençenyo"*), el *savuot* o Pascua de las Semanas (llamada *"Pascua de Mayo"*), y el *sukkot* o Tabernaculos (llamada *"pascua de cabanybelas o cabañas"*).

La mayoría de los conversos bilbilitanos (no convencidos de la fe cristiana) solían celebrar -siempre que podían- estas fiestas y Pascuas judías[811]. Para no levantar sospechas, las festejaban en la intimidad del hogar (manifestarlo en público podría acarrearles críticas y problemas ante la Inquisición). Durante esos días procuraban también dar fiesta al servicio doméstico para no ser molestados y posteriormente delatados.

- El 1 de agosto de 1488, el judío de Calatayud, rabí Salomon Axequo, manifiesta ante la Inquisición que juzga al converso bilbilitano, Simón de Santa Clara (difunto), que *"en el tiempo que bivia guardava los sabados y las fiestas de los judios lo mejor que podia esto sabe este testimonio deposante por quanto assi gelo dixo a este testimonio el dicho Simon de Sancta Clara, puede haver hunos trenta annos como el guardava los sabados y las fiestas de los judios lo mejor que podia que ya sabia este testimonio que era cristiano y que no los podia guardar como los devia guardar mas que fazia lo que podia[812]"*.

- El 6 de marzo de 1488, el judío de Calatayud, Jehuda Abenardut, testifica ante la Inquisición que juzga al bilbilitano, Pedro Çit, diciendo que *"estavan comiendo en la mesa hamin y entonces dixo este deposant hamin comeis y maravillandose este deposant de dicho comer y haviendo conocimiento dello al dicho Pero Çit dixo a este deposant de que os marabillais que nosotros tambien guardamos el sabado quando podemos y todas las pascuas e fiestas de judios como judios[813]"*.

6.2.3.2.2.- Celebran las fiestas en casa de los judíos

Otros conversos de Calatayud, por el contrario, preferían ir a la judería a celebrar las fiestas judías para luego no tener problemas con la Inquisición. Los judíos reconocen ante el Tribunal que algunos conversos se acercaban a sus hogares –durante esos días festivos- para comer los típicos manjares pascuales hebreos (*rosquetas, turrado y alcahalillas*).

- El 6 de febrero de 1488, el vecino de Calatayud, Domingo Pérez, dice ante la Inquisición que juzga la conversa bilbilitana, María Daça (difunta), que *"una mujer de La Viluenya*

---

[811] LOPEZ ASENSIO, A.; Op. Cit. *"Costumbres judías de Calatayud y Sefarad"*, p. 236. La palabra griega *páscae* (Pascua) significa "paso", es decir, el paso o celebración de la principal fiesta que se celebra en una religión.

[812] AHPZ, Caja 12, N° 7; Proceso inquisitorial contra Simón de Santa Clara, p. 61. VEASE APÉNDICE DOCUMENTAL PROCESOS DE INQUISICIÓN.

[813] ASCZ, sin signatura, Proceso inquisitorial contra Pedro Çit, p. 8 vto. VEASE APÉNDICE DOCUMENTAL PROCESOS DE INQUISICIÓN.

nodriça del dicho Cortes que havia bivido con Benito Ram notario y de micer Ram havia dicho a la mujer del dicho Garcia Cortes que la dicha nodriça havia visto como un dia la mujer del dicho Benito Ram havia ydo a la juderia a quien esta ciudat y que la dicha nodriça la havia acoxavyado a una casa de la dicha juderia y que la havia mandado la dicha mujer de Benito Ram a la dicha nodriça que se tomasse a una de un nyno de la dicha su duenya y que fantes creatura y que despues llorando mucho la dicha criatura visto que tanto la dicha su duenya se tardava la dicha nodriça stando mora de casa tuvo el dicho nyno y fuese con el a la judería a la casa donde havia dexado a la dicha su duenya y que subio de subito a la dicha casa y que havia visto alli judios y judias apres de scalcos (celebrando un ayuno) que no le acuerdava si lo su duenya stava dentrellos[814]".

- El 21 de agosto de 1488, el judío de Calatayud, Jehuda Gargonya, declara ante la Inquisición que juzga a la bilbilitana, Isabel Lunell, que *"muchas de vezes biviendo mastre Tradoz judio medico en la juderia en las casas donde de presente se exercere el officio de la sancta Inquisicion que Jorge de la Cabra e su muger que es la que oy vive, padre e madre de Pedro de la Cabra preso, venian en diversos dias del anyo y en muchas pascuas e ffiestas de Christianos y de judios senyaladamente en las pascuas del pan cancenyo y cabanyvelas de judios a casa del dicho maestre Tradoz y fazian collacion alli de rosquetas turrado y alcahalillas[815]".*

6.2.3.2.3.- Los conversos observan los ayunos *judaycos*

Para los judíos, el ayuno no es un acto de sacrificio para contentar a Yahvé, sino que tiene un enfoque puramente existencial: buscar el arrepentimiento, la conversión personal y el perdón de los pecados individuales.

En los procesos de Inquisición encontramos perfectamente documentados los tres ayunos oficiales del judaísmo medieval: el *yom Kipur*, el *purim*, y la *hannuká*[816]. Para los conversos de Calatayud era más fácil celebrar los ayunos que las fiestas pascuales judías, ya que se hacía en la tranquilidad del hogar. Esos días procuraban no trabajar, dormir mucho en casa y dar limosna a la *çedaca*[817] de la judería a través de amigos y parientes judíos.

- El 11 de marzo de 1488, el judío de Calatayud, Jaco Lupiel, declara ante la Inquisición

---

[814] AHPZ, Caja 12, Nº 7; Proceso inquisitorial contra María Daça, p. 189 vto. VEASE APÉNDICE DOCUMENTAL PROCESOS DE INQUISICIÓN.

[815] ASCZ, sin signatura, Proceso inquisitorial contra Isabel Lunell, p. 19. VEASE APÉNDICE DOCUMENTAL PROCESOS DE INQUISICIÓN.

[816] LOPEZ ASENSIO, A.; Op. Cit. *"Costumbres judias de Calatayud y Sefarad"*, p. 273. En la judería de Calatayud era costumbre ayunar en tres fiestas importantes de su calendario litúrgico: en el ayuno de *Quipur* "*clamado del grant perdon*", en el ayuno de la fiesta de *Purín* o de la "reyna Ester," y en el ayuno de la *Hannuká* o "perdimiento de la casa Sancta".

[817] LOPEZ ASENSIO, A.; Op. Cit. *"Costumbres judias de Calatayud y Sefarad"*, p. 177. Para cumplir con el precepto religioso de practicar la justicia o *çedaqáh*, los judíos y conversos de Calatayud repartían sus limosnas entre las dos principales instituciones benéficas de la aljama: por un lado la *çedaca* o "*cofradia de la almosina*" y, por otro, las sinagogas. Si la primera destinaba sus fondos a la beneficencia y a mejorar la condición social de los más necesitados y desfavorecidos de la comunidad; la segunda los empleaba para mantener el edificio sinagogal y su culto (la limpieza, las lámparas de aceite, los ornamentos litúrgicos, libros sagrados, etc.).

que juzga al converso bilbilitano, Leonart de Santangel (difunto), que oyó decir a sus padres que el acusado y su mujer *"fazian ceremonias de judios asi como judios desta manera que guardaban los sabados y ayunaban los ayunos de judios y que fazian todas las ceremonias judaycas que los judios acostumbran fazer y oraciones de judios[818]"*.

- El 8 de febrero de 1488, el judío de Calatayud, Açach Abeatar, afirma ante la Inquisición que juzga a la conversa bilbilitana, Clara Escobar que, hacia 1475, le *"preguntava a este deposant que en que dia caya el ayuno de de quuipur y el ayuno del reyna ster et que este deposant gele dezia a la dicha Clara que dias se dayunam los dichos daynos de la reyna ester et de quipur. Et mas dize este deposant que huyo dizir a la dicha Clara como ayunava los dichos ayunos de quipur et de la reyna Ester et a su parescer de este deposant dize que la dicha dona Clara la costurera ayuno los dichos ayunos por tiempo de vinte anyos poco mas o menos[819]"*.

- El 11 de marzo de 1488, el judío de Calatayud, Açach Enforna, asegura ante la Inquisición que juzga al bilbilitano, Pedro de Santa Clara (alias el çedaçero), que *"le pregunto con mucha affeccion vaxiquo, quando es el dia sancto de nuestro quipur y que este deposantle dixo al dicho Pedro de Sancta Clara tal dia es y el dicho Pedro de Sancta Clara dixo a este deposant gracias a Dios que luego y seremos en el dicho ayuno de quipur[820]"*.

6.2.3.2.4.- Los conversos rezan en *ebrayco*

6.2.3.2.4.1.- Oraciones y bendiciones individuales

La *Tanaj* o Biblia hebrea dice que *"orar es hablar con Yahvé"* (Sal 19, 14; 62, 8). Por ello, la oración (propiamente dicha) se denomina en hebreo *tefilá*, es decir, el lazo que une a Yahvé con su Pueblo, el punto de encuentro entre él y el hombre. Por la *tefilá*, Yahvé se acerca a todo aquel que aspira a ascender a él.

Se puede distinguir claramente dos formas diferentes de hacer *tefilá* u oración: la sinagogal-comunitaria y la privada-individual. Aunque el judaísmo recomienda hacerlo en grupo (más de diez o *minyan*), si una persona no puede (como era el caso de los conversos), se le recomienda que lo haga individualmente.

El mundo judío entiende también que la *tefilá* u oración judía no sólo es una comunicación entre el hombre y Yahvé, sino también una *berajá[821]* o bendición. Cuando Yahvé bendice al hombre le comunica su vida con gran abundancia de dones y bienes. Por contra, cuando el hombre bendice a Yahvé reconoce en él la fuente de todo cuanto tiene, con gratitud y

---

[818] AHPZ, Caja 12, N° 7; Proceso inquisitorial contra Leonart de Santangel, p. 162 vto. VEASE APÉNDICE DOCUMENTAL PROCESOS DE INQUISICIÓN.

[819] AHPZ, Caja 9, N° 8; Proceso inquisitorial contra Clara Escobar, p. 5. VEASE APÉNDICE DOCUMENTAL PROCESOS DE INQUISICIÓN.

[820] AHPZ, Caja 9, N° 1; Proceso inquisitorial contra Pedro de Santa Clara, el çedaçero, p. 5. VEASE APÉNDICE DOCUMENTAL PROCESOS DE INQUISICIÓN.

[821] LOPEZ ASENSIO, A.; Op. Cit. *"Costumbres judías de Calatayud y Sefarad"*, p. 151. La palabra *berajá* proviene de la raíz hebrea *berej*, que significa "caer de rodillas" y en un sentido más amplio "alabar a Dios".

humildad[822].

Por la *berajá* el judio celebra los dones que ha recibido de Yahvé, al mismo tiempo que le consagra todas las cosas y todas sus acciones, es decir, su vida entera se transforma en una continua alabanza a Dios. La tradición rabínica recomienda que nadie debe pedir favores a Yahvé sin antes recitar una bendición. En resumen, la bendición es considerada como una oración pronunciada no sólo para alabar a Dios, sino incluso para darle gracias o pedirle algo. Cuando el hombre bendice a Yahvé, reconoce en él la fuente de todo cuanto tiene y la gratuidad de todo lo recibido.

El 2 de septiembre de 1488, el judío de Calatayud, Açach Manyan, declara ante la Inquisición que juzga a la conversa bilbilitana, María de Romeral (difunto), que *"siendo judia se llamava Ladossana y era muger del dicho Joan del Romeral a la qual teniendo mucha pratica y conocimiento con ella este testigo vio y conocio en ella que era mas judia que no cristiana porque dizia su oracion en ebrayco ad mariamente como quando era judia y dezia a este testigo que ella no creya cosa ninguna de los christianos antes se estava judia en la voluntat y que solo el nombre y demostrava que tenia de cristiana[823]*.

El 1 de abril de 1488, la judía de Calatayud, Mira (mujer de Çalema el Bayo, dice ante la Inquisición que juzga al converso bilbilitano, Alfonso de Santa Cruz (difunto), que el acusado *"dizia su tafila (oración) como hun judio y conoscia en su presençia y fablar esta deposante quel dicho Alphonso de Sancta Cruz era judio[824]"*.

6.2.3.2.4.2.- Oración para maldecir a los Conversos

En el último tercio del siglo XV, se introdujo entre los judíos la costumbre de recitar diariamente una oración para maldecir a los conversos, la cual dice así: *"la mesumadim al tey tiba col aminim becol hal masinim que rega yobedo, que quiere dezir a los destruidores sin esperanza, todos ellos os lleno de maldades perdidos en este mundo y en el otro[825]"*.

6.2.3.2.4.3.- Suelen rezar y hablar en *ebrayco*

Los judíos de Calatayud rezan siempre sus oraciones en *ebrayco*, de ahí que el Tribunal de la Inquisición les acuse de hablar en esa lengua semita. Ningún judío de la Península Ibérica (aragoneses, castellanos y navarros) rezaba en las lenguas vernáculas de sus territorios (castellano, aragonés, catalán, leonés, gallego y vasco), por varias razones[826]:

---

[822] LOPEZ ASENSIO, A.; Op. Cit. *"Costumbres judías..."*, p. 131.

[823] AHPZ, Caja 12, N° 7; Proceso inquisitorial contra María de Romeral, p. 92. VEASE APÉNDICE DOCUMENTAL PROCESOS DE INQUISICIÓN.

[824] AHPZ, Caja 12, N° 7; Proceso inquisitorial contra Alfonso de Santa Cruz, p. 105 vto. VEASE APÉNDICE DOCUMENTAL PROCESOS DE INQUISICIÓN.

[825] AHPZ, caja 7, N° 4; Proceso inquisitorial contra Pedro de San Johan, racionero de la Seo de Zaragoza y Vicario de Villanueva de Burjasot., p. 77. VEASE APÉNDICE DOCUMENTAL PROCESOS DE INQUISICIÓN.

[826] LOPEZ ASENSIO, A.; Op. Cit. *"Costumbres judías de Calatayud y Sefarad"*, p. 134.

1. Para mantener y preservar la unidad e identidad de todas las comunidades dispersas a través de una lengua común: el hebreo. El objetivo es que todos puedan participar de la liturgia sinagogal en cualquier lugar del mundo entonces conocido.

2. Alejarse del hebreo significa alejarse de la Torá y de la tradición que garantiza la identidad judía transmitida de generación en generación.

3. La importancia del *ebrayco* -como idioma litúrgico judío- no radica en el hecho de ser la lengua más hablada por los judíos aragoneses de la Edad Media, sino por ser la *lengua sagrada* de todos los judíos de la diáspora. La oración en hebreo no es únicamente un medio de comunicación, sino que posee también una significación espiritual que conecta a Yahvé con toda la comunidad judía.

- El 30 de marzo de 1506, el vecino de Ateca, Antonio Bonet, afirma ante la Inquisición que juzga a la atecana, María Pina, que *"estando doliente la dicha mujer de Joan de Sant Martin que esta fue apres de Navidad mas cerqua passada y estans en la cozina de su casa la dicha mujer enferma, dize que de la camarodo este testigo dormia que no esta sino la paret en medio de la qual se hoye lo que se fabla en la dicha cozina de Joan de Sant Martin, dize que hoyo este testigo como el dicho medico dixo a la mujer del dicho Joan de Sant Martin, catat que hos trayo aquí esta preva de cozina y respondio la dicha mujer de Sant Martin que si guisada era de la costumbre que la costumbran fazer aqui no la tomare porque no me sabe buena y respondio el dicho medico y dixole a la dicha mujer de Sant Martin, no de otra fuente esta guisada como soliamos en otro tiempo y fablole entonces a ella el dicho medico en ebrayco y no entendio este testigo que le dixo en ebrayco sino que le respuso ella al dicho medico pues que assi es yo la tomare, y despues los dexo que stavan hablando en hebraico y este testigo dize no entendio lo que dezia porque no entiende el ebrayco*[827]".

- El 25 de agosto de 1509, el Procurador Fiscal de la Inquisición interroga al vecino de Ateca, Martín Daymar, quien le contesta que *"antes que se pusiesse el edito en el qual mandaron quemar los libros impresos en ebrayco, este deposante toma libros scriptos en ebrayco e los quales leya este justiciado y que podria ser que alguno leyendole leer en los tales libros por esto digan que le han visto fablar en ebrayco y quanto a lo que dize que el fablo en ebrayco con una cristiana nueva doliente dize que a el no le acuerda tal cosa en su consciencia*[828]".

6.2.3.2.5.- Los conversos guardan la dietética judía

Las leyes dietéticas judías o *cashrut* que regulan la pureza o impureza de los alimentos se fundamentan en la Torá (Lev 11) y en las prescripciones rabínicas. Estas leyes especifican con minuciosidad cuáles son los alimentos impuros o *tamé* y cuáles los puros o *tahor*, prohibidos los

---

[827] AHPZ, Caja 20, Nº 15; Proceso inquisitorial contra María Pina, p. 18 vto. VEASE APÉNDICE DOCUMENTAL PROCESOS DE INQUISICIÓN.

[828] AHPZ, Caja 20, Nº 15; Proceso inquisitorial contra Martín Daymar, p. 27 vto. VEASE APÉNDICE DOCUMENTAL PROCESOS DE INQUISICIÓN.

primeros y permitidos los segundos[829]. Aquellos alimentos que cumplen con los preceptos de la *cashrut* (reglas dietéticas judías) son *casher*, palabra hebrea que significa "limpio, apropiado para comer".

Por los procesos de Inquisición sabemos que los judíos de Calatayud sólo consumían alimentos y productos *casher* o permitidos por la religión judía. Fieles a las reglas *cashrut*, nunca comieron carne de animales prohibidos como el cerdo (tiene la pezuña partida y hendida en mitades), el caracol (se arrastra), el conejo y la libre (rumiantes) o el congrio (pescados sin escamas), entre otros. Por el contrario, si que podían consumir todo tipo de carnes procedentes del ganado Mayor y Menor (vaca, buey, carnero, cabra, oveja y cordero), así como toda clase de aves de corral (gallinas, perdices, palomas o *torcaços*).

Mientras que el ganado animal tenía que ser sacrificado por un rabino especialista y su carne mercada en la carnicería de la judería; el grupo de las aves podía ser matado y consumido en casa por cualquier judío. También el vino se bebía cuando era químicamente puro y se había elaborado a modo *judayco*.

- El 20 de febrero de 1488, el vecino de Cervera de la Cañada, Domingo Aznar, dice ante la Inquisición que juzga a la conversa bilbilitana, Clara Escobar, que "*hun dia estando doliente la dicha Clara la dicha muxer del anguardentro contra voluntat de la dicha Clara le havia muerto huna gallina porque enforcasse y que segunt le havia dicho huna moça de la dicha Clara que la dicha Clara no havia podido comer de la dicha gallina degollada por mano de la dicha muxer del anguardentero (vendedro de aguardiente) et que havia comido de huna nova gallina que hun judio hermano de la dicha Clara, cuyo nombre no le recuerda, havia degollado porque comiese la dicha Clara[830]*".

- El 4 de marzo de 1488, el judío de Calatayud, Yuçe Buenavida, explica ante la Inquisición que juzga al converso bilbilitano, Simón de Santa Clara (difunto), que "*el dicho Simon de Sancta Clara dava dineros a este deposante pa que mercase carne de la juderia y la que huviesse menester y lo dava a la dicha su muger deste deposante y ella lo guisava y comia de lo que la dicha su muger guisava el dicho Simon de Sancta Clara y este deposante y la dicha aljohar, su mujer, juntos todos de hun pan y de huna vianda[831]*".

- El 5 de agosto de 1488, la judía de Calatayud, Duenya Castiel (mujer de Jaco Castiel), atestiguan ante la Inquisición que juzga al converso bilbilitano, Anthon de Blanes (difunto) que, hacia 1480, "*hun sabado vino assu casa el dicho Anthon de Blanas, corredor, el qual comio hamin y de todos los potajes que esta deposant y su marido llamado Jaco Castiel comieron juntamente con ellos y en una tabla e bevio de su vino judiego y estuvo el dicho Anthon de Blanas a la bendicion empo no dixo nada ni respuso a ella[832]*".

- El 31 de agosto de 1488, el judío de Calatayud, Mosse Jabba, explicó ante la Inquisición

---

[829] LOPEZ ASENSIO, A.; Op. Cit. "*Costumbres judías...*", p. 185 ss.

[830] AHPZ, Caja 9, N° 8; Proceso inquisitorial contra Clara Escobar, p. 20. VEASE APÉNDICE DOCUMENTAL PROCESOS DE INQUISICIÓN.

[831] AHPZ, Caja 12, N° 7; Proceso inquisitorial contra Simón de Santa Clara, mayor, p. 66 vto. VEASE APÉNDICE DOCUMENTAL PROCESOS DE INQUISICIÓN.

[832] AHPZ, Caja 12, N° 7; Proceso inquisitorial contra Simón de Anthon de Blanes, mayor, p. 84. VEASE APÉNDICE DOCUMENTAL PROCESOS DE INQUISICIÓN.

que juzga al converso bilbilitano, Johan de Romeral (difunto), que "*Açach Manyan judio que bive en Cetina y truxo hun quarto de cordero y huna bota de vino judiego y que era la carne degollada de judio, y vio como comio el dicho Johan Romeral de la dicha carne e bevio del dicho vino juncto a huna mesa con el padre deste deposant y con el dicho judio y que no le acuerda si estuvo presente a la bendicion de la mesa quel padre deste deposante y el otro judio echaron en la mesa*[833]".

- El 25 de junio de 1488, el judío de Calatayud, Jehuda Benardut, testifica ante la Inquisición que juzga al converso bilbilitano, Leonart de Santangel (difunto), que "*dava limosnas a judios pobres y a la çedaqua y olio a la sinoga y guardaban las fiestas de los judios y los sabados en la voluntad como judios y este testimonio sabe esto por quanto los dichos Leonart de Santangel y su muxer ge lo dixieron a este testimonio por diversas fablas*[834]".

- El 26 de enero de 1488, el judío de Calatayud, Simuel Abenxuen, declara ante la Inquisición que juzga al converso bilbilitano, Paulo de Daroqua (difunto), que "*le dava su tio dineros para que mercase carne de la carneceria de los judios para su comer y veya que christianos y judios todos mercaban carne de la dicha carneceria*[835]".

6.2.3.2.6.- Envían *olio* a la sinagoga

Las partidas que mayor volumen de gasto generaban en los presupuestos de las sinagogas de Calatayud eran, sin duda alguna, las destinadas al mantenimiento de las lámparas de aceite que iluminaban su interior. Los judíos daban limosnas para comprar los cirios de cera o el *olio* puro de oliva que alimentaba no sólo el candil de la luz perpetua (*ner tamiz*) que ardía delante del *Aaron Torá* (armario que custodia la Torá), sino incluso las luminarias de la nave sinagogal.

Al igual que los judíos[836], los conversos bilbilitanos también donaban olio a las sinagogas para que la luz de sus lámparas honrara la memoria de sus difuntos judíos. Desde que se estableció la Inquisición en Calatayud, no solían entregarlo personalmente, sino que daban dinero a sus amigos judíos para que lo comprasen y llevasen a la sinagoga[837].

- El 2 de abril de 1488, la vecina de Munébrega, Anthona Naharro (mujer de Johan Naharro), declara ante la Inquisición que juzga a la bilbilitana, Isabel Lunell, que cuando estaba a su servicio "*sallio de casa de Jorge de la Cabra y que quando levava aquel olio que dize en su deposicion aquellas tres vezes que lo levo dize que en su parecer era quando lo trayan el olio de savinyan pa casa de su amo que entonces lo levaria*[838]".

---

[833] AHPZ, Caja 12, Nº 7; Proceso inquisitorial contra Johan de Romeral, mayor, p. 86. VEASE APÉNDICE DOCUMENTAL PROCESOS DE INQUISICIÓN.

[834] AHPZ, Caja 12, Nº 7; Proceso inquisitorial contra Leonart de Santangel, mayor, p. 167. VEASE APÉNDICE DOCUMENTAL PROCESOS DE INQUISICIÓN.

[835] AHPZ, Caja 12, Nº 7; Proceso inquisitorial contra Paulo de Daroqua, p. 207 vto. VEASE APÉNDICE DOCUMENTAL PROCESOS DE INQUISICIÓN.

[836] LOPEZ ASENSIO, A.; Op. Cit. "*Costumbres judias de Calatayud y Sefarad*", p. 106.

[837] IBIDEM, p. 184.

[838] ASCZ, sin signatura, Proceso inquisitorial contra Isabel Lunell, p. 22. VEASE APÉNDICE DOCUMENTAL PROCESOS DE INQUISICIÓN.

- El 21 de febrero de 1488, el vecino de Fuentes de Jiloca, Johan de Menguejon, afirma ante la Inquisición que juzga al converso bilbilitano, Johan Daça (difunto) que, "*este deposant dixo al dicho Joan Daça porque enbiays olio a la sinoga, el dicho Joan Daça le dixo porque mi aguelo y mi padre fueron judios y yo mantengo una lampada en la sinoga y no soy solo que tanbien mantienen los de mi generacion*[839]".

- El 26 de junio de 1488, el judío de Calatayud, Jehuda Benardut, explica ante la Inquisición que juzga al converso bilbilitano, Simón de Santa Clara (difunto), que "*dixo a este deposante estas palabras por muchas vezes yo Abenardut con vos no pienso errar también doy olio a la sinoga y limosna a judios pobres y a la çedaqua y fago quanto puedo por la ley de Moysen como hun judio*[840]".

- El 9 de agosto de 1488, la vecina de la Almunia de Doña Godina, Isabel López (hija de Pedro López), declara ante la Inquisición que juzga a su tía carnal, María López, que le oyó decir a un judío viejo de la judería que "*tomat estos dineros y azet que alumbre toda la semana, que no alumbra sino hun dia*[841]". La testigo cree que era para las lámparas de la sinagoga.

6.3.- LOS CONVERSOS Y SU VIDA CRISTIANA

6.3.1.- LOS CRIPTOJUDÍOS: LAS REUNIONES SECRETAS

6.3.1.1.- INTRODUCCIÓN

Al criptojudío lo podemos definir como aquella persona que practica el judaísmo, pero declara públicamente ser cristiano o miembro de otra religión. Rabinos de la época como Açach Arama[842] (rabino de Calatayud) y Brahem Bivago[843] (rabino de Huesca) apoyaron la tesis de que "*hacia 1470, en la década que precede al establecimiento de la Inquisición, la inmensa mayoría de los maranos (o mejor conversos) estaban cristianizados, no tenían intención de vover al judaísmo y, por tanto, no lo practicaban en secreto*[844]". De parecido criterio es el profesor Netanyahu, que demostró que el pretendido criptojudaísmo medieval era una invención de la

---

[839] AHPZ, Caja 12, Nº 7; Proceso inquisitorial contra Johan Daça, p. 124. VEASE APÉNDICE DOCUMENTAL PROCESOS DE INQUISICIÓN.

[840] AHPZ, Caja 12, Nº 7; Proceso inquisitorial contra Simón de Santa Clara, p. 63 vto. VEASE APÉNDICE DOCUMENTAL PROCESOS DE INQUISICIÓN.

[841] AHPZ, Caja 11, Nº 5; 89/5; Proceso inquisitorial contra María López, p. 14 vto. VEASE APÉNDICE DOCUMENTAL PROCESOS DE INQUISICIÓN.

[842] LOPEZ ASENSIO, A.; Op. Cit. "*Sabiduría judía de Calatayud y Sefarad*", p. 263 ss.

[843] Abraham ben Sem Tob Bibago (falleció antes del 1489). Filósofo, traductor y comentarista de las obras de Aristóteles, nació en Aragón y vivió en Huesca, contribuyendo a crear allí un centro de cultura hebrea; pasó más tarde a Zaragoza, donde dirige la academia rabínica. Solía predicar en la sinagoga los sábados y dais festivos. Participó en numerosas disputas con teólogos cristianos en la corte de Juan II de Aragón (1458-1479), dirigiendo buena parte de su actividad a confirmar en la fe judía a los inclinados a la conversión. influyó en pensadores como Açach Arama. Escribió obras como: "*Comentario a los Anaytia posteriora de Aristóteles*", un "*Comentario a la física de Aristóteles*", un "*Comentario a la metafisica de Aristóteles*" y otra titulada "*Es hayyim*" contra los argumentos aristotélicos a favor de la eternidad del mundo.

[844] MORÓN ARROYO, C. (traductor); "*Los marranos españoles según las fuentes hebreas de la época (siglos XIV-XVI)*", Valladolid, 2002, p. 127.

Inquisición para perseguir a los conversos[845].

Frente a estas hipótesis, la documentación inquisitorial confirma que los conversos bilbilitanos tuvieron reuniones perfectamente organizadas y secretas con un objetivo común: judaizar. A pesar de ello, no podemos afirmar que existió un movimiento criptojudío propiamente dicho en Aragón, pero sí cierta conexión grupal de conversos que podrían hacernos pensar en ceremonias secretas para reafirmar su fe judía y rechazar la cristiana. Veamos, en los siguientes capítulos, alguna de estas reuniones celebradas en Zaragoza y Calatayud.

6.3.1.2.- REUNIONES SECRETAS DE CONVERSOS EN ZARAGOZA

En el proceso de Inquisición que juzga al converso zaragozano, Jayme de Montesa[846], hemos encontrado un interesante documento (fechado el 25 de agosto de 1486) que confirma la existencia del fenómeno criptojudío en la capital del reino. El vecino de Zaragoza, Miguel de Almaçan, declara ante la Inquisición que asistió a una reunión secreta de conversos en Semana Santa. Resumamos la descripción de la ceremonia en los siguientes puntos, para hacerlo más comprensible.

- El testigo, Miguel de Almaçan, acompañó a su madre (sobre las ocho o nueve de la mañana) a casa de micer Gonçalvo García de Sancta María, después de que hubieran predicado en las Iglesias de la ciudad el Sermón de la Pasión.

- Una vez allí, *"do en huna sala baxa que esta alinet de la scalera de la dicha casa, la qual sala no tiene ventanas algunas a la carrera sino pa dentro de la casa, que es lugar muy secreto y dentro de la dicha sala hay huna retreta, siquiere estudio, et alli entro con su madre delante della".* A la sala les dejó entrar Pedro de Almaçan, que hacía de portero.

- Dentro vio *"como tenia hun grant crucifixo finquado el piet de aquel en el suelo del dicho estudio el qual cruciffixo hera de fusta de cipres y tenian hun fagoril de brasas grande ardiendo".* También vio *"dentro del dicho estudio que estava hun grant libro abierto scripto en ebrayco el qual estava encima de huna cadilla".*

- En esos momentos, *"dexavan ya de açotar el dicho crucifixo".* Los azotadores eran Johan Berenguer (corredor de oreja de la ciudad) y Ortigas el viejo. *"Et vio este deposant como de los que estavan alli havia algunos dellos vestidos con clocha de luto et capirotes todos de piedes et inclinados los cuerpos cara adelante con los braços plegados".*

- También estaban vestidos otros que representaban a personajes de la Pasión: *"Johan de Pero Sanchez con hun contracto en la mano et dizian que hera Pilatus el segundo era Johan de Johan Sanchez dizia que era Anias et Loys de Johan Sanchez era Judas... e Johan de Sancta Cruz era longinos con huna lança en la mano et micer Alffonso Sanchez estava con hun roquet blanquo".* El estudio o estancia estaba llena de hombres y mujeres.

---

[845] ALCALÁ GALVE, A.; Op. Cit. *"Notas sobre la motivación política de la Inquisición: sus variantes en la francesa, castellana y aragonesa"*, p. 310.

[846] VEASE APÉNDICE DOCUMENTAL Nº 19.

- Cuando se dieron cuenta de que el testigo había entrado sin invitación (no así su madre) *"fizieronlo sallir, luego dixieron mal al dicho Pedro Dalmaçan, portero porque lo havian dexado entrar"*.

- Terminada la ceremonia, todos los conversos asistentes *"fizieron muy grant fiesta de gallinas en casa de su padre aquel mesino diade alegrias et que le dixo que asi fazian todos los otros conversos en sus casas. Dize mas que el dicho su padre deste testigo le dixo como aquel dia havia sermonado mestre Viana, maestro de los Sanchez, en ebrayco a todos aquellos conversos"*.

- Ya en casa, el testigo *"demando al dicho su padre este deposant que pa que tenian alli aquel fuego, respouso le que para que quando huviessen acabado el oficio havian de cremar aquel crucifixo"*.

6.3.1.3.- REUNIONES SECRETAS DE CONVERSOS EN CALATAYUD

Tenemos constancia documental de que, en Calatayud, también había reuniones secretas de conversos para hacer ceremonias *judaycas*. No sabemos nada sobre los ritos y ceremonial empleado, pero es de suponer que leían la Torá y pasajes de la Biblia hebrea o *Tanaj*, además de predicar y rezar en *ebrayco*. Es muy probable que no utilizaran símbolos de culto judíos (la *menorá* o candelabro de siete brazos, el *talit* o cubre cabezas, los *tefilim* o filacterias, etc.) ya que, en caso de ser sorprendidos por alguien, podía utilizarse como prueba irrefutable contra ellos ante la Inquisición.

- El 16 de abril de 1488, la vecina de Calatayud, Johana de Santa Clara (mujer de Johan Gil), explica ante la Inquisición que juzga al converso bilbilitano, Pedro de Santa Clara (alias el platero) que, hacia 1482, vio por dos veces como su padre *"saquo de un cantaro verven que tenia en la bodega de la casa del dicho Pedro el platero, uno ruello (rollo) de pargamino, empo que no sabe por que se lo tenia ni que se era ni que se havia escripto en el dicho rollo de pagamnino y que lo saquava escondido por que sta depossante no la viesse. E dize mas esta depossante que vio como en aquellos dias que el dicho su padre saquo el dicho ruello de pergamino vinieron a casa del dicho su padre desta deposant: Speranden Ram y Alvaro de Segobia y rabi royo que se havia tornado cristiano, los quales ensemble con el padre de esta deposant con el dicho ruello de pargamino se dentrant en un palacio de la dicha casa y que esta depossante les hoya favlar a todos los quartos sussodichos quasi disputando y confabulando empo que no sabe que es lo que se favlava ni de que disputaban*[847]*"*.

- El 27 de marzo de 1511, el vecino de Calatayud, Johan de Urrea, testifica ante la Inquisición que juzga al vecino de Sestrica, Pedro Ximenez, que *"hoyo dezir a uno llamado mossen Pedro Lopez, beneficiado de Sant Andres de Calatayut, que una moça del dicho Pedro Ximenez le havia dicho que los sabados se juntavan en casa del dicho Ximenez los cristianos nuevos e que se juntavan pa hazer alguna cirimonia judayca y*

---

[847] AHPZ, Caja 7, Nº 7; Proceso inquisitorial contra Pedro de Santa Clara, el platero, p. 14 vto. VEASE APÉNDICE DOCUMENTAL PROCESOS DE INQUISICIÓN.

que sta moça dize que agora esta en exea y que no sabe como se llama ni de quien es fija[848]".

6.3.2.- LOS CONVERSOS NO OBSERVAN LOS PRECEPTOS CRISTIANOS

6.3.2.1.- LOS CONVERSOS NO SUELEN IR A MISA

En el siglo XV los cristianos no solían ir mucho a misa, excepto los domingos y fiestas de guardar porque era preceptivo en estas ocasiones y a nadie se le ocurría hacerlo a diario. La comunión sólo se hacía una o dos veces al año, coincidiendo con el Jueves y Viertes Santo. La participación en la eucaristía era meramente testimonial, de hecho, sólo se prestaba interés en el momento de la consagración, de ahí que el monaguillo tocase la campanilla para advertir a los fieles del momento culminante. Incluso la gente que estaba fuera de las iglesias entraban, en esos momentos, para ver la Sagrada Hostia y el Cáliz levantados por el sacerdote: la presencia real de Jesucristo en el Altar.

También algunos judeoconversos de Calatayud solían ir a misa cuando era preceptivo para que los vieran y cumplir con parroquia. Aún así, siempre que podían, dejaban de asistir porque aquello no tenía gran significado religioso para ellos. Al igual que muchos cristianos, tampoco solían santiguarse ni en público, ni en privado. Aunque la gente apenas se percataba de ello, su actitud no pasaba inadvertida para las mozas del servicio doméstico, quienes llegaron a denunciar tal comportamiento en los tribunales de la Inquisición, como así sucedió con las de Alfonso de Santa Cruz y Jacobo Álvarez.

- El 25 de enero de 1488, la vecina de Calatayud, Hacerina (mujer de Bartholome Fustero), asegura ante la Inquisición que juzga el converso bilbilitano, Alfonso de Santa Cruz, que *"en todo hun anyo que en la dicha casa estuvo (a su servicio) nunqua a la dicha su duenya vio yr a misa excepto hun dia que huna su fixa, madre de Ferran Lopez, medio por fuerça la levo a misa a San Pedro Martir[849]".*

- El 22 de julio de 1488, la vecina de Penya Baltasar (Castilla), Elysia Mazateron, atestigua ante la Inquisición que juzga al converso bilbilitano, Jacobo (Jayme) Álvarez, que *"en el mesmo tiempo y por espacio de dos anyos y medio que este deposant estuvo en la casa y servicio de los dichos Jayme Álvarez y de su muger nuqua los vio santiguar ni los vio yr a missa sino los domingos[850]".*

Parece que tampoco frecuentaban con asiduidad la iglesia parroquial los conversos de Bubierca, Gonçalvo de Huete y su mujer María que, movidos por su incredulidad, no dejaban que su sirviente, Fernando de Angulo (vecino de Carenas), fuese al templo a poner velas de sebo (lamparillas) porque creían que eso era "humo" o mentira.

---

[848] AHPZ, Caja 20, N° 15; Proceso inquisitorial contra Pedro Ximénez, p. 22. VEASE APÉNDICE DOCUMENTAL PROCESOS DE INQUISICIÓN.

[849] AHPZ, Caja 12, N° 7; Proceso inquisitorial contra Alfonso de Santa Cruz, p. 119. VEASE APÉNDICE DOCUMENTAL PROCESOS DE INQUISICIÓN.

[850] AHPZ, Caja 12, N° 7; Proceso inquisitorial contra Jacobo Álvarez, p. 176 vto. VEASE APÉNDICE DOCUMENTAL PROCESOS DE INQUISICIÓN.

- El 18 de febrero de 1489, el vecino de Carenas, Fernando de Angulo, testifica ante la Inquisición que juzga al bubiercano, Gonçalvo de Huete, que *"vino a el una mujer llamada Maria, mujer de Gonçalvo el sastre de Carenas, la qual dixo a este deposant que el dicho su marido no le dexava levar candela ni oblada a la yglesia por mas de ocho meses, por quanto le dezia que levar candela y oblada a la yglesia todo era fumo*[851]*"*.

- El 22 de de agosto de 1509, el Procurador Fiscal de la Inquisición, acusa al vecino de Bubierca, Gonçalvo de Huete, que *"no dexa llevar candela ni oblada a la yglesia diziendo que todo era fumo y burleria"*.

6.3.2.2.- LOS CONVERSOS NO GUARDAN LA CUARESMA

La palabra cuaresma proviene de la raíz latina *quadragesima*, es decir, un período litúrgico de cuarenta días (de ahí su nombre) que comienza el miércoles de ceniza y termina el Jueves Santo. En este tiempo, la Iglesia invita a todos los creyentes a la penitencia como camino que lleva a la conversión y renovación interior, es decir, a profundizar en las debilidades humanas para que, en Semana Santa, el hombre viva su particular pasión: morir al pecado (al no amor) y resucitar con Jesucristo a una vida nueva que tenga como fundamento el amor.

La cuaresma estuvo muy arraigada en la sociedad medieval. Para facilitar la conversión, los cristianos eran llamados a reforzar su fe mediante el ayuno y la abstinencia de carne (incluidos los días de Semana Santa). En casi todos los lugares, especialmente en las ciudades, se disparaba el consumo de congrio seco, *saladura* de bacalao y todo tipo de pescado fresco, sazonado o ahumado. Aunque la Iglesia también recomendaba durante este período no mantener relaciones sexuales durante ese período, precepto que no realizaban los fieles, ella no tenía capacidad real para controlar en casi nada la vida privada de los creyentes.

Algún converso de judío de Calatayud no la vivía con tan fervorosa devoción como los cristianos viejos. Mientras que unos no probaban pescado en toda la cuaresma, sino que preferían *comer carne estando sanos* (como la difunta María Daça y Gilabert de Santa Cruz, vecinos de Calatayud), otros, por el contrario, lo comían cuando les parecía, incumpliendo así la abstinencia que recomendaba guardar la Iglesia (como los bilbilitanos Anthon Ximénez de Rueda y Pedro de Santa Clara, alias el *çedaçero*). Incluso los días de Semana Santa, concretamente el Viernes Santo, no guardaban el ayuno ni la abstinencia de pescado.

El 18 de marzo de 1488, la vecina de Nuévalos, Justa (mujer de Bartholome), expone ante la Inquisición que juzga a la conversa bilbilitana, María Daça (difunta) que, hacia 1453, vivió un año con la acusada y su marido y *"dize que vio como los dichos sus amos comian en cuaresma y la dicha su Duenya comia carne toda la cuaresma y la Semana Sancta estando sanos*

---

[851] AHPZ, Caja 20, Nº 15; Proceso inquisitorial contra Gonçalvo de Huete, p. 54. VÉASE APÉNDICE DOCUMENTAL PROCESOS DE INQUISICIÓN. Lo que se infiere de la declaración es que el sastre no le deja llevar ofrendas mortuorias (oblada y candela) por más de ocho meses. Ello indica, fundamentalmente, que el sastre no quiere asumir ese gasto comprometido (generalmente durante un año) por el alma de algún difunto de la familia. Se intuye más una cuestión económica como explicación de la negativa de creencia en el poder de las ofrendas en el tránsito del alma hacia el más allá.

y que en la Senyora Semana Sancta le truyo a la dicha su Duenya carne guisada de la juderia la qual ella comio[852].

- El 4 de junio de 1488, el bilbilitano, Pedro de Santa Clara (el çedaçero), declara ante el Procurador Fiscal de la Inquisición que *"muchos dias de viernes et sabados en quaresma e en otros dias prohibidos en carnal stando sano ha comido carne y esto porque la saladura y el pexcado le fazian mal*[853].

- El 8 de junio de 1488, el vecino de Terrer, Johan Garçez, expone ante la Inquisición que juzga al converso bilbilitano, Gilabert o Gabriel de Santa Cruz (difunto), que *"vio como comia el dicho Gilabert de Sancta Cruz carne en la quaresma estando sano y esto sabe este testimonio porque la traya de la carniçeria de los cristianos por mandado suyo y el sey de yva con este testimonio a la carniceria y la comprava y gela mandava levar a casa, y esto vio que fazia el dicho Gilabert la mas de la cuaresma*[854].

- El 15 de agosto de 1488, el judío de Daroca, Bienvenist Arruet, manifiesta ante la Inquisición que juzga al converso bilbilitano, Anthon Ximénez de Rueda (difunto), que *"vio como comia carne de la juderia y su hamin en el sabado fecho del viernes el qual se fazia en la dicha casa de la dicha carne y comian de la dicha carne en toda la cuaresma y en la semana sancta y en viespras de fiestas de cristianos*[855].

Uno de los manjares cárnicos que preferían comer los judeoconversos en cuaresma eran las perdices y los *torcaços* que, a veces, guisaban con un trozo de congrio, como así lo preparó Johan de Sayas (vecino de Calatayud) y Luys de Heredia (vecino de Villarroya). Este plato también contradecía los preceptos cuaresmales mandados observar la propia Iglesia.

- El 28 de febrero de 1488, el judío de Calatayud, Simuel Azán, dice ante la Inquisición que juzga al vecino de Villarroya de la Sierra, Luys de Heredia, que, hacia 1485, *"en quaresma vio este testimonio como huno llamado Luys de Heredia fijo de Francisco de Heredia el tuerto, el qual dicho Luys agora esta casado en Villaroya, vino con Mosse Constantin de camino aposentarse en la casa del dicho Mosse Constantin y el dicho Luys de Heredia trahia huna perdiz a este deposante no le acuerda si era afogada o de degollada, y el dicho Luys dixo quiero me comer esta perdiz, el qual aso la dicha perdiz y se la comio seyendo en quaresma en la casa del dicho Mosse Constantin y sabelo este testimonio por quanto el lo vio asi como de la de arriba lo ha deposado y dicho e vido como el dicho Luys de Heredia estava sano*[856].

---

[852] AHPZ, Caja 12, N° 7; Proceso inquisitorial contra María Daça, p. 183. VEASE APÉNDICE DOCUMENTAL PROCESOS DE INQUISICIÓN.

[853] AHPZ, Caja 9, N° 1; Proceso inquisitorial contra Pedro de Santa Cruz, p. 15 vto. VEASE APÉNDICE DOCUMENTAL PROCESOS DE INQUISICIÓN.

[854] AHPZ, Caja 12, N° 7; Proceso inquisitorial contra Gabriel de Santa Cruz, p. 95 vto. VEASE APÉNDICE DOCUMENTAL PROCESOS DE INQUISICIÓN.

[855] AHPZ, Caja 12, N° 7; Proceso inquisitorial contra Anthon Ximénez de Rueda, p. 31 vto. VEASE APÉNDICE DOCUMENTAL PROCESOS DE INQUISICIÓN.

[856] AHPZ, Caja 9, N° 1; Primer proceso inquisitorial contra Luys de Heredia, p. 6 vto. VEASE APÉNDICE DOCUMENTAL PROCESOS DE INQUISICIÓN.

- El 28 de marzo de 1488, el vecino de Calatayud, Martin de San Esteban, explica ante la Inquisición que juzga al bilbilitano, Johan de Sayas (difunto), que *"hun dia de cuaresma tenia para comer hun pedaço de congrio y hun par de torcazos todo junto en huna olla y este testigo por saber si era verdat se fue al dicho Johan de Sayas y dixo le han me dicho que en quaresma teniays huna olla de congrio con hun par de torcazos para comer y el dicho Johan de Sayas dixo a este testigo pues que la han fallado verdat es tu eres rrancio que no comes destos comeres y esto es de nuestro comer diziendo por los torcazos y tu comer es el congrio*[857].

La carne no la mercaban directamente de las carnicerías cristianas para no ser vistos, sino que la mandaban comprar a sus criados o, incluso, a sus parientes y amigos judíos del macelo de la aljama, sobre todo en los días de Semana Santa[858]. Estos también solían llevarles carne guisada en el *hamin*[859] que preparaban los viernes por la tarde para celebrar el *sabbat*.

6.3.2.3.- LOS CONVERSOS NO GUARDAN LAS FIESTAS CRISTIANAS

Aunque todo el mundo dejaba de trabajar durante las principales festividades mandadas guardar por la Iglesia (Navidad, Semana Santa, el *Corpus Cristi*, San Juan Bautista de junio, San Pedro y Pablo, la Ascensión, la Virgen de agosto, San Miguel de septiembre, etc.), parece que los judeoconversos bilbilitanos también descansaban para no levantar sospechas.

En la documentación estudiada se observa que a ellos les gustaba cumplir las fiestas hebreas y comer de sus viandas *judaycas*. Por miedo a las críticas y rechazo de la sociedad cristiana, los más observantes de la Ley hebrea preferían celebrarlas en la intimidad del hogar[860] y como así hacían los propios judíos en el *sabbat*, las tres Pascuas (la de los ácimos o *pascua del pan cotaço*, la de las semanas o *pascua de mayo*, y la de los tabernáculos o *pascua de cabanybelas*) y los tres ayunos (el del *quipur*, el del *purím* o *ayuno de la reyna Ester* y, por último, el de la *hannuká*). A pesar de que en esos días tan señalados solían dar fiesta al personal del servicio para que no les molestaran, lo cierto es que en alguna ocasión se quedaron y vieron como las conmemoraban. Más tarde les acusarán ante la Inquisición de haber practicado tales festividades y comportamientos que, según ellos, eran *judaycos*. Veamos algunos ejemplos.

- El 8 de agosto de 1489, el judío de Calatayud, Brahem Alpastan, manifiesta ante la Inquisición que juzga al bilbilitano, Anthon de Santangel (difunto), que *"hun tio deste*

---

[857] AHPZ, Caja 12, N° 7; Proceso inquisitorial contra Johan de Sayas, p. 42. VEASE APÉNDICE DOCUMENTAL PROCESOS DE INQUISICIÓN.

[858] Las carnicerías judías solían servir mejor carne que las cristianas y de más variedad, por lo que era habitual que muchos cristianos comprasen en ellas. Ante las quejas de los carniceros cristianos, las autoridades locales suelen emitir disposiciones prohibiendo esta práctica, sin demasiado éxito. Es una razón de calidad y de modo en que gusta comer la carne(degollada y por tanto desangrada), más que una opción de compra de una carne kasher sacrificada y despiezada de forma ritual.

[859] LOPEZ ASENSIO, A., Op. Cit. *"Costumbres judías..."*, p. 219. Mientras las mujeres preparan (el viernes por la tarde) todo lo necesario para la celebración del *sabbat*, se va cocinando a fuego lento (en el hogar de la casa) el *hamín* que comerán al día siguiente, el sábado al medio día(621). La costumbre tiene su origen cuando los judíos guardaban el maná en el desierto de un día para otro. Pasada la jornada los gusanos se lo comían todo, salvo el que cocían del viernes para el sábado.

[860] LOPEZ ASENSIO, A., Op. Cit. *"Costumbres judías..."*, p. 211.

testimonio llamado Alpastan judio y este testigo fueron muchas vezes en dias senyalados de fiestas de cristianos como son Sant Johan, corpus Cristo, Sant Pedro y Sant Marcal (Marcial) a casa de Benito Ram el largo, notario que vivia en la Rua, fijo de Benito Ram, e vio en aquellos dias comer en la dicha casa a los dichos Benito Ram y a Anton Ram y a Benito Ram, notario, fijos suyos y a una nieta con este testimonio y al dicho su tio, de las viandas judaycas quel dicho Alpastan judio havia fecho apexar en la dicha casa de Benito Ram, y vevian del vino judayco y estuvieron a la vendicion de la mesa quel dicho Alpastan judio fizo[861]".

- 4 de junio de 1490, el judío de Calatayud, Jehuda Benardut, testifica ante la Inquisición que juzga al converso bilbilitano, Johan Daça (difunto), que el acusado y su mujer "*por otras pascuas les trayan pan de pascua y guardavan los dos las pascuas de los judios e los sabados y ayunavan el ayuno de quipur que hazen los judios y que la muger del dicho Joan Daça dava olio para la sinoga y limosna y esto le dixieron los dos marido y muger en secreto rogandole mucho que no lo dixiesse a ninguno*[862]".

6.4.- LA DOCTRINA RELIGIOSA DE LOS CONVERSOS

6.4.1.- INTRODUCCIÓN

Las comunidades socio-religiosas medievales (cristianos, musulmanes y judíos) tenían en común tres aspectos doctrinales que les unía, pero que no fueron suficientes para superar los graves conflictos de convivencia que tuvieron durante la baja Edad Media: la herencia espiritual de Abraham; el origen geográfico Oriental; y la creencia en un Dios personal, trascendente y único que se ha revelado a los hombres.

Si el judaísmo cree que esta revelación se ha manifestado a través de Moisés, de los profetas y de los hagiógrafos (autores de los libros sapienciales o *ketubim*); el cristianismo sostiene que dicha revelación se ha manifestado ya en Jesucristo. El Islam, por el contrario, mantiene que ha sido través de Mahoma[863].

A lo largo de la Edad Media, los judíos y cristianos tuvieron que hacer frente a problemas comunes, aunque las soluciones no siempre fueron fáciles. Unos y otros tuvieron que enfrentarse al paganismo, a las herejías doctrinales, a la conciliación entre fe y razón y, sobre todo, a la posibilidad de incorporar o no -en sus respectivas doctrinas- los principios filosóficos del neoplatonismo y del aristotelismo[864], entre otros temas secundarios.

Aunque en ambas religiones encontramos coincidencias en cuestiones morales y teológicas (la visión de Dios en el mundo, la creación, la naturaleza del hombre y su lugar en el universo, la providencia, la *Alianza* del Sinaí, la Biblia, así como los valores religiosos, éticos y humanos que de ella se desprenden, etc.); también tienen grandes discrepancias en el orden doctrinal, sobre

---

[861] AHPZ, Caja 20, Nº 15; Proceso inquisitorial contra Anthon de Santangel, p. 16 vto. VEASE APÉNDICE DOCUMENTAL PROCESOS DE INQUISICIÓN.

[862] AHPZ, Caja 12, Nº 7; Proceso inquisitorial contra Johan Daça, p. 133 vto. VEASE APÉNDICE DOCUMENTAL PROCESOS DE INQUISICIÓN.

[863] LOPEZ ASENSIO, A.; Op. Cit. "*Sabiduría judía de Calatayud y Sefarad*", p. 89.

[864] SÁEZ BADILLOS, A.; "Judaísmo y cristianismo, muchas heridas a flor de piel, ¿alguna posibilidad de covergencia?", *en Sal Terrae, 1997*, p. 3.

todo en la aceptación de algunos dogmas cristianos (Trinidad, encarnación, virginidad de María, redención, resurrección, iglesia, papado, sacramentos, sacerdocio, etc.).

Los procesos de Inquisición estudiados indican la gran contradicción emocional y doctrinal que tuvieron que vivir los conversos de Calatayud (no convencidos de la fe cristiana). Por un lado sentían nostalgia y una firme convicción por las creencias judías y, por otro, debían creer en una doctrina eclesial que les era completamente ajena y vacía de contenido. Veamos a continuación gran parte de los comentarios, refranes, blasfemias y herejías que los conversos bilbilitanos dijeron públicamente contra los fundamentos doctrinales y sacramentales del Magisterio de la Iglesia.

6.4.2.- LOS CONVERSOS DUDAN DE LA FE Y VIDA ETERNA

6.4.2.1.- DUDAS SOBRE QUE FE ES LA VERDADERA

Los judíos cimientan su fe en las promesas hechas por Yahvé a su Pueblo. Creen de tal modo en Yahvé, que para ellos no hay nada más que él, y los mandamientos y preceptos que reveló a Moisés en el monte Sinaí. Esta revelación ha sido puesta por escrito en la Torá.

Los judíos afirman que los cristianos han tomado prestado dicha revelación bíblica para deformarla con sus propios comentarios, doctrina y dogmas. Además creen que los cristianos aceptan sus libros sagrados por fe y tradición, y no por el testimonio de los que realmente presenciaron los acontecimientos salvíficos: el propio Pueblo de Israel, el *pueblo escogido* (Ex 19, 5-6).

Aunque los conversos bautizados de Calatayud dudaban sobre cual de las dos religiones era la verdadera, en el fondo siempre manifestaron que la Ley de Moisés fue la primera y, por consiguiente, la *buena*. Sostienen también que la Ley de los cristianos se ha fundamentado en la tradición, raíces, textos y Ley de Moisés, por lo que la consideran *burla*. Las enseñanzas religiosas que recibieron de sus padres judíos y de la propia escuela aljamial, suscitará siempre en ellos un sentimiento religioso de empatía hacia el judaísmo.

- El 18 de enero de 1488, el Vicario de la Iglesia de Alhama de Aragón, Bartolome Cetina, testifica ante la Inquisición que juzga al bilbilitano, Johan Pérez de Santa Fe (alias de Ariza) que, hacia 1458, regresando a Calatayud con el acusado y con Johan Fierro y Gonçalvo,"*vinieron en disputa de la Ley de los cristianos y de los judios y que despues de haver disputado grande rrato dixieron no sabemos qual dellos es la mejor fagamos bien que quien bien fara bien habra, y que se dava a guarda desde testimonio porque el dicho Gonçalbo Harxaran dixo de que se dio aguarda del, y este es converso y el dicho Johan Fierro dixo ya ha jurado por converso*[865]".

- El 17 de marzo de 1488, el judío de Calatayud, Jehuda Gargonya, manifiesta ante la Inquisición que juzga al converso bilbilitano, Simón de Santa Clara (difunto), que "*viniendo huno llamado Simon de Sancta Clara dixo algunas vezes hablando este deposante con el dicho Simon de Sancta Clara dixo muchas vezes el dicho Simon a este*

---

[865] AHPZ, Caja 9, Nº 10; Proceso inquisitorial contra Johan Pérez de Santa Fe, p. 26. VEASE APÉNDICE DOCUMENTAL PROCESOS DE INQUISICIÓN.

deposante que no creya nada de la ley de los cristianos sino que todo era burla a la ley de los judios[866]".

- El 11 de junio de 1488, el judío de Calatayud, Yuçe Azarias, declara ante la Inquisición que juzga al Bilbilitano, Johan Pérez de Santa Fe (alias de Ariza) que, hacia 1482, "*favlando de las leyes huno llamado Johan Perez de Fariza preso por el officio de la Sancta Inquisicion dixo a este deposante que andamos hunos por aqua, otros por alla ya sabemos que la Ley de Moysen fue la primera y aquella es la que vale y assi entramos los dichos Johan Lopez Coscollan y Johan Perez de Fariza se tomaron a reyr de lo sobre dicho[867]*".

- El 13 de agosto de 1488, el judío de Calatayud, Yuçe Çadoch, afirma ante la Inquisición que juzga al bilbilitano, Anthon de Santangel (difunto), que "*creyia que la creheura que los cristianos creyian falsa y errada e que pues stava entrellos no podia fazer otro sino de simular como quien que creyia lo contrario de lo que demostrava[868]*".

- El 1 de septiembre de 1488, el judío de Calatayud, Mosse Alpastán, afirma ante la Inquisición que juzga al converso bilbilitano, Simón de Santa Clara (difunto), que le dijo "*quasi que pensays Mosse Alpastan ni de la Ley de los cristianos ni de la de los judios ni de la de los moros no sende puede saber la verdat de mi os digo que creo que no ay sino nacer y morir y que lo que del otro mundo se dizia que era burla que ninguna ende venia ninguno que lo que a el le parecia era mercar trigo a ocho o a diez dinero el cafffiz y venderlo a trenta sueldos[869]*".

- El 16 de octubre de 1488, el judío de Valladolid, Yuçe Çarfati, testifica ante la Inquisición que juzga al converso bilbilitano, Ferrando López (difunto), que "*un dia que los christianos fazian precession porque no llovia y passando la procession de los christianos por el mercado de la dicha ciudat uno llamado Ferrando Lopez el mudo, mercader que mora encima de las carnicerias cerradas, en unas casas que havian seydo de paranico en la dicha ciudat estava, ay en el mercado de la dicha ciudat juntamente con este testimonio y como vio la procession por quanto havian echado pena de al que no ffuesse a la procssion, dixo el dicho Ferrando Lopez a este testimonio: poneos me delante que no me vean, e assi este testimonio lo fizo pusose delante y passo la proçession y no lo vieron, en pues de passada la proçession dixo el dicho Ferrando Lopez: o de los borrachos quientos vienen cantando duelos les vengan pa que se han enborrachado pienssa que los havia de oyr Dios no bivan mas que Dios los oya, y esto dizia el dicho Ferrando Lopez faziendo se escarnio de la procession y de los que binian en ella y assi razonando este testimonio deposant con el dicho Ferrando Lopez dixo le el dicho Ferrando Lopez a este testigo deposant: y vosotros saquays la Tora porque plueva (llueva), entonces dixo este testimonio si essas oras dixo el dicho Ferrando Lopez el mudo verdaderamente no creo que haya otra cosa sino la Ley de Moysen que yo he leydo la biblia y fallo que no ay otra cosa sino lo que en ella esta escripto senyaladamente*

---

[866] AHPZ, Caja 12, N° 7; Proceso inquisitorial contra Simón de Santa Clara, p. 70. VEASE APÉNDICE DOCUMENTAL PROCESOS DE INQUISICIÓN.

[867] AHPZ, Caja 9, N° 10; Proceso inquisitorial contra Johan Pérez de Santa Fe, p. 87. VEASE APÉNDICE DOCUMENTAL PROCESOS DE INQUISICIÓN.

[868] AHPZ, Caja 12, N° 8; Proceso inquisitorial contra Anthon de Santangel, p. 8. VEASE APÉNDICE DOCUMENTAL PROCESOS DE INQUISICIÓN.

[869] AHPZ, Caja 12, N° 7; Proceso inquisitorial contra Simón de Santa Clara, p. 72. VEASE APÉNDICE DOCUMENTAL PROCESOS DE INQUISICIÓN.

hoviendo leydo tantas maravillas que fazia la Tora, y que el dicho Ferrando Lopez el mudo dixo que tenia grant devocion en la dicha Tora[870]".

6.4.2.2.- DUDAS ESCATOLÓGICAS: LA VIDA DESPUÉS DE LA MUERTE

6.4.2.2.1.- Cada uno se salva en su fe

El objetivo de la Iglesia, sobre todo en la Edad Media, era convertir al Pueblo judío a la fe cristiana. En aquella época, el cristianismo condenaba a todo aquel que no creía en Jesucristo y no cumplía sus Mandamientos de amor: la salvación era sólo para el creyente cristiano. La Iglesia estaba convencida de que *"extra eclesia nulla salus"* (fuera de la Iglesia no había salvación posible).

El judaísmo piensa que todos los hombres (tanto judíos como gentiles) pueden alcanzar la salvación, siempre que vivan los peceptos *noaquíticos* que resumen los Mandamientos de Yahvé. Según la tradición rabínica, estos preceptos obligan a toda la humanidad[871]; mientras que el cumplimiento estricto de la Ley sólo obliga al Pueblo de Israel.

Esta concepción hizo que los judíos respetaran a los que no creían o pensaban como ellos. Por ello, no es de extrañar que los conversos digan en los procesos de Inquisición que *"tambien se podia salvar el judio en su ley, como el cristiano en la suya"*. Los judíos (al igual que los conversos) creían que todo aquel que cumpliera los Mandamientos de Dios, en cualquiera de las tres religiones, conseguía la salvación de Dios. Recordemos que las tres religiones del libro (cristianos, judíos y musulmanes) fundamentan su fe en el Dios de Abraham, por lo que la fe será el nexo de unión de todas ellas.

- El 12 de enero de 1488, compadece ante la Inquisición el vecino de Calatayud, Johan Pérez de Santa Fe (alias de Ariza), diciéndoles: *"que mehan oydo dezir y afirmar yo haver dicho que el jodio y el moro cadauno en su Ley se pueden salvar e yo digo seyer possible haverlas dicho y no con entençion de mal entendimiento sino que veniendo o reduziendose a la Ley de Christo cadauno de qualquiere Ley se pudiesse salvar y aun mas sennores padres sedize que mehan oydo que no es mas la vida de hun hombre que de hun gusano y creo haver lo dicho y no a la intençion que lo han interpretado sino por alguna comparaçion y no seyer mi mala intençion ni se assi antes el contrario siempre teniendo y creyendo todo aquello que la sancta madre yglesia tiene e crehe como fideliisimo christiano[872]"*.

- En junio de 1488, el Procurador Fiscal de la Inquisición interroga a la bilbilitana, Catalina de Funes, quien le dice que *"a dicho muchas palabras hereticales*

---

[870] AHPZ, Caja 12, N° 7; Proceso inquisitorial contra Ferrando López, p. 150 vto. VEASE APÉNDICE DOCUMENTAL PROCESOS DE INQUISICIÓN.

[871] Los preceptos *noaquíticos* son siete, a saber, abstenerse de la idolatría, blasfemia, incesto, asesinato, robo, comer miembro desgarrado de un animal vivo y el precepto de practicar justicia. Estos preceptos han sido incorporados en la moral de las religiones históricas, sobre todo cristianismo y mahometanismo que, a través de su extensión ecuménica, han posibilitado, de esa manera, la salvación de la humanidad. Esta razón es la que explica la actitud misionera judía.

[872] AHPZ, Caja 9, N° 10; Proceso inquisitorial contra Johan Pérez de Santa Fe, p. 5. VEASE APÉNDICE DOCUMENTAL PROCESOS DE INQUISICIÓN.

*senyaladament diziendo que la ley de Moysen era buena et daria salvacion et que
tambien se podia salvar el judio en su ley como el cristiano en la suya*[873]".

6.4.2.2.2.- Dudas sobre la Salvación del alma

Los cristianos entienden que Dios escoge a sus fieles para dar salvación y vida eterna a
todo aquel que cree en él. La fe y las obras son la promesa de la futura salvación después de la
muerte.

El Pueblo judío cree, por el contrario, que Yahvé es el Dios de todos, de vivos y
muertos. Si el Pueblo de Israel cumple los Mandamientos pactados en la *"Alianza del Sinaí"*, el
Dios de la vida los protegerá. Sin embargo, si no los cumple, Yahvé dejará de bendecirlos por
transgredir su *Alianza* (el pecado). Para que esto no suceda, el mundo judío hace hincapié en la
necesidad de normalizar las relaciones entre Yahvé y el hombre (transgredidas por el pecado que
supone la ruptura de la *Alianza*). Este es el único camino para alcanzar la salvación personal o
yesu'a (liberación, ayuda de Yahvé).

Los procesos de Inquisición revelan la gran confusión y desorientación que tenían los
conversos de Calatayud ante la visión escatológica (salvífica) de las dos religiones (cristiana y
judía), lo que alimentó un gran nihilismo en lo concerniente a la salvación del alma. Para ellos,
todo era *"sino nacer y morir y que el anima de hun perro entra en el cuerpo de hun hombre y la
del hombre en el cuerpo de hun perro con todo entiendo de encomendar mi anima a todas las
tres leyes"*, de ahí que duden sobre cuál de las tres religiones era la más adecuada en materia de
salvación.

- El 4 de febrero de 1488, el Procurador Fiscal de la Inquisición acusa, al bilbilitano Johan
  Pérez de Santa Fe (alias de Ariza), de haber dicho que *"el anima del buen judio iba a
  donde iba la del buen Cristiano y que el asi lo creya*[874]".

- El 28 de marzo de 1488, el vecino de Calatayud, Vicente Marquo, manifiesta ante la
  Inquisición que juzga al bilbilitano, Johan Pérez de Santa Fe (alias de Ariza), que estando
  en el mercado entró en discusión con el acusado, quien *"sallo a favor del dicho judio,
  respondio por el diziendo a los dichos labradores senquos lo haveys de comer y estantes
  sallio este testigo a favor de los cristianos, y dixo al dicho Johan Perez de Fariza no
  haveys verquença de favorecer al judio y dexar de favorecer a los cristianos y estantes el
  dicho Johan Perez de Fariza dixo a este testigo pues de muchas palvras que entre ellos
  huvieron de su Dios y de cristianos, y que Vicent Marquo ado pensays que va el anima
  del judio?, y este testigo dixo va do va el anima del asno e del mulo, y el dicho Johan
  Perez de Fariza dixo no va do vos dizis mas alla va el anima del buen judio donde va el
  anima del buen cristiano*[875]".

- El 22 de agosto de 1509, el Procurador Fiscal de la Inquisición, acusa a la vecina de

---

[873] AHPZ, Caja 14, Nº 8; Proceso inquisitorial contra Catalina de Funes, p. 8 vto. VEASE APÉNDICE DOCUMENTAL
PROCESOS DE INQUISICIÓN.

[874] AHPZ, Caja 9, Nº 10; Proceso inquisitorial contra Johan Pérez de Santa Fe, p. 9. VEASE APÉNDICE DOCUMENTAL
PROCESOS DE INQUISICIÓN.

[875] AHPZ, Caja 9, Nº 10; Proceso inquisitorial contra Johan Pérez de Santa Fe, p. 14 vto. VEASE APÉNDICE DOCUMENTAL
PROCESOS DE INQUISICIÓN.

Ateca, María Ximénez, que *"ha dicho en este mundo no me veas mal passar que en el otro no me veras penar*[876]*"*.

- El 13 de julio de 1488, el judío de Daroca, Açach Xuet, declara ante la Inquisición de juzga al converso bilbilitano, Johan Sayas (difunto), que *"seyendo este deposante tan mala vida fazia que ni bien era cristiano ni bien judio le dixo que entendia de fazer o qual ley queria seguir porque vo que vos no teneys vuestra ley y dezir mal de los judios y de su ley y de los moros y de su ley no se por el Dio que vos haveys de fazer en el otro mundo. E que le respuso tu loco eres no sabes que este mundo todo es ayre sino nacer y morir y que el anima de hun perro entra en el cuerpo de hun hombre y la del hombre en el cuerpo de hun perro con todo entiendo de encomendar mi anima a todas las tres leyes y la que mejor derecho tenga que se la bien*[877]*"*.

- El 10 de octubre de 1488, el judío de Calatayud, Yuçe Çarfati, afirma ante la Inquisición que juzga al bilbilitano, Johan Pérez de Santa Fe (alias de Ariza) que, hacia 1468, le hoyo decir *"que el creya que no havia sino nacer y morir y que todo era burla y que esta veya el porque leya en la "vision de lectoble" y assi oyendo esto este testimonio deposante le replico y dixo como dezis vos esto pues y ovo so desa opinyon entonces dixo el dicho Johan de Fariza verdade aviente si nada ya ovido verdadera hasydo la Ley de Moysen*[878]*"*.

6.4.2.3.- LA SALVACIÓN O CONDENACIÓN BÍBLICAS

6.4.2.3.1.- La salvación en la Biblia: la escatología

- Durante el período bíblico de la monarquía de Israel (desde el 1.000 al 333 a.C.) nace el dogma del *Seol*[879], palabra hebrea de origen desconocido que designa las profundidades de la tierra (Dt 32 12; Is 14, 9), a donde bajan los muertos (Gn 37, 35) y donde buenos y malos mezclados (1 Sam 28, 19; Sal 89, 49; Ez 32, 17-32) tienen una lúgubre supervivencia (Qo 9, 10), una vida reducida y silenciosa (Is 38, 18) donde no se alaba a Dios (Sal 6,6; Is 38, 18), ni tampoco se mantiene una relación con él (Sal 30, 10; 88, 6-11-13). Sin embargo, y para consuelo de los muertos, también el poder del Dios vivo se ejerce en aquella desolada morada (1 Sam 2,6; Sb 16, 13).

- En la época helenística (del 333 al 63 a.C.) surgió la teología sapiencial o *Ketubim* y, con ella, la esperanza de un juicio final donde Yahvé juzgará a cada persona por sus obras. El

---

[876] AHPZ, Caja 20, N° 15; Proceso inquisitorial contra María Ximénez, p. 11. VEASE APÉNDICE DOCUMENTAL PROCESOS DE INQUISICIÓN.

[877] AHPZ, Caja 12, N° 7; Proceso inquisitorial contra Johan de Sayas, p. 50 vto. VEASE APÉNDICE DOCUMENTAL PROCESOS DE INQUISICIÓN.

[878] AHPZ, Caja 9, N° 10; Proceso inquisitorial contra Johan Pérez de Santa Fe, p. 25. VEASE APÉNDICE DOCUMENTAL PROCESOS DE INQUISICIÓN.

[879] Todos los que morían descendían al *Sheol*, donde existía una igualdad absoluta para todos. Cuando Job deseaba haber muerto al nacer, añoraba: "ahora, muerto, descansaría, dormiría y reposaría con los reyes y los grandes de la tierra que se construyen mausoleos, con los príncipes ricos en oro y que llenan de plata sus moradas. Allí no perturban ya los impíos con sus perversidades, allí descansan los que codiciosos se afanaron, allí están en paz los esclavos, allí no oyen la voz del capataz, allí son iguales grandes y pequeños y el esclavo no está sometido al amo" (Job 3, 13-19).

Sheol aparece ya como un lugar reservado a los malos: *"su casa lleva a la muerte, y sus caminos a los Refaim[880]; cuantos entran, no vuelven más ni toman las veredas de la vida[881]"* (Prov 2, 18 ss.). En cambio el destino del sabio está en lo alto: *"el sabio va hacia arriba por el camino de la vida, para apartarse del Sheol, que está abajo"* (Prov 15,24).

- A partir de entonces, el judaísmo admitirá un *infierno* o *gehenna[882]* y un jardín del *paraíso* o *gan eden*. Si en un principio el *Sheol* era un lugar donde buenos y malos llevaban una vida semi-inconsciente, en la época helenística (siglo II a.C.) la idea teológica del *ganeden* y la *gehenna* de fuego confluyen para separar el destino que buenos y malos tendrán cuando resuciten en el día del juicio: los primeros gozarán en la tierra o *eden*, y los segundos serán castigados con suplicios en el valle de *hinnón* o *gehenna*. Pero hasta que el juicio llegue, todos (buenos y malos) van al *Sheol[883]*.

6.4.2.3.2.- El juicio final: la salvación o condenación eterna

1. La idea de un Dios-Juez tiene su génesis en la doctrina de la *Alianza* entre Yahvé y el Pueblo de Israel en el monte Sinaí. Desde el mismo momento que se materializó el pactó (*berit*) de la *Alianza,* Yahvé está realizando su juicio sobre el pueblo. A cambio les garantiza la salvación y la victoria sobre sus enemigos.

2. En una vertiente distinta, este *juicio de Yahvé* también supone el castigo de los no judíos, de los que están fuera de Israel. Desde esta perspectiva encontramos los relatos del diluvio, la destrucción de Sodoma, el castigo de Egipto (Ex 7, 4 y ss.). Como tesis general, Israel tiene asegurada la victoria en el *juicio de Dios* (Dt 32, 36; Is 30, 18; Jer 30, 11), mientras que sus enemigos sólo pueden esperar el fracaso por estar separados de él (Sal 7, 7,9; 110m 5).

3. A partir de la vuelta del exilio de Babilonia (538 a.C.), la idea de juicio se va desligando del acontecimiento histórico de Israel y se coloca en el plano escatológico. Allí es donde adquiere una dimensión más universal y donde se presenta el concepto de *juicio Final*: el juicio al final de los tiempos. En muchos Salmos, Yahvé es entendido como Juez de toda la tierra, de vivos y de muertos (Sal 9, 9; 82, 8).

4. Si en la época helenística (338 - 63 a.C.) la idea de resurrección irrumpió con fuerza en el Salmo (1, 1-6); en la *apocalíptica de Daniel[884]* (hacia el año 165 a.C.) se consolida su

---

[880] La palabra hebrea *refaim* significa "gigante". Era una tribu pre-israelita muy antigua que habitaba al Oeste del río Jordán. Eran muy altos, como los anaquitas (Gen 15, 20) Dt 2, 11). Este texto bíblico quiere enseñar al Israelita que todos van al *Seheol*, incluso los *refaim*, por muy grandes, fuertes y poderosos que sean no se escapan de ir a este lugar del inframundo.

[881] ENCISO VIALA, J.; *"Por los senderos de la Biblia: Israel"*. Bilbao, 1956, vol. I, p. 89.

[882] La palabra *Gehenna* es una transcripción griega del nombre hebreo *Ge Hinnón* o valle de *Hinnón*. ¿Por qué se le llamó así?. La proximidad de algunas fuentes hacían de este lugar un paraje ameno, cubierto de hierba y sombreado por frondosos árboles, en fuerte contraste con la aridez del desierto circundante. Sin embargo, en la historia de Israel su nombre se hizo abominable a causa del santuario que allí tenía el dios Molok. A partir del ciclo profético, el *Ge Hinnon* se convertirá en el lugar donde sufrirán los condenados después de ser juzgados en el Juicio final.

[883] En esta época helenística el *Sheol* es concebido como un lugar con cuatro departamentos anchos y profundos: en el primero están las almas de los mártires; en el segundo las de los otros justos; en el tercero las de los pecadores que no han sufrido en esta vida y que han de resucitar para ser castigados, y en el cuarto las de los pecadores que han sufrido ya en esta vida y no han de resucitar. Nunca se llega a decir si en el *Sheol* se goza o se pena.

[884] Según Daniel, el Juicio se celebrará en el cielo o *paraíso*. Las naciones serán destruidas. Al reino de Yahvé pertenecerán todos los que están inscritos en el libro de la vida. Todos los demás heredarán la condenación eterna: "En aquel tiempo surgirá Miguel, el gran

anuncio al final de los tiempos, presentándose como el requisito previo para que se lleve a cabo el *juicio de Yahvé* sobre aquellos que ya han muerto (judíos y paganos, buenos y malos, ricos y pobres). La observancia de la Ley será la que salve finalmente a los Justos, para ruina y vergüenza de sus enemigos (Dn 3, 24-90; 13-14).

6.4.2.4.- LA SALVACIÓN O CONDENACIÓN EN EL MEDIOEVO

6.4.2.4.1.- Dogmas escatológicos judíos en la Edad Media

La tradición rabínica (a partir del siglo II d. C.) no sólo ha ido transmitiendo estas creencias escatológicas a lo largo de los siglos, sino que incluso las ha ido revisando. Buena prueba de ello es que, en la Edad Media, los judíos aragoneses ya habían evolucionado en esta materia, admitiendo los siguientes conceptos doctrinales y teológicos[885]:

- La existencia del *infierno* para aquellos que viven en pecado, es decir, los que vuelven la espalda a Yahvé y a sus mandamientos.

- La existencia del *paraíso* como lugar reservado para los justos, es decir, para aquellos que se esfuerzan en cumplir los designios de Yahvé: "*estando enferma de gran enfermedat de la qual temo morir empo estado en mi buen seso, sana memoria e palavra manifesta, temyendo las penas del purgatorio et deseando yr a la sancta gloria del paradiso[886]*".

- La existencia de un *purgatorio* donde el difunto judío reside durante doce meses para pasar después y, en según qué casos[887], a reunirse con los bienaventurados en el *paraíso*. Los cristianos creen también que el dogma del *purgatorio* es un estado de vida intermedio para purgar y forjar el arrepentimiento de los difuntos que no han fundamentado su vida en el amor de Yahvé.

- Los *goyim* (no judíos) pueden tener también su puesto en el *paraíso* con tal de que observen fielmente los preceptos *noaquíticos* que les posibilita construir en la tierra el proyecto de Yahvé, como ya hemos visto[888].

---

príncipe que defiende a los hijos de tu pueblo. Será aquel un tiempo de angustia como no habrá habido hasta entonces otro desde que existen las naciones. En aquel tiempo se salvará tu pueblo: todos aquellos que se encuentren inscritos en el libro (de la vida). Muchos de los que duermen en el polvo de la tierra se despertarán, unos para la vida eterna, otros para el oprobio, para el horror eterno" (Dn. 12, 1-2).

[885] LOPEZ ASENSIO, A.; Op. Cit. "*La judería de Calatayud*", p. 261 ss.

[886] VEASE APÉNDICE DOCUMENTAL N° 10.

[887] En el Talmud se dice (SAN 10, 1) que "todo Israel tiene parte en la vida del mundo futuro, porque está escrito: todo tu pueblo está formado de justos, heredará la tierra por siempre, una rama de mi plantación, obra de mis manos para que yo sea glorificado" (Is. 60,21). "Estos son los que no tienen parte en la vida futura: el que dice: no hay resurrección de los muertos según la Toráh, que la Toráh no viene del cielo y los que desprecian las enseñanzas rabínicas. Rabí Aquiba afirma: también el que lee los libros extraños y el que susurra sobre una herida, de la siguiente manera: "todas las enfermedades que impuse a los egipcios no las impondré sobre ti porque yo soy el Señor, tu médico" (Ex. 15,26). Abá Saúl dice: "también el que pronuncia el nombre de Dios con sus blasfemias".

[888] VEASE LA NOTA N° 871.

6.4.2.4.2.- El infierno: la condenación eterna

En la Edad Media, los judíos y cristianos creían en el *infierno*. Las dos religiones defendían que en el inframundo esta este lugar donde residen los pecadores. La diferencia radica en que los cristianos afirman que allí reina Satanás como señor del mal; y los judíos la soledad del *Sheol* (ausencia de Dios).

Algunos conversos de Calatayud ponen en duda su existencia, tal vez por el agnosticismo que tienen a tantos matices doctrinales y por la desorientación religiosa que les produjo el bautismo.

- El 20 de mayo de 1488, el vecino y presbítero de Paracuellos de la Ribera, Alfonso Pérez, declara ante la Inquisición que juzga al bilbilitano, Johan Pérez de Santa Fe (alias de Ariza) que, hacia 1480, *"Johan Perez de Fariza dixo al dicho Johan de Buendia o al que con el hablava estas palabras: pensays que ay infierno no ay tal cosa, y que entonçe este deposante se bolvio pa los dichos sus padre y cunyado a los quales dixo este deposante rira que heregias hablan estos traydores que dizen que no ay infierno[889]"*.

6.4.2.4.3.- El *Paraíso*: la salvación eterna

Mientras que para los cristianos de la Edad Media el *paraíso* es el cielo (lugar de los santos y elegidos que participan de la presencia y del amor de Dios), para los judíos es el lugar donde los justos (después de ser juzgados el día del *juicio final*) verán y participarán de la presencia de Yahvé.

Ante la duda sobre cuál de las dos visiones dogmáticas era el verdadera, los conversos de Calatayud llegaron a una lógica incredulidad. Para alguno de ellos no había más *paraíso* que el mercado de la ciudad, es decir, el lugar donde se vendía de todo lo que uno podía necesitar y soñar: la felicidad anticipada ya en la tierra.

- El 22 de marzo de 1488, el vecino de Calatayud, Johan Gormedino, declara ante la Inquisición que juzga al converso bilbilitano, Simón de Santa Clara (difunto), que le *"oyo dezir este deposant al dicho Simon de Sancta Clara que no havia otro paraíso en el mundo sino el mercado de Calatayud[890]"*.

- El 22 de agosto de 1509, el Procurador Fiscal de la Inquisición, acusa al vecino de Morés, Pedro Álvarez, que *"ha dicho asi mesmo que havia dos paraísos y que esso le dava ir al uno que al otro[891]"*.

[889] AHPZ, Caja 9, N° 10; Proceso inquisitorial contra Johan Pérez de Santa Fe, p. 17. VEASE APÉNDICE DOCUMENTAL PROCESOS DE INQUISICIÓN.

[890] AHPZ, Caja 12, N° 7; Proceso inquisitorial contra Simón de Santa Clara, p. 56. VEASE APÉNDICE DOCUMENTAL PROCESOS DE INQUISICIÓN.

[891] AHPZ, Caja 20, N° 15; Proceso inquisitorial contra María de Sus, p. 11 vto. VEASE APÉNDICE DOCUMENTAL PROCESOS DE INQUISICIÓN.

6.4.3.- LOS CONVERSOS CONTRA LA DOCTRINA DE LA IGLESIA

6.4.3.1.- CONTRA LA DIVINIDAD DE CRISTO

El judaísmo niega la concepción teológica cristiana de la Encarnación de Jesucristo, es decir, que *en él (Jesucristo) habita corporalmente toda la plenitud de la divinidad* (Epístola a los Colosenses 2, 9). Tal dogma es contrario a los principios fundamentales de la tradición judía, que no admite que una parte de *Adonai* pueda ser humana, es decir, que Dios se haya hecho hombre en Jesucristo. El Dios único (*Adonai*) no necesita recurrir a persona "interpuesta" (Jesucristo), ni a ningún intermediario (la Virgen María o los Santos) para comunicarse con el hombre.

Algún judeo-converso de Calatayud manifestó públicamente no tener claro que Jesucristo fuese hijo de Dios hecho hombre. Por ello, a más de uno le parecía *"muy fuerte que Dios tuvise demandar huna cosa en la Ley de los judios et otra cosa en contrario en la Ley de los cristianos*, de ahí que reafirmen su creencia en *solo hun Dios verdadero, el qual huvo creado el cielo y la tierra"*, es decir, el Dios único de los judíos.

El misterio de la Trinidad fue una de las más difíciles de asimilar por los judeoconversos, ya que aceptar la divinidad de Jesucristo era reconocer también su vinculación con la Trinidad, otra afirmación difícil de admitir para un converso con alma de judío.

- En marzo de 1488, el Procurador Fiscal de la Inquisición interroga al bilbilitano, Pedro de Santa Clara (alias el *çedaçero*), el cual manifiesta que *"muchas personas e diversos stados e condiciones, primerament con Johan Lopez Coscollan et con Pedro de Sancta Clara, Platero, y aquesto en particular fue infformado que no y devia tener ni menos creer sino solo hun Dios verdadero, el qual huvo creado el cielo y la tierra et que no havia encarnacion ni passion ni resurreccion ni mucho menos aserpsion (Ascension)*[892].

- El 30 de marzo de 1488, los cónyuges y vecinos de Zaragoza, Martín Xavar y Benita Noviercas, declaran ante la Inquisición que juzga al converso bilbilitano, Pedro de Santa Clara (difunto), alias el Platero, quien le dijo *"que si Iesu Cristo era dios que le cumplia llamar a su padre y pues que Iesu Cristo era el Senyor que le cumplia dezir pater maior me est*[893].

- El 4 de junio de 1488, el Procurador Fiscal de la Inquisición interroga al bilbilitano, Pedro de Santa Clara (alias el *çedaçero*), quien dice que *"no creyo que nuestro senyor fuese fijo de Dios ni haver venido a tomar carne humana ni la virgen Maria ni ha creydo en el sagramento del altar ante no creya en la fe de nuestro senyor Ihesu Cristo et dizia que tenia fe et creheça en el dicho tiempo de la incredulidat que la fe de los judios era sancta y buena y que en ella los buenos judios se podian salvar e se salvavan*[894].

---

[892] AHPZ, Caja 9, N° 1; Proceso inquisitorial contra Pedro de Santa Clara, el çedaçero, p. 6. VEASE APÉNDICE DOCUMENTAL PROCESOS DE INQUISICIÓN.

[893] AHPZ, Caja 7, N° 7; Proceso inquisitorial contra Pedro de Santa Clara, el platero, p. 2. VEASE APÉNDICE DOCUMENTAL PROCESOS DE INQUISICIÓN.

[894] AHPZ, Caja 9, N° 1; Proceso inquisitorial contra Pedro de Santa Clara, el çedaçero, p. 16. VEASE APÉNDICE DOCUMENTAL PROCESOS DE INQUISICIÓN.

- El 13 de junio de 1488, el vecino de Calatayud, Pedro de Santa Clara (alias el *çedaçero*), dice ante la Inquisición que juzga al converso bilbilitano, Pedro de Santa Clara (difunto), alias el platero, que *"Pedro el Platero y Joan Lopez Coscollan, habitantes civitatis Calatayut no crehian en la santha fe catholica madre de nuestro sennor Ihesu Crhisto fuesse fijo de Dios ni haver thomado carne humana y esto sabe en el vientre virginal de la virgen Maria por redimir natura humana y esto sabe este depossante por que aquellos hoyo dezir a los dichos Pedro el platero y a Johan Lopez Coscollan y tambien por que a induceron dellos es estado esto confesante en aquella misma credulidat por tiempo de dos annos*[895].

- El 1 de julio de 1488, el judío de Calatayud, Jehuda Gargonya, explica ante la Inquisición que juzga al bilbilitano, Jayme Remón, que le *"dixo a esta deposante estas palabras: "maestro por imposible tengo que nuestro senyor Dios tuviesse de tomar carne humana et pareceme muy fuerte que Dios tuvise demandar huna cosa en la Ley de los judios et otra cosa en contrario en la Ley de los cristianos de lo qual me maravillo mucho", et este testimonio por las dichas palavras e otras palavras que dizia el dicho Jayme Ramon le tenia por incredulo en la Ley de los cristianos e parecia que mucho mas affeccion y voluntat tenia a la Ley de los judios que no a la Ley de los cristianos*[896].

6.4.3.2.- CONTRA LA SANTÍSIMA TRINIDAD

Como acabamos de ver, la creencia fundamental del judaísmo se centra en el monoteísmo, es decir, *Adonai* es uno, único, eterno, creador, juez, padre y sostén de todo, como así se recoge en el *Semá*[897] o credo hebreo (Dt 6, 4-9). Aunque *Adonai* es un ser inmaterial e incorpóreo, sin embargo es activo y comprometido con el hombre y la naturaleza. Nada está fuera de su poder y nada hay que se le oponga realmente. Los profetas bíblicos invitan constantemente al Pueblo de Israel a permanecer en la fe de Yahvé, con expresiones como: *yo soy el Señor, y no hay otro* (Is 45, 5); *no hay más dioses* (Is 45, 14), etc.

Por el contrario, el cristianismo defiende el dogma de un Dios Trinitario[898], es decir, *tres personas distintas en un solo Dios verdadero* (Padre, Hijo y Espíritu Santo), como así afirma el catecismo de la Iglesia Romana (entre los números 232 a 263). El judaísmo cree que esta

---

[895] AHPZ, Caja 7, N° 7; Proceso inquisitorial contra Pedro de Santa Clara, el platero, p. 7. VEASE APÉNDICE DOCUMENTAL PROCESOS DE INQUISICIÓN.

[896] AHPZ, Caja 7, N° 7; Proceso inquisitorial contra Jayme Remón, p. 23 vto. VEASE APÉNDICE DOCUMENTAL PROCESOS DE INQUISICIÓN.

[897] El credo judío llamado *Semá* (se llama así porque empieza por esa palabra, que significa "escucha"), recogido en (Dt 6, 4-9) constituye la proclamación de la fe judía en la afirmación clara del monoteísmo. Yahvé es Uno y es único, radicalmente diferente a toda otra realidad y deidad, al contrario del politeísmo de los pueblos vecinos. El cuerpo del *Semá* se puede dividir en las siguientes partes: los versículos 1-3 son la introducción típica del estilo deuteronomista, el redactor del texto. Los versículos 4-9 son la profesión de fe propiamente dicha (unidad de Yahvé, invitación a amarlo, observancia y transmisión de sus mandamientos). Los versículos 10-19 advierten contra el olvido de Yahvé y los cultos paganos, especialmente los cananeos con su dios Baal. Los versículos 20-25 cierran el credo con una breve catequesis sobre las leyes de Israel, que en definitiva no es otra cosa que la historia de la salvación del pueblo unido en la fe a su único Dios, Yahvé.

[898] El 20 de mayo de 325 d.C., se convocó el Concilio de Nicea, el primero de los ecuménicos, en el que asistió Constantino, el primer emperador cristiano y 318 obispos de toda la cristiandad. Este concilio sirvió de base al credo cristiano fundamentado en la trinidad: *"creemos en un solo Dios, todopoderoso... y en Jesucristo, hijo de dios, el único engendrado del Padre, esto es, de la sustancia del Padre, Dios de Dios, luz de luz, Dios verdadero de Dios verdadero, engendrado y no hecho, consubstancial al Padre..."*. El concilio de Nicea condenó también las doctrinas arrianas, tal y como hemos visto en capítulos anteriores.

definición teológica es una degeneración del propio monoteísmo bíblico, ya que en *Adonai* (el único Dios) no puede haber ninguna partición interna. Este hecho plantea un radical abismo entre la divinidad y el resto de los seres (incluido el hombre), pues éstos se definen precisamente por lo contrario: por la diversidad, variabilidad y multiplicidad. Para el judaísmo, Dios y el mundo son dos polos contrapuestos.

Aunque la inmensa mayoría de los cristianos no cuestionaban el misterio de la Santísima Trinidad, muchos judeo-conversos bilbilitanos lo rechazaron frontalmente por contradecir el monoteísmo judío, es decir, el fundamento de la fe que también aprendieron desde niños en la judería o de sus padres conversos (los conversos de primera generación).

- El 3 de septiembre de 1509, el vecino de Bubierca, Fernando de Goneo, atestigua ante al Inquisición que juzga al bubiercano, Gonçalvo de Huete, *"que le dixo et fizo esta pregunta el dicho Gonçalvo de Huete, porque haver empo estando en la cruz reclamaba de que "dins quare me dere linguisti", como el fuesse Dios y dize este testigo que Dios era en trinidat Padre, fijo y spiritu sancto, dize que le respuso el dicho Gonçalvo de Huete, hara dexemos esta materia que han alhose podria dezir, y esto dize que dixo a manera de disputa a lo que parecio a este testigo, y dize interrogado que este Gonçalvo de Huete que es muy curioso que se pone en demandar y disputar muchas cosas, y a la fin quando le responden algo dize que lo faze por pregunta*[899].

Para ellos no había otro Dios que el de Israel, por lo que la figura humana de Jesucristo (como ya hemos visto) y, sobre todo, el *ruáh* o Espíritu Santo bíblico (el soplo o aliento de vida de *Adonai* que anima al hombre y a su obra creadora) fueron dos conceptos inimaginables para los conversos insinceros. Por ejemplo, el bilbilitano, Pedro de Santa Clara, llegó a decir *"he que el spiritu santo no es persona"*. También el converso de Paracuellos de Jiloca, Pedro Casado, afirmó que el *"espiritu sancto que nada y es"*. El hecho de que Jesucristo y el Espíritu Santo fueran dos personas distintas a Dios padre, pero con naturalezas también divinas, era algo difícil de creer.

- El 2 de febrero de 1488, el Vicario de la Iglesia de Torrijo, Domingo Ferrando, afirma ante la Inquisición que juzga al converso bilbilitano, Pedro de Santa Clara (difunto), alias el platero, que *"le dixo a este testimonio depossante hoydo he que el spiritu santo no es persona, y el teste dixo que traydor y que diziys, y faziendo le algunas razones por las quales el dicho Pedro el Platero huvo a venir a dizir cree lo que la santa madre yglesia cree...*[900].

- El 22 de agosto de 1509, el Procurador Fiscal de la Inquisición, acusa al vecino de Paracuellos de Xiloca, Pedro Casado, que *"ablando del Espiritu Sancto dixo tales o semejantes palabras que: Espiritu Sancto que nada y es, gran renegador y blasfemador de Dios y de nuestra Señora y de todos sus sanctos*[901].

---

[899] AHPZ, Caja 20, N° 15; Proceso inquisitorial contra Gonçalvo de Huete, p. 53. VEASE APÉNDICE DOCUMENTAL PROCESOS DE INQUISICIÓN.

[900] AHPZ, Caja 7, N° 7; Proceso inquisitorial contra Pedro de Santa Clara, el platero, p. 4. VEASE APÉNDICE DOCUMENTAL PROCESOS DE INQUISICIÓN.

[901] AHPZ, Caja 20, N° 15; Proceso inquisitorial contra Pedro Casado, p. 4. VEASE APÉNDICE DOCUMENTAL PROCESOS DE INQUISICIÓN.

6.4.3.3.- CONTRA LA VIRGINIDAD DE MARÍA

Ciertos Concilios Ecuménicos de la Iglesia (Constantinopolitano II, Lateranense IV y Lugdunense II) declararon a María *siempre Virgen* porque concibió y dio a luz a Jesucristo virginalmente antes, durante y después del parto. Esta definición lo que hace es ratificar la virginidad perpetua de María. En la Edad Media gozó de una gran devoción popular entre los cristianos. Son dignas de admiración las cuantiosas tallas que se hicieron por todos los lugares de nuestra geografía para su veneración.

En los procesos de inquisición, por el contrario, se observa que los judeo-conversos bilbilitanos no tuvieron especial fervor hacia su figura, ya que se resistían a admitir el dogma de su virginidad, es decir, *"que la virgen Maria no havia quedado virgen despues del parto"*, como llegó a decir Domingo García, vecino de Ateca.

- El 22 de agosto de 1509, el Procurador Fiscal de la Inquisición, acusa al vecino de Ateca, Domingo García, que *"ha dicho una y muchas vezes que la virgen Maria no havia quedado virgen despues del parto[902]"*.

Esto hizo que alguno, como Pedro García (vecino también de Ateca), afirmara que estaba *corrompida*, es decir, que difícilmente se podía aceptar que después del parto una mujer siguiera virgen.

- El 22 de agosto de 1509, el Procurador Fiscal de la Inquisición, acusa al vecino de Ateca, Pedro García, que *"ha dicho una y muchas vezes que la virgen Maria no era virgen sino que era corrompida[903]"*.

Tan poca simpatía concitaba su culto, que otros como Pedro Álvarez (vecino de Morés), le insultaban diciéndole *"puta de la virgen María"*. Aunque es muy probable que los cristianos también blasfemaran a María con similares palabras y frases, sin embargo, resulta complejo creer que tales afirmaciones se dijeran por estar tan arraigada su piedad en Aragón.

El 22 de agosto de 1509, el Procurador Fiscal de la Inquisición, acusa al vecino de Morés, Pedro Álvarez, que *"una y muchas vezes en juego y fuera de juego ha dicho reniego de la puta de la virgen Maria[904]"*. La blasfemia ha sido habitual a lo largo de los siglos y hasta fechas muy recientes y más en ambientes de sociabilidad masculinos en torno al juego.

- El 29 de agosto de 1509, el vecino de Ateca, Alonso García, declara ante la Inquisición que juzga al atecano, Pedro García, que el acusado dijo a su primo Martín de Menes: *la Virgen Maria no era Virgen sino que era corrompida como qualquiere de las otras mujeres"*.

---

[902] AHPZ, Caja 20, N° 15; Proceso inquisitorial contra Domingo García, p. 11. VEASE APÉNDICE DOCUMENTAL PROCESOS DE INQUISICIÓN.

[903] AHPZ, Caja 20, N° 15; Proceso inquisitorial contra Pedro García, p. 10 vto. VEASE APÉNDICE DOCUMENTAL PROCESOS DE INQUISICIÓN.

[904] AHPZ, Caja 20, N° 15; Proceso inquisitorial contra Pedro Álvarez, p. 11. VEASE APÉNDICE DOCUMENTAL PROCESOS DE INQUISICIÓN.

6.4.3.4.- CONTRA EL MESIANISMO DE JESUCRISTO

Los primeros cristianos interpretaron que la figura bíblica del Mesías se había cumplido en la figura de Jesús de Nazareth. Los motivos fueron varios: por ser descendiente de David (su padre José era de la Casa de David), por nacer en Belén (pueblo donde nació el rey David), y por relacionar su persona y misión con algún texto mesiánico del profeta Isaías[905].

Aunque judíos y cristianos parten de la figura bíblica del Mesías, sin embargo, lo han desarrollado en dos direcciones totalmente opuestas. Mientras que para los judíos se trata de un hombre-rey vástago de la familia de David, para los cristianos es el *hijo de Dios hecho hombre*.

La cuestión de su venida estaba en el centro de la polémica: si los cristianos sostienen que ya había tenido lugar en la persona de Jesucristo (el hijo de Dios); los judíos creen que *Adonai* vendrá al final de los tiempos para apiadarse de su pueblo y enviar (en esa única vez) al Mesías que liberará al Pueblo de sus enemigos y del propio pecado[906].

Para los teólogos de la Edad Media, la concepción mesiánica de Jesús estaba íntimamente relacionada con el dogma de la divinidad de Cristo y de la Trinidad, de ahí que muchos judeo-conversos tuvieran siempre reparos en admitir el mesianismo de Jesucristo y, en consecuencia, su naturaleza divina.

Para estos, Jesús de Nazaret era hombre, nunca hijo de Dios. En este sentido, el converso bilbilitano Anthon de Santangel hablaba con el judío Jehuda Benardut sobre el mesianismo de Jesús. En la conversación el propio Anthon le llegó a decir: *"vos benardut tomat lo que bien vos venga, crehet que es messias y no Dios y hombre que assi lo hago y creo yo"*, a lo que el judío le reprendió por su hipócrita actitud. Entonces Anthon de Santangel le dejó muy claro sus verdaderas convicciones: *"yo no rehosuro (rehusó) una Ley es assaber vuestra de los jodios que es Ley sancta y buena"*, invitándole a bautizarse y hacer lo mismo que hacía él.

- El 5 de mayo de 1488, el judío de Calatayud, Jehuda Benardut, manifiesta ante la Inquisición que juzga al bilbilitano, Anthon de Santangel (difunto) que, hacia 1470, le dijo *"vos bien sabeys que vuestro messias ha de ser de nuestro linage, Ihesu Cristo es de nuestro linage pues porque no lo tamareys pa messias, y que ste testimonio dixo al dicho Anthon de Santangel: todo lo que hayeys dicho es verdat y si Ihesu Cristo los cristianos tenian solo pa mesias y no por Dios y hombre a un me xareteria que me doblegueria a creherlo, empo que es Dios y hombre munca lo creeré, y que entonces el dicho Anthon de Santangel dixo y respuso a este deposante "vos benardut tomat lo que bien vos venga, crehet que es messias y no Dios y hombre que assi lo hago y creo yo, y que entonces este deposant dixo al dicho Anthon de Santangel: mal hablays Anthon de Santangel que essa opinyon ya seria quarta Ley, y que entonces el dicho Anthon de Sanctangel dixo a este deposant: yo no rehosuro (rehuso) una Ley es assaber vuestra de los jodios que es Ley sancta y buena empo creo que es vendio el messias y vos podiades lo tener assi y salliriades dessa captividat[907]"*.

---

[905] "Pues el Señor mismo les va a dar una señal: la joven está encinta y va a dar a luz un hijo, al que pondrá por nombre Emmanuel" (Is 7, 14). También "Porque nos ha nacido un niño, Dios nos ha dado un hijo al cual se le ha concedido el poder de gobernar, y le darán el nombre de admirable consejo del Dios invencible, Padre eterno y Príncipe de la paz, se sentará en el trono de David, extenderá su poder real a todas partes y la paz no se acabará..." (Is 9, 6-8).

[906] LOPEZ ASENSIO, A.; Op. Cit. *"Sabiduría judía"*, p. 97.

[907] AHPZ, Caja 12, Nº 8; Proceso inquisitorial contra Anthón de Santangel, p. 6 vto. VEASE APÉNDICE DOCUMENTAL PROCESOS DE INQUISICIÓN.

6.4.3.5.- CONTRA LAS IMÁGENES DE SANTOS Y CRUCIFIJOS

Todos los pueblos circundantes a Israel (como Fenicia, Canaán o el mismo Egipto) eran politeístas. Si a esto se añade el carácter permisivo de sus cultos, se explica fácilmente la frecuencia con la que muchos judíos se contagiaban del paganismo. Precisamente para poner freno a esta tendencia, quiso *Adonai* que el pueblo de Israel nunca tuviese una imagen[908] en la que fijar la mirada para darle culto, ni siquiera la suya; renovando así un antiquísimo precepto que era ya tradicional entre los pueblos de cultura nómada: el monoteísmo y la unicidad de un sólo Dios.

La idolatría está prohibida en la Torá desde que el Pueblo hebreo adoró al becerro de oro en el monte Sinaí[909]. Por eso, la llamada a permanecer en la fidelidad a Dios será una constante en toda su dilatada historia, llegando incluso a castigar a todos los que inviten a rendir culto a otros Dioses que no sea el de Israel[910]: *"No habrá para ti otros dioses delante de mi. No te harás escultura ni imagen alguna, ni de lo que hay arriba en los cielos, no lo que hay abajo en la tierra, no de lo que hay en las aguas debajo de la tierra. No te postrarás ante ellas ni les darás culto"* (Dt 5, 7-9; Ex 20, 5). Este fue el motivo por el que ni en el Templo de Jerusalén, ni en las posteriores sinagogas de la *galut* o diáspora se represente efigie alguna. Hasta tal extremo llegó a cumplirse esta norma, que los propios sacerdotes del Templo de Jerusalén acuñaron moneda propia sin representación humana.

En efecto, los judíos y los musulmanes creían que los cristianos pecaban de idolatría porque representaban y adoraban a tallas con figura humana, especialmente las de Jesucristo, la Virgen María y los Santos. Los procesos de Inquisición revelan que alguno de los judeo-conversos de Calatayud también estuvieron en contra de la imaginería de las Iglesias y de la devoción que les profesaban los cristianos, ya que era contraria al mundo judío del que provenían. Ellos fueron bastante reacios a venerarlas, incluso tapaban con un trapo las tallas de los crucifijos que tenían en casa para no verlos y despreciarlos, como así hizo el bilbilitano, Juan de Sayas.

- El 13 de julio de 1488, el judío de Daroca, Açach Xuet, declara ante la Inquisición que juzga al bilbilitano, Juan de Sayas (difunto), *"que huna vez vio que el dicho Johan de Sayas tenia huna ymagen de nuestro sennor Ihesu Chirsto en hun tavlado en donde tenia los vestidos cortados e que este deposante le demanda que ymagen era aquella e que le respuso nuestro Dio (Dios) no les conoxes que es Ihesu Chisto que me lo han dado que le*

---

[908] "No te harás escultura ni imagen alguna ni de lo que hay arriba en los cielos, ni de lo que hay abajo en la tierra, ni de lo que hay en las aguas debajo de la tierra. No te postrarás ante ellos ni les darás culto, porque yo Yahvé, tu Dios, soy un Dios celoso que castigo la iniquidad..." (Ex 20,4-5). "No vayáis en pos de otros dioses, de los dioses de los pueblos que os rodean, porque un Dios celoso es Yahvé tu Dios que está en medio de ti" (Dt 6, 14-15).

[909] "Tened mucho cuidado de vosotros mismos: puesto que no visteis figura alguna el día en que Yahvé os habló en el Horeb de en medio del fuego, no vayáis a pervertiros y os hagáis alguna escultura de cualquier representación que sea: figura masculina o femenina, figura de alguna de las bestias de la tierra, figura de alguna de las aves que vuelan por el cielo, figura de alguno de los reptiles que serpean por el suelo, figura de alguno de los peces que hay en las aguas debajo de la tierra. Cuando levantes tus ojos al cielo, cuando veas el sol, la luna, las estrellas y todo el ejército de los cielos, no vayas a dejarte seducir y te postres ante ellos para darles culto. Eso se lo ha repartido Yahvé tu Dios a todos los pueblos que hay debajo del cielo, pero a vosotros os tomó Yahvé y os sacó del horno de hierro, de Egipto, para que fueseis el pueblo de su heredad, como lo sois hoy" (Dt 4, 15-20).

[910] "Si tu hermano, hijo de tu padre o hijo de tu madre, tu hijo o tu hija, la esposa que reposa en tu seno o el amigo que es tu otro yo, trata de seducirte en secreto diciéndote: vamos a servir a otros dioses, desconocidos de ti y de tus padre, de entre los dioses de los pueblos próximos o lejanos que os rodean de un extremo a otro de la tierra, no accederás ni le escucharás, tu ojo no tendrá piedad de él, no le perdonarás ni le encubrirás, sino que le harás morir; tu mano caerá la primera sobre él para darle muerte, y después la mano de todo el pueblo" (Dt 13, 7-10).

faga hun manto para este invierno el ani que no se muera de frio[911]".

Era tal la repulsa que algún judeoconverso tenía a los crucifijos que, alguno de ellos pensó quemarlos, como los bubiercanos Gonçalvo de Huete y María Ferrero como veremos ahora. Así mismo llegaron a comentar públicamente frases despectivas hacia ellas, como que sólo *"eran palos que no pueden dar ni quitar gloria a nadie"* (palabras pronunciadas también por la también bubiercana Catalina del Río), ya que los santos verdaderos estaban en el cielo y no en los templos.

- El 28 de agosto de 1509, la vecina de Bubierca, Catalina Río (mujer de Johan Munyoz), dice ante la Inquisición que juzga al bubiercano, Gonçalvo de Huete, que le oyó decir *"que no era nada sancta Maria ni sancta Catalina ni Santiago que los santos en el cielo se stavan que aquellos santos dexalo no eran nada que fiel, los tapava los que en el fuego los echaria y que a esto se fallaron presentes Antona Lamalvera, mujer de Mingo (Domingo) Romero, Mari Herero, mujer de Anton Julian y otros que y a son fallecidos e ha juraron*[912]".

- El 29 de agosto de 1509, el Procurador Fiscal de la Inquisición, acusa al vecino de Bubierca, Gonçalvo de Huete, *"que sobre el adoración de las ymagenes que stan en las iglesias ha dicho este interrogado que la adoración a Dios solo pertenecian, que las ymagenes eran palos que no pueden dar ni quitar gloria a nadie y que esto dixo algunas vezes y que ha latente son las dichas ymagenes stan para reinenbrança dellos santos que estan en el cielo*[913]".

- 6 de septiembre de 1509, la vecina de Bubierca, María Ferrero (mujer de Antonio), afirma ante la Inquisición que juzga al bubiercano, Gonçalvo de Huete, que le oyó decir *"que aquellos sanctos questavan en las yglesias dixendolo por las ymagenes que no eran nada que los santos en el cielo stavan y que a una necessidat que los quemaria y esta deposante y las otras dixiendole que era mal dicho el dezia que ellas eran necias y que no lo entendio y que lo que el dizia era la verdat y que esto era cabe cosa del vicario del dicho lugar*[914]".

- El 30 de abril de 1512, el Inquisidor de Zaragoza interroga al bubiercano, Gonçalvo de Huete, quien dice *"que andava jugando a la bola con unas orbera de unas noche de Sant Julian y dize que diziendo todos en el lugar como era gran pecado este interrogado dixo que no era tan gran pecado que las ymagenes de los santos que no eran nada porque aquellos no davan ni ganarian gloria que los santos en el cielo estavan y que en tanta necessidat podia estar han bien que los podia rogar y ponerlas en el fuego*[915]".

---

[911] AHPZ, Caja 12, N° 7; Proceso inquisitorial contra Johan de Sayas, p. 50. VEASE APÉNDICE DOCUMENTAL PROCESOS DE INQUISICIÓN.

[912] AHPZ, Caja 20, N° 15; Proceso inquisitorial contra Gonçalvo de Huete, p. 48. VEASE APÉNDICE DOCUMENTAL PROCESOS DE INQUISICIÓN.

[913] AHPZ, Caja 20, N° 15; Proceso inquisitorial contra Gonçalvo de Huete, p. 45 vto. VEASE APÉNDICE DOCUMENTAL PROCESOS DE INQUISICIÓN.

[914] AHPZ, Caja 20, N° 15; Proceso inquisitorial contra Gonçalvo de Huete, p. 49 vto. VEASE APÉNDICE DOCUMENTAL PROCESOS DE INQUISICIÓN.

[915] AHPZ, Caja 20, N° 15; Proceso inquisitorial contra Gonçalvo de Huete, p. 55. VEASE APÉNDICE DOCUMENTAL PROCESOS DE INQUISICIÓN.

La incredulidad también les llevó, en alguna ocasión, a rechazar el culto al crucifijo porque no les concedía los favores que le pedían. La conversa de segunda generación, María López (vecina de la Almunia de Doña Godina), le dijo a un Cristo que estaba en su casa: *"pues no me quieres ayudar no le quiero mas lohar ni adorar"*.

- El 2 de septiembre de 1488, la vecina de la Almunia de Doña Godina, Isabel López (hija de Pedro López), declara ante la Inquisición que juzga a su tía carnal, María López, que sorprendió a la acusada en una habitación diciendo a un crucifijo que estaba colgado en la pared *"estas palabras endregando las al dicho cruçiffiçio: pues no me quieres ayudar no le quiero mas lohar ni adorar*[916]*"*.

6.4.3.6.- CONTRA LAS BULAS E INDULGENCIAS

La bula es un documento político o religioso antiguo, cuya oficialidad se la da el sello redondo de plomo o cera que pendía sobre ella. Las más conocidas son las que conceden los papas o la jerarquía eclesiástica para diversas materias: ordenanzas y constituciones, nombramientos, condenaciones doctrinales, concesión de beneficios, juicios de la Iglesia, privilegios, beneficios y Señoríos eclesiásticos, dispensas, anulaciones, etc. La palabra proviene del latín *bulla* (objeto redondo).

Las indulgencias, por el contrario, son documentos que emplea la Iglesia para conceder, a personas concretas, algunos favores o remisiones bajo ciertas condiciones. Proviene del verbo latino *indulgeo* (bondad, gracia, benevolencia, remisión, favor, concesión).

Durante toda la baja Edad Media cobró gran relevancia entre los cristianos la creencia en el *Purgatorio*. El papa y los obispos concedían a los fieles bulas e indulgencias para que, a cambio de limosnas y prácticas piadosas (misas, oraciones, ayunos, penitencias, etc.) estuviesen el menor tiempo posible en ese estado intermedio y cuanto antes en el cielo.

Algunos judeo-conversos bilbilitanos creían que el Papa no tenía autoridad para perdonar los pecados con la venta de bulas, criticando el uso y abuso que de ellas hacía la jerarquía eclesiástica para engañar a la gente sencilla. Tanto para ellos como para muchos cristianos viejos, las bulas no salvaban el alma del purgatorio, sino que, tras la muerte, uno adquiría el perdón de Dios por haber llevado una vida piadosa y un arrepentimiento sincero.

- El 29 de agosto de 1489, el vecino de Bubierca, Antonio Carbonero, dice ante la Inquisición que juzga al bubiercano, Gonçalvo de Huete, *"que fablando de las bulla que traxeron al dicho lugar por el mes de abril o de mayo de su anyo que las darian pa los vibos a real y pa los muertos a sueldos dize que hoyo dizir a Gonçalvo de Huete, sastre habitant en el dicho lugar fablando de sto que las bullas no valian nada pa los finados y que el Papa no las podia dar ni les aprovechavan por modum sufragio que no le podia sacar del purgatorio ni le aprovechaba la bulla sino que el finado fuesse muerto satisfecho y contricto*[917]*"*.

---

[916] AHPZ, Caja 11, N° 5; 89/5; Proceso inquisitorial contra María López, p. 18 vto. VEASE APÉNDICE DOCUMENTAL PROCESOS DE INQUISICIÓN.

[917] AHPZ, Caja 20, N° 15; Proceso inquisitorial contra Gonçalvo de Huete, p. 52 vto. VEASE APÉNDICE DOCUMENTAL PROCESOS DE INQUISICIÓN.

También fue una práctica habitual que el Papa de Roma las dispensara para financiar las cruzadas de Tierra Santa; construir catedrales, iglesias, monasterios, conventos y, en el peor de los casos, para cubrir el tren de vida de la jerarquía eclesiástica. Los conversos bilbilitanos insinceros y cristianos de natura estaban convencidos también de que ni el Sumo Pontífice, ni los Prelados tenían autoridad divina para justificar dicha práctica.

- El 13 de marzo de 1488, el vecino de Calatayud, Fernando Morillo, atestigua ante la Inquisición que juzga al converso bilbilitano, Pedro de Santa Clara (difunto), alias el platero, que *"fablando de las bullas de la cruzada el dicho Pedro el platero presente, Pedro Clara fu fijo, dixo a este testimonio que la miente, Iesu Cristo, havia dexado el poder a san Pedro*[918]*"*.

6.4.3.7.- CONTRA LA PASIÓN DE JESUCRISTO

6.4.3.7.1.- Muerte y resurrección de Jesucristo

El judaísmo sostiene que el hombre debe servir a Dios, sin esperar recompensa por su parte. El cristianismo, por el contrario, cree que Dios está al servicio de sus fieles, incluso sacrificó la vida de su *único hijo Jesucristo* en la Pasión para perdonar los pecados de toda la humanidad.

La palabra pasión proviene del latín *passus* (sufrir), de ahí que englobe a todos los acontecimientos que le sucedieron a Jesús (narrados en los Evangelios) desde la última cena, hasta su crucifixión, muerte y resurrección.

La Pasión tuvo, desde los orígenes del Cristianismo y muy especialmente en la Baja Edad Media, un gran significado para los todos los creyentes, ya que Jesús murió sufriendo en la cruz (por amor) y resucitó para perdonar los pecados del hombre y transformarlo "a la libertad del amor". Este cambio interior ha sido el fundamento y la razón de la fe cristiana durante estos veinte siglos de su existencia.

Algún judeo-converso de Calatayud dudó de que la Pasión de Jesucristo hubiera servido para redimir el pecado de los hombres. Para justificar dicha postura, alguno como Pedro de la Pica, dirá que no fue él quien murió en la cruz, sino más bien alguno de sus discípulos. También se resistieron a admitir que la muerte y resurrección de Jesús de Nazaret fuera la prueba palpable de la redención humana (perdón de los pecados y salvación eterna)

- El 22 de agosto de 1509, el Procurador Fiscal de la Inquisición, considera probada la declaración que hizo el vecino de Aranda, Pedro de la Pica, de no creer *"que Ihesus Chisto Nuestro Señor (no) huviesse tomado muerte y passion por los pecadores sino que aquel que los judios mataron o crucificaron era algun discipulo de Ihesu Chisto*[919]*"*.

---

[918] AHPZ, Caja 7, N° 7; Proceso inquisitorial contra Pedro de Santa Clara, p. 5 vto. VEASE APÉNDICE DOCUMENTAL PROCESOS DE INQUISICIÓN.

[919] AHPZ, Caja 20, N° 15; Proceso inquisitorial contra Pedro de la Pica, p. 10. VEASE APÉNDICE DOCUMENTAL PROCESOS DE INQUISICIÓN.

6.4.3.7.2.- Se mofan de la Semana Santa

Por la documentación inquisitorial sabemos que los actos litúrgicos de Semana Santa eran muy parecidos a los que vivimos en la actualidad. Entre los siglos XV y XVI, al finalizar la misa del Jueves Santo se llevaba el Santísimo al Monumento para velarlo hasta los Oficios del Viernes Santo, ceremonia en la que también se adoraba o besaba la cruz. Después y dentro de los templos se escenificaban las llamadas *representaciones de la pasión*[920]. En los procesos no aparecen documentadas las procesiones exteriores del Viernes Santo, ni tampoco la misa de la Vigilia Pascual del sábado por la tarde-noche. Habrá que esperar a la contrarreforma para que se consoliden todas las conmemoraciones tal y como las conocemos en la actualidad.

A muchos judeo-conversos les extrañaba que los cristianos viejos lloraran en las ceremonias y representaciones del Jueves y Viernes Santo. En este sentido, Micael de Ciria (vecino de Ateca), denunció a un grupo de siete conversos de Calatayud que fueron, la tarde del Jueves Santo, a la iglesia de San Pedro Mártir para asistir a una de esas representaciones de la Pasión. Allí se *"estavan riendo y faziendo escarnio de la dicha representación"*. Preguntados por tal actitud, contestaron que por el *"cuerpo de dios para que nos puso en quistion y que si Ihesu Cristo Dios era que para que calia azer aquello"*.

- El 13 de febrero de 1488, el vecino de Ateca, Micael de Ciria, expone ante la Inquisición que juzga al bilbilitano, Johan Pérez de Santa Fe (alias de Ariza) que, hacia 1463, *"fallandose este deposante hun jueves Sancto en la nocte en la yglesia de Sant Pedro Martir de la ciudat de Calatayut donde azian huna representacion de la pasion de nuestro senyor Iesu Cristo vio este deposante como estavan hunos siete u ocho conversos de la dicha ciudat de Calatayut entre los quales se acuerda bien este deposante eran Johan Perez de Fariza e Martin Diez, trapero, vezinos de la misma ciudat de Calatayut, los quales estavan riendo y faziendo escarnio de la dicha representacion y que los dichos Johan Perez de Hariza y Martin Diez se allegaron a este deposante riendose y este deposante dixo a los dichos Johan de Fariza, e Martin Diaz por que vos reys y farays escarnio de lo que todo buen cristiano debe llorar y dolerse, y el dicho Johan Perez dixo pues "cuerpo de dios para que nos puso en quistion" y que al entender del dicho deposante que le parecio que lo dixeron que si Ihesu Cristo Dios era que para que calia azer aquello*[921]*.*

En otra ocasión, un rabino -que se bautizó y que llegó a ordenarse sacerdote (desconocemos su identidad)- predicó en los Oficios de un Viernes Santo en una Aldea de Calatayud. La gente lloraba por el sufrimiento que el Señor padecía en la cruz, pero él se reía de ellos, según le contó a Johan de Torrellas, vecino de Calatayud.

- El 13 de febrero de 1488, el vecino de Calatayud, Johan Torrellas, asegura ante la Inquisición que juzga al converso bilbilitano, Pedro de Santa Clara (difunto), alias el platero, que *"fue a la casa de pedro el Platero y sallio alli en el porge (porche) de la dicha casa a don Rabi jodio que se havia tornado cristiano y era un hombre rroyo que*

---

[920] En la documentación inquisitorial, municipal y eclesiástica aragonesa de este período, esta expresión se refiere a entremeses o representaciones teatrales que se hacían en el interior del templo y que todavía hay tradición de realizar en algunos pueblos en la actualidad.

[921] AHPZ, Caja 9, Nº 10; Proceso inquisitorial contra Johan Pérez de Santa Fe, p. 5 vto. VEASE APÉNDICE DOCUMENTAL PROCESOS DE INQUISICIÓN.

preycaba y que sallo aconsamulando en la dicha casa al dicho Pedro el Platero y al dicho rabi, y estava presente su muger del dicho platero, que es hermana de Blanas, y otros que al presente testimonio no se acuerdan, y dize que vio como el dicho rabi dizia como un dia del Viernes Santo havia preycado en una aldea y que les havia dicho de la passion de Iesu Cristo y a que aquellos aldeanos lloravan mucho y dizian: hay sennor y tanto mal. Y dixo el dicho rabi: ellos lloraban y yo reya[922]*".*

Otros, como el bubiercano, Gonçalvo de Huete, se negaban a pisar la iglesia durante esas representaciones porque los cristianos acusaban a los judíos de deicidas por haber crucificado a Jesús. Pero para él, los verdaderos "deicidas" eran los cristianos, ya que *"era tenerle crucificado en su alma"*.

- El 22 de agosto de 1509, el Procurador Fiscal de la Inquisición acusa al vecino de Bubierca, Gonçalvo de Huete, de decir *"que mientras se dixiesse el passo en la yglesia y se fiziesse la representación de la passion no quaria (pisaría) en la yglesia*[923]*".*

- El 29 de agosto de 1509, el Procurador Fiscal de la Inquisición acusa al vecino de Bubierca, Gonçalvo de Huete, *"que haviendose de reinar o representar la passion de nuestro Sennor un viernes Santo en el dicho lugar este deposante dixo que no lo queria ir a ver, porque no lo iria a ver, asi que le dassen todo el mundo porque el no lo poria (podia) ver que arto fue que los judios lo crucificaron que no lo devian los cristianos crucificar y que al cristiano era tenerle crucificado en su alma*[924]*".*

6.4.3.7.3.- Contra los clérigos y su jerarquía

La Iglesia sostiene que la ordenación sacerdotal imprime carácter para toda la vida. Desde la seguridad de un cargo vitalicio remunerado, los sacerdotes de la Edad Media se profesionalizaban dando más importancia a la administración de sacramentos que a la su propia formación intelectual.

Esto se acentuó todavía más en el Arcedianato de Calatayud, un Patronato eclesiástic[925]

---

[922] AHPZ, Caja 7, Nº 7; Proceso inquisitorial contra Pedro de Santa Clara, p. 4 vto. VEASE APÉNDICE DOCUMENTAL PROCESOS DE INQUISICIÓN.

[923] AHPZ, Caja 20, Nº 15, Proceso inquisitorial contra Gonçalvo de Huete, p. 9 vto. VEASE APÉNDICE DOCUMENTAL PROCESOS DE INQUISICIÓN.

[924] AHPZ, Caja 20, Nº 15, Proceso inquisitorial contra Gonçalvo de Huete, p. 45 vto. VEASE APÉNDICE DOCUMENTAL PROCESOS DE INQUISICIÓN.

[925] El Patronato eclesiástico de Calatayud tiene su origen en el fuero que concedió a la entonces Villa en el año 1135. Una sola cláusula contiene lo relativo a su jurisdicción, pero con cinco disposiciones que han sido la base del derecho de dicho Patronato, llamado también Arcedianato de Calatayud: a) que los clérigos de Calatayud residan en sus iglesias respectivas (*et clérigos qui fuerint in Calatayube sedeant unusquique iri suas eccelsias...*); b) que paguen el cuarto (4%) del diezmo al Obispo y otro cuarto a sus iglesias (*et Donet cuarto al episcopo et cuarto ad sua ecclesia...*); c) que se pague cuarto solo de cereal, vino y corderos (*de pene, vino et corderos, et de nulla alia causa non donent quarto*); d) que los clérigos sirvan en sus mismas iglesias y no en otras (*et serviant suas ecclesias*); e) que el fuero sirva también para ellos. En el año 1182, el papa Lucio III emitió una bula confirmando este privilegio real, además de resolver un conflicto existente entre las iglesias del Patronato y el Obispo de Tarazona, ya que este cuestionaba el derecho que tenían los de Calatayud para ser iglesia Patrimonial. Este sistema de gobierno eclesiástico fue derogado en el siglo XIX.

que no exigía oposiciones para acceder a una plaza de clérigo, sino que bastaba con ser parroquiano e hijo de parroquiano para ejercer el sacerdocio en la iglesia donde uno se había bautizado. La formación pasó a un segundo plano. Este sistema de acceso empobrecía notablemente los conocimientos morales y teológicos necesarios para el desempeño del ministerio sacerdotal. La facilidad de acceso a los cargos y la seguridad económica que les proporcionaban, hizo que se instalasen en una vida cómoda y con escaso interés pastoral.

En efecto, muchas personas recibían la tonsura buscando sólo un reconocimiento social y los privilegios del estamento clerical. Lo único que les interesaba era alimentar una piedad popular que les reportaba pingues beneficios[926]. Muchos males del clero estaban en su miseria intelectual y material, que lograron disimular a base de controlar las conciencias por medio del concepto de pecado, culpa y miedo a la condenación eterna. La confesión y la dirección espiritual de los fieles fueron un buen pretexto para ello.

Con esta radiografía, algún converso de judío de Calatayud y su Comunidad de Aldeas solía ser muy crítico con el estilo de vida de los clérigos del Arcedianato, pues sólo pensaban en el dinero y, en muchos casos, en llevar una vida licenciosa. Un ejemplo claro lo tenemos cuando murió un tal Bernat, vecino de Villalba del Perejiles. Como había dejado un *majuelo* al monasterio del Carmen de la ciudad, lo bajaron a enterrar a dicho cenobio. Estando allí, el converso Martín García, vecino de dicho lugar, manifestó ante varios testigos y clérigos que valía más llevar al difunto a los burdeles que a la iglesia, en clara referencia a la imagen negativa que daba a los creyentes.

- El 22 de agosto de 1509, el Procurador Fiscal de la Inquisición, acusa al vecino de Villalba, Martín Andrés *"quel dicho Martin Andres, alias Garcia, una y muchas vezes ha dicho que mas valia dexar algun bien o renta al bordel que no ala yglesia*[927]*".

- El 25 de agosto de 1509, el vecino de Villalba del Perejiles, Martín García, declara ante la Inquisición que juzga al también villalbense, Andrés García que, hacia 1489, *"un tal de Bernat del lugar decreto muerto por el dicho lugar deste justiciado el qual trahian a enterrar aquel a Calatayut, e ste justiciado dixo: que adonde lo llevavan a enterrar y dixieronle que lo levavan a Calatayut a enterrar al Carmen por causa que el dicho difunto havia dexado un majuelo al dicho monesterio, e este justiciado sobresto dixo por mi fe es grant son los ministros de la yglesia mas valdria llevarlo al bordeles (a los burdeles) que no a la iglesia y que stavan presente quando el dixo esto uno que se llamava mossen Anthon Vinayes y mossen Miguel maestro, clerigos del dicho su lugar de Villalba*[928]*".

Este estilo de vida del clero no dejaba de ser para los muchos judeoconversos de primera generación un escándalo, ya que ellos tenían como punto de referencia el modelo pastoral y el

---

[926] Muchos cristianos vivían –psicológica y culturalmente- en una falsa religiosidad popular, en un devocionismo medieval muy poco evangélico: culto a las reliquias, procesiones, y otras prácticas religiosas contaminadas con matices supersticiosos. Mención aparte son los capítulos de ingresos del clero de esos momentos: los diezmos, primicias, indulgencias, bulas, dispensas, cruzadas, compras de reliquias, limosnas para obras con el fin de comprar un pedazo de cielo o ir al purgatorio, misas gregorianas, sepulturas, capillas, retablos y tallas, etc.

[927] AHPZ, Caja 20, Nº 15, Proceso inquisitorial contra Martín Andrés, p. 6 vto. VEASE APÉNDICE DOCUMENTAL PROCESOS DE INQUISICIÓN.

[928] AHPZ, Caja 20, Nº 15, Proceso inquisitorial contra Andrés García, p. 29 vto. VEASE APÉNDICE DOCUMENTAL PROCESOS DE INQUISICIÓN.

proceder moral de los rabinos de la judería[929].

6.4.4.- LOS CONVERSOS BLASFEMAN CONTRA LA IGLESIA

En primer lugar, conviene dejar claro que no sólo blasfemaban los conversos insinceros contra Dios, la Virgen, los Santos y otros dogmas de la Iglesia, sino que también lo hacían los cristianos viejos. Esta era una práctica común del ambiente rural y urbano en el que se movían muchos de ellos. Pero el objetivo del presente capítulo no es profundizar en los juramentos de los cristianos viejos, sino lo que decían los judaizantes bilbilitanos según los procesos de inquisición estudiados, blasfemias que muchas veces eran idénticas a las de los cristianos.

6.4.4.1.- JURAMENTOS CONTRA JESUCRISTO Y LA VIRGEN

El judaísmo entiende que el hombre puede comunicarse con Dios siempre que lo desee y lo busque de todo corazón en su interior, en sus actos, en sus pensamientos y en sus oraciones. La relación entre la persona y Dios es unilateral, libre de intermediarios e intercesores.

Aunque la Iglesia Católica está de acuerdo con esta concepción espiritual, lo cierto es que también cree que en el cielo hay personas que pueden mediar por el hombre ante Dios, como Jesucristo (el único camino que lleva al padre); la Virgen María (la principal mediadora entre los hombres y su hijo Jesús), los Santos (por estar en el cielo al lado de Dios para interceder por nosotros), los ángeles (los mensajeros de Dios para ayudar al hombre), las almas de los difuntos, etc.

Muchos judeo-conversos de Calatayud y su Comunidad rechazaron de plano todas estas creencias intercesoras. Es más, para manifestar su incredulidad doctrinal y religiosa hacia el tema, solían insultar con desprecio a las dos principales figuras mediadoras de la Iglesia: a Jesucristo y a la Virgen María. No sucedía lo mismo con Dios Padre, por el que sentían un profundo respeto al coincidir *Adonai*, con el Dios judío.

Alguno de ellos, como Hieronimo de Velilla (vecino de Calatayud), blasfemaba contra la Virgen con duras palabras como *esa puta es*. Otros, como el difunto Simón de Santa Clara (vecino de Calatayud), la comparaban con la *Toráh* diciendo este verso en *"ebrayco: acol taluy bematizal afitlu"*, cuyo significado se traduce como *"Sancta María en el altar"*. La frase así escuchada no es negativa, pero bien podía ser el comienzo de un poema popular judío que ridiculizaba a la Virgen María, hipótesis que habría que contrastar.

- El 25 de agosto de 1489, el vecino de Calatayud, Hieronimo Velilla, declara ante la

---

[929] LOPEZ ASENSIO, A., Op. Cit. *"Sabiduría judía ..."*, p. 224. Aunque un rabino tenía el título de por vida, eran las comunidades (con el nombramiento del rey) las que elegían a los más sabios por un tiempo determinado, por lo que su cargo era eventual. Las aljamas los contrataban fijando el tiempo, el salario y las funciones pastorales a realizar. Como el sueldo no les llegaba para vivir, muchas veces tenían que hacer negocios (prestando dinero) o pedir créditos para sobrevivir. Las capitulaciones o contrato de servicios no se renovaba si el rabino incumplía lo acordado o no daba la talla intelectual que se requería. Esta provisionalidad en el cargo le exigía una continua formación, como para superarse cada día como pastor. En la sociedad judía no había jerarquías entre los rabinos. Todos son maestros que enseñaban sus propios conocimientos bíblico-rabínicos, no sólo de palabra, sin incluso con la praxis de vida que se sustenta en la propia experiencia que tienen de Yahvé.

Inquisición que juzga al vecino de Fuentes de Jiloca, Johan Cortes que, hacia 1470, jugando varios vecinos a las tabas y naipes en su puerta, uno de ellos dijo *"o valas me la virgen Maria que juego pierdo, vio y oyo este deposante como el dicho Joan Cortes acudio y respondio diziendo estas palabras "essa puta vieja es" y dize que alli fue luego reprendido dello y el conto negava que no havia dicho tal cosa*[930].

- El 29 de septiembre de 1488, el judío de Magallón, Rabí Manuel, manifiesta ante la Inquisición que juzga al converso bilbilitano, Simón de Santa Clara (difunto), que decía *"muchos vituperios contra la fe cristiana y comparava a la virgen Maria con la thorá diziendo este verso en ebrayco "acol taluy bematizal afitlu" sancta Maria en el altar*[931].

También hubo quienes no sólo juraban contra la Virgen, sino que también renegaban de Jesucristo, como así hicieron los conversos Pedro Álvarez (vecino de Morés) y Domingo López (vecino de Bubierca). Así mismo, Martín Andrés (vecino de Villalba del Perejiles) escandalizó a varias personas con esta frase: *"que fiel tuviesse a Ihesu Cristo y a nuestra Señora su madre que el les daria de bofetadas"*, haciendo clara alusión al escepticismo religioso que sentían.

- El 28 de julio de 1488, el vecino de Bijuesca, Micael de Mesa, afirma ante la Inquisición que juzga al vecino de Bubierca, Domingo López, que le ha oído decir estas palabras: *"pesar de Dios y de la puta de su madre y del royn de su hijo, y despues este deposante ha oydo al dicho Domingo Lope muchas y diversas vezes renegar de Dios y de sancta Maria*[932].

- El 22 de agosto de 1509, el Procurador Fiscal de la Inquisición acusa al vecino de Bubierca, Domingo López, *"quel dicho Domingo Lopez una y muchas vezes ha dicho tales y semblantes palabras "pesar de Dios y de la puta de su madre y del royu de su hijo y esto es verdat*[933].

- El 22 de agosto de 1509, el Procurador Fiscal de la Inquisición acusa al vecino de Villalba, Martín Andrés, *"quel dicho Martin Andres ha dicho en presencia de muchas personas que fiel tuviesse a Ihesu Cristo y a nuestra Señora su madre que el les daria de bofetadas*[934].

- El 22 de agosto de 1509, el Procurador Fiscal de la Inquisición, acusa al vecino de Morés, Pedro Álvarez, que *"reniego de ti Dios que no me puedes hazer mal ni bien*[935].

---

[930] AHPZ, Caja 20, N° 15, Proceso inquisitorial contra Johan Cortés, p. 9. VEASE APÉNDICE DOCUMENTAL PROCESOS DE INQUISICIÓN.

[931] AHPZ, Caja 12, N° 7, Proceso inquisitorial contra Simón de Santa Clara, p. 55 vto. VEASE APÉNDICE DOCUMENTAL PROCESOS DE INQUISICIÓN.

[932] AHPZ, Caja 20, N° 15, Proceso inquisitorial contra Domingo López, p. 16 vto. VEASE APÉNDICE DOCUMENTAL PROCESOS DE INQUISICIÓN.

[933] AHPZ, Caja 20, N° 15, Proceso inquisitorial contra Domingo López, p. 4 vto. VEASE APÉNDICE DOCUMENTAL PROCESOS DE INQUISICIÓN.

[934] AHPZ, Caja 20, N° 15, Proceso inquisitorial contra Martín Andrés, p. 6 vto. VEASE APÉNDICE DOCUMENTAL PROCESOS DE INQUISICIÓN.

[935] AHPZ, Caja 20, N° 15, Proceso inquisitorial contra Pedro Álvarez, p. 11. VEASE APÉNDICE DOCUMENTAL PROCESOS DE INQUISICIÓN.

6.4.4.2.- INSULTOS A LA IGLESIA Y LOS CRISTIANOS

La ausencia en el mundo judío de una autoridad personal y jerárquica que pudiera fijar las doctrinas dogmáticas (como en las Iglesias cristianas católica y ortodoxas medievales), favoreció que los rabinos pusieran el acento no tanto en cuestiones teológicas (como en la Iglesia), sino más bien en la obligación que el hombre tenía para relacionarse con Dios a través de sus Mandamientos y la oración; visión contrapuesta a la eclesial[936].

En efecto, la jerarquía eclesiástica gobernaba la Iglesia basándose en la promesa de la obediencia sacerdotal que le profesaban los clérigos. Su estructura piramidal hizo que los mandatos, la doctrina y los dogmas fueran acatados por pura obediencia, sin cuestionarse sobre la conveniencia, oportunidad o reforma de dichas decisiones. Los cristianos que rompían la unidad eclesial y el magisterio de la Iglesia eran declarados herejes, lo que implicaba penas de cárcel, excomunión (no administración de sacramentos y condenación eterna) o incluso ser investigados y juzgados por el propio Santo Oficio. Si a esta represión y miedo que fomentaba la Iglesia añadimos la falta de humildad, pobreza, castidad y, sobre todo, sencillez de costumbres del clero, comprenderemos cómo el colectivo converso aragonés, con un extraordinario sentido crítico, rechazaba a la institución eclesial y a todo lo que representaba: diferenciación de clase social, superioridad institucional, enriquecimiento desproporcionado, boato poco coherente, escasa formación, etc. Muchos conversos educados en el judaísmo (los de primera generación) no sólo cuestionaron estas actitudes poco evangélicas de la Iglesia, sino incluso, la mala influencia que ejercía sobre las conciencias de sus fieles.

Mientras que los cristianos viejos participaban de los actos religiosos sin cuestionar la actitud de la Iglesia, los judaizantes sí que lo hacían. Un ejemplo claro lo encontramos en el comportamiento del converso bilbilitano, Johan Daça, quien tenía guardada en una caja una Sagrada Forma (no sabemos si consagrada o no) para tomar juramento a los cristianos con los que hacía negocios.

- El 15 de enero de 1488, el vecino de Mara, Martín Navarro, declara ante la Inquisición que juzga al converso bilbilitano, Johan Daça (difunto), que *"contava a algunos aldeanos que tuviesen de jurar sacava una ostia redonda de la manera quel sacerdote la levara en la yglesia y ponia la ensomo (encima) de hun libro e dizia catat aquí, este es el verdadero cuerpo de Dios jurat aquí, que si cristianos soy no podiys passar ni fazer el contrario de lo que aquí jurays. Y esto sabe este deposant porque puede haver quantro o cinquo anyos poco mas o menos queriendo el dicho Joan Daça tomar certificación deste testigo que acierto tiempo le pararia ciertos dineros que de logros le devia al dicho Johan Daça, vio como el dicho Joan Daça saco de una caxa la dicha hostia como arriba dicho ha y la puso sobre hun libro y le dixo bedes aquí este es el cuerpo verdadero de Dios aquí haveys de jurar y si christiano soys no podeys hazer et contrario ni passar de aquí y que en el mesmo punto y en la mesma forma juro su fixo Martin Serrano porque en la obligacion y dendo estavan obligados ambos junctos e cadauno dellos por ssi, y dize que hun Joan de Torralba vezino de Marha le ovo dicho como vio como uno de Murero o de Manchones havya jurado en poder del dicho Joan Daça en la sobre dicha forma[937]"*.

---

[936] LOPEZ ASENSIO, A., Op. Cit. *"Sabiduría judía..."*, p. 224.

[937] AHPZ, Caja 12, Nº 7, Proceso inquisitorial contra Johan de Sayas, p. 128 vto. VEASE APÉNDICE DOCUMENTAL PROCESOS DE INQUISICIÓN.

Otra actitud contraria a la Iglesia y sus fieles fue descrita por el vecino de Bubierca, Gonçalvo Huete, quien llegó a criticar la doble moral de los que iban en una procesión para pedir agua de lluvia. Muchos de ellos iban a misa, pero luego llevaban una vida poco decente.

- El 29 de agosto de 1509, el Procurador Fiscal de la Inquisición acusa al vecino de Bubierca, Gonçalvo de Huete, "que *queriendose fazer una procesion este mayo pasado por agua en el dicho lugar este interrogado dixo que no iria a ella ahunque lo prendasen porque no aprovechava la ira, ni Dios los oyria ni los devia oir porque en dicha procesión yvan personas dellas que segunt fama havian renegado de Dios y otras que no se confesaban y otras que se rifavan con mujeres casadas y otros descomulgados y que endo tal gente que Dios no los devia oir*[938]".

6.4.4.3.- BLASFEMIAS CONTRA LA GRACIA DE DIOS

El cristianismo define *Gracia de Dios* o *Gracia Santificante* al don gratuito por el cual, Dios ofrece salvación y perdón a todos los pecadores que depositan su fe y confianza en su hijo Jesucristo. Es la experiencia definitiva de sentirse salvado por Dios en Jesús de Nazareth. La palabra *gracia* proviene del latín *gratia* que significa *gratis*, de ahí que Dios salve y perdone gratis por la fe en Jesucristo (doctrina de la justificación de San Pablo), y porque Jesús ha muerto y resucitado por todos, por puro amor, no por nuestros méritos, sino por pura gracia, gratis, de balde.

El judaísmo, por el contrario, proclama que la salvación se consigue cumpliendo la Ley de Moisés. Si la obedeces y prácticas, recibes recompensa (bendición); pero si la desobedeces, recibes castigo (maldición).

Como sucede con el resto de los principios doctrinales cristianos, varios judeoconversos de Calatayud también cuestionaron el don de la *Gracia de Dios*, pues eran conscientes de que lo único que salvaba al hombre era cumplir la Ley contenida en la Torá y en los 613 preceptos que la resumen[939]. En este sentido, el converso fray Pedro Ximénez (vecino de Sestrica) y Gonçalvo de Huete (vecino de Bubierca), no sólo negaban este dogma, sino que estaban convencidos de que lo que realmente salvaba al hombre era su propio esfuerzo y trabajo.

- El 24 de febrero de 1509, el vecino y presbítero de Calatayud, Pedro López, declara ante la Inquisición que juzga al vecino de Sestrica, fray Pedro Ximénez, que "*hoyo dezir a*

---

[938] AHPZ, Caja 20, N° 15, Proceso inquisitorial contra Gonçalvo de Huete, p. 44. VEASE APÉNDICE DOCUMENTAL PROCESOS DE INQUISICIÓN.

[939] La Torá es la fuente primera de los siete preceptos morales básicos que obligan a todo ser humano como tal (los siete preceptos de los hijos de Noé; Gn 9, 1-7). También hay que observar los 613 preceptos o *Mitzvot* formulados dentro de ltexto bíblico y debe cumplir todo judíos desde que alcanza los trece años (365 son negativos e imponen abstenerse de alguna acción -uno por cada día del año- y 248 preceptos positivos –uno por cada órgano del cuerpo-. Dentro de esas normas devida, destacan de modo especial las relativas a la observancia del sábado, al día de descanso total, a la oración y a la alimentación. Esta última distingue entre los productos aptos y no aptos para el consumo humano (*casrhut*), la separación estricta de los alimentos lácteos y cárnicos, etc.; en deinitiva, son el resultado de la interpretación de las palabras bíbicas dentro de la tradición judía (Lev 11). La liturgia y las oraciones sinagogales, el calendario judío, las fiestas de origen bíblico o postbíblico, contribuyen a dar también un carácter diferenciador de la comunidad judía. Las leyes sobre pureza ritual o las relativas al matrimonio y el divorcio, dan también al judaísmo una imagen propia de identidad como pueblo. Estos preceptos bíblicos son comentados, explicados, ampliados e implementados por las diferentes exégiesis o comentarios, plasmándose por escrito las tradiciones orales: la Misma y el conjunto en la que está incluída: el Talmud.

Pedro de Aladonça habitante en Sestrica que el havia hoydo dezir al dicho Pedro Ximenez que la gracia de Dios ya era acabada que no havia gracia de Dios[940]*.*

- El 22 de agosto de 1509, el Procurador Fiscal de la Inquisición acusa al vecino de Sestrica, fray Pedro Ximénez, *"quel dicho Pedro Ximenez ha dicho muchas vezes que la gracia de Dios ya era acabada y que Dios no tenia ninguna gracia" y esto es verdat*[941]*.*

- El 6 de septiembre de 1509, la vecina de Bubierca, María Ferrero (mujer de Antonio), afirma ante la Inquisición que juzga al bubiercano, Gonçalvo de Huete, que le oyó decir *"que Dios dava su gracia a todos, el dicho Gonzalo el sastre que stava ahí dixo stare ahi que dixo te dara que trantar annos que llevo el sayo roto y nunqua Dios me ha dado uno y tantos annos ha que llevo este capote roto y nunca Dios me ha dado otro y que tenia dos fijas por casar y nunca se las casava Dios si el no se las casava, y esta deposante le dixo no os faze Dios otro que os da salud para no bajar y servido para lo guardar, el dicho Gonzalo respondio: que me faze Dios pues que no me lo dar sinse trabajar, y que esto stavan presentes quatro o cinco personas que nunca le han podido acordar quien son y que mas no sabe*[942]*.*

6.4.5.- LOS CONVERSOS CRITICAN ALGUNOS SACRAMENTOS

Las primeras versiones latinas de la Biblia traducían la palabra griega *mysterion*, por la latina *sacramentum* (medio para…). Como esta traducción fue muy usada por los primeros Santos Padres de la Iglesia, acabó por adoptarse en el seno de la Iglesia con un nuevo significado: una cosa sagrada que contiene su misterio a la manera de un *signum* (signo).

Los sacramentos son signos sensibles por los que la *Gracia de Dios* otorga la vida, el perdón y la salvación. Fueron instituidos por Jesucristo y confiados a la Iglesia, que reconoce la existencia de siete sacramentos: Bautismo, Confirmación, Penitencia o confesión, Eucaristía o misa, Unción de Enfermos, Orden Sacerdotal y Matrimonio.

6.4.5.1.- CONTRA LA MISA Y EL *CORPUS CRISTI*

La eucaristía (palabra griega que significa *dar gracias*) es la auto-entrega de Jesucristo (que ofrece su cuerpo y su sangre por los pecados de todo) bajo las especies del pan y del vino. Lo que se celebra es el amor de Dios que se da a todos los hombres. La comunión es participar de ese amor, que invita y anima al que lo toma (en la Sagrada Forma) a entregarse también al mundo por amor. Popularmente se la conoce -desde siempre- como el nombre de "misa" (el último verbo latino con el que terminaba esta celebración litúrgica: *"ite, misa est"* – "podéis marchar").

---

[940] AHPZ, Caja 20, N° 15, Proceso inquisitorial contra Pedro Ximénez, p. 23 vto. VEASE APÉNDICE DOCUMENTAL PROCESOS DE INQUISICIÓN.

[941] AHPZ, Caja 20, N° 15, Proceso inquisitorial contra Pedro Ximénez, p. 5 vto. VÉASE VEASE APÉNDICE DOCUMENTAL PROCESOS DE INQUISICIÓN.

[942] AHPZ, Caja 20, N° 15; Proceso inquisitorial contra Gonçalvo de Huete, p 49 vto. VEASE APÉNDICE DOCUMENTAL PROCESOS DE INQUISICIÓN.

No hay testimonio documental que certifique acusaciones inquisitoriales de cristianos viejos contra la eucaristía, por lo que nos lleva a pensar que no suscitó dudas sobre el significado sacramental de su celebración. No sucedió lo mismo con algunos judeo-conversos de Calatayud y su Comunidad de Aldeas, los cuales fueron acusados, condenados y sentenciados a abjurar – por la Inquisición- por dudar de la presencia de Jesucristo en la consagración y, por consiguiente, no creían en el sacramento que allí se celebraba. Tenemos alguna acusación de la fiscalía que así lo atestigua, como el de la conversa de Ibdes, María de Sus, quien ridiculizó el vino del cáliz diciendo *"que tambien podia ella echar agua en la cuba"*. También la cristiana nueva de Illueca, Dinita de Lanuça, tuvo un comportamiento inapropiado al escupir la Sagrada Forma tras la comunión.

- El 22 de agosto de 1509, el Procurador Fiscal de la Inquisición acusa la vecina de Ibdes, María de Sus (mujer de Lope Navarro, *"que como el capellan amerava (derramaba) el vino en el caliz que tambien podia ella echar agua en la cuba*[943]".

- El 22 de agosto de 1509, el Procurador Fiscal de la Inquisición acusa a la cristiana nueva de Illueca, Dianita de Lanuça, que *"haviendola comulgado una vez y recebido el sancto sacramento de la eucaristía lo escupio de la boca y lo echo*[944]".

Pero el caso más llamativo fue el de *mossen* Alonso de Santa Cruz, sacerdote judeoconverso de Calatayud, quien no decía las palabras de la consagración durante la misa. Así mismo, los comentarios de fray Pedro Ximénez, vecino de Sestrica, fueron muy poco acertados al descalificar el cáliz eucarístico y las vestiduras sacerdotales. Parece que la supuesta ascendencia judía, además de la completa ignorancia y nula formación, de algunos sacerdotes les hizo ejercer el ministerio sacerdotal con cierto escepticismo y mediocridad.

- El 22 de agosto de 1509, el Procurador Fiscal de la Inquisición acusa al vecino de Calatayud, *Mossen* Alonso de Santa Cruz, que *"quando dize misa no dize las palabras de la consagración ni consagra*[945]". De nuevo acusación fiscal.

- El 27 de marzo de 1511, el Procurador Fiscal de la Inquisición acusa al vecino de Sestrica, fray Pedro Ximénez, que *"le dixo no hos cale caliz que yos dare una taça y no teniendo vestiment este dixo santel dicho Pedro Ximenez le dixo yo los recortare presto un vestimento*[946]".

En la Edad Media todos los pueblos cercanos a Daroca tenían una gran devoción a los Corporales. El día del *Corpus Cristi* se sacaba la Santa Reliquia en procesión por la calle Mayor, con gran concurrencia de fieles. Muchos conversos solían ir allí porque también eran días de feria local y, por tanto, una oportunidad de hacer negocio. Cuando pasaba la procesión delante de

---

[943] AHPZ, Caja 20, Nº 15, Proceso inquisitorial contra María de Sus, p. 11 vto. VEASE APÉNDICE DOCUMENTAL PROCESOS DE INQUISICIÓN.

[944] AHPZ, Caja 20, Nº 15, Proceso inquisitorial contra Dianita de Lanuça, p. 14 vto. VEASE APÉNDICE DOCUMENTAL PROCESOS DE INQUISICIÓN.

[945] AHPZ, Caja 20, Nº 15, Proceso inquisitorial contra Mossen Alonso de Santa Cruz, p. 7. VEASE APÉNDICE DOCUMENTAL PROCESOS DE INQUISICIÓN.

[946] AHPZ, Caja 20, Nº 15, Proceso inquisitorial contra Pedro Ximénez, p. 21 vto. VÉASE APENDICE DOCUMENTAL DE PROCESOS DE INQUISICIÓN.

ellos, solían manifestar su rechazo no sólo por la presencia real de Jesucristo en las Sagradas Formas de los Corporales, sino incluso por la propia Hostia que se consagraba en la misa.

En este sentido, el converso bilbilitano Pedro de Santa Clara, subió a Daroca a participar en la feria de los Corporales de junio de 1488. Cuando pasó la procesión con los sagrados Corporales, la gente se arrodillaba en señal de respeto y veneración, tal y como obligaban las normativas municipales, todos menos él.

- En marzo de 1488, el Procurador Fiscal de la Inquisición interroga al bilbilitano, Pedro de Santa Clara (alias el *çedaçero*), el cual manifiesta que *del sancto sagramento del altar et dia de Corpus Cristi faziendo la procession qual de la ciudat como fueron al mercado desta ciudat yo estando con el dicho Pedro el Platero, passando la cristodia (custodia) me gerrolle (arrodillé) et como cristiano ami creador y redemptor como cofratre de la cofraria de Corpus Cristi adore, adoro et creo verderametne que debaxo de aquellos accidentes esta aquel el qual es Dios verdadero e hombre nacido del vientre virginal de sanctisima virgen Maria, la qual tengo por advocada et como me levante no trobe a Pedro de Sancta Clara antes se apto y no fizo reverençia al Corpus y me increpo porque yo creya lo sobredicho. Et yo dixe que me dexase por amar a de Dios que ami me havia plazido adorar y fazer reverencia a mi sennor Iehus Cristo y esto havia a la fiesta que venia de Corpus Cristi tres ayos a mi parecer* [947].

Esta desconfianza también la tuvo el converso de Bubierca, Gonçalvo de Huete, a quien le invitaron -en junio del año 1509- a subir a Daroca a los Corporales. El se negó manifestando a su paisano, Antón Texedor, que no creía en ellos desde que presenció un falso milagro en la ciudad de Burgos, concretamente, que no salía sangre de la llaga del costado de un Cristo muy afamado. Esto lo pudo comprobar también el Ordinario del lugar.

- El 29 de agosto de 1509, el Procurador Fiscal de la Inquisición acusa al vecino de Bubierca, Gonçalvo de Huete, que *stando este interrogado en casa de Anton Texedor del dicho lugar adonde stavan el dicho Anton texedor y Pedro de Ateca y no se acuerda si havia alli otri y dize que los dichos o el uno dellos dixeron como querian ir a Daroca, este deposante dixo a que haveis de ir y ellos dixeron a los sanctos Corporales, dixo este deposant por mi que sino havia de ir por otro sino por verlos que no fuesse alla que tambien fasta Dios en esta iglesia como alla, y ellos dixeron a haverlos perdones, dixo este interrogado bien fazeys mas segunt la maldad que vi en Burgos no tengo devocion ninguna con milagros que me digan ha contenido porque en Burgos me falle yr done ovo publica fama por la ciudat en el monesterio de Sant Agostin fama manado sangre por la llaga del costado y assi vi como fue ello abixo alla con muchas clerecia y mucha gente y yo haver alla y me puse cerca del altar y vi como ello bispo subio en el altar y con su roquete puso la mano en la llaga al crucifixo y por dos vezes y siempre saco polvo y no sangre y dixo el obispo entonces estas palabras por mi consciencia que stoy enpos deterrarlas puestas y dar fuego al monesterio y a los frayres y dize que sobreseo no se le acuerda que mas posase empero si algunos testigos dixeren mas de lo que el dize que lo*

---

[947] AHPZ, Caja 9, Nº 1, Proceso inquisitorial contra Pedro de Santa Clara, el *çedaçero*, p. 6. VÉASE APENDICE DOCUMENTAL DE PROCESOS DE INQUISICIÓN.

da por bueno todo lo que dixeren[948].

6.4.5.2.- CONTRA EL SACRAMENTO DEL BAUTISMO

El bautismo cristiano es un Sacramento por el cual, no sólo se perdona el primer pecado de Adán y se purifica al hombre del mal para alcanzar la salvación personal, sino que también incorpora al neófito a la Iglesia, es decir, a la comunidad de los que creen y celebran la fe en Jesucristo. En la Edad Media, además, servía para adquirir la categoría de parroquiano y vecino de un determinado lugar.

Como es lógico, todos los conversos neófitos (llamados de primera generación) pasaron por las aguas bautismales para hacerse cristianos. Aunque en los procesos de Inquisición apenas hay referencias que pongan en duda la eficacia de este sacramento, sin embargo, en la mente de todos estaba el dicho popular que decían los judíos: *ninguno que fuesse bautizado no podía ser dampnado*, es decir, que recibir el bautismo no causaba ningún daño espiritual al judío que iba a seguir siendo judío a pesar de estar bautizado.

- El 22 de agosto de 1509, el Procurador Fiscal de la Inquisición acusa al vecino de Ateca, Ferrando de Ravanera, que *"ha dicho una y muchas vezes que ninguno que fuesse bautizado no podia ser dampnado (dañado)*[949]*.

Otros, por el contrario, preferían ridiculizarlo al comparar la pila bautismal (ornamento sagrado) con una terriza de cerámica (pieza profana), como así llegó a decir Johan de Urrea, converso de Calatayud.

- El 27 de marzo de 1511, el vecino de Calatayud, Johan de Urrea, dice ante la Inquisición que juzga al vecino de Sestrica, Pedro Ximénez que, hacia 1502, *"quiriyendo yr este deposant a bautizar al lugar de biver de Mores a un nieto del dicho Pedro Ximenez diziendo a este deposante que no havia pila en los dichos lugares, el dicho Pedro Ximenez le dixo yo vos en dare una terriza*[950]".

6.4.5.3.- CONTRA EL SACRAMENTO DE LA CONFESIÓN

A través del sacramento de la Confesión, el creyente recibe el perdón de sus pecados (si hay arrepentimiento sincero) y el sacerdote le absuelve de ellos en nombre de Dios. En la Edad Media, la culpa y el miedo a condenarse fueron uno de los recursos que más utilizó la Iglesia para controlar, educar y dirigir las conciencias y el comportamiento de los fieles. Algunos conversos

[948] AHPZ, Caja 20, N° 15, Proceso inquisitorial contra Gonçalvo de Huete, p. 44. VÉASE APENDICE DOCUMENTAL DE PROCESOS DE INQUISICIÓN.

[949] AHPZ, Caja 20, N° 15; Proceso inquisitorial contra Ferrando de Ravanera, p. 11. VÉASE APENDICE DOCUMENTAL DE PROCESOS DE INQUISICIÓN.

[950] AHPZ, Caja 20, N° 15; Proceso inquisitorial contra Pedro Ximénez, p. 22. VÉASE APENDICE DOCUMENTAL DE PROCESOS DE INQUISICIÓN.

de judío, como Martín de Menes (vecino de Ateca), no vieron con buenos ojos a *este diablo de confesion*, tal vez por la facilidad con que se manipulaba a las personas y se transmitía el sentimiento de culpa.

- El 22 de agosto de 1509, el Procurador Fiscal de la Inquisición acusa al vecino de Ateca, Martín de Menes el viejo, que *ablando de la confesión, dixo: que diablo, que confesión, por este diablo de confesión, que todo es nada*[951].

[951]   AHPZ, Caja 20, Nº 15, Proceso inquisitorial contra Martín de Menes el Viejo, p. 10 vto.   VÉASE APENDICE DOCUMENTAL DE PROCESOS DE INQUISICIÓN.

7.- APÉNDICE DOCUMENTAL

APÉNDICE DOCUMENTAL Nº 1

Nº 1.- Segorbe, 23 de agosto de 1401.

Mandato del rey aragonés Martín a los judíos de Calatayud para que ninguno de ellos se empadronen en ningún lugar del reino sin su consentimiento, a fin de evitar que se fueran a vivir sin haber saldado sus deudas aljamiales. Esta práctica empobrecía al resto de miembros de la aljama, que tenia que asumir la parte proporcional de impuestos e hipo tecas comunales del judío que se marchaba a vivir a otra parte.

ACA, Real Cancillería, Registro Nº 2.196, fol. 38-139.

«Nos don Martini, querientes enta la utilidat, buen estamiento de la aljama de los jodios de la ciudat de Calatayut, la qual delgun tiempo an aqua por exquionsidas maneras que algunos singulares jodios de la dicha alia ma han tenido e tener no cessan de present deptiendo sus domicilios de la dita aliamo en otra manera por exmimir o deptir se de contribuir o pagar con las eytas, treudos, subsidios, demandas, censes, violarios, deudos e otras cargas de la dita aliama es venida o poria venir a grant

ddevimiento, segund coviene de buen principio e senyor entender devidament puedir por tenor de la present. Como ya por una letradel senyor rey don Pedro, padre nuestro de loable memoria, dada en Barchinon a XXVI dias de ma~o del anyo de la nativitat de nuestro senyor Mil CCC LXXIX fuesse provedido e ordenado que dalli adelant algun jodio de la dita aliama no podiesse transprotar su domicilio en alguna otra part sin su licencia o consentimiento, ordenamos statuimos e provedimos que qualquiere o qualsequiere jodio o jodios que de la dita aljama de cinquo anyos antaqua se son desuezmados o sus domicilios departidos o han feytos vezinos en qualquiere otra ciudat, villa o aldea, o lugar por dessuir o escusar se de pagar los deudos e cargas de la dita Iiama dessuso specificadas, o daqui adelant se querran desuezivar, o sus domicilios transportar en la dicha manera que aquestono puedan han feyto ni puedan fazer dequei atanto que hayan contado e conten con los clavarios de aquella qui agora stan o por tiempo sian quanto les viena su parte assi del principal como del interes que aquellos en las ditas peytas, treudos, subsidios, demandas, rentes, iolarios e otros deudos e cargas de la dita aliama asumieran como vezinales e aquella su parte tanta quanta es o fia daque al dia quel dicho deptimiento o de su ezinamientohavra feyto o querra ser haya o havran realment, de feyto pagado a los ditos clavarios en nombre de la dita aliama el qual conto havran a ser los que se desuezinaran, e sus domicilios ansportaran daque adelant con laos ditos clavarios iuxta e segund la taxa, talla o regla que en la dita aliama se ha pueda en el anyo mas cerca passado del timpo que se desuezimara o su domicilio mudara. Et aquello o aquellos de los ditos judios que de los ditos cinquo anyos passados ansaque se son dessuezmiados o han sus domicilios ransmudados segund dito yes se haya a fazer el dito conto segund la talla que en aquell anyo que es o sesuezinaron en otra ciudat, villa o lugar fue feyta e prevada en la dita aliama. E si por ventura fue feyto el dito deptimiento, o desuezinamiento en la forma e manera sobre dita a tales judios fincaran algunos debienes mobles o sedientes en la dita aliama o en la dita iudat, e sus Aldeas que por aquellos sean tenidos pagar e contribuir con la dita aliama en todas las cosas, cargas o deudos sobredichos, segund los otros judios de la dita aliama fanen e faran contando parte de la valia de aquellos. E los que ya seson defuezinados o deportdios de cinquo anyos antaqua segund de suso se dize sean tenidos dentro de diez diasapres que por parte de la dita aliama han requeridos contar con los ditos clavarios e pagar realment, de feyto aquellos en nombre de la dita aliama, todo quanto los bienes en las ditas peytas, censes, treudos, violarios, subsidios, demandas e qualesquiere otros deudos de la dita aliama, assi de principal como de suert daquei al dia que se esuezinaron, o dedepartieron de la dita alima, mas adelant prevedirnos, statuimos, ordenamos que qualesquiere judios que se ahayan desuezinado o departido de la dita aliama e de su distibucion de los dichos cinquo anyos antaqua, o se desuezinaran o departiran daquei adelant en la firma e manera sobre dita encara que haya contado o pagado segund ansaqo se ycien si querra tomar o tomara por estar en la dita aliama o en la dita ciudat e sus aldeas o terminos de aquellos que passado un mes contado el dia que ha aqui tomado adelante sea tenido conliibuir, peytar e pagar con la dita aliama de la dita ciudat assin como los otros judios habitantes de aquella. E todas e cadaunas cosas sobre ditas queremos e mandamos por qualsequier de los ditos jodios presentes e esdevenidos sey inviolablement aprovadas dins incottimonie de la nuestra ira, e indignación e pena de dos mil florines doro de los bienes de los contrafazientes havedores e a nuestros coffres aplicadores, mandamos con aquesta misma al comandador, bayle general e justicia del

regno daragon, yalmedinas, juezes, bayles, merinos, sobrequarteros, portos e qualesquiere otros officiales, luagares tenientes, dins encorrimiento de las ditas penas que la presente nuestra provision statuo ordinacion e todas las cosas aqui contenidas tengan firmement e obproven e tener obprovar fagan e non contravengan ni alguno a algunos ntravinir dexen por alguna manera razon.Antes si algunos de los ditos jodiso cuentra la nuestra present orovision, statuo eordinacion veniran o venir assayanan contra ellos o quaquiere dellos e sus bienes por las ditas penas e otras cossas sobreditas fagan exequcion rigorossa cada e quando ende han requifidos. En testimoni de la qual cosa mandamos la present seyen feyta e co nuestro sello seyellada, dada en Sogorbe a XXIII dias dagosto, en el anyo de la nativitat de nuestro senyos Mil Quatrozientos e uno».

APÉNDICE DOCUMENTAL N° 2

N° 2- Zaragoza, 23 de noviembre de 1414.

El Príncipe Alfonso IV escribe a los jueces eclesiásticos y regidores civiles de Calatayud, reprendiéndoles por haber elaborado y pregonado en el mercado y calles de la ciudad, unas disposiciones contra los judíos que impedían que estos saliesen de la judería ni siquiera para coger agua del río, así como moler o cocer pan so pena de cárcel y multas. El Príncipe prohíbe dichas disposiciones y ordena que no se moleste y fuerce al bautismo a los judíos.

ACA, Cancillería, Registro, N°, 2.444, Fol. 27-28 vto.

"Don Alfonso… a los fieles nuestros los justicia, judez, jurados e otros officiales e prohoms de la ciudat de Calatayut salud e gracia. Entendido havemos por relacion fidedigna, que a requisición de lagunos jutges eclesiásticos de actoridat apostolica fulcidos, los quales, por razon quelos adelantados, clavarios e jodios de la aljama de la dita ciudat no han curado pagar a Paqual Perez de Almaçan, olim ante de su conversión a la fe catolica clamado Açach Alvalit, cierta quantidat a el por razon de ciertas expensas feytas en cort de Roma, segunt le fueron por los ditos jutges apostilicals taxadas e pagar mandas, a los ditos jodios han interdizido la participación de los fieles cristianos dius pena de excomunicacion, la qual en los cristianos, qui la dita participación no los subtrayerian, profferieron, vos, ditos justicia, judez e jurados o algunos de vos, no contentos, que la dita interdicción e subtraymiento de participación fuesse por los ditos judtez e jurados o alunos de vos, no contentos, que la dita inerdiccion e subtraymiento de participación fuesse por los ditos jutges eclesiásticos por cartelles puestos ala puerta del altar del mercado de la dita ciudat publicada e en sus terminos, segunt deven, observada por los vezinos e habitadores de aquella, havedes, la dita interdicción e subtrahimjiento ampliando ultra terminos razonables, por voz de pregones e cridas publicas mandado, que alguno de los ditos jodios no presumesca o ose sallir fuera la clausura de la judaria ni tomar agua del rio de la dita ciudat ni entrar en olino o forno alguno a moler o cozer pan, encara que sin participación no devida con cristianos aquello pagar podiessen, en aquesta manera e otros semblantes subtrayendo a los ditos jodios no solamente la participación de los fieles cristianos, mas encara las vituallas e otras cosas a sustrentacion de la vida humana necesarias, no considerantes, que no menos esculpant de homicidio aquel, qui las viandas substraye, que aqull, qui con fierro o en otra manera los hombres mata, a las quales cosas la inerdiccion e excomunicacion de los ditos jutges eclesiásticos no se stendia ni estiende. Hoc encara captada ocasión delas ocsas desuso ditas vos, ditos Justicia, Judez, Jurados e Officiales o alguno de vos, havedes procedido e procedides a querer la dita subtraccion convertir en proveytos e emolumentoos pecuniarios, exigiendo e levantando penas no devidas ni razonablement encorridas por algunos, qui contra los tenores delas ditas cirdas e pregones, qui vidstos son excedir todos terminos de razon, han osado sallir dela clausura dela judaria e andar por toda la ciudat o al rio enviar por agua. Et encara vosotros, vezinos e habitadores de la dita ciudat, no considerantes, que los ditos jodios non e stan en la dita ciudat dius seguramiento e proteccion del senyor rey e neustra, a aquellos injuriades e offendides de paraula e de feito en diversas maneras, e vos, ditos justicia e juez, jassia los assi injuriantes e offendientes deviessedes punir e castigar devidament, empero, aquesto no curantes fazer, a los ditos malfactores dades permission e facultat defazer lo e encara a aquello a fazer los induzides por avididat e cobdicia de illicitos guanyos e extorsiones, las quales les demandades et permetedes fazer et recebir de los ditos judios, de que si por nos no hi de era provehido devidament, se spera subseguirdestruccion total de ladita aljama e de los singulares todos de aquella. Ond nos, a qui pertenece por nuestro officio e preeminencia ala indempnitat de ls sotsmesos del senyor rey et nuestros e mayorment de aquellos, qui de todo otro subsidio e ayuda son destituidos, proyeyr, considerantes las ditas cirdas e pregones por vos, ditos justicia, juez, jurados e officiales feytas e mandadas fazer, seyer injustos e excedir terminos de justicia e razon e que a vos no pertenescia ni pertenece la excomunicacion o censura eclesiástica ultra sus devidos terminos ampliar ni por aposiciones de penas corporales o pecuniarias a los ditos jodios directament o indirecta subtrayer las cosas a la sustentación humana necesarias; hoc encara considerantes, quel oficial de la dita ciudat, en virtu de la comisión o subdelegacion a el por los jutges apostolicales feyta, copia de la qual al reverend en Cristo padre el bispo de Leon, cossellero e canciller nuestro ha enviada, no paresce haver poder e facultat de fazer la dita ampliacion ni de procehir como a subdelegado apostolico a punir juios algunos… Por aquesto, havida sobre todas aquestas cosas deliberacion en nuestro pleno consello e comunicado aquesto con el venerable e honesto religios don ffray Vicient Ferrer, maestro en santa teología, por tenro de las presentes cassamos, revocamos e anulamos las ditas ampliaciones e interdicciones e aposiciones de penas corporales e pecuniarias por vos ditos justicia, juez, jurados, officiales e hombres de la dita ciudat feitas e mandadas fazer, cridar e pregonar contra los ditos jodios universalment o singular por las causas, razones o occasiones sobreditas, querientes e mandantes, que en virtud de aquellas por officiales del dito senyor rey o nuestros o por personas algunas contra los ditos judios o algunos dellos en cosa alguna no sia procehido, mas solament observantes la interdicción e exocuminacion por los ditos jutges eclesiásticos promulgada e publicada, los files cristianos como verdaderos fillos de obediencia e a aquella obtenperando se abstengan de con los ditos jodios participar en faula, comer, beber e conversación, comprando, vendiendo, consello e favor dando les, juxta el tenor de la dita sentencia de interdicto e exocmunicacion e poder al dito subdelegado dado e atribuydo… Mandamos encara a vos ditos justicia, judez, jurados e otros officiales qualesquiere del dito senyor rey e nuestros, aquí pertenescia, que considerado, que no es cosa razonable ni plazient a dios, ni al sent pare, ni al dito senyor rey, ni a nos, que pro fuerça e impresión illicitas directament o indirecta sian los jodios compellidos a conocer la carrera de la vierdat e fe catolica, ni a recibir el santo bautismo, de continent fagades publicament preconizar por la dita ciudat en la forma acostumbrada, que no sia persona alguna tan osada, que los ditos judios o alguno dellos presumesca o actempte injuriar o ofender de palabra o feito sots encorrimiento de grandes penas assin corporales como pecuniarias a vuestro arbitrio a los contra fazientes infligidotas,et encara contra los, qui a injuriar, damnificar e ofender los ditos judios se han atrev ido, procedades a punicion devida e qualesquiere exsecuciones e enantamiento por vos, ditos officiales e personas o algunos de vos, contra los ditos jodios o algunos dellos feitas por causa de las ditas cridas e pregones e las penyoras daquen presas daquen presas fuesen trobados los revoquedes e restituyades sin dilacion alguna, talment haviendo vos en las cosas desuso ditas e en las otras aquesta materia tocantes, que de la conservacion dela dita aljama e habitadores de aquella podades seyer comendados, como del contrario, si se acayesciá por culpa o incuria vuestra, seriades devidametn punidos et castigados".

APÉNDICE DOCUMENTAL Nº 3

Nº 3- Zaragoza, 1 de diciembre de 1414.

El príncipe Alfonso IV se dirige al Vicario Episcopal de Calatayud para expresarle su preocupación por las multas que les imponen a los judios al salir de la judería sin el distintivo. Al parecer, los adelantados y clavarios de la aljama expusieron su preocupación al Príncipe, quien se comprometió a solucionar sus quejas.

ACA, Chancillería, Registros, Nº 2444, fol. 37-38.

"Don Alfonso... al amado nuestro Bartholome Detz, vicario general por el vispo de Taraçona en la ciudat de Calatayut, salud e dileccion. Segund havemos entendido por relacion FIDE digna, vos como comisario apostolical por razon, que Brahem Algualit, Salomon Alpastan, Simuel Paçagon, Brahem Castiel, Simuel Paçagon fillo de Brahem Paçagon, Açach Azarias, Salomon Çadoch, Açach Arruet, judios e regidores de la dita aliama, los quales en el mes de octubre mas cerca passado fueron citados por vos como a comisario ja dito, que fuesen ante la presencia del padre santo, no hide fueron por ocupacion del regimiento dela dita aliama, la qual, caso, que fuesen idos, atendido que ellos la sustienan, fuera totalment destruyta, havedes interdezido a los ditos judios e a cadauno dellos la participación de los fieles cristianos dius pena de excomunicaicon, la qual en los cristianos, qui la dita participación no los substrahirian, proferiestes. E vos no contento de los terminos pertanescientes a la jurisdicción eclesiástica, antes excediendo aquellos e usurpando la jurisdicción al dito senyor rey e a nos pertaniessient, havedes de vuestra propia auctoridat mandado a los jduios dessuso nombrados, que no sallissen dela dita judaria, sines que no levasen en los peytos una roda de panyo vermello e verda de un palmo o mas dius pena LX sueldos, e mas adelant que a los ditos judios e a cadauno dellos havedes feito mandamiento preciso, que no salliessen da la dita judaria dius pena de cada sinchocientos florines pro cada vegada, que serien trobados de fuera la dita judaria. Et maguera el dito padre sancto, algunos dias son ya passados, haya licenciado los mandaderos judios delas aljamas, que sende fuesen en sus casas, empero vos, perseverando en vuestro voluntario e no devido proposito vuy en dia vexades los ditos judios por las maneras sobreditas. On nos, a qui pertanesce por nuestro officio e preeminencia, a las indempnitat de lso sotsmesos del senyor rey e neustros e maiorment de aquellos, qui de todo otro subsidio e ayuda son destituidos, provedir, vos requirimos e amostamos, que cuentra los ditos judios... por causa de las ditas penas, que les havedes imposadas, e mandamiento de portar la dita roda en los peythos e de no sallir de la dita judaria, como tal cosa ordenar a vos no pertenesca de present, mairoment atendido, que nosto senyro el papa cerca esto ha prevenido o entiende a provehir en cierta forma, en manera alguna no probidades caqui adelant, antes revocando los ditos mandamientos penales por vos feitos en cualquiera manera e lexando los ir e sallir, como solien antes de la dita citación, vos abstengades del todo de illicitament estendre e poner las manos en los actos pertanescientes a la jurisdccion del dito senyor e nuestra, certificantes vos, do caso nolo faziessedes, no hi de provediriamos por los remedios devidos. Pero plaze nos, que si por observación de la dita excomunicaicon, la qual queremos sia servada a la ungla, como debe e yes de razon, hauredes necesario el subsidio del bras secular, recorrades a los officiales reyales e maestros, como hayan ya mandamiento de nos, que cada per vos o otri en lugar vuestro requiridos ne seran, devidament vos den cerca esto consello, favor e ayuda".

APÉNDICE DOCUMENTAL N° 5

N° 5- Fraga, 10 de noviembre de 1418.

El Rey Alfonso V escribe al Asesor del reino de Aragón, Fernando Dis Daux, para que prohibiera las medidas que el Conejo de la ciudad quería imponer a los judíos y que eran las mismas que aprobaron en 1414. Al parecer, el oficial eclesiástico, con la colaboración del Bayle de la ciudad, habían encarcelado ya a varios judíos, lo que hizo que algún judío emigrase a tierras de Señorío buscando protección. El rey manda al Gobernador que no se les moleste y que haga copia de los procesos abiertos contra ellos para revisarlos.

ACA, Cancillería, Registros, N° 2.565, fol. 51.

"assesor. Segunt havemos entendido, los dela ciudat de Calatayut e algunos officiales o singulares de aquella han menaçado de matare en tora manera avalorar, maltratar, siquiere agreujar los judios de la dita ciudat, sino renunciavan los vamos, que delant de nos havian posado contra la dita ciudat e algunos singulares de aquella por razon de ciertas ordinaciones prohibitas, que havian feyto contra los ditos jodios; e asimismo, quedl oficial eclesiástico ha presos muytos judios dela dita ciudat e encara ende tiene presos algunos en preindicio de nuestra jurisdciio, e que en todo aquesto el governador da lugar e consentimiento expresso o tacito. Porque, como todas las ditas cosas tornen en deservicio nuestro e preindicio evident delos ditos judios, alos quales por causa del dito maltractamiento convendria lexar sus casas e irsen de por lugares e villas de baroenes, assin como han feyto daquel aquí, e sea nuestra intencion, no consentir, los ditos judios sean molestados o inquietados por alguno, antes tanto, como honestament fazer se pueda, sean defendidos e mantenidos assi como a propia cosa nuestra e tesoro nuestro, vos dezimos e mandamos..., que hayades copias delos precensos, quel dito oficial faze contra los ditos judios e assi mismo de renunciaciones de clamos e de todos actos, que los dela dita ciudat hayan feyto fazer a los ditos judios, e de todas otras cosas emergientes de aquellos diligentement vos informades, e apres todas las ditas copias, actos e processos e renunciaciones nos embiedes selladas, pro tal que vistos aquellos hi podamos provedir devidademt e segund se pertenesce. Fazet empero entretanto, quel governador faga moniciones e requeira al dito oficial, que desista delas ditas cosas e las revoque e los judios, que tiene presos, lexe de la presion...".

APÉNDICE DOCUMENTAL N° 6

N° 6- Fraga, 10 de noviembre de 1418.

El Rey Alfonso V escribe al Gobernador o Bayle de Calatayud para que prohibiera las medidas que el Conejo de la ciudad quería imponer a los judíos y que eran las mismas que aprobaron en 1414. Al parecer, el oficial eclesiástico, con la colaboración del Bayle de la ciudad, habían encarcelado ya a varios judíos, lo que hizo que algún judío emigrase a tierras de Señorío buscando protección. El rey manda al Gobernador que no se les moleste y que haga copia de los procesos abiertos contra ellos para revisarlos.

ACA, Cancillería, Registros, N° 2.565, fol. 52.

"Governador. Toda nuestra intencion es, que las aljamas de los judios e los singulares de aquellas dentro nuestro regno constituidos tanto, como honestament e licita fazer se pueda, sean preservados de toda vexacion, e que no les sea feyto por alguno directament o indirecta alguna sinrazon o greuge, e en aquesto no solament somos movidos por seyer servada a todos equalment de justicia, mas por nuestro propio proveyto, interesse de nuestras rendas, qui son muyt diminuidad por los greujes passados, que son stados feytos ultra la forma dela pragmatica a las ditas aljamas e judios. E agora, segund con desplazer havemos entendido, vos quei por carga de vuestro officio sodes tenido deffensar e guardar de todo scandalo los ditos judios e cadauno dellos, no havedes vedado ni prohibido, antes tollerado, que lagunos vezinos de la ciudat de Calatayut cuydaron mover insult e violar contra laljama delos judios dela dita ciudat e algunos singulares de aquella, or tal que los ditos judios se clamaron delant de nos de algunso excessos cometidospor la dita ciudat e singulares por razon de ciertas ordinaciones, que finieron contra los ditos judios. E no remenos permetedes, quel oficial eclesiástico prende los ditos judios e dius cierta color los vexa e los agreuja en muytas maneras…, de que se sigue, que los ditos judios han de lexar sus casas… Pro que vos mandamos, que los ditos judios… tractedes bien e favorablement, tanto, como honestament paredes, e no permetades, que alguno los maltracte o los agreuja por alguna razon…".

APÉNDICE DOCUMENTAL Nº 7

Nº 7-Barcelona, 21 de marzo de 1419.

A petición de los judíos de Aragón, el rey Alfonso V ordena derogar las disposiciones antijudías decretadas en la bula "etsi doctores Gentium" del Papa Luna, fechadas en 1415; restituyendo así sus privilegios y libertad. Esto suponía que no fueran juzgados por las penas y tribunales eclesiásticos que establecían dicha bula, ni por los tribunales civiles.

ACA, Cancillería, Registros, N 2.500, fol. 170-172.

"1.- Primerament domandan los jodios, que lis sian tornados sus libros e sumas, compendis de Talmud, car segunt se sabe por hombres dignos de fe, jatsia lis sian presos, intencion era de mossen Pedro de Luna, olim Benedictus, aquellos tornar lis. Plaze al senyor rey, que sian deputados unos o dos maestros en teología, uno odos juristas o doctores e un converso, los quales ayan a separar los errores, heregias e otras cosas cuentra la fe católica e en vituperio de nuevo testament posadas. E sea mandado a los officiales reyales…, que, havidos los memoriales o inventarios de los ditos livros, aquellos fagan estar de manifiesto en algun lugar seguro, mandando a quienquier, assi eclesiásticos como legos e seglares, que aquellos manifiesten… Et separadas e tiradas los ditos errores, los libros sian restituidos ad aquellos jodios, de quien los ditos livros eran antes de la ocupación o apprehension, et en aquellos puedan leyr, studiar e mostrar a su voluntad.

2.- Item que jodios puedan ligar libros de cristianos; plaze al senyor rey… si empero el cristiano dara a ligar a los ditos jodios livros meros eclesiásticos assi como misal, breviario e semblantes diputados a celebrar los oficios divinales, sia punido el dito cristiano en la pena pecuniaria en la pragmatica reyal posada.

3.- Item que entre jodio e jodio aya judge jodio, segunt se usava entre los jodios por privilegios de vuestros predecesores…, e seyer arbitros e amigables componedores entre jodios e cristianos; plaze al senyor rey…

4.- Item que lis sian tornadas sus casas de oración. Plaze al senyor rey, que el arbitrio de los diputados por el senyor rey puedan haver muytas sinagogas pora orar, segunt que exegexe el numero o exigencia del pueblo en cada judaria o aljama, e cada aljama las sinagogas, que restaran, puedan assi como bienes de la aljama retener, no a oracion o ceremonias dellos celebrar, mas tan solament a vender aquellas o a cierto censo a otri stablir, e assi que puedan de aquellas assin como bienes de universidad cada alajama al dito comercio disponer.

5.- item que el jodio pueda seyer corredor, metge, cirurgiano e asimismo cambiador, procurador de cristiano e arrendador de rendas de cristianos e aquellas cullir e plegar e fazer conpanya con el. E asimismo poderse servir de cristiano e seyer del acompanyyado por camino o en caso de necessitat, segunt que en el tiempo de vuestros predeceseres se usava. Plaze al senyor rey… e que puedan arrendar e cullir fruytos de arrendamiento; empero que por sguart del dito arrendamiento no puedan exercir juridiccion alguna…

6.- Item que el jodio pueda tener tienda entre cristianos, de sol a sol solament, pues su domicilio sia en limites de la juderia; plaze al senyor rey…

7.- Item que los jodios o jodias no lieven roda en camino, por tirar periplo, antes vayan, como sabran; assimesmo en poblado, pues sean senyalados en havitos de tabardo e habito singular a ellos; plaze al senyor rey…

8.- Item que todo contracto permiso fazer entre cirstiano e cristiano se pueda fazer entre cristiano e jodio; plaze al senyor rey…

9.- Item que todo jodio pueda ordenar de sus bines a su quisa, e muriendo intestado, la herencia de sus sucesores, si son jodios, finque a derrito judayco comun. Plaze al senyor rey, que moriendo el jodio con testament o en otra zaguera disposición, lexando sucesores ciristianos e jodios, no pueda el dito jodio en tal manera disponer, que los cristianos fuesen privados de lo, que haviessen haver. Et en do el defuncto fuese cristiano, el qual mories ab intestado, lexados sucesores cristianos, assi que son dos fillos del dito jodio e el uno sea ciristiano e el otro jodio, sea tenido el jodio lexar la meytat de sus bienes, et en los otros pueda disponer a su volintat. En la sucesion del abintestado, en do lexa sucesores de diversa ley, que el uno sea cristiano e el otro jodio, fagase entre ellos distribución, assi como se faze entre cristianos, muerto el cristiano intestado. Et en do sean sucesores jodios, sea lexado a disposición de ley judayca.

10.- Item que los jodios no puedan seyer forçados en alguna manera sallir fuera de la juderia a seyer informados de la fe e a oyr sermones. Et si alguno querra sermonar e informar de la fe a los judios, sia dentro de la juderia e en la sinagoga, con que cristiano no y entre, sino solament el sermonador e los officiales, si querran. Empero que los ditos sermones sean de la fe, de la materia inductiva a la fe, e no de cosas, que de aequellas se pueda seguir scandalo, e esto por no seyer scandalizado. Plaze al senyor rey, que los jodios no sian compellidos a sallir de la juderia, por oyr predicaciones o sermones, mas que dentro la judria dellos sean admitidos predicadores, si venir hi querran, e a oyr las predicaciones, que en la judería se faran, sean admitidos los cristianos, el numero de los quales sea statuydo al arbitrio del oficial reyal, el qual deva e sea tenido en las ditas predicaciones presencialment seyer.

11.- Item demandan los ditos jodios, que las cosas contenidas en la dita pragmatica, que de derrito comun no yes en ellas statuyda pena criminal ni civil, statuyda empero por la dita pracmatica, que aquellas penas lis sian tiradas et cassadas del todo. Plaze al senyor rey..."

APÉNDICE DOCUMENTAL N° 8

N° 8- Tortosa, 6 de marzo de 1420.

El rey Alfonso V ordena derogar la disposición dada en 1414 por las autoridades civiles y eclesiásticas de Calatayud, por la que los judíos debían vivir en la judería agrupados en dos barrios o calles, dejando el resto de la judería para los conversos que se habían bautizado tras la Disputa de Tortosa, pues aún no tenían casa en el barrio cristiano. Así mismo da licencia para cambiar de domicilio a los judios (como antes hacían) y volver a sus antiguos hogares.

ACA, Chancillería, Registros, N° 2.589, fol. 77.

"Nos don Alfonso... Attendientes los jodios dela aljama de Calatayud seyer asat de peytas... e otras grandes cargas vexados... havido seguard al poco numero de aquellos, considerantes encara haver feyto alos ditos jodios genral mandamiento, que habitasen e habiten lexado sus proprios domicilios e casas dentro dos barrios e carreras en la dita juderia..., havientes no res menos consideración, que la dita ordenación se fizo por tal, que los cristianos a la fe católica convertidos fuesen separados dela participación de los jodios sobreditos..., empero aquello yes venido engrant carga e inconfortable delos ditos jodios, e senyaladament que no puden logar sus casas fuera delos ditos limietres constituidos ni fer habitar alguno en aquellos, esforçandose asin, como se esfuerzan e de feyto fan los ditos conversos, que aquellas esten renegas e buytas, e las dellos situadas dentro los ditos barrios o limites hayan, asi como han, necessariament a logar los diots jodos a peso de dineros... Por tanto... damos... licencia... a vos, dita aljama, que dequi avant... podades mudar vos e fazer vuestro domicilio o asin ocmo antigament e antes de las ditas ordinaciones e mandamiento faziades e fazian, en vuestras casas e habitaciones dentro la juderia cerrada de muro de la dita aljama sitiadas fuera de los limites e barrios de part de suso mencionados...".

APÉNDICE DOCUMENTAL N° 9

N° 9.- Calatayud, 8 de febrero de 1464.

El converso de Calatayud, Martín de la Plana (antes con el apellido Hayat de Daroca), se compromete a pagar 600 sueldos (en ropa y dineros) la dote del matrimonio de su nuera, Struga, con el judío de Daroca Açach Hayat,.

APNC, tomo 39, 1464, Leonart de Sancta Fe, pag. 27.

"Eadem die Martin de la Plana, vezino de la ciudat de Calatayut, considerado et atendido que es contraydo matrimonyo entre Açach Hayat, judio habitant en la ciudat de Daroqua et Struga, doncella fija de Alazar Ferrer, habitant en la ciudat de Calatayut et nuera del dicho Martin de la Plana et los ditos Açach Hayat et Struga haviessen comprometido el dicho matrimonyo empoder de Simuel Atortox judio habitant en la almunya, el dicho Martin prometio et se obligo et encara juro al senyal de la cruz et a los santos quatro evangelios de nuestro senyor Ihesus, de dar et pagar en ayuda del dicho matrimonyo a la dicha struga, nuera suya son assaber seyscientos sueldos dineros jaqueses, assaber es en ropa e en dineros, pronunciado asi como arbitro e aquesto dins pena de perjurio et dins obligacion de su persona e bienes. Renuncio sus juges ordinarios e locales et insumitiosse a juredicion e instancia judez et officiales. Fiat large. Testes: Diago de Curiel, texedor et Rabi Yuçe (blanco), judio habitantes en la dicha ciudat".

APÉNDICE DOCUMENTAL Nº 10

Nº 10.- Calatayud, 15 de junio de 1469.

Testamento que hace la judía bilbilitana Çeti, mujer del judío Jaquo Enforna, en beneficio de su marido, hijos y unas cofradías de la aljama de las que era devota.

APNC, tomo 45, año 1469, Leonart de Santa Fe, pag. 212.

"Eadem díe en el nombre de nuestro senyor Dios, creador de todo el mundo amen, como toda persona en carne puesta de la muerte corporal seyr ni escapar no pueda. Por tanto sia a todos manifesto que yo Çeti, jodia muller que so de don Jaquo Enforna, judio mercader de la Ciudat de Calatayut, estando enferma de gran enfermedat de la qual temo morir empo estado en mi buen seso, sana memoria e palavra manifesta, temyendo las penas del purgatorio et deseando yr a la sancta gloria del paradiso, revocando, ceffando e anullando otras qualesquiere testamentos, fago e ordeno el present mi ulimo testament buena voluntat en la forma e manera siguient e infrascripta.

Primerament encomiendo aran a nuestro Senyor Dios. Item mi sepultura pa mi cuerpo se pellir e enterrar alli endo a don Jaquo enforna, marido mio bien visto sea. Item lexo a la hevra de talmutora 5 sueldos. Item lexo a la confraria de Cabarin 5 sueldos. Item a la de Sombre Holim 5 sueldos, los quales sian tenidos de onrrar mi cuerpo segun es acostumbrado.

Item lexo que sian pagados mis tuertos e injurias sus 5 sueldos con su palavra e de alli avant carta e no en otra manera. Item lexo a Jayme Soler fijo mio, vecino de Villaffelich, Açach Enforna, Yuçe Enforna, Ento Enforna e brahem Enforna et Oro fija mia, muller de Barzilay Cohen, fijos mios judios habitantes de Calatayut por part e por legitima herencia cada 5 sueldos por bienes mobles et cada 5 sueldos por bienes sitios e que mas han heredar ni alcançar no en de pueda. Item lexo a la dita oro fija mia una gonella mia e hun mongil de los vestidos mios lo aqual le sea dado por mano del dito mi maido.

Item lexo el residuo de todos mis bienes asi mobles como sitios jura novan debita al dito don Jaquo enforna marido mio, al qual heredero mio universsal lo instistituezco pa fazer de aquellos a su propia voluntat. Item lexo executar e complidor de present mi ultimo testament e ultima voluntat al dito don Jaquo enforna marido mio. Aqueste es mi ultimo testament e mi ultima voluntat el qual quiero que valga por via de testament. Testimonios que son a los sobre ditas cosas presentes los honor Paqual Ximenez, scrivient, Salomon Quatorze et rabi Simuel Azamuel, judíos haibtantes Calatayut".

APÉNDICE DOCUMENTAL Nº 11

Nº 11.- Calatayud, 17 de julio de 1482.

El habitante de Valladolid y oriundo de Calatayud, Pedro de Montesa, cambió a su procurador Dolz Chinillo, judio de Albalate del Arzobispo, por el judío bilbilitano Jehuda Avayut, para llevar sus asuntos y negocios.

APNC, tomo 186, 1482, Johan Remón, pag. 169.

"Eadem die Jehuda Avayut, judio habitant Calatayut, assi como procurador que se dixo e afirmo sey del honor Pedro de Montesa, mercader habitant de present en la villa de Valladolid del regno de Castilla, segunt mas largament consta et parece por carta publica de procuración que fecha fue en la dita ciudat de Calatayut a vinte dias del mes de febrero anno anativitae domini M CCC sexagesimo secundo recebida et testificada por el discreto Pedro de Gotor habitant en la ciudat de Calatayut por actoridat real notario publico por los regnos de Aragon et de Valencia. Por tanto en el dito nombre procuratorio havient poder en la dita procura para substituyr substiuyo procurador del dicho Pedro de Montesa a Dolz Chinillo, judio habitant en la villa de Albalat del Arcebispe e le dio todo aquel poder que el dicho su principal le dio en la sobre dicha procura, assaber es para vender siquiere revender qualesquiere censales, contratos de comanda, et atrogar albaranes de aquellos, recibir pensiones, e prometio e se obligo en el dicho nombre procuratorio haver por firme et valedero qualquiere cosa que por el otro sustituto sera vendido siquiere revendido atorgado confesado dito feyto e procurado. Large. Testes: Forcen Lopez, notario, et Yuçe Paçagon, judio habitant Calatayut".

APÉNDICE DOCUMENTAL Nº 12

Nº 12.- Sevilla, 12 de diciembre de 1484.

Carta enviada por el rey Fernando II de Aragón (el Católico) al Justicia de Calatayud, para que el rabino de la sinagoga Mayor y los judíos de la ciudad, colaboren con la inquisición y se sometan a las preguntas que les pudieran formular, sobre todo, el comportamiento judaizante de algunos conversos.

ACA, Cancillería, Registro, Nº 3.684, fol. 31 vto.

"Amado Nuestro. Los inquisidores de la heretica pravidat para la buena prosecución de la inquisición han menester ser informados de algunas cosas de ciertos jodios dessa aljama, por ende nos mandamos, que al rabi e sacristán de la sinagoga e otros qualesquiere jodios, que por sa parte vos seran nombrados, los apremieys por todas las vias de justicia, para que digan la vierdat de todo lo que seran interrogados e querran dellos saber, e por cosa del mundo non fagays lo contrario ni recueseys de los fazer, porque nos seria tan molesto, que no lo podriamos con paciencia tollerar".

APÉNDICE DOCUMENTAL Nº 13

Nº 13.- Calatayud, 25 de noviembre de 1491.

Los bilbilitanos Jayme Salmas y Johan de Sancta Fe, como caplenadores (abaceas) de los bienes del notario de Calatayud, Leonart de Sancta Fe, preso por el Santo Oficio dela inquisición, reciben los 100 sueldos que los judíos de Calatayud, Açach y Jaco Enforna le pagan todos los años de censo en el mes de julio.

APNC, tomo 241, 1490-1492, Alonso Daça, pag. 181 vto.

"Eadem die los honores Jayme Salmas, mercader, e Johan de Sancta Fe, notario habitant en la ciudat de Calatayut, asi como caplenadores qui son de todos los bienes de Leonart de Sancta Fe, notario que preso por el officio de la sancta inquisición en el dicho nombre, de sus ciertas sciencia, atorgaron haver recebido de Açach Enforna e Jaco Enforna, judios habitantes en la dicha ciudat, son asaber cient sueldos dineros jaqueses, los quales los sobre ditos hazen decens al dicho Leonart en cadahun anyo pagaderos en el mes de julio et son de la solcuion e paga de hazer se le devia en el mes de julio mas cerqua passado del present anyo. Renunciant. Et por que es verdat atorgaon el presente alvaran. Testes: Sancho Desea, mercader, e Açach Çadoch judio habitant de Calatayut".

APÉNDICE DOCUMENTAL Nº 14

Nº 14.- Valencia, 9 de julio de 1415.

El papa Luna, Benedicto XIII, faculta al Deán de Santa María la Mayor de Calatayud para conceder al converso bilbilitano Juan Martínez de la Cabra, antes don Yuçe Abencabra, el cumplimiento de sus deseos, a saber, la conversión en capilla en honor de San Pablo, con uno o varios altares, de la sinagoga que él mismo, todavía judío, había mandado construir en la aljama de la ciudad. Se le concede también que tanto él como sus descendientes puedan ser enterrados en ella.

Registro de Aviñón 347, fol. 608 v.-609 r. CUELLA ESTEBAN, O.; Op. Cit. *"Bulario aragonés de Benedicto XIII"*, tomo III, pag. 324.

"Dilecto filio decano secularis et collegiate ecclesie Beate Marie de Calataiubio Tirasonensis diocesis, salutem et apostolicam benedictionem. Pia fidelium vota, que divini cultus augmentum et animarum salutem respiciunt, libenmur. Cum itaque, sicut exhibita nobis nuper pro parte dilecti filii Iohannis Martini de la Cabra, laici, habitatoris ville, civitatis nuncunpate, de Calataiubio Tirasonensis diocesis petitio continebat, ipse, qui olim tuc iudeus, don Yuçe Abencabra nuncupatus, et qui nuper, judaica, in qua perstiterat, cecitate relicta, veri splendoris lumine illustratus ad fidem Christi orthodoxam conversus et baptismatis unda renatus fuit, quandam sinagogam infra aliamam iudeorum ville predicte construi ac edificari fecerat, cupiat sinagogam ipsam in capellam erigi ec etiam benediri, pro parte ipsius Iohannis fuit Nobis humiliter supplicatum ut eandem sinagogam in capellam sub invoatione beati Pauli erigi ac benediri mandare de benegnitate postolica dignaremur. Nos igitur, huiusmodi supplicationibus inclinati, discretioni tue per apostolica scripta mandamus quatenus eidem Iohanni sinagogam predictam, si ad hoc congrua et honesta fuerit, in capellam et in ea unum, duo vil tria altaria et illa preter principale cum invocationibus, de quibus tibi videbitur, erigi ec ipsam per aliquem catholicum antistitem, gratiam et conmunionem Apostolice Sedis habentem, (consecrari) faciendi, auctoritate nostra, licentiam largiaris. Et nichilominus eidem Iohanni auctoritate predicta concedas ut ipse et alii ab eo legitime descendentes infra capellam sepeliri libere et licite possint, apostolicis ac provincialibus et sinodalibus constitutionibus contrariis nequaquam obstantibus quibuscumque, iure parrochialis ecclesie et cuiuscunque alterius in omnibus semper salvo. Datum in civitate Valentina provincie Terraconensis, nonis julii, prontificatus nostri anno vicesimoprimo. Espeditum idibus julii, anno XXI. A. de Campis".

APÉNDICE DOCUMENTAL Nº 15

Nº 15.- Valencia, 9 de julio de 1415.

El papa Luna, Benedicto XIII, accediendo a la petición del converso bilbilitano, Juan Martínez de la Cabra, concede indulgencias a la capilla que antes fue sinagoga de su propiedad en la aljama de Calatayud.

Registro de Aviñón 347, fol. 609 r-vto. CUELLA ESTEBAN, O.; Op. Cit. *"Bulario aragonés de Benedicto XIII"*, tomo III, pag. 325.

"Universisi christifidelibus presentes litteras inspecturis, salutem et apostolicam benedictioenm. Quoniam ut ait apostolus... Hodie siquidem ad dilecti Iohannis Martini de la Cabra... supplicationis instantiam quandam sinagogam infra aliamam iudeorum ville predicte in capella sub incoatione beati Pauli erigi mandavimus..., Nos, cupientes ut capella ipsa cum erecta fuerit... congruis honoribus frequentetur... omnibus vere penitentibus et confessis, qui in nativitatis, circuncisionis, epifhanie, resurrectionis, ascensionis et Corpris Domini nostri Ihesu Christi ac pentecostes necnon nativitatis, anunciationis, purificationis et assumptinis Beate Marie Virginis ac nativitatis beati Iohannis Baptiste sactorumque Petri et Puli, apostolorum predictorum, et ipsius capelle dedicationis festivitatibus et in celebritate Omnium Sanctorum et per ipsarum... festivitatum octavas et per sex dies dictam festivitatem pentecostes immediate sequentes, capellam ipsam devote visitaverint annuatim.. singulis videlicet beati Pauli duos et beate Marie unum annos et totidem quadragenas et aliarum festivitatum et celebritatis centrum, octavarum vero et sex dierum predictorum dibus, quibus capellam ipsam devote visitaverint et manus prrrexerint, ut prefertur, quinquaginta dies de iniunctis eis penitentiis relaxamus... Datum in civitate Valentina..., nonis julii, pontificatus nostri anno viceimoprimo. Espeditum idebus julii, anno XXI. A. de Campis".

APÉNDICE DOCUMENTAL Nº 16

Nº 16.- Zaragoza, 1542.

Tratados o secciones tituladas *"de Iudos et Sarracenos"* y *" de herejes"* del *"Sinodal Cesaraugustano"* recopilado y publicado en 1542 por el Arzobispo de Zaragoza, don Herrando de Aragón.

Archivo de la Catedral de la Eso de Zaragoza, *"Sinodal Cesaraugustano"* Nº 1-100.

DE JUDÍOS Y SARRACENOS: "Pedro en el primer sínodo provincial: Mandamos que los judíos y los sarracenos se distingan de los cristianos por su forma de vestir y que no tengan nodrizas o mujeres cristianas, y las cristianas que cohabitan con judíos o sarracenos, si es que no se hubieran apartado de ellos al menos en dos meses a partir de la publicación de esta constitución y hubieran hecho la penitencia adecuada, nunca sean enterradas en sepultura eclesiástica, a no ser con especial licencia del metropolitano.

El mismo en el mismo: Queriendo guardar y hacer que se observen, mediante nuestros preceptos, los decretos de los cánones, tal y como por deber estamos obligados, mandamos, acordes con el Concilio de Vienne, que los sarracenos no invoquen el nombre de Mahoma en voz alta en los templos o mezquitas suyas ni en ningún otro lugar preeminente (ni en ningún lugar elevado), ni siquiera (con) la palabra "Zaçala", que se dice corrientemente entre ellos. Pregonen, reduciéndose más concretamente, a todos y a cada uno de los príncipes, barones y a otros católicos de nuestra provincia [eclesiástica], bajo cuyo dominio [señorío] viven los dichos sarracenos, que retiren de sus tierras la mencionada exclamación o proclamación o procuren que sea retirada prohibiéndola expresamente, para que no se proclame dicha invocación o confesión del propio sacrílego Mahoma [que no se diga ni su nombre]. Y [pregonen] que, si los aludidos señores temporales no prohíben eficazmente dicha proclamación, sean ellos mismos obligados a ello por medio de la censura eclesiástica.

El mismo en la primera reunión sinodal: Puesto que el Señor, en señal de su universal dominio, casi con un cierto título especial, se reservó los diezmos, nosotros, [los padres sinodales] queriendo hacer frente a los gastos de las iglesias, establecemos que, como prerrogativa de ese dominio general, exijan [se entiende que los cristianos] tanto de los judíos como de los sarracenos, al menos de tierras, casas, posesiones y de otras cosas que les hubiesen llegado a ellos desde los cristianos por sustracción, si hubiese necesidad de comunión de los cristianos [si la necesidad obliga a los cristianos a compartir sus bienes]. Prohibimos también que tomen esclavos cristianos y, sobre todo, que retengan mujeres en su servicio; por otra parte, a las cristianas, que, tras el conocimiento de esta constitución, hayan optado por convivir con tales [moros y sarracenos], hasta que no se separen de su servicio, les sean denegados los sacramentos de la Iglesia por.....(ilegible).

Garsias en el concilio provincial: Añadiendo [a lo decretado por Garcias] establecemos que los principales hombres y otros señores bajo cuyo dominio viven los sarracenos dentro de la diócesis y provincia de Zaragoza, los cuales, advertidos por sus obispos, párrocos o sus lugartenientes o mensajeros, no guardaren con eficacia la constitución de nuestro predecesor don Pedro, de feliz memoria [de obligada memoria] que empieza el establecimiento de los cánones ["¡aquí hay una mala transcripción"!] bajo el título "De judíos y sarracenos completamente", dentro de un mes, a contar del día de la advertencia, desde entonces, "ipso facto", sean ligados por la sentencia de excomunión [queden paralizados por sentencia de excomunión].

El legado de la sede apostólica en el concilio provincial: El celo del honor divino nos apremia para que evitemos con nuestras fuerzas lo que tan patentemente se torna en ofensa del divino nombre (del nombre de Dios) y aniquilar y arrancar el oprobio de la fe cristiana. Así pues al príncipe defensor de la verdadera fe y adorador vigilante, al señor Rey de Aragón, y a todos los prelados de su reino, barones, nobles, militares [soldados] y universidades [pueblo civil] advertimos y por las entrañas de la divina misericordia rogamos en lo que hace a [cuanto a] la observancia de "Completamente sobre judíos y sarracenos", en la forma en que a cada uno toca, pongan su fuerza y eficaz trabajo y no menos les encarecemos que observen los estatutos de los sagrados cánones de los concilios y sínodos provinciales para honor de Dios y exaltación de la fe cristiana contra los judíos y los sarracenos y que tenazmente los hagan observar por sus súbditos, para que resplandezcan por la ejecución de su plena observancia y, por tan graciosa servidumbre, gocen del regalo de la misericordia divina, si quieren escapar del castigo divino y del de sede apostólica".

DE HEREJES: "Pedro en el primer concilio provincial: Algunos habiéndose apartado del camino de la verdad yendo por el descarrío de la falsedad no tienen reparo en soltar su lengua a tales cosas que se atreven a decir que no hay resurrección de muertos y que no habrá otra vida, lo que ciertamente es la peor herejía y el fundamento de más herejías [y la base de otras más]. Determinamos, por tanto, que a todo el que dijere tales cosas se le capture por lo expuesto y, si persistiese en lo mismo, sea condenado como hereje. Y, si esto lo hubiese dicho en broma o por cualquier otra ligereza, no menos sea castigado con penas legítimas por los ordinarios de los lugares [obispos] según la cualidad de la culpa y la condición de la persona. Además, todos los que desacreditan la fe católica asuman la pena que merecen según derecho, para que sepan (aprendan a) hablar de la fe católica con reverencia y honor.

El mismo en dicho concilio: Para que el veneno mortal de serpientes venenosas no pueda en el futuro apoderarse insensiblemente de los corazones de los fieles ingenuos bajo apariencia de simulada santidad [sanación], establecemos y ordenamos para siempre que muchos beguinos o peguinas que hacen reuniones no se mantengan o cohabiten al mismo tiempo (simultáneamente), ni tampoco dos en la misma casa, a no ser casualmente y por un solo día y no más o por razón de consanguinidad o afinidad, porque incluso si no fuesen beguinos------otras. No lleven velos ni capuchas contrariamente al modo común, para que no parezca que introducen un nuevo rito de vivir y no aprobado por la iglesia y que no osen reunirse para leer, enseñar o repetir algo, si no es en lugares eclesiásticos (en locales de la iglesia) o en otros en los que les está permitido a los fieles. Y los que fueran descubiertos como desobedientes sean excomulgados y si algunos de otra provincia entraren en esa nuestra provincia de Zaragoza con semejante vestido de beguinos sin letras testimoniales de diocesano de cuyas diócesis se han retirado sean llamados por los diocesanos de esa provincia o por su lugartenientes y sean examinados de fe católica y, si fuese necesario, sean apresados, aunque no fuesen sospechosos de fe, y sean obligados a quitarse el vestido o a salir de la provincia. Determinamos, además, que ningún beguino o beguina se apode, tenga o lea libros de teología en lengua vulgar, sino solamente libros en los que solamente se contengan oraciones; por el contrario, queremos que los que tengan dichos libros sean obligados por censura eclesiástica a entregarlos a los diocesanos. Mandando no menos que la constitución del señor Clemente de feliz recordación papa quinto, publicada en el concilio de Vienne contra beguinos y beguinas, que empieza "Ad nostram", sea guardada inviolablemente en esta nuestra provincia".

APÉNDICE DOCUMENTAL Nº 17

Nº 17.- Tarazona, 28 de Abril de 1392.

Pascasio Garlón y Julián de Loba, Dean y Canónigo respectivamente de la Catedral de Tarazona, Vicarios Generales del Obispo don Fernando Pérez Calvillo, publican el sínodo diocesano, presidido por ellos en ausencia del obispo, para corregir ciertos abusos y reformar las costumbres del clero y fieles de la diócesis, así como regular la convivencia de los cristianos con los judíos y musulmanes.

Archivo del Cabildo de Tarazona, Armario K, Caja 1, lig. 3; numeración de la segunda parte del volumen: fol. 97 r-102r. VEASE TAMBIÉN: CUELLA ESTEBAN, O.; "Sínodos medievales aragoneses: el sínodo turiasonense del año 1392"; "Aragonia Sacra", Tomo XIII; pag. 28-29.

"Universis et singuéis abbatibus, decanis, prioribus, archidiaconis, sacristis, cantoribus, archipresteris, tam cathedralium quam collegiatarum ecclesiarum canonicis... diocesimTirasonensem... in remotis agentis, salutem in illo qui pacis dicitur verus actor: ... Ne Iudei vel sarraceni mistas inter christianos audeant habitaciones habere. Quia tam de iure quam per constitutionem reverendisimi in Christo patris et domini, domini Petri, miseratione divina sacrosancte Romane Ecclesie diaconi Cardinales, Apostolice Sedis legati, continentie subsequentis.

Et lic. Cristiana religio iudeos et sarracenos ex eo non debeat abicere qui nostri conditoris imaginem constat eos habere, quia tamen ex forum frequenti comunione, experientia docente, novimus dapna corporibus et animabas fidelium pericula, scandala plurima pervenisse, deliberatione provida statuimus ut iudei et sarraceni inter christianos vel christiani inter iudeos et sarracenos, domos, hospitia seu alia receptacula, in quipus habitent, nullatenus permitantur habere. Sed in civitatibus et locis, ubi certe limitaciones sunt eisdem iudeis et sarracenis deputate, reducantur ad eas et infra ipsas constituant habitaciones suas; ubi vero iudei et sarraceni predicti ad habitandum non habuerint huismodi limitaciones seu terminos deputatos, limitentur et assignentur eisdem partes alique in civitatibus et locis predicáis christianorum habitationibus separate, infra quos se reducant nec extra limitationem permitantur quomodolibet comorari. Nisi forte sunt aliqui iudei, alias sarraceni, mercatores vel alii quecumque oficia aut operatoria mecánica exercentes seu merces vendentes, quos pro hiusmodi operibus exercendis et mercibus vendendis in plateis vel aliis locis publicis civitatum et loquorum ubi existant, permitimos habere operatoria, tentoria, tabularia seu boticas, dum tamen intra loca eis deputata vel imposterum deputanda domos seu habitaciones principales cum filiis et uxoribus teneant, ad quas se de nocte reducant.

Christiani autem qui intra habitationem iudeis vil sarracenis assignatam vel assignandam habitare presumpserint, si infra duos dies a die publicationis presentium facte in ecclesia cathedrali civitatis vel diócesis ubi moram trahunt, se ad comorandum inter christianos reducere non curaverint, ad id per censuram ecclesiasticam compellantur. Iudeis vero et sarracenis, si infra dictum terminum duorum mensium ubi limitatio est facta vel postquam dicte limitaciones de ordinatione et voluntate domini regis vel cuiuscumque alterius domini ecclesiastici vel temporales civitatis vel loci facte fuerint, se ad easdem reducere noluerint vel reglexerint, christianorum comunio subtrahatur..

Salubirter et provide fuerit statutum ne iudei et sarraceni inter christianos permixtim habitaciones habeant propter pericula et dapna gravia et enormia que experiencia, que est rerum magistra, docuit non solum corporibus et animabas fidelium, verum etiam ecclesiis infra quórum parrochas dictas habitaciones studuerunt habere, ut plurium evinisse. Quia tamen pluses ex infidelibus predicáis iudei in ecclesie comptentum et populi christiani non modicum oprobrium et periculum ad habitandum intra limitationem eis assignatuam se reducere non curant, ut tenentur iuxta mentem constitutionis supra inserte, hocque paritm proveniat ex avaritie seu cupiditatis fomite, qui multorum christianorum, proch dolor, ita corda excecat ut, propiis dimissis habitationibus ut easdem per magnis et excessivis pecuniarum sumis dictis infidelibus conducere possint, aliunde habitare procurant etiam sub loquerio.

Ideo morbo huiusmodi medellam adibere curantes constituionem dicti domini legati in suo robore permansuram, statuimus et ordinamus quod rectores seu curati ecclesiarum, infra quórum parrochias habitaciones hiusmodi sunt constitute, moneant per tres dies dominicos vel festivos post presentationem presentium eis factam inmediate sequentes in forum ecclesiis dominos habitationum predictarum, parrochianos suos, ut easdem de cetero dictis infidelibus non conducant nec pro in eisdem habitandis cum filiis et uxoribus suis nocteque et die aliqutenus concedant, quinymo conductas, infra unius mensis spatium post huiusmodi monitionem inmeidate sequentis, dictis infidelibus ad eis expulsis, ad se reducere procurent, alioquin ipsos et forum quemlibet in premissis culpabilem vil rebellem auctoritate presentis constitutionis excommunicationis sententie, ipso facto, decernimus subyaceré; et nichilominus mandamus quatenus ipsos ómnibus diebus dominicis vel testivis excomunicatos publice denuntient et tanquam excomunicatos vitent donc premissa compleverint et absolutionis beneficium meruerint obtinere.

Iudei autem et sarraceni proprias habitaciones extra limites eis assignatas habentes, si infra dictum mensem intus dictos limites se ad habitandum non reduxerint cum effectu, penam in preinserta constitutione domini legati contentam incurrant ipso facto. Curatos vero qui in premisis negligens fuerit vel remissus, penam XX aureorum errario dicti domini episcopi aplicandorum se noverit incurrisse.

Nec christiani comedant carnes irrefragatas iudeorum. Cum iudei apud christianos comunibus cibis non utantur et ea que, Apostolo permittente, christiani sumunt ad illis iudicentur inmunda et sic christiani atentes que a iudeis aponitur, ipsis autem a christianis ablata respuentibus, incipiant et videantur eis inferiores, indignum et sacrilegum est forum cibos et presertim carnes per eos reffutatas et alias sumi a christianis. Quapropter, sacra Sinodo aporobante, districte prohibermus ut de cetero christiani carnibus a dictis iudeis occisis non utantur; contrarim facientes per forum curatos volumus et iubernus in ipsorum ecclesiis ter publice moneri ut dictis carnibus non utantur; qui, si ter sic moniti, ad forum comestione omnino non destiterint, ipso facto excommunicationis sententiam incurrant".

APÉNDICE DOCUMENTAL N° 18

N° 18.- Zaragoza, 10 de agosto de 1487.

Declaración bajo Tortura de Jayme de Montesa, acusado por la Inquisición de judaizar. Tras no poder soportar la tortura, confiesa todo lo que sabe sobre la conspiración conversa que dio muerte al Inquisidor General, Pedro Arbués, en la Seo de Zaragoza.

AHPZ, proceso de inquisición contra Jaime de Montesa, J 5-1; 88/4, p. 92 ss. Publicado por MANUEL SERRANO Y SANZ, Op. Cit. "*los orígenes...*", doc. n° 466. pp. 162-165.

"Die X mensis augusti anno MCCCCLXXXVII in regali palacie aliafferie Cesarauguste. Eadem die demandado de los reverendos padres mastre Alfonso de Alarcon, canonigo de Palençia e Fray Miguel de Monterubio, Prior del Monesterio de Sant Pedro de las Duenyas, inquisidores de la heretica e apostatica pravidat. E maestre Martin Garcia, vicario General del dicho Santo Officio, e instante el benerable mossen Rodrigo Sanchez Decuaco, procurador fiscal e ministro de la dicha sancta inquissicion fue puesto aquestion de tormento micer Jayme de Montesa reo con las prestaciones solitas e fazederas en tales o semejantes actos, y puesto que fue en el dicho tormento que se dize el tormento de la cuerda, en presencia de los dichos reverendos padres inquisidores e vicario general fue levantado el dicho micer Montesa con la cuerda del tormento por unas seis almas encima de tierrra e contumado que fue en el dicho tormento por spacio de tres credos rezçados poco mas o menos y esto muy moderamet, luego el dicho micer Montesa dixo que lo descenbressen del tormento que el diria tod la verdat del tratado de la muerte del inquisidor mastre Epila de que havia estado interrogado e amonestado dixiese la verdat. Et el dicho reverendo prior e inquisidor qui present era dixole que no la diria estonces el dicho micer Montesa, respondio el dicho que si faria a se que le el la diria que lo destendiesse con el tormento e assi luego encontinent el dicho reverendo prior e inquisidor mandó descender del tormento al dicho micer Montesa, el qual luego fue descendido et despues que fue cobijado e tenydo con su ropa el dicho micer Montesa delante los dichos reverendos padres inquisidores e vicario general e en presencia de mi Johan Dominguez, notario scrivano del dicho Sancto Officio y de los testigos infrascriptos parecio a fazer de si y a otros su confession ordenandose el mesmo micer Montesa la dicha convession e algunas interogaciones de aquella en la forma siguiente: Et primerament dixo e confesso el dicho micer Montesa que obra de dos meses ante de la muerte del inquisidor mastre Epila fue e se fallo en la just e congregacion que se fizo en la yglesia del temple de la presente ciudat donde se llegaron los siguientes Johan de Pero Sanchez, Gaspar de Sancta Cruz, Garcia de Moros, mayor, micer Alfonso Sanchez, micer Johan Sanchez, micer Loys de Castillon, Sancho de Paterny, Domingo la Naja, Francisco Palomar, mossen Loys de Santangel, Martín de Santangel, Pedro Dalmaçan, mayor, e mossen Guillen Sanchez, y dize que se congregaron alli todos los sussodichos y este confessante con ellos a instançia del dicho Johan de Pero Sanchez y de su hermano mossen Guillen y dize que fablaron y praticaron alli de cómo la inquissicion pasaba adelante y de cómo havian cadassalsado a Leonart Deli, alqual todos lo tenian en opinion de buen Cristiano y que si no remediavan en aquelllo de la inquissicion que asi seria de quadaqual dellos como del dicho Leonart Deli. E dize que despues de pasadas muchas razones y fablas sobre este negocio, la deliberacion de todos los que alli se fablaron fue que este negocio de la inquission no se podia remediar porque yba tanto al delante y no vehian remedio alguno para ellos sino que se tuviesse forma en que matassen a mastre Epila inquisidor e a micer Martín de la Raga y a micer Pedro Frances porque estos eran los que levaban todo el negocio de la inquissiçion, y assi finalmente concluyeron todoas y su voto dellos fue que asi se devia fazer como dicho es sino que otra mente no levaba remedio este fecho de la enquesta, y asi daron cargo desto a Johan de Pero Sanchez y a mosse Loys de Santangel y a mossen Guillen Sanchez porque eran hombres de espada los dichos mossen Loys y mossen Guillen Sanchez y el dicho Johan Sanchez porque era hombre de dinero y de tractos para pagar y buscar quien lo fiziesse e assi les dixeron y encargaron, que pasassen adelante este negocio y lo fiziessen como ellos quisiessen a saber es de matar al dicho mastre Epila inquisidor e a los sobredichos micer Martin de la Raga e a micer Pedro Frances. U dize que dexaron en voluntat dellos que matassen al dicho matre Epila inquisidor e al dicho micer Martin de la Raga, o al dicho micer Pedro Frances a los dos o a todos tres como a ellos pareciesse y segunt la disposicion que fallassen e dize que los dicho mossen Loys de Santangel, mossen Guillen Sanchez e Johan de Pero Sanchez aceptaron el dicho cargo. Item otra vegada se juntaron en la yglesia del Portillo todos los sussodichos y de parte de arriba nombrados a si alguno dellos falto los que alli se fallaron tomaron cargo de comunicarlo que alli se tracto a los que no y estuvieron alli e en el dicho ajust los dichos mossen Loys, Johan Sanchez e Mossen Guillen Sanchez, diron razon a los presentes porque se dilataba el negoçio, es asaber que con difficultat fallavan personas fiadas para ello, empo que ya tenian concierto para ello que muy presto se executarian y assi les fue encargado por otra vez por las sussodichas que con diligentia y secreto se entendiesse en executar el negocio. Item confiessa que otra vez que serian dize dias poco mas o menos antes de la muert del inquisidor maste Epila se ajuntaron este confessante y los mismos susso nombrados en la yglesia de Sancta Engraía de la presente ciudat, y alli quisieron saber los susso nombados que porque no se fazia e se dilatava el dicho caso, e los dichos mossen Loys de Santangel, Johan Sanchez e mossen Guillen Sanchez, respondieron e dixieron que ya el negocio se havia puesto en execucion, es asaber que havian algunas noches estado en la Seu a la hora de maytines los que havian de executar el caso para matar al dicho mastre Epila, e que no se havia podido acertar, pero que no podia errarse de muchas noches que no lo matasse. E assi a pocos dias apres se executo el caso e que mataron al dicho mastre Epila. Interrogado quien fueron los executadores del dicho caso de la muerte de mastre Epila, respondio e dixo que apres de la muert del dicho inquisidor le dixo el dicho micer Alonso Sanchez que Abadia y Sperandeu y Matheu Ram y hun criado del dicho Sperandeu havian executado la dicha muerte del dicho inquisidor. Interrogado que dineros se dieron para los executadores de la muerte del dicho maste Epila y quien los dio dize que el dicho Gaspar de Sancta Cruz y otra vegada el dicho micer Alonso Sanchez que seliavia espendido enello sobre ochocientos florines de oro, los quales havian para luego distraydo los dichos Johan Sanchez, Pedro Dalmaçan y Gaspar de Sancta Cruz con intencion de cobrar lo que podiesen de los otros. Interrogado como se repartieron los dichos florines respondio que el no lo sabia. Item confiessa que algunos dias antes de la muerte del inquisidor que nole recuerdan quantos le demostri Johan Sanchez era scripta de la mano de su hermano el thesorero Gabriel Sanchez, la qual carta en efecto contenia que se maravixava como tanto dilatavan el sussodicho negocio de las sussodichas muertes de mastre Epila, micer Martin de la Raga y micer Pedro Frances mostrando e diziendo que eran para poco todos los comisos que aca estavan teniendolos acuestas y espaldas que tenian en la corte en no poner por execucion el dicho caso de las dichas muertes. Interrogado que acuestas e que espaldas eran las que en la corte tenian, respondio e dixo que lo que el comprenhendio eran micer Alfonso de la Cavalleria, vicecanceller, y el dicho Gabriel Sanchez, thesorero y el protonotario Phelipe Climent y el secretario Loys Gonçalez. Et dize este confessante que vio que la dicha carta no era scripta de letra del dicho Johan de Pero Sanchez sino de otra letra y esto dize porque conoce muy bien la letra del dicho Johan de pero Sanchez. Interrogado si sabia que algun grande deste Reyno haviesse coxido en este negocio de las dichas muertes, respondio que de cierto no lo sabe sino que ha oydo dizir que con Blaco habia fuydo por esta causa e tanbien oyo dezir que se era ydo al Senyor Rey a causa de una resistençia porque le havian aprehendido la tierra e puesto pendones en ella. Interrogado si despues de fecha la dicha muerte de maestre Epila inquisidor havian tonido per rata grata y bien fecha la dicha muerte respuso que trobandose este confessant en la Diputacion y veniendo a fabla con el algunos de los sobre dichos e susso nombrados que cupieron en el dicho consejo, declaro havia estado fecha la dicha muerte tonieron aquella por bien fecha y les plazio mucho a unque estavan temorizados de algun alborot que se moviesse. Interrogado quales de los sobre dichos que se fallaron en la determinacion de las dichas muertes fueron principales monedores que se fiziessen las dichas muertes, respondio e dixo que de lo que a su noticia vino fueron los dichos mossen Guillen Sanchez e Johan de Pero Sanchez, hermanos. Interrogado si sabia que Gilabert Dalmaçan entreviniesse en los consejos del tractado de las dichas muertes, respuso e dixo que no mas que estava ay en aquellos colloquios Pedro Dalmaçan su hermano por los dos.

Interrogado si Bartholomeu Sanchez, mayor de dias trapero, se fallo en los dichos coloquios o entreviniesse en alguna cosa de aquellas, respondio e dixo que no le sabe salvo que Johan de Pero Sanchez dixo a este confessante que fazia cuenta del dicho Bartholomeu Sanchez que pararia algo... Et fechas las sussodichas confessiones por el dicho micer Montesa luego fue subido a la camara et estancia del maestro de Alarcon, inquisidor. Et demandado de los dichos senyores inquisidores e vicario general juro el dicho micer Montesa en poder dellos por Dios sobre la cruz e a los sacro santos quatro evangelios por sus manos corporalmente tocados de diziesse verdat es asaber si aquello que havia confessado en las dichas confessiones depone de arriba por el fechas las quales por otra vegada en su presencia le fueron leydas de palabra a palabra, si consistia en verdat. El qual dicho micer Montesa respondio dixo e confesso por otra vegada todo lo contenido en las predichas confessiones por el de parte de arriba fechas y que todo lo contenido en ellas consistia en verdat, y que aquellos de nuevo ratifficava e confirmaba como de fecho las ratiffico e confirmo, e anyadiendo adaquellas a saber es a la primera confession de la congragacion, la just que se fizo en el templo de la present ciudat, dixo que quanto a lo de micer Johan Sanchez que no tenia firme memoria si fue en el dicho ajust pero sabe que se le comunico todo en la Diputacion y huno por bien dicho e proveydo lo que se determino en el dicho ajust, ffueronle leydas las dichas cofessiones delante e stuvo en los ciho y dixo que lo que dizia spontaneamente. Interrogado si lo havia dicho por temor o por mala voluntat que tuviesse con los que havia nombrado en sus confessiones respuso que no lo havia dicho por miedo ni por temor ni por que tuviesse mala voluntat ni justicia contra los sobre dichos, salvo porque era asi la verdat y por descargo de su consciencia. Testigos fueron a fodas las sobredichas cofessiones y atodo y cadauna parte dellas presentes los honorables Angel Domingo, notario, e Pedro de Corral, scudero, familiar del dicho reverendo maestro de Alarcon, inquisidor habitante de presente en Çaragoça...".

APÉNDICE DOCUMENTAL N° 19

N° 19.- Zaragoza, 25 de agosto de 1486.

Declaración del vecino de Zaragoza, Miguel de Almazán, contra Jayme de Montesa, acusado por la Inquisición de practicar ritos judaicos y conspirar en la muerte del inquisidor Pedro Arbués, alias maestre Epila. En su declaración describe una reunión de conversos zaragozanos en una Semana Santa Cristiana, donde azotan el crucifijo y luego en un gran brasero lo queman, además de otras ceremonias como la lectura de un libro ebrayco y posterior sermón o comentario. Se enuncian los asistentes y la fiesta o banquete que luego los conversos hacen en privado.

AHPZ, procesos de inquisición 1-5; 88/4, pag. 118 ss.

Honor Michael Dalmaçán, clericus habitator civitas Cesarauguste, testis pro parte procuratinis fiscalis predictis presentibus citatis pre dictis qui juravit inpose inquisitoris per Deum sup crucem domini nostri Ihesu Cristi e sup sacro sanctus quarta evangelia coram eo posita e penum reverenter inspecta per diceret veritas delys qui ciret e sup quibus interrogatus eset in et inquatoram presentem causam qui per juramentum et respondit dixit in modum qui sequitur:

Et primo fue interrogado si conoçe a micer Jayme Montesa, judista, ciudadano de Çaragoça, et como lo conoce el qual respuso e dixo que lo conoce muy bien por quanto ha tenido pratica e noticia con el et lo ha visto estar et habitar en la present ciudat de Çaragoça.

Item fue interrogado si sabe que el dicho micer Jayme Montesa haya ffecho o venido en alguna manera contra la sancta fe catholica y evangelica de Ihesu Cristo, el qual dixo que havra tres o quatro anyos poco mas o menos indo este deposant a dacompanyar su madre, la qual lo llamo, que la acompanyase que queria yr a casa de micer Gonçalvo Garcia de Sancta Maria, este deposant fue contento et la acompanyo e como fueron en la dicha casa dumando en la dicha casa et dentro do en huna sala baxa que esta alinet de la scalera de la dicha casa, la qual sala no tiene ventanas algunas a la carrera sino pa dentro de la casa, que es lugar muy secreto y dentro de la dicha sala hay huna retreta, siquiere estudio, et alli entro con su madre delante della e hubrio les Pedro Dalmaçan, el joven, que hera portero e comofue dentro este deposant vio como tenia hun grant crucifixo finquado el piet de aquel en el suelo del dicho estudio el qual crucifixo hera de fusta de cipres y tenian hun fagoril de brasas grande ardiendo. Es verdat que quando el y su madre llegaron que parecia seyer entre las ocho y las nueve oras de manyana que ya havian preycado en las yglesias los sermones de la pasion et como fueron dentro vieron como se dexavan ya de açotar el dicho crucifixo et vio este deposant como de los que estavan alli havia algunos dellos vestidos con clocha de luto et capirotes todos de piedes et inclinados los cuerpos cara adelante con los braços plegados. Et vio este que huno clamado Johan Belenguer corredor de Orella de la present ciudat, estava mascarada la cara con el braço remangado el y Ortigas el vieio, porque heran los açotadores los quales açotaron al dicho crucifixo et fizieron muchas vituperios segunt despues le dixo su padre a este deposant, empo bien vio este deposant los açotes.

E vio como estava alli Johan de Pero Sanchez con hun contracto en la mano et dizian que hera Pilatus el segundo era Johan de Johan Sanchez dizia que era Anias et Loys de Johan Sanchez era Judas.

Et estava alli huno clamado maestre Martin de Viana, maestro que hera de los Sanchez y estavan Gaspar de Sancta Cruz, estava con hun capirote, e Johan de Sancta Cruz era longinos con huna lança en la mano et micer Alffonso Sanchez estava con hun roquet blanquo. Et Pedro Dalmaçán et su fijo que hera portero, y Manuel Dalmaçan y Bernat Deubas el vieio, y el Bernat el sordo, estavan alli estos, vio este deposant demando e vio mas todas las mugeres de los susos dichos exepto la muger de Pedro Dalmaçán que noy de hera. Et estava lleno el studio dellos et la sala casi de mugeres et hombres.

Et vio mas dentro del dicho estudio que estava hun grant libro abierto scripto en ebrayco el qual estava encima de huna cadilla. Et que vio mas que estava Carmerinesa vieia y la viuda de Sancta Maria, que han cremada et la baylesa y su padre Pedro Durrea y dize que quando vidieron dentro a este deposant pasmaronse todos et fizieronlo sallir, luego dixieron mal al dicho Pedro Dalmaçan, portero porque lo havian dexado entrar.

Et que despues en casa de su padre demando al dicho su padre este deposant que pa que tenian alli aquel fuego, respouso le que para que quando huviessen acabado el oficio havian de cremar aquel crucifixo. Et que le dixo mas que alli estavan micer Ram, jurista, micer Ribas, micer Johan Sanchez, mastre pedro de la Craba, el vieio, mastre Gonçalvo de Moros e mastre Pedro de la Craba el joven, mosen Felipe de la Cavalleria y micer Paulo Lopez y miecer Johan de Santangel, micer Montesa, mosen Loys de Santangel, Martin de Santangel el rector de Pina, Gilabert Dalmaçan. E que le parece que le dixo mas que yde hera el Bayle Loys Sanchez.

E que fizieron muy grant fiesta de gallinas en casa de su padre aquel mesmo dia de alegrias et que le dixo que asi fazian todos los otros conversos en sus casas. Dize mas que el dicho su padre deste testigo le dixo como aquel dia havia sermonado mestre Viana, maestro de los Sanchez, en ebrayco a todos aquellos conversos. Testes: micer Martin Martinez Teruel, asessor de la sancta iqnuisicion et Miguel domingo, notario habitant en Çaragoça".

APÉNDICE DOCUMENTAL Nº 20

Nº 20.- Calatayud, 13 de junio de 1239.

Bulla del Papa Gregorio IX dirigido a los arzobispos de los reinos de la Península Ibérica, instruyéndoles contra el Talmud de los judíos.

Jiménez Soler, Andrés; "Los judíos españoles a fines del siglo XIV y principios del XV" (Zaragoza, 1950).

"Universis archiepiscopis por regna Hispaniorum aragonum, Portugalis, Castelle et legiones cosntituits et ceteris ad quos litere iste pervenerint si vera sunt que de judeis in regnos Aragonum, Portugalie, Castelle et Legiones et alliis provincis conmorantibus efferunt nulla de ipsis pena esset sufficiens sive digna. Ipsi enum sicut accepimus lege veteri quam dominus per Moysem in scripturis dedit non contenti immo prorsus pretermitentes eandem affirmant aliam que Talmut doctrina cicitur Dominum adidisse ac verbo Moysi traditam et insertam in eorum mentibus menstruantur tamdin sive scriptis servatam donec quidam venerut quos sapientes et scribes appellant qui eam ne per ablivionem a mentibus hominum laberetur in scripturam cuius valumen in inmensum excedit typum billie redegerunt in qua tot abusiones et tot nefaria continentur qud pudori referendi et au diendi sunt horrori. Cum igitur hec dicatur causa precipua que judeos in sua retinet perfidia abstinates fraternitatem vestram monendam duximus attentius et hortandazm per apostolica scripta vobis precipiendo mandantes qutenus primo sabbato quadragesime proxime ventura mane quando judei in sinagogis conveniunt universos libros judeorum vestrarum provinuarum auctoritate nostra capi et apud fratres predicatores vel minores faciatis fideliter conservari invocato ad hoc si necesse fuerint auxiliu brachii secularis et nichilo minus in omnes tam clerigos quan laicos vestre jurisdicciones subdites qui libros habraicos si quos habent per vos generaliter in ecclesiis vel specialiter moniti noluerint assignare excomunicationis sentencia promulgando. Datum laterani XIII K. julii Pontificatus nostri anno tercio decimo".

APÉNDICE DOCUMENTAL Nº 21

Nº 21.- Calatayud, 4 de abril de 1488.

El Santo Oficio tortura a la bilbilitana, María López, acusada de judaizar, en la sala del tormento que se encuentra en los bajos de la torre mayor de la iglesia de Santa María de la Peña de Calatayud, sede de la cárcel inquisitorial.

AHPZ, procesos de inquisición 11-5; 89/5, pag. 118 ss.

"Eadem die assi a las seys oras despues de medio dia fue puesta aquestrion de tormento Maria Lopez, mujer de Pedro de Sancta Cruz, presa por la sancta inquisicion en la instancia mas baxa de la torre mayor de nuestra senyora de la Penya desta ciudat de Calatayut, en la instancia que se llama la casa del tormento, la qual estava a tada las manos atrás y esta no en el tormento llamado de la carrucha y en presencia del magniffico micer Andres Gutierrez de Quintanilla, asesor de la sancta Inquisicion, dixo y conffeso de la forma y manera siguiente:

Et primo quonfeso que dio diez sueldos a huna judia que era de los Naçan, cuyo nombre no le acuerda, y era mefeba que fafazia aniperes pa empenyar pa olio a la sinoga y esto hara mas de vinte anyos poco mas o menos.

Item mas quonffiesa que ayunava el ayuno de Quipur que fazen los judios en la villa de la Almunya a judicio de huna madrastra suya llamada Violant de Ribas, y que lo ayunaron fasta en la noche y en la noche cenaron y que tenia esta quonffesante de edad de treze o quatorze anyos quando ayuno los dichos ayunos.

Item quonffeso que tuvo creencia en la Ley de Moysen ensemble con la de Ihesu Cristo y que la judixo la suso dicha Judia y hunos otros judios que havia alli en su casa desta quonffesante, nombrados los naçanes y Açach Truchas (tenían botica para vender en su casa de la calle nueva, junto al mercado de la ciudad) le dixo a esta quonffesante y los susonombrados le dizian que era la Ley de Moysen santa y buena, y que el dicho Açach Truchas le dixo a esta quonffesante que quien le quitava su creencia de la Ley de Ihesu Cristo creyendo en la Ley de Moysen que bien podia creyer en la Ley de Moysen, y la dicha judia le dizia que si creya en la Ley de Moysen que luego se empremiaria y que estuvo desta crehençia desta edad de diziocho fasta agora diez anyos, de manera que estuvo en la dicha creencia por tiempo de venteydos anyos poco mas o menos, o salli de aquella creencia por le dizia sus quonffesores".

PÉNDICE DOCUMENTAL Nº 22

Zaragoza, Agosto de 1487.

Sentencia del proceso de Inquisición contra Jaime de Montesa.

AHPZ, Proceso de Inquisición contra Jaime de Montesa, J 5-1; 88/4, p. 92 ss. Publicado por MANUEL SERRANO Y SANZ, Op. Cit. "los orígenes...", doc. nº 466. pp. 410-420.

"Cpi nomine invocato. Nos Alfonso Sanchez de Alarcon, maestro en sancta Theologia, canónigo de la iglesia de Palencia, capellán del rey y reyna nuestros señores, y del su Consejo; et fray Miguel de Monterubio, licenciado en sancta teología, prior del monesterio de Sant Pedro de las Dueynyas, inquisidores de la heretica e apostatica pravedat en el reyno de Aragon, por la autoridat apostolica deputados, et maestre Martin Garcia, canónigo de la Seu de Çaragoça, maestro en sancta theologia, vicario general para inquirir de la dicha heretica e apostatica pravedat, specialment credo por el ilustre e reverendissimo señor don Alonso de Aragon, por la divina gracia administrador perpetuo de la Yglesia e arçobispado de Çaragoça. Visto por nos el presente proceso criminal actitado ante nos y en nuestra audiencia entre el procurador fiscal de la sancta Inquisicion contra la heretica e apostatica pravedat, de una parte, denunciante, et micer Jayme Montesa, jurista, habitant en la presente ciudat, de la otra, reo e deffendiente. Vista la clamosa insinuación contra el dada sobre los crímenes de heregia e apostasía, fautoría, deffension de hereges, e impedimiento, turbación e oposición directament, quanto indirecta, dados al offcio e libero exercicio de la Sancta Inquisicion, faciendo conjuraciones, conventículos, collegios illicitos, quoadunaciones de genestes pravas, confessas e tractados de personas sospechosas de la fe, para perpetrar la muerte del reverendo Inquisidor, de buena memoria, maestre Pedro Arbues, alias Epila; vista la información a nos ministrada, e la pronunciación por nos dada, en que pronunciamos el dicho micer Jayme Montesa ser sospechoso de la fe e de los crímenes de hergia e apostasía, impedimiento , fautoría, defensión, turbación e oposición e ocnjuracion e bolsa contra la fe católica, fecha, e poderse e deberse proceyr e formar inquisicion sobre la verdat de los dichos crímenes, e a capcion de su persona. .. Vistas las deffesiones del dicho reo, e aquellas muy bien e diligentment examinadas, hoydo a el y a sus defensores en quanto dizir, screvir, propossar y allegar quisieron, fallamso por verdat que el dicho micer Jayme Montesa, seyendo Xpiano babtizado, passo a los ritus e ceremonias judaicas, porque loava mucho la ley de Moyssen que hoy tienen los jodios, e dezia que era muy buena, e que tenia mas devoción a la ley de los jodios que de los xpianos, y assi lo significava por las palabras que dezia, y porque, demostrado la dicha afeccion que tenia a la ley judaica, dezia que realment yvan a piet fito y levavan el camino drecho; y porque dezia que el confessar y comulgar que los cpianos fazen, no era cosa alguna, e que si la fazia lo fazia por ceremonia e por dissimular, no porque cumpliesse fazerlo; y que esto dezia por la grant voluntat que tenia ala ley de los jodios, a la qual parece que se inclinava de manera que demostrava que tenia a la ley judaica, dezia que realment yvan a piet fito, diciendo que a toda la fe e la ley judaica e deciplo del anticristo, y porque comoia con sumadre en la ciudat de Calatayud carne de la carnicería de los jodios, purgaa de las grassas, salada y permetian la dicha madre y fijo que xpiana familiar que tuviesse, parejasse ni toquasse aquellos manjares, salvo un servidor converso, sospechoso de la fe; y porque comían la dicha su madre y el dicho micer Montesa, reo, comeres

Alvaro López Asensio

aparejados en la jdueria por una jodia clamada Astruga, prima hermana de la dicha su madre, los quales le enviara con una moça jodia, e quando havia de ocmer caçieña o empanadas se las trayan guisadas de la judería al dicho micer Montesa, e los comían el y la dicha su madre, e no dexavan toquar en los baxillos en que venían a ningún familiar xpiano; y porque en un dia de viernes sancto, fallándose en la dicha ciudat de Calatayud en casa de la dicha su madre, mientre que los xpianos estaban en el officio y sermón fizieorn venir ciertos jodios parientes suyos, el yla dicha su madre, e ellos presentes, retraídos en secreto en una cambra con los dichos jodios fizieron ciertos sposorios de una su nieta e de otro converso, e uno de los jodios les dixo que buen çiman fuesse, que el Dio les y dasse fillos y fillas; y quando salieron de la dicha cambra secreta, sallio la desposada con anillos en las manos, que dixo que le habían dado los jodios parientes de su senyora, e dixo el dicho micer Montesa a los que allí estaban en la dicha casa: sus, baylar, y tomemos todos placer, que agora ya son desposados; dezitles que buena pro les faga; e replicándole un familiar, ¿Cómo habían de baylar? Que era viernes santo y dia de pasión de nuestro Salvador, de Ihu Xpo, respusso el dicho micer Montesa que baylasen, que no y le yva nada; e replicándole el dicho familiar que n obaylaria, que los xpianos en aquella ora estaban en el sermón plorando, que no le parecería bien que el estuviesse baylando, a la ora replico e dixo el dicho micer Montesa: ¡baya, baylar¡. Ad aquellos, de aquel llanto Dios les de arto, y a nosotros desta alegrai, que assi otro dia rediran (sic) ellos y ploraremos nosotros desta alegría, que assi otro dia rediran (sic) ellos y plraremos nostros; y assi, por su importunidat baylaron los jodios y la desposada, con otros de la casa, faziendoles son con la boqua Alonso Marixa, confesso, judayzant. Y porque recebia comeres judaicos estando en la ciudat de Taraçona, de pan cotaço y vino judaico y arruquaques y turrado que le empresentaron los jodios en el tiempo de su Pascua, et les fazia gracias dello, y porque fue y estuvo en bodas de jodios por honrrar su fiesta e bodas, e visitar los novios, e fizo collación en casa de los jodios, y porque sentía mal de los articulos de la fe, no creyendo que huviesse infierno, diciendo tales palabras para persuadir a cierta persona que fuesse a matar un hombre, e diziendole el otro que era grant cargo de conciencia, respusso el dicho micer Montesa: vos no soys deste mundo; ¿no sabeys que dicen: en este mundo no me veas mal pasar, que en el otro no me veras penar?. Y porque permitia que fuesse su fija doncella, dius su potestat constituyda, a honrrar las obdas de los jodios a la judería, y que dançasse y estrenasse a la manera jodia, como dançó, y streno una cuchara bromadera, de plata. Y porque fue por dos veces a honrrar a los jodios que habían sacado sus Toras con gran aparato para ciertas fiestas, e se asento cabo ellos en sus banquos dellos, e oyo los sermones e estuvo presente siempre meintre que los jodios cantaron sus psalmos y oraciones y fizieron todas sus ceremonias judaicas, y lohaba mucho y exaltava con grant fervor los dichos sermones, y reprenhendido por los oficiales eclesiásticos por ello, pertinacemente deffendia que no era ecado haber ydo y asistido en el dicho sermon, ni eran excomulgados los que con el habían ydo... Y porque se dice que se fallo en casa la noche del sábado en una cámara secreta una mesa parada con sus manteles limpios, con quatro candiles limpios ardiendo cabe ella, y una olla de hamin aparejada, y conservada en un fogaril para el otro dia del sábado. E porque es suspecto que ante que comiesse, subia los días del sábado a la dicha cambra e fazia oración, segunt se sospecha, sobre la dicha mesa. Y porque tenia estrecha y secreta conversación con jodios, en lugares secretos de su casa, e fue visto en forma con ellos que verisiblement se sospecha que tenia libro ebrayco delante e fazian todos algún acto judaico. E porque se dize que un hermano del dito micer Montesa, frayre del Carmen, quondam, vidiendo las juderías que fazian su madre y el dicho micer Montesa, los increpaba mcuho de continuo de malos xpianos, diziendoles que fazian mal de no servar la ley de Ihu Xpo, y que yvan ciegos, y por esta causa el dicho frayre siempre se escussava de comer con la dicha su madre, e quando aceptaba el comer era con condición que ningún jodio no entrase en la casa mientre y stuviesse, e quando vnia preguntaba si habían jodios toquado aquellas tobajas. Y porque se sospechoso de haverse fallado en cierto lugar donde se açoto hun crucifixo. Y porque es sospechoso de ser circncisso, porque por ocular inspección que dello ante nos se ha fecho, e por relación e testigo de personas peritas en el arte de cirurgia, nos consta que le fallece una buena parte del prepucio circular, mas empero de la parte de susso que de la de baxo, sin mostrarse cicatriz alguna e senal que de algún accidente podiesse haver venido. E fallamos por verdat que ha empachado el officio e libero exercicio de la sancta Inquisicion de la fe, de algunos anyos aqua, e seyendo fauctor e defensor de hereges judaizados, e que procurando los dichos empachos, y oppositandose a este sancto Officio directament, o saltim indirecta, procuro que matassen al reverent maestro Pedro Arbues, alias Epila, inquisidor de la heretica pravedat, de buena memoria, por derraygar en todo el officio e libero exercicio de la sancta Inquisición, de manera que pues matassen los inquisidores, otros no osassen venir a este reyno para exercer este sancto officio contra los hereges, y que para cumplir y traer a fin y efecto el dicho su mal propósito, fizo diversas congregaciones en su casa, y segunt parece por su confession, screvio cartas a los convesos de Barbastro e Calatayut, rogandles e induziendolos que contribuyesen con ellos; e que congregándose en casa de mosen Luys de Santangel con Johan de Pero Sanchez, Gaspar de Sancta Cruz, Garcia de Moros, mayor, y otros complcies e sequaces suyos tractadores de la dicha muerte, fablando como se fazia proceso contra el dito mossen Luys e contra micer montesa e contra otros, por los inquisidores de la fe, se juramentaron e fizieron conjuración todos contra este Sancto Officio y ministros de aquel. E por que sus tractos malos e malos conceptos no se podían cumplir menos de pecunias, fizieron bolseros a Johan de Pero Sanchez, Gaspar de Sancta Cruz e al dicho micer Montesa, los quales recibieron cargo de solicitar, como solicitaron, y echaron a cada uno de los conversos la echa que de dinero podia cada uno pagar. E segunt parece por tenerlo del presente processo, usando del dicho officio de bolsero el dicho micer Montesa, por si e por inteposítas personas por el embiadas, solicito y requirió a muchos conversos que hovessen de pagar la quantidat de dineros que por su repartimient les era echada. E segunt parece por su confession, fizo dos congregaciones de pecunias contra este Sancto Officio, e recibió como bolsero, el ensemble con Johan de Pero Sanchez, e Johan de Pero Sanchez con el, muchas quantidades a fin de empachar la confiscaicon de biens que por drecho es estatuyda e ordenada de muchos tiempo aqua... Et segunt parece por tenor del present proceso, para conducir assasines, como nos conduxieron para perpetrar la muerte del dicho inquisidor maestre Epila, de buena memoria. E fallamos por verdat que no restituyeron todas las dichas pecunias, e que succesivamente de tiempo en tiempo, de grado en grado se fizieron en casa del dicho micer Montesa los tractados e congregaciones siguientes con los complices e sequaces suyos. Primeramente, mediante cierta persona fueron congregados en su casa, donde, fablando de los negocios de la Inquisicion el dicho micer Montesa, e de vexaciones que dezia fazian los inquisidores, se levanto uno e dixo que para poco se daban todos, pues no mataban un inquisidor, o dos, o tres, e que assi se guardarian otros de venir a fazer esta Inquisicion; e repusso otro: ¡ voto a Dios que dezis bien, que si asi lo fiziessemos, otros se escarmentarían, que no faltarían cada ciento o cada dozientos florines para quien lo faga¡. E que assi se retrajeron todos muy juntos para concertar muy baxo el dicho caso, de manera que no los oyesse ninguno; y fallamos por verdat que después de aqueste tiempo de aquesta congregación tuvieron otra congregación en casa de Johan de Pero Sanchez, y otra en casa del dito micer Montesa, y que después tovieorn otra congregación, y apres tres otros colloquiios secretos el y mossen Los de Santangel y otros complices, y que apres desto estuvieorn en muchos otros coloquios e congregaciones contra la Inquisicion en la casa del dito micer Montesa, donde entre ellos se dezia que convenia matar al Inquisidor e que de otra manera el officio de la Inquisicion empachar no se podía. E fallamos por verdat que seys meses antes que matassen al Inquisidor se congregaron en la casa de mossen Loys de Santangel, donde deteminaron sde tener hombres armados con si. E mas fallamos por verdat que hun mes o dos ante de la muert del Inquisidor, se congregaron en casa del dicho micer Montesa el y Johan de Pero Sanchez y los otros matadores, y era la fama que se congregaban contra la Inquisicion, para estorbarla y danyarla, y que en su casa se braveaba contra la Inquisicion y consejeros della. E que quince días ante que matassen al dicho Inquisidor fue visto Esperandeu Salvador, asassino, fablar dos vezes en secreto on Johan de Pero Sanchez, conduzidor de asassines, en su casa, e otras dos vegadas con el dicho micer Montesa en su propia casa. E fallamos pro verdat que muchas vezes se congregaban e mas de noche que de dia, en casa del dicho Johan de Pero Sanchez, et que el mesmo quinzeno dia ante de la muerte de maestre Epila, inquisidor, fue amprada cierta persona dentro del estudio del dito micer Montesa por micer Alfonso Sanchez, herético e complice, e por otra persona, para que fuesse con los matadores e regirlos para que la dicha muerte del dicho Inquisidor perpetrasen e que diez días ante de la muerte fue amprada una persona para matar al dicho maestre Epila, por mossen loys de Santangel, complice del dicho micer Montesa; e que siete días antes de la muerte fue otra vez amprado para perpetrar la dicha muerte por micer Alfonso Sanchez, condepnado, e por otro su compañero; e mas, que seys días ante de la dicha muerte fue amprada cierta persona por el dicho mossen Loys de Santangel, complice, para perpetrar la dicha muerte, a la qual el dicho mossen Loys prometia cient florines, con sperança de darles mayor satisfacción, e con promission de impunidat e deffension. E fallamos pro verdat que quatro días ante de la dicha muerte, el dicho micer Montesa, dentro de su estudio, dixo al mesmo hombre si le havia fablado mossen Loys de Santangel de cierto ampramiento que le havia de fazer para matar a maestre Epila, e que la dicha persona le respondió que si, e que el dicho micer Montesa le dixo: ¿pues, que os parece?; e que le dixo la dicha persona: no res de bueno; e que le dixo el dicho micer Montesa: ¿no seria bueno tomar cien florines agora? Pues convertius e fazetlo, que yo fare que os den luego cient y cinquanta florines de oro; e que dixo la dicha persona que no lo faría aunque le dasse mossen Loys quanto tenia. E fallamos por verdat que en el dicho quarto dia ante de la muerte se congregaron el dicho micer Montesa, Johan de Pero Sanchez, mossen Loys, Gaspar de Sancta Cruz y otros complices y sequaces, en la Yglesia de Santa Maria del Portillo, después de viespras, para dar complimiento a su mal propossito; e que el mesmo quarto dia, después de haver amprado micer Montesa la dicha persona, le fizieron amprar a otro de sus complices, el qual le rogo que fiziese lo que mossen Loys e micer Montesa le rogaban; que fuese en mataral dicho Inquisidor con promission que le fizo. E fallamos por vedat que el tercero dia ante la dicha meute se congregaron los dichos complices en la iglesia del Temple, e que hun dia ante de la muerte, estando congregados en casa del dicho micer Montesa Johan de Pero Sanchez, Gaspar de Sancta Cruz, Garcia de Moros, present el dicho micer Motnesa, dezian que aunque supiesen gastar todo quanto dinero habían ganado en las carnicerías, lo gastarían por turbar la Inquisicion de la fe y desfazerla, como dende a hun dia, matando al dicho Inquisidor, la perturbaron, e desfizieran si dios no lo remediara. E mas fallamos por vedat que tenían deliberado de fazer e perpetrar la muete del dicho maestre Epila, e de micer Martin de la Raga, porque rescibian informaciones contra ellos. E fallamos por verdat que el dia siguiente, por los asassines conduzidos por el dicho Johan de Pero Sanchez e por los complices suyos, uno de los quales era el dicho micer Montesa, se perpetro la muerte del dicho reverent Inquisidor dentro de la Seu de la present ciudat, entre el coro y el altar, prodic ionalmente, estando faziendo oración ante el cuerpo sacratissimo de nuestro señor Ihu Xpo, segunt que por otras nuestras sentencias es havideo por notorio e cierto, E fallamos por verdat que eran complices e sequces en esto el dicho micer Jayme Montesa, mossen Loys de Santangel, Garcia de Moros, Johan de Pero Sanchez, Gaspar de Sancta Cruz, Alonso Sanchez, jurista, y otros muchos adversarios y contrarios a la sancta fe católica. Y fallamos por verdat que el sábado siguiente después que fue perpetrada la dicha muerte, fue fallando en su estudio el dicho micer montesa, que estaba con mucha alegría y placer del caso perpetrado de la muerte del dicho Inquisidor, e que dixo a cierta persona que la havia maprado para ello e no lo havia querido facer, tales palvras: Catat aquí; vos no havyes querido ganar estos dineros, que ya terniades fuera el dolor; e que repuso la dicha persona: Vaya en buena hora, que essa dolor, a quien lo ha fecho no le saldrá de dos nayos del cuerpo, y a vosotros, desta causa haun vos ha de crecer dolor de piedes. Respondieron el dicho micer Montesa e otros sus complices que allí estaban; el ficho, fecho es; el miedo perdió es; que muchos remedios tenemos. E que fablando sobre quien havia fecho la dicha muerte, respusso el dicho micer Montesa como Sperandeu, Johan de la Badia y Matheu Ram et alios lo habían fecho; e que lo mesmo confessaron Matheu Ram y Garcia de Moros. E fallamos que el viernes primero apres de la dicha muerte, el dicho micer Montesa dixo a cierta persona que havia amprado para el dicho caso, estando en las casas de la ciudat, en la retreta do se retrahen los jurados: fulano, cataquí; no havys querido ganar estos dineros que se han dado para matar a maestre epila; pues no ha faltado quien los ha ganado, que mas se han despendido de seiscientos florines, de los quales podierades vos ganar la mayor parte. Respondiendole la persona: vosotros que lo havyes fecho fazer, lo que lo han fecho, en ora mala lo haveis fecho; que repuso el dicho micer Montesa: hartos remedios tenemos, que el señor Rey es de neustra parte, y ahun todos los caballeros de Aragon, que en la corte tenemos a todos los magnates cortesanos deste reyno que nos ayudaran; que esto de la enqueesta solo la reyna lo lieva con el prior de Sancta Cruz, que es hun satanista deciplo del antecristo, y la Reyna con sus ultrages y superbia lo querria levar todo mas a fuerça que no a justicia, ni a bondat. E fallamos que en la forma susso dicha e alias se ha opposado al officio e libero exercicio de la sancta Inquisicion, y empachado aquel directamente e indirecta, e seydo fautor e defensor de muchos hereges, e que por la dicha razón encorrio ipso jure et facto en sentencia de excomunión mayor a jura lata contra el fulminanda, en la qual ha estado con animo pertinace por tiempo de dos anyos e mas, como de presente esta sin querer confessar los idchos impedimientos, fautoría e deffension de hereges. Et ultra lo procesado, fallamos que expontaneamente confesso et quiso e dixo que de su propio motivo, que en su confession fuesse scripto que de facta expontaneamente la dicha converssion, et juro que no lo hacia por amor, ni por temor, ni por nenguna otra cautela, sino por era assi el fecho de la verdat. Et primo, dixo e confesso el dicho micer Montesa que obra de dos meses ante de la muerte del inquisidor maestre Epila fue e se fallo en la just e congregación que se fizo en la iglesia del Temple de la present ciudat, donde se llegaron los siguientes: Johan de Pero Sanchez, Gasoar de Sancat aCruz, Garcia de Moros, mayor, micer Alonso

Sanchez, jurista, y Martin de Sanctangel y otros muchos, y dice que se congregaron allí todos los susso dichos y el dicho micer Montesa, el qual ajust fizieron a instancia del dicho Johan de Pero Sanchez y de otro, y dize y confiessa que fablaron y practicaron allí de cómo la Inquisicion pasaba adelante y de cómo habían cadafalcado a Leonart Eli, al qual todos los tenían en opinión de buen xpiano, y que si no remediaban en aquello de la Inquisicion, que assi farian de cada qual dellos como del dicho Leonart Eli. E dixo e confesso que después de pasadas muchas razones sobre este negocio, la deliberación de todos los que allí se fallaron fue que este negocio de la Inquisicion no se podía remediar, porque yva tanto adelante, y no veyan remedio alguno para ello sino que se tuviesse forma en que matassen a maestre Epila, Inquisidor, e micer Martín de la Raga, e micer Pedro Frances, porque estos eran los que levavan todo el negocio de la Inquisicion , y asi finalmente concluyeron todos, y su voto dellos fue que assi se devia fazer como dicho es, que otramente no levaba remedio este fecho de la enquesta, y assi daron cargo de la dicha muerte a Johan de Pero Sanchez, porque era hombre de dinero, et a mossen Luys de Santangel, herético, porque era hombre de la espada y a otra persona dellos, et que passasse delante el dicho negocio y lo fiziessen como ellos quisiesen, a saber es, de matar a maestre Epila, inquisidor, e a los sobredichos micer Martin de la Raga e micer Pedro Frances. Et dize que dexaronen voluntat dellos que matassen al dicho maestre Epila, inquisidor, o al dicho micer Martin de la Raga e a micer Pedro Frances, o a los dos, o a todos tres, como a ellos pare iesse y segunt la disposición que fallasen; y dize que los dichos mossen Luys de Santangel y Johan de Pero Sanchez, y otro, aceptaron el dicho cargo de la dicha muerte. Item, dixo et confesso que otra vegada se ajuntaron en la iglesia del Portillo todos los susso dichos de parte de arriba nombrados, e si alguno dellos falto, lo que allí fallaron tomaron cargo de comunicar lo que allí se trato a los que no stuvieron allí. Et en el dicho ajust los dichos mosen Luys, Johan de Pero Sanchez, et el otro, que tenían cargo de las dichas muertes, daron razón a los presentes por que se dilataba el negocio, es a saber: que con difficultat fallavan personas fiadas para ello; emprero que ya tenían concierto para ello, que muy presto se executarian las dichas muertes; y assi les fue encargado por otra vez por los susso dichos que con diligencia y secreto se entendiesse en executar el negocio. Item, dixo et confesso que otra vez, que serian doze días, poco mas o menos, antes de la muerte del inquisidor maestre Epila, se ajuntaron este confessant y los mismos susso nobrados y otros en la iglesia de Sancta Engracia de la presente ciudat, e allí quisieron saber los susso nombrados que por que no se facia e dilatava el dicho caso. Et los dichos mosen Luys de Santangel, Johan de Pero Sanchez y otra persona que con ellos tenia cargo de las ditas muertes, respondieron e dixieron que ya el negocio se havia puesto en execucion, es a saber, que habían algunas noches sperado en la Seu a la ora de maytinas los que habían de executar el dicho caso para matar al dicho maestre Epila, e que no se havia podido acertar, pero que no podía errarse de muchas noches que no lo matassen, et assi pocos días apres se execute el caso, e que mataron al dicho maestre Epila. Item mas, dixo e confesso expontaneamente que micer Alfonso Sanchez le havia dicho apres de la dicha muerte que Abadia y Sperandeu y Matheu Ram y un criado de Sperandeu habían estado los exsecutadores de la dicha muerte de maestre Epila, inquisidor. Item mas, dixo e confesso expontaneamente que le dixieron una vez Gaspar de Sancta Cruz, y otra vez micer Alfonso Sanchez, que en la dicha muerte se habían despensado sobre ochecientos florines de oro, los quales habían para luego bistraydo los dichos Johan de Pero Sanchez y Gaspar de Sancta Cruz, con intención de cobrar lo que posiessen de los otros. Item mas, dixo e confesso espontáneamente, que fecha la dicha muerte de maestre Epila, trobandose el dito micer Montesa en la Diputacion, e veniendo a fablar con el algunos de los susso nombrados que cupieron en el dicho consejo, de cómo havia estado fecha la dicha muerte, tuvieron aquella por bien fecha y les plazio mucho, aunque estaban temorizdos de algún alborote que se moviese. Item mas, dixo e confesso espontaneamente que era verdat todo lo deposado por Garcia de Jalz en el proceso que contra el se ha fecho, es a saber, que se guisaban hamines en su casa la noche del viernes para el sábado, estante parada la mesa con los candiles, de la forma que el dicho Jalez depossa; los quales hamines dixo e confesso el comia el dicho dia del sábado, y desta forma que continuo y practico lo susso dicho en los dichos días de sabados por tiempo de doze años continuos, y mas, y que havia cessado de fazer la dicha ceremonia por tiempo de tres anyos antes que fuesse presso; e dixo que esta ceremonia por tiempo de tres anyos antes que fuesse presso; e dixo que esta ceremonia tomo informándose de algunos jdios, specialmente de maestre Dolz, judío, y de otro. Item mas, dixo et confesso espontaneamente que era verdat lo que deposo una mujer que le enviaban de la juderia guisado todo lo que havia de comer, porque el enbiava alla para que le enbiassen caçuelas y empanadas y otros comeres. Item mas, confesso que los dichos amines y candiles que facia y ponía los viernes, a la noche, lo facia por observança de la ley de los jodios. Item mas, dixo e confesso expontaneamente que la dicha mesa le acostumbraba parar los viernes a la noche una viexa casera que tenia en su casa, e le paraba la mesa y le guisaba los dichos hamines, la qual crehe era conversa; y que todo aquello facia amagadament, que no sabia ninguna cosa dello su mujer; y dixo que en el timpo que fizo y observo la dicha ceremonia dn los días de los sabados, no comia cosa ninguna que se guisasse en el dia del sábado, sino de los dichos hamines que se guisaban en viernes, y solo de aquellos comia mientre que acostumbro de fazer e observar la dicha ceremonia por honrra e observança del sábado, e dixo que creya que las otras ceremonias que depssaban los testigos fuesen assi en verdat como lo deposaban. Item, dixo e confesso el dito micer Montesa que todas las cosas que de part de susso havia confessado las havia negado en el proceso con intención de atorgarlas e confesarlas en el tiempo, ora e momento que moriesse. Interrogado que era lo que sentía de nuestra fe xpiana en el tiempo que tenia aquella mesa parada por observança del sábado, dixo e confesso spontaneamente e ultima, que creía que podían concertar la observança del Evangelio con la observación del sábado; pero que oy tenia la fe que tenia la sancta madre Yglesia apostolica y romana, de lo qual fazia gracias a nuestro senyor Dios. Item mas, dixo e onvesso expontaneamente el dicho micer Montesa que de todo lo susso dicho de los amprameintos por el fechos a cierta persona paramatar al dicho inquisidor, los havia fecho segunt el testigo dezia e de part de susso es recitado, et que todas las cosas dichas por el eran verdaderas. E fallamos por verdat que el dicho micer Montesa se ha perjurado una e muchas vezes en la causa de la fe. Estas cosas vistas y exhaminadas, e todas las otras cosas en el present proceso contenidas, habido sobre ellas e sobre todo el presente proceso maduro consejo con personas letradas e de buena conciencia tenientes a Dios, et teniendo a Dios ante nuestros ojos, de quien proceden todos los rectos e justos judicios, e dar e promulgar esta nuestra diffinitiva sentencia procedemos, en la forma siguiente. Et porque por los meritos del presente proceso canonica e legitimamente nos consta el dicho micer Jayme Montesa seyer verdaderamente herético judaizado e apostata verdadero, e haver estado e ser fauctor e drffensor de hereges, e haver conjuradocontra la sancta fe católica, e cadunado gentes e assassines e fecho pagar aquellos por sus complices con pecunia para dar perpetuo empacho y turbación irreparable al officio y libero exercicio de la sancta Inquisicion, perpetrando e faziendo perpetrar la dicha muerte del dicho reverendo Inquisidor maestre Epila, canónigo regular de la presnte ciudat de Çaragoça et maestro en sancta Theologia, en sacros ordenes contituydo, dentro de la dicha Seu, en la ora y lugar y tiempo susso dichos, y que en la dicha excomunion ha estado por tiempo de dos anyos pertinace, sin querer fasta agora çagueramente confessar sus errores. Por tanto e alias, pronunciamos, sentenciamos et diffinitivamente declaramos el dicho micer Jayme Montesa, de grant tiempo aquea haver comentido e perpetrado crimen de heregia e apostasía, e ser herético judayçado, e seyendo xpiano haver pasado a los ritus judaicos... Por tanto e alias, con las protestaciones acostumbradas et por Drecho canonico estatuydas e ordenadas, por nos facederas, como de presente las fazemos, e citra vindictam sanguinis, desemparamos, remítimos e relexamos al dicho micer Jayme Montesa, reo condepnado de los crímenes susso dichos, al braço e juez secular, a saber es, al magnifico micer Johan d'Algas, rigient la Cancelleria del Rey nuestro Senyor".

APÉNDICE DOCUMENTAL Nº 23

Zaragoza, 22v de enero de 1488.

Declaración bajo tortura de la cuerda de Sancho Paternoy acerca del asesinato de Pedro Arbués.

AHPZ, Declaración bajo tortura de Sancho Paternoy. Publicado en el *Libro Verde de Aragón*, pp 205 ss. (ms. de la Biblioteca Colombina). Véase También Publicado por MANUEL SERRANO Y SANZ, Op. Cit. *"los orígenes..."*, doc. nº 466. pp. 420-427.

"La conjuracion contra mese Epila. Die martis 29 januarii 1488, de nocte hora quasi nona. Eodem die, por mandato de los reverendos senyores Alfonso Sanchez de Alarcon, inquisidor, e maese Martín Garcia, Vicario general de la heretica pravedad, Sancho de Paternoy, denunciado, fue puesto en el tormento de la cuerda, dentro de la estancia mas baxa de la torre mayor de la Aljaferia, y descendido del tormento, assentado el dicho Sancho en una cadira, atadas las manos atrás con la cuerda del tormento, dixo e confesso el dicho Sancho de Paternoy, delante de los reverendos senyores Alfonso de Alarcon, inquisidor, e maese Martin, vicario general de la heretica pravedad, lo que sigue: Et primo confiesa el dicho Sancho de Paternoy que un mes antes de la muerte de maese Epila, inquisidor, poco mas o menos, que fue en el mes de Aogsto, un dia, ya otra de noche, Joan de Pero Sanchez lo imbio a llmar con un moço de su casa del Joan Sanchez, no sabe este confesante quien es el moço que lo fue a llamar, y dixole como Joan de Pero Sanchez su amo, lo iniava a este confesante para que se llegase a su casa, y asi este confesante fue a la casa del dicho Joan de Pero Sanchez y hallolo dentro de su estudio al dicho Joan de Pero Sanchez y a Gasar de Santacruz y a mossen Luys de Sant Angel y a Matheo Ram, que estavan con el dicho Joan de Pero Sanchez en su estudio el chico de mas adentro, y de ay dixole el Joan de Pero Sancez a este confesante: yo vos he inviado a llamar porque tnemos concertado este negocio de matar a mese Epila, inquisidor, lo qual tiene concertado Mateho Ram con Esperandeu y Labadia, y hanseles de dar mil florines de oro, y dize que el Matheo, que presente era, juro en presencia de este confesante y se obligo alli de tornar los dichos mil florines si no se executava el caso de matar a mese Epila, inquisidor, y el Matheo Ram, despues de pasadas las sobredichas cosas, dixo que lo dexasen a su cargo, que el daria buen recaudo en executar el caso; que no curassen de nada, que micer Montesa, por otra parte, lo tenia mas acerca desto que no ninguno de ellos. Item mas, confiessa que el dicho Joan Sanchez le dixo como mossen Luys de Santangel pagava parte de los dichos dineros, y dize este confesante que no le acuerda bien si el dicho maese Luys de Santangel se trobó en la dicha fabla, pero bien si el dicho maese Luys de Santangel se trobó en la dicha fabla, pero bien le acuerda que un dia vino alli por este tiempo a casa del Joan Sancez, mas no sabe si fue en la mesma noche que estuvieron alli los sobre dichos, o en otro dia. Item mas, confiessa que fablando con el dicho Joan Sanchez le dixo como tenian deliberado de matar a maese Epila, inquisidor, porque habian dicho que el dicho maese Epila recibia testigos contra el y le fazia processo. Item mas, confiessa que despues que huvieron las sobredihas fablas, no sabe que tantos dias apres, el dicho Joan Sanchez lo llevo un dia de parte de noche a casa de Esperandeu, y fueron en su companya deste confesante y del dicho Joan Sanchez el dicho Matheo Ram, y que alli el dicho Joan de Pero Sanchez y este confesante, dentro de casa del dicho Esperandeu, dixeronle al mismo Esperandieu que pusiese diligencia de facer el caso de matar a maese Epila, pues que Mateho Ram ya tenia los dineros, y el Esperandeu les respondio que si faria; que el y Abadia darian buen recaudo, pues el cargo tenian dello. Item mas, confiessa que trobandose en algunas fablas con Domingo Lanaja trabajava mucho se hiziese bolsa ara plegar dinero de los comunes para bullas o para firma que se proveyesse cerca de la confiscacion. Interrogado que por que no dixo todas estas cosas en tiempo del edicto de gracia contra los fautores, responde y dize que porque no los habian puesto en el tormento, o por escapar la vida, no las habia dicho. Item, confiessa que quando Joan Sanchez le scrivio a este confesante como tenian deliberado de matar a maese Epila, dize que le dixo el dicho Joan Sanchez como en este caso de la dicha muerte cabia el Thesorero Gabriel Sanchez, y que en este negocio no faria cosa sin el dicho Joan Sanchez; y mas le dixo que cabian en el mossen Guillen Sanchez, micer Luys Santangel, micer Montesa y Gaspar de Santa Cruz. Item mas, confiessa que Joan Sanchez le dixo su hermano el Tehsorero cabia en este caso de la muerte del inquisidor, y que le excrivia cartas por cifras, las quales cifras declararia el dicho Joan Sachez a este confesante, por las quales cartas le dizia que pasase adelante este negocio de matar a maese Epila; e dize mas el dicho Sancho Paternoy, que por agora no le acuerda mas acerca deste negocio, porque, como esta vexado del tormento, no le pueden venir todas cosas a la memoria, e dize por dos o tres vezes que le quitasen del tormento, e que para mañnyana le diria ampliamente toda la verdad cerca del dicho caso; e los senyores inquisidores e vicario general le dixeron que guardasse bien que dizia, y si lo que havia dicho era verdad, porque si no dezia toda la verdad, que querian que quedase aierto el tromento para quandoquiere que ellos lo quisiessen turnar ad aquel para probar esta verdad, et el dicho Sancho de Paternoy respondio e dixo que todo era verdad lo que havia dicho de parte de arriba, y que queria y consentia que si manyana no dezia toda la verdad amplamente cerca deste caso, que quedase abierto el tormento paa uando los senyores inquisidores y vicaio general lo quisiesen tornar ad aquel, y asi fue quitado en todo del tormento. Testigos fueron a todas las sobre dichas cosas Jayme de Monclus, nuncio de la Santa Inquisicion, et Gil del Campillo, familiar del reverendo maestro de Alarcon, inquisidor. Et fechas las dichas confessiones a las doze horas, vel quasi de la media noche del dicho dia, fue quitado del tormento el dicho Sancho de Paternoy, e fue sacado de dicha estancia donde havia estado tormentado y fue subido a otra estancia mas alta en la mesma torre, y alli el dicho Sancho de Paternoy, vestido como estava con calças y jubon y su caldero, acostose en una cama que havian alli parado, y alli el dicho senyor inquisidor mandole prestar juramento de dezir toda la verdad que sbia; el qual dicho Sancho de Paternoy juro en poder del dicho senyor inquisidor, por dios, sobre la cruz y los sacrosanteos quatro evangelios, que diria la verdad de lo que sabia y seria interrogado; e prestado el dicho juramento fue interrrogado el dicho Sancho de Paternoy por el dicho senyor inquisidor si lo que havia dicho e confessado de parte de arria era verdad, y que dixera lo que supiese cerca del dicho caso, et el dichoSancho de Paternoy respondio que todo lo que havia dicho e confesado era verdad, y luego le fue leido todo lo que havia confesado de parte de arriba, y el dicho Sancho de Paternoy estuvo en que aquella era la verdad, y dixo que por agora no se acuerda otro mas; que pensara mejor y manyana dira toda la verdad cerca de este caso, y quiso que si no la dixese esta verdad que quedase el tormento abierto para quando los senyores inquisidores lo quisiesen tornar ad aquel. Testes ad praedicta, qui super proxime nominati.

Die tertio februarii, 1488. Eadem die reverendos dominus alphonsus de Alarcon, inquisidor magister, martinus Garsiae, vicarius generalis hereticae pravitatis processerunt ad interrogationem Sancii de Paternoy, qui juravit per Deum et super curcem de veritate dicenda. Et primo, amonestado y requerido el dicho Sancho de Patenoy por los dichos senyores inquisidores e vicario General que amplamente dixese toda la verdad acerca de la muerte del inquisidor, respondio y dixo que el nunca oyo ni se fallo en parte ninguna donde se fablase de matar ni de danyar a maese Epila inquisidor, ni a micer Martin de Larraga, ni a official ninguno de la inquisicion, ni sabe quien la ha fecho ni la ha consejado la dicha muerte del inquisidor, ni nunca ha supido cosa ninguna en esta muerte, ni sabe quien ni quien la ha consejado, ni quien la ha mandado, ni en que parte se haya tractado, sino que hablando este confesante con joan de Pero Sachez, que creya seria tres meses antes de la muerte del inquisidor, y fablando de los hechos de la inquisicion de Anchias, no sabe quales destas cosas hablavan, dixo con malenconia el dicho Joan de Pero Sanchez, esto yo lo habre de saber. Interrogado si viniendo maese Epila, inquisidor, se dixo contra el alguas palabras de menaça, responde y dize este cnfesante que estando un dia este confesante en la seo de la presente cidual paseando con Gaspar de Santa Cruz, y estuviendo apartado dellos Joan de la Cavalleria, pasando el dicho maese Epila, inquisidor, delante dellos, que salia de la claustra a la iglesia mayor, e iba para tomar agua bendita a la pila, dixo este confesante contra maese epila: que hypocrita este, o semejantes palabras, e que no le acuerda a este confesante que es lo que dixo el dicho Gaspar. Preguntado el dicho confesante que por que cuusa y a que fin dixo las sobre dichas palabras contra el dicho maese Epila, respondio este confesante que porque le dezian que el dicho maese Epila, por medio de micer Pertusa y a su causa, traca mal a sus amigos deste confesante, y por aqueste respeto dixo las sobre dichas palabras este confesante. Interrogado deste amigos eran los que este confesante tenia las horas, responde este confesante que los Sanchez y algunos de los comunes, como son Gaspar de Santa Cruz e otros. Interrogado si fablo, o antes de la muerte o despues de la muerte del inquisidor, a un Abadia, responde que antes de la muertedel inquisidor, yendo este confesante al spital con sus escuderos, le fablo este confesante al dicho Abadia, junto al spital de Gracia, que estava paseando, y fablo con el sobre un rocin rucio que queria comprar del Abadia, y demandole el precio este confesante. Item, dize este confesante que despues de la muerte del inquisidor, estuviendo este confesante y Domingo Lanaa en la sal alta de la Diputacion, viendo a Joan de la Abadia que estava alli en la sala de la Diputacion, dixo este confesante al dicho Domingo Lanaja dixese publicamnte aque Joan del Aadia habia avisado a Matheo Ram e le havia prometido ciertos dineros; y de alli el Domingo Lanaja dexo a este confesante y se fue para el Abadia y fablo con el, y despues que huvo fablado con el Abadia, el dicho Domingo Lanaja se torno paa este confesante y dixole: dicho me ha que no es verdad lo que se dize que el ha dicho a Mateho Ram. Interrogado si ocntra algun oficial de la iqnuisicion ha tenido enojo para danyarle en la persona, responde e dize que verdad es que el ha tenido enojo contra Anchias, a causa que le fue referido que el Anchias pregunto a un judio sastre si el confesante tenia lugar o sitio en la sinagoga, e que por estas preguntas que el dicho Anchias fazia, teniendo mal enconio contra el dicho Anchias, dixo este confesante que rogase a Dios que durase mas la enquesta qe no el; empero, que si la enquesta pasava y aluniava, que le daria salud al rey para que lo castigasse; si no, que este confesante lo castigaria y le faria facer algun danyo⟨, a saber es, de facerle dar una cuchillada o de cartarle las nariçes de dia, y esto dixo publicamente a este confesante otras vezes con la malenconia que contra el dicho Anchias tenia. Interrogado si antes de la muerte del Inquisidor maese Epila, cuatro o cinco o diez dias antes en este tiempo fue a casa de Joan Esperandeu, y si fabló con el dicho Esperandeu alli en su casa o en otra parte, responde e dize este confesante que en los dichos dias ni en el dicho tiempo no fue a casa del dicho Esperandeu, ni fablo con el alli ni en otra parte. Interrrogado que si sabia que el Thesorero Gabriel Sanchez y Joan de Pero Sanchez, scriviesen el uno al otro por cifras, responde y dize este confesante que es verdad que el dicho Joan de Pero Sanchez le dixo que el y su hermano Gabriel Sanchez, Thesorero, se scribian por cifras, y esto supo assi mesmo preguntandole este confesante al dicho Joan de Pero Sanchez: ¿Ay letras de la crote?, en que el Joan de Pero Sanchez le respondio: Letras ay, pero no tengo sacadas las cifras. Interrogado si antes de la muerte del Inquisidor, topandose con el Abadia en el cosso, a la puerte de los calliços que han cerrado los judios, si le dixo estas palabras el Abadia: ¿por que no quereys fazer lo que os ha rogado Joan Sanchez, que vuestra parte vos yba? Respondio este confesante que podria ser que el fablase con el dicho Badia en el cosso de los calliços de los judio, pero que nunca tal le dixo este confesante. Interrogado si le acuerdan otras cosas cerca deste negocio, responde que no le acuerda mas de lo que ha dicho, e como algo se acordase lo dira. Testes ad predicta micer Tristan de la Puerta et Pedro Canales, escudero. Item, el dicho Sancho de Paternoy, por descargo de su conciencia, pensando en lo que los senyores inquisidores le interrogaron si se havia fallado en alguna parte donde se fablase danyo de la Inquisicion o de inquisidor o de oficial alguno della, dize que le ha acordado que puede haver cerca de tres anyos poco mas o menos, y era esto en el mes de abril o mayo antes de la muerte de micer Pertusa, estuviendo en casa deste confesante su yerno enfermo Joan de Francia, un dia, y ora de la tarde, viendo a su casa deste confesante Joan de Pero Sanchez y micer Luys de Castillon, y no se acuerda si havia otros, estuviendo este confesante ocn los dichos Joan de Pero Sanchez y micer Luys en la cambra donde estava enfermo el dicho mosen Joan de Francia, oyo que el dicho Joan de Pero Sanchez fablo ay de la enquesta y dixo palabras muy fuertes de fazer qualquier danyo ad alguna persona sobre cosas de la enquesta: no le acuerda a este confesante que palabras fueron specificamente, salvo que el dicho micer Luys de Castillon se las hecho aparte aquellas palabras a dicho Joan de Pero Sanchez, y se las reprocho mucho; y estas cosas dixo este confesante en el tormento, prero las dixo muy sucintamentedesta manera: que havia oydo dezir ciertas palabras al Joan Sanchez y que micer Luys de Castillon que alli estava se las echo aparte: y estas plabras dize este confesante que a su parecer las oyo dezir al dicho Joan de Pero Sanchezz antes que aquellas otras palabras que dixo el dicho Joan de Pero Sachez: yo lo habre de fazer; e esto dize este confesante por cumplir con el juramento.

Die octavo Frebuarii, 1488. Eadem die, en una estancia d ellas mas baxas de la torre de la Aljaferia fue puesto a question de tormento de la cuerda con la piedra a los pies, Sancho de Paternoy, y tormentado en el dicho fue descendido en una silla e dixo e confesso lo siguiente: Et primo dixo e confeso que un dia, y ora de noche, seria quinze dias o un mes, poco mas o menos, despues de la muerte de micer Pertusa, este confesante se trobo en casa de Jan Pero Sanchez en uno de los estudios de dentro de la casa del dicho Joan de Pero Sanchez, a donde estavan los siguientes plegados, y este confesante con ellos, como son el dicho Joan de Pero Sanchez, mossen Luys de Santangel, Matheo Ram, y le parece que fallo Gaspar de Santa Cruz, y alli el dicho Joan de Pero Sanchez dixo que ya veyan como mosen Epila, inquisidor, los tractava tan mal con la parcialidad de sus enemigos, y que si no se fazia alguna cosa que maassen al dicho mosen Epila, que todo era perdido, y assi el dicho Joan de Pero Sanchez, mosen Luys y el Gaspar de Santa Cruz y Matheo Ram y este confesante con ellos, fizieron deliberacion de matar al dicho mosen Epila, inquisidor, y dieron cargo al dicho Matheo Ram para que buscase uno para que ejecutasse el caso, y alli le prometieron de dar al dicho mosen Epila, inquisidor, y dieron cargo al dicho Matheo Ram para que buscase uno para que ejecutasse el caso, y alli le proetieron de dar al dicho Matheo Ram mil florines para el y a los otros que ejecutassen el caso, y dicho Matheo Ram acepto el dicho cargo, y que el y Badia y Esperandeu darian buen recaudo, y alli supo este confesante, del dicho Joan Sanchez, como ya lo tenian concertado de antes de la muerte de micer Pertusa; pero fecha la dicha muerte esperose hasta despues quando quisieron la conclusion deste confesante, de fazer la muerte de mosen Epila, y que lo havian de fazer Matheo Ram y Jan Esperandeu y Badia, y que a este confesante no lo havian llamado ay sino por dar conclusion al negocio y que se ejecutase el caso, porque querian a este confesante para que fiziese cara, y assi el dicho Mateho Ram por entonces lo tomo mucho en cargo que el con los otros, a saber con el dicho Esperandeu y Abadia, darian conclusion en el negocio, y assi apres concertar y executar la muerte del inquisidor según que ya la tenian concertada con el dicho Matheo Ram y que querian que este confesante se trovase alli porque le fiziese espaldas y cara; y assi dieron cargo al dicho Matheo Ram mil florines, luego para la manyana, y el dicho Joan de Pero Sanchez le dasse a Matheo Ram cient o dozientos florines para lo que huviese menester para entender de ejecutar el caso; y fizo juramento alli el Matheo Ram y en presencia de todos prometio e se obligo de restituyr la cantidad que le fuese librada para executar el caso s no se executava, y ansi el dicho Matheo Ram tomo el cargo e les dixo que ya tenia a Joan de laAbadia y a Esperandeu, y que del resto ellos se darian recaudo, e el dicho Joan Sanchez, presentes este confesante y los sobre dichos, le encargo mucho el dicho fecho; el dicho Matheo Ram le dixo que no dudasen, que buen recaudo se dava, e que micer Montesa, lo detenia bien cerca se fiziese e se ejecutase el dicho caso, e alli en la dicha fabla se concerto que los quinientos florines le havia de dar al dicho Matheo Ram el dicho Joan Sanchez, e los otros quinientos florines el dicho mossen Luys, e que ansi de les prometieron de darselos, y que asi ellos dos fizieron cara de pargarlos, que de otras partes ellos cobrarian lo que mas podrian: e dize que fecho el dicho concierto e deliberacion ay entre ellos, cada uno se fue a su casa, que podria ser onze horas antes de media noche quando de alli salieron, e que empues, yendo el presente confesante a casa del dicho Joan Sanchez, le dezia el dicho Joan sanchez como los dichos Matheo Ram, Esperandeu y Badia de noche havian esperado en la Seo, a hora de amytines, al inquisidor maese Epila, y que no lo havian acertado; pero que tales lo tenian, por ganar los dineros, mas en cargo que no ellos; y que assi por sus dias se siguio la muerte del Inquisidor maese Epila, e que apres echa la dicha muerte, fablando este confesante con el dicho Joan Sanchez destas cosas y de la muerte como havia estado fecha, le dixo el Joan Sanchez con mucho plazer, que de la muerte buen recaudo han dado estos, y que por desfreçar estas cosas, assi este confesante como el dicho Joan Sanchez yban mucho por la ciudad despues de fecha la dicha muerte. Et empues de lo sobredicho se fallo este confesante en casa de Joan Sanchez, adonde estaban el dicho Joan Sanchez y micer Luys de Castillon, Gabriel de Castillon y mossen de Guillen Sanchez y Gonzalo Paternoy, su hijo deste confesante, y alli disimulavan este confesante y el Joan Sanchez como no sabian nada en este caso de la muerte del Inquisidor, y entonces havia dos dias que havian preso a micerMontesa, y alli el Joan Sanchez delibero de yrse aquella noche al rey, diziendo que havia miedo por indicias no lo tomasen, y que tenia buena escsa fingiendo que yba al rey; y ansi se fue y dize este confesante que el se quedo por disimular y porque no tenia tal causa o color para yrse como el Joan Sanchez. Item, confiesa el dicho Sancho que luego despues que fue preso Leonart d'Eli por la Inquisicion, se congregaron un dia en Santa Engracia el y los que tienen nombrados en otra confesion que tiene fecha quanto a esta congragacion, y dize que fablaron y concertaron lo que tiene dicho en dicha conffesion, y qe otro no le acuerda. Item mas, dize e confiesa que dos o tres noches despues que se fizo la deliberacion en casa del dicho Joan Sanchez de matar a maese Epila, tuviendo solicitud que se executase el caso, este confesante y el Matheo Ram solos salieron de casa del dicho Joan Sanchez, y era esto de noche, porque el dicho Matheo Ram queria tener acerca al dicho Esperandeu, y asi fueron los dos, y que este confesante llevava la clocha borgada por que no le conociessen, y quedose al trenc (trenque) del Thesorero caba unas piedras, quando passeando, quando estuviendo sentado, y el Matheo Ram fue y dentro en casa del Esperandeu y le fablo, y despues que huvo tornado el Matheo Ram adonde lo havia dexado a este confesante, se tornaron los dos solos a casa del dicho Joan Sanchez, y dixole el Matheo Ram como habia hablado con el dicho Esperandeu y que le havia dicho que presto se daria recaudo, que ya lo havian esperado al Inquisidor e que no lo havian podido haver. Item, dize que la noche que se ejecuto el caso de mossen Epila, quando repicavan las campanas y havian executado el caso de maese Epila, este confesante se armo y imbio al gobernador a su paje si queria algo o acompanyassen al official real, y de aquei a poco le embio a llamar el Arçobispo, e fue este confesante llamado con algunos de sus vezinos a casa del Arçobispo y dize este confesante que tomo mal quando no vio aquella noche a ninguno de sus amigos que se fallaron en el dicho concierto que se fizo en casa del dicho Joan Sanchez, eque a cabo de un dia o dos despues del dicho caso, fablando con Domingo Lanaja, le dixo como no havia sentido del dicho caso, de lo qual tomo sospecha y se maravillo porque dezia que no sabia nada. Testes ad predicta jacobus de Monclus et Antonius de Lanuel, nincii sancte Inquisitionis.. Et premissis dictis, et eadem die, hora quasi septima, semotus a tormento de prima nocte, in sua estantia Sancius de Pathernoy ratificavit dictum per illum in tormento quod fuit ibi lectum eo; testes Jacobus de Monclus etAntonius de Lanuel, nuncii sancte Inquisitionis.

Die dominica X februarii, hora quasi septima post meridie. Eadem die reverendus dominus Alphonsus de Alarcon, Inquisitor, et magister Martinus Garzia, vicarius generalis, fuerunt infra ad estantiam ubi existebat Sancius Garzia, vicarius generalis, fuerunt infra ad estantiam ubi existebat Sancius de Paternoy, et mandarunt ei prestare juramentum; qui juravit per Deum et super crucem et de veritate dicenda; et ynterrogatus per ditos Inquisitores et vicarium generalem, sobre la confesion que havia fecho el VIII del presente mes de febrero, la qual fue leyda de palabra a palabra, y que le dixesse que si passava assi en verdad como lo havia dicho, responde que no ha cupido en dicho ni en fecho, ni ha entendido en la muerte del Inquisidor, ni sabe quien la haya fecho, ni quien la fizo fazer, e que no havia cosa en verdad de lo que havia dicho de la dicha muerte, salvo las palabras que le dixo Joan sanchez: aquesto yo lo tengo que fazer, y mas aquello que dijo en la confesion de Santa Engracia y de lo de la noche que vinieron a mosen epila, que fue a casa del Arçobispo todo lo tocante a lo de la muerte dize que no sabe ninguna cosa verdadera, sino que con el dolor del tormento las dixo. Testes Miguel Domingo et Antonio de Lanuel".

APÉNDICE DOCUMENTAL Nº 24

Calatayud, Diciembre de 1485.

El vecino de Calatayud, Gimeno de Sayas, compadece ante el notario bilbilitano Pedro Tris para declarar favorablemente en el proceso que la Inquisición estaba instruyendo contra Jaime de Montesa. El notario entrega a Johan Calvo (inquisidor) y a Tomé Gómez (Procurador Fiscal) de la Inquisición dicha declaración, jurando que es verdad todo lo que el testigo manifiesta en la declaración.

AHPZ, proceso de Inquisición contra Jaime de Montesa, J 5-1; 88/4, pp. 110-125.

"seyer verdat que este depossant clamado por Martin Perez de Calatayut, notario y ciudadano de Calatayut un dia del anyo mas cerqua passado de mil quatrozientos ochenta y quatro. En el mes de noviembre o de diziembre fue con el a la ciudat de Çaragoça. E que de siguies que fueron alli vido que el dicho Martin acompanyandolo este depossant yva clamando a algunos conversos diziendoles que fuessen y se congregassen en casa de micer Montessa, jurista ciudadano de Çaragoza. Entre los que dize que le vido clamar a dos de los Sanches hermanos e parientes del thessorero, Gaspar de Sancta cruz, e Anthon Perez suegro de Remon Lopez fijo de Remon Lopez. E que el mesmo dia que los convoco y clamo fueron luego al estudio del dicho micer Montessa donde este depossant los vio plegados e congregados en el estudio del dicho micer Montessa. E entre los quales dize que yde vido et yde conoscio al dicho micer Montessa, micer Francisco Ram, Anthon Perez, Diego de Gotor et Anthon de Gotor, Gaspar de Santa Cruz mayor de días, et Garcia de Moros y dos de los Sanchez parientes o hermanos del tesorero y el dicho Martin Perez de Calatayut y a algunos otros, los quales no se le recuerda que eran al parescer deste depossant quatorze o quinze personas, los quales estando entresi hablando de los negocios de la inquissicion querandose el micer Montessa de los veraciones que los Inquissidores fazian dixo el dicho Martín Perez "pase e nos que parar poco no da mas todos quesa fazemos matar hun inquisidor o dos otros seguardaran de venir a fazer esta inquissicion". Et después dixo uno de los otros el qual dize que era el dicho Anthon Perez "voto a Dios que decis bien, que si assi lo fiziessemos otros se scarmentarian que no faltarían cada ciento o cada dozientos florines para quien lo fiziesse y después que muchos havieron fablado y votado los votos de los quales no le recuerdan, e dixo el dicho micer Montessa no se fable tal cosa ni se faga, fablen se lo con días, e mal cristiano sea punido y al bueno sea conservado" y el dicho micer Francisco Ram dixo que se refería y la parescia bien el voto de micer Montessa e dize que todos los otros fablaran mal contra los Inquissidores verdat es que quando votaron ya dize que sende era ydo Garcia de Moros porque dize lo clamaron. Et de que lo desto havieron fablado et dicho entre fa dize que seretra yeron todos fazie donde estaban assentados los dichos micer Montessa y micer Ram. Et que allí muy baxo e muy juntos fablaron entre si en tal manera que este depossant no pudo haver noticia de lo que dezian el fabavan. Et mas dize este depossant que todo lo sobre dicho vio et vido a los sobre dichos dentro del estudio del dicho micer Montessa porque estaba presente. Et que dize que antes quales sobre dichas cosas se subsiguiesen quando el dicho Martín Perez y este depossant aconsanyando lo entraron en el estudio del dicho micer Montesa donde los sobre dichos estaban congregados, los otros queran que se fuesse este depossant. Et que el dicho Martín Perez dixo este bien puede estar aqeui que de los nuestros es".

APÉNDICE DOCUMENTAL Nº 25

Calatayud, 2 de abril de 1492.

Descripción de la tortura del agua que le practicaron los Inquisidores al converso de Calatayud, Pedro Polo (acusado de judaizar), en la estancia de torturas de la torre de Santa María de la Peña.

AHP, inquisición caja 10, Nº 1, p. 59 vto.

"Et post dicta eadem die inter decima et vindecima horas ante meridie juxta dicta pronunciacionem de mandato dicto domino inquisitor fue descendido el dicho Pedro Polo a la estancia de las torturas, falli (alli) desnudo fue puesto en la estalereta del tormento del agua. Hatandole fue interrrogado que dixiese todos los ritos y cerimonias judaycas que havia fecho respondio que nunqua los fizo. Hatado fuele empeçada de quimar el agua, e quimada un poco dixo que nunqua penso en cerimonia judayca ni la fizo directament ni indirecta. Hasi le fue quimada el aqua por nueve vezes y siempre dixo que nunqua havia fecho rito ni cerimonias judaycas ni por la pretensa le pasaron ni havia fecho mas de lo que tenia confesado, E asi no dando por acabado el tormento que iniciaron aquel ad prima diem sequentur quemacione y asi se quito del dicho tormento. Testes: dominus dominicus Senya, presbiter et frater Petrus de Castanyeda, testes sinodales".

8.- APÉNDICE DOCUMENTAL PROCESOS DE INQUISICIÓN

PROCESO CONTRA PEDRO DE SANTA CLARA, ALIAS EL PLATERO (DIFUNTO), HABITANTE DE CALATAYUD, ACUSADO DE JUDAIZAR (AHP, inquisición caja 7, N° 7).

COMIENZO DEL PROCESO: 26 de Marzo de 1488

CONFESION DEL ACUSADO ANTE EL PROCURADOR FISCAL.

(pag. 1) "Muy reverendos sennores demandada ante todas cosas licencia et obtonida antre vuestras reverendas partes con esta protestacion et non finse aquella humilment suplicando Pedro Clara comparesce antre aquellas el qual no por defender a Pedro de Santa Clara a la prelato padre del dicho suplicante sino solo para inffornacion de los nuestros de aquellas dize et personne en la fforma y manera siguiente:

Primo dize que Anthon Asenssio vezino de Torrijo es enemigo del dicho Pedro por quanto en su cassa tuvo hunos enemigos suyos que lo salliesen a matar en el dito lugar de Torrijo por respecto que le havia ffecho en hun deudo que le devia.
Item assi mesmo domingo Alcaçar, vezino de Torrijo es su enemigo por que le devia hun deudo lo vendio a hunos castellanos por que lo levasse preso a Castilla.
Item assi mesmo Jaco Lapapa (judío) es su enemigo por razon de hun dudo que le devia y no gelo dio ffranquo dixo que el le haria perder el deudo y la persona.
(pag. 1 vto.) Item assi mesmo Panyero (judío) que dixo por huna carta que le devia y no gela quiso dar franqua dixo que el le haria perder los bienes y la vida.
Item huna ffija suya por que la castigava de algunas cosas que no devia hazer dixo que seria peor que la hija de splugas que ella haria quemar assu padre y a su madre.
Item assi mesmo Ffrancisco Lorencin por que sobre el jugo de los staque vinieron en grande malenconyas en la qual passaron ffeas palavras que se pertenescia muerte por lo qual nunqua mas se hablaron.
Item assi mesmo matutano sobre hunas corredurias de una mula que compro y demandaria las correduras de mossen Luys y sobre eso vinieron en malenconyas y le dio una boffetada de lo qual quedaron enemigos.
Item assi mesmo que hohan Palaçio vezino de Torrijo vino huna quistion con el dicho Pedro de lo qual creo haverle hecho danyo.
Item assi mesmo Pascual Carretero vezino del dicho lugar por hun deudo los quales comprometieron en poder del Justicia quedaron enemigos.

TESTIGOS DEL PROCURADOR FISCAL EN CONTRA DEL ACUSADO.

(pag. 2) Die XXX marci anno Millesimo CCCC LXXXVIII.

Eadem die coram domino inquisitore comparvit Martinus Xavar, currador et Venita Noviercas, su muger habitant en la ciudat de Çaragoça restimonio por parte del procurador fiscal produzidos preguntados los quales juraron empoder del dicho senyor inquisidor por dios sobre la cruz et los sanctos quatro evangelios por sus propias manos corporalment tocados que diran verdat de todo lo que sabrian et serian interrogados los quales dixeron que la forma siguiente: Et primo deposo el dicho Martin Xavar y dico que conocio a Pedro de Sancta Clara, argentero e vezino de Calatayud y dize que havran mas de dos anyos questando fablando este deposante con el dicho Pedro en su casa deste deposante de la ciudat y dixo el dicho Pedro que la ciudat era burla que si Iesu Cristo era dios que le cumplia llamar a su padre y pues que Iesu Cristo era el Senyor que le cumplia dezir pater maior me est. Item mas deposa que le huyo dizir que las ymagenes de los santos que pintavan en la yglesia que todo era burla que mas pintavan que no yde havia y oize que la dicha su muger deste deposante les huyo fablar al dicho Pedro y a este deposante y que acabada la fabla luego le dixo a la dicha su muger diziendole mirat que cristiandat de hombres mirat que palavras ha dicho que pues Iesu Cristo era dios y senyor que le cumplia llamar a su padre.
(pag. 2 vto.) Et luego en continen fue preguntada la dicha Venita Noviercas, muger del dicho Martin Xavar si havia visto fablar al dicho Pedro de Sancta Clara y al dicho su marido en el suso dicho tiempo y lugar y si le havia dicho luego el dicho su marido la fabla en que estavan y las palabras que le havia dicho el dicho Pedro al dicho su marido, la qual respuso e dixo que es verdat que les vio fablar en el dicho tiempo y lugar y que aquellas mismas palavras que estan departe de suso depossadas por el dicho su marido le dixo las oras el dicho su marido que le avia dicho el dicho Pedro. Item mas deposa que le huyo dezir al dicho Pedro que su muger no queria comer tocino la qual se llama Grande Blanas y que esta le huyo dezir por quantas esta deposant estando la dicha grande en huna aldea le dava al dicho Pedro tocino pa que levase a la dicha su muger y el dicho Pedro dixo que no lo faria levar porque la dicha Grande su muger no lo comia y assi mesmo le dixo el dicho Pedro que esta deposante que la dicha Grande su muger no comia caracoles et hoc dixit per juramentun. Interrogat de odio amore timore sanore precio precibus ant alias bona vel mala voluntare neganrunt per juramentum pre eos prestum. (pag. 3) Teste fuerint ad predicte presentes honor Eigidii de Campillo et Petrus Salzedo, familiares reverendi domini inquisitoris habitantes civitatis Cesaragustite.

(pag. 4) die II frebuari anno Millesimo CCCC LXXXVIII

- Eadem die coram domino ffienyor Petro de Valladolit inquisitore compavit Dominus Ferrando, clericus vicarios eclesie loci de Torrijo, trestis Predictum çitari qui niposse et manibus dicit. Et domini inquisitrois juravit per devit et virtute jurandi dixit de sequit.

Dize este testimonio que hun dia Pedro el Platero que le dixo a este testimonio depossante hoydo he que el spiritu santo no es persona y el teste dixo que traydor y que diziys, y faziendo le algunas razones por las quales el dicho Pedro el Platero huvo a venir a dizir cree lo que la santa madre yglesia cree y esto puede hacer dos annos. Teste: Johannes Martienz notarirus et Petris Torrexon.

Die XIII februari anno Millesimo CCCC LXXXVIII.

- Eadem die coram domino magnifico Matheo Navarro inquisitore et vicario geneali sancta inquisicione compavit Johanes Torrellas, habitant Calatayut, qui jurant per devit et virtute jurandi dixi de sequit.

(pag. 4 vto.) Dize que un dia que no le acuerda quanto tiempo ha este testimonio fue a la casa de pedro el Platero y sallio alli en el porge (porche) de la dicha casa a don Rabi jodio que se havia tornado cristiano y era un hombre rroyo que preycaba y que sallo aconsamulando en la dicha casa al dicho Pedro el Platero y al dicho rabi y estava presente su muger del dicho platero que es hermana de Blanas y otros que al presente testimonio no se acuerdan y dize que vio como el dicho rabi dizia como un dia del viernes santo havia preycado en una aldea y que les havia dicho de la passion de Iesu Cristo y aque aquellos aldeanos lloravan mucho y dizian hay sennor y tanto mal y dixo el dicho rabi ellos lloraba y yo reya. E doze este testimonio que hoyo dizir al dicho rabi presentes los sobredichos algunas cosas enmenosprecio de nuestra ley que los cristianos y el dicho Pedro el Platero que dixo no penseys sino que son unas alimanyas vestiales que todo lo crehen y dixo este testimonio que a su parecer po que no le acuerda bien quontavan en la dicha sanla Pedro Clara fijo del dicho Pedro Clara y otra faher Mana casada con Jolian el platero. Testes: Miguel Voyl y Johannes Martinez notarius habitant ciutatis Calatayut.

Die XXI februari anno millesimo CCCLXXXVIII.

- (Pag. 5) Eadem die coram reverendo dominus ssenyor Michaelle de Monterubio inquissitor compavit Agustinus de de Valdion,el tiretero, habitant civitate Calatayut, qui jurant in possem reverendo domini inquisitore per devunt qui dixit se stire sequit.

Dize este testimonio que havia dos annos poco mas o menos reyendo este testimonio con uno llamado Perdro de Sancta Clara vezino de aquesta ciudat vide como el dicho Pedro de Santa Clara dixo Cristianos de natura Cristianos de mala ventura. Testes: Johannes de Torrejo et Dominicus Egidi, portari habitant civitatis Calatayut.

Die XXVII februari anno millesimo CCCCLXXXVIII.

- Coram reverendo domini Martino Navarro, inquisitore compavit Anthon Assensio, notarii habitant loci de Torrijo qui jurant nipsse dicti reverendo domino inquisitori per devunt et virtute juramentum dixi qui sequit.

Dixe este testimonio que havia diez annos poco mas o menos una vez levo a uno llamado Pedro el Platero a una yglesia del dicho lugar de Torrijo al qual mostro este testigo una oriacion (pag. 5 vto) de nuestra senyora en Romanz que comieça "obsereo te domina", al qual dixo e su testimonio que de pudiesse aquella oracion y que el dicho Pedro el platero no la quiso esenthonen conclusion antre dixo que no crehia en ella sino en lo que crieyeron (creyeron) los sanctos padres. Testes: Johannes Martinez, noatius et Johannes Torrejon, portaii dicto Sancti Officium.

Die XIII marci anno millesimo CCCCLXXXVIII.

- Eadem die coram dicto domino magnifico Fernandinus Morello, habitant civitate Calatayut et regent in estudio dicte civitate trestes pedictum scribanus juravit et virtute per juramentum dixi qui sequit.

Dixe este testimonio que puede haver dos annos poco mas o menos estuviendo este testimonio en casa de Pedro el platero que fablando de las bullas de la cruzada el dicho Pedro el platero presente Pedro Clara fu jijo dixo a este testimonio que laviente Iesu Cristo havia dexado el poder a san Pedro. Testes: Michael Vaylo, notarius et Dominicus Egidi.

Die XV marci anno Millesimo CCCCLXXXVIII.

- (Pag. 6) Eadem die coram reverendo domino ffenyor Michaello de Monterrubio, inquisitore compavit Johana Uxor Johannes Egidii, qui juravit per devunt et virtute juramenti dixi sesire qui seguit.

Dixe e confiessa que su padre llamado Pedro el Platero habitnat de Calatayut, le mostro una oracion en ebrayco: El que sta en la en la cubierta del alto (cielo) en la sombra de la bastada dormira dixo por el que es mi coberttura mi fortaleza mi dios que me fio en el. E me esta para del lazo del danyados de pestilençia y tortura con su pluma recubrira vaxo de tus alas, cobrira a ti adarga escudo su fortaleza y verdat no havras pabor de la noche ni de saeta que buela de dia ni, pestinençia que en tinebra anda ni de ajadina de piqua en la fiesta caheran de tu lado mil millorias de ti a su diecha (diestra) no se llegarian ciertos con sus ojos mirar el pensamiento de los malos e veras que tu snior es mi fortaleza en el alto pusiste tu morada, no se plegara a su mala ni langua e morara en tus tiendas con sus angeles en comendaran a ti por guardarte todas sus carreras sobre palmas e llevaran que no estropiece tu pie. En piedra sobre leon scorpio sollara, resollara, cadillo, enlebro el que en mi tuvieron fforçar los en favorecer lo que conocio (pag. 6 vto.) mi nombre llamar

- 314 -

mea. Responder le sere con el en la tribulazion e sean parle y lo horare de llongamientos de dites lo sortare a mostrarle su solucion. Testes: Johannes Perez, notario et Johannes Torrejon, nunciis.

Die XIIII Aprilis anno millesimo CCCC LXXXVIII.

- Eadem die coram dito reverendo domino inquisitor compravit Garcia Cortes, por Johannes Roiz, procuratoris habitant loci de Villaluenga, que juravi per devunt et vitutue juramentum dixit de seguit.

Et primo dize este testimonio depossante que habia unos siete annos poco mas o menos no se le acuerda, a este testimonio en que tiempo vio como algunas vezes estando esta depossante en casa del llamado Pedro el Platero, aquelo esta deposante ayunava todo el dia asta la noche todo el dia y a la nothe se desdaymaria con carne. Testes sup dicta posuit odio amore, negavit ffuet sibi lethum et presevavit juict injuvit. Teste: Johannes Torrejon et Dominius Egidii, nuncio dicti sacti officii.

Die XIII junii annno millesimo CCCC LXXXVIII, Calatayut.

(Pag. 7) Eadem die coram reverendo domino ffeniore Michaelo de Monterubio, inquisitor compavit Petrus el Çedaçero, captus stirasus, instanciam presensisealis qui supossedum, reverendi domini inquissitore quant predevit et virtute juramentun dixit de sequit.

Et primo dixe este testimonio ale como Pedro el Platero y Joan Lopez Coscolan, habitantes civitaits Calatayut no crehian en la santha fe catholica madre de nuestro sennor Ihesu Cirsito fuesse fijo de Dios ni haver thomado carne humana y esto sabe en el vientre virginal de la virgen Maria por redimir natura humana y esto sabe este depossante por que aquellos hoyo dezir a los dichos Pedro el platero y a Johan Lopez Coscollan y tambien por que a induceron dellos es estado esto confesante en aquella misma credulidat por tiempo de dos annos segunt ya tiene este depossante confessado. La predicha deposant a dio amore timore regavit. Testes: Johannes Duncastillo notario et Dominnicus Egidi, nunçius sancta inquisicionis.

Die IIII augusti anno millesimo CCCCLXXXVIII, Calatayut.

- (Pag. 7 vto.) Eadem die coram reverendo domino inquissitore predicto compavit Fermosa de Lapapa (judía), testis instante present, fiscali predictum stitara qui juravit per devit e per juramentum deposuit ut sequit.

Dize el presente testimonio que havia seys annos poco mas om menos tiempo, que oio esta depossante que uno llamado Pedro el platero de esta ciduat que morava cabe San Miguel, venia algunas veces entrel anno que no era quaresma, viniendo alli tomava de aquellos libros ebraycos y leya en ellos, lo que el leya o no, no lo sabe esta deposante, et hoc dixit per juramentum. Testes: sunt Cristianis qui supra proxime noratum.

Die XIII marci anno millesimo CCCCLXXXVIII.

- Eadem die coram reverendo domino ffienor Michaele de Monterrubio, inquisotore compavit Simuel (pag. 8) Conexo, judeo habitatois aljame judeorum civitatis Calatayut, qui juravi inposse dicti domino inquisitor per deum sup decez precepta legis mosis et por juramentum dixit que sequitur.

Dize el presente testimonio que pued haver tiempo de seys anno por que uno llamado Pedro de Sacta Clara platero que solia vivir en Calatayut tenia datas y receptas con jaquo Lapapa, judio padre del presente testimonio deposant, el dicho Pedro de Sancta Clara solia et mucho a casa del dicho Jaquo Lapapa, que sallava (sacaba) algun libro de oraciones judaycas como es el sacterio o algun otro libro de profecias, el dicho Pedro de Sancta Clara luego mostrando tener affeccion a la Ley de los judios continuamente leya en los dichos libros, aquesto sabe el presente testimonio por que assi lo vio como depossant. Testes: Johannes Duncastillo, notario et Dominicus Egido, nunciis oficiis sacte inquisitoris refidentes in civitate Calatayut.

Die prima mensis julii anno millesimo CCCC LXXXVIII. Calatayut.

- (Pag. 8 vto.) Eadem die coram dicto reverendo dominus inquistore compavit Brahem Alpastan, judeis habitat aljame iudeorum cicitas Calaatayut, qui juravit inposse dicte revenedo domini inquissitoris per deum sup decem precepta legis moysen, juravit dixis qui sequitur.

Dize este testimonio deposant que de cinquo annos aesta parte yndo este testimonio alguans veces por caminos con Pedro el platero que moraba en Vallupiel este testimonio le hoyo dizir al dicho Pedro el platero que yndo por el camino oraciones judiegas enromariz que eran aquellos setanta y dos versos y los dixo todos y geles hoyo dizir unas dos vezes es asaber el un dia una vez et otro dia otra vez y dize que no sabe en que dia era. E cominçan los veros los queales tienen mucha devocion los jodios en esta marnera: "In adonay empara por mi mi honor", el fin dellos no el acuerda deste testimonio deposante que en do dizen los jodios "adonay" dizia el dicho Pedro el platero. Testes miganificus Johannes Ardiles assessor et Johannes Torrejon nuncii dicte sancti oficii.

Die XVI octobris anno millesimo CCCCLXXXVIII apud villam de Valladolit.

- (Pag. 9) Eadem die coram reverendo domini seniore Michaele de Monterubeo et Marino Navarro inquissitoribus dicte heretice pravitas quiquia regna terras et dominaciones serenismorum dominios regis et regis Castelle Aragonum speciali creat a reverendo domino ssienor Thomas de Ticre Creamata priorem sacte crucis inquisitore generali Joannibus Regis et dominus predictos ad racirpiendum qua semique de possiçones testum compravit Juçe Çarfati judeorum havitante aljame dudorum ville de Valladolit, testis a instanciam procuris fiscalis qui quidex trestis juravit por deum sup decem precepta legem moyses et per juramentum dixit qui sequitur.

Dize el prestne tesimonio depossant que abia trenta anno poco mas o menos que tuviendo amistat muy grande el present trestigo en la ciudt de Calatayut con uno llamado Pedro el Platero que mora en el merquado de la dita ciduat de Calatayut cabo el passo de Rey pocos dias antes del ayuno de quipur el dicho Pedro el platero domando (tomando) a este testimonio deposante con affecçion quando es el ayuno de quipur. Entonçes dixo este (pag. 9 vto.) testimonio deposante al dicho Pedro el platero que el ayuno de quipur tal dia es mas por que lo diziys hay mays lo vos, la hora, el dicho Pedro el platero dixo a este testimonio deposante es cierto esse dia que dizis, dixo este testimonio. Entonces dixo el dicho Pedro el platero a este testimonio saber que no a vos no vos tengo dizir sino la verdat yo ayuno el ayuno de quipur y poresso lo demando. Testes magnificus Johannes Ardiles jurisprudenti asseçor afficii sante inquisicionis civitante Calatayut et Petrus Lazarus notarius in dicta villa de Valladoti de presenci residient.

Die XXV februari anno millesimo CCCC LXXX VIII

- Eadem die coram reverendo domini inquisotoris comprvit Yuçe el Vayo, judeis habitor Calatayut, teste sçitat per dictum que juravit per Deum sup per decem precepta legis moysi et per juramentum dixit qui seguitur.

(Pag. 10) Item dize este testimonio que conocio muy bien a Pedro el platero por que muchas vegadas este testimonio y su padre yvan a su casa y vio este testimonio como muchas vegadas el dicho Pedro el Platero pescudava al padre deste testimoio que quando era el cam (cambio) de Luna por saber el dia de quipur por que queria ayunar el, y su padre le dizia tal dia y dizia el dicho Pedro el platero aeste testimonjio y al dicho su padre mas seyo (creyó) en la ley de los jodios que vosotros. Testes: Peturs Terrejon et Dominicus Egidii.

Die vicesimo secunda jullii anno millesimo CCCC LXXXVIII in loci de Torrixo.

- Eadem die coram reverendo domino Martino Navarro inquisitore compavit Benito Ferranz, habitatoris loci de torrixo, testes qui juravit per decum et vitute juramientum dixit qui sequitur.

Dize el presente testimonio deposante que havia seys annos poco mas o menos este testimonio yndo a Soria con uno clamado Pedro el platero habitant en el dicho lugar de Torrixo, por las horas le hoyo este testimonio rezar en ebrayco al dicho Pedro el Platero dos vezes que oracion era este testimnio no sabe (pag. 10 vto). Testes: Franciscus de Contamina loci alguazil et Johannes Martinez habitatois civitate Clatayut.

Die XI junii anno millesimo CCCCLXXXVIIII. Calatayut.

- Eadem die coram dicto dominio inquisitore compavit Juçe Azarias, judeus habitantoris aliame judeorum civitatis Calatayut, testis qui juravit per deum sup decem precepta ligis Moysi et per juramentum dixit qui sequitur.

Item dize el present testimoni deposante que conocio muy bien a uno llamado Pedro el platero, que morava cerqua las casas del vizconde en la parte ciudad, y conesto dize que sabe como el dicho Pedro el platero ayunaba el ayuno de quipur y estan el dia de quipur ençerrado en una cambra alto encima la sinoga donde este testimonio lo vio y dize que puede haver esto unos ocho annos y consto dize que le vio dizir la oracion ebrayca tambien como un jodio, y enpues dize (pag. 11) que hun dia viniendo de fariza començo a dizir este testimonio su oracion, y el dicho Pedro el platero el qual venia en su companya dixo la oracion con este testimonio y le rogo enpues que le fiziesse escribir de letra judayca muy gruessa en un pergaminno , los setenta y dos nombres y assi este testigo los fizo escrivio de letra gruesa y gelos dio y que era un hinno (himno) judio e no propicio deste deposante. Teste: dominicus de Senua, et Guallar de Cardesa, familires dicte remerendi domini inquisitoris.

Die II septembis anno millesimo CCCLXXXVIIII. Calatayut.

- Eadem die coram dicto reverendo dominio inquisitore compavit Brahem Citbon judeus habitant aljame judeorum ville de Fariza, testis qui juravit per dum sup decen precepta legis de Moysi et per juramentum dixi qui sequitur.

Dizwe este testimonio que havia unos quinze (pag. 11 vto.) annos poco mas o menos que ste testimonio conscio a uno llamado Pedro el Platero que solia vivir en Torrijo aldea de Calatayut e su muger fija de Anthon de Blanes habitant desta ciudat que agora vive aque en esta ciudat, y dize que vio como el dicho Pedro el platero era retaxado y esto sabe porque gelo demostro el dicho Pedro el platero y dize que nunqua supo quel dicto Pedro el platero huvise estado jodio. Emas dixo que le vio una vibria (biblia) en ebrayco la qual rezaba sus oraciones y esto sabe este testigo por que lo vio y leya con el juntament y dixo que vio este deposante como el dicho Pedro el platero y su mujer ayunaba el ayuno de quipur y el ayuno de la Reyna Ester y el ayuno del pedimiento de la Casa Sancta y que ste testimonio en los dichos ayunos les degollava las aves para que comise el dicho Pedro y su mujer. Emas dize que les vio guardar algunas sabados a los dichos Pedro y a su mujer. Emas dixo que les vio guardar pascual del pan de jodios del pan çençenno. E les vio comer pan çençenno de los jodios en la pascua el qual pan le dava este deposante. (pag. 12) Testes: Magnificus dominus Petrus Margarit, alguazir officii Sancte inquisicionis. Et Petrus Egidus Perez vicarius eclesie sancte Marie ville de Hariza.

Die V marçi anno milesimo CCCCLXXXX. Calatayut.

- Eadem die coram reverendo domino Berengario Martinez de Daroqua, priore sancte Marie de la Penya civitais Calatayut, inquissitore dicte heretice pravitas, compavit Açach de Funes, judeus habitoris civitatis Calatayubi, testis qui juravit inposse dicti revendi domini inquissitoris per deum et vitute juramentum dixi qui sequitur.

Et primo dize el dicho Açach de Funes, judio confsant en virtu del juramento que un dia estando en el mercado de Calatayut havia asupecer (a suceder) dotze o quatroze annos vino a el Pedro el platero que es muerto ya y con el un judio de la dicha ciudat clamado Huda Castiel, y assi el dicho Pedro el Platero, presente el dicho Jehuda Castiel, jodio, rogo al presetne conffessante (pag. 12 vto.) que le fuesse a reconocer un fijo suyo si estaria bien circunçidado, el qual le dixo havia circunçidado un jodio de la dicha ciudat de Calatayut clamado Thanquas, que es ya muerto y assi el present confessante rogado por el dicho Pedro el Platero fue a la casa del dicho Pedro el platero y reconocio al dicho su fijo y allolo que stava bien circunçidado y assi el present deposante lo dixo al dicho Pedro el platero y le fizo tal relacion que stava bien circunçidado y era el dicho fijo del dicho Pedro el Platero el mayor que el tenya, cuyo nombre ignora. Testes: magnificos dominios Johannes Ruyz, receptor et Johannes de Valdovieso, cuncii.
Emas dize y confissa que dende acierto tiempo no le acuerda quanto tiempo seria, el dicho Pedro el platero unte (junto) el dicho Hehuda Castiel rogo la noticia que con el tenia le fuesse a circuncidar un fijo que le havia nacido. El qual le presetn confessante no lo queria fazer. Enpues de ser (pag. 13) por ello mucho rogado, inportunado y a un quonssiendo de los muy bien pagar por ello, el presente confesante atorgo sire contento de lo azer y assi fue a su casa del dicho Pedro el platero y le circunçido un fijo, al qual pusso el nombre "Mosse", lo qual circundacion fizo con aquela misma solempnidat que acostumbra fazer a qualquiere fijo de jodio que circuncida, fueron alli presentes a la dicha circuncidacion el dicho Pedro el platero y su muxer, le estrenaron cada, dos reales de plata y Anthon de blanes que es vino, el qual le estreno un real de plata y el dicho Jehuda Castiel, judio y el present conffesante, las quales cosas susso dichas fueron fechas en unas casas que stan al canton del mercado desta ciudat ante la puerta de la carniçera cerrada, las quales casas agora tiene Jayme Remirz avarquero. Testes qui supra, present nominari.

Die VIII junii anno millesimo CCCC LXXXX. Calatayut.

- Eadem die coram dicto reverendo domino Martino Garcie inquissitore comparvit Jehuda Benarudut, judeus habitant aljamie judeorum civitatis Calatayut, testis qui juravit per deum sup decem preceptta legis moysi et per juramentum dixit qui seguitur.

Dize este testimonio que puede haver vinte annos poco mas o menos que a Pedro el platero de la (pag. 13 vto.) ciudat de calatayut, le vio rezar el ciddus (kidus) de los jodios yendo los dos a Atequa, y le dezia como fazian los ayunos de quipur y que guardaba los sabados y que no avia otra Ley buena sino la Ley de Moysses, y que en aquella crehia, y que le vio comprar carne de la carniceria de los jodios y quel dito Pedro el platero le dixo como le levavan hamin de la juderia y que lo vio jurar a modo judayco trattando con jodios, diziendo "yo juro por la Ley Sancta de Moysen que vos y yo creemos que sto passa assi". Testes: ad predicta dominus Andreas de quintanilla accessor et Johannes del Bosth notarius officii sanctae inquissicionis.

Die XXV março anno millesimo CCCC LXXXVIII. Calatayut.

- Eadem die coram reverendo domino Martinus Navarro Inquisitore comparvit Johana Clara, uxor Johannis Egidi, plateri.

Et primo sunt dicta Johana Clara si ella ni su padre ni su madre, llamados Pedro el platero y Johana de Blanes, habitante de Calatayut havian ayunado el ayuno de quipur, y respusso de los dichos (pag. 14) su padre y madre dize este testimonio deposante que sabe que su madre un dia enpues de la feria de la presente ciudat de Calatayut que era jueves sabe este testimonio de posante que los dichos su padre y madre no los vio comer en aquel dia todo asta la nothe de nothe, los quales cenaron aquel dia una gallina y carne guisada del miercoles pal el jueves y que esta deposante demando de comer y quel dicho su padre y su madre le dixieron a esta deposante y a los otros fijos "come fijos" no sabe si dexieron "ya emos comido o no conbiemos". Empo que esta deposante no los vio comer en todo aquel dia esta sabe porquanto en todo aquel dia esta deposante estuvo en casa presente vio que la dicha su madre no salio de casa mas del dicho su padre no losquede bien dizir si salio de casa o no, mas que cierto ayuno el dicho ayuno de quipur y que esta deposante en aquel dia no ayunaba. Testes: Johannes Sediles, assesor officii sancte inquisionis et Johannes Martinez, notarius.

Die XI februari anno millesimo CCCCLXXXVIII.

- Eadem die coran reverendo dominio sienyor Michaele de Monterrubeo, inquissitore compavit Marrtinus Bueno, presbiteri loçi de Torrijo, qui juravit per deum et que juramentum dixit de qui seguitur.

(Pag. 14 vto.) Dize este testimonio que havia unos onze o dotze annos poco mas o menos estando este en Torrijo fue acasa de Pedro el platero con su fijo suyo clamado tambien Pedro el platero estava quitando la landrezilla y las vinçes de la pierna, y la pierna tenia un su fijo pequenno en la mano y la habiay saquava las vinças. Testes: Johann Perez, notario, et Dominicus Egidii, Portarius.

Die XVI aprilis anno millesimo CCCCLXXX octavo.

- Eadem die Johana de Santa Clara uxor Johannis Egidii plateri havitant civitatis Calataytut medio juramento con dendo fue conffession dixit et quonfessus fuit qui seguitur.

Dize esta deposante que havia seys annos poco mas o menos vio esta deposnte por dos vezes como clamado Pedro el platero, padre de dicha depossante, saquo de un cantaro verven que tenia en la bodega de la casa del dicho Pedro el platero, uno ruello de pargamino, empo que no sabe por que se lo tenia ni que se era ni que se havia escripto en el dicho rollo de pagamnino y que lo saquava escondido por que sta depossante no la viesse. E dize mas esta depossante que vio como en aquellos dias que el dicho su padre saquo el dicho ruello de pergamino (pag. 15) vinieron a casa del dicho su padre desta deposante Speranden Ram y Alvaro de Segobia y rabi royo que se havia tornado cristiano, los quales ensemble con el padre de esta deposante con el dico ruello (rollo) de pargamino se dentrant en un palacio de la dicha casa y que esta depossante les hoya favlar a todos los quartos sussodichos quasi disputando y confabulando empo que no sabe que es lo que se favlava ni de que disputaban. Testes: Johannes Midile, assessor, et Johannes Martinez, notario.

NO HAY SENTENCIA. SU HIJO LLAMADO TAMBIÉN PEDRO DE SANTA CLARA (EL PLATERO), ESTUVO ALGUN TIEMPO PRESO, PERO NO SE CONOCE PROCESO CONTRA EL POR HEREJÍA O JUDAIZAR.

PROCESO CONTRA (JACOBI RAYMUNDO) JAYME RAMÓN (DIFUNTO), HABITANTE DE CALATAYUD, ACUSADO DE JUDAIZAR (AHP, inquisición caja 7, N° 7).
COMIENZO DEL PROCESO: 11 de Enero de 1488.

CONFESION DEL ACUSADO ANTE EL PROCURADOR FISCAL.

(pag. 2 vto) Conffesio Jacobi Remon, natu majoris.

Muy reverendos sennores padre inquisidores en la ciudat de Calatayut y a Jayme Ramon, mayor de dias mercader ciudadano de la ciudat de Calatayut, he sentido haveys puesto el edicto de las cosas que ningun cristiano aya errado o incidido en cirimonias o comeres o otros delitctos judaycos o enotras cosas que sian fuera de la fe. Et yo a gloria demuestro sennor Dios despues que me fize cristiano siempre he bivido en la fe Catholica e no pensando errar e caydo en las infrascripts cosas de las quales devido misericordia y digo mi culpa y vos ruego me perdoneys.

Primerament que havia quatorze o quinze anyos poco mas o menos quando yo me fize cristiano et como fue cristiano aprendi la ley et escrevir et el credo , pater noster, avemaria, la salve regina et oras oraciones buenas que agora las se.
Item que me han embiado parientes y amigos judios en los tiempos passados alguna vegada presentes de pan çancenyo, tortillas fechas con especias et currado et he comido de todo despues (pag. 3) depassado su pascua et passadas sus fiestas e tomado he comido aquello no confin de judayzar ni seguir las ceremonias dellas, assimesmo se que mi muller les ha embiado passada la pascua delllos por los presentes que le fazian ellos tortas de pan liendo et lechugas.
Item que en el tiempo que maestre Torres vivia, maestre Coston y maestre Espital estavan aquí en Calatayut teniyo hun livro ebrayco que me presto hun judio endo estava la fistoria de Josue y todos los profetas pastrimeras, et el salterio y los reyes et en aquel decore el supe de coraçon muchos salmos del salterio et los dixe y los digo con gloria patri et filio et spiritu y sancto et sicut erat in principio. Et con aquel los dichos maestros quendo ha manera de fazer algun himno, venian a mi a que les dixiesse algun vierso del salterio o alguna parte de las profecias o de los reyes que queria dizer o como se entendia lo que ellos dubdavan. Et el maestro mayor leyeendo en el estudio el salterio et otros estudeantes me demandavan muchos vocables muy esturos et con aquel livro les declara el signifficado del cocable. E asi mesmo en el dicho livro estava Daniel et el maestro mayor medemandava aluunas cosas Daniel por informarse que dizia Daniel e yo dizia y de lo que y de sabia.
(pag. 3 vto) Item que he tonido participacion con judios alguans vezes tractando mercaderias, y me han corado, cosido y vestido vestidos.
Item que he comido potages, guisados en mi casa et por mano de mi muger de los ue guisan los judios no en viernes ni en sabado guisados ni en fiesta ninguna de judios ni mennos quisado por manos de judios ni de judias.
Item que he comido por necesidat de enfermedat en sabado et en quaresma alguna vegada carne.
Item que parientes e amigos judios algunas vezes han venido a mi casa a visitar a mi e a mi muger et los hemos visitado no por recimonia ninguna.
Item es verdat que nunqua tuve el sabado despues que me fize cristiano ni nunqua ayune el ayuno de quipur ni otro ayno ninguno ni menos soy ydo ni estado en todas de judios ni fecho ni creydo cerimonias judaycas ni menos soydo a sus fiestas por festivarlas ni despues que soy cristiano fize cremonias judaycas et se el credo mayor et (pag. 4) menor el paternoster, havemaria, la salve, regina et otras oraciones buenas.
Item soy estado con muchas gentes de la ciudat cristianos donde los judios fazian alegrias por el senyor Rey o donde rogavan por agua et fue amirar los entremeses que fazian e toras cosas muchas como yvan otros de la ciudat.
Al present en mi conciencia nome acuerda otro e sime acordare lo venfesare et de todo deviando misericordia et por que me parece la conciencia sia limpia et porque nuestro sennor Dios mas acepta la obediencia que el sacrificio yo me insmeço a la sancta fe catholica y a vosotros sennores padres inquisidores ministros de aquella lo con testigos dignos de fe remeto a vuestras conciencas que exhamineys.

Die XI januari anno M CCCC LXXXVIII infrascripto edictus in dominus Fferrant Lopez, mercatoris ubi de present sacti inquisicionis officii exerctur coram reverendo ffratre Miquele de moterubio inquisitor predicti comparvit Jacobus Raymundi qui obvilit prefato inquisicionis presentem suam inscriptionis confesios algerique mam suplicando eam mandare legi freri et exsequi qui in ea et sibi injungi pervistenciam qualem deret cum esset preso exatus et qua auidos confesionem mandat enanredi inquisiotis le ot. Per me Michael de Bayl, notarius plicii dicto offici sante inquisicionis y de Jacobus raymundi jurant inposse dicte renoredi inquisiciones per deum, et juramentum e in viruts respondit contestatis im presenttia sua confesionem son e alia sibir ad presens non recordari et refieri instrum. Testes: Johannes Perez, notairo et pectrus Torrejon, portari habitants Calatayubi.

TESTIGOS DEL FISCAL EN CONTRA DEL ACUSADO

Die XVII julii anno M CCCC LXXXVIII. Calatayut.
- Eadem die coram reverendo domino fratre Micaelle de Moterrubio, inquisitor comparvit Duenya judia uxor de Jaquo Enrrodrich, judei habitator aliame juderoum civitatis Calatayut, testes ad instancia procuratoris fiscalis predicto citata predictum que juravit impose dicte inquisitoris per Deum et sup decem precepta legis moysi et per juramentum respondit e dixit inmodum qui sequitur.

Et primo dize esta deposante que detres anyos a esta parte poco mas o menos hun moço dehuno clamado Jayme Ramon el vieio que mora (pag. 5) a sant Johan de Vallupiel desta ciudat cuyo nombre no lo sabe esta deposante por algunos dias de la pascua del pan cencenyo de los judios venia a casa desta deposante et le dizia como su amo Jayme Ramon lo embiava que le rrogava a esta deposante que le embiasse algunas alcahalillas y assi esta doposante con el dicho su moço enviava las dichas alcahalillas al dicho Jayme Remon. Testes: Johannes Torrejon et Dominicus Egidi, habitant civitate Calatayut.

Die XVIII julii anno MCCCC LXXVIII

- Eadem die coram reverendo domino fratre Micalelle de Monterrubio, inquistor predicto comparvit Oro, uxor de Brahem Alpastan, judei (pag. 5 vto.) habitant aliame judeorim civitas Calatayut, testis ad instanciam procurationis fiscalis presenciata citata que juravit imposse dite inquisitoris predictum e sup decem precpta legis moysi que diteret omnidam ventate desys queret e sup quibus interrogat esse qui juramentum responsit e dixi inmodum qui sequitur.

Et primo dize esta deposante que de quinzq anyos a esta parte poco mas o menos que esta deposante por tres o quatro vezes den los idas de las pascuas del pan cencenyo de los judios cada pasen ahuna vez con su mesase (muchacho) cuyo nombre no le acuerda a casa de Jayme Remon que mora en Vallupiel pan cencenyo y turrado y alcahalillas. Et que el dicho Jayme Remon de retorno con su mesase (muchacho) cuyo nombre no le acuerda a esta deposante el capnero dia de las dichas pascuas del pan cencenyo emvio a esta deposante por otras tres vezes pan liendo y legumbres. (pag. 6) Testes: qui supra roxime nominat.

- Eadem die coram reverendo domino fratre Michaelle de Monterrubio, inquisitore comprvit Estruga judea uxor de Jeham (Jehuda) Mehe, judei habitator aliame judeor civitas Calatayut, ad ad instanciam provarotoris fiscalis testis citat predicto, qui furavit imposse inquisitor per Deum et sup decem recepta legis Moysi qui diceret amni odava veritatem de his qe creet e sup quibus interrogatus esset qui per juramentum respondit e dixit in modum qui sequintur.

Et primo dize esta deposante que havia seze anyos poco mas o menos que esta deposante consu mesaje (pronunciado: mesache) (muchacho o sirviente) cuyo nombre no le acuerda embio a casa de Jayme (pag. 6 vto.) Remon el vieio a Sant Johan de Vallupiel desta ciudat pan cancenyo y alcahalillas y esto le embio por los dias de la pascua de pan cancenyo, no le acuerda si huna pascua o dos. Et que el dicho Jayme Remon el vieio embio a esta deposante el çaguero dia de la pascua de pan cancenyo a la tarde con su mesaje del dicho Jayme Remon, cuyo nombre no lo sabe deretorno pan liendo, lechugas y guebos. Interrogat dictus testis de odio amore timore sanore precio precibus ant alias bona velmola voluntate neganvit. Testes: qui supra proxime nominati.

Die XXX julii anno M CCCC LXXX VIII. Calatayut.

- Eadem die coram reverendo domino fratre Micaelle de Monterrubio, inquisitor predicto comparvit Vida, judea usor de Salomon Quatorze, judey habitator aliame judorum civitatis Calatayubi testis (pag. 7) ad instanciam procuratoris fiscalis predicta presentata civitas predictum qui juravit impose inquisitoris per Deum e sup Decem precepta legis Moysi qui diceret omniodam veritate ventate desys queret e sup quibus interrogat esse qui juramentum responsit e dixi inmodum qui sequitur.

Dize esta deposante que ocho anyos poco mas o menos a esta parte esta deposante con sus mesajes cuyos nombres no le acuerda quedo con huno quando conto algunas vezes en la ochava de las pascuas de pan cancenyo embiava a casa de Jayme remon el vieio que esta preso por la inqisicion pan cancenyo, turrado y alcahalillas. Et el dicho Jayme Remon el vieio algunas vezes con sus mesajes quando con huno quando con otro cuyos nombres no le acuerda a esta deposante en el dia çaguero de los dichos pascuas de pan cancenyo embio a casa desta deposante pan liendo y lechugas (pag. 7 vto). Interrogat dictus testis de odio amore timore sanore precio precibus ant alias bona velmola voluntate neganvit. Testes: Johannes de Torrejon e Dominicus Egidi, uncii officii sante inquisicio.

ACUSACIONES DEL FISCAL

(pag. 9) Coram nobis reverendis patris et dominos inquisitorisbus et vicrio generali heretice et apostatice cum episcopatu tirasone regni Aragonum, conparvit et comparet Martinus de Caçis procurator fiscalis et minister inquisitoris in nombine predicto procurtore infirnando et demunciando ac illis melioribus via modo et forma et causa quibus facere pstest et debet et infra scripta eis proposito et intencion pleni utilitat et eficacii valent per sunt aplicari Petri Sangit e denunciat cont et aduer que Jacobum Navarro habitatore civitatis Calatayujubii reum et cum mossum decriminibus heresis et apostasie ac sactoire hereticore behementer suspetrid et difamati et calxavilem et merito punsendi de infra criminalisbus pr cum nequi factis comissio et perpetuo oram et singula divina excesis et delita hereticalia per sub sequintes arti declarata modo et forma seguit.

Et dize el dicho procurador fiscal que el dicho Jayme Ramon denunciado, teniendo esperança en la Lei de MoYsen a fecho y obsbado ritus y cerimonias judaicas, criminen de heregia y apostasia en la fe cometiendo, y ha observado el sabado por fiesta como los judios lo obserban absteniendose de negociar el dicho dia, en el qual ha comido carne muchas y diversas vezes estando fano y hamin guisado de judios y en su casa el viernes pa el sabado a la forma judaica, y ha festibado las pascuas de los judios comiendo pan cencenyo y turrado y alcahalillas, y ha dayunado muchos ayunos de judios como ello, y por fazer sus limosnas ha fecho muchas limosnas a judios en pecinca la çedaca y esto es verdat.

Item dize el dicho procurador fiscal que el dicho reo y cirminoso ha francamente confesado denro el tiempo de la gracia por que hacelado ser criminoso por que a dicho cosas ceviles y de poco prejudicio y a cometido cosas graves y ponderosas y fue y es verdat, e ser como dicho es criminoso por que muchas y diversas vezer ha fecho oracion a forma judaica, sennaladamente una oracion que los jodios fazen que se dize la "tefila al Dio (Dios)", y ha dicho la "baraha" sobre la mesa, y muchas vezes ha enviado olio a la sinoga y a dayunado el dia del ayuno de "quipur", que se llama "el gran perdon", y mas que tenia a un libro de salmos y oraciones en ebraico sin "gloria patri", y asi mesmo ha dicho otras muchas cosas quontra la fe de nuestro Sennor y redemtor Ihesu Cristo, y esto es verdat.

Item mas dize el dicho procurador fiscal que el dicho Jayme Ramon ha cometido los suso dichos crimines de heregia y apstasia y uchas otras cosas contra la Ley evangelica de nuestro sennos Ihesu Cristo. Et mala malis acumulando et mas persistendo y perseverando plura impedimenta defensiones fautorias et perturbaciones oficio et libero. Retacio sseniores inquisicionis per tulit por qui la excucion del no pasase adelante y los malos no fuesen punidos ni castigdos, y esto es verdat

INTERROGATORIO DEL FISCAL AL ACUSADO.

(pag. 11) XVI junii anno M CCCC LXXX VIII. Calatayut.

Eadem die reverendi domini inquisitores et viaris generalis heretice et apostante provitas residant in civitate Calatayubi instante e suplicante procurator fiscali dicte herecite et apostatice pravitat e presente e justa provinciaciones ad interrogandum dictum Jacobum Raymundi habitator civitas previsse Calatyubi, seorsus e ad partem et ob qui instructore aliquo per quem mandarunt jueor posse prestai juramentum qui furavit imposse dictor dominos inquisitoris per Deum et crucem sanctam domini nostri Ihesu Cristi emssacro sancta quatuor evangelia, coram eo posita sinss propis manibus corporalitar tacta qui diceret omniodam veritte desys queret e sup quibus interrogat esse qui juramentum et si vim sunt interrogat sup contenite in huno qualis articulos contentor in dicta denunciacione per dictum procuratorem fiscalem de sup oblat inhunit qui sequitur modum.

Et primo futi interrogatus dictus Jacous Raymundi sup content in huno quis actore contentor indicto denunciacionem predictum procutarotem fiscalis de sup oblat especificeet sigillarum et lectorum (pag. 11 vto.) et peun intellectorum qui pro juramentum et invim negavit avia contnta judiet articulis et huno quis eorum sit et prout jueis et eorum quis posita sint contra e excepta illa particula veris articuli dicte demaunciacionis jusqua dicit se reruysse librum in ebrayco sine gloria patri la qual particula dixo seer verdat que este quonfesante ha tonido hun libro en ebrayco sin gloria patri em por que a hun que estava sin gloria patri e seer deposante quando rezava en el dicho libro ebrayco siempre rezaba gloria patri et filio et parepraterla annyo que in sua confessioniem pernufacta inquisitoribus oblat sub certo calendario ad quan ad cautela serenilit.

Item dixo et conffesso el dicho Jayme Ramon se le havia acordado que quando comia siempre vendicia la mesa en ebrayco en aquesta manera que fazia havia vendicion al pan, otra vendicion en ebrayco a la mesa la del pan que fazia este quonfesante es esta "barot moci le humiarez" que quiere dezir "vendito sea el que saco el pan de la tierra", vendicion que fazia en ebrayco al vino es esta (pag. 12) "barot bore peri achqueferi" que quiere dezir "bendito sea el que fara vino de la vit". Testes: Johannes de Hun Castillo, notario, et Johannes Demorillo, notario sancti inquisiconis.

Preterea auten die que omprutabatur quinta mensis junii anno Yam dicto conanputato anativite e domini millesimo quadringentesimo octogesimo nono, coram reverendo domino Martino Garsie, inquisitorie comparvit ante dictus Gomezius Ddecient su egos procurator fiscalis minister dicte sancte inquisicionis...

NUEVOS TESTIGOS DEL FISCAL EN CONTRA DEL ACUSADO.

(pag. 17) Die XXXI julii anno MCCCCLXXXVIII. Calatayubi.

Eadem die coram reverendo domino fratre Micaelle de Monterrubio, inquisitore comparvit Villida Vilforat, vidua mulier que fuit de Salamonis Vilforat, judea aliame judeorum civitas Calatayut, testis citat ad instanciam procuratoris fiscalis predictum qui juravit per Deum et sup Decem precpta legis Moysi quei dicert amnidam veritate qui per juramentum respodit e dixit in modum qui sequitur.

Et primo dize la dicha deposante que pueda haver quinze anyos poco mas o menos que estando esta deposante moça en casa de Salomon Quatorze levo por dos vezes en las ochavas de pascua del pan cencenyo a casa de Jayme Remon el vieio pan cancenyo turrado y alcahalillas y recebialo el dicho pan cancenyo turrado y alcahalillas la muger del dicho Jayme Remon cuyo nombre no se le acuerda.

(pag. 17 vto) Die XXVIII julii anno M CCCC LXXXVIII. Calatayubi.

- Eadem die corm reverendo fratre domino MicHaele de Monterrubio, inquisitor comparvit Oro, muger de Asser Sastre (Abencrespo), judea citat predictum instanciam procurator fiscalis que juranvit per Deum et sup Decem precepta legis Moysi qui diceret omniodam veritatm desys queret e sup quibus interrogat esse qui juramentum responsit e dixi inmodum qui sequitur.

(pag. 18) Dize que havia cinquo anyos poco mas o menos que empues de passada la pascua del pan cancenyo de los judios de casa de Jayme Remon, el mayor, que vine en aquesta ciudat, e tiene la casa do Sant Johan de Vallupiel, entraron a casa desta deposante pan liendo, huevos et lechugas con una moça suya cristiana del dicho Jayme remon, cuyo nombre no se acuerda y si le enviaron de casa desta deposante en la dicha pascua pan cencenyo, arruquaques y turrado al dicho Jayme Remon o no dize que pensara bien en ello y respondera la verdat de lo que supiere que de presente no le acuerda. Testes: Joannes de Segovia et Dominicus Gil, nunnci officii sancte inquisicionis.

Die XXV mensis aprilis anno MCCCCLXXXVIII. Calatayut.

- (Pag. 18 vto.) Eadem die coram reverendo domino fratre Micaelle de Monterrubio, inquisitor predicto comparvit Rabi Salomon Axequo, judeis habitant aliame judeorum ville cetine, qui juravit imposse inquisitore per Deum sup Decem precepta legis Moysi qui diceret omniodam veritatm desys queret e sup quibus interrogat esse qui juramentum responsit e dixit inmodum qui sequitur.

Et primo dize este deposante que havia ocho meses poco mas o menos estando este deposante en la pesente ciudat de Calatayut, estando fablando una vez este deposante con huno llamado Jayme Remon, el vieio, mercader que mora en Vallupiel con el qual tenia este deposante por conocimiento estando fablando de las leyes de los cristianos y de la de los judios sobre razones dixo el dicho Jayme Remon a este deposante como havia ayunado el ayuno de quipur yesto le dixo a este deposante de su boca a la deste deposante. Item mas sabe este deposante como tambien el dicho Jayme Remon dava a la çedaca (limosnas) a judios pobres y esto sobe este deposante por quanto estando (pag. 19) en las sus dichas razones el dicho Jayme remon dixo a este deposante como dava y havia dado çedaqua y limosna a pobres judios.
Item mas dize este deposante que estando fablando con el dicho Jayme Remon muchas vezes el dicho Jayme Remon pregunto a este deposante de algunos salmos de David como se entendia en ebreyco y cono lo dosant sus doctores y este deposante gele dizia al dicho Jayme Remon como se entendia los dichos salmos y prefecias.
Item mas dize este deposante que alugnas vezes estando hablando este deposante con el dicho Jayme Remon quando se ofrecia en la dicha fabla que el dicho Jayme Remon havia de dar a entender alguno a este deposante jurava el dicho Jayme Remon yo Juro por los Diez madamientos de la Ley sancta de Moysen que tal cosa es verdat. (pag. 19 vto.) Testes: Magnificus Johannes Ardiles, jurisprudenter et assessor e dominicus Gil nuncii sancte inquisicionis.

Die XIIII madii anno M CCCC LXXXVIII. Calatayut.

- Eadem die coram reverendo domino Martino Navarro, inquisitor predicto comparvit Açach Viton, judeus habitantor aliame judeorim civitas Calatayubi, qui imposse e dicte domini inquisitor juravit per Deum et sup decem precepta legis Moysi e per juramentum responsit e dixi inmodum qui sequitur.

Dize el presente testimonio deposante que havia seys anyos poco mas o menos binyendo el presente testigo con hun judio llamado Maymon, sastre, vio como el dicho Maymon en mitat de los dias de la pascua del pan cancenyo de los judios embio huna vegada con el presente deposante a casa de Jayme Ramon, habitant de la ciudat de Calatayut, pan cncenyo, turrado y alcahalillas, las quales el presente testigo dio a la muger del dicho Jayme Ramon, llamada (blanco) la qual (pag. 20) sabe el presente deposante que la noche que sallia la pascua de los judios enbio a casa de ldicho Maymon pan liendo y lechugas, las quales y el pan vio vinyendo de la sinoga y pregunto que quien las havia embiado y los de casa les dixieron que la de Jaymre Remon, las havia embiado con hun moça suya cuyo nombreel presente testigo no sabe porque no la vio. Testes: Johannes Torrejon e dominicus Egidii, nuncii oficii sante inquisicionis resident Calatayubi.

Die XVI madii anno M CCCC L XXX VIII. Calatayut.

- Eadem die coram reverendo domino Martino Navarro, inquisitor comparvit Simuel Alazan, judeus habitator aliame judeo civitas Calatayubi, testis ad instanciam procuratoris fiscalis predictus presentatus (pag. 20 vto.) çitat qui juravit imposse dicti inquisicionis per Deum sup Decem precepta legis Moysi qui diçeret omni modam veritatem desys queret e sup quibus interrogat esse qui juramentum responsit e dixit inmodum qui sequitur.

Dize el presnte testimonio deposante que havra nueve meses poco mas o menos huno llamado Jayme Remon, habitant de la ciudat de Calatayut rogo al presente testimonio deposante que le diese en scripto de tal letra que la pudiese leer el "la beraha" que es huna vendicion que los judios azen quando acaban de comer y el presente deposante dixo le que no sabia escrevir de la letra que el demandava y assi no curo de dargela. Testes: Micael Boyl, notarius scriba inquisicionis e Johannes Torrejon, nuncciis dicte sante officii resident Calatayut.

- (pag. 21) Eadem die coram reverendo domino fratre Micaelle de Monterrubio, inquisitor heretice et apostatice pravetat comparvit Brahem Benalquer, judeus habitator aliame judeorum civitas Calatayut, testis ad instanciam procuratoris fiscalis predictus presentatus citat qui juravit imposse dicti inquisicionis per Deum sup Decem precepta legis Moysi qui diceret omniodam veritatm de hiis queret e sup quibus interrogat esse qui juramentum responsit e dixit inmodum qui sequitur.

Dize el presente testimonio deposante que havia hun anyo poco mas o menos oyo dizir a huno llamado Brahem Alpastan judio de Calatayut que su hermno Jayme Ramon, cristiano habitant en la dicha ciudat que bive en Vallupiel e huno rrogado que le la dinasse un "paçuch" de la pascua de azimo. Testes: Magnificus Dominus Johannes Ardiles, assesor officii santi inquisicioni officii resident Calatayubi.

(pag. 21 vto.) die XI junii anno M CCCC LXXX VIII. Calatayut.

- Eadem die coram reverendo domino fratre Michaelle de Monterrubio, inquisitor predicto comparvit Çalama Alpastan, filius de Salamonis alpastan, judus habitatoris aliame judeorum civitas Calatayut, testis ad instanciam procuratoris fiscales predictus, presentari citat qui juravit imposse dicti inquisicionis per Deum sup Decem precepta legis Moysi qui diceret omniodam veritatem de hiis queret e sup quibus interrogavit esse qui juramentum responsit e dixit inmodum qui sequitur.

Dize el presente testimonio deposante que havia tres o quatro anyos a peticion de huno llamado Jayme Ramon, mayor que vive en cabe Sant Johan de Valupiel de la ciudad de Calatayut, apres de la pascua de pan cancenyo de los judios este deposante por mandado de Oro de Alpastan, madre suya, levo al dicho Jayme Ramon arruquaques dio en las manos al dicho Jayme Ramon. (pag. 22) Testes: Johannes Torrejon e Dominicus Egidi, nuncii oficii santi Inquisicionis resident Calatayubi.

Die IIII julii anno M CCCC LXXX VIII. Calatayut

- Eadem die coram reverendo domino fratre Michaelle de Monterrubio, inquisitoris predicto comparvit Salomon Arama, judeis habitator aliame judeorum civitatis Calatabi, testis ad instanciam procuratoris fiscalis predictus presentari citat qui juravit imposse dicti inquisicionis per Deum sup Decem precepta legis Moysi qui diceret omniodam veritatem de hiis queret e sup quibus interrogat esse qui juramentum responsit e dixit inmodum qui sequitur.

Dize el presente testimonio deposante que havia dos anyos o mas estando este deposante en casa de Jayme Ramon, mercader habitant de la ciudat de Calatayut que esta preso por la inquisicion, hablando con el dicho Jayme Ramon dixo al presente testimonio deposante que el tenia ciertos libros en ebrayco en los quales havia grandepte de la biblia y que le passava mucho por que no pudia leer en ellos como solia porque (pag. 22 vto.) los tenia escondidos por causa del mal tiempo que andava y el presente deposante quando el dicho Jayme Ramon dixo del mal tiempo entendio y cree que lo dixo por la inquisicion, et contado a hun que el dicho Jayme Ramon no leya en los dichos libros dize este deposante que dicho Jayme Ramon dizia algunos testos en ebrayco las quales al presente tengo no le acuerdo. Testes: magnificus Johannes Ardiles, assesor e Dominicus Egidi, nuncii sancti inquisicionis.

Die prima mensis Julii anno M CCCC LXXX VIII. Calatayut.

- Eadem die coram reverendo domino fratre Micaelle de Monterrubio, inquisitor comparvit maeste Yeuda Gargoniat, medicus judeus habitator aliame (pag. 23) judeorum civitaits Calatayut, testis ad instanciam procuratoris fiscalis qui juravit imposse dicti inquisicionis per Deum sup Decem precepta legis Moysi qui diceret omnodam veritatem de hiis queret e sup quibus interrogat esse qui juramentum responsit e dixit inmodum qui sequitur.

Et primo dize el presente testimonio deposante que sabe muy bien et se fallo presente algunas de vezes que en las pascuas de los judios de pan çencenio que el padre deste deposante, clamado Mosse Gargonya, judio enviaba su moça, cuyo nombre no le acuerda a este deposante pan cancenyo, alcahalillas y turrado a las casas de Jayme Ramon, Ramon Lopez, Pedro Çit, saste et mosen Johan de Sancta Cruz, vezinos et habitantes en esta ciudad. Et que despues este testimonio deposante huyo dozir a los dichos Ramon Lopez, Jayme Ramon, edro Çit e Johan de Sancta Cruz e a cadauno dellos que havia comido del dicho pan cancenyo turrado y alcahalillas e les havia sopido muy bien y esto les huyo dezir este testimonio alugnas vezes que de quatroze anyos a esta parte pocomas o menos fue lo suso dicho.
(pag. 23 vto.) Item dize este deposante que de diez anyos a esta parte poco mas o menos favlando este deposante algunas vezer de la fe de los cristianos con huno clamado Jayme Remon, que mora en sant Johan de Vallupiel de la dicha ciudat el dicho Jayme Remon dixo a esta deposante estas palavras "maestro por imposible tengo que nuestro senyor Dios tuviesse de tomar carne humana et pareceme muy fuerte que Dios tuvise demandar huna cosa en la Ley de los judios et otra cosa en contrario en la Ley de los cristianos de lo qual me maravillo mucho", et este testimonio por las dichas palavras e otras palavras que dizia el dicho Jayme Ramon le tenia por incredulo en la Ley de los cristianos e parecia que mucho mas affeccion e voluntat tenia a la Ley de los judios que no a la Ley de los cristianos.
Item dize este testimonio de posante de quatro anyos a esta parte algunas pascuas de pan cancenyo de los judios en los dichos dias de los dichas pascuas este testimonio con hunos moços suyas quando con huna (pag. 24) quando con otra clamadas Rrachel y Luna, judias, enviava a Jayme Remon, mosen Johan de Sancta Cruz y Pedro Çit, vezinos habitnates en esta ciudat que moravan, el dicho mosen Joan de Sancta Cruz a la puerta de la juderia, Pedro Çit en el mercado et el dicho Jayme Ramon en Vallupiel a cadauno dellos pan cencenyo, turrado y alcahalillas et que ensalliendo la pascua de los judios de pan cencenyo, cadauno dellos suso dichos en manera consus moças cuyos nombres no sabe, este deposante a csa desde deposante pan liendo y lechugas. Et mas dize este testimonio deposante que algunas vezes en el dicho tiempo huyo dezir a los dichos Jayme Ramon, mosen Johan de Sancta Cruz et Pedro Çit como havian comido del pan cancenyo y alcahalillas e que eran muy buenas et que le de fazian gracias. Testes: magnificus Johannes Ardiles, assessores et Joahnnes Torrejon, nuncii sanctii inquisicios havitanteis civitas Calatayubi.

Die III mensis julii anno M CCCC LXXXVIII. Calatayut.

- (Pag. 24 vto.) Eadem die coram reverendo domino Martino Navarro inquisitor comparvit Yendo (Sento) Jucran (Xucran) corperitris judeus habitator aliame judeorum civitatis Calatayuy testes ad instanciam procuratoris fiscalis predictis presentari qui juravit qui juravit imposse dicti inquisicionis per Deum sup Decem precepta legis Moysi qui diceret omnodam veritatem de hiis queret e sup quibus interrogat esse qui juramentum responsit e dixit inmodum qui sequitur.

Et dize este testimonio deosante que ha quinze anyos poco mas o menos estando este testimonio obrando en casa de Jayme Navarro el vieio que mora de caga de Sant Johan de Vallupiel, hun dia estando almoçando este testimonio en la dicha casa vio hun libro encima de huna mesa et hubriolo et vio que era la bibria escripta en ebrayco et era de pargamino et enia cubiertas de tavla et estando liendo este testimonio en la dicha biblia uno el dicho Jayme Ramon dixo le que leya (leía), este testimonio le le dixo que leya (leía) en la biblia que si la queria vender et el dicho Jayme Remon dixo que no la venderia que no tenia otro escanso (descanso) sino leer en la (pag. 25) biblia. Testes: Michael Boyl e Johannes Murillo, notarous habitant depresent civitatis Calatayubi.

Die XXII julii anno M CCCC LXXXVIII. Calatayut.

- Eadem die coram reverendo dominio fratre Micaelle de Monterrubio, inquisitor comparvit Mayr Avensabat, benomerius, judeus habitator aliame judeorum civitas Calatayud testis ad instaciam procutatoris fiscalis predictus presentat citat qui juravit impposse dicti inquisicionis per Deum sup Decem precepta legis Moysi qui diceret omniodam veritatem de hiis queret e sup quibus interrogat esse qui juramentum responsit e dixit inmodum qui sequitur.

(pag. 25 vto.) Dize este deposante que havra quatro o cinquo anyos poco mas o menos que este testimonio deposante hun dia a las quatro oras poco mas o menos em pues de medio dia venido de hun guerto de su padre clamado Effrahim judio, el qual guerto esta en la Plana et passando este testimonio deposante por el fosar de la jdueria vio a Jayme Remon el vieio que mora en Vallupiel et huno clamado Garcia de Santangel que mora cabo la rua que tiene jun fijo medio loco, estavan entramos passeandose por el dicho fosar de los judios et emiendo los reparose este testimonio hun poco por ver a que fin andavan por ay y les huya que yvan favlando y assi se açerquo enca ellos por la noticia que tenia con Jayme Remon et estando este testimonio junto conellos empresencia suya les huyo dezir a los dichos Jayme Ramon, Garcia de Sant Angel el huno al otro asaber es primero dixo Garcia Sant Angel al dicho Jayme Ramon estas palavrs *"quanto yo no me quiero enterrar sino en el fosar de los confeso"* senyalando con el (pag. 26) dedo en donde estava el dicho fosar de los confesos estava ay quasi junto con el dicho fosar de los judios que no ay sino huna tapia en medio, entonce respuso el dicho Jayme Ramon al dicho Garcia de Sant Angel que assi mesmo que no deliberava quando muriese enterrarse en otra parte sino en el dicho fosar de los confesos et que este deposante noles huyo dizir otras palavras et luego le dixieron que se fuesse y assi este deposante se vio pa su casa. Testes: magnificus Johannes ardillo, assessor, Johannes Torrejon, nuncii oficii sancti inquisicionis.

- (pag. 26 vto.) Eadem die coram domino inquitoris comparvit Yuçe el Vayo, textor (tejedor), judeus habitator aliame judeorum civitas Calatayubi testis ad instanciam procuratoris fiscalis predictus presentatus citat qui juravit impposse dicti inquisicionis per Deum sup Decem precepta legis Moysi qui diceret omniodam veritatem de hiis queret e sup quibus interrogat esse qui juramentum responsit e dixit inmodum qui sequitur.

Dize este deposante que havia vinte anyos pco mas o menos fue este deposante hun dia por la manyana a casa de huno llamado Jayme Remon, mercader, que mora a las cuestas de Sant Johan de Vallupiel de la ciudat de Calatayut con huna tela que este deposante havia tecido (tejido) pa su muger, cuyo nombre no le acuerda, empo bine oy en dia la qual tela este deposante dio a la dicha su muger, la qual tela este deposante y la dicha muger del dicho Jayme Remon me dieron y contaron lo que esta deposante havia de haver por sus trebajos y que empues de contado este deposante dixo ala dicha su muger del dicho Jayme Remon pues sennora pagar me y la (pag. 27) dicha sennora dixo esperat ami marido que luego saldra y el vos pagara y que este deposante estuvo esperando ay buen rrato que ya se se encoyava y quiso Dios sallio el dicho Jayme Remon el qual dixo este deposante o senno quanto me haveys fecho estar aqua esto mas dedos oras y pierdo mis faziendas y que el dicho Jayme Remon dizo a este deposante yo he tonido que fazer con otro mayor que vos y este deposante dixo al dicho Jayme ramon con quien teneys que fazer estando en la cambra retaydo y el dicho Jayme Remon dixo que estava faziendo mi *"tefila al Dio del cielo que es mejor que vos que assi la fago cada manyana antes que falgo de mi casas y cada tarde que vos sabeys que la fe yo bien"* y este deposante dize que la devia bien saber *pues fue judio y fue de los que se convirtieron al tiempo de Sant Vicent* y dixo el dicho testigo que "tefila" quiere dezir huna oriacion que los judios azen ordinaria por la manana y tarde. Testes: Franciscus de Contamuna e Johannes Torrejon, nuncii sancti officii.

Die X marci anno M CCCC LXXXVIII. Calatayut.

- (Pag. 27 vto.) Eadem die coram reverendo domino fratre Micaelle de monterrubio, inquistor predicto comparvit Simuel Alazan, judeus habitator civitatis Calatayubi qui juravit impposse dicti inquisicionis per Deum sup Decem precepta legis Moysi qui diceret omniodam veritatem de hiis queret e sup quibus interrogat esse qui juramentum responsit e dixit inmodum qui sequitur.

Dize este deposante que havra siete meses poco mas o menos passeando este deposante por el mercado de la presente ciudat de Calatayut, llamo a este deposante huno llamado Jayme Remon, mayor de dias habitante de Calatayut, el qual rrogo a este deposante con mucha instancia que le escriviesse este deposante al dicho Jayme Remon la "beraha" que los judios hazen encima la mesa guando han comido y que este deposante dixo que no sabia escribir mucho bien empo que el la sabia de coraçon y que el dicho Jayme Ramon dizo a este testigo que plazer me harrades si me la davades en escripto. (pag. 28) Testes: Petrus Larraz, notarius, e Johannes Torrejon, nuncii.

Die XIIII marci anno MCCCCLXXXVIII. Calatayut.

- Eadem die coram reverendo domino fratre Michaelle de Monterrubio, inquisitor comparvit Samuel Adaroch, judeus habitator aliame judeo cicitas calatayubi, testis as instanciam procuratoris fiscalis predictus presentatus citat qui juravit imposse dicti inquisicionis per Deum sup Decem precepta legis Moysi qui diceret omniodam veritatem de hiis queret e sup quibus interrogat esse qui juramentum responsit e dixit inmodum qui sequitur.

Dize este deposante que havra quatro anyos poco mas o menos este deposante passando por casa de huno llamado Jayme Ramon el vieio (pag. 28 vto.) que mora en Vallupie de Calatayut por quanto era conocido desde deposante lo llamo y entro en su casa y mostro el dicho Jayme Ramon medida biblia de paper en ebrayco escripto en la qual dixo el dicho Jayme Ramon que le aya cada dia y que rogo el dicho Jayme Ramon a este deposante que le prestase los cinquo libros de Moysen y que este deposane gele presto y que despues definido, e del acabo de ocho dias el dicho Jayme Ramon le volvio a este deposante el dicho libro. Testes, qui supra presente nominat.

- (pag. 29) Eadem die coram domini inquisitoris comparvit Salomon Quatorze, judeus habitator aliame judeorum civitas Calatayubi quei juravit per Deum et sup decem precepta legis Moysi qui diceret omnodam veritatem de hiis queret e sup quibus interrogat esse qui juramentum responsit e dixit inmodum qui sequitur.

Dize este deposante que havra seys anyos poco mas o menos por la pascua de los judios del pan cantenyo embiava este deposante con hun su moço cuyo nombre no le acuerda a la casa de huno llamado Jayme Ramon pan cantenio turrado y alcahalillas y que el dicho Jayme Ramon el vieio y su muger cuyo nombre no le acuerda lo recibian en su casa y aquellos le embiavan a este deposante al sallir de la pascua de pan cancenyo con huna su moça cuyo nombre no le acuerda pan liendo, alcahalillas y turrado.
Item mas dize este deposante que en el mesmo tiempo como mas o menos el dicho Jayme Ramon el vieio demandava muchas vezes en ebrayco a este deposante quando es "cinquot" quando es "peçat" y quando es "purim" que quiere dezir quando es "cabanyvellas" y quando es pascua (pag. 29 vto.) y quando es "purim" y este deposante le dizia los dias que eran las dichas pascuas.
Item mas dize esta deposante que en el mesmo tiempo como mas o menos hablando este deposante con el dicho Jayme Ramon el vieio sobre razon jurava el dicho Jayme Ramon en esta manera por los diez mandamientos de la Ley de Moysen que tal cosa es vedat.
Testes: Petrus de Larraz, notarious, e Johannes Torrejon, nuncius habitator civitas Calatayubi.

(pag. 30) Die XXVII febroari anno M CCCC LXXXVIII. Calatayut.

- Eadem die coram domino inquistor comparvit Asser Avencrespo, judeus habitator Calatayubi testis per dictum citat qui juravit imposse dicti inquisicionis per Deum sup Decem precepta legis Moysi qui diceret omniodam veritatem de hiis queret e sup quibus interrogat esse qui juramentum responsit e dixit inmodum qui sequitur.

Dize que puede haver tres anyos poco mas o menos este testigo corto hunos vestidos a Jayme Ramon el vieio que mora Vallupie y este testigo pensando que el dicho Jayme Remon se los vestiria pa hun dia de huna grant fiesta de cristianos que no el acuerda que fiesta era, acabo de ocser las dichas vestiduras y el dicho Jayme Remon pues no embio por ellos este testigo no gelos levo y empues hun dia del dicho dia defiesta de cristianos el dicho Jayme Remon enbio por los dichos sus vestiduras y este testigo le dixo porque no embiasteys por mi ayer que era tan grande fiesta de cristianos que vos acabe las ropas y vos deviades vestir y el dicho Jayme Remon y no vale mas que me las vista oy que es "reshondes" y dize este testigo que dixo verdat el dicho Jayme Remon que el dia que se visten (pag. 30 vto.) las dichas vestiduras era "reshondes" porque este testigo lo sabia bien que era "reshondes". Testes: Franciscus Contamuna e Dominicus Egidi habitatoris civitas Calatayubi.

Die XXX julii anno M CCCC LXXXVIII. Apud villam de Fariza.

- Eadem die coram reverendo domino Martino Navarro inquisitor predicto comparvit Ledicia Gargonya, uxor sumielis judey habtator ville de Fariza testis citata qui juravit imposse dicti inquisicionis per Deum sup Decem precepta legis Moysi qui diceret omniodam veritatem de hiis queret e sup quibus interrogavit esse qui juramentum responsit e dixit inmodum qui sequitur.

(pag. 31) Dize esta deposante que por mcuho tiempo fasta ocho anyos a esta parte se le acuerda que huno llamado Jaye Ramon mercader habitant de la ciudat de Calatayut que agora esta preso por la inquisicion en el tiempo de la pastuca del pan cencenyo de los judios y dentro de la dicha pascua enviava a casa de huno llamado Mosse Gargonya judio de Calatyut, padre de esta deposante, por pan cencenyo turrado y alcahalillas y se le acuerdaa esta deposante que su madre por embiarlo abuen recaudo le inviava con huna moça suya cuyo nombre no le acuerda y el dicho Jayme Remon en rrecompenssa del dicho pan cancenyo turrado y alcahalillas passada la pascua del dicho pan cancenyo turrado y alcahalillas embiava a casa del padre de esta deposante pan liendo y lechugas y esto dize esta deposante por que muchas y diversas vezes lo vio como lo depsa.
Item dize esta deposante que en el mesmo tiempo que dicho ha vio que el dicho Jayme Ramon muchas y diversas vezes yva a casa del padre desta deposante adonde vio que el dicho Jayme Ramon (pag. 31 vto.) disputant de cosas de la Ley de los judios con hermano desta deposante y enaquellas disputas vio esta deposante como el dicho Jayme Ramon atorgava creer muchas cosas de la Ley de los judios.
Item dize esta deposantee que en el mesmo timpo vio que el dicho Jayme Ramon en el tiempo de las pascuas de las cabanyvelas de los judios yva a casa del padre desta depsante y le veya entrar en la cabanyvela que el dicho su padre tenia fecha por dize esta deposante que nunqua le acuerda que diesse comer ni bever al dicho Jayme Ramon dentro la dicha cabanyvela. Testes: magnificus Franchiscus de Contamyna, alguaziri e Johannes Matinez, notarius habitatus civitas Calatayubi.

(pag. 32) Die prima setembris anno M CCCC LXXXVIII. Calatayut.

- Eadem die coram reverendo domino Martino Navarro inquissitore comparvit Mosse Alpastan judeus aljame judeorum civitas Calatayuvii testis ad instaciam procurator fiscalis predictum scitatus qui juravit in pose dicti domini inquissitoris pre Deum et Decem precepta legis Moysi, et per juramentum deposvit ut sequit.

Item dize el present testimonio deposant que puede haver tres annos poco mas o menos tiempo que entrando este testimonio deposant en casa de Jayme Ramon, preso por la sancta inquisicion, un dia a la hora de acostar como persona de la casa al tiempo quel dicho Jayme Ramon se echava en el lecho entro este testimonio deposante y oyole que diziaesta oracion en ebrayco: "ay veçayam ram veniça gadol venora maspil gueym aveariz magahbia sesabiz admaron mori açirun pode hananti ozer dallun anue le anto ysrael beet sussuean elass theilla lael elion guoaban varuth hu vubocat Mosse hbue uzrael loqua anri fira veçunha rebha vehamera cullam miqua moha vahelnu adonay mithamoha nedar voccdes nora tehillar oste ssele sua hadassa sibehum gehilim lesurha hal sessar hayam yahar cullan hodir vihumlim veanbru adanay juilot leolani vaoss venemal galen adonay cenaot semoquedos yzrael", y ondo todo esto este testimonio loqual el dicho Jayme Ramon dixo en presencia deste testimonio y viendolo a este deposant y no dando senada de el y este dizia (pag. 33) enfforma de oracion de no tamda ente et havidose en la cama. Esta es una parte de una oracion que los jodios hazen en la manyana que se llama "varaçot de quirrat sema alias la tefila del amanyana". Testes: fuerunt presentes Anthonius de Herrera et Federicus de Vegacomensales, alguazirii sancte magnificus.

TESTIGOS DE DEFENSA Y A FAVOR DEL ACUSADO.

(pag. 43) Honor petrus de las Camaras, panicero habitnat en Calatayut testimonio por parte del dicho Jayme Remon.
 Sup promo articulo dixi que conocio a Jayme Remon en el artivulo nombado de vista y pratica que estuvo con el porque estuvo en su servicio por tiempo de quatro anyos y que ha que sallio de su servicio vente y seys anyos poco mas o menos y dize que en todo el timpo que este depsante estuvo con el dicho Jaye Remon que siempre lo tuvo por bueno y catholico cristiano porque lo vio yr a misa y a vesperas y le vio estar en el officio dominical como a los otros catholicos cristianos y le vio dar limosnas a pobres cristianos al dicho Jayme Remon.
Sub secundo articulo dixit que se refere a lo suso dicho.
Sup III articulo dixit secuthal ene
Sup quarto articulo dixit que nunqua en el tiempo que este deposante estuvo con el dicho Jayme Remon creyo que fuese mal cristiano ni fiziese cosa de judio y en tal lo mismo este deposante al dicho Jayme Ramon de bueno y catholico cristiano (pag. 43 vto.).
Sup quinto articulo dixit semthal ene.
Sup VI a rticulo dixit que es verdat que algunas vegadas quando venia de los sermones el dicho Jayme Ramon dizia verdat es lo que dixo tal sermonador por tal testo y pro tal y que cree que sabia algo de la ley evangelica.
Sup septimo articulo dixe semthar ene de cerra.
Honor Dominicus Calvo, calçatariud, habitant Calatayubi testis.

- Pascaius Cavero, agricultor habitant civitas Calatayut, testis por parte Johannis Raymundi filii Jacobu Raymundi qui denunciati predictus et presus et jurat et interrogatus in modum sequerites

Primo fuit interrogavi sup primo et secundo articulis dimisis omnibus aliis de volunate dize que conoscio a Jayme Ramon, (pag. 44) que en los dichos articulos nombrados al qual en el timpo que havia lo tuvo por buen cristiano por quanto lo vio muchas dias y queste testimonio estuvo en su serviçio unos diez meses poco mas o menos en la corte del Rey don Johan de buena memoria y en el dicho tiempo asi mesmo lo vio oyr misssa dar limosnas a pobres guardar las fiestaas sino que alugnas vezes de fiestas por negocios del senyor Rey contnuava el dicho Jayme Ramon, y esto siguiendo la vite y que nunqua le vio fazer cosa nignua de mal cristano sino vivir como dicho ha como catholico cristiano y esto a lo que este testigo udo ver.

- Honor Miguel Daça, vicaruus sanct Johannis civitatis Calatayubii testes ad instançiam (pag. 44 vto) et parte dictor heredictum Jacobi Raymundi ad probandum inteceçionem suam çitatius predictus presentatus jurantis et per juramentum interrogatus ut sequitur deposuit.

Et fuit interrogatus sup contentis in quinto, sexto et septimo articulis aliis de voluntat partis abissis dixo que pueda haver medio anno poco mas o menos tiempo que estando el dicho Jayme Ramon en el articulo de la muerte al qual este testimonio muy bien conoçia vinieron a llamar a este teste para que fuese a oyr de conffession al dicho Jayme Ramon, y este teste no quiso ir e e oyr la quonffession del dicho Jayme Ramon fasta que ovo ifo al senyor offiçial al qual dixo: ya senayo sabeys como Jayme Ramon esta preso por la fancta Inquisicion esta in articulo mortis demanda quonffession an me llamado para ello, no delibero azerlo sin vuestra liçença, entonçes el dicho senor offiçial dixo a este testigo ite et andite de quonffession de ulterius cum eo nostro prendaris estas oras este teste con la dicha liçença fue al dicho Jaymer Ramon al qual oyo de quonffession y oyendole de quonffession quoniam humana (pag. 45) fragilitas noste postestinacio que el dicho Jayme Ramon quonffessava que pecados con contricion como buen cristiano y assi oydo que lo ovo de quonffession, en quando azer lo puedo le dio la absoluçion, y assi se partio del y no vio quando morio, dize mas que en el tiempo que el dicho Jayme Ramon vinia le vio hazer obras de buen christiano y esto de tiempo de vintecinquo annos resta parte del qual tiempo aqua tiene conoscimiento con el dicho Jayme Ramon, al qual venia ordinariamente y sennaladamente las festas oyr missa y biespras estar en los sermones y fazer cosas de buen cristiano y por tal como por buen cristiano lo tenia este testimonio.

- (pag. 45 vto.) Honor Johannes Dominguez, notarius civi Calatayubii teste ad instançia de pro parte heredum dicti Jacobii Raymundi ad provandum intercesionem suam çitatius predictus presentatus jurantis de per juramentum interrogatus ut sequitur deposuit.

Et fuit interrogatus sup questionis in primo e secundo articulis, dixo seyer berdat conoçio al dicho Jayme Ramon en el timpo que havia por tiempo de veynte annos poco mas o menos al qual vio que vivia como cristiano y en forma de buen crsitano e por tal lo tuvo el prestne testigo que lo vaya de quontinuo ir a missa dar limosnas y fazer obras de buen cristiano y que nunca hoyo dezir que era mal cristiano aca tanto que fue preso por la sancta inquisicion.

- (pag. 46) Garsias Perez, mercatos habitator ciutans Calatauibii testis ad instançia de pro parte heredum dicti Jacobii Raymundi ad provandum intercesionem suam çitatius predictus presentatus jurantis de per juramentum interrogatus ut sequitur deposuit.

Et fuit interrogatus sup qustionis in primo et segundo articulis sup quibus dixit que puede haver tiempo de vinte annos que conoçio al dicho Jayme Ramon fasta el tiempo que morio, al qual vio vinir como bueno y catholiquo cristiano hiziendo cosas de buen cristiano oyendo misa y los divinos offiçios y dando limosnas y que por tal como por bueno y verdadero cristiano lo ha tonido el presnte testimonio fasta el tiempo que morio.

- (pag. 46 vto.) Venerabilis Johannes Ferdinandez, prior presbitero vicarius eglise Santi Petri Franquos, civitatis calatayut testis pro parte Johannis Roy nuncii ad probandum contenta in sua cedual contradictori predictus et jurantis de per juramentum interrogatus ut sequitur deposuit.

Interrogatus sup primo et secundo articulis dize que conosçio mui bien a Jayme Ramon, al qual tenia et tuvo este testimonio en el tiempo que tinia por catholico cristiano y este dize por quanto muchas de vezes le vio oyr misa y estar en los mismos oficios y estar en procesiones et deletarse mucho de los buenos sermonadores et lo conffesso este testigo de diziocho anno a esta parte y ledava cadahun anyo el corpus dominum y esto en el tiempo de las quaresmas y que le hoyo dizir como muchas vezes disputava con los judios como yvan herrados y que segunt lo que veya este testimonio en el sigunt lo que pudo sentir del sabia y entendia bien de la ley de los cristianos y le vio fazer obras cristianas segunt arria dicho y depsado ha
(pag. 47) Interrogatus sup III articulo dixit mitheie aliis stire propter ea que de super de posuit.
Interrogatus sup quarto articulo dize mitheie stire.
Interrogado sup quarto articulo dixit aliis de voluntate partis dixit mitheie.
Interrogatus de odio amore timone, negavit.

- Honor Anthonius de Miedes civis Calatayubi testis proparte Johannis Raymundi filii et heredis denuncian Jacobi Raymundi predictis et provatus juravit et interrogatus modo et dormo sequit.

Primo interrogatus sup primo et secundo articulo dize que conoscio a Jayme Ramon en los dichos arituclos nombrados de pratica y notica que thamudo con el, al qual en el (pag. 47 vto.) tiempo que venia lo tuvo por buen cristiano por quanto muchas de vezes lo vio yr a misa y estar en los divinos oficios y dar limosnas a pobres cirstianos y guardar las fiestas y esto vio de trenta anyos poco mas o menos ante que fuesse preso por la inquisicion y que por tal lo tuvo como dicho ha al dicho Jayme Ramon y que algunos de vezes lo vio esputar de la Ley de los cristianos cuentra los jodios defensando la ley de nuestro senyor Ihesu Cristo y corrumpiendo la ley de los jodios dandoles cargo mucho a los jodios porque vinian en semejante Ley.
Interrogado este testimonio sobre el VI articulo dize no saber otra cosa ninguna sino lo que de arriba dicho ha los dichos articulos dexados de voluntat de la parte.
Interrogado de odio amore, negavit.

- (pag. 48) Venerabilis Ferdinandus de Cifuentes, presbiterus habitantes Calatayubi testis pro parte Johannis Raymundi filii et herdis Jacobi Raymundi denuncian ad ad probandum intencionem suam predictus et interrogatus ut sequit de posuit.

Et primo sunt interrogatus sup primo et secundo articulis dixo seyer verdat que conscio a Jayme amon, denunciado, de trenta anyos coco mas o menos fasta que murio, del qual tiempo fata que lo tamaron preso por la inquisicion lo tuvo este testimonio por buen cristiano porquento lo vio estar en misa y en los divinos ofiçios y ofrecer en las misas y algunas vezes demandava a este testigo y vio que e hoyo que demandava a otros clerigos que dezian misa que como se entendia tales palabras que havian dicho en la misa nombardoles las palabras y diziendoles como el no las entendia y los dichos clerigos gele dizian e que nunqua oyo dizir ser mal cristiano fasta en tanto que lo tomaron preso.
(pag. 48 vto.) Interrogatus sup tercio articulo dixo no sabe otra cosa sino lo que ha depsado en el primero y segundo articulo.
Interrogado sup quarto articulo nithiem stire.
Interrogado sup sexto articulo dixados los otros articulos de voluntat del present dize no sabe otra cosa sino lo que hadixo de arriba.
Interrogado de odio amore, negavit.

- Petrus de Maluenda, agricultor habitant civitas Calatayut testis pro parte Johannes Raymundi filii Jacobi Raymundi, ad probandum contra judicia sua redula predictum et provatus juravit et per juramentum dixit per sequit.

Dize este testimonio sobre lo contenido en el primo et segundo articulo que como si a Jayme Ramon de pratica que tuvo con el al que de fetze anyos poco (pag. 49) mas o menos lo conoscio fasta que lo tomaron preso por la inquisicion tuvo por biuen cristiano porque lo vio estar en misa y en los divinos ofiçios y que nunqua hoyo dizir que fiziese unas malas sino de cristiano fasta en tanto que lo tomaron preso por la inquisicion.

- Maria de Aranda, uxor Anthon Gomez agrienbous habitant civitas Calatayut, testis pro parte Johannes Raymundi filii heredis Jacobi Raymundi predicuts et provatus juravit et per juramentum dixit per sequit.

Primo ffue interrogada sup primo et secundo articulo dixo que conoscia bien aldicho Jayme Ramon, con el qual en el tiempo que vivia estava este testigo moça en su servicio y estuvo en su cassa tres anyos y medio y a que sallo de su servicio quatorze anyos poco mas o menos, en el qual tiempo fasta que lo tomaron preso por la inquisicion lo vio vivir como cristiano (pag. 49 vto.) asaber es lo vio estar muchas de vezes en missa y en los divinos ofiçios guardar las fiestas y dar limosnas a pobres los mesaches de su casa por si mandado del dicho Jayme Ramon, y mas en las quaresmas y otros dias alugnos como son los dias de sancta Maria en los quales dias que ayunava no cevava a la dicha y que nunqua huyo dezir que fuese mal cristiano fasta que lo tomaron preso por la inquisicion e asi mesmo que lo vio unas dos vezes en la yglesia en dos quaresmas conffesarfe y que no sabre otro plus.
Interrogado sup quinto articulo aliis e volutat de las presente dize quella se acerco quando murio el dicho Jayme Ramon al que le vio morir con hun crucifiío que teneia en las manos vesandolo.
Interrogado sup amore timore, negavit.

- (pag. 50) Johanna uxor Benedictus Ximini, habitator de present habitant Calatyubii testis pro parte dicti Johannis Raymundi ad probandum intencionen suam predictus et provatus juravit et per juramentum dixit per sequit.

Interrogatus sup primo articulo dixo que abia dos anyos poco mas o menos que conoscia al dicho Jayme Ramon al que tenia por buen cristiano a lo que su testimonio es asaber que viuda ya estava preso y estava en la cama mucho de la qual enffermedat murio lo fue a vier lo fallo asi malo en su casa y tenir hun crucifiçio delante donde estava y hoydo aldicho Jayme Ramon que se encomendava a Dios diziendo: "lohado sia a Dios" y que ha hoydo dizir alli en el varrio que era buen cristiano.
Interrogado sup II, III, IIII y V articulos dixado los otros de voluntat de la presente dize no saber otra cosa ninguna. Interrogdo de odio maore, negavit.

- (pag. 50 vto.) Benito Ximenez, agircultor, habitator civitas Calatayut, testes pro parte Johannus Raymundi ad informandam suam intencionen predicti et provatus juravit et per juramendi qui sequit.
Interrogabus sup primo et secundo articulis dixo servidor que conoscio a Jayme Ramon de seys anyos ara que murio en el qual tiempo lo tenia por buen cristiano por quanto ante que lo tomasen preso por la inquisicion lo vio muchos dias de domingos e fiestas estar en misa hoyr los divinos ofiçios et algunas vezes dar limosnas a pobres cristianos y que nunqua hoyo cosa ninguna de mal cristiano del fabra que lo tomaron preso por la inquisicion.
Interrogado de odio, negavit.

- (pag. 51) Maritnus Egidii, agricultor habitant civitas Calatayut, testis pro parte Joannus Raymundo ad informadam intencionen predicti et provatus juravit et per juramendi ut sequit.

Primo fue in sup primo secundo articulo dixo que conoscio a Jayme Ramon de XXV anyos a esta parte y que en el tiempo que viviva le hazia sus faziendas de sus heredades y en saquar el vino quando era fecho, ponerlo en los vaxillos pa la qual causa tenia alguna palabra y amistat quel dicho Jayme Ramon en el qual tiempo lo tenia por cristiano porque lo veya estar en misa y en los divinos ofiçios y asistir en las misas y guardar las fiestas mandas por la yglesia y que nunqua oyo dizir cosa ninguna del de mal vristiano fasta en tanto que lo toamron preso por la iqnuisicion.
Interrogado sup tercio, quarto et quinto articulos, dize no saber otra cosa ninguna de lo que ha diexo.

- (pag. 51 vto.) Venerable Martinus Ferranod, presbiterus habitnat civitas Calatayut, testis pro parte Johannis Raymundi ad informadam intencionen suam predictus et juramentum per ut sequit.

Interrogado sup primo articulo dize que abia unos quatorze anyos poco mas o menos que tiene noticia de Jayme Ramon, al qual desde tiempo aca que lo tomaron preso por la inquisicion lo vio muchas vezes estar en misa y en los divinos oficios en la yglesia y que tenia enesta ciudat a lo queste resrecounoio pudo sentir buena fama de buen cristiano y por tal lo reputarva et repuso este testimonio fasta que lo tomaron preso por la inquisicion.
Interrogado sup III, IIII y V articulos dexados los otros de voluntat de la present dize no saber cosa otra ninguna sino lo que ha dicho.
Interrogado de odio, negavit.

- (pag. 51 vto.) Reverendus Petris Colobor inartibus et medicina magister et magister maior destudii civitas Calatayut, testis pro parte Johannes Raymundi, ad probandum ad informadam intencionen predicti et provatus juravit et per juramendi ut sequit.

Interrogado sup tercia articulo et quarto dexados los otros articulos de voluntat, la parte dize que tuvo noticia este testimonio con el dicho Jayme Ramon que algunas cosas gel de mandado le aljgo de la bibria y le respodia bien conforme a la fe aloquole demandava.

Interrogado sup sexto articulo dumsis aliis articulis de voluntate dize no saber otra cosa ninguna sino lo que es suso dicho y deposa ha por juramentum.
Interrogado de odio amore timore, negavit.

(Pag. 57) Die VIIII aprili anno M CCCC LXXXXII Calatayut oblata cedula coram reverendo domino Martino Garsie, inquisitor mandavit just sup testis.

INTERVENCIÓN DEL PROCURADOR (ABOGADO) DEFENSOR DEL ACUSADO.

Et Gil de Magallon, notario procurador de Johan Remon et Maria Remon fijos de Jayme Remon, estando perseverando en las cosas por el dichos porxenetas y allegados y de aquellos no apartandose con protestacion que no entiende de contra dezir cosa alguna mas delo que ha dicho antes persistiendo en aquello dize que el dicho Jayme Remon, su Padre fue en el tiempo que bivia buen cristiano, e por tal fue hovido y preputado según consta por los meritos del present processo y encara consta el seyer insumetido segunt por la conffession suya consta fecha en el tiempo de la gracia de la qual se muestra por el present processo en la qual dize, al present en mi conciencia no me recuerda otro e si me recordare lo confessare, e de todo demando misericordia et por que me parece la conciencia sia limpia, e por que nuestro senyor Dios mas accepta la obediencia que el sacrificio yo me insumeto a la sancta fe catholiqua y a vosotros senyores padres iquisidores ministros de aquella lo han testigos dignos de fe remeto a vustras conciencias exhamineys y haver en las otras onffessiones fechas apres del tiempo de la gracia et asi paresce e se demuestra por el present processo el dicho Jayme Remon haverse inumendo e querer estar a determinadcion de la sancta madre yglesia y de vosotros senyores inquisidores. Et si caso es que el dicho Jayme Remon alguna cosa se ha dexado de no conffessar aquella no la ha dexado sino por seyer (pag. 57 vto.) constituydo en tanta senectut de mas de cient anyos que a la memoya no le ha venido y torna al tiempo que se insmetia y dio su conffession lo dixo y los tales hombres de tanta senectut no tienen memoria y toman al tiempo de ignocencia y no consta por los meritos del presso seyer convicto por testigos antes bien consta del contratho. Et asi dize el dicho procurador que el dicho Jayme Remon no debe seyer condempnado ni exhumado como de dicho no sea convictho del crimen del que por el procurador fiscal es acusado y asi debe sey absuelto y mandado sepellir en lugar sagrado como asi de drecho fazerse deva. Et la yglesia siempre abraça a los que a ella vienen y demandan misericordia y asi lo suplica a vuestras reverencias y ministros de aquella lo hagays como asi de recho fazerse deva.

NO HAY SENTENCIA CONDENATORIA Y, POR CONSIGUIENTE, SI SE ENTERRO EN TIERRA SAGRADA.

PROCESO CONTRA JUAN PEREZ DE SANTA FE, ALIAS DE ARIZA, HABITANTE DE CALATAYUD, ACUSADO DE JUDAIZAR (AHP, inquisición caja 9, N° 10).
COMIENZO DEL PROCESO: 26 de Marzo de 1488.

CONFESION DEL ACUSADO: TIEMPO DE GRACIA.

(Pag. 1 - introducción) Nomine nominus universi in Calatayut vicesima sexta mensis marcii, anno anativitate domini M CCCC LXXX octavo, apresente civitate eo Calatayubii cum audiencia sarci inquisicionis officii coram reverendis dominis fratre Micaelle de Monterubio, ordinis predicatorum licenciato in sacta theologia et Martino Navarro magistro ins sacta theologia, inquisitoribus heretice et apostatice pravitat residentibus in civitates Calatayut comparvit et sint personaliter constituibus venerabili domini Martinus de Caceres, presbiter habitantore ville de Molina ut procurator siscalis et minister sacte inquisicionis qui clamosse insinuando dicto nomine dixit que offerebat procutator de facto obtulit e dedit coram dictis reverendis dominis inqusitoris et contra et ad mersus Johanes Perez de Fariza, mercatore habitantis civitatis Calatayubii, inclamosa insinuacionem concentrum in incuptis clamosam insinuacioes tenoris sequentis.

(pag. 4 - introducción) Confessio Joanis Perez de Sancta Fe, alias de Hariza, sacta tempore gracie:

Reverendissimos padres e sennores: sennores padres ante las reverendisimas senorias vuestras comparezco yo JohAn Perez de Sacta Fe, el qual por virtut del edito siquiere gracia por vuestras paternidades atorgan e asignada e dentro del tiempo de la gracia yo dicho Johan Perez, escodremyarido mi mente e conciençia semehan recordado, recuerdan algunas cosas para significar e notifficar e confesar a vuestras senorias, las quales significo e confiesso dentro el dicho tiempo de la dicha gracia siquiere edicto en la forma siguient.

Primoerament e digo que algunas vegadas en quaresma he comido carne de moros e de jodios y christianos en vigilias o dias prohibidos por la yglesia y sabados de quatro o cinquo annos aca e antes algunas vezes y tiempos y esto padre por mi indisposicion, vegedat y enfermedat frande de mi persona no pudiendo retener cosa ninguana dentro de mi cuerpo o persona y no viçiosamente y las mas vezes sennores padres con liçença del senno official (par. 4 vto. - introducción) por las causas sobre dichas y no sennores por ninguna cerimonia ni aun por offender a Dios nuestro sennoR ni a la Ley divina. E de las dichas cosas sennores padre las he confessado encadaun anno con mis padres espirituales como fidelissio christiano y agora confiesso avosotros padres arepintidendome con toda voluntad y de qualquier manera yo haya pertado e offendido a nuestro sennos Dios demandando mi sericordia y perdon a su sanctissimareverenciay a la sancta inquisiçion.

Item assi mesmo padres algunas vezadas y tiempos passados enviandome de la juderia pan fanzenyo,tortillas de salsas y turrado he comido aquellas santiguandome como manda nuestra Ley y no con cerimonias judayças sino como comiendo otra qualquiere vianda delo qual me soy confessado muchas y diversas vezes emedezian mis confessores pues assi las comia sin indigna cerimonia, santiguandome yo podia comer como de (pag. 5 - introducción) qualquier otra vianda sin pectado como quierviende tuviesse lo mas que pudiesse e assi lo he fecho, mas sennores padres en qualquiere manera que aya pectado demando venia y perdon a la sancta inquisiçion.

Item assi mesmo sennores padres, por quanto se dize por algunas personas se dizen que mehan oydo dezir y afirmar yo haver dicho que el jodio y el moro cadauno en su Ley se pueden salvar e yo digo seyer possible haverlas dicho y no con entençion demal entendimiento sino que vieniendo o reduziendose a la Ley de Christo cadauno de qualquiere Ley se pudiesse salvar y aun mas sennores padres sedize que mehan oydo que no es mas la vida de hun hombre que de hun gusano y creo haver lo dicho y no a la itnençion que lo han interpoldo sino por alguna comparaçion y no seyer mi mala intençion ni se assi antes el contrario siempre teniendo y creyendo todo aquello que la sancta madre yglesia tiene e crehe como fideliisimo christiano. Empo sennnores padres yo conozco las tales palavras han las dicho y las confiesso assi seyer possible como necio ininsensado y no conoçiente la verdat y seyer (pag. 5 vto. - introducción) falsa y mala opinion y de fuera desentido y de memoria y cosa insensada y despues tornando en mi memoria y conoçimiento y conoçiendo seyer falsa error nunca mas por mi fue pensado dicho ni creydo ni he perseverado en aquello sino creyendo siempre en aquello que la sancta madre yglesia creye y afrima como fidelissimo christiano. Empo sennores padres en qualquier manera que yo lo haya pensado cogitado dicho inçidido pençado demando misericordia venia e perdon a la sancta madre yglesia y a la sancta inquisicion.

Item assi mesmo padres algunas vegadeas fablando de la fancta inquision he dicho que no yba segunt me osevar dias mandava pues no se praticavan los testimonios porque de qualquiere manera sennores padres haya dicho o fablado mal de la sancta inquisicion demando venia y perdorn.

Item porque sennorespadres por enfermedat siquiere vexez e disxesicion (pag. 6 - introducción) y poca fragil memoria de mi persona todas las cosas diceruir ni pensar ni dezir non puedo como quera y emito todo aquello que por testimonios de nos defe e verdat dezir e provarse podra demi y empo insistiendome y estar obediente alos mandamientos de la sancta madre yglesia imienda e correccion de vuestras reverendissimas paternidades como fidelissimo christiano.

(pag. 4) Confesio Johannis de Fariza: Esta es la reconciliacion de Johan de Fariza, mayor de dias, mercader e ciudadano de Calatayut.

Primo que he comido carnes degolladas de judios e moros e aquesto indo a ferias e no pudiendo haverne de otra parte hoc yentara estando en ciudat estando enfermo con consello de mege e licencia del vicario qualhoc encara hamin aparerado en mi casa y enviado de juderia no por cerimonia judaycoS mas faziendo el senal de la curz comia, ha comido turrado e pan cencenyo.

Item el sabado en la noche tengo mi devocion doesta la ymagen demi senyor Iheus e la ymagen de la virgen sanctamaria advocada de los pecadoRes tengo lampeda, e mis fijos e mi muger e yo faziemos nuestrs devociones et oraciones.

Item yo fue judio e de edat de diziocho anyos me torne a cristiano por devocion e illumynado de la gracia del espriritu sancta e hestuve empoder de mi padrino micer Loys de Sant Angel, e apres fue a Barçelona estuve en casa de mosen Francis de Esnoles, e apres tome e fue casado, e apres fue fecho factor del padre de Martin de Sayas, e administrave los bienes d fazia lo que mandavan no he tonido participio con judio por sorina que judayzasse bien e verdat bien es verdat que so calçetero, e judios ha cossido en mi casa. (pag. 4 vto.) Item todo lo que cristiano catholico debe creeer y creo he en todos los articulos de la sancta fe catholica e agora poragora confieso que quiero vivir e morir como he vivido sino agora e todo lo que la sancta madre yglesia faze manda que creamos e cro e he creydo e so presto a todoa obediencia assi de la sancta madre ygelsia como de los ministros della.

Die V januari anno M CCCC LXXXVIII infrascripto e dicti indominibus honor Ferdiandi Lopez, mercatoris ubi de present scrum inquisicionis officium exercetur coram reverendo domino fratre Micaelle de Monterrubio, inquisitori predicto comparvit Johannes Fariza qui obtulit prefat inquisitor presentem suam inscriptis confessor alteribus manu escriptam suplicando eam mandare legis fieri et exsequi contenta in eadem et sibi injundi penitenciam qualis decet cum esset presto et partius et quaquidem confesione mandato dicti reverendi inquisitoris prime Micaellis Boyl notarios dicti officie sancte inquisicionis ydem Johannes de Fariza juravit imposse dicti inquisitoris preceden, et perjuramentum et juvim respondit fore contenta ineadem e ad presentis sibi alia norecordari refieri publicam infrascriptum. Testes: Hohannes Torreion e Petrus Terreion protari dicti officii sancte inquisicionis.

(pag 5) Porque mi fijo Anthon de Fariza ciudadano tiene este desollimiento lo qual fue por caso de enfermedat es assaber que teiene cortado el capillo del miembro por esto lo maniffiesto.

Item si vuestra paternidat reye que esto es estado por judayzar digo sennor que mi rrazon es esta que antes de aqueste fillo ne ha honido otro e no tiene tal senal en su persona ni en los otros fijos que nuestro sennos Ihesus me ha dado de legitimo matrimonio e no tiene tal defollinyento.

Die XXIII januari anno M CCCC LXXXVIII coram domino inquisitor comparvit Anthonius Fariza qui addendo obtulit supradictiis confessionen.

TESTIGOS DEL PROCURADOR FISCAL EN CONTRA DEL ACUSADO.

Die XIII febroari anno M CCCC LXXVIII.

- Coram reverendi inquisitoribus comparvit Micael de Ciria, habitante loci de Ateca qui juravit imposse dicto reverendi domini inquisitori citaris predictum per Deum e sup cruce domini nostri Ihesu Cristi e sup sacro sancti quatuor evanelia coram e oposita sup propia manibus corporalitar tacta que diceret omnidam veritatem de his que ciret e sup quibus interrogat esset qui per juramentum respondit e dixit inmodum qui seguitur:

(pag. 5 vto.) Dize este deposant que havia vinte y cinquo anyos poco mas o menos fallandose este deposante hun jueves Sancto en la nocte en la yglesia de Sant Pedro Martir de la ciudat de Calatayut donde azian huna representacion e la pasion de nuestro senyor Iesu Cristo vio este deposante como estavan hunos siete u ocho conversos de la dicha ciudat de Calatayut entre los quales se acuerda bien este deposante eran Johan Perez de Fariza e Martin Diez, trapero, vezinos de la misma ciudat de Calatayut, los quales estavan riendo y faziendo escarnio de la dicha representacion y que los dichos Johan Perez de Hariza y Martin Diez se allegaron a este deposante riendose y este deposante dixo a los dichos Johan de fariza, e Martin Diuaz por que vos reys y farays escarnio de lo que todo buen cristiano debe llorar y dolerse, y el dicho Johan Perez dixo pues "cuerpo de dios pa que nos puso en quistion" y que al entender del dicho deposante que le parecio que le dixeron que si Ihesu Cristo Dios era que pa que calia azer aquello.

Interrogat de odio amore timore sanore precio precibus negavit poer juramentum. Fuit sibi lectum e preseveravit indicti. (pag. 6) Testes: ad pridicti presentes Johannes Perez, notarius, e Dominicus Egidi, protarius.

Die prima mensis marcii anno M CCCC LXXXVIII. Calatayubii.

- Coram reverendo domino Martino Navarro, inquisitorie comprarvit Dominicus de Fuentes, natu maior, in artibus estudens vicius loci de Fuentes qui juravit in pse inquisitor per Deum sup crucem domini nostri Ihesu Cristi cum sup sacro santi quatuor evangelia, coram eo deposuit sup propia manibus corporalitar tacta qui diceret omnidam veritatem de his que ciret e sup quibus interrogat esset qui per juramentum respondit e dixit inmodum qui seguitur:

Dize este deposante que havra siete anyos poco mas o menos tonendo este deposante conocimyento y amistat con huno llamado Johan de Fariza, mayor de dias, por quanto estava en su casa huna muger llamada Pascuala Vicent, que madrastra desta deposante entrava y sallia muchas vezes este deposante y ahun dormia comia este deposante en la dicha casa del dicho Johan Perez de Fariza vio los sabados diziendo que bien podia comer carne en los que no era pecado sino pordevocion no contra muchas.

(pag. 6 vto.) Item mas comia carne en quaresma exceptado la primera y pstera semana y esto porque dizia estava mal empo que al parecer deste deposante que estava sano.

Itm dize este deposante que algunas vezes embiava a la dicha casa turrado y alcahaquillas los judios, las quales comia el dicho Joahn de fariza el vieio y su fijo Joahn de Fariza y todos los de casa y huna vez que se acuerda que el dicho Johan de Fariza el joven envio

- 331 -

por turrado a la juderia a hun mochacha que de presente vive ahun con el padre del dicho Johan de Fariza el joven que se llamava Martinquico, el qual ne traxo eet ne comieron todos los suso dichos.

Item mas dize este deposante que vio como hun judio de fariza cuyo nombre no le acuerda vino dos vezes al dicho Johan de Fariza el vieio diziendole que era su pariente y que el dicho Johan de Fariza le dizia que no y que le demandava limosna y que el dicho Johan de Fariza no gela queria dar a la pstre tancto lo importunava le dava limosna empo el dar de la limosna no le veya este deposnate sino que la suso dicha su madrestra le dizia a este deposante mirar dizia que no era su primo ya le dado hun florin de oro. Testes: (pag. 7) Johannes Martinez, notrio et Dominicus Gil Portaribus habitatoris Calatayubit.

Die XXVI febroari anno MCCCCLXXVIII.

- Coram domino inquisitoris comparvit Petrus Fustero, vicinus loci de Paracuellos de Xiloqua, testeis pro parte procurat fiscalis predicti, presentari citariis qui juranvit im posse dicti domini inquistoris per Deum sup Deum sup crucem domini nostri Ihesu Cristi cum sup sacro santi quatuor evangelia, coram eo posit sup propia manibus (pag. 7 vto.) corporaliter tacta qui diceret omnimodam veritatem de his que ciret e sup quibus interrogatus esset in tota presentem cansam qui per juramento respondit e dixit inmodum qui seguitur:

Dize este deposante que esta quaresma en que agora estamos cumple dos anyos o tres que no se le acuerda bien fue a la casa de Johan Perez de Fariza, vezino desta ciudat de Calatayut, por pagarle huna pension de censal que le devia y que lo fallo asentado ahuna mesa comiendo carne y que al parecer deste testigo estava sano porque en el mercado le havian fablado aquel dia y lo vidia andar por su pie. Testes: Michel Byul, notario e Dominicus Egidi.

ACUSACION Y LECTURA DE CARGOS POR PARTE DEL FISCAL.

(pag. 9) Die IIII febroari anno M CCCC LXXXVIIII.

Et primo dize el dicho Procurador fiscal y ministro de la sancta inquisicion que el dicho Johan Perez de Fariza denunciado, teniendo esperança en la ley de moysen ha fecho y observado ritos e cerimonias judaicas , amen de heregia y apostasia en la fe cometido y ha obserbado el sabado por fiesta como los judios le obserban, absteniendose de negociar en el dicho dia en el qual ha comido muchas y diversas vezes carne estando bueno y hamin guisado de judios del viernes pa el sabado y otras vezes en su casa, y ha comido carne en las cuaresmas asi como en el carnal y en otros dias proibidos de no la comer por la sata madre yglesia, et si a dayudando muchas y viversos ayunos de judios sennaladamente aquel de quipur que se dize el grand perdon y ha festibado las pascuas de los judios comiendo pan cencenyo y turrado y alcahalillas y otros manjares que los ditos judios comen a las pascual y por fazer sus limosnas ha fecho muchas limosnas a judios senaladamente ha dado pa la çedaca a la forma judaica y esto es verdat.

Item dize el dicho procurador fiscal que el dicho reo y cirminoso ha fuçamente confesado dentro del tiempo de la gracia por que ha dicho cosas ceviles y de poco prejudicio y a emitido cosas mraves y ponderosas por que ha celado ser cirminos y fue y es verdat ser como dicho es criminoso a modo judaico por que dezia y rezaba en ebrayco salmos y oraciones judaicas y dezia publicamente muchas y deversas palabras contra la fe de nuestros redentor Ihesu Cristo, sennaladamente estas que los judios selebraban en su Ley y que el anima del buen judio iba a donde iba la del buen Cristiano y que el asi lo creya y ha dicho otras muchas cosas eas y nefandas contra la Ley evangelica de nuestro sennor Ihesu Cristio y contra la madre sancta Iglesia y esto es verdat.

Item mas dize el dicho procurador fiscal que el dicho Johan Perez de Fariza denunciado ha cometido yu perpetrado las cirimonias qui so de los de heregia e apostasia et mala malis acumulando et meis prosentado et presentando plura impedimenta defensions santorias et perturbacines oficio et libero exercicio sten inquisicionis por lo qual se entendia el libero exerçicis de la santa inquisicion cesaria y esto es verdat.

INTERROGATORIO A JOHAN PEREZ DE FARIZA.

(pag. 12) Die V febroari anno M CCCC LXXXVIII Calatayubii.

- Eadem die el senyor inquisidor procedio a interrogacion de Johan Perez de Fariza preso qui juravit imposse inquistoris per Deum sup Deum sup crucem domini nostri Ihesu Cristi cum sup sacro santi quatuor evangelia, coram eo posit sup propia manibus corporatiter tacta qui diceret omniodam veritatem de hiis que ciret e sup quibus interrogatus esset in tota presentem cansam qui per juramentum respondit e dixit inmodum qui seguitur:

Et primo fue pregutnado sobre lo contenido en el primer articulo de la denunciacion dada por parte del procurador fiscal el qual respuso e dixo que es verdat que ha dicho que el moro y el judio se pueden salvar, po desta manera dizia que si creya la fe de Ihesu Cristo que se podian slvar ni de otra manera.

Sup II articulo negavit contenido in eo.

Sup tercio articulodixit que antes de la muerte del inquisidor maestre Epila le vinieron a demandar micer Domingo de Sancta Cruz, jurista y Ferrando Lopez, mercader desta ciudat, pa matar a mastre Epila inquisidor porque fazia la inquisicion y este quonfesante dixo que no queria dar cosa ninguna, (pag. 12 vto.) y allego las aquel salmo que dize "no intres injudicion..." clara contenido jurarlo negavit salvo lo dicho e confesado por el dentro del tiempo de la gracia.

Sup quarto articulo dizit que lo dicho e confesado por el es verdat y lo negado no es verdat. Fut sibi leatum. Interrogavit de odio, negavit.

Testes: Mosen Pedro Feriz, clerigo e Jayme Demanlus, nuncio habitant de presencia en la ciudat de Calatayut.

TESTIGOS DEL PROCURADOR FISCAL

(pag. 14 vto.) Die XXVIII marci anno quo supra LXXXVIII.

- Eadem die coram reverendo domino inquisitore comparvit Vicencins Marquo, tondidor habitatoris en la ciudat de Calatayut, testimonio por parte del procurador fiscal predizido presentatus citatis qui juravit imposse inquistoris per Deum sup Deum sup crucem domini nostri Ihesu Cristi cum sup sacro santi quatuor evangelia, coram eo posit sup propia manibus corporatiter tacta qui diceret omnimodam veritatem de his que ciret e sup quibus interrogatus esset in tota presentem cansam qui per juramentum respondit e dixit inmodum qui sequitur:

Dize este testigo que puede haver dos anyos poco mas o menos estando en el mercado cerqua de la carniceria cabe la tabla de Lope Hunos, labradores desta ciudat cuyos nombres no le acuerda estavanse peleando de palavras con hun judio que se dize Juciquo Paçagon habitant en estaciudat diziendo los dichos labradores al dicho judio a mi de tantos solos me haveys levado tantos delogro y assi tractavan mal (pag. 15) al dicho judio y enesto sallo huno llamado Johan Perez de fariza el vieio, que mora cabe la puerta terrer desta ciudat, sallo a favor del dicho judio, respondio por el diziendo a los dichos labradores senquos lo haveys de comer y estantes sallio este testigo a favor de los cristianos y dixo al dicho Johan Perez de Fariza no haveys verquença de favorecer al judio y dexar de favorecer a los cristianos y estantes el dicho Johan Perez de Fariza dixo a este testigo pues de muchas palvras que entre ellos huvieron de su Dios y de cristianos y que Vicent Marquo ado pensays que va el anima del judio y este testigo dixo va do va el anima del asno e del mulo y el dicho Johan Perez de Fariza dixo no va do vos dizis mas alla va el anima del buen judio donde va el anima del buen cristiano y este testigo dixo al dicho Johan Perz de Fariza qui mintia y en estas maneras allegaronse algunas personas y apartaron a este testigo dixiendo que se dexasse estar y esto vinyeron mcuhas personas y entre las otras Lope el Carnicero.
Interrogavit sup predicto dixit oodio amore timore respendit e dixit que no lo ha dicho sino por temor de (pag. 15 vto.) la excomunion y descargo de su conciencia y ahun porque este dia de oy se fue aconfesar y no le quisieron absolver sino que lo viniese a dezir a los sennos inquisidores. Testes: Johannes Ardiles assesor e Micael Boyl, notario officii sancti inquisicionis.

Die XVI aprilis anno M CCCC LXXXVIII Calatayubii.

- Eadem die coram reverendo domino Micaelle de Monterrubio inquisitore comparvit Johannes de Maluenda, agricultor habitantoris civitaits Calatayubii qui juravit imposse inquistoris per Deum sup Deum sup crucem domini nostri Ihesu Cristi cum sup sacro santi quatuor evangelia, coram eo posit sup propia manibus corporatiter tacta qui diceret omniodam veritatem de hiis que ciret e sup quibus interrogatus esset in tota presentem cansam qui per juramentum respondit e dixit inmodum qui sequitur:

(pag. 16) Et primo dize este deposante que havra diez dias poco mas o menos huyo dezir este doposante a hun hombre cuyo nombre no le acuerda, a este deposante salvo sabe que es castellano y esta en Mochales de Castilla, que estando con huno llamado Johan de Fariza el vieio, que morava en el mercado que quando murio hun judio de la juderia de Calatayut que el dicho Johan de Fariza y su muger, cuyo nombre ano le acuerda, a este deposante subieron a casa del dicho judio muerto su primo y estuvieron con los dichos judios al dicho cuerpo muerto todas las cerimonias que fueron los dichos judios. Testes: Johannes Torreion e Doninicus Egidi, nuncii sancti inquisicionis.

(pag. 16 vto.) Die vicesima mensis maii anno M CCCC LXXXVIII.

- Eadem die coram reverendo domino fratre Micaelle de Monterrubio, inquisitore predicto comparvit Alfonsus Perez, presbiter habitantoris loci de Paracuellos de la Ribera qui juravit imposse inquistoris per Deum sup Deum sup crucem domini nostri Ihesu Cristi cum sup sacro santi quatuor evangelia, coram eo posit sup propia manibus corporatiter tacta qui diceret omniodam veritatem de hiis que ciret e sup quibus interrogatus esset in tota presentem cansam qui per juramentum respondit e dixit inmodum qui sequitur:

Et primo dize este deposante que havia ocho anyos poco mas o menos estando este deposante en el studio de la presente ciduat de Calatayut estudeando se acuerda muy bien este deposante como hun dia indo este deposante con huno llamado Alfonso Perez, padre deste deposante que havia venido por negocios a la presente ciudat de Calatayut y hun (pag- 17) su cunyado llamado Diego Garcia, habitant de Paracuellos de la Ribera, passando por el mercado el dicho padre deste deposante sequedo a fablar con hunos que le acuerda quien eran y que por suerte estanvan ay en el dicho mercado en aquel lugar donde el dicho su padre deste deposante se quedaron huno llamado Johan Perez de Fariza, mayor de dias, que esta a la puerta de Terrer y esta agora preso por la sancta inquisicion y asu parecer huno llamado Johan de Buen dia el vieio que también esta preso por la sancta Inquisición que no lo afirma bien si estava ay el dicho Johan de Buendia los quales estavan hablando de la Ley y que se acuerda este deposante que sobre razones el dicho Johan Perez de Fariza dexo al dicho Johan de buendia o al que con el hablava estas palavras "pensays que ay infierno no ay tal cosa" y que entonçe este deposante se bolvio pa los dichos sus padre y cunyado a los quales dixo este deposante rira que heregias hablan estos traydores que dizen que no ay infierno. (pag. 17 vto.) Testes: Johannes de Huncastillo, notario e Dominicus Gil, nunciis sacte inquisicionis.

Die XXIII julii anno M CCCC LXXXVIII. Calatayubii.

- Eadem die coram reverendo domino frater Micaelle de Monterrubio, inquisitor, comparvit Duenya, juida uxor Simuel Adaroch, judey habitant aliame judeorim cititatis Calatayut, testis de instancia procutatoris fiscalis per dicti, citat qui juravit imposse dicti inquisitoris per Deum sup decem precepta legis Moysi que diceret onmidam veritatem de hiis que ciret e sup quibus interrogatus esset in tota presentem cansam qui per juramentum respondit e dixit inmodum qui sequitur:

Et primo dize estea deposante que de diez anyos a esta parte pcoo mas o menos muchas de vezes Johan Perez de Fariza, que mora a la puerta Terrer desta ciudat con sus mesages (pag. 18) quando con hun, quando con otro cuyos nombres a esta deposante no le acuerda en el dia çaguero de la pascua del pan cançenio embiava a casa deposante pan liendo et esta deposante con los dichos moços embiava de retorno a casa del dicho Johan Perez de Fariza, pan cançenio y turrado y alcahalillas y esto le embiava el dicho çaguero dia de la dicha pascua. Testes: Johannes Larraz, notario e Johanes Torrejon, nuncibus sante offici inquisicionis.

Die XXVIIII aprilis anno M CCCC LXXX VIII Calatayubii.

- Eadem die coram reverendo domino Micaelle de Monterrubio, inquistor comparvit Salomon Alazan, judeis habitator aliame judeorim cititatis Calatayut, testis de instancia procutatoris fiscalis per dicti, citat qui juravit imposse dicti inquisitoris per Deum sup decem precepta legis Moysi que diceret (pag. 18 vto.) onmiodam veritatem de hiis que ciret e sup quibus interrogatus esset in tota presentem cansam qui per juramentum respondit e dixit inmodum qui sequitur:

Et primo dize este deposante que havra quatro anyos poco mas o menos estando este deposante hablando con huno llamado Johan Perez de Fariza, mercader habitant de Calatayut, que agora esta preso por la inquisicion, muchas vezes se acuerda a este deposante que quando el dicho Johan Perez queria dar a entender a este deposante jurava el dicho Johan Perez de Fariza en esta manera "yo juro por la Ley sancta de Moysen que tal cosa es verdat".
Item mas se acuerda este deposante como oyo dezir a Salomon Azan, judio que habitant de la aliama de la ciudat de Calatayut que el dicho Johan Perez de Fariza le dio hun real por limosna pa ayuda de hun rescate de hun judio pobre. Testes: Joannes Torrejon e Dominicus Gil, mincibus sancte inquisicionis.

(Pag. 19) Die VI marcii anno M CCCC LXXXVIII. Calatayubii.

- Eadem die coram reverendo domino fratre Micaelle de Moterrubio inquisitor comparvit Yuçe Çadoch, judeis habitator aliame judeorim cititatis Calatayut, testis de instancia procutatoris fiscalis per dicti, citat qui juravit imposse dicti inquisitoris per Deum sup decem precepta legis Moysi que diceret onmiodam veritatem de hiis que ciret e sup quibus interrogatus esset in tota presentem cansam qui per juramentum respondit e dixit inmodum qui sequitur:

Et primo dize este deposante que es savia publica que a huno llamado Johan Perez de Fariza habitant en Calatayut que no le falta de judio sino tavardo y capirte.
Item mas depsa que hablando con el dicho Johan Perez de Fariza oyo dezir al dicho Johan Perez de Fariza muchos motes en ebrayco, senyaladamente que por dizir estos cristianos dizia "goyim" y que también hablando de negocios dizia el dicho Johan perez huna vez que querys que agamos busca hombre como bina entre esta humarafa.
(pag. 19 vto.) Item mas dize este deposante que havia vinte anyos poco mas o menos apto secretamente a este deposante el dicho Johan Perez de Fariza y le mando muy afectuosamente quando era el ayuno de quipur y este deposante le dixo el dia quando era el dicho ayuno quipur.
Item mas dize este deposante que huyo dezir a muchos cuyos nombres no le acuerda que el dicho Johan perez de Fariza dona limosna a judios pobres y olio a la sinoga. Testes: Johannes Torrejon e Petrus Torrejon.
Item mas deposa este deposante que havia ocho anyos poco mas o menos algunas vezes el dicho Johan de Fariza preguntava a este testigo que parasa es esta semana y que este deposante le dizia tal segunt era. Testes: Franciscus de Contamina e Petrus Larraz,

Die XXVIII setembris anno MCCCCLXXXVIIII, Calatayubii coram prediticis inquisitoris Gomecum de Cient Fuegos procuratoris fiscalem fuit responsabilis special ad façiendo fidem de quontenidum indenunçiaçione, Juçe Çadoch testis qui juravit per Deum e decem precepta legis Moysi, per juramentum lerta eidem sup dicta de posicionem escetit indicti, y dixo mas que se acoerdava han le dicho el dicho Johan Perez de Fariza que dona olio a la sinoga y limosna a judios pobres y para casar a judios huerfanos y esto de su voca a la suya y esto dixo presentes los testes infrascriptos, y dixiendole al reverendo maestro de Alarquon fuera çierto de aquello que dezia dixo que realmente aquella era la verdat. Testes: mossen Domingo de Senan y Mossen Anthon Navarro, presbiteris familiares del dicho reverendo senyor inquisdor.

(pag. 20) Die XIII mensis Marcii anno M CCCC LXXXvIII. Calatayubii.

- Eadem die coram domino Martino Navarro inquisitor comparvit Jehuda Gargonia, fisicus judeus habitant loci de Ylluequa, testis de instancia procutatoris fiscalis per dicti, citat qui juravit imposse dicti inquisitoris per Deum sup decem precepta legis Moysi (pag. 20 vto.) que diceret onmiodam veritatem de hiis que ciret e sup quibus interrogatus esset in tota presentem cansam qui per juramentum respondit e dixit inmodum qui sequitur:

Et primo dize este deposante que havra cinquo o seys anyos poco mas o menos se acuerda este deposante como negociando huno llamado Johan Perez de Fariza, mercader que mora cabe la puerta Terrer, con algunos judios cuyos nombres no le acuerdan a este deposante, oyo este deposante como el dicho Johan Perez de Fariza jurava por la Ley de Moysen que tal cosa es verdat. Testes: Petrus de Laraz, notario e Jahonnes Torrejon.

(pag. 21) Die XVIII Marcii M CCCC LXXXVIII. Calatayubii.

- Eadem die coram reverendo domino fratre Micaelle de Monterrubio, inquisitor comparvit Sento Cecri, judeus habitator aliame judeorum cititatis Calatayubi, testis por parte procutatoris fiscalis per dicti, citat qui juravit imposse dicti inquisitoris per Deum sup decem precepta legis Moysi que diceret onmiodam veritatem de his que ciret e sup quibus interrogatus esset in tota presentem cansam qui per juramentum respondit e dixit inmodum qui sequitur:

Et dice este deposante que havra anyo y medio poco mas o menos estando este deposnate cosiendo en una botiga de huno llamado mastre Johan el valenciano que esta cabe sancta Maria de media villa donde estavan tres cristianos con este deposante, dize que se allego cabe la botiga huno llamado Johan Perez de Fariza el qual dixo aquí hay ningun judio soys todos cristianos y este deposante dixo no yo soy judio, estuvo hun ratiquo penssando y despues dixole "cebaboni qualabim" que quiere dizir "cercados de perros", y oyendo esto sonrrioso este deposnat y el dicho Johan Perez de Fariza, volviose para este deposant porque ya se havia alexado deste deposant y dixole jodio no te rrias que no lo dizxo por tu sino porque nuestro sennos lo dixo qunado estava en la cruz que estuva cercado de judios, et hot dixit e juravit". (pag. 21 vto.) Testes: Garcias de Noviercas e Petrus de Larraz.

Die XXVI marcii anno M CCCC LXXVIII. Calatayubii.

- Edadem die coram reverendo domino fratre Micaelle de Monterrubio, inquisitor predicto comparvit Mosse Monton, habitant aliame judeorum civitatis Calatayubii, testis por parte procuratoris fiscalis per dicti, citat qui juravit imposse dicti inquisitoris per Deum sup decem precepta legis Moysi que diceret onmiodam veritatem de hiis que ciret e sup quibus interrogatus esset in tota presentem cansam qui per juramentum respondit e dixit inmodum qui sequitur:

(pag. 22) Et primo dize este deposante que havra cinquo meses poco mas o menos estando este deposante en la Plana (termino en las inmediaciones de la puerta de la Furiega) passeando con hun çapatero cuyo nombre no le acuerda empo que el lo traera y esta de casa de Domingo Ferrer hablando de la inquisicion dexo el dicho çapatero pues luego berva la inquisicion y que este deposante dixo venga en ora buena y que entonces el dicho çapatero dixo a este deposante que cosa es el mundo olim el otro dia oy e fablar a Miguel de Sayas con Johan Perez de Fariza que mora cabe la puerta Terrer y oyo este deposante como el dicho Miguel de Sayas dizia al dicho Johan Perez de Fariza vos haveys copiado en el conseio de la muerte del inquisidor y que el dicho Johan Perez de Fariza dizia por Dios no mi salle y que el dicho Miguel de Sayas dizia por Dios si hiziestes y que le dicho Johan Perez de Fariza dizia por Dios no fize y que entoces el dicho Miugel de Sayas dixo pues si vos nos y fallasteys fallo si vuestro dinero y que entonçes el dicho Johan Perez de Fariza dixo yo no mi falle del dinero no se nada ni digo nada. (pag. 22 vto.) Testes: Petrus Larraz, notarius e Johannes Torrejon, munciis habitatoris Calatayubii.

(Pag. 23) Die XVII augusti anno M CCCC LXXXVIII. Calatayubii.

- Eadem die coram reverendo domino fratre Micaelle de Monterrubio, inquisitoris comparvit Rabi Bienvenis arruet, judeis aliame civitatis Daroce, testis por parte procuratoris fiscalis per dicti, citat qui juravit imposse dicti inquisitoris per Deum sup decem precepta legis Moysi que diceret onmiodam veritatem de hiis que ciret e sup quibus interrogatus esset in tota presentem cansam qui per juramentum respondit e dixit inmodum qui sequitur:

Dize el presente testimonio deposante que puede haver vinte y ocho o vinte y nueve anyos poco mas o menos tiempo que este testimonio deposante estuvo rabi en la villa de Fariza por tiempo de tres anyos en donde tuvo noticia conocimyento hamystat con huno llamado Johan Perez de Fariza, mercader habitant en la dicha villa de Fariza, por entonces que ahora habitant aquí en Calatayut a la puerta de Terrer al qual dize este testimonio huna y muchas vezes demando que le diese pa algunos pobres judios que ribavan a la dicha villa de Fariza, o pa pobres (pag. 23 vto.) judios que estavan en ella, o pa algun judio cativo (cautivo) y assi dize este testimonio deposante que con mucha voluntat el dicho Johan Perez de Fariza le dav siempre que este testimonio le devia, dava por las noles cosas quando seys dineros qundo hun real quando medio y asi y este testimonio como rrabi los tomava los dichos dineros que el dicho Johan Perez de Fariza le dava y los repcibia e dava a judios pobres como meior le parecia yal mesmo Johan Perz de Fariza dize el presente testimonio deposante que le vio muchas vezs sin dizirgele ni demandargele ninguno dava dineros a judios pobres lo qual este testimonio vio como dicho ha en el dicho tiempo de tres anyos que alli estuvo por muchas vezes eet hoc per juramentum.

Item assi mesmo dize el presente testimonio deposante que muchas vezes el dicho Johan Perez de Fariza dizia a este testimonio deposante que quando matava carne de vaqua o buen carnero en la juderia la qual como rrabi degollava este testimonio deposante que lende (pag. 24) tomase que el gela pagaria y assi este testimonio deposante quando do vya que era bueno el carnero o la vaqua tomava lende y enbiava lende al dicho Johan Perz de Fariza y el gela pagava empues y que le havia tomado la dicha carne.

Item assi mesmo depsa este testimonio deposante que huna y muchas vezes en el dicho tiempo detres anyyos que estuvo ay el presente testimonio deposante como dicho ha el dicho Johan Perez de Fariza le dava el viernes a la tardada pa la çedaqua quando dos dineros quando tres y algunas vezes que el dicho Johan Perez de Fariza havia estado de fuera de la villa quando venia le dava seys, siete dineros el viernes a la tardada que havia vendio en reconpensa del tiempo que havia estado absent y assi aquellos tomava este testimonio y los dava a los pobres judios como entre judios se acostumbra.

Item assi mesmo depsa el presente testimonio deposante que le vio huna y muchas vezes al dicho Johan Perez de Fariza jurar por los diez mandamientos de la Ley de Moysen nogociando con algunos judios, lo qual fazia porque los judios lo reyesen (pag. 24 vto) de aquello que el jurava y dizia y esto hoyo jurar al mesmo Johan Perez de Fariza artas vezes como dicho ha este testimonio deposante. Testes: Fuerint presntes Johannes de Huncastillo, notario, e Johannes Torrejon, nunciis ofiicii santi inquisicionis.

Die XXVIII octobris, anno MCCCC LXXXVIIII. Calatayubii.

- (pag. 23 vto. - márgenes del folio) Coram reverendo dominus Alfonsus Dalarcon e Martino Garcia inquisitores futi e predictis intstem Gomecum de cient Fuegos procurator ficalem... Omma judia per Deum et decem precepta legis Moysi et juramentum dixit omnia... dixit preditos juramentum sequit,

et que el dicho Johan Perez de Fariza stava en la villa de Ariza a este testimonio dizia questo tengo hanexo e a quando haver dado limosna a algunas judios pobres el dicho Johan Perez de Ariza se fecho mano a la bolsa y le dava a este testimonio dobre de los dineros que le acostumbrava dar segunt mas arriba dicho tien. E assi mesmo vio a este testigo que algunas vezes vio al dicho Johan Perez de Ariza estando en la dicha villa Lezar Azay, Brahem Azay y Yuçe Azay e Brahem Abenmayor, judios habitantes en la dicha villa, nietos del dicho Johan Perez, le besavan la mano y el dicho Johan Perez Ikes dizia a todos a ellos "buen fado hayas" pasandoles la mano por la cara al modo judayco. Testes: magnifico Andrea Gutierrez, Quintanilla, asessor officii sancte inquisicionis et Martio Navarro, familiaris domini Alfonso de Alarcon inquissitoris.

(Pag. 24) Die X sexta octobris anno M CCCC L XXX VIII in villa de Valladoli.

Eadem die coram reverendis dominus fratre Micaelle de Monterrubio aordinis predictus e Martino Navarro inquisitor comparvit Juçe Carfati, judus habitator aliame judeorum ville de Valladolit, testis citatis ae ad instanciam dicti procuratoiis fiscalis qui juravit per Deum e sup decem precepta legis Moysi que diceret (pag. 25) onmiodam veritatem de hiis que ciret e sup quibus interrogatus esset in tota presentem cansam qui per juramentum respondit e dixit inmodum qui sequitur:

Dize el presetne testimonio deposante que puede haver vinte anyos poco mas o menos tiempo que razonando de las leyes de cristianos judios y moros y passando a la puerta terrer y fablando del mundo este testimonio deposante con huno llamado Johan Perez de Fariza que mora a la puerta Terrer en la ciudat de Calatayut oyodezir al dicho Johan Perez de Fariza que el creya que no havia sino nacer y morir y que todo era burla y que esta veya el porque leya en la "vision de lectoble" y assi oyendo esto este testimonio deposante le replico y dixo como dezis vos esto pues y ovo so desa opinyon entonces dixo el dicho Johan de Fariza verdade aviente si nada ya ovido verdadera hasydo la Ley de Moysen. (pag. 15 vto.) Testes: Fuerint predicti magnifficos dominus Johannes de Ordiles, açesor officii sancte inquiicionis civitatis Calatayubi et Petrus Larraz, notarius indicta villa de Valladolit e present resident.

Die XVIII januari anno M CCCC LXXXVIII, Calatayubii.

Eadem coram dictis reverendis dominus inqusitoribus e vicario comparvit Bartolomeus Cetina, vicarius loci de Alhama, testis ad instanciam procuratoris fiscalis per dictus presentatus citatis qui juravit imposse inquisitoris per Deum sup Deum sup crucem domini nostri Ihesu Cristi cum sup sacro sancti quatuor evangelia, coram eo posit sup propia manibus corporatiter tacta qui diceret omnimodam (pag. 26) veritatem de his que ciret e sup quibus interrogatus esset in tota presentem cansam qui per juramentum respondit e dixit inmodum qui sequitur:

Dize que puede haver tranta anyos poco mas o menos vinendo con Johan Fierro, que vezino desta ciudat con qual bivio mas de diez anyos vio como el dicho Johan Fierro conbido a Gonçalvo de Arxaran, vezino de Fariza y a Johan Perez de Fariza, mercader vezino de Calatayut, y que vio que estando sobre la mesa despues de haver comido en el dicho convite los dichos Johan Fierro y Gonçalvo Arxaran y Johan Perz de Fariza, vinieron en disputa de la Ley de los cristianos y de los judios y que despues de haver disputado grande rrato dixieron no sabemos qual dellos es la mejor fagamos bien que quien bien fara bien habra y que se dava a guarda desde testimonio porque el dicho Gonçalbo Harxaran dixo de que se dio aguarda del y este es converso y el dicho Johan Fierro dixo ya ha jurado por converso. Testes: fuit presetnes frater Petrus del Alguijuela et Petrus Torrejon, habitant civitatis Calatayut.

INTERROGATORIO DEL FISCAL A JOHAN PEREZ DE FARIZA.

(Pag. 30) Die XXX Marci anno M CCCC L XXX VIIII, Calatayubii.

Eadem die el reverendo mastre Martín Garcia, inquisidor exofficio movit per prima, secund e terçia nominacione Johannem Perez de Fariza Deum crucem quantibus dicat vitatem de hiys e fuerit interrogatus et ante omnia de eisu mosse juramentum ad dominicus deDeum sup crucem domini nostri Ihesu Cristi et eius sacro sancta quatruor evangelia suis propiis manibus corpora liter tacta qui diceret omnimodam veritatem de his que ciret e sup quibus interrogatus esset in tota presentem cansam qui per juramentum respondit e dixit inmodum qui seguitur:

Preguntado si comio pan cancenio o guardado el sabado dexandose de fazer fazienda alguna o mandandos camissa limpia dixo que nunca tal comio ni guardo.

Preguntado si dixo alguna vez que el mesias no era venido dixo que nunca tal dixo antes les moresto a los judios el contrario.

Preguntado si guardo alguna fiesta de judios o ha comido hamines o viandas de judios dixo que nunca fal fizo.

Preguntado si ha dado olio a la sinoga o para la çedaqua dixo que nucna tal fizo.

Preguntado si estuvo en algunas collaginas o convites donde se tratiasse la muer del inquisidor (D. Pedro de Arbues), dixo que no.

Preguntado si entro alguna vez en la sinoga y fecho algunas cerimonias judaycas, dixo que no.

Pregutnado si ha quitado las grasas de la carne o la glandolilla de la pierna o mandado ençender candiles el biernes a la nothe para el sabado, dixo que nunca tal fizo.

Interrogado de lo de la muerte del Inquisidor si sabe algo o ha dado dineros para ella, dixo que lo que dixo en la conffession por el fecha, el presente dia y assentada en un registro, de los de la inquisicion es verdat y no otro, per juravit.

Testes: magnifico Andreas Gutierrez de Quintanilla, assessor e Michael Domingo, notario habitant sacti officii.

DEFENSA DE JOHAN PEREZ DE FARIZA POR PARTE DE SU PROCURADOR (ABOGADO) EL NOTARIO, GIL DE MARGALLON.

(Pag. 46) (No fecha) Egidi de Margallon, notarius ut procurator Joannis Perez de Sancta Fe, alias de Fariza, juravit in presenti cum quibus et non sive eis suplicat dicti per testes porhar parte predicendis interrogavit et recipi:

Et primo dicit dictu prorcurator que el dicho Johan Perez de Sancta Fe, fue et es catolico, cristiano et que ha vivido e vive en la unidat de la sancta madre Iglesia cumpliendo y guardando los mandamientos de aquella, confesando sus pecados a su propio sacerdote vicario dando almosnas a cristianos pobres edificando capillas, guardando las fiestas mandadas por la sancta madre iglesia, todas las otras cosas que pretenescen a cristiano et assi fue e es verdat, tal es publica voz, fama en la dicha ciudat de Calatayut.

Item dize el dicho procurator que el dicho Johan Perez de Sancta Fe es hombre tonido en (pag. 46 vto.) reputacion de un loco (lugar) sulado varrio, assi en la parte de la ciudat ende del dicho Johan Perez no nunca alguna se ha et a si es verdat, tal es publica voz e fama.

Item dize el dicho procurator que el dicho Johan Perez puesto por caso licet non processo que el dicho su procurado huviesse dicho las palavras en el primer artiuclo que tendios es asaber pa que Dios nos havia dexado en question presuponiendo que non era Ihesu Cristo el que havia tomado muerte y passio por nosotros, las quales palavras verdaderos fuessen lo qual no le acuerda ni lo confiessa las dixo con locura y no por que assi lo creyesse ni lo crea et assi fue y es verdat et tal de lo sobredito es publica voz e fama.

Item dize el dicho procurador que e dicho Johan Perez ha mas de quatro o IIIII annyos que sta enfermo de muchas passiones de su persona, assi de vezes como de otras enfermedades et assi fue y es verdat que tal de lo sobredito es publica vez e fama.

(pag. 47) Item dize el dicho procurador que las palavras quontenidas en el clamado tercero, quatro y detzeno testimonios es asaber en quanto dize que el anima de buen judio va a paradisso y que no hay paradisso ni infierno sino nacer e venyr en esta vida presente son contrarios en su clamada de possae e puesto por cosa que los huviesse dito licet confesso las dixo no sabiendo en su sesso et assi fue y es verdat y tal es publica voz e fama.

Item dicit dicto procurador que las palavras conocidas en el seteno testimonio es asaber que oyo dezir "goym" las quales puesto por rason que el las huviesse dicho las dixo no estando seso ni le recuerda el haverlas dicho y assi fue y es verdat y tal es publica voz y fama.

Item dize el dicho procurador que el dicho Johan Perez de Fariza ha trenta siete o trenta y ocho anyos que es vezino morador e habitant en la ciudat de Calatayut, e vivie e mora en aquella, e ha venido todo el dicho tiempo en ella, por lo qual quanta el onzeno testi clamado testiosen falso e assi fue y es verdat y tal es publica voz e fama.

(pag. 47 vto.) Item dize el dicho porcurador que las ocsas sobredichas fueron eran e son vedaderas e son verdat. Et ttal es la publicca voz e fama en la dicha ciudat de Calatayut donde el dicho don Johan Perez notra alguna se ya.

(pag. 52) (no fecha) Egidius de Magallon, notarious et procurador predictus estans et presenerans in omnibus et singulis de sup dicti proposit etallegat ... ex primere ad speciem decendendo dat et offert partiem conradictum informa e modum sequitem supplicando eim admiti:

Et primo dicit dictu procutador que el dicho llamado testimonio deposante como el dicho Johan Perez de Fariza et tal, y tal, desputando de las leyes de los jduios concluyeron que no sabian qual era mejor pero que fiziesen bien y que Dios les daria bien. El qual testigo es fallsso por quanto el dicho Johan Perez no se (pag. 52 vto.) acuerda haver dicho tal en ningun tiempo pora quanto siempre ha creydo e creye e ha benido e bine en la unidat de la sancta madre yglesia. Et puesto caso licet no concesso que fuesse verdat haver dicho las tales palvras en la dicha llamada deposition consevidas no las ha dicho con animo ni intencion de defenderlas ni cree en ellas ni las defiende ymo credit e lo que la sancta mater ecclesia credit e fices eius est fides ecclesie en aquella quiere binir e morir, es apeiado estar ala determinacion de aquella.

Item dicit dicte procuratoris que el dicho Johan Perez es vario e ha acostumbrado disputar y favlar con ignorancia muchas palavras desconcertadas no con animo pertinaz et ita est publica voz et fama.

Item dize el dicho procurador que a fin y efecto e informar los animos de vuestras reerendas paternidades prodize a los dichos, tal y tal, nombrados en la llamada depsicion e pa provacion de su poder (pag. 53) de los quales supplico se quiera informar por su officio a la relacion de los quales se refiere el dicho denunciado.

Item dize el dicho procurdor que el dicho denunciado se recela por enemigo et mal querencia que con el tenia que haver deposado contra el los dos hermanos Alcalayes, judios de Fariza, Lezar Hazay e Brahem Hazay, ffardacho, de lo qual supplica se queran exino officio mandarsse infirmar e esto les intima pa informacion de sus conçencias.

Item dize el dicho procurador que acerqua la llamada deposicion del tercero testigo supplica a (pag. 53 vto.) vuestras reverencias se queran informar de la verdat de los que estavan presentes ques el testigo dize que era en el mercado y tiniendo grandes gendeneros (tenderos) donde es cierto no estavan solos.

Las quales cosas suso dichas dat et offert el dicho procurador supplicando las quieran mandar admeter vuestras reverencias paterniddes pa informacion de los animos de aquellas e pa que mas clarament vean la verdat del dicho denupniado.

Las personas de quien el dicho denunciado se sospecha que por odio han deposado contra el son los infrascriptos: primo Lezar Hazay, judio, Brahem Hazay, Ffardacho, los Alcalayes de Fariza, Vicent Marquo, Bartholome Marquo, Agostin Marquo.

Item las personas circunstantes de los quales se faze mencion en el tercero testigo que dize fue een el mercado en presencia de tal y tal.

Item al tal y tal que dize este testigo es Pedro de Sayas.

TESTIGOS DE LA DEFENSA Y A FAVOR DEL ACUSADO.

(Pag. 58) Testes recepti por parte Johannes de Fariza. Calatayubii.

- Honor Anthona de Funes, muger de Jayme de Funes, viuda habitant en Calatayut, testimonio por parte de Johan Perez de Fariza, preso, criada, jurada.

Et primo dize que conoce a Johan Perez de Fariza, preso de vista y pronta que ha tonido con el pro que es su vezino y que no es su pariente y dize que lo conoce de trenta y cinquo anyos a esta parte.

Sup primo articulo dize que es verdat que del suso dicho tiempo aqua por muchas vezes y quasi comun ha visto como el dicho Johan Perez de Fariza yva a nusa t a biespras a Santo Domingo desta ciudat de Calatayut y lo veya estar alli muy devoto como catholico cristiano y dize que le ha visto dar limosnas a pobres cristianos muchas vezes y que era publica fama en su vezindado como el dicho Johan Perez era buen cristiano.

Sup secundo articulo dixi que nunqua le vio fazer locuras ningunas.

- (pag. 58 vto.) Catherina de Heredia, vidua testis por parte Johannis de Fariza.

Sup primo articulo dize que conoce a Johan Perez de Fariza de Vista y dize que ha que lo conoce cerqua de quarenta anyos y dize que es verdat que lo ha visto muchas vezes estar en misa y en biespras faziendo su oracion ocmo los otros cirstianos y que algunas vezes le vio dar limosnas a pobres cirsitanos.

(pag. 59) Sup secundo articulo dixi que es verdat que en esta ciudat es tonido en fama y opinyoon de hun sbre vario fablador por que nunqua lo vio fazer locura ninguna que otro no sabe.

- Angelina de Sancta Curz, vidua muger de Johan Daça, habitante en Calatayut, testimonio.

Sup primo articulo dize que conoce de vista a Hohan Perez de Fariza en el articulo nombrado y que ha que lo conoce vinte anyos poco mas o menos y dize que lo ha visto estar algunas vezes en misa en santo Domingo y en Sancta Maria y que ha oydo dezir que es buen ciratiano.

(pag. 59 vto.) Sup secundo articulo dixit que es verdat que es fablador mucho y esto sabe porque lo ha oydo dezir.

- Mossen Thomas Jayme, alias de Magallon, vicario de la Yglesia de sennor Sancto Domingo de la ciudat de Calatayut, testimonio por parte de Johan de Fariza, preso.

Sup prkmo artiuclo de la cedula dada por prate del dicho Johan Perez y dize que es verdat que conoce a Johan Perez de Sancta Fe, alias de Fariza, de vista y pratica que ha tonido con el de trenta anyos a esta parte ydize que lotiene por buen cristiano y esto (pag. 60) por que del dicho tiempo aqua lo ha visto muchas vezes estar en missa viespras como los otros catholicos cirstianos y ha visto confessar muchas vezes y comulgar con el vicario de su yglesia y que le ha visto dar mcuhas limosnas a pobres cirsitanos y abacines y que vio como ayudava y dava dineros pa fazer hun retable en Sant Pedro martir y que le ha visto guardar muchas fiestas de cristianos assi como domingos pascuas dias de nuestro senyora y esto sabe porque lo veya en tales dias folgar y desto a oydo tal fama en la presenteciudat y mas dize que los sabados asi mesmo le vio que no fazia cosa ninguna.

Sup secundo articulo dixit que es verdat que lo tienen al dicho Johan Perez en esta ciudat por loco y esto porque se yva sisputando por las plaças y calles desta ciudat y que fazia muchos corros de gentes y de aquello se rreyan en esta ciudat muchos y que es muy fablador porque no porque le haya visto fazer otras locuras este deposante al dicho Johan Perez y lo suso dicho sabe por que lo vio.

(pag. 60 vto.) Sup quarto articulo dixit que ees vierdat lo contenido en el dicho articulo y este sabe este deposante porque lo vio estar doliente al dicho Johaqn Perez de Fariza en el tiempo en el articulo nombrado y mas.

- Honor Loys Albarez, cutrero habitant en Calatayut, testimonio por parte de Johan Perez de Fariza preso produzido presentat citado jurado ex juramentum interrogatus e respondit se°uitur:

Sup primo articulo dixit que es verdat que conoce a Johan Perez de Fariza desta ciudat de vista porque dize que antes que fuese este deposante seite anyos a Castilla lo vio al dicho Johan Perez de Fariza en esta ciudat (pag. 61) y empires este deposante fuese a Castilla y ha estado alli quarenta anyos poco mas o menos y que ha hunos doze anyos que vino y que despues aqua assimesmo ha visto al dicho Johan Perez en esta ciudat y dize que de los doze anyos que esta parte ha visto este deposante muchas vezes al dicho Johan Perez en misas oficiosy vispras como los otros cirstianos y dize que le ha visto dar limosnas a pobres cristianos y que ha visto que no fazia cosa ninguna en los domingos ni fiestas de la yglesia ni entre semana tampoco y que no sabe que aya fama en la ciudat que el dicho Johan Perez sia bueno ni malo.

Sup secundo articulo dixit que no sabe que sia loco antes lo tiene por hombre cuerdo y de buen seso y que nunqua huyo dezir que duese loco ni tal fama nunqua huyo en esta ciudat que fuese loco.

- (pag. 61 vto) Frater Micael de Muniebrega, insatra pagina magister ordino predicatorium, habitant civitas Calatayut, testio pro parte Joahnnis Perez de Fariza, captivi citat.

Sup primo articulo dixit seyer verdat que conoce a Johan Perez de Fariza en el articulo nombrado de vista porque yva y venia a la yglesia de sant Pedro Martir desta ciudat con otros cristianos acostumbran de venir al officio divino y dize que es verdat que le ha visto yr a missa y estar en aquella como buen cristiano segunt este deposante veya y le veya offrecer en la misa y encara fazer limosna particular a daquel que dizia la misa y que sabe y vio en el dicho Johan perez fizo en dias passados limosna a la dicha yglesia de sant Pedro Martir (pag. 62) y assi mesmo ha fecho muchas limosnas a fraures en dias de todos los Santos y esto sabe porque lo vio.

Sup segundo articulo dixit seyer que este deposante tiene al dicho Johan Perez por vario y fablador y esto porque muchas vezes a oydo dezir a mcuhas personas desta ciudat cuyos nombres no le acuerdan que el dicho Johan Perez dispensava con judios y cristianos y que dizia muchos desvarios diziendo lo que no entendia.

- Petrus de Morlanes, in sacta Tehologia magister ordinis predicatorum, habitate civitas Calatyubii, testis pro parte Johannis Perez de Fariza, captivi citat.

(pag. 62 vto.) Sup primo articulo dixit seyer verdat que conoce a Johan Perez de Fariza preso en el articulo nombrado de vista y pratica que ha tonido con el y dize seyer verdat que sabe que es buen cristiano en lo que este deposante ha visto porque muchas vezes de XXXV anos a esta parte el dicho Johan Perez ha ydo a misa a la dicha yglesia y le veya estar en aquella como a buen cristiano y dize que es verdat que este deposante lo ha confesado huna vigada y dize que es verdat que le ha visto dar limosnas mcuhas vezes al dicho Johan Perez a pobres cristianos y que en lo que este depsante ha visto la tiene por buen crstiano y que en lo que este deposante a oydo esta en oposicyon de buen cristiano en esta ciudad.

Sup segundo articulo dixit que es verdat que el dicho Johan Perez de Faria era hun fablador y dizia muchas palavras en el ayre y que es vario y este sabe que le dizia a este deposante agora huno y otro dia y la de otro parecer que por tal es toenydo en esta ciudat.

- (pag. 63) Honor Maria Sabastian, muxer de Francisco Guillen, labrador habitant en la villa de Torralba, aldea ciudat de Calatayut, testis pro parte Johannis de Fariza pre dicta et previata jurata, et per indem possuit yt sequitur:

Sup primo articulo dize que conosce bien al dicho Johan Perez de Fariza presso por quanto estuvo moça en su casa dos anyos como mas o menos e ha que sallio de alli ocho anyos poco mas o menos en el qual tiempo que stuvo en la dicha casa vio al dicho Johan de Fariza estar e oyr misa muchas de vezes y fazia yr a misa a esta deposant, que le vio dar limosnas a pobres y asi mesmo esta testimonio algunas vezes por su mandamiento dava limosnas a pobres y guardar las fiestas de los cristianos por las quales cosas lo tuvo e tenia por buen e fiel cristiano.

Sup IIII articulo de voluntare propis dize que en el dicho tiempo qustuvo en su casa el dicho Johan Perez de Fariza le vio que estava enoxado de mcuhas dolençias de su persona e la mutacion del tiempo le aya cuidar (pag. 63 vto.) et dar velezes grandes e comer carne en las quaresmas y en otros dias de tal mol comio era viernes y sabado y que los mas tiempos faziendo huviendoestava en el lecho que no se levantava.

- Honor Dominicus Latorre, estudens habitator civitas Calatayut, testis por parte Johannis de Fariza, captivi pre dictus presentat.

Sup primo articulo prime cedule respondit e dixit que conoce a Johan Perez de Fariza preso que esta por la sancta inquisicion de vista y pratica que ha tonido con el porque estando huna madrastra deste deposante en servicio del dicho Johan perez este deposante yva y venia muchas vezes a casa del dicho Johan Perz de Fariza y que por (pag. 64) esso lo conoce y dize que es verdat que el dicho Johan Perez de Fariza es bueno y catholico cristiano en lo que este deposante ha visto y esto sabe porque lo ha visto este deposante yr muchas vezes al dicho Johan Perez de Fariza a misa y a vispras y estar en aquellas devotamente, como catholico cristiano en lo que este deposante ha visto y le ha visto dar limosnas a pbres cristianos y mas dize que a oydo dezir a maestre Morlanes, frayre de predicadores que el dicho Johan perez de Fariza les havia dado dineros pa el monasterio y assi mesmo dize que le ha visto guardar las fiestas mandadas por la sancta madre yglesia y que en lo que este deposante ha visto el dicho Johan Perez es bueno y catholico cristiano y por tal lo ha tonido este deposante y tal fama a oydo en esta ciduat que el dicho Johan Perez es bueno y catholico cristiano.

Sup secundo articulo dixit seyer verdat que ha visto indo y vinyendo a casa desde deposante del dicho Johan Perez vio como algunos gentiles hombres venian a tomaser lazer con el dicho Johan Perez porque nunqua fazia (pag. 64 vto) sino fablar y veya este deposante como el dicho Johan perez dizia algunas palavras que agora no le acuerda que no concertavan las hunas con las otras y de aquello sereys lo que alli sefallarian con el y este deposante lo tenia en opinyon de hun vovo porque agora dizia huno y luego dizia otro.

Sup IIII articulo respondit e dixit que en el tiempo de presente de arriva dicho de los dichos ocho anyos que este deposante yva y venia a casa del dicho Johan Perez de Fariza las mas vezes en este tiempo este deposante le veya enojado y con mucha passion en lo que este deposante veya y es hombre harto vieio.

(pag. 65) Sup octavo articulo respondit e dixit que lo dicho por el de parte de suso es verdat.

Sup primo articulo secunde cedule responde que nunqua le huyodizir las palvras en el articulo contenidas en todo el dicho teimpo antes bien dize que lo ha visto vinir como bueno y catholico cristiano por las causas en el primer articulo de la primera cedual contenidas.

Sup secundo articulo respondit 3e dixit que es verdat que le ha visto muchas vezes de present con algunos senyaladamente con hun bachiller desta ciudat llamado Perruqua, vio como se tomava adisputar con el y vio como dizia en la disputa agora huno e luego otro demanera que conocia este deposante que desvariava.

- (pag. 65 vto.) Honor Petrus Ferrer, notarius habitator civitas Calatayubii, testis pro parte Johannes Perez de Fariza predictus et juravit et interrogatum et por juram entimo e posueti per ut sequit.

Preguntado este testimono sobre el primero articulo dize que conocsce a Johan Perez de Fariza de conversaçion e ha tendio con el se amiçiçia e por ser vizino suyo en que lo conosçe de vinte anyos aesta parte del qual tiempo aesta parte lo ha visto vinir como biven cristiano et lo ha tenido en tal reputacion por quanto mcuhas de vezes lo ha visto oyr missa en las yglesias e fazer diario et dar limosnas a pobres cristianos y que algunas vezes a intercesion deste testigo le vio dar a pobres cristianos oras dineros oras tirgo por limosnas et que algunas vezes estando enoxado el dicho Johan Perez de Fariza en el lecho se fallo presente este testigo vio que recibio el corpus domini.

Sobre el segundo articulo dize que no sabe de cierta sciencia cosa ninguna sobre que (pag. 66) ha huydo dizir que tres anyos a esta parte a Asensio Munyoz que Dios haya a Miguel Perea y a dalgunos otros que el dicho Johan Perez de Fariza era un loco desvariado que no ffazia sino desputar de cosas que no sabia.

In sobre el quarto articulo dize que lo comentado en el dicho articulo quarto ser verdat poruqe assi lo ha visto.

Super quinto e sexto articulis dize no saba cosa ninguna.

Sup septimo articulo dize que abia unos vint e quatro annos poco mas o menos qui consce al dicho Johan Perez de Fariza habitador et morador de la dicha ciudat de Calatayut.

Interrogado este testimonio sobre todos los otros articlos dize no sabe cosa ninguna mas de lo que de suso dicho es depsoado ha.

- (pag. 66 vto.) Honor Anthonius Gomez, estudien habitant civitas Calatayubii, testis por parte Johannis Perez de Fariza.

Sup primo articulo dize que conoce a Johan Perez de Fariza preso que esta por la sancta inquisicion de vista demas de vintre anyos e dixit e nihil cree de certa sciencia salvo que lo tenia por cirstiano al dicho Johan Perez.

Sup secundo articulo dixit que es verdat que le ha visto muchas vezes este deposante al dicho Johan Perez de Fariza disputar de la biblia y dizia muchos desvarios los quales no le acuerda a este deposante, que era muy grant fablador acerqua de lo de la biblia, que queria mucho disputar y en tal fama estava en esta ciudat de seyer favlador pero que nunqua le vio que fiziese tales locuras pa que se dixiese seyer loco salvo quanto adaquella especie de querer mucho desputar de la biblia.

(pag. 67) Sup quarto articulo dixit fore lo contenido in articulo y esto sabe este deposante porque lo vio estar doliente en su casa del teimpo en el articulo contenido y que nunqua lo ha visto en este dicho tiempo andar por la ciudat.

Sup VII articulo dixit que es verdat que de vinte y hun anyo poco mas o menos a esta parte queste deposante ha que conoce al dicho johan Perez de Fariza lo ha visto estar y habitar en esta ciudat continuamente.

- (pag. 67 vto.) Honorabilis Petrus de Sayas, habitant civitas Calatayubii, testis por parte Johannes Perez de Fariza, captivi predictus et juravit et interrogavis et por juram entimo e posueti per ut sequit.

Preguntado este testimonio sobre el primero articulo dize no saber cosa ninguna.

Preguntado este testimonio sobre el segundo articulo dize que conosce al dicho Johan Perez de Fariza de la ciudat de Calatayut de quinze anyos a esta parte, senyaladamente de quatro anyos a esta parte que continuamente ha fecho residencia quontinua en esta ciudat. Et dize este testimonio quel dicho Johan Perez de Fariza es hombre desvariado et dize muchas necesidades esto dize sabe este testigo por quanto lo ha tenido por vezino e de present esta la casa deste testigo enfrente con la casa del dicho Johan Perez de Fariza y teniendolo por vezino muchas vezes el dicho Johan Perez de Fariza estando a su puerta este testigo y Johan Munyoz Marcilla y Ferrando de Funes y algunos otros quitavanse en tal dicho Johan Perez de Fariza e preguntavanle del advenimiento de nuestro senyor y de otras muchas cosas dedudas por burlase del y el dicho (pag. 68) Johan Perez de Fariza respondia a los dichos que le preguntavan de manera que no sabia lo que se dizia antes dizia desvarios acerqua las preguntas que le fazia de forma que este testigo y los otros toman mucho alazer e se reyan de lo que respondia.

Interrogado que eran las cosas que les preguntavan y el dicho Johan Perez de Fariza que es lo que respondia, dize este testigo que no le acuerda.

4.   Johannes Munyoz de Pamplona, habitant civitas Calatayubii, testis.

Sup primo articulo dixit que es verdat que conoce a Johan Perez de Fariza preso que esta por la sancta inquisicion de vista y pratica que ha tonido con el.

Sup secundo articulo dixit que es verdat que el dicho Johan Perez de Fariza es vario y ligero de seso y esto sabe este deposante porque habitado con el y lo fazia sallir de soso quantas vezes queria assi este deposante como otros (pag. 68 vto.) desta ciudat y se ponia a disputar de la biblia con otras y se creya de lo que dizia y esto sabe este deposante porque lo vio.

Sup quarto articulo dixit que es verdat que lo ha visto muchas vezes doliente y quexando de dos o tres anyos a esta parte.

- Honor Tomasus Jacobi, alias de Magallon, vicarius santi Doninici civitatis Calatayubii, testis ad instancia por parte dicti Johannis Perez de Fariza, citat predictus (pag. 69) presentatis juravit, per juramentum interrogatus ut sequit de posuit:

Et fuit interrogatus sup contentis in septimo articulo admisso in alias de posiciones facta per istum testem e hoc propter inadvertenciam, e dicto articulo los sequit deposuit,dize este testimonio que ha trenta annos que este testimonio es vicario de la dicha yglesia de sanct Domingo de la ciudat de Calatayut, ento el qual timpo de trenta annos ha conocido al dicho Johan Perez de Fariza fer vezino de Sancto Domingo desta ciudat y parroquiano de Sancta Maria de media villa y habitant morar en la presente ciudat et hoc por juramentum.

INTERROGATORIO DEL FISCAL AL ACUSADO.

(Pag. 77) Die XII septembris anno M CCCC LXXXVIIII. Calatayubii.

Eadem die el reverendo sennor mastre de Alarcon inaquisidor procedio a tercera interrogacion de Johan Perez de Fariza, preso, de los crimenes de heregia denunciado el qual ante todas cosas juro a Dios sobre la cruz y los sanctos quatro evangelios por sus manos manualmente tocados y revencient mirados y por el fue interrogado y respondio como se sigue:

Et primo fuit interrogadtus si guardo el sabado fiestas o pascuas de judios, si dayuno o dayunos de quipur de la reyna ester del pedimiento de la casa sancta o otros dayunos, dado olio a la sinoga dado para la çedaqua o fecho otros ritus o cerimonias judaycas generalter todo lo nego por juramento.
Interrogado sobre los ditos de los testigos los quales de palabra a palabra por el dicho sennor inquisidor le fueron leydos dixo que negaba como de vecho nego todo lo contenido en los dichos testigos hoc per juramento.
Fue preguntado por el dicho sennor inquisidor a çerca lo que havia quonffessado sobre (pag. 77 vto.) lo de la bolsa y de la muerte del inquisidor respuso que lo que havia dicho y conffessado ante el reverendo mastre Martín Garcia era la verdat y que a daquello se referia por juramentum.
Testimonios fueron presentes Bernanrdino Montañes, alguazil deste Sancto Offiçio y Mossen Domingo de Sena, clerigo familiar del reverendo sennor inquisidor.
Et fecho lo sobredifho el dicho sennor inquisidor amonesto al dicho Johan perez de Fariza por prima, segunda y terçera moniçion, rogandole y requiriendole con la passion de Dios que el quisiesse dezir la verdat de los yerros heregias y crimenes por el cometidos e si assi lo hiziesse estava puesto y aparexado de usar con el de misericordia. En otra manera que pretestava como de fecho protesto contra el de usar del rigor que por los drechos es ordenado y requirio a mi Martin Perez de Quinto, notario del (pag. 78) dicho sancto offiçio que de lo sobre ditho fiziesse acto publico, y el dicho Johan Perez de Fariza respondio que lo por el dicho y conffessado es l verdat y lo otro que ha negado no es verdat.

TESTIGOS QUE DECLARAN A INSTANCIAS DEL FISCAL Y CONTRA EL ACUSADO.

(Pag. 84) Die XIIII febroari anno M CCCC LXXXVIIII.

- Eadem die coram reverendo domino fratre Micaelle de Monterrubio inquisitorie comparvit magister Dominicus Fusteris, habitato civitas Calatayubii, citat per edictum qui juravit imposse dicti domini inquisitoris pre Deum sup crucem domini nostri Ihesu Cristi e sup quatuor sacro sancti quatuor evangelia crucen o posita susque propis manibus corporaliter tacta per diceret omniodam veritatem quis juramentum repndit e dixit inmodum qui sequitur:

Dize este deposante que havra hun anyo poco mas o menos estando este deposante en la yglesia de sancta Maria la mayor de media villa oyo dezir este deposante a hun lavrador, cuyo nombre no sele acuerda, que dixo a huno llamado Johan Perez de Fariza oyamos esta quonfesion demisa y el dicho Johan Perez de Fariza respuso y dixo ya ende huy ayer huna. (pag. 84 vto.) Testes: Johannes Perez, notarius, e Dominicus Egidi, portarius.

- Eadem die coram reverendo dominus Martinus Navarro, inquisitor predicto comparvit Jaco Habayut, judeus habitant ville de Fariza, qui juravit per Deum e decem precepta legis Moysi qui diceret omnydam veritate (pag. 85) de hiis que ciret e sup quibus interrogatus esset in tota presentem cansam qui per juramentum respondit e dixit inmodum qui sequitur:

Dize este deposante que havra trenta anyos poco mas o menos estando y habitando en la villa de Hariz huno llamado Johan Perez de Sancta Fe, alias de Hariza, que agora bive en Calatayut, hun judio llamado Huda Avayut, padre deste deposante, muchas y diversas vezes en el tiempo de la pascua del pan cencenyo de los judios y dentro la dicha pascua enbiava al dicho Johan Perez de Sancta Fe pan cançenyo turrado y alcahalillas, las quales le levavan a las vezes este deposante y a las vezes hun hermano suyo llamado Açach Avayut, seyendo judio y seyendo cristiano Pedro Albarez, e passada la dicha pascua del pan cancenyo de los judios la nothe que la dicha pascua sallia el dicho Johan Perez de Sancta Fe, embiava a casa (pag. 85 vto.) del padre deste depsante pan liendo y verdura, el qual pan y verdura levant ciertas moças del dicho Johan Perez, cuyos nombres a este deposante no le acuerdan. Testes: venerabiliter frater Micael German, prior ville de Cetina e Johannes Mrtinez, notarius habitant en Calatayut.

Die XVIII augusti anno M CCCCC LXXXVIIII apud loci de Belmont.

- Eadem die coram reverendo domino Martino Navarro inquisitor comparvit Johana de Fuentes, uxor Justi Cortes, habitant loci de Torres, testis citata per edictum qui juravit imposse dicti (pag. 86) domini inquisitoris per Deum sup crucem domini nostri Ihesu Cristi e sup quatro sacro sancti quatuor evangelia crucen o posita susque propis manibus corporaliter tacta per diceret omniodam veritatem quis juramentum repndit e dixit inmodum qui sequitur:

Dize esta deposante que havra dos anyos poco mas o menos por tiempo de tres anyos que esta deposante estuvo en casa de Johan Perez de Sancta Fe alias de Fariza, que agora esta preso por la inquisicion, vio que el dicho Johan Perez de Sancta Fe, alias de Fariza y su fijo, Johan Perez de Sancta Fe, que es yerno de micer Johan de Nueros, en dias de sabado estando sanos comian carne.

Item dize esta deposante que en el mismo tiempo vio que el dicho Johan Perez de Sancta Fe, mayor, en los dias de sabados jamas queria que ninguno negociase con el y vio mas que en dia de sabado le truxiesen dineros de alguna penssion de sus censsales o (pag. 86 vto.) o de otra cosa no los queria recebir en los dichos dias de sabado y vio esta deposante que el dicho Johan Perez de Sancta Fe, mayor preso, en los dias de domingo negociava y recibia dineros sin empacho alguno, lo que en los dias de sabados rehusava hazer segunt dicho ha. Testes: magnifficus Franciscus de Contamyna, locus alguazirii, e Johannes Martinez, notarirus habitant en Calatayubii.

(pag. 87) die XI junii anno M CCCC LXXXVIIII. Calatayubii.

- Eadem die coram reverendo domino Martino Garçie, inquisitor comparvit Yuçe Azarias, judeus aliame judeorum calatayubii, testis qui juravit per Deum e decem precepta legis Moysi qui diceret omniodam veritate de hiis que ciret e sup quibus interrogatus esset in tota presentem cansam qui per juramentum respondit e dixit inmodum qui seguitur:

Dize el presente testimonio deposante que puede haver seys anyos poco mas o menos que estando el presnete testimonio en hun huarto de johan Lopez Coscollan y presente el dicho Johan Lopez, favlando de las leyes huno llamado Johan Perez de Fariza preso por el officio de la Sancta Inquisicion dixo a este deposante que andamos hunos por aqua, otros por alla ya sabemos que la Ley de Moysen fue la primera y aquella es la que vale y assi entramos los dichos Johan Lopez Coscollan y Johan Perez de Fariza se tomaron a reyr de lo sobre dicho. (pag. 87 vto.) Testes: dominicus de Senya, clerigus e Guallardus de Cardesa, familiares dicti reverendi domini inquisitor.

Die XXV Januari anno M CCCC LXXXVIIII. Calatayubii.

- Eadem die coram reverendo domino Martino Navarro inquisitor comparvit Berenguarius de Fant Angel, notarius vivient civitas Calatayubii, testis citata per edictum qui juravit imposse dicti domini inquisitoris pre Deum sup crucem domini nostri Ihesu Cristi e sup quatro sacro sancti quatuor evangelia corcen o posita susque propis manibus corporaliter tacta per diceret omniodam (pag. 88) veritatem quis juramentum repondit e dixit inmodum qui sequitur:

Dize que empo passado quando vivia Simon de Sancta Clara y este passeando por el mercado desta ciudat vio al dicho Simon y a otro hombre que se clama Johan Perez de Fariza que estavan asentados en hun vanquo este deposante llego a ellos y vio que estavan fablando en ebrayco y dixo el dicho Simon al dicho Johan Perez, digamos hun "pizmon" e tomaronse a cantar baxo en ebrayco que dizia o que no nolose ni entiendo tal lenguaje. Testes: Johannes Perez et Jonnes Torrejon.

INTERROGATORIO AL ACUSADO POR PARTE DEL FISCAL

Die XXV octobris anno M CCCC LXXXVIIII. Calatayubii.

(Pag. 90) Eadem die reverendus dominus Martinus Egarsie inquisitor juxta vota e prudençium pressit ad quartam interrogacione exartaçionem e moniçionem Johannis Perez de Fariza, deuniciati qui ante onna juravit inposse dicti reverendi domini inquisitoris ad dominum Deum et eius facro Sancta quatuor evangelici fuis propiis manibus corporaliter tacta et reverenter inspecta dicere veritatem onni fuçione post posita e perjurii fuut interrogatus et respondit in hunc modum:

Preguntado si dio almosna a judio ma çedauqa dixo que nunca la dio por juramentum.

Preguntado si a dayudano el dayno de quipur o otros daynos judaycos dixo que nunca tal fizo per juramentum.

Preguntado si dixo se podia salvar el judio como el cristiano dixo que el pudo dizir y cre que dixo que tambien se podia salvar el judio ocmo el cristiano si se tornava cristiano mas no de otra manera, per juramentum.

Preguntado si dixo que assi moria el hombre como un gusano dixo que nunca tal dixo sino que alugnos traydores gelo havian levantado, preguntado si tiene algunos enemigos dize que no sino alguno que lo querran mal (pag. 90 vto.) por invidias o malenconias y que el sepa no tiene enemigo ninguno, per juramentum.

Preguntado si ha comido pan çançeno en el tiempo de la pascua de los judios dixo que nunca comio pan cançeno en el tiempo de la pascua de los judios empues de la pascua de los judios dixo que si que algunas vezes lo ha comido e hoc per juramentum.

Preguntado si dio dineros para olio a la sinoga dixo que nunca tal dio por juramentum.

Et fue preguntado generalmente de todas las cerimonias judaycas las quales le fueron speçifficadas, dixo que nunca cayo ni fizo cosa ebrayca, per juramentum.

Pregungado si sabe de algunas personas que haxan judayzado dixo que no per juramentum.

- 342 -

Et incontenenti ffecho lo sobredicho el dicho (pag. 91) reverendo inquisidor amonesto por primera, segunda y terçera moniçion canonica y con Dios y con sus Satos al dicho Johan Perez de Fariza denunçiado que el quisiesse dezri y conffessar sus hereticas y pastaticas errores casi el assi lo hiziesse y con buena contricçion viniesse el estava presto y aparexado de le reçebir con mucha clemençia y misericordia. En otra manera el dicho Johan Perez de Fariza denunçiado el contrario faziendo dixo que protestava como de fecho protesto ocntra el de usar de todo el rigor del drecho de todo lo qual requirio y mando a mi Martin Perez de Quinto, notario del dicho Sancto Offiçio haziesse y testifficasse acto publico uno y muchos y tantos quantos fuessen nuestros. Et el dicho Johan Perez de Fariza denunçiado respuso que estava en lo por el dicho y conffessado y que aquella era la verdat y no otra per juramentum. E yo dicho Martin Perez de Quinto, notario, instado y requerido presentes y assistentes. Los prime nombrados testimonios testifiquen acto publico yno y muchos.

Die VIII novembris anno M CCCC L XXX VIIII. Calatayubii.

(pag. 92) Eadem dei los sennores Alfonso Delarcon e maestre Martin Garcia, inquisidor amonestaron a Johan Perez de Fariza, preso, que esta por la Sancta Inquisición em presencia de su fijo Johan Perz de Hariza que huviese de dezir la verdat de lo que se le prueva y assi mesmo el dicho su fijo le amonesto y le rogo con Dios que dixiese la verdat y que fi lo hazia que lo tractaria con mucha misericorida y assi lo amonestaron por huna dos y tres vezes sy que huno lo hazia que lo tractarian segunt el frecho canonico lo dispone el qual dixo que no sabia ni se le acordava mas de lo dicho y conffessado por el y que otro no sabe ni otro puede dizir.

Pregutnado si sabia de otros dixo que no sabia cosa ninguan. Testes: Mosen Vicent Desenya, Mosen Abthon navarro, clerigo, Bernardino Montanyes, alguazir et Anthon Delanyel, nuncio habitant en Calatayut.

NUEVOS TESTIGOS EN CONTRA DEL ACUSADO TOMADOS CON ANTERIORIDAD.

Die XXXI marcii anno M CCCC L XXX VIII. Calatayubii.

- (pag. 102) Eadem coram reverendo domino Martino Navarro, inquisitor comparvit Çalema Abenardu, judus habitant aliame judeorum civitas calatayubi, qui juravit per Deum e decem precepta legis Moysi qui diceret omnydam veritate de his que ciret e sup quibus interrogatus esset in tota presentem cansam qui per juramentum respondit e dixit inmodum qui sequitur:

Et primo dize este deposante que havra quantro anyos y de entonces a esta parte estando este depsante por el mercado se llegava a el huno llamado Johan de Fariza el bieio, que mora en el mercado (pag. 102 vto.) de Calatayut el qual Hohan de Fariza dizia a este deposante que fas judio a "quinze detressi" que quien dizir mes tresi teneys cinquot quiere dizir "pascua de cabanyuelas" y otras fiestas de judios, las quales dizia muy bien en que tiempo eran y que rezava ay los idichos en ebrayco que los judios rezaban en aquellas fiestas. Testes: Johannes de Torrejon e Dominicus Gil, nuncii sancti inquiscionis habitantis civitas Calatayubii.

Die X mensis Aprilis anno M CCCC L XXXX VIII. Calatayubii.

- Eadem die coram domino Micaelle de Monterrubio, inquisitor comparvit Ruben Alvalit, judus habitant alime judeorum civitas Calatayut, testis ad instanciam procurator fiscalis (pag. 103) predictus presentais citat qui juravit per Deum e decem precepta legis Moysi qui diceret omnyodam veritate de hiis que ciret e sup quibus interrogatus esset in tota presentem causam qui per juramentum respondit e dixit inmodum qui seguitur:

Et primo dize este deposante que havra dos anyos poco mas omenos estando este deposante hablando en fariza con hun judio llamado Huda Avayut, vezino de la dicha aliama de Fariza, hermano de huno llamado Johan de Fariza el vieio que mora en el mercado de la ciudat de Calatayut, que era muy pobre el dicho judio dixo este deposante si faze que ahun agora çagueramente me ha embiado quatro varas de panyo y que despues este deposante vinose a la presente ciudat de Calatayut y notando gele este deposante a mucha bondat al dicho Johan de Fariza y penssando que el dicho Johan de Fariza el vieio se gloriaria mucho en dezirle este deposante el bien que faria dixo este deposante al dicho Johan de Fariza como devia de Fariza que su hermano Huda Avayut le havia (pag. 103 vto) dicho el panyo que le havia enviado dixiendole este deposante al dicho Johan de Fariza que merced havia en haverlo fecho y que el dicho Johan de Fariza dixo a este deposante mala pascua le de al loguo diziendolo por su hermano y dicho lo ha. Teste: Johannes Torrejon e Dominicus Gil, nunccii Sancti inquisicionis.

NO HAY SENTENCIA CONDENATORIA Y, POR CONSIGUIENTE, SI SE ENTERRO EN TIERRA SAGRADA.

PROCESO CONTRA ANTHON DE SANTANGEL, MAYOR DE DIAS, MERCADER DE CALATAYUD (DIFUNTO), ACUSADO DE JUDAIZAR (AHP, inquisición caja 12, N° 8).
COMIENZO DEL PROCESO: 13 de Junio de 1486.

TESTIGOS QUE DECLARAN CONTRA EL ACUSADO (TESTIMONIOS QUE INICIAN EXPEDIENTE DE ACUSACION).

(Pag. 1) Testes recepti contra Anthonius de Santangelo, hatitator Calatayubii.

Die XIII junii anno M CCCC LXXXVI.

- Eadem die coram domino inquisitore comparvit Garsias de Noviercas, habitant civitas Calatayubii, testis qui juravit per Deum sup crucem domini nosti Iheus Cristi qui diceres omnimodam veritatem de his que ciret e sup quibus interrogatus esset in tota presentem causam qui per juramentum respondit e dixit inmodum qui sequitur:

Dize seyer verdat que en el anno mas cerca passado del XXXV stando este deposante en casa de Anthon de Santangel de Calatayut, justicia que era a la sazon, oyo dezir este dixo Anthon de Santangel estas palabras o otri la verdat se sabra y el dicho Santangel respondio y cuerpo de Dios eran locos o havranse bebido el seso los conversos que lo havian de matar han le matado ellos diziendo de los cristianos de natura y ha lo muerto un labrador por que se estava con su mujer el dito mastre Epila. (pag. 2 vto.) Testes: Johan Donicus, notario et mastre Johan de Sancta Cruz, habiantes en Calatatayut.

Die XXX julii anno M CCCC L XXXVI. Cesaraugusti.

- Eadem die coram reverendo frater Micael de Monterrubio, inquisitor predicto comparvit Duenya, mujer de Jaco Enrodrich, judei aljame dudeorum habitants Calatayubii, testis citara ad instanciam procurator fiscalis predicum que juravit poer Dem et decem precepta legis Moysi e juravit dixit qui sequitur:
Et primo dize la dcha deposante que puede haver veynte annos poco mas o menos esta deposant stava fuida (por peste en la ciudad de Calatayud) por las muertes con su madre llamada Rica en companya de huna tia suya llamada Soli, mujer que fue de Mosse Catorze en el lugar de Vililla, e vio como la dicha tia suya judia llamada Soli embiava de los potages que para su casa guisava a una monga llamada Gostança de Santangel de la dende Sancta Clara del monesterio de la ciudat de Calatayut, la qual dicha monga morava en la (pag. 2) misma casa do la dicha Soli, judia tia desta deposante morava salvo que stavan aptadas cadauna a unas parte de la dicha casa que stava partida por dos partes y la dicha monga stava tambien fuida por las muertes. E mas dize la dicha deposante que oyo dezir no sabe a quien que el dicho potage era pa un ermano de la dicha monga, llamado Anthon de Santangel, el qual dicho Anthon de Santangel morava en Maluenda que stava alli fuido por las muerts empo venia muchas vezes el dicho Anthon de Santagel a ver la dicha Gostança de Santançel, monga ermana suya y asi dize la dicha deposante que lo passavan el dicho potage a consentimiento delos sennores Gostança e Anton de Santangel a su parecer, e que aquel potage era de Carabaças y que no sabe en que dia era salvo le paresce que era viernes e fuise carne la una vegada. Testes: Joannes de Torrejon e Dominicus Gil nuncii sancte inquisicionis.

Die XXVI augusti anno M CCCC L XXXVI.

- (Pag. 2 vto.) Pedro Sanchez, menor de Calatayud dixo ha oydo dezir publicamente en Calatayut que los confessos de Calatayut tenian bolsa contra la inquisicion e mas dixo que ha un anno poco mas o menos que oyo dezir a Benito Ram, mercader de Calatayut que ya le costava la bolsa treanta florines e mas yoyo dezir a Miguel Vines que si su cunyado Martin Clara havia entrevido en la bolsa quon Fernando Diaz era casusa que lo havia fecho. E mas que ha oydo dezir este deposant a su padre Pedro Sancho, mayor, que Alonso Diaz comia carne en quaresma stando fano y lo ha oydo dezir, e mas que se ha dicho publicament en Calatayut que eran diputados de la bolsa Martín Clara, Ferrano Diaz e Anthon de Santangel Martin Perez.

CONFESION DE ANTHON DE SANTANGEL, HIJO DE GARCIA DE SANTANGEL.

- Reverendos sennores padres yo Anton de Santangel fijo de Garcia de Santangel que me confiesso a vuestras reverendas paternidades de las culpas y pecados infrascriptos.

Primo e que he comido por muchas vezes por tiempo ha mas de setze annos ha, pan cenceno, rosquetas e tortellas (pag. 3) massadas con falsas, las quales comi sin cerimonia alguna judaica, ni ritu judaico de cuando perdon e lo ha ya confessado rrecebido provian e complidola demando a vuestras reverendas paternidades venia y perdon.

Die XXIIII Jannuari anno M CCCC LXXXVIII, infrascripti dicti coram reverendo domini fray Micaele de Monterrubio, inquisitore, compavit Antonius de Santangel habitant Calatayut, qui obtulis inscriptis supra dicta confessione et suplicando eam recipi, presto et incotntienen dictus confitens de dicti domini quiquisitoris mandamiento et in dictis posse et manibus juravit per Deum sup crucem et veritate dicti juramentum dixit contenta judicta confessione foreva et cumplibus non recodavit. Testes Johan et Petrus Torrejon.

Die XXVI jannuarii anno M CCCC L XXX octavo.

- Eadem die coram reverendo domino Martino Navarro, inquisitore comparvit Garsias Cortes, vicinus Calatayubii, qui esonerado eius constanzia juravit in posse dictum reverendus inquisitores per Deum sup crucem domini nosti Iheus Cristi qui diceret omnimodam veritatem de hiis que ciret e sup quibus interrogatus esset in tota presentem causam qui per juramentum respondit e dixit inmodum qui sequitur:

Dize este deposante que havra seis meses poco (pag. 3 vto.) mas o menos, fallando este deposante en el lugar de la Viluenya en su casa de Johan mercader Tecedor, veino de la Viluenya, fablando con el dicho deposant le dixo ven aca Joan por en vida que es de los conversos de Calatayut que tu algo sabras porque as stado judio e el dicho joan mercader le dixo senno no se sino esto que stando en casa de mi padre llamado Acrix (judío) muchos sabados el dicho mi padre me embiava a las casas de Gabriel Lopez y de (blanco) de Santangel, cuyo nombre propio no se le acuerda, con sendas e sendillas de hamin dava a los dicho Garbriel Lopez y (blanco) de Santangel es assaber una scudilla y del dicho Joan mercader lo enviaran y lo vio el comer e lo sabe. Testes: Joannes Torrejon e Petrus Torrejon, portarius.

Die V febroari anno M CCCC L XXXVIII. Calatayubii.

- Eadem die coram reverendo domini Michaele de Monterubio (pag. 4) inquisitore, comparvit Joannes Aznar, vicium loci de Maluenda, citatibus per dictu qui juravit in posse dominis inquisitoris:

Dize este deposant que oyo dezir a uno llamado Francischo Scudero e Joan Munyoz, vezino de aquesta ciudat, havra mes y medio poco mas o menos, quexandose de los fijos de Anthon de Santangel dixo el dicho Francisco a este deposant pues por Dios, Joan Gaston que moriendo el dicho Anton de Santangel lo encubriyo quanto pude e con todo dixo que le dixo un hombre el qual el bien conocia veamos Francisco, vuestro amo era cristiano o judio y el dicho Francisco dixo como porque quando el alma le quiso salir del cuerpo le oyo dezir una oracion en ebrayco. Testes: Joannes Perez, notario e Joannes Torrejon, portarius habitatoris Calatayubii.

Testis contra Antonius de Santangelo.

Die XV fabroari anno M CCCC LXXXVIII. Calatayubii.

Eadem die coram domino inquisitore et vicarius Egidius Trosera, testis qui jurait per Deum sup crucem domini nostris Ihesu Cristi per (pag. 4 vto.) qui diceret omnimodam veritatem de his que ciret e sup quibus interrogatus esset in tota presentem causam qui per juramentum respondit e dixit inmodum qui sequitur:

Dize que hoyo dezir a mastre Johan el Cantero que havia hoydo dezir a un cunyado suyo, que stando con Anthon de Sanctangel a la ora de su muerte havia dicho orancion en ebrayco el dicho Anthon de Sanctangel. Testes: Michael Boy et Joanes Martinez, notario.

Die XVIII febroarii anno M CCCC L XXX VIII.

Reverendos padres lo que yo Joan de Nueros he y puedo deposar por virut del juramento en lo de la inquisicion assi debivos como de muertos es lo que se sigue:

Assi mesmo he hoydo cezir a Anthon de Sanctangel que de Çaragoça havian venido el fijo de Joan Loppez y un fijo de Gostin de Sancta Cruz a casa de Ferran Loppez y venieron con letras de trehuca dreçadas a micer Domigo al dicho Anton de Santangel y pa han dineros de los conversos pa que traixessen (pag. 5) bullas empo si era pa esto o no quel no lo sabe, salvo que le dixo el dicho Anton de Sanctangel que los Diaz havian pagado quinze florines de oro a micer Domigo, porque demandaron a Johan Martinez a Benito Ram y a Joan Perez de Fariza e otros muchos e porque no quisieron pagar que ge les havia tornado si fue asi o na que no lo sabe.
¿CRIPTOJUDIOS?)
Sennores muy reverendos padres inquisitores de la sancta fe en la ciudat de Calatayut, a las reverencias paternidades vuestras yo Anthon de Miedes ciudadano de la dicha ciudat digo que stando obediente a los mandamientos de la sancta madre yglesia y de vosotros sennores y por descargo de mi conciencia, digo que hoydo dezir a Garcia de Morlanes que Ferrando Diaz, mercader ciudadano de la dicha ciudat havia convidado a uno llamado Garcia Cortes, scudero habitant en la dicha ciudad que si queria que los dos matassen a un testimonio que havia deposado contra micer Montessa.
Item dicho que he oydo de su que vino Lecia a persona a Anton de Santangel de los conversos de Çaragoça pa que demandasse plegarse palla dicha bolsa le que havian demandado a Joan Martinez, notario, e que no quiso dar quien le demando, o no que no lo sabe.

(pag. 5 vto.) Die XXI febroarii anno M CCCC LXXXVIII.

Eadem die coram reverendos dominis inquisitoribus comparvit Anthonisu Seron, habitator civitas Calatayut, qui juravit per Deum sup crucem domini nostris Ihesu Cristi per (pag. 4 vto.) qui diceret omnimodam veritatem de his que ciret e sup quibus interrogatus esset in tota presentem causam qui per juramentum respondit e dixit inmodum qui sequitur:

Item mas dize este deposant que una vez le dixo Martin de Montagudo, habitant en Calatayu que le aconsejasse por quanto Anton de Santagel havia tomado a su moço cuyo nombre no le acuerda, preso porque tuvo en el tinte de Anthon de Cordova una cristiana un judio toda la nothe y el dicho Anton de Santangel como supo que era el judio solto al moço y fizo que la mujer callasse. Teste:. Joannes Torrejon et dominius Dominicus Egidii, portuarii habitantis Calatayubii.

Die quinta maii anno M CCCC L XXXVIII.

Eadem die coram reverendo domino Michaele de Monterrubio, inquistor predicto comparvit Yuda de Benardut, judeus habitator civitas Calatayubii, qui juravit poer Deum et decem precepta legis quam Deus didit Moysse in montem Sinaym et per jurament (pag. 6) dixit fore ad quod seguitur:

Et primo dize este deposmant que havra dizi008cho anyos poco mas o menos se acuerda este testimonio como una vez fue este deposant a casa de uno llamado Anthon de Santangel, que fizo depedio de Anton de Santangel habitant en Calatayut que mora en la calle del Obispo de Teraçona enffrente del magnifico micer Joan de Nueros, jurista, por nogociar con el dicho anton de santangel, al qual fallo este deposant stava en el studio de su casa con su fijo llamado Pedro de Santangel que oy bive que mora en las casas suso dichas del padre, acuedase muy bien como hablando este deposante con el dicho Anthon de Sangangel en presencia del dicho su fijo sobre razones, dixo el dicho Anthon de Santangel a este deposant Bernardut porque no vos hazeys cristiano que stays abatido cativo y vituperado de un ninno que es una casa deno cusar el uno hos da una pedrada el otro vos dize judio perro si has hazeys cristiano stareys sparrado atacarhos han y entrareys en officios y otras mil havrias, y que ste deposant dixo al dicho Anthon de Santangel estas palabras "yo Anthon de Santagel por nada dessas honrras (pag. 6 vto.) ni por sallir destos vituperdios no me quiero fazer cristiano, por quanto yo tengo bien mi Ley y creo que en aquella me tengo de salvar y tanto quanto mas vituperios passare por sentencia la dicha mi Ley tanto mas me salvara Dios ", y que el dicho Anthon de Santangel replico y dixo a este deposant Bernardut "vos bien sabeys que vuestro messias ha de ser de nuestro linage, Ihesu Cristo es de nuestro linage pues porque no lo tamareys pa messias" y que ste testimonio dixo al dicho Anthon de Santangel "todo lo que haveys dicho es verdat y si Ihesu Cristo los cristianos tenian solo pa mesias y no por Dios y hombre a un me xareteria que me doblegueria a creherlo, empo que es Dios y hombre munca lo crehere" y que entonces el dicho Anthon de Santangel dixo y respuso a este deposante "vos benardut tomat lo que bien vos venga, crehet que es messias y no Dios y hombre que assi lo hago y creo yo" y que entonces este deposant dixo al dicho Anthon de Santangel "mal hablays Anthon de Santangel que essa opinyon ya seria quarta Ley" y que stonces el dicho Anthon (pag. 7) de Santangel dixo a este deposant "yo no rehosuro (rehuso) una Ley es assaber vuestra de los jodios que es Ley sancta y buena empo creo que es vendio el messias y vos podiades lo tener assi y salliriades dessa captividat" y que en todas las dichas palabras sumo presnte el dicho Pedro de Sanctangel su fijo (blanco) Testes: Joannes de Ardiles, assessor e Domininux Gil, nuncii sancte inquisicionis.

(pag. 7 vto.) Die XIII mensis augusti anno M CCCC LXXX VIII.

- Eadem die coram reverendo domino siennor Michaele de Monterrubio, inquisitoris predicto comparvit Yuçe Çadoch, judeus habitator alime judeorum citias predicta Calatayut, testis citara ad instanciam procurator fiscalis predicum qui juravit per Dem et decem precepta legis Moysi e juravit dixit qui sequitur:

Dize el presente testimonio deposant que sabe que uno llamado Anthon de Santangel, fijo de Pedro de Santangel, que mora el dicho Anthon de santangel en la present ciudat do casa de micer Joan de Nueros, el qual Anthon de Santangel tiene dos fijos los quales viben en la presente ciudat de Calatayut y se llaman el uno Anthon de Sanctangel y el otro Pedro de Sanctangel, ayuno el ayuno de quipur que ayunan los judios esto sabe el present testimonio deposant por quanto tenyendo muchas amistat e demostrandose tener mucho amistat el presente testimonio y el dicho Anthon de Sanctangel en grant secreto fiandose mucho deste testimonio el dicho Anton de Sanctangel que puede haver siete annos poco mas o menos tiempo el dicho Anthon de Santangel dixo a este testimonio deposant por su propia boca el ayunava el ayuno de quipur en la forma y manera que lo ayunan los judios et hoc per jurament.

Item dize el present testimonio por verdat que puede haver siete annos poco mas o menos tiempo que juntamente fablando con este deposant el dicho Anton de Sanctangel dixo por su propia boca al present testimoio deposant estas palavras formadas por dos o tres vegadas (pag. 8 vto.) que creyia que la creheura que los cristianos creyian falsa y errada e que pues stava entrellos no podia fazer otro sino de simular como quien que creyia lo contrario de lo que demostrava et hoc per juramentum.

Item assi mismo deposa el presente testimonio deposant que pude haver seys o siete annos poco mas o menos tempo que sassi mismo el dicho Anton de Sanctangel dio por dos o tres vezes quando quando cinquo sueldos, quando quatro y assi dezile a este testimonio deposant que aquellos diesse pa partir a judios pobres y para olio a la lampeda en la sinoga y assi este testimonio tomava los dichos dineros del dicho Anthon de Sanctangel y aquellas y aquellos en nombre del dicho Anthon de Sanctangel e los partia a judios pobres et hoc per juramentum. Testes: presentes Joannes de Castillo et Joannes Torrejon munciis officii sacte inquisicionis.

Die XX augusti anno M CCCC L XXXVIII.

- (pag. 9) Eadem die coram reverendo domino fratre Michaele de Monterubio, inquisitor predicto comparvit Anthonius de Blanes, testis ad instancia procurator fiscales pre dictum qui juravit in posse dictus dominus inquistoris per Deum et per juramentum de posuit ut sequitur:

Dize este testimonio que puede haver cinco annos poco mas o menos tiempo que praticando enntrando y salliendo en casa de Anthon de Sanctangel de aquesta ciudat, este testimonio vio como le demando un judio por limosna y el dicho Anthon de Sanctangel le dixo

- 346 -

no sabe quanto quantidat lo qual fue quando conpro una casa que tiene a la puerta Terrer y conesto dize que algunas otras vezes le vio dar limosnas a judios no se le acuerda quantas vezes, salvo dize que fueron mas de tres vezes a los quales judios alguien el dicho Anthon de Sanctangel dava limosna de present no se acuerda.

Die quinto junii anno M CCCC LXXXXVIIII. Calatayubii.

- (pag. 9 vto.) Eadem die coram reverendo domino Martino Navarro, inquisitorie comparvit Anthon de Blanes, habiant en Calatayut qui juravit per Deum. Et primo dize que havra mas de dos nanos hoyo dizir este deposant a Pedro el Platero que le havian emparados Anthon de Sanctangel y Matin Clara y Ferrano Diez de Calatayut pa queles dasse cinco florines pa haver bullas y da al Rey dineros pa que la inquisicion no se siguiesse y que el no les quiso dar cosa nenguna. Testes: Gutierrez de Quintanilla, assessor de la inquisicion e mossen Domingo de Senya Clerigo habitners en Çaragoça.

Die XXIII mensis augusti anno M CCCC LXXXVIII,. Calatayubii.

- (pag. 10) Eadem die coram reverendo domini Michaele de Monterubio, inquisitore predicat comparvit Antonius de Blanes, habitant civitas Calatyut capitus qui dava sibi primis liciencia juravit in posse fue reverendo pre dicti et per juramentum dixet qui sequitur:

Dize este testimonio que abra cinco annos poco mas o menos en el tiempo de la Pascua del pan cencenyo de los judios y dentro de la dicha pascua vio como un judio cyo nombre este testimonio ygnora levaba una cesta en la qual levava pan cencenyo y debaxo del dicho pan cencenyo crehe este testimonio otra alguna cosa po este testimonio no vio sino el pan cencenyo, el qual judio enpresencia deste testigo dio la dicha cesta del pan cencenyo uno llamado Anthon de santangel, y esto era dentro del studio del dicho Anthon de Sanctangel fizo gracias al que gelo emviava con el que el dicho pan cencenyo le truxo.

Die VII marcii anno M CCCC LXXXVIII. Calatayubii.

- (pag. 12) Eadem die coram reverendo domini fratre Michaele de Monterrubio, inquisitor comparvit Vitalis Avayud, medicus habitant aljamie judeorum Calatayubii, qui juravit in posse dictui domini inquisitoris per Deum et decem precepta legis Moyssi et per juramentum dicet quod seguitur:

Item mas dize y deposaque abra nueve annos poco mas o menos visitando este deposant y el maestro mayor del studio llamado mastre Pedro Colobor a uno llamado Anthon de Sanctangel, mercader, habitant en Calatayut que morava cabe casa de micer Johan de Nueros y estando el dicho Anton de Sanctangel muy debelitado y desmasado dixo estre deposant al dicho Anton de Sanctangel que seque le venia pena y el dicho Anton de Sanctangel dixo que de carabaraçat brisoraron lo (pag. 12 vto.) por la ciudat y visto que no se fallo dixo este deposant al dicho Anthon de Sanctangel siqueria que su madre deste deposant lo fiziesse y que el dicho Anthon de Sanctangel dixo que mucyo plazer habria y este deposant ne fiziesse fazer en su casa a su madre deste deposant llamada reyna el qual fizieron de carne judiega y assi fecho gelo envio este deposant con uno cuyo nombre no le acuerda, el qual levaron asu casa del dicho Anton de Sanctangel y despues este deposant presentava al dicho Anton de Sanctangel que havia comido de lo que le envio y como le supo y que el dicho Anthon de Sanctangel dixo a este deposant que comio dello, empo ne le acuerda a este deposant si le dixo si le supo bueno o malo y esto dizo saber porque lo vio. Testes: magnificus Franciscus de Contamina et Joannes Torrejon, nuncius officii sancte inquisicionis.

Die XI junii anno M CCCC LXXXVIIII.

- (Pag. 13) Eadem die coram reverendo dominio Martino Gaccia, inquisitor predictus comparvit Joannes Garcia, habitant en Calatayut, testimonio por parte del procurator fiscal, qui juravit per Deum:

Et primo dize que habia veynte o viyente dos anyos poco mas o menos que vio como Anton de Sanctangel y su fijo llamado Pedro de Sanctangel que bive en las casas de su padre como las dos padre y fijo, guardavan los savados y estando este deposant desta manera que una aguela desde deposant llamada Aldolça Garcia era naduca del dito Anton de Sanctangel y entrava y sallia mucho en casa del dicho Anthon de Sanctangel y este deposant y va con su aguela y assi lo vio por dos sabados como los dichos padre y fijo y la mujer del dicho Anthon de Sanctangel garudaron los sabados y vio como havia cienfuelos encendidos en el viernes en la nothe en casa del dicho Anthon que era cerimonia de judios e este deposant entrava muchas vezes a fazer fuego a los judios seyendo pequenyo y venyia aquello mesmo en casa de los judios y vio como stava alli resente el dicho Pedro.
(pag. 13 vto.) Item vio que havia veynte annos o mas que trayian presentes de rosquillas de la juderia de casa de Tradoz judio, padre de Bienvenis Tradoz de Calatayut a los dichos Athon de Sanctangel y asu fijo y los vio comer dellos y passada la pascua de los judios enviavan pan leudo y lechugas a los judios. Testes: Mossen Domingo de Senya, clerigo y Strallon de Cardesa, familiar de sancta inquisicion.

Die XII julii anno M CCCC LXXXVIIII. Calatayubii.

- (pag. 14) Eadem die coram reverendo domino Maritno Garcie, inquisitor comparvit Salomon Abayut, judio habitant en la aljama de los judios de Calatayut, testimonyo et qui juravit per Deum et sup decem precepta legis Moyssi:

Dize este testimonio que al tiempo que nacio Mosse Gostantin que era fijo de don Tradoz Gostantin dessta ciudat que havra quaranta anyos poco mas o menos dize que struyendo este testigo con el dicho don tradoz, dize que le emviaron luego como fue nacido el dicho Mosse Gostantin a casa de Ynyigo de Condon a este testimonio con la nueba y acasa de micer de Pedro de Santangel y a casa de Jorge de la cabra y a casaa de Anthon de Santangel y este testimonyo les dixo las nuebas y el dicho Enyigo le dio medio florin de albricias y la de Pedro de Santangel le dio seys reales y Anton de Santnagel le dio ocho reales y Jorge de la Cabra un florin, suy mejer presa que sta por la inquisicion quatro reales y briandas (pag. 14 vto.) madre del dicho Jorge, otro medio florin y la mujer de Jayme Garcia, madre de Bernat Garcia, seys reales y dize que la mujer del dicho Jorge que esta presa vio este testimonio como fue a la circuncision y estreno una pieça de Almeria y dize que vio como todos los suso dichos fueron a la circuncision del dicho Mosse Gostantin y dize que strenaron en la dicha circuncission po que no le acuerda que strenaron. Testes: Jacobus de Moclus, nuncius et Guallardus de Caedessa, fakmiliaris dicti inquisitoris.

Die XXVII julii anno M CCCC LXXXVIIII. Calatayubii.

- (pag. 16) Eadem die coram reverendo domino Martino Garcia, inquisitore comparvit Geuda Avayut, judeus habitator aljame judeorum citias Calatayubii, testis et qui juravit per Deum sup decem precepta legis Moyssen.

Item dize y deposa que hoyo dezir a Anthon de Sanctangel habitant desta ciudat que dixo a Yuçe Paçagon, judio desta ciudat que porque no le enviava el turrado que le havia enviado.

Die XIII septiembri anno M CCCC LXXXVIIII.

- (pag. 16 vto.) Eadem die coram reverendo domino Alfonso de Alarcon, inquisitor comparvit Geuda Abenardut, judio habitant en la aljama de los judios de Calatayut, testigo por parte del procurador fiscal, diziendo stando por la excomunycacion echada en su sinoga para provar lo quontenido en las denuciaciones dadas contra los infrascriptos qui furant per Deum sup decem precepta legis de Moysi.

Et primo dize que enpues fue muerto micer Epila, inquisitdor de buena memoria que fue fama en esta ciudat como Ferrano Lopez, Martin Domingo, presos que stan por la sancta Inquisicion en esta dicha ciudat y Anthon de Sanctangel, habitant en la dicha ciudat, plegava a la bolsa por esta ciudat de los convessos y que les dezian a los que no tenian dinero que dixessen quanto querian dar y para que dia los darian y que ellos lo ponyan por ellos y aun lo hoyo dizir lo suso dicho micer Johan de Nueros y a Rodrigo Cabanyas y que esto fazian por una letra que dizia les havian scripto micer Montesa y Domingo Lanaja.

Item deposa que antes que matassen a mestre Epila, inquisidor este deposant e stava en Çaragoça que variados meses o dos y medio poco mas o menos y era mucho (pag. 17) amigo de micer Montesa pa hereto quede provado porque havia sido mucho tiempo su advogado, hun dia este deposant fue a fablar con el dicho micer Montesa y fallo en su studio al dicho micer Montesa y a Francco del Rio, micer Francisco Ram, jurista, Garcia de Moros, Fernando de Montesa, procurador de don Lope Ximenez hermano del dicho micer Montesa, micer Sancta Fe, assessor del Governador, Gilabert de Almaçan y otros muchos cuyos nombres no le acueda a este deposant que eran fasta quinze personas y dize que como entro en el dicho studio el dicho micer Montesa le dixo a este deposant Benardut sperar has hay de fuera un poco y este deposant sallio de duera del dicho studio y mandole cerrar la puerta del dicho studio y este deposant de sallida cerrola hazia si y asentase luego en un scalon de parte de fuera del dicho studio y estando assi hoyo este deposant como stavan fablando las suso dichas y dezian alli unos a otros que no se fallavan en los conversos de Aragon cient mil florines de oro y quedavan a tal noble (pag. 17 vto.) tanto y a tal tanto y a la postre hoyo este deposant como entrellos dezian assi, Johan Sanchez tendra cargo de cobrar los dineros de tal ciudat que no lo podia hoyr, que ciudat nombrava claramente, y assi Garcia de Moros mayor de tal y otros que alli nombraron que no le acuerda a este deposant repartiendose entrellos cadauno el cargo que havian de tener y este deposant no lo pudo oyr todo claro lo que entrellos confabulavan y que stuvieron los suso dichos en el dicho a just y fabla ora y media poco mas o menos.

Item mas deposa que acabo de los dias empues este deposant torno a casa del dicho micer Montesa, heretico, por negociar con el y llego a la puerta del studio y sintio al dicho micer Montesa y en despues al sallir vio a Johan de Pero Sanchez, heretico, mossen Luys de Sanctangel, heretico, Anthon de Sanctangel, desta ciudat de Calatayut y Galveran de Leon y a Diego de Gotor, heretico, y procuradores, y Domingo Lanaja y a Domingo de Sancta Cruz, preso desta ciudat y dos o tres otros cuyos nombres no el acuerda, y mas dize que quando llego a la puerta del studio hallola cerrada y oyo (pag. 18) ruydo de gente dentro y no quiso entrar sino estuvose de fuera junto a la dicha puerta del dicho studio y stando assi este deposant oyo que fablavan los suso nombrados que se havian fablado en el primer dia y a just y de gracia como a Johan de Pero Sanchez havia dado tal cargo y a Garcia de Moros tal los cargos que dicho ha de parte de suso y oyo mas como dexieron al dicho Anthon de Santangel que el hovisse de tomar cargo desta ciudat de Calatayut de plegan y assi stovieron alli juntos los sobre ditos hablando de secreto por spacio de media dia y assi este deposant los vio sallir a los suso nombrados y los conocio muy bien quando sallian. Testes: predicta Michael Domingo et Joannes de Uncastillo, notarius.

ACUSACION DEL PROCURADOR FISCAL

(pag. 20) Coram vos reverendis domino Martino Garsie, anonico sedis Çesarauguste et fray Petro de Valladolit, ordinis predicatoirs in sacta theologia magistris inquisitoribus et vicario generali actoritatibus aplica et oridnaria in toto regno Aragonum datis et deputatis comparvit Micael de Galbe, promotor fiscalis et misnisster officii sancte inquisicionis dicte heretice pravitatis qui dicto novique infirmando et denunciando ach illis inelioribus via modo et forma quibus de jure este alias facere potest et debet et infrascripta eius proposito et intencioni pleni qui utilius et eficius posuit et valeunt aplicari et adaptari pest agit et denunciant eo ut et ad usus

Anthonium de Sancto Angelo, mercatore et eius famam et memoriam habitatore olim civitatis Calatayubii defentum revum et privosum et dectenibus heresis et apostasie de mamatum acusatii culpabilem et merito ppuviedum et condempnandum de dictis et infra scriptis enimus penumdum vitam in vinanis agebat nequiter dicti factis comissis et perpetat omnia et singularia emina excessus et delicta hereticalia par lo infrascriptos delarata et de signata sunt que secuntur:

Et promo dize el dicho procurador fiscal que el dicho anthon de Sanctangel reo denunciado en el tiempo que vivia era sospechoso en la sancta ffe catholica y difamado de han cometido crimenes de heregia y apostasia y de haver dicho muchas palabras hereticas contra nuestra sancta ffe catholica y apor tal fue y era tenido nombrado y reputado.

(pag. 20 vto.)   Item dize el dicho procurador fiscal que el dicho Anthon de Sanctangel denunciado en el tiempo que viviva fizo y cometio muchos crimines de heregia y apstasia y y thovo crehencia en la Ley de Moysen y assi morio y fenescio sus dias en la heregia y como hereje y por tal fue tenido y reputado.

Item dize el dicho procurador que el dicho Anthon de Santangel teniendo crehhencia en la Ley de Moysen y pensandose salvar en aquella dixo muchas palabras hereticas en especial que la crehençia que los cristianos creyan era falsa y errada y pues estava entre cirstiano no podia fazer otro sino dissimular como quiere que creya el contario de lo que demostrava y esto es verdat.

Item dize el dicho procurador fiscal que el dicho Anthon de Sanctangel con al dicha crehencia de la Ley de los judios dizia y dixo por muchas vezes estando con su Dios y de otra manera tales o semejantes palabras ablando de cómo no era venido el mesias ree que esse es mesias y no Dios y hombre que assi lo ago y lo creo yo que yo no tengo sino una Ley, es assaber la de los judios que es la sancta y buena y esto es verdat.

(pag. 21) Item dize el dicho procurador fiscal que el dicho anthon de Sanctantel en el tiempo que vivia por muchas vezes guardo el sabado por fiesta y con intencion de guardar la Ley de los judios, abteniendose de fazer facienda en aquel dia o si la fazia no tanta como otrs dias y los biernes a la nothe fazia ençender muchas lumbres y candiles en su casa al costumbre judayca con intençion de guardar el dicho sabado y esto es verdat.

Item dize el dicho procurador fiscal que el dicho Anthon de Sancttantel en el tiempo que vivia fizo y acostumbro de fazer el ayuno de quipur de los judios con la solempnidat que los judios lo costumbran de fazer y assi mesmo acostumbrava dar limosna los viernes a las tardes pa la bolsa del çedaqua y a judios pobres y costumbrava guardar las las pascuas y fiestas de los judios y estando en el articulo de la muerte rezava oraciones de judios con intencion de guardar la Ley de los judios y esto es verdat.

Item dize el dicho procurador fiscal que el dicho Anthon de Sanctangel acostumbro comer y comio por muchas vezes pan cotaco en el tiempo de la pascua de los judios y hamin en el dia del sabado fecho y guissado de un dia para otro, según es costumbre de los judios y tenia y thomo mucha conversacion y pratica con judios.

Item dize el dicho procurador fiscal que el dicho Athon de Sanctangel en el tiempo que vivia comio muchas vezes con judios a su mesa y de sus haves y carne de gollada por ellos y esto es verdat.

Item dize el dicho procurador fiscal que todas y cadunas cosas suso dichas fueron eran y son vedaderas publicas manifiestas y notorias y dellas el dicho reo denunciado en el tiempo que vivia se alabo y insto en presencia de muchas fidedignas personas y esto es verdat.

MAS TESTIGOS QUE DECLARAN EN CONTRA DEL ACUSADO.

- (pag. 25) Eadem *die decimo octavo mensis aprilis anno computato anativitate domini millessimo quingentessimo tercio*, coram reverendo domino fratre Joanne Colinera, priore et fratre dicti ressident in monasterio sant Petrum Martinis civitas Calatayutii sup inquisitoris en conciencia exoneraticus Anthonius de Blanes, habitant dicte ciudat Calatayubii qui mandato dicti comparvit juratur posse predictis et juramentum posuit ut sequitur:

(pag. 25 vto.) Dize sei verdat que al teimpo de los padres inquisidores venieron a esta ciudat dize ovo de pasado ciertas cosas de Anthon de Sanctangel, mayor, ciudadano de la dicha ciudat e las quales depossiciones se reffiere y que porque no sele acuerda ste deposan dize que algunas vezes yndo a negociar con el dicho Anthon de Sanctangel a su casa el fallava en el studio solo retraydo y lo vio y hoyo algunas vezes que rezava en ebrayco el dicho Anthon de Santangel, y dize que como entrava en el studio del dicho Anthon de Sanctangel y lo veyia, a este deposat queria en eso cerrar las vias que tenia en la mano y dize que antes de cerrarlas veya este deposant como stava scriptas las vias que tenya en ebrayco y le veyia y hoya rezar en ebrayco en aquellas y dize que lo tenia por judio y no por cristiano y dize que le vido (pag. 26) fazer muchas cosas que no eran de buen cristiano y veyia que tenian gran conversacion con judios y se apartava a negociar con ellos muchas vezes. Testes: Asistentes Agostin Corolan y Pedro Torcat, nuncios habitantes en Calatayut.

- Eadem die coram dicto judice e comisario Franciscus de Tabaria, havitant civitas Calatayut, qui de eisu mandato juravit in eis posse per Deum crucem et per jurament de in posuit ut seguitur:

Dize este deposant que havra seze annos poco mas o menos yendo scudero con Anton de Santangel, mayor ciudadano de la dicha ciudat, dize aribans a Villa Real de la Plana en el Reyno de Valençia a deonde dize adelecio y murio el dicho (pag. 26 vto.) Anthon de Santangel y dize que endespues de muerto y puesto en un carnero de un notario cuyo nombre no se acuerda salvo moraba en una calle passada la plaça camyno de Valençia. El qual dixo a este deposant que un cunyado del dicho notario que era speciero cuyo nombre tanpoco se le acuerda dixo al dicho notario que stava muy grand alizado el dicho speciero que stando en la doleçia de la qual murio el dicho Anthon de Sanctangel le havia hoydo rezar o hablar en ebrayco al dicho Anthon de Sanctangel y dize murio el dicho Anthon de Sanctangel en un meson de uno llamado Fava, ahondient per jurament. Tests qui supra.

Die XX aprilis anno et loco quibus sup

- (pag. 27) Eadem die coram dicto domino inquisitor comparvit Joannes Sardinyllo, habitator civitas Calatayubii qui juravit de eius mandato invenis posse per Deum et crucem et per juramentum deposuit ut seguitur:

Dize sei verdat que havra seys annos poco mas o menos que Pedro de Sanctangel su fijo de Anthon de Sanctangel, dixo a este deposant que la inquisicion no era cosa de Dios ni del la yglesia sino para robarles lo suyo y esto le dixo a la baxada de la carrera de Pacuellos.

Item dize que habia mas de veynte cinco annos que viniendo este deposant con Jorge de la Cabra yndo a casa de Anthon de Sanctangel, mayor en el tiempo de la pascua del pan cencenyo hallo cevando al dicho Anthon de Sanctangel y le vio stava comiendo alcahalillas y pan cencenyo y crehe que gele havian enviado de casa de don Tradoz y esto sabe porque el mesmo dia que gelo vio comer estando este deposant en casa del dicho Tradoz que havia ydo a thraher a casa del dicho Jorge (pag. 27 vto.) de las dichas alcahalillas y pan cencenio hoyo dixo al dicho Tradoz a un moço suyo lieva destas alcahalillas y pan cencenyo al dicho Anthon de Sanctangel y dize que vio como el dicho moço del dicho Tradoz levo las dichas alcahalillas y pan cencenyo al dicho Anthon de Sanctangel y dize que el dicho Jorge de la Cabra envio luego a este deposant al dicho Anthon de Sanctangel y que le dixesse si le havian enviado su pan de casa de Tradoz sino que el le enviaria y assi dize que fue y le dixo lo que le mando el dicho Jorge y le respondio el dicho Anthon de sanctangel que si y las oras stava cenado y comiendo de las dichas alcahalillas y pan cencenyo y dize mas que teneia dicho Anthon de Sanctangel por un judio y no cristiano y esto dize por aquello vio tratava con judios y tenia mucha comendicion convenidicion con ellos (pag. 28) y le vio hazer otras cosas que no le acuerda que no eran de buen cristiano sino de judio y esto dize por el de starse desto conciencia porque no se le acuerda filo ha deposado et hover dixit per juramentum. Testes qui supra.

Die XXVI marcii anno M DXIIII, Çesaraguste.

- Eadem die coram reverendo fratre Pacuasio Jordan, inquisitor comparvit Joannes Cit, exoneratimus instando conciencia dixit seguitur:

Dize este deposante que como vio a uno llamado Anthon de Sanctangel de Calataut que bivia cerca casa del Obispo que es la casa do esta agora su mujer que murio hazia Tortosa yendo a Mallorca y asu mujer Cal de cabra, fija de Cal de de Cabra el viejo que fue su primicia mujer e connesto dize que en el tiempo que vivia la dicha su mujer (pag. 28 vto.) dize vio que por algunas pascuas del pan cencenyo de los judios trayran algunos judios a casa del dicho Anthon de Sanctangel pan cencenyo, rosquetas y turrado, el qual pan cencenyo recibian en la dicha casa y de aquel vio comer en la dicha pascua a la dicha su mujer del Sanctangel y al mesmo Sanctangel le vio comer del dicho pan cencenyo en la dicha pascua de los judios una vez y esto vio por quanto este deposant bivia enfrente del dicho Anthon de Sanctangel y veyia y vio lo suso dicho y esto puede haver mas de quarenta anyos poco mas o menos. Testes: Eponsarus de Alcubierre et Jacobus de Galbe, clericus habitant Çesaraguste.

PEDRO DE SANTANGEL, HIJO DEL ACUSADO, NOMBRA PROCURADORES O ABOGADOS PARA DEFENDER A SU PADRE EN EL PROCESO ABIERTO POR LA INQUISICION.

(pag. 32) Sia a todos manifiesto que yo Pedro de Sanctangel, ciudadano de la ciudat de Calatayut, de mi cierta sciencia, en nombre mio propio, non revocando los otros procuradores mios por mi ante de agora fechs constituydos et ordenados, agora de nuevo fago constituezco creo et ordeno ciertos speciales et a las cosas infrascriptas generales procuradores mios, es asaber a los discretos Gil Sanchez de Magallon, Pedro Calvo et Miguel Garces, notarios habitantes en la ciudat de Calatayud absentes bien assi como si fuesen presentes, genralmente para entrevenir en todos y cadauno pleytos demandas et questiones assi a mi como criminales, los quales yo he o spero de haver con qualquiere o qualquier persona o personas de qualesquiere ley stado o condicion sian assi endemandando como en defendiendo ante qualquier judge cmpetent ordinario delegado o subdelegado e eclesiastico o segalr y senyaladamet et hun processo que ante los reverendos padre inquissidores de la heretica y apostatica pravedat se actita a instancia del procurador fiscal de la sacta inquissicion (pag. 32 vto.) contra don Anthon de Sanctangel, padre mio, dant et atorgant a los dichos procuradores mios pacadauno y qualquiere dellos por si pleno libero franco et vastant poder de demandar responder defender o poner personas convenir replicar triplicar lit o lites contestar requerir et prestar de derecho firmar empa o emparas, requerir et ser fazer et aquellos renunciar fer cancellas apostolos de mandar fori de dinatoria, dar posiciones et articulos, ofrecer et aquellos mediant juramento abverar et los prediziteros popor la part adversa inpugnar et responder causa o causas de suspençio de judges perosnas ciudades villas e lugares, de absencia assin de fuero quantu alias allegar mediant juramento segunt fuero o derecho, jurar et abnerar expensas demandar et adverar cartas, testimonyos et otros legitimas procuraciones en manera de prueva, nombrar predizir et presentar, e los preduzideros por la part adversa enitar contradizir et impugnar fiança, o fianças derecho de piedra, detener de manifiesto et otras qualesquier fianças que nessesarias feran, ofrecer et dar, renunciar et (pag. 33) conduyr beneficio de absolucion de qualesquiere scicia de comunicacion dada o dadera, restitucion simplement o acautela demandar et obtener sciccia o sciencias assi interlocutorios ocmo difinitivos hoyr et recebir et acceptar et de aquella o aquellos ade qualesquiere otro grenge fecho o fazedero si menester fara apellar apellacion o apellaciones ser et preseguir et jurar en anima mia juramento de calumnia et de verdat dezir et sobre qualesquiere o qualesquiere excepcion o apciones depacto paga convenio transaction dismimiento et de sobreseymiento peremptorios siquiere anormales que presupuestos seran por la part adversa si ya no fuesen tales que por carta publica se demostrasse e sobre qualesquiere juraciones propuestos o proponedoereos por la jura estar en aquellos segunt fuero o derecho e qualesquiere otra manera de jur ser que a los dichos procuradores mios o a qualquiere dellos indagada les sera fazer et indicio o fuera del indicio et a la otra part referir et substituyr dins si otro o otros procurador o procuradores qui semblant poder bayan aquel o aquellos revocar antes del pleyto contestado o despues cada o quando bien visto les sera. Et todos et cadaunos (pag. 33 vto.) otras cosas fazer que buenos e bastantes procuradores a tales cosas o semblantes quonstituydos pueden et deven fazer et que yo mesmo faria et ser podria si perosnalment present fuesse prometient por firme eseguro agora e a todos tiempos qulquiere cosa que por los dichos procuradores mios o por qualquier dellos o por el substiuydoero o substituyderos dellos o de quelquiere dellos seradicho fehco et procurado bien assi como si por mi mismo personalment fuesse dicho fecho et penrado et prometo et me obligo seyer a derecho et pagarlo judgado cor todas sus clausulas universas dins obligacion de todos mis bienes assi mobles como sedientes havidos et por haver entodo lugar fecho fue questo en la ciudat de Calatayut a seys dias del mes de setiembre anno antativite domini millessimo quadrigentessimo nonagessimo tercio, testimonios fueron a las sobre ditcas cosas el venerable mosen Jayme de la Torre, beneficiado en la yglesia de senyor sanct Pedro de la Ruva, et el magnifico don Miguel de Peralta, ciudadano de Calatayut. Signo de mi Garcia de Sanctangel, (pag. 34) habitant en la ciudat de Calatayut et por actoridat real notario publcio por toda la tierra y senyoria del serenissimo senyor Rey de Aragon qui a las sobre dichas cosas ensemble con los sobre dichos testimonyos present fue et aquella de mi propia mano screvi con sobre puestos do se scrive, en nombre mio propio creados procuradores mios et con raso correcto et amendado do seti et cerre.

ALEGATO DE LOS PROCURADORES DE LA DEFENSA A FAVOR DEL ACUSADO.

(Pag. 49) Los articulos infra scriptos asesor et da Pedro Calvo, procurador de Pedro de Sanctangel, a los quales suplica a vuestras reverencias paternidades se manden informar et examinar los testigos por el produzidos salment a fin y efecto que se reposen vuestras conciencias et puedan claramant verdat del present negocio et no porque le delibere pleytrar ni contender sino solament amostencido camino e forma pa que vuestros reverendos padres puedan ver claramant la inmunidat, limpieza del dicho don Anthon de anctangel, padre suyo.

Et priimeramente dize el dicho procurador et si necesario sera provar entiende que el dicho don Anthon de Sanctangel era y fue fijo legitimo y natural de la magnifica Marcisancha de Borbon, cristiana de natura, magnifica de muy buena vida y conciencia e fuera de toda sospecha de judayzar, la qual lo crio e nudero mientras la dicha su madre vivio y esto fue y es verdat.
Item dize el dicho procurador que el dicho Anthon de Sanctangel apres que fue en verdat dereconociese asi en su contractacion de los ienes profanos como en otras cosas le palzia et tenia gran conversacion et pratica con cristianos de natura y a un en su contentar como en las cosas profanas y mundanales si guardo de fazer tractos illicitos et desonestos et de usuras y en todas las otras cosas viniendo honestament segunt (pag. 49 vto.) que qualesquiere hombre de buen honor e verdat y como buen cristiano debe venir y por tal fue era y es tonido nombrado et reputado et tal de lo sobre dicho furera y es voz comun er fama publica y esto es verdat.
Item dize el dicho procurador que el dicho don Anthon de Sanctangel le plazia como sobre dicho es tener pratica y conversaçion con cristianos amigos de de natura, que dos fijos legitimos que tenia et una fija los caso con personas honradas y cristianos de natura et aquesto fue y es verdat.
Item dize el dicho procurador que el dicho don Anthon de Sanctangel despues de benido, a edat de reconociese, siempre tuvo conversacion et amistat con personas religiosas y de sancta vida et siempre que en la ciudat de Calatayut o lugares donde el stava o estavan o aribaba algunos devotos religiosos o personas de sancta vida procurava et procuro tener grande amistat et familiaridat con ellos ocmo fiel y catolico cristiano. Et por su buena vida pratica et fama fue insaculado en los oficios del regno de Aragon de edat de trenta y cinquo anyos y fue deputado del dicho regno dos vezes y esto es verdat.
Item dize el dicho procurador que el dicho don Anthon de Sanctangel todo el tiempo de su vida senyaladament despues que vino a edat persperfecta fasta el dia que murio fue y ora bien cristiano et catholico et (pag. 50) fazia et exigia fazer exircio quanto en el fue los actos e cosas que qualquiere buen cristiano debe fazer como es huir misa cada dia, ofrecer en ella dar almosnas a pobres. Et comunment dizia tantas oras como un capellan es asaber maytines mayores, prima tercia sexta y nona bispras y completas y otras devociones que el se tenia, las quales les teniaen sus oras y muchas dellas de su mano propia scriptas entre las quales y tenia la misa de la trinidat, misa de los angeles, misa por iter agentibus, misa de las cinquo plagas, misa de la pasion, misa de muertos, misa de semana Sanata y misa de nuestra senyora de la qual era miy devoto, las quales oras tiene oy el dichoPedro de Sanct angel mi principal et esto es verdat.
Item dize el dicho procurador que el dicho don Anthon de Sanctangel que era persona que siempre que disposicion tenia aunque quando murio era de edat de setenta anyos o mas, ayunava toda la quaresma cada un anyo et todos los dayunos del anyo mandados por la sancta madre iglesia y muchos otros dias y biespras de sanctos por devoçion y todos los bienes del anyo asi viego como ora fasta que muerto, et esto es verdat.
Item dize el dicho procurador que el dicho don Anton de Sanctangel que quada un anyo en la quaresma confesava y comulgava y algunas vezes en el anyo et era persona que fazia muchas almosnas asi a pobres agoviantes como a otros necesitados enviado sus almosnas a sus casas dando y ayudando (pag. 50 vto.) pa casas su fijas y huerfanas et fazia dizir comunment muchas misas y esto es verdat.
Item dize el dicho procurador que el dicho don Anthon de Sanctangel que el anyo que murio fue en el anyo mil CCCC LXXX y seys confeso y comulgo tres vezes en tiempo de tres meses et dixo muchas ocasiones et devociones delante el corpus Cristi como bueno y catolico cristiano y las ocasiones y devociones que dixo trayan a todos los que alli stavan adevocion et a lohor et exaltacion de nuesra sanctafe cristiana et asi diziendo et faziendo senyales de gran convicion murio como como fiel y catholico cristiano. Et aquesto es verdat.
Item dize el dicho procurador que el dicho don Anthon de Sanctangel que muchos anyos fue Justicia de Calatayut et quando alguna necesidora venia en la tierra de agua o muertes fazia hazer y ordenar porcessiones muchas muydevotamente en la dicha ciudat y esto es verdat.

- 351 -

Item dize el dicho procurador que el dicho don Anthon de Sanctangel que antes que muriese fizo y ordeno su ultimo testamento como catholico y buen cristiano en el qual ordeno de su anima y de sus bienes en el qual testamento dixo mucyas lexas y obras pieas segunt que por el dicho testamento se demuestra de las quales cosas se resulta el dicho don Anthon de Sanctangel que sey fuera de toda sospecha de judayzar y esto es verdat.

(pag. 51) Item dize el dicho procurador que fue y es verdat que el dicho difunto en el tiempo de su vida desde los anyos de discrecion fasta su muerte continuament como catholico cristiano guardava el dia del domingo y festivava las pascuas y las fiestas mandadas guardar por la sancta madre iguesia en la forma e manera mandado es por la iguelsia e acostumbrados son los cristianos guardar en quanto la humanidat e fragilidat permite.

Item dize el dicho procurador que fue y es verdat que el dicho difunto en el tiempo de su vida el dia del sabado quando no era fiesta mandada guardar por la sancta madre iguelsia aquel no guardava ni nunqua lo defesnto ni guardo ante s en los dias del sabado no se vestia el dicho difunto de mejores vestiduras que los otros dias de toda la semana, lo qual dizia el dia del domingo.

Item dize el dicho procuradorque fue y es verdat que en los dias del sabado que no era fiesta mandada por la sancta madre ygleisia en aquellos dias sus moços sus ministros sus lavradores trebejavan en su nombre por su mandamiento en sus bienes y en sus heredades del dicho difunto y quando yva algun camino el dicho difunto caminava el dia del sabado y asi en aquel dia las obras serviles de su casa y de sus heredades lavrandolas faziendolas lavrar no cesava entes las fazia y mandava sey fechas y asi fue y es verdat.

(pag. 52 vto.) Item dize el dicho procurador que fue y es verdat que el dicho defunto tanto odio tenia con los judios que ninqua recibio dellos ninguna casa de comer ni asi poquo de su casa del dicho defunto enbio cosa niguna de comer a ningun judio.

Item el dicho procurador que fue y es verdat que el dicho degunto stuvo tiempo un mege pensionado pa su casa y como quiere que en la ciudat de Calatayut avia judios meges enpo por el odio tenia el dicho defunto con los judios nunqua tuvo ningun judio pensionado por mege antes siempre tuvo cristiano.

Item dize el dicho procurador que fue y es verdat que en casa del dicho degunto en las noches de los viernes no si fazia deferencia alguna en encender ciefuelos a las noches de los otros dias de la semana.

Item dize el dicho procurador que fue y es verdat que fue pratica y costumbre en la dicha ciudat de Calatayut y en otras partes del regno de Aragon de tanto tiempo que no ay memoria del principio de aquella fasta que vino la inquisicion en el dicho regno que los judios en la pascua del pan cancenyo enviavan asi a cristianos de natura como a conversos clerigos y laycos y aquellos aquel recibian, la qual pratica fue decretada fasta que vino la sancta inquisicion en el dicho regno de Aragon.

Item dize el dicho procurador que fue y es verdat que los judios del regno de Aragon y senyaladament de la dicha ciudat de Calatayut fueron eran y son (pag. 52) exiliados por mandato del Rey nuesto senyor de la senyoria suya.

Item dize el dicho procurador que fue y es verdat que asi el dicho defunto como el dicho su principal eran y el dicho mi principal es personas de buena condicion no rixosas nin scandalosas y tales personas que a ninguno farian ni procurarian ni a el ni danyo alguno.

Item dize el dicho procurador que fue y es verdat que en el principio de la inquisicion en el dicho regno de Aragon por los fueros, privilegios y librados de aquel fue por los deputados nobles varones, cavalleros y otros regnicolas del dicho regno muchas vezes aliquado y fueron deparecer que la dicha inquisicion huviese lugar empo que los inquisidores y ministros de aquella fuesen regnicolas y naturales del dicho regno juxta los fueron y observanças de aquel.

Item dize el dicho procurador que fue y es verdat que en la ciudat de Calatayut stava y ahitava cinquo personas cada una dellas quales se camavan Anthon de Sanctangel, es asaber Anthon de Sanctangel ciudadano que fue de la dicha ciudat, Anthon de Sanctangel padre de Garcia de Sanctantel y Anthon de Sanctangel canonge de la iglesia de Sancta Maria de la Penya de la dicha ciudat, y Anthon de Snctantel ciudadano y fijo que fue de Anthon de Sanctangel, y otro Anthon de Sanctangel mercader de la dicha ciudat de los quales los quatro fueron eran y son muertos mucho antes del tiempo que deposasen los dichos testigos en la present causa.

(pag. 52 vto.) Item dize el dicho procurador que de las ditas deposiciones de los sobre dichos falsos testigos y senyaladament de los judios, razon alguno vuestras reverendas paternidades han no deven atendidas todas las cosas sobre dichas et senyaladament porque fue y es verdat qeue el dicho don Anthon de Sanctangel tenya tuvo enemiga muy grande et capital cotnra los judios senyaladamt contra todos los de Calatayut, por quanto agora XIIII anyos seyendo juticia el dicho Anthon de Sanctangel tomo y se vistio la sobre vesta real et fue a la iglesia de Sacnta Maria la Mayor pa tomar la ruz de la dicha Iglesia et fazer dar saquo mano a toda la juderia por quanto un mal judio fazia grande sin razon a un cristiano de natura sobre ciertos logros y usuras, los quales el como Justicia no los podia remediar. Et si no por algunos ciudadano le decrivieron de fecho lo fiziera de donde quedo grande enemiga captial en el et toda la dicha juderia et toda su vida los quiso muy mal et fue apartado de ninguna manera de amistat de dichos judios a causa de las quales cosas los sobre dichos judios han fecho y dicho las sobre dichas cosas y falsas deposiciones. Et todo lo sobre dicho fue y era y es vedat y fama publica asi en la ciudat de Calatayut como endonde quiere que de todo lo sobre dicho se ha et es havida verdadera noticia et de los suso dicho es voz comun y fama publica y esto es vedat.

Item dize el dicho procurador que por Bienbenis, judio ya muerto, Naçan Cohen vezino de Alvarazin, Vidal Abenpesat, vezino de Cetina, Açach de Funes (pag. 53), Salomon Axequo, Yuçe Azarias, Yuçe el Bayo y su padre Brahem Alpastan que ahora es cristiano, Jehuda Benardut y sus fijos que agora son cristianos, Adret Darandiga que agora es cristiano, Çaçon Nanyas de Illuequa que agora es cristiano, Levi de Funes de Cetina, todos y cadauno dellos fueron y son malos hombres, malos judios de mala fama, baratos, de pessima conversacion y pronta truatadores de falsos testimonios et personas difamadas de los dichos y otros crimines et delitos et por tales fueron y son avidos, tenidos, nombrados y reputados et tal de los sobre dito fue y es la voz comun yfama publica en las ciudades de Çaragoça, Calatayut, Daroqua y donde quiere que de los dicho judios y cada uno dellos se ha ovido et ha verdadera noticia y aquesto es verdat.

Item dize el dicho procurador que es voz comun y fama publica en las ciudades de Calatayut, de Çaragoça et Daroqua et donde quiere que de los sobre dichos judios y cada uno dellos fe ha et ha ovido verdadera noticia que quando algunas malas personas por fazer mal quieren han testigos falsos contra bivos o muertos en la inquisicion sude haver et ha reaceso a los dichos judios pa que depssen falso mandandoles y dandoles dineros y esto los dichos judios y cada uno dellos lo han confesado y se han jactado delante de personas de fedignas que han fecho deposiciones falsas contra cristianos en la inquisicion y esto es vedat.

Item dize el dicho procurador y provar entiende que todas las cosas que el de la part de suso dichas fueron eran y son verdaderas publiquas y manifiestas y notorias y tal dito sobre dicho fue era y es voz comun y fama publica en la ciudat de Calatayut y en otras partes donde de aquellas fue ora y es havida verdadera noticia y aquesto fue era y es verdat.

TESTIGOS A FAVOR DEL ACUSADO

Testes recepti por parte Anthoni de Sanct Angelo.

- (pag. 69) Honor dominus Martinus Parient, presbiter habitator loci de Terrer, aldei civitas Calatayubii, testis pre dictus presentatoribus juravit per juramentum interrogat sup questionis in primo articulo qui sup questionis eo deposuit ut sequitur:

Dize este deposant ser verdat conoscio bien al dicho Anthon de Sanctangel, mas dize era ya casado el dicho Anthon quando lo conoscio a la dicha Maria Sanchez de Borbon, nombrada en el dicho articulo, no la conoscio. E con esto dize que hoyo dezir a la sazon publicamente a muchos cuyos nombres no se acuerda quel dicho Anthon era fijo de la dicha Maria Sanchez y que mas no sabe. Iterrogado sup contenido in secundo articulo respondio que conoscio al dicho Anthon de Sanctangel pormas de vinte anyos, ante que muriese es verdat no tuvo con el mucha pratica de dar y de tomar mas contodo dize lo veya praticar mucho con hombres de bien y cristianos de natura y estava en fama de muy buen hombre y de buenos tratos y en tal dizo lo tuvo este deposant porque mucha hoyolo contrario.

(pag. 69 vto.) Interrogado sup contenitis in tercio articulo respondio que es verdat vio que el dicho Anthon de Sanctangel tenia casada un fijo con una fija de Cormano, al qual Cormano vio era tenido y resputado por fidalgo cristiano y laudo y so que tubo casada una fija con un jurista desta ciudat, el qual vio tambien era tenido y reputado por cristiano de manera, y ha conocido como Pedro de Santangel fijo del dicho Anthon esta casado con cristiana segunt dello es fama publcia en la presente ciudat de Calatayum.
Interrogado sup contenido in quarto articulo resondio que vio al dicho Anthon de Sanctantel ser diputado del resente regno de Aragon por dos anyos y que mas no sabe.
Interrogado sup contenido in quarto articulo respondio que en el dicho tiempo que dicho ha conoscio al dicho Anthon de Sanctangel cada anyo estava el dicho Anthon gran parte del anyo en el dicho lugar de Terrer de donde este deposant es clerigo, a causa que tenia alli una buena heredat, dize que en el tiempo que el dicho Anthon estava en el dicho lugar de Terrer e ya que cada dia que este deposant estava en la yglesia como venya alli el dito Anthon de Sanctangel y oya misa alli y ofrecia de limosna en la misa y veyan como rezava en unas oras que tenia, y aun muchas vezes despues de acabada la misa estava lli por buen rato rezando y vio como dava muchas almosnas a pobres quegelas demandavan y fazia mucha comera a los pobres. E comesta dize que en todo lo que en el dicho Anthon de Sanctangel pudo ver y conocer y vio y conoscio dizelo vio vibir como buen cristiano y buen hombre y por tal lo tubo siempre este deposant y en tal forma y reputacion vio, era tenido.
Interrogado sup quontenido in sexto articulo dixit que de su certa sciencia salbo que oyodezir al dicho Anthon de Sanctangel como ayunava los ayunos nombrados.
Interrogado sup quontenido in undecimo articulo respondio que en lo que en el dicho Anthon de Sanctangel pudo ver y conocer y vio y conoscio dize honrrava y guardava bien los domingos y fiestas, estando en misa y solgando y solaçandose por el dicho lugar de Terrer.
Interrogatdo sup contenido in dito decimo articulo respondio que como el dicho Anthon de Sanctangel no tenia oficio que estava rico cada dia folgava y que ni en el fazer ni en el vestir no le vaya fazer (pag. 70 vto.) diferencia de los sabados a los otros dias exceptado en las pascuas (cristianas) que se adieçaba mucho mejor de mejores ropas.
Interrogado sup quontenido in decimo tercio articulo respondio que de cierto no sabe lo quontenido en el dicho articulo por dito se disacata dello quando vibia el dicho Anthon de Sanctangel.
Interrogado sup quontenido in decimo nono articulo respondio que el tubo al dicho Anthon de Sanctangel y tiene a Pedro de Sanctangel su fijo en possesion de hombres de bien y de buena quondicion y no rixosos ni estandolo.

- Magnificus Alfonsus de Sayas escudero habitant civitas Calatayubii testis dictus presentariis juravit per juramentum interrogavit sup quontenitis in primo articulo respondit qui por juramentum dixit que el dicho Anthon de Sanctangel era fijo de la dicha Maria Sanchez de Borbon, nombrada en el dicho articulo y que era la dicha Maria Cristiana.

(pag. 71) Interrogado sup contenido in secundo articulo respondio conoscio muy bien al dicho Anthon de Sanctangel, con el qual dize tubo mucha pratica y conversacion por unos vinte anyos ante que muriese, e con esto dize que venia que el dicho Anthon de Sanctangel sedava mucho e tratava con hombres de bien y cristianos de natura y nunca le vio fazer tractos malos ni supolos fazerse mas ante dize vio era tenido y reputado por hombres de bien y de buena vida y de buenos tratos.
Interrogado sup contenido in tercio articulo respondio que ha visto que el dicho Anthon de sanctangel tenia casados dos fijos, que tenia con cristianos lindas las quales sabe son cristianas lindas porque por tales las vio tener y reputar a ellas y a sus padres, y que la fija dize caso en Mallorca no sabe conquien si era fidalgo o ciudadano salbo que hoyo dezir era hombre de bien.
Interrogado sup quontenido in quarto articulo respondio que le vio al dicho Anthon de Sanctangel se dava mucho y tratava con personas religiosas y letradas y de buena vida y que lo conoscio diputado del regno de Aragon una vez o dos.
Interrogado sup quontenido in quinto arituculo respondio que vio al dicho Anthon de Sanctangel en el dicho tiempo que lo pratico muchas vezes en misas y sermones y lo vio ofrecer en las misas y le vio dar almosnas a pobres y rezar y dize que era tenido y resputando en la presente (pag. 71 vto.) ciudat de Calatayut en fama y reputacion de muy biuen hombre y de buen cristiano y por tal lo tubo siempre este deposante porque nunca le vio fazer cosas de mal cristiano ni supo las fiziese.

Interrogado sup quontenido in septimo articulo respondio que un dia de pascua en Sant Pedro de la Rua vio comulgar al dicho Anthon de Santangel y die que hoyo dezir a muchos como se confesava y comulgava con danyo y casava algunas huerfanas el dicho Anthon.

Interrogado sup quontenido in nono articulo respondio que vio al dicho Anthon de sanctangel muchas vezes ser Usticia de Calatayut y fazer procesiones poragua en tiempo de seca.

Interrogado sup quontenido in undecimo articulo respondio que el nunca le vio al dicho Anthon de Sanctangel crebantar las fiestas y que no sabemos de lo uqe dicho tiene.

Interrogado sup quontenido in duo decimo articulo respondio que no se acuerda que viese al dicho Anthon de Sanctangel fazer diferencia en la fazienda ni en el vestir de los sabados a los otros dias de la semana que alugnos sabados lo vio venir de Terrer a Calatayut y ahun de noche.

(pag. 72) Interrogado sup quontenido en decimo nono articulo respondio que tubo al dicho Anthon de Sanctangel e tiene al dicho Pedor de Santangle su fijo por tales como en el dicho articulo se contiene.

- Maria Gomez, uxor Garcia Millan, habitant loci de Bubierca, testis predicta presentata juratorem per juramentum interrogatus sup questiones in sexto articulo que sup questiones in eo dixo ut sequitur:

Dize esta deposant ser verdat conoscio bien al dicho Anthon de Sanctangel, que con el qual dize estubo moça de soldada unos dos anyos y medio fasta el tiempo que murio con esto dize que en el dicho tiempo vio en lo que ver y conocer pudo quel dicho Anthon de Sanctangel ayunava toda la quaresma y vispras de nuestra Sennora y otros santos, estando sano vio comienod sino una vez en el dia y en aquella comiendo viandas quaresmales en lo que esta deposant vio que en tales dias (pag. 72 vto) de ayuno, nunca le vio comer sino una vez y viandas de quaresma.

Interrogado sup quontenido in undecimo articulo responsio que en el dicho tiempo vio como en la casa del dicho Anthon de Sanctangel se guardavan y honrravan muy bien los domingos y fiestas mandadas guardar asi por el como por sus mesajes y maestros.

Interrogado sup quontenido in duo decimo articulo respondio que nunca en el dicho tiempo vio al dicho Anthon de Sanctangel guardar ni festivar los sabados que no eran fiestas de cristianos, mas ante dize que vio que ni en el fazer ni en el vestir no fazia diferencia alguna de los sabados a los otros dias fazenderos de la semana.

Interrogado sup quontenido in decimo quarto articulo respondio que en el dicho tiempo que estubo con el dicho Anthon de Sanctangel en su casa nunca le vio receir cosa de comer alguno de judios ni nunca vio enviase a los judios cosa alguna de comer, mas ante demostrava en su fablar quererlos mal.

Interrogado supo quontenido decimo quinto articulo respondio que en el dicho tiempo vio como el dicho Anthon de Sanctangel tenia apensionado para su casa con meje cristiano llamado mastre Calbo y nunca vio ni (pag. 73) supo que tuviese mege alguno judio apensionado.

Interrogado sup quontenido in decimo sexto articulo respondio que en el dicho tiempo que estubo en la casa al servicio del dicho Anthon de Sanctangel vio que en la casa del dicho Anthon de Sanctangel no se fazia diferencia alguna en encender cienfuelos en las noches de los viernes a las otras noches de la semana.

- Maginificus Anthonius de Miedes, habitator civitatis Calatayubii, testis pre dictus presentata juratoris per juramentum interrogatus sup questiones in sexto articulo que sup quuestiones in eo dixo ut sequitur:

Dize este deposant ser verdat ha hoydo dezir a muchos y tal dize fue y es la voz comun y fama publica en la presente ciudat de Calatayut que el dicho Anthon de Sanctangel fue fijo legitimo y natural de la dicha Maria Sanchez de Borbon, nombrada en el dicho articulo, la qual ha seydo tenyda y reparada siempre por cristiana linda de natura.

(Pag. 73 vto.) Interrogado sup quontenido in secundo articulo respondio que vio que el dicho Anthon de Sanctangel en el tiempo que vibia era tenido y estava en fama de buen hombre y de buena vida y buenos tratos en lo que este deposant sintio, salbo que una vez hoyo a uno llamado Anthon de Blanas, corredor desta ciudat que el dicho Anthon de Sanctangel seyendo Justicia havia vendido una cuba de vino a unos vinateros y que bajando a la bodega el dicho Blanas por aquerer en vason, fillaron al dicho Anthon de Sanctangel con dos cantaros en las manos y que dixo el corredor que estaba aquarenla dicha cuba.

Interrogado sup quontenido in tercio articulo respondio que vio que el dicho Anthon de Sanctangel caso de fijos suyos con cristianas de natrua, ls quales y el qual conoscio bien este deposant y sabe eran cristianos de natura, la mujer del un fijo era fija de Anthon Cormano fidalga y cristiano de natura, y la mujer era fija de Remiro el qual tambien era tenido y reputado por cirstiano lindo y la fija caso con un Guiralt de Mamplona, ciudadano y cristiano de natura de esta ciudat.

Interrogado sup quontenido in quarto articulo responsio que tubo pratica y conocimyento con el dicho Anthon de Sanctangel por unos (pag. 74) quinze o diziocho anyos poco mas o menos antes que mueriese. En el qual tiempo dize este deposant vio al dicho Anthon de Sanctangel muchas vezes en misas y sermones y ofrecer en muchas misas y dar almosnas a pobres y rezar en unas oras y que segunt lo que en el y en su pratica pudo ver y conocer y vio y conscio dize lo tubo por buen cristiano y que por tal era tenido en la presente ciudat de Calatayut.

Interrogado sup quontenido in undecimo artiuclo respondio que veya al dicho Anthon de Sanctangel muchos domingos y fiestas en misas y en viespras y que mas no sabe.

Interrogado sup quontenido in duo decimo articulo respondio que el dicho Anthon de Sanctangel era rico y yva siempre bien vestido asi en unas dias ocmo en otros, si guradava los sabados o no dize no lo sabe, es verdt que en muchos sabdos lo veya ir negociando como a otros de la ciudat.

(pag. 74 vto.) Interrogado sup quontenido in decimo septimo articulo respondio que ante que viniese la inquisicion los judios acostumbravan a enviar en su pascua pan cenceyio a muchos cristianos de natura y otros y esto sabe porque lo enviaron algunas vezes a este deposant seyendo oficial y en otras oficiales de la ciudat como eran a los Bayles.

Interrogado sup quontenido in decimo octavo articulo respondio quanto al Pedro de Sanctangel que lo ha vibido y tiene por bueno y no rixoso quanto a su padre que defendia su ropa y hubo una question Corunber Morlanes.

- Magnificus Ferdinandus de Funes, escudier habitant civitatis Calatayubii, testis pre dictus presentater juravit per juramentum interrogatum sup quontenitus in primo articulo qui sup quontenitum in eo dixit seninhil.

Interrogado sup quontenido in secundo articulo respondio que comonscio bien al dicho Anthon de Sanctangel al qual vio tractar y dar se mucho con cristianos de natura y nunca lo vio fazer tractos ni sabe los fiziese mas ante dize lo tubo siempre en cristiano de buen hombre y en tal reputaron vio era tenido en la presente ciudat de Calatayur.

(Pag. 75) Interrogado sup quontenido in tercio articulo respondio que vio que el dicho Anthon de Sanctangel caso dos fijos y una fija que tenia con cristianos honrrados y de natura y quel un fijo caso con fija de Cormano el qual era fidalgo y cristiano lindo y por tal tenido y el otro fijo caso tambien con cristiana linda y la fija caso con Guirant de Pamplona que tuambien era cristiano lindo.

Interrogado sup quontenido in quarto articulo respondio que vio Anthon de Sanctangel un anyo ser diputado del regno de Aragon y que mas no y sabe.

Interrogado sup quontenido in quinto articulo respndio que muchas vezes vio al dicho Anthon de Sanctangel en misa y le veya ofrecer muchas vezes y dar algunas almosnas en los vcines que demandavan y le veya rezar en unas oras que tenia y vio era tenido en fama de buen cristiano y por tal lo tubo este deposant por la fama que tenia y porque nunca le vio fazer cosas de mal cristiano ni supo las fiziese.

Interrogado sup quontenido in undecimo articulo respondio que nunca le vio fazer cosa alguna en domingo y fiesta que no fuese de hazer cristiano.

(pag. 75 vto.) Interrogado sup quontenido in decimo nono articulo respondio que tubo al dicho Anthon de Sanctangel en el tiempo que vibia y tiene al dicho Pedro de Sanctangel su fijo por tales como en el dicho artiuclo se tiene.

- Vener dominus Sabastiauns de Utrilla, presbiter loci de Terrer, aldea civitas Calatayubii, testis predictus presentatis jurata et per juramentum interrogavit sup quontentis in secundo quarto et quinto articulis qui sup quontentis deposuit ut seguitur:

Dize este deposant ser verdat conoscio muy bien al dicho Anthon de Sanctangel, con el qual tubo mucha pratica y conversacion por mas de trenta anyos ante que muriese por causa que el dicho Anthon de Santangel estava quasi la mayor parte del anyo en el dicho lugar de Terrer en dondde estedeposant tenia y tiene su habitacion y alli veya como le plazia mucho tratar con personas de bien y cristianos de natura y tratava y negociava como buen hombre de buenos tratos, en lo que este deposant pudo ver y nunca le vio que fiziese usuras ni malos tratos, mas ante dize veya que de quontinuo y casi cada dia ni en tal (pag. 76) estava en el dicho lugar de Terrer, que el dicho Athon venia a la yglesia y hay alli misa y ofrecia siempre en la misa y veya como rezava mucho alli en la yglesia en unas oras que tenia y asi mismo dize vio que fazia muchas almosnas a pobres y hoya a dalgunos pobres que se lohaban del dicho Anthon dize que en el timpo de la quaresma solicitava mucho el dicho Anthon que hoviesen un sermonador y ayudava siempre a pagar el dicho sermonador y veya como estava en los sermones que en el dicho lugar se fazian y como quiere que tenia muy grant pratica con el y en su casa dize nunca le vio fazer cosas de mal cristiano ni supo las fiziese mas ante dize que en todo lo que en su vida y pratica pudo ver y conocer y vio y conoscio dize lo vio vibir como bueno y catholico cristiano y por tal dize lo tubo este deposant y en tal mama y resputacion lo vio tener y reptuar asi en el dicho lugar de Terrer como en la ciudat de Calatayut, en la qual ciudat tambien dize tubo pratica con el dicho Anthon de Sanctangel. El qual Anthon e Sanctangel dize hoyo era fijo de la dicha Maria Sanchez de Borbon, nombrada en el dicho quarto articulo la qual hoyo dezir era cristiana linda, e dize mas que vio uno o dos anyos al dicho Anthon de Sanctangel ser diputado del regno de Aragon.

Interrogado sup quontenido in sexto articulo respondio que hoyo muchas vezes a dalgunos familiares del dicho anthon de Sanctangel como el dicho Anthon guardar las quaresmas y los otros ayunos mandados.

(pag. 76 vto.) Interrogado sup quontenido in undecimo articulo respondio que estando el dicho anthon de Sanctangel en el lugar de Terrer vio guardava y honrrava bien las fiestas y domingos segunt que ver y conocer lopudo.

Interrogado sup quontenido in duo cecimo et decimo tercio articulo respondio que nunca vio ni supo que el dicho anthon de Sanctangel guardase y solempnizase los sabados que no eran fiestas de cristianos ni que se vestiese mejor en los sabdos que en los otros dias mas ante veya que en los sabados sus moços yvan a labiar y el caminava y muchos sabados veniendo de Terrer a Calatayut o de Calatayut alli y faziendo el y sus moços aquello que otros dias fazenderos de la semana acostumbravan fazer.

- Venerable domininus Johannes Capirot, vicarius eclesie sancti Petri de los Francos, civitas Calatayubii, testis predictus presentate jurata per juramentum interrogavit sup in primo articulo qui sup quonteninis in eo dixit se nihil.

(pag. 77) Interrogado sup quontenido in secundo artiuclo respondio que tubo pratica y conocimiento con el dicho Anthon de Sanctangel por mas de quinze anyos ante que muriese y vio como el dicho Anthon de Sanctangel tratava mucho y se con fidalgos y cristianos de natura y que siempre hoyo dizeir que fazia buenos tractos y nunca vio y hoyo lo contrario mas ante dize vio era tenido en fama y reputacion de muy limpio y buen hombre y por tal lo tubo este deposant.

Interrogado sup quontenido in tercio artuclo respondio que vio al dicho Anthon de Santangel caso dos fijo y una fija que tenia con cristianos y lindos y personas honrradas.

Interrogado sup quontenido quarto articulo respondio que vio al dicho Anthon de Sanctangel que se dava mucho y tomava amistas con personas religiosas procuradoresy personas de buena vida y dize que lo vio una vez ser diputado del regno de Aragon.

Interrgado sup quontenido in quinto e sexto e septimo artuculos respondio que por tiempo de unos diziocho anyos que el dicho Anton de Sanctangel fue parrociano de la dicha Yglesia de Sant Pedro de donde este deposant es vicario fasta que el dicho Anthon se fue desta ciudat que habra unos siete anyos queste fue vio como en las pascuas y muchas domingos el dicho Anthon de Sanctangel oya misa y el divino oficio (pag. 77 vto.) en la dicha yglesia de sant Pedro de los Francos y al qual dize este deposant que confeso dos o tres viezes y dize lo comulgo en cada hun anyo de los dichos diziocho anyos una vez en el tiempo de la pascua florida y dize que le veya recebir el Corpus Cirsti e con el orando y con mucha debocion y que segunt lo que en su vida y pratica tendio ver y conocer y vio y conoscio dize lo tubo por buen cristiano y en tal savia y resputacion lo vio tener en la presente ciudat de Calatayud y que mas no sabe.

Interrogado sup quontenido in octavo articulo respondio que no sabe otro salbo que al tiempo que el dicho Anthon de Sangangel se fue de sta ciudat este deposant lo comulgo.

Interrogado sup quontinido in nono articulo respondio que el vio al dicho Anthon de Sanctangel muchas vezes Justicia de la dicha ciudat de Calatayud y vio que sey tenido asi Justicia ocorriendo en su anyada sera es pestilencia procurava se hiziesen en la ciudat muy debotas procesiones.

Interrogado sup quontenido in decimo articulo dixo que se referia al testamento del dicho Anthon de sanctangel.

(pag. 78) Interrogado sup quontenido in decimo octavo articulo respondio que antes que las inquisicion viniesse acostumbravan mucho los judios enviar en el tiempo de la pascua de su pan cotaço y alcahalillas a muchos cristianos de la dita cudat de Calatayut.

Interrogado sup quontenido in vicesimo primo articulo respondio que además del dicho Anthon de Sanctangel conocio un fijo suyo que tambien se llamava Anthon de Santangel que murio el setiempre pasado y otro Anthon de Sanctangel que fue Calonge de las Penya y otro Anthon de Sanctangel fijo de Garcia de Sanctangel que vibe oy.

- Franciscus el Florentum, texeor habitant civitatis Calatayabii, testis predictus presentis juravit et juramentum interrogavit sup questionis in primo, secundo, tercio, quarto e quinto articulis qui sup eis deposuit ut sequitur:

Dize este deposant que comonoscio bien al dicho Anthon de Sanctangel con el qual dize tubo pratica y conversacion por mas (pag. 78 vto.) de vinte anyos ante que muriese el qual dize hoyo dezir era fijo de gentil Doria y vio caso dos fijos y una fija con cristianos lindos y gente honrrada y vio se dava mucho con los crisitanos liedos y con los buenos y vio era tenido por hombre bueno y de buenos tratos en la dicha ciudat de Calatayut y lo vio una vez o dos ser diputado del regno de Aragon. E mas dize vio al dicho Anthon de Sanctangel muchas vezes oyendo misa y le vio dar almosnas y rezar en unas oras que tenia y que alguas vezes seyendo Justicia el dicho Atnhon de Sanctangel este deposant y endo asu casa lo fallava diziendo oracion. E dize que segunt lo que en su vida y pratica pudo ver y conocer y conocio dize lo tubo por muy buen hombre y buen cristiano y en tal de reputacion dize vio era tenido en la dicha ciudat de Calatayut.

Interrogado sup quontenido in nono articulo respondio que vio muchas vezes al dicho Anthon de Sanctangel ser Justicia de la dicha ciudat de Calatayut y vio que ocorriendo en su anyada seca (sequia) o pestilencia procurava se fiziesen procesiones devotas, lo qual son tenidos de fazer lo fazer los Justicias de la dicha ciudat.

Interrogado sup quntenido in vicesimo primo articulo respondio que ademas del dicho Anthon de (pag. 79) Sanctangel conocio otro Anthon de Santangel que oy vibe y un fijo del dicho Anthon y otro que era canonge de la Penya.

Interrogado sup quontenido in vecesimo tercio articulo qui sup quontetis in eo deposuit ut sequitur: Aize este deposant quanto al Vidal Abenpesat que lo tieen por malo porque se fue de aquí a con muchos deudos, segunt hoyo dezir a muchos cuyos nombres no se acuerda y dize que no tubo este deposant que tratar con el ni le fizo a el mal ni bien quanto al Açach de Funes dixo que otro se sabe salbo que lo tiene por tal quel lo tiene al inquisidor y dize mas qual lo tiene el inquisidor y dize mas quel dicho Açach de Funes al tiempo que se fue desta ciudat dixo a este deposant como se yva de temos porque havia fecho testigo contra Pedro de la Cabra. Interrogado que quando le dixo el dicho judio lo sobre dicho y en que mes y anyo y semana y dia y ora y qui estavan presentes respondio queno tiene memoria niguna de los sobre dicho ni se acuerda dello. Quanto a Yuçe el Vayo dize que ni lo tiene por bueno ni por malo y quanto a su padre que lo tenia por buen judio. Quanto a Brahem Alpastan que agora se llama Valtierra dize que lo tiene por malo porque ha seydo difamando de cercevdor de moneda y fue fama que lo devaron preso a Çaragoça, por ello. Et dize mas que hoyo al mesmo Valtierra que se lo havia y factava que entre su hermano y su mujer del dicho su hermano havian mala vida y que no podia el marido traer a ella a lo que queria. E que se (pag. 79 vto.) conversaron centre el dicho Valtierra y el dicho su hermano que le diese el dicho su hermano una solipe y que el faria el muerto y que en esta manera podria facar de su casa lo que quisiese y que esto le dixo en presencia de otros. Interrogado quienes eran los que lo hoyeron yen que anyo antes y dia y lugar fue, respondio que no se acuerda nada dello. Quanto al Benardut que agora sa llama Pedro Garcia dize que ha hoydo dezir a muchos cuyos nombres no sabe que el dicho Pedro Garica tenya fama de mal hombre y de pleytista. Quanto al Johan Garcia, alias sardinillo (hermano del Benardut o Pedro García), dize que es un baladrero. Et quanto a todos los otros nombrados en el dicho articulo dize no sabe cosa alguna porque no ha praticado con ellos. Et seyendole la dicha deposicion quanto al Juçe el Vayo dixo que lo tiene por malo porque es la fama tal. Interrogado que es fama Hoyrlo dezir a muchos, Interrogado de quien lo ha hoydo respondio a tantos que no se acuerda de niguno dellos.

- (Pag. 80 vto.) Venerabili dominus Johannes Munyoz, sacristan beate Marie Mayoris civitas Calatayubii, testis pre dictus presentibus juravit et per juramentum interrogavit sup quonteninitis in primo articulo dixit se nihil.

Interrogatus secundo, tercio, quarto et quinto articulois qui sup quontenitus jurens deposut ut seguitur: Dize este deposant ser verdat que tubo pratica y conversacion con el dicho Anthon de Sanctangel por mucho tiempo ante que muriese y vio como se dava mucho y tomava amistades con personas religiosas y hombres buenos y cristianos de manera y estava en fama de buenos tratos y de buena vida y vio que tenia dos fijos casados con cristianas de natrua y honrrados y nunca dize le vio fazer cosas de mal cristiano ni supo las fiziese mas ante dize lo vio muchas vezes en misa y en viespreas y sermones y vio que era tenido y resputado en la presente ciudat de Calatayut y estava en fama de buen cristiano y por tal lo tenia este deposant porque nunca vio ni supo lo contrario.

Interrogaddo sup quontenido en nono articulo respondio que vio algunas vezes al dicho Anthon de Sactangel ser Justicia de la ciudad de Calatayut y que se acuerda que una vez ocorriendo (pag. 81) en su anyada de su Justicado pestilencia o sera que fiziese unas processiones por ello.

- Magnificus Johannes Çapata, habitant civitatis Calatayubii, tesis pre dicti presentibus juravit et perjurament interrogavit sup quistionis in primo articulis qui sup quiestionis in eo dixit se nihil sise de cierta sciencia salbo que hoyo diezir a muchos cuyos nobmres no se acuerda y tal dize es la fama que el dicho Anthon de Sanctangel fue fijo de la dicha Maria Sanchez de Borbon, nombrada en el dicho articulo.

Interrogado sup secundo, tercio, quarto et quinto articulis respondio que tubo mucha pratica y conversacion con el dicho Anthon de Sanctangel por mas de vinte anyos ante de muriese, a l qual dize vio tratava y se dava muhco con cristianos de natura, fidalgos y tomava amistades con personas religiosas y de buena vida y tratava y negociava (pag. 81 vto.) como hombre de bien y de buenos tratos en lo que este deposant pudo ver y sentir y vio como caso dos fijos y una fija con cristianos lindos y lo vio ser dos vezes diputado del regno de aragon y nunca dize le vio fazer cosas de mal cristiano ni supo las fiziese mas ante dize lo vio muchas vezes en misas, sermones y procesiones y le vio dar almosnas a pobres y le vio rezaba muchas vezes en unas oras que tenia y dize quentodo lo que en el dicho Anthon de Sanctangel y en su vida y pratica pudo ver y conocer y vio y conoscio dize lo vio vibir como buen cristiano y por tal lo tubo este deposant y en tal fama y reputacion vio era tenido en la presnet ciudat de Calatayut.

Interrogado sup quontenido in undecimo articulo respondio que en lo que praticando y conversando con el dicho Anthon de Sanctangel y en su casa pudo ver y conocer vio gradava bien y honrrava las fiestas mandadas guardar por la sancta madre yglesia.

Interrrogado sup quontinido in duo decimo et decimo tercio artuculis respndio que el nunca vio ni supo que el dicho Anthon de Sanctangel guardase ni festuase el dia del sabado que no era fiesta mandada guardar por la yglesia, mas ante dize se acuerda que yendo alguans vezes camino con el dicho Anthon de Sanctangel lo vio caminar algunos sabados y que mas no y sabe.

Interrogado sup quontenido in decimo quinto articulo respondio que nunca vio ni supo que el dicho Anton de Sanctangel tuviese alguna judio mas (pag. 82) ante die y endo la a visitar algunas vezes este deposant al dicho anthon de Sanctangel estando doliente vio lo visitava el maestro mayor y que mas no y sabe.

Interrogado sup quontenido in decimo nono articulo respondio que tubo al dicho Anthon de Sanctangel y tiene al dicho Pedro de Santangel su fijo por tales como en el dicho articulo se quontiene.

Interrogado sup quontenido in vicesimo tercio articulo respondio que estava en fama yde muy aabantaxo en sus tratos. Uanto al Brahem Alpastan que sellama ahora Valtierra respondio que este deposant como comisario del arzobispo fizo presso al dicho Apastan de tercenador de moneda y que se provo contra el almique no por entero y presoalmique fue reprevidido no lo secutaron y lo a metieron a composicion. Quanto al dicho Pedro Garcia dize que decierta sciencia no sabe nada salbo que hoyo dizir a dalgunos judios al tiempo que se fueron y ahun antes que el dicho Pedro Garcia era un mal hombre y mal fin quanto al dicho Johan Garcia dize que ha visto es tenido en la ciudat por un hombre tacanyo y conil. Quanto al Adret dize que se refiere a lo que saben los inquisdores del, pues lo fizieron açotar. E quanto a los (pag. 82 vto.) a otros nombrados en el dicho articulo dize no sabe csa alguna y que mas no y sabe.

- Teresa Cortes, uxor Durango Dominguez, testis predictis presentibus juravit e per juramentum interrogavit sup contenitus in sexto articulum lo que sup quontenitusi in eo deposuti ut sequitur:

Dize esta deposant ser verdat conoscio muy bien al dicho Anthon de Sanctangel, por quanto estuvo en su serviçio y casa por moça unos nueve anyos quontinuos y dize que ha que sallio de su casa y sirvio unos vinti dos anyos. En el qual tiempo dize que encada hun anyo vio como el dicho Anthon de Sanctangel a hunque era viejo ayunava toda la quaresma y las viespras de Nuestra Sennora yde los apostoles y de Sant Miguel y de San Silbestre y de lotros santos que al presente no se le acuerda desta manera que veya que tonia en los tales dias de ayuno viaandas quaresmales y nomas de una vez al dia que esta deposant viese y que comia antedio dia o pora el, e a mas dize que quando venian algunos ayunos los dezia antes a sus familiares pa que los ayunasen. Et dize que dela mesma (pag. 83) manera le vaya ayunar todos los biernes del anyo.

Interrogada sup quontenitis in undecimo articulo respondio que en el dicho tiempo que estuvo en la casa y servicio del dicho Anthon de Santangel vio como el dicho Anthon de Santangel guardava y honrrava ien las pascuas y fiestas mandadas guardar por la yglesia y las mandava y fazia bien guardar a los de su casa entodo lo que esta deposant pudo ver y conocer.

Interrogada sup quontentis in duo decimo et decimo tercio articulis respondio que en el dicho tiempo que estuvo en la casa y servicio del dicho Anthon de Sanctagel nunca le vio festival ni guardar a el ni a los de su casa sabado alguno que no fuese fiesta de cristianos ni vio que en el tal sabado se vistiese de mejores vestidos que en los otros dias de la semana, mas ante dize vio que en los sabados que no eran fiestas asi el como los de su casa fazian aquello que en los otros dias fazenderos de la semana acostumbravan de fazer, sin fazer diferencia que esta deposant viese y conociese de los sabados a los otros dias de la semana fazenderos y que por mas de quatro vezies lo vio yr amino y venir de camino en dias de sabado.

Interrogada sup quontenitis in decimo quarto artuculo respondio que en todo el dicho tiempo que esta deposant estubo en la casa y servicio del dicho (pag. 83 vto.) Anthon de Sanctangel nunca vio ni supo que el dicho Anthon de Sanctangel ni los de su casa recibiersen cosa de comer alguna de judios ni tanpoco vio ni supo que de casa del dicho Anthon de Sanctangel enviasen cosa alugna de comer a judio alguno e a mas dize se cauerda que una vez vio que un moço de don Tradoz el viejo traxo un poco de turrado a la casa del dicho Anthon de Sanctangel y que la mujer del dicho Sanctangel quelo vio no lo quiso receir y asi se lo torno el dicho moço.

Interrogado su quontenitis in decimo quinto articulo respondio que en el dicho tiempo que estubo en la casa y servicio del dicho Anton de Sanctangel vio como tubo siempre por medico de su casa a uno llamado maestre Domingo, al qual hoyo le dava el dicho Anthon de Sanctangel dos cafizes de trigo de pension por anyo y algunos anyos gelo vio pagar esta deposant y nunca vio ni supo que el dicho Anthon de Sanctangel tubiese pensionado meje alugno judio ahunque a la sazon vio havia mejes judios en la presente ciudat de Calatayut.

Interrogado sup quontenitis in decimo sexto articulo respondio que en el dicho tiempo que estuvo en la casa y servicio del dicho Anthon de Sanctangel nunca vio que en las noches de los biernes (pag. 84) se fiziese diferencia alguna en encender candiles a las noches de los otros dias de la semana antes dize que cada noche levavan tres candiles para aquella casa, los quales asi los encendian quando eran menester unas noches como otras sin fazer diferencia de otras noches a otras.

- Venerabili dominus Eximinus Parient, vicarius eclesie de Terrer, testis predictis presentatoirs juravit per juramentum interrogavit sup quontenitis in primo articulo dixit que nihil sabe de su cierta sciencia salbo que hoyo dezir que el dicho Anthon de Sanctangle era fijo de la dicha Maria Sanchez de Borbon, nonbrada en el dicho articulo, la qual hoyo dezir fue muy honrrada mujer y de buena parte.

Interrogado sup contenitis in secundo e quinto articulis respondio que tubo mucha pratica y concimiento que el dicho Anthon de Sanctagel por unos quinze o vinte anyos poco mas o menos ante que muriese a causa que el dicho Anthon de Sanctangel tenia casa y heredat en el dicho lugar de Terrer de donde este deposant es vicario y se estava alli por tiempo todas la (pag. 84 vto.) mayor parte del anyo adreçando y faziendo adreçar su heredat. Et con esto dize vio que el dicho Anthon de Sanctangel ni entre estava en el dicho lugar quasi cada dia en especial los sabados vio como hoya misa en al dicha yglesia de Terrer y ofrecia siempre en la misa y mientras se dizia la misa vio como rezava en unas oras que tenia las quales vio este deposant que eran muy buenas y estava con mucha debocion alli en lo que este deposant podia ver y vio como alli en la yglesia dava almaosna a los pobres que ge la demandavan. Et dize que muchas vezes en las quaresmas instava a los del dicho lugar a que hovisen algun frayre pa que sermonase o faziendoles de ayudar a pagarlo. E dize que se havia muy bien en el dicho lugar con todos como hombre de ien y de buenos tractos y ue cierto en todo lo que este deposant pudo ver y conocer en el dicho Anthon de Sanctangel lo tuvo siempre por buen cristiano y en tal reputacion lo vio tener en el dicho lugar y nunca hoyo lo contrario. Ea ahun dize se acuerda que dio el dicho Anthon de Sanctangel a la yglesia de Terrer un encenseio de allaton y un baçin pa perolear.

Interrogatus sup questionis in sexto articulo dixit se hilhil secuerda, cierta sciencia, salbo que hoyo dezir al dicho Anthon de Sanctangel y adalgunos de su casa como ayunava las quaresmas y otros oy mas mandados.

(pag. 85) Interrogatus sup questionis in undecimo articulo respondio que een el tiempo que el dicho Anthon de Sanctangel estava en el dicho lugar de Terrer genlo que este deposant pudo stenir ver y conocer y vio y con esto dize le vio guardar bien las fiests mandadas guardar y ental possesion estava.

Interrogatus sup questionis in duo cecimo et decimo tercio articulis respondio que nunca vio ni supo ue el dicho Anthon de Sanctangel festivase el sabado que no era fiesta mas que otro dia de la semana ni que se vestiese mejor en el sabado que en los otros dias de la semana mas ante die fazia en los sabados lo que otros dias acostumbrava de fazer y veya algunas vezes en sabado a sus moças yr a lavar a su moço yr a labrar a sus heredades y traer benya en sabado y vio al dicho Anthon de Sanctangel algunos sabados venir de Terrer a la presente ciudat de Calatayut y que quando obrava su casa que obro alli en terrer que si fazia obrar en los sabados como en los otros dias de la semana.

- (pag. 85 vto.) Sancius Julian, agricola vicinus loci de Terrer testis pre dictum presentatis juravit et juramentum interrogavit sup contentis in sexto artuculo qui sup quontentis in eo deposuit ut seguitur:

Dize este deposant conoscio bien al dicho Anthon de Sanctangel del qual dize tubo a medias unos ocho anyos cierta heredat que tenia el dicho Anthon de Santangel en Terrer, del qual tiempo dize estubo alli en Terrer en la casa del dicho Anthon de Sanctangel unos tres anyos en el qual tiempo dize hoyodezir a los de casa como ayunava el dicho Anthon de Sanctangel la quaresma y otros ayunos mandados, y este deposant dize nunca le vio comer en quaresma ni ayuno mas de una vez al dia si comia mas ni entre este deposant estava en la guerta o no dize no lo sabe.

Interrogatus sup quontenitis in duo decimo articulo respondio que en lo que en el dicho tiempo pudo ver y conocer en el dicho Anthon de Sanctangel dize le vaya guardar bien las fiestas y veya como folgavan sus moços en las fiestas y no yvan a trabajar como otros dias de la semana exceptando que alguna vez en dia de fiestas veya que enviava el moço y la moça de Terrer a Calatayut paralgunas cosas que havia menester.

Interrogatus sup quontenitis duo decimo et decimo tercio articulis respondio que en el dicho tiempo que tubo pratica con el dicho Anthon (pag. 86) de Sanctangel y estuvo en su casa nunca vio que el dicho Anthon de Sanctangel fizese diferencia en vestir ni faze fazienda de los sabados a los otros dias de la semana antes vio que sus moços tregajavan en los sabados como en los otros dias y el assi vio yva a ver sus heredades y sus moços en los sabados como otros dias de la semana y fazia aquello que otros dias le veya fazer.

- Marquesa, uxor Petri Xudez, agricole habitator civitas Calatayubi, testis per dictum presentatis juramentum interrogavit sup questionis in vicesimo secundo articulo que sup quontentis juro deposuit ut sequitur:

dize esta deposant ser verdat que conoscio bien al dicho Anthon de Sanctangel e con esto dize que habra unos quatorze o quinze anyos poco mas o menos seyendo viuda esta deposant que pco havia se le havia muerto el marido un fudio llamado Salomon Alazan envio a secutar a esta deposant por guarenta sueldos y un cafiz de trigo que dezia le devia el dicho su mario y el qual cafiz de (pag. 86 vto.) trigo dize era de logro de los dichos quarenta sueldos el qual cafiz de trigo le pagava el dicho su marido al dicho judio en cada hun anyo por los dichos quarenta sueldos, y esta deposatn viendo se la casa essecutada vendio cierto canyamo y centeno que tenia y traxo al dicho judio los quarenta sueldos y el dicho judio no los quiso recebir sino que le diese con ellos un cafiz de trigo por lo qual esta deposant recorio al dicho Anthon de Sanctangel que a la sazon era Justicia de Calatayut y el dicho Justicia llamo al dicho judio en presencia desta deposant y lo trato mal de palabra y en fu mando que esta deposant le diese al dicho judio quatro sueldos en lugar del dicho cafiz de trigo y no mas los queles le dio y mando al judio que le diese a estadeposant las cartas que tenia sobre el dicho su marido, y el dicho judio dixo que bastaria las dichas cartas, y depues otro dia esta deposant torno al judio pro las cartas y dixo que no las fallava y otro dia dixo que eran perdidas y otro dia demandandlole las cartas esta deposant dize que le dixo el dicho judio pa el dio y ote dare mala vejedat y luego oyendo esto esta deposant y veyendo que le havia pagado y no el dava las cartas ni le havia fecho disentimineto dize que fue al dicho Anthon de Sanctangel Justicia y fallolo en el altar y contole todo lo sobre dito y el dicho Anthon de Sanctangel dixo a esta deposant que se fuese a su casa del dicho Justicia que el la ampliera de justicia y fizo lo asi e esta deposant, y luego vino alli el dicho Anthon de Sanctangel con mucho enojo por la (pag. 87) su razon que hazia el dicho judio a esta deposant y vestiose una manteta de armas reales y dixo a esta deposant yreys tras mi a Sancta Maria cridando avivi que me roban los judios lo mio cumplir me de justicia que yo salde encabo destos judios y luego dize uno se plego alli muy mucha gente que lo sintieron por detener al dicho Justicia que no salliese y contodo sallio un poco de casa y la gente era tanta que no lo dexaron yr, y asi el dicho Anthon de Sanctangel cobro del dicho judio las cartas y las dio a esta deposant y la fizo difinir a esta deposant por el dicho judio, y despues viendo la bondat que el dicho justicia havia fecho por esta deposant, esta deposant le truxo un par de gallinas al dicho Anthon de Sanctangel el qua nunca las quiso recebir diziendole a esta deposant que mas menester las hvia ella que no el y deppues le truxo una cesta de gruta y aqeulla le pago que de otra stuviese no la quiso recebir.

- (pag. 87 vto) Petrus Xudez, agricola habitant civitas Calatayubii, testis preditus presentibus juravit juramentum interrogavit sup questionis in sexto articulo qui sup quontentis in eo deposuit ut sequitur:

Dize este deposant ser verdat conocio bien al dicho Anthon de Sanctangel por quanto habia unas quarenta anyos poco mas o menos que estubo en la casa y servicio del dicho Anthon de Sanctagel por moço de lavrar unos dos anyos. En el qual tiempo dize sabe que el dicho Anthon de Sanctangel ayunava toda la quaresma y los otros ayunos mandados com buen cristiano esto dize sabe por quanto nunca en quaresma ni en los dias de los otros ayunos vio que el dicho Anthon de Sanctangel cenase ni comiese mas de una vez y aquellas viandas de quaresma y nunca dize hoyo ni supo por otros lo contrario ante hoya a los otros de casa como ayunava el dicho anthon de Sanctangel los dichos ayunos.
Interrogatus sup quontentis in undecimo articulo respondio que en todo lo que en el dicho tiempo de dos anyos que estubo con el dicho Anthon de Sanctangel pudo ver en el y en su casa dize vio honrravan y guardavan bien las pascuas y domingos y fiestas mandadas guardar por la yglesia y las fazia guardar a este deposant que nunca ni entre estubo con el la fizo yr a trebajar (pag. 88) en pascua ni domingo ni en otro dia de fiesta mandada guardar.
Interrogatus sup contentis in duo decimo et decimo tercio articulis respodnio que en el dicho tiempo de dos anyos que estuvo con el dicho Anthon de Sanctangel nunca vio que el dicho Anthon guardase ni festivase el dica del sabado que no era fiesta mas que otro dia fazendero de la semana ni nunca le vio en fazienda ni en su vestir fazer diferencia de los sabados o los otros dias de la semana mas ante dize vio que el y los de su casa fazian los sabados lo que acostumbravan de fazer otros dias de la semana y este deposant en los sabados no eran fiestas por mandado del dicho Anthon de Sanctangel su amo yva a trebajar y trebajava en sus heredades y el dicho Anthon de Sanctangel lo fue a ver muchas sabados como trabajava y vio exeria alguans vezes en sabados en la guerta, y en su casa vio como filavan en sabado y fazian las otras cosas de casa.
Interrogatus sup contentis in decimo quarto articulo respondio que nientre estubo en la en la casa y sirvicio del dicho Anthon de Sactangel nunca vio quel dicho Anthon recibiese de judios cosa alguna de comer ni que el geles mandase a ellos mas ante dize que demostrava querer mal a los judios en su fablar.
Interrogatus sup quontentis in decimo quaarto artuculo respondio que nunca supo que el dicho Anthon de Sanctangel tuviese meje judio.
(pag. 88 vto.) Interrogado sup contentis in decimo sexto artuculo respondio que en los dichos dos anyos que estubo en la casa y sirvicio del dicho Anthon de Sanctangel nunca vio que en su casa se encendiesen mas candiles en los viernes en las noches que en otros dias de la semana y se fizese diferencia de unas noches a otras ni se fiziese diferencia de unas noches a otras.

- Magister Johannes Lopez, Cuberius, habitant civitas Calatayubii, testis predictus presentatis juratus et pre juraventum interrogat sup contentis in secundo et quinto articulis qui sup quontentis in eis deposuit ut seguitur.

Dize este deposant ser verdat conoscio bien al dicho Anthon de Sanctangel en cuya casa dize habra unos doze o treze anyos estubo por tiempo de unos dos anyos el un amigo estibo con un cubero que estava y vibia dentro de la casa donde habitava el dicho Anthon de Sanctangle y el otro anyo siguient estubo con el dicho Anthon de Sanctangel sirviendolo de escudero en el qual tiempo y depues fasta que se fue dize lo veya yr mucha a misa casi cada dia y dezir oracion en la ygleisa y dar muchas (pag. 89) almosnas a pobres y acuerdase que en aquel anyo que estaba su escudero veya que al tiempo que tocava a maytines en sancta Maria cada noche llamava al moço a la moça o a este deposant que le encendiersen lumbre y le encendian una candela y ge la davan alli en la cama quando el moço quando la moça quando este deposant y veya como se ponyan el jubon y rezavan en unas oras que tenya alli en la cama. E acuerdase mas que una vez que adlecio el dicho Anthon de Sanctangle en el dicho anyo que estubo con el estando muy malo vio como se comulgo alli en la cama contanta debocion que nunca le parece haver vidsto a persona otroa comulgarse con tanta debucion como a el, llorando y demostrano grandes senyales de debucion. E dize que cierto entodo lo que en su vida y pratica y en su casa a si en el dicho tiempo que estubo en su casa como despues en el tiempo que lo pratico pudo ver y conocer dizelo vio vibir como bueno y catholico cristiano y por tal lo tubo siempre este deposant porque nunca dize le vio fazer cosas ni tractos de mal cristiano ni vio que tratase mcuho con males persoans ni con judios sino con personas de bien y honrradas.
Interrogatus sup contentis in sexto articulo respondio que en el dicho tiempo que este deposant estubo en la casa y servicio del dicho Anthon de Sanctangel lo vio ayunar muy muchas dias ni comiendo que este deposant viese sino una vez en el dia y viandas

quaresmales y que le parecia y era grant ayunador empo si ayunava (pag. 89 vto.) toda la quaresma y todos los biernes y todos los otros ayunos mandados dize que no se le acuerda ni sabe mas.

Interrogatus sup quontentis in undecimo articulo respondio que en lo que en el dicho tiempo que estubo con el dicho Anthon de Santangel y en su casa pudo ver y conocer vio que el dicho Anthon de Sanctangel guardava y honrrava y fazia guardar bien a los de su casa las pascuas, domingos y fiestas mandadas guardar.

Interrogatus sup quontentis in duo decimo et decimo tercio articulis respondio que en el dicho tiempo respondio que en el dicho tiempo que estubo en la casa y servicio del dicho Anthon de Sanctangel nunca vio ni supo que el dicho Anthon de Sanctangel guardase ni festivase el sabado que no era fiesta de cristianos ni se vestiese mejor que en otros dias de la semana mas ante dize veya fazia en e lsabado aqeullo que otros dias de la semana acostumbrava de fazer sin fazer diferencia que este deposant comociese de los sabados a las otros dias y veyaa como el moço de lavrar del dicho Anthon de Sanctangel yva a labrar y trabajar en los sabados y las moças y jumeres de casa filavan en los sabados y que a mas no y sabe.

(pag. 90) Interrogatus sup quontentis in decimo quarto articulo respondio que mientre estubo en la casa y servicio del dicho Anthon de Sanctangel nuca vio ni supo que el dicho Anthon de Santangel recibiese cosa alguna de comer de judios algunos ni que enviase cosas de comer a los judios.

Interrogatus sup quontentis in decimo quinto articulo respondio que nucna vio ni supo que el dicho Anthon de Santangel tuviese apensionado meje alguno judio.

Interrogatus sup quontentis in decimo sexto articulo respondio que en el dicho tiempo que estubo en la casa y servicio del dicho Anthon de Sanctangel nunca vio que en los biernes en las noches encendiesen en su casa mas candiles que en otras noches antes vio no se fazia en aquello mas diferencia en los biernes que en las otras noches de la semana.

- Franciscus Tabaria, habitator civitas Calatayubii, testis per dictus presentatus juravit et juramentum interrogatus sup quontentis in primo articuli dixit se nihil fare.

Interrogatus sup quontentis in secundo et quinto qrticulis respondio que a su parecer habra unos seys o siete anyos que entro en servicio del dicho Anthon de Sanctangel nombrado en el dicho articulo por escudero, con el qual estubo unos quatroze o quinze meses y deste tiempo estubo con en en esta ciudad en su casa un mes y medio o para si (pag. 90 vto.) y de aquí dize fue este deposnat con el dicho Anthon de Santangel a mallorca y ver una fija qualla tenia casada con un mercader en donde dize estubieron unos quinze meses y de alli se tornaron a Calatayut. E ante deste tiempo y despues tambien dize tubo pratica y como conocimiento con el dicho Anthon de Sanctangel y en su casa. E conesto dize vio que el dicho Anthon de Sanctangel hoya misa mucho de quontinuo y vio como rezava mucho en unas oras que tenia y un que dava muchas almosnas a pobres e ahun dize que ado tomava mucho a este deposant en devociones y cosas de buen cristiano y lo reprendia mucho de los vicios. E dize que cierto en todo lo que en su vida pudo ver y conocer y vio y conoscio asi en el tiempo que estubo en su servicio como en el otro tiempo que lo pratico dize lo vio vibir como bueno y catholico cristiano y por tal dize lo tubo siempre este deposat y que mas no y sabe.

Interrogatus sup quontentis in sexto arutclo respondio que en el dicho tiempo que estubo en servicio del dicho Anthon de Sanctangel en todo lo que ver y conocer pudo vio como el dicho Anthon de Sanctangel ayuno toda la quaresma de aquel anyo que stubo en su servicio y los biernes y ayunos mandaddos por la yglesia no comiento mas que una vez al dia que este deposant viese ni stuviese y aquella vez comia viandas quaresmales.

(pag. 91) Interrogatus sup quontentis in septimo et octavo articulis respondio que ante que el dicho anthon de Sanctangel y este deposant fuesen a Mallorca vio como se confeso el dicho Anthon de Santangel una vea y estando en Mallorca en la quaresma de aquel anyo vio como el dicho Anthon de Santangel se confeso y comulgo. E depues que fue tornado aquí a Calatayut queriendose tornar otra vez para Mallorca vio como ante de partir de aquei seconfeso y comulgo el dicho Anthon de Sanctangel y anpro a este deposant que ya no estava en su serivio pa que fuese con el otra vez a Mallorca. E dize que en el camino y endo los dos el dicho Anthon de Santangel adelecio en el lugar de Villareal del regno de Valencia en donde vio murio el dicho Anthon de Sanctangel, vio como se confeso y recibio el cuerpo de nuestro sennos Ihesu Cristo con mucha debocion y oraciones como buen cristiano y despues vio como recibio el sacramento e la estrema uncion y en si vio como murio muy bien y como buen cristiano en lo que pecia demostrando senyales de contricion y rezando las maytinas de nuestra sennora mientre pudo fablar y otras oraciones.

Interrogatus sup quontentis in un dechno articulo respondio que en el dicho Anthon de Sanctangel en el timpo que estubo con el pudo ver y conocer y vio y conoscio dize vio que guardva bien las fiestas mandadas y nunca ge las vi crebantar.

(pag. 91vto.) Interrogatus sup quontentis in duo decimo e decimo tercio articulis respondio que nunca vio al dicho Anthon de Sanctangel mientre estubo con el fazer diferencia en fazienda ni en vestir de los sabados a los otros dias de la semana mas ante dize lo vio caminar muchos sabados y fazer otras cosas que en otros dias de la semana acostubrava a fazer.

Interrogatus sup quontentis in decimo quarto, dcimo quinto et decimo sexto articulis respondio que mientre estubo en servcio del dicho Anthon de Sanctangel nunca vio ni supo que el enviase cosa alguna de comer a judios ni la recibiese dellos ni tampoco vio ni supo que vibiese apensionado pa su casa meje alguno judio ni vio que en su casa encendiesn mas cinfuelos en las noches de los viernes que en las otras noches de la semana.

- Magister Michael Munyebrega, freater ordis pedicatoribus, testis preditum presentatus juravit et per juramentum interrogatus sup quontentis in primo articulo qui sup quontentis in eo deposuit ut sequitur:

(pag. 92) Dize que conocio a la madre del dicho Anthon de Sanctangel enpo si se clamava como en el articulo seguiente dize no lo sabe ni menos sabe si era cristana linda o no que a el se acuerde.

Interrogatus sup quontentis in secundo et quinto articulis respondio que tubo mucha pratica y conocimiento con el dicho Anthon de Sanctangel, por mas de vinte anyos ante que muriese al qual vio en el dicho tiempo que raticava y vonversava mucho con cristianos lindo hidalgos y personas de honrra y con personas religiosas y acuerdase que tenia mucha familiaridat en el monasterio de Sant Pedro Martir y comia alli algunas vezes y fazia almosnas al dicho convento y fazia dizir alli muchas misas en el anyo y vio como oya en la dicha yglesia muchas viezes misa y sermon con buena debocion y que nunca vio ni supo que fiziese cosas de mal cristiano ante dize vio era tenido en la presente ciudat en reputacion de muy buen hombre y buen cristiano y pot tal lo tubo siempre este deposant segunt la fama que del hoya y lo que le veya fazer.

(pag. 92 vto.) Interrogatus sup quontentis in nono articulo respondio que vio al dicho Anthon de Sanctangel ser mcuhas vezes Justicia de Calatayut.

Interrogatus sup quontentis in undecimo articulo respondio que nunca le vio fazer fazienda ni cosa indevida en fiestas pascuas ni domingos.

Interrogatus sup quontentis in duo decimo articulo respondio que no lo sabe porque no se dio acara dello.

Interrogatus sup quontentis in decimo nono articulo respondio que conoscio bien al dicho Anthon de Santangel, el qual dize era un poco rixoso y malenconyoso ahunque no le durava mcuho mas con todo dize era muy buen hombre y al dicho Pedro de Santangel dize lo tiene por tal como en el dicho articulo se quontiene.

- (pag. 93) Magister Petrus Morlanes, in sacra theologia magister ordinis predicatioribus, testis predictus presentatis juratis et per juramentum interrogatum sup contentis in primo articulo qui sup quontintis in eo deposuit ut sequitur:

Dize este deposant ser verdat que el vio, conscio a la dicha Maria Sanchez de Borbon nombrada en el dicho articulo mas dize hoyo siempre dizir y tal dize fueyes la fama probada en la dicha ciudat de Calatayut que fue madre del dicho Anthon de Sanctangel y que fue cristiana de natura y prima deste deposant.

Interrogatus sup quontentis in secundo et quinto articulis respondio que tubo pratica y conocimiento con el dicho Anthon de Sanctangel por mas de trenta anyos ante de muriese al qual dize vio muchas vezes oyr misa y sermones en la yglesia de Sant Pedro Martir y vio fazia dezir alli algunas misas asi a este deposant como a otros frayres y vio que fazia tambien algunas almosnas a los frayres del convento y dize que lo confeso este deposant algunas vezes y vio que se dava mucho y praticava con personas de horra y bien y asi dizeque en todo lo que ensu vida y pratica pudo ver u concocer y vio y conscio dize lo vio vibir como buen hombre y buen cristiano y por tal lo tubo siempre este deposant y en tal fama (pag. 93 vto.) y reputacion dize lo vio tener en la presente ciudat y nunca dize hoyo lo contrario.

Interrogatus sup quontentis in septimo articulo respondio que como dicho ha confeso algunas vezes al dicho Anthon de Sanctangel y una vez lo confeso estando muy mal que se penso moriri y que mas no y sabe.

Interrogatus sup quontentis in nono articulo respondio que vio algunas vezes al dicho Anthon de Sanctangel ser Justicia de la ciudat de Calatayut e ahun se acuerda que seyendo Justicia mando fazer algunas precesiones paragua o pestilençia.

Interrogatus sup quontentis in un decimo articulo respondio que no sabe lo que se fazia en su casa en los dias de fiesta.

Interrogatus sup quontentis in duo decimo articulo respondio que no sabe se guardava los sabados o no el dize que nunca vio ni supo aue los guardase.

Interrogatus sup quontentis in vicesimo primo articulo respondio que el no ha concocido otro Anthon de Sactangel simo al dicho Anthon de Sanctangel y a un fijo suyo.

- (pag. 94) Magnificus Michael de Peralta, Justicia y ciudadano civitas Calatayubii, testis predictis presentavit juramenetum per jurament interrogavit sup contentis in primo articulo qui sup quontentis in eo deposuit ut sequitur:

Dize este deposant ser verdat que el no conoscio a la dicha Maria Sanchez de Borbon nombrada en el dicho articulo mas dize hoyo dezir publicamente y tal dize es la fama que la dicha Maria fue madre del dicho Anthon de Sanctangel y que fue cristiana de natura.

Interrogatus sup quontentis in secundo articulo respondio que el tubo pratica y conocimiento con el dicho Anthon de Sanctangel por mas de vinticuatro anyos ante que muriese en el qual tiempo dize nunca le vio fazer tratos yllicitos ni de mal hombre.

Interrogatus sup quontentis in tercio articulo respondio que vio que el dicho Anthon de Santangel caso una fija que tenia con Guiralt de Pamplona, el qual es cristiano lindo de padre taniolomement y vio que caso los dos fijos con cristianas de natura y vio que el dicho Anthon de Sanctangel tubo mucha pratica y conversacion con cristianos de natura.

Interrogatus sup quontentis in quarto artuculo respondio que vio al dicho Anthon de Sanctangel por una vez o dos ser diputado del regno de Aragon.

(pag. 94 vto.) Interrogatus sup quontentis in quarto artuculo respondio respondio que en el dicho tiempo que tubo pratica y conocimiento con el dicho Anthon de Sanctangel lo vio muy quontinuo en oyr misa y sermones y le vio ofrecer en las misas y dar almosnas a pobres y le vio rezar en unas oras que tenia y dize que vio era tenido y reputado en la presente ciudat de Calatayut por buen cristiano y por tal lo tubo esta deposant porque nunca vio ni hoyo lo contrario.

Interrogatus sup quontentis in nono articulo respondio que vio algunas vezes al dicho Anthon de Sanctangel ser Justicia de la ciudat de Calatayut y vio que ofreciendose en su anyada alguan vez sequi o pestilencia fazia el dicho Anthon de Sanctangel fazer algunas procesiones.

Interrogatus sup quontentis in un decimo articulo respondio que vio al dicho Anthon de Sanctangel en los dias de fiestas yr a misa y a viespras y que en lo que parecia dize guardava bien las dichas fiestas y domingos.

Interrogatus sup quontentis in decimo septimo articulo respondio que ante qu viniese la inquisicion vio que los judios acostumbravan de envyar pasada su pascua del pan cencenyo a muchos cristianos de natura de su pan (pag. 95) cencenyo entre los quales dize violo enviaron algunas vezes acasa deste deposant y a casa de Morlanes y a casa de Rodrigo de Sayas de los otros dize no se acuerda.

Interrogatus sup quontentis in vicesimo primo articulo respondio que ademas del dicho Anthon de Sanctangel conocio otro Anthon de Sanctangel que fue clerigo de la Penya y otro que oy vibe y que no se acuerda mas.

Interrogatus sup quontentis in vicesimo tercio articulo respondio quanto al Açach de Funes que antes de la espulsion delos judios le dixo el dicho Açach de Funes como a instancia de Adret el de Arangiga havia depsosado falso contra Pedro de la Cabra en la inquisicion y por estodize lo tiene por malo que otro no sabedel dicho Açach. Interrogatus si era el dicho Açach mucho su amigo respondio que no. Interrogado pues no era amigo como vinieron este deposant yy el dicho Açach en aquellas mmaneras respondio que porque este deposant havias de trenta anyos que es Bayle de los judios desta ciudat y fablando los dos de la inquisicion dize que el dicho judio le dixo las dichas palabras y fablando del dicho Aret y diziendo mas del pa no dezirlas dichas palabras. Interrogado en que anyo y en que dia y en que ora y en que lugar y quien estava prsentes quando el dicho judio le dixo las dichas palabras respondio que ge ge las dixo en su casa (pag. 95 vto.) desde deposant en un palacio y que era enpues de comer y asi ahora de viespreas y que no estava ninguno presente sino los dos solos y que fue esto unos seis meses o un anyo antes de la espulsion de los judios. Interrogato ha que se fue de aquí el dicho Açach de Funes respondio que ree que se fue ante de la publicacion del edicto del estierro de los judios que el no lo tenia de la manera pa saber el dia que se fue. Interrogado porque zitolo dixo luego aquello a los inquisidores pa que castigaran al dicho Açach respondio que porque no tocava a el fablar ninguna cosa dello. Interrogado si ha dicho las dichas palabras que el dicho Açach de Funes le dixo adalguna persona respondio que nunca lo dixo sino agora en este processo y antes en el processo de la defension de Jorge de la Cabra y que nunca lo dixo contra persona alguna.

Quanto al Brahem Alpastan que agora se llama valtierra respondio que no sabe otro del sino que hoyo dezir publicamente que fue processado preso por tercenador de moneda.

Quanto al Juahan Garcia, alias sardinllo, respondio que esta en fama de cunarpinaryo y de reym reputado.

Quanto al dicho Pedro Garcia respondio que lo tiene por malo porque dize le ha vista fazer (pag. 96) juramento falso especilmente en una diferencia de una plata que tenya con Brahem de Aytona, moro que vendio adamdija, el qual juramento fizo en su poder deste deposant segunt lo tiene y a depsado en el processo de la defension de Jorge de la Cabra. Interrogado como sabe que dicho Pedro Garcia fiziese el dicho juramento falso respondio que por quanto el dicho Brahem Daytona enpenyo a en poder del dicho Pedro Garcia una plata deun capaçet y depues al tiempo del quitar la deferencia entre ellos ante este deposant sobre quanta era la palta y el dicho Pedro Garcia juro que era tanta y el dicho moro dixo que era mas, lo qual probo el dicho moro ante este deposant con el dicho Andria argenero a quien el dicho judio vendio a peso la dicha plata, el qual argentero juro en poder deste deposant que la dicha plata del dicho capatero sobre que lingavan era mas que el dicho Pedro Garcia juro. Interrogado si hay desto acto alguno de notario o presso respondio que no se acuerda y que si lo hay lo tienen los notarios que han seydo de la Baylia. Interrogado que pues que era Bayle de los judios como no castigo al dicho Pedro Garcia por el dicho juramento falso respondio que porque no hubo instancia de parte contra el. E mas dize que hoyo dezir al dicho moro como se tenia el dicho Pedro Garcia una taça de plata.

(pag. 96 vto.) Interrogado si fizo pagar la demasia de la plata al dicho Pedro Garica pues le parecio havia jurado falso respondio que no se acuerda de los que se fizo mas delante de lo que ha dicho. E quanto al Adret de Arandiga dize que no sabemos de quanto vio lo acotaron por Calatayut. E quanto a los otros nombrados en el dicho articulo dize no sabe nada de cierta sciencia.

-(pag. 97) Sancius Brum, habiant cicitatis Çesaraguste testis pre dictus presentacionis juravit et per juramentum interrogavit sup questentis in quinto articulo qui supo quontentis in eo deposuti ut sequitur.

Dize este deposant que conoscio bien al dicho Anthon de Sanctangel e con esto dice que en anyo de mil CCCC y sesenta o porally este deposant entro en la casa y servicio del dicho Anthon de Sanctangel y estubo en su casa y serciio por unos tres anyos quontinuos poco mas o menos y depues que sallyo de su casas fasta el anyo de stenta y dos tubo muy grant pratica y familiaridat con el dicho Anthon de Sanctangel y comia los mas dias de fiesta en su casa y fue muchos caminos con el en especial fue una vez con el a Mallorca. E enesto dize que en el dicho tiempo que estubo en la casa y servio del dicho Anthon de Sanctangel (pag. 97 vto.) y en el otro tiempo que tubo pratica y familiaridat en su casa dize lo veya ir muy quontento a misa y ofrecer en las misas y dar muchas almosnas a pobres y en especial en las viespras de pascua de navidat y de resurrecion enviava rigo con este deposant adalgunos pobres vergoviyantes y vio como rezava mucho cada dia en unas oras que tenia en las quales vio est deposant havia las oras de la virgen Maria y de defuntos y de la cruz y otras muchas oras y en esto ento de lo que en su vida y pratica pudo ver y conocer y y son y conoscio dize lo vio vibir como buen hombre y como bueno y catholico cristiano y por tal hovido siempre este deposant y en tal fama y reputacion lo vio tener y reputar en la ciduat de Calatayut y dize que nucna conscio en el cosa de mal cristiano sino de bueno.

Interrogatus sup quontentis in primo articulo respondio que conoscio bien a la dicha Maria Sancehz de Borbon nombrada en el dicho articulo, la qual vio era tenida e nombrada y reputada por madre del dicho Anthon de Santangel y por cristiana de natura e hoyo dezir que su padre havia estado un fidalgo honrrado y nunca hoyo dezir lo contrario.

Interrogatus sup quontentis in sexto articulo respondio que en el dicho tiempo que estubo en la casa y servicio del dicho Anthon de Santangel y por los (pag. 98) caminos que fue con el en to lo que ver y conocer pudo y vio le deya guardar las quaresmas y ayunos mandados y de algunos sanctos por devocion y los biernes del anyo no comiendo que este deposant viese sino una vez al dia y viandas quaresmales.

Interrogatus sup quontentis in septimo articulo respondio que vio comulgar al dicho Anthon de Sanctangel muchas vezes y este deposant lo acompanyava e dize mas como tomo dicho ha enfiava muchas almosnas secretas con este deposant a dalgunos pobres y vio que caso una moça suya guerfana que havia traydo de Navarra y dio cierta quantidad que le parece era dozientos sueldos pa casar otra guerfana de Castejon. E ahun dize que en las quaresmas mandava a todos los de su casa que se confesasen diziendoles que sino se conffesavan no estarian en su casa la pascua.

Interrogatus sup quontentis in undemimo articulo respondio que ento do lo que en el dicho Anthon de Sanctangel pudo fer y concer y vio y conscio dizele veya guardar y fazer guardar y honrrar en su casa los domingos y fiestas mandadas guardar.

Interrogatus sup quontentis in decimo et dicmo tercio articulis respondio que nunca vio ni conscio en el dicho Anthon de Sanctangel que guardase nifestivase el sabado ni se vestise mejor que en otros dias de la semana mas ante (pag. 98 vto.) dize vio al dicho Anthon de Sanctangel caminar y yr camino muchas vezes en sabado y veya que su moço de labor yva en sabado a trebajar a sus heredades y al y los de su casa fazian en sabado lo que en otros dias de la semana acostumbraban de fazer.

Interrogatus sup quontentis in deicmo quarto articulo respondio que nucna vio ni supo que el dicho Anthon de Sanctangel recibiese cosa alguna de comer de judios y que el geles envyase a ellos.

Interrogatus sup quontentis in deicmo quinto articulo respondio que como quiere que havia mejes judios en la ciudat de Calatayut, nunca vio ni supo este deposant en el teimpo que estubo en la casa y servicio del dicho Anthon de Sanctangel y en el tiempo que tubo pratica en su casa que el dicho Athon de Sanctangel tubiese meje alguno judio apensionado y su casa ante vio tenia por meje a uno llamado mastre Juhan.

Interrogatus sup quontentis in dicmo sexto respondio que nunca vio en el tiempo que estubo y pratico en la casa del dicho Anthon de Sanctangel que en su casa se encendiesen mas crefuelos en los biernes en la noche que en las otras noches de la semana.

- (pag. 99) Quatalina Lopez, uxor Bartholomey el Fustero, habitrant civitas Calatayubii, testis pre dictis presentata juravit et pre juramentum interrogatis sup contentis in quinto articulo qui sup quontentis in eo deposuit et sequitur.

Dize esta deposant ser verdat conoscio bien al dicho Anthon de Sanctangel dize que estubo casera en su casa unos quatro anyos y dize que ha que sallio de la dicha su casa unos quatroze anyos poco mas o menos. En el qual tiempo y antes y despues que tanbien pratico con el dicho Anthon de Sanctangle y en su casa dize vio al dicho Anthon de Sanctangel muchas vezes en misa y en sermones y procesiones y el vio dar y fazer dar en su casa muchas almosnas a pobres y fazerotras buenas obras. E dize que cierto en todo lo que en el dicho Anthon de Sanctangel y en su vida y pratica pudo ver y conocer y vio y conoscio, dizelo vio vibir como muy buen hombre y buen crsitano y nunca le vio fazer cosa alguna de mal cristiano ni supo la fiziese mas ante dize vio era tenido y reputado por buen cristiano y por tal lo tubo siempre esta deposant. Et dize se acuerda que una vez en el dicho tiempo adolecio muy mal el dicho Anthon de Sanctangel que vino a pronto apremio de muerte y vio como el dicho Anthon de Sanctangel confeso y comulgo y perolto como buen cristiano en lo que parecio. E mas se acuerda (pag. 99 vto.) que vio tres dias de juebes sancto que dio a comer en su casa el dicho Anthon de Sanctangel a siete pobres.

Interrogatus sup quontentis in sexto articulo respondio que en el dicho tiempo que estubo en la casa del dicho Anthon de Sanctangel en lo que ver y conocer pudo vio que el dicho Anthon de Sanctangel ayunava en la quaresma y otros ayunos mandados no comiendo sino una vez al dia y viandas quaresmales que esta deposante corese.

Interrogatus sup quontentis in septimo articulo respondio que no vio confessar ni colujgar al dicho Anthon de Sanctangel mas vezes de la que disho tiene en el quinto articulo.

Interrogatus sup quontentis in undecimo articulo respondio que en todo lo que en el dicho tiempo que estubo en la casa del dicho Anthon de Santangel pudo ver y conocer y vio y conoscio vio que el y los de su casa guardavan y honrraban bien las fiestas mandadas guardar por la sancta madre yglesia.

Interrogatus sup quontentis in duo decimo et decimo terico articulos respondio que en dicho tiempo que estubo en la casa del dicho Anthon de Sanctangel nunca vio que el dicho Anthon de Santangel guradase ni festase el sabado que no era fiesta de cristianos ni que se vestiese mejor (pag. 100) en los sabados que en los otros dias mas ante dize vio que en los sabados que no eran festas yva el moço de labor del dicho Anthon de Sanctangel a labrar sus heredades y las moças y mujeres de casa vio como filavan y fazian otras faziendas en los sabados y vio muchos sabados como el dicho Anthon de Santangel yva a ver sus peones ala guerta y en algunas vezes al lugar de Terrer en sabado y nunca le vio fazer diferencia de los sabados a los otros dias de la semana.

Interrogatus sup quontentis in decimo quarto articulo respondio que nunca vio que el dicho Anthon de Santangel recibiese cosa alugna de comer de judios ni geles envio el a ellos, ahun dize se acuerda que vio un dia seyendo Justicia el dicho Anthon de Sanctangel le envio un judio ciertas causas de confites y que nunca las quiso recebir el dicho Anthon de Sanctangel.

Interrogatus sup quontentis in decimo quinto articulo respondio que nunca vio ni supo que el dicho Anthon de Santangel tubiese aprensionado pa su casa meje alguno judio mas ante vio tenia por mejes al maestre mayor y a otro meje al mastre mayor y a otro meje llamado maestre Domingo.

Interrogatus sup quontentis in decimo sexto articulo respondio que en el dicho tiempo que estubo en la casa del dicho Anthon de Sanctangel no vio que se encendiesen mas cifuelos en los biernes en las noches (pag. 100 vto.) que otrasnoches de la semana.

Interrogatus sup quontentis in decimo nono articulo respondio que tubo al dicho Anthon de Sanctangel y tiene al dicho su fijo por tales como en el dicho articulo se quontiene.

- Martinus Destella, agricola habitator civitas Calatayubii testis predictum presentatis juravit per juramentum interrogatus sup quontestis in sexto articulo qui sup quontentis in eo deposuit ut sequitur.

Dize este deposant que conoscio bien al dicho Anthon de Sanctangel por quanto dize estubo en su servicio moço de labor por tiempo de unos onze anyos poco mas o menos e dize ha que sallio de sus servicio y csa unos vintidos anyos. E con este doze que en todo lo que en el dicho tiempo pudo ver e conocer y vio y conoscio dize que vio el dicho Atnhon de Sanctangel ayunava en la quaresma y los biernes del anyo y los otros anyunos mandados, no comiendo (pag. 101) que este deposante viese sino una vez en el dia y en aquella vianda quaresmales. Et ahun dize fazia ayunar a este deposant ya los otros de su casa muchas vezes contra su voluntat. Et ahun dize se acuerda que en las mas Jueves Santos del dicho tiempo vio como el dicho Anthon de Sanctangel trahia a su casa siete u ocho pobres y les dava muy bien de comer y depues vesavales las manos y davales cada seys dineros y el mesmo Anthon de Sanctangel dize los servia por su mano.

Interrogatus sup quontentis in undecimo articulo respondio que en todo lo que ene el dicho tiempo que estubo en la casa y servicio del dicho Anthon de Sanctangel pudo conocer e vio como el dicho Anthon de Sanctangel guardava y festiva muy bien las pascuas, dominigos y fiestas mandadas guardar y las fazia bien guardar y honrrar a este deposant y a los otros sus familiares y mandava a todos los de su casa que hoyesen misa en el dia del domingo y que no comiesen fasta que oviesen oydo misa y el dicho Anthon de sanctangel dize que en los dias de fiesta yva a misa y a viespras y este depossant lo aconpanyava muchas vezes.

Interrogatus sup quontentis in duo decimo et decimo tercio articulis respndio que en todo el dicho tiempo que estubo en la casa y servio del (pag. 101 vto.) dicho Anthon de Sanctangel guardase ni festivase el dia del sabado que no era fiesta ni se vestiese mejor que otro dia de la semana mas ante die que en los sabados este deposnat yva a trebajar a sus heredades por su mandado y trebajava y el dicho Anthon de Sanctangel yva a ver sus heredades y a este deposant que trebajava asi en los sabados como en otros dias de la semana y vio al dicho Anthon de Sanctangel y endo camino con el caminar muy muchos sabados y vi oque en su casa trabajavan como en los otros dias fazenderos de la semana y nunca dize vio al dicho Anthon de Sanctangle fazer diferencia dellos sabados a los otros dias fazenderos.

Interrogatus sup quontentis in decimo quarto articulo respondio que en el dicho teimpo que estubo con el dicho Anthon de Sanctangel nunca le vio recebir cosa alguna de comer de judios y menos vio ni supo que el geles tenyase mas ante dize se acuerda que en una pascua florida estando el dicho Anthon de Sanctangel en Terrer estando sobre la mesa la mujer del dicho Anthon de Santangel fizo sacar a la mesa un turrado, el qual dixo havia trahido un juio y vio como el dicho Anthon de Sanctangel rinyio mucho con la dicha su mujer porque lo ahvia recebido y ahun dixo que le daria mala pascua y (pag. 102) luego dando a este deposant quelo echase a las gallinas y que ninguno comiese del y este deposant tomolo y guardolo y comioselo. E dize que seyendo el dicho Anthon de Sanctangel Justicia vio como algunos judios le presentaban algunas gallinas y el dicho Anton de Sanctangel nunca las queria recebir.

Interrogatus sup quontentis in decimo quinto articulo respondio que nunca vio ni supo que el dicho Anthon de Sanctangel tubiese apensionado meje alguno judio.

Interrogatus sup quontentis in decimo sexto articulo resondio que en el dicho tiempo que estubo en la casa yservicio del dicho Anthon de Sanctangel en la casa y servicio del dicho Anthon de Sanctangel nunca vio que en la dicha casa en los biernes en la noche se encendiesen mas ciefuelos que en las otras noches de la semana.

- Micael de Embit, agricola habitator civitas Calatayubii, testis predictum presentator juravit et per juramentum interrogatus sup quontentis in quinto articulo qui sup quontentis in eo deposuit ut sequitur.

Dize este deposant ser verdat conoscio muy bien al dicho Anthon de Sanctangel, con el qual dize estubo escudero un anyo y medio poco mas o menos y habia que sallio de su servicio unos vinticinco anyos poco mas o menos en el qual tiempo que estubo en su servicio dize que cada dia vio que el dicho Anthon de Sanctangel yva a misa y la oya y quando iva camino y le veya oyr muchos sermones y le vio fazer muchas almosnas a pobres y rezar mucho en unas oras que tenia y nunca le vio fazer cosa alguna de mal cristiano mas ante dize que en todo lo que en su vida y pratica pudo ver y concer y vio y conscio dize lo vio vibir como buen cristiano y por tal lo tubo siempre este deposant y en tal fama y reputacion lo vio tenor este deposant en la ciudat de Calatayut.

Interrogatus sup quontentis in sexto articulo respondio que en el dicho tiempo que estubo en la casa y servicio del dicho Anthon de Santangel en lo que en el ver y conocer pudo vio y conscio dize le vio ayunar la quaresma y todos los biernes del anyo y los otros ayunos mandados no comiendo que este deposant viese sino una vez al dia y viandas quaresmales.

(pag. 103) Interrogatus sup quontentis in septimo articulo respondio que en el dicho tiempo que estubo en servicio del dicho Anthon de Sanctangel lo vio confesar y colulgar dos vezes la una estando sano y la otra estando doliente.

Interrogatus sup quontentis in undecimo articulo respondio que endo lo que en el dicho tiempo que pudo ver y conocer y vio y conscio dize le vio guardar y honrrar muy bien las pascuas, domingos y fiestas mandadas guardar.

Interrogatus sup quontentis in duo decimo et decimo tercio articulis respondio que en el dicho tiempo que estubo en la casa y servicio del dicho Anthon de Sanctangel nunca le vio guardar ni fue festivar el dia del sabado que no era fiesta de cristianos mas que otro dia de la semana y vio que en tal dia se vestiese mejre que en los otros dias de la semana mas ante dize vio que el moço de labor que a la fazon tenia yva a trebajar a sus heredades en los sabados y vio como el dicho Anthon de Sanctangel yva camino y caminava en los sabados como en los otrs dias de la semana y fazia aquello que otos dias de la semana acostumbrava de fazer y en su casa trabajavan en el sabado como en los otros dias de la semana.

(pag. 103 vto.) Interrogatus sup quontentis in decimo quarto articulo respondio que en el dicho tiempo que estubo en la casa y servicio del dicho Anthon de Sanctangel nunca vio que el dicho Anthon de Sanctangel recibiese cosa alguna de comer de judios ni geles enviase el a ellos.

Interrogatus sup quontentis in decimo quinto articulo respondio que nunca vio ni supo que el dicho Anthon de Sanctangel tubiese mege alguno judio.

Interrogatus sup quontentis in decimo sexto articulo respondio que en el dicho tiempo que estubo en la casa y servicio del dicho Anthon de Santangel nucna vio que en su casa encendiesen en los biernes en la noche mas lumbres y cefuelos que en las otras noches de la semana.

- (pag. 104) Magister Petrus Color, medicus habitant civitatis Calatayubii, testis pre dictis presentata juravit et per juramentum interrogatis sup contentis in primo articulo respondio que ha vista que es fama publica en la dicha ciudat de Calatayut que la dicha Maria Sanchez nombrada en el dicho articulo fue madre del dicho Anthon de Sanctangel y que fue crisitana de natura.

Interrogatus sup quontentis in quinto articulo respondio que el tubo mucha pratica y conocimiento con el dicho Anthon de Sanctangel y fue su medico por mas de diez anyos ante que muriese en el qual tiempo vio mucho al dicho Anthon de Sanctangel en misas, sermones y processiones y le vio ofrecer en las misas y dar almosnas a pobres y rezar en unas horas que tenia y fazer otras cosas de buen cristiano y buen hombre. E dize que ento do lo que en su vida y pratica pudo ver y conocer y vio y conoscio dize lo vio vibir como buen cristiano y por tal lo tubo siempre este deposant y en tal fama y reputacion vio era tenido en la presente ciudat de Calatayut y nunca hoyo lo contrario.

Interrogatus sup quontentis in nono articulo respondio que vio algunas vezes al dicho Anthon de Sanctangel ser Justicia de la ciudat de Calatayut y que de mas no se acuerda.

(pag. 104 vto.) Interrogatus sup quontentis in decimo articulo dixo que se referia al testament mencionado en el articulo.

Interrogatus sup quontentis in undecimo articulo respondio que en lo que pudo ver vio que el dicho Anthon de Sanctangel guardava bien las fiestas y domingos.

Interrogatus sup quontentis in duo decimo e decimo tercio articulo respondio que nunca le vio al dicho anthon de Sanctangel fazer diferencia en vestir ni en fazienda de los sabados a los otros dias fazenderos de la semana.

Interrogatus sup quontentis in decimo quinto articulo respondio que nunca tobo ni supo que el dicho Anthon de Sanctangel tubiese apensionado otro meje alguno cristiano ni judio sino a este deposant en el dicho tiempo que tuo pratica y conocimiento con el.

Interrogatus sup quontentis in decimo nono articuo respondio que tubo al dicho Anthon de Sanctangel y tiene al dicho Pedro de Sanctangel su fijopor tales como en el dicho articulo se quontenia.

- (pag. 105) Dominus Johannes de Nueros, jurispernus civitator civitas Calatayubii, predicto presentata juravit et per juramentum interrogatus sup contentis

In primo articulo respondio que el conoscio a la dicha Maria Sanchez de Borbon nombrada en el dicho articulo ms dize sabe que fue y es voz comun y fama publica en la presente ciudat de Calatayut que la dicha Maria Sanchez de Borbon fue madre del dicho Anthon de Sanctangel y que fue cristiana de natura.

Interrogatus sup quontentis in secundo articulo respondio que tubo mucha pratica y conocimiento con el dicho Anthon de Sanctangel por mas de trenta anyos que estubieron los dos vezinos cara a cara. E conesto dize vio que se dava y tratava mucho con personas de honrra y cristianos de natura y vibia como hombre de bien y de buenos tratos en lo que este deposant sitnio y vio y conoscio.

Interrogatus sup quontentis in tercio articulo respondio que vio que el dicho Anthon de Sanctangel caso dos fijos y una fija que tenia con cristianos de natura.

Interrogatus sup quontentis in quarto articulo respondio que vio que el dico Anthon de Sanctangel se dava mucho con personas religiosas y de buena vida y lo vio dos vezes ser diputado del regno de Aragon.

Interrogatus sup quontentis in quinto articulo respondio que en el dicho tiempo que tubo vezino al dicho Anthon de Sanctangel veya que luego de (pag. 105 vto.) manyana se ponia a dezir oras en una ventana questa decara de otra ventana deste deposant y cree dezia pocas menos horas que un clerigo y lo vio muchas vezes en misas y sermones y le vio fazer almosnas apobres y otras buenas obras de buen cristiano y nunca le vio fazer cosas de mal cristiano mas ante dize que en todo lo que su vida y pratica pudo ver y vonocer y vio y conoscio dize lo vio vibir como buen cristiano y en tal fama y reputacion vio tener en la presente ciudat de Calatayut.

Interrogatus sup quontentis in septimo articulo respondio que lo vio al dicho anthon de Sanctangel comulgar algunas vezes.

Interrogatus sup quontentis in nono articulo respondio que vio al dicho Anthon de Sanctangel muchas vezes ser Justicia de la Ciudat de Calatayut y que ocorriendo en su anyada fanbre o pestilencia dize vio mandava fazer procesiones.

Interrogatus sup quontentis in undecimo articulo respondio que en lo que ver y conocer pudo vio quel Anthon de Sanctangel tenia bien las biestas.

Interrogatus sup quontentis in duo decimo et deicmo tercio articulis respondio que nunca vio ni supo que el dicho Anthon de Sanctangel (pag. 106) festiase el sabdo mas ante dize vio muchos sabados al moço de labor del dicho Anthon de Sanctangel yr a labrar y vio al dicho Anthon de Santangel yr camino de Calatayut a Terrer en sabado muchas vezes.

Interrogatus sup quontentis in decimo nono articulo respondio que el dicho Anthon de Sanctangel era muy buen hombre mas dize era muy colerico y malenconiso y que el dicho Anthon de Sanctangel lo tiene por tal como en el dicho articulo se quontiene.

Interrogatus sup quontentis in vicesimo primo articulo respondio que vio conoscio otro Anthon de Sanctangel, sino al dicho Anthon de Sanctangel y a un fijo suyo.

Interrogatus sup quontentis in vicesimo secundo articulo respondio que un dia vio que el dicho Anthon de Sanctangel seyendo Justicia sobre cierta malenconia que hubo con un judio llamado (pag. 106 vto.) Benardut se vestio la sobrebesta real para dar saco mano a la juderia y sallio de su casa con ella y este deposant fue tras el y lo fizo tornar a su casa. Empo si los judios le teneian enemistat con el o no no lo sabe.

Interrogatus sup quontentis in vicesimo tercio articulo respondio quanto al Açarias dize que hoyo dezir a los judios como lo tenian entre ellos por malo y por mal fin. Quanto al dicho Brahem Alpastan que agora se llama Baltierra dize vio que fue processado y prendido pro tercenador de moneda. Quanto al dicho Benardut agora llamado Pedro Garcia respondio que hoyo dezir a los judios como lo tenian entrellos por malo y a otros muchos de la ciudat ha hoydo dezir que es mal hombre. Quanto al dicho Juan de Sardinillo dize que es tenido y reputado en la presente ciduat por gran tacanyo y mal homre. Quanto al Adret de Arangiga dize no sabe otro sino que le fizieron açotar los inquisidores por Calatayut. Et que de los sobre dichos ni de los otros nombrados en el dicho articulo dize no sabemos de lo que dicho tiene.

- (pag. 107) Dominicus Brum,agricola habitant civitatis Calatyubii, testis predictum presentator juravit et per juramentum interrogatus sup quontentis in quinto articulo qui sup quontentis in eo deposuti ut sequitur.

Dize este deposnat que tubo muy grant pratica y familiaridat y amistat con el dicho Anthon de Sanctangel y en su casa por mas de tranta anyos ante que muriese estando en su casa algunas temporadas y yendo con el muchos caminos y praticando y conversando quonticuamente en su casa. E con esto dize que en las temporadas que estubo en la casa del dicho Anthon de Sanctngel vio como el dicho Anthon de Sanctangel luego en la manyana se ponya a rezar en unas oras que tenia y rezava alli mas de una hora grande y con la noche otro tanto y despues vio asi en el tiempo que estava en su casa como despues conto yva muy quontinua a misa y a vispras y sermones y le vio fazer muchas almosnas a pobres y que en las pascuas enviava a dalgunos pobres vergonzantes trigo y dineros. Et dize que cierto en todo lo que en su vida y pratica pudo ver y conocer y vio y conscio dize lo vio vibir como bueno y catholico cristiano y pro tal (pag. 107 vto.) en los otros dias de la semana mas ante dize vio que los moços de labor del dicho Anthon de Santangle ivan a trebajar a sus heredades en los sabados como en los otros dias de la semana y veya como en los sabados caminava y uva tanvien a ver sus moços a la guerta y fazia lo que en otros dias acostumbrava de fazer y dize que era muy devoto de la misa de nuestra Senyora que luego de manyana en los sabados la yva a oyr.

Interrogatus sup quontentis in decimo quinto articulo dixo que nunca vio que el dicho Anthon de Sanctangel tuviese pensionado meje alguno judio ante vio tenia por meje al maeste mayor.

Interrogatus sup quontentis in decimo sexto articulo respondio que hunca vio que en la casa del dicho Anthon de Sanctangel se encendiesen mas candiles en los biernes en las noches que en las otras noches de la semana.

Interrogatus sup quontentis in vicesimo secundo articulo respondio que un dia seyendo Justicia el dicho Atnhon de Sanctangel de la ciudat de Calatayut vio como hubo muy malas nuevas con un judio llamado Alazan y otros judios que venian con el y los trato muy mal (pag. 109) porque el dicho Alazan havia prometido de darle ciertas cartas pagadas de un cristiano y depues tornavasele otras y no queria dar las carts a el ni al dicho cristiano que gelas havia pagado y dize que palabra lenconya grande, que tenia dizia o conestos perros queravan el mundo dame la sobre besta real e al que yo quero tomarla cur y darles a fuego a todos y los judios dize se la genollavan delante rogndole no lo fiziese con todo dize vio se vestio la sobre besta real pa yr y enesto acudieron alli algunos ciudadanos y detubieron lo que otra manera cree lo fiziera como lo dezia y que mas no y sabe.

- (pag. 109 vto.) Magnificus Alfonsus Munyoz, scuder habitant cicitas Calatayubii, testis predictum presentator juravit et per juramentum interrogatus sup quontentis in primo articulo qui sup quontentis in eo dixit nihil, mas dize hoyo dezir que la dicha Maria Sanchez nombrada en el dicho Articulo fue madre del dicho Anthon de Sanctangel y que fue cristiana de natura.

Interrogatus sup quontentis in secundo y tercio articulis respondio que conocio bien al dicho Anthon de Sanctangel y vio teneia mucha pratica y conversacion con cristianos de natura y con fidalgos y dize ha conoçido dos fijos y una fija suya casados con cristianas de natura.

Interrogatus sup quontentis in quinto articulo respondio que tubo muy grant pratica y conoscimeinto con el dicho Anthon de Sanctangel por mas de seze anayos ante que muriese en el qual tiempo dize le vio oyr muchas vezes misas y sermones y ofrecer en las misas y le vio yr enprocesiones y le vio dar muchas almosnas a pobres y le vio rezar en unas oras que tenia. Et asi dize que en todo lo que en su vida y pratica pudo ver y conocer vio y conscio dizelo vio vibir como buen cristiano y por tal lo tubo siempre este deposant y en tal fama y reputacion lo vio tener este deposant y nunca hoyo lo contrario.

(pag. 110) Interrogatus sup quontentis in nono articulo respondio que vio al dicho Anthon de Santangel sermuchas vezes Justicia de la ciudat de Calatayut y fazer fazer en su anyada procesiones por las necesidades que se ofrecian.

Interrogatus sup quontentis in undecimo articulo respondio que el nunca le vio al dicho Anthon de Santangel crebantar fiesta alguna, si las guardava o no dize no lo sabe.

Interrogatus sup quontentis in duo decimo articulo dizo quenunca le vio fazer cosa de mal cristiano y que mas no y sabe.

Interrogatus sup quontentis in decimo nono articulo respondio que tubo al dicho Anthon de Sanctangel que tiene al dicho Pedro de Santangel por tales como en el dicho articulo se quontiene.

Interrogatus sup quontentis in vicesimo articulo respondio quanto al Brahem Alpastan ahora llamado Vatierra que ha hoydo dezir a muchos cuyos nombres no se acuerda que el dicho Baltierra es mal hombre y que lo tubieron en Çaragoça para acusar por cercenador de moneda. Quanto al dicho Pedro Garcia dize que ha hoydo dezir adalagunos cuyos nombres no se acuerda que es mal hombre y que mas no y sabe. Quanto al dicho Juhan Garcia (pag. 110 vto.) dize que ha visto es tenido y reputado en la presente ciudat por mal hombre y vellaco y por tal lo tiene este deposant según lo que del ha hoydo. Quanto al dicho Adret el de Arandiga dize que no sabe otro sino que lo açotaron por Calatayut por mandado de los sennores inquisidores. Et quanto a los otros nombrados en el dicho articulo ni quanto a estos dize no sabe mas de lo que ha dicho.

- Reverendus dominus Petrus de Funes de civitatis Calatayubii, testis predictum presentator juravit et per juramentum interrogatus sup quontentis in primo articulo qui sup quontentis in eo deposuit dixit nihil.

Interrogatus sup quontentis in secundo articulo respondio que lo vio tratar y coversar mucho con personas de bien y cristianos de natura y que era tenido en possesion de buen hombre.

Interrogatus sup quontentis in quinto articulo respondio que tubo mucha pratica y conocimiento con el dicho Anthon de Sanctangel y dize (pag. 111) que nunca le vio fazer cosas de mal cristiano ni supo las fiziese mas ante dize lo vio muchas vezes oyr misa rezando en unas oras que tenia con buena debocion en lo que demostrava. Et dize que cierto segunt lo que en su vida pratica pudo ver y conocer y vio y conoscio y segunt lo que del hoy dize lo tubo por buen cristiano y que mas no y sabe.

- Benedictus de Novella, agricola habitator civitas calatayubii, testis predictum presentator juravit et per juramentum interrogatus sup quontentis in eo dixit nihil.

Interrogatus sup quontentis in quinto articulo respondio que el tubo mucha pratica y conocimeinto con el dicho Anthon de Sanctangel empo mas de trenta anyos ante que muriese. E conesto dize (pag. 111 vto.) que vio al dicho Anthon de Sanctangel hoyr muy muchas misas y sermones y ofrecer en las misas y dar muchas almosnas a pobres y regar en unas horas que tenia y fazer otras cosas de buen cristiano y que en todo lo que en su vida y pratica pudo ver y concoer y vio y conoscio dize lo vio vivir como buen cristiano y por tal lo tubo siempre este deposante y en tal fama y reputacion lo vio tener en la presnete ciudat de Calatayut y nunca hoyo lo contrario.

Interrogatus sup quontentis in sexto articulo respondio que hoyo dezir a muchas vezes a los fimiliares del dicho Anthon de Sanctangel que el dicho Anthon de Sanctangel ayunava toda la quaresma y los biernes todos, e dize este deposant que fue un camino con el dicho Anthon de Santangel dende esta ciudat fasta Tarragona y dize vio al dicho Anthon de Sanctangel ayunar todos los biernes que en aquel tiempo que estubo con el en aquel camino cayeron no comiendo que este deposant viese sino una vez en el dia y viandas quaresmales.

Interrogatus sup quontentis in nono articulo respondio que vio muchas vezes al dicho Anthon de Sanctangel ser Justicia de la ciudat de Calatayut y fazer procesiones en sus anyadas por fambre o pestilençia que se ofrecian.

(pag. 112) Interrogatus sup quontentis in undecimo articulo respondio que en lo queste deposant pudo ver y conocer y vio y conoscio en el dichoAnthon de Sanctangel y en su casa dize vio guardava y honrrava bien las fiestas mandadas guardar.

Interrogatus sup quontentis in duo cecimo et decimo tercio articulis respondio que nunca vio al dicho Anthon de Sanctangel guardar ni festivar el sabado ni vio que en los sabados se vestiese de mejores vestidos que en los otros dias de la semana, e mas ante dize vio muchas vezes al dicho moço de labor del dicho Anthon de Santangel yr en sabado a tregajar a las heredades del dicho Anthon de Sanctangel y vio al dicho Anthon de Sanctangel caminar en dias de sabados.

Interrogatus sup quontentis in decimo nono articulo respondio que tubo al dicho Anthon de Sanctangel y teiene al dicho Pedro de Sanctangel por tales como en el dicho articulo se quontiene.

- (pag. 112 vto.) Johannes de Trevinyo, escuder habitant civitas Calatayubii, testis predictum presentator juravit et per juramentum interrogatus sup quontentis in eo dixit nihil.

Interrogatus sup quontentis in quinto articulo respondio que tubo mucha pratica y conocimiento con el dicho Anthon de Sanctangel por mucho tiempo ante que muriese. Et conesto dize que vio al dicho Anthon de Sanctangel oyr muchas vezes misas y sermines y dar almosnas a pobres y rezar mucho en unas horas que tenia y que mas no y sabe.

Interrogatus sup quontentis in sexto articulo respondio que hoyo muchas vezes al dicho Anthon de Sanctangel que ayunava los ayunos de la yglesia y tambien lo oyo dizir a sus familiares.

Interrogatus sup quontentis in undecimo articulo respodio que en lo que en el dicho Anthon de Sanctangel pudo ver y conocer y vio y conoscio dize le vio guardar y honrrar muy bien las fiestas nombradas guardar y seyendo Justicia de Calatayut vio mandava castigar a los que crevaban las fiestas.

Interrogatus sup quontentis in duo decimo articulo respondio que nunca vio al dicho Anthon de Sanctangel guardar ni festivar el sabado (pag. 113) que no fuese de cristiano ni que se vestiese mejor que en los otros dias de la semana.

Interrogatus sup quontentis in decimo nono articulo respondio que comocio al dicho Antón de Sanctangel por buen hombre y de buenos tratos mas dize era muy rexoso con sus fijos y con los de su casa y al dicho Pedro de Sanctangel dize lo tiene por tal como en el dicho articulo se quontiene.

Interrogatus sup quontentis in vicesimo tercio articulo respondio que hoyo dezir adalgunos judios asi cristianos como judios que el dicho Vidal Abenpesat era mal judio. Quanto al dicho Açach de Funes dize que dezian algunos judios y cristianos con quien el trataba que era mentiroso y tranposo y malo. Quanto al Brahem Alpastan que agora se llama Baltierra dize que ha hoydo dezir a muchos mucho mal del y que vio fue prendido por cercenador de monedas que lo quisieron enformcar. Quanto al dicho Benardut que agora se llama Pedro Garciadize que tambien hoyo dizir a cristianos y judios cuyos nombres no se acuerda en el tiempo que era judio que era muy mal hombre y de malos tratos, mas dize que depues que se fizo cristiano ninca hoyo mal del ni lo vio mas ante le pere vibe bien. Quanto al dicho Juhan (pag. 113 vto.) Garcia, alias Sardinillo dize que lo tiene por muy ruyn, mentiroso y trafaguero y en tal fama y reputacion dize lo tiene en la presente ciudat de Calatayut. Quanto al Adret dize lo tiene por muy malo y que lo mandaron açotar por Calatayut los sennores de la inquisidores. Quanto a los otros nombrados en el dicho articulo ni quanto a estos dize no sabe mas de sto que tiene dicho.

- Martinus de Sayas, civis civitatis Calatayubi, testis pest dictum presntator juravit et per juramentum interrogatus sup quontentis in primo articulo qui sup quontentis in eo dixit se sere quo de sequitur:

dize estedeposant que ha hoydo dezir a muchos cuyos nombres no le acuerdan e tal dize fayes la fama publica en la presente ciudat de Calatayut que la dicha Maria Sanchez de Borbon nombrada en el dicho articulo fue madre del dicho Anthon de Sanctangel y que fue cristiana de natura.

(pag. 114) Interrogatus sup quontentis in secundo et quinto artuculis respondio que tubo mucha pratica y conocimiento con el dicho Anthon de Sanctangel por mucho tiempo ante que mueriese. Et con esto dize que lo praticava y conversava mucho con cristianos de natura y hombres de bien y nunca le vio fazer tratos yllictos antes dize le vio oyr muchas vezes misas y sermones y dar almosnas a pobres y que en toddo lo que en su vida y pratica pudo ver y conocer y vio y conoscio dize lo vio vibir como buen buen cristiano y por tal lo buto este deposant y que en fama de buen hombre y de buen cristiano dize vio fue tenido y reputado en la presente ciduat de Calatayut.

Interrogatus sup quontentis in septimo articulo respondio que vio al dicho Anthon de Sanctangel comulgar un o dos vezes en la yglesia de Sant Pedro de la rua de la presente ciudat de Calatayut y que le vio dar algunas almosnas a pobres.

Interrogatus sup quontentis in undecimo articulo respondio que en lo que pudo ver y conocer y vio y conscio dize vio al dicho Anthon de Sanctangel honrrar buen las fiestas madadas guardar.

Interrogatus sup quontentis in duo dcimo articulo respondio que nunca conoci oen el dicho Anthon de Sanctangel que se guardase el dia del (pag. 114 vto.) sabado que no fuese fiesta de cristianos ni que se vestiese mejor que en los otros dias de la semana.

Interrogatus sup quontentis in vecesimo tercio articulo respondio quanto al Bienbenis que lo consocio que era gran tacanyo y mal judio por querento a este deposant que file fazia dar algunos dineros que faria bien en la inquisicion por un confeso que cree era Simon de Sancta Clara. Quanto al Brahem Alpastan que agora se llama Baltierra dize que fue difamado de cercenador de moneda y que fue fama fue prendio por ello. Qautno al Jehuda Benardut que agora se llama Pedro Garcia dize no sabe nada salbo que ha hoydo dezir a muchos cuyos nombres no se acuerda quel dicho Benardut y sus fijos son malos hombres y que estan en tal possesion. Quanto al Juhan Garcia alias Sardinillo dize no sabe bien ni mal del. Qauanto al Adret el de Arangiga dize que era mal tacanyo y por esto lo mandaron açotar los inquisidores. Quanto a los otros nombrados en el dicho articulo ni quanto a estos dize no sabem mas desto que dicho tiene.

- (pag. 115) Garsias Çit, habitant loci de Terrer, aldea civitas Calatayubii, testis pre dictum presentator juravit e per juramentum interrogatus sup quontentis in primo articulo qui sup quontentis in primo articulo qui supo quontentis in eo deposuti ut sequitur:

Dize este deposant que es fama publica en la ciudat de Calatayut y en el lugar de Terrer quel dicho Anthon de Sanctantel fue fijo de la dicha Maria Sanchez de Borbon nombrada en el dicho articulo y que fue la dicha Maria cristiana ste lo havia mucho por ser fijo de la dicha Maria.

Interrogatus sup quontentis in quinto articulo respondio que tubo mucha pratica y conocimyento con el dicho Atnhon de Sanctangel por mas de vintiquatro anyos ante que muriese en el lugar de Terrer en donde este deposant estava porque el dicho Anthon de Sanctangel estavalo mas del anyo en el dicho lugar de Terrer (pag. 166 vto.) porque tenia alli una heredar, y vio como el dicho Anthon de Sanctangel hoya alli en los domingos y casi cada dia misa y oficio siempre en la misa y le vio dar muchas almosnas a pobres asi dineros como de vino y pan, que fazia algunos socorros a pobres dolientes del dicho lugar de Terrer y vio que rezaba mucho unas en oras que tenia y fazia otras cosas de buen cristiano. Et asi dize que en todo lo que en su vida y pratica pudo ver y conocer y vio y conoscio dizelo vio vibir como buen hombre y buen cristiano y por tal lo tubo siempre este deposant y en tal fama y reputacion vio era tenido en el dicho lugar de Terrer y nunca dize lo hoyo lo contrario. Et a hun dize que en las quaresmas procuraba que hoviesen un sirmonador en el dicho lugar pa que les sirmonase en la quaresma y que el paguaria tanto como tres otros del lugar.

Interrogatus sup quontentis in septimo articulo respondio que el nuca lo vio al dicho Anthon de Sanctangel confesar y comulgar mas dize que le vio hazer muchas almosnas a pobres y ayudar pa casar personas y que una vio este deposant que plegava pa casar una guerfana diez sueldos.

Interrogatus sup quontentis in undecimo articulo respondio que en lo que en el dicho Anthon de Sanctangel pudo ver y concer y vio y conscio estando en el dicho lugar de Terrer vio guardava y honrrava bien las fiestas mandadas guardar.

Interrogatus sup quontentis in duo decimo et decimo tercio articulis respondio que nunca conoscio en el dicho Anthon de Sanctangel que festivase ni guardase el sabado que no fuese fiestas de cristianos ni se vestiese mejor que en otros dias de la semana mas ante dize vio que sus moços del dicho Anthon de Sanctanel trebajava en sus heredades en los sabados como en los otros dias de la semana y que mas no y sabe.

Interrogatus sup quontentis in decimo nono articulo respondio que tubo al dicho Anthon de Sanctangel y tiene al dicho Pedro de Sanctangel su fijo por fales ocmo en el dicho articulo se quontiene.

- (pag. 116 vto.) Dominus Johannes de Nueros, jurisprudenter civis civitas Calatayubii, testis pre dictus presentator juravit per juramentum interrogavit sup quontentis in ultimo articulo ad dito qui sup quontentis in eo deposuit ut sequitur:

Dize este deposant ser verdat que la partida en el dicho articulo et de la scripta en en quotinuada en el libro del dicho Anthon de Sanctangel es scripta en el dicho libro de mano del dicho Athon de Sanctange. A equesto dize sabe por quanto vio screbir muchas vezes al dicho Anthon de Sanctangel paraticando con el y conoçia y conosce muy bien su letra.

- Franciscus Tabaria, panipator habitant civitas Calatayubii, testis pre dicutm presentator juravit per juramentum interrogavi sup quontentis in ultimo articulo ad dito qui sup quontentis in eo deposuit ut sequitur:

dize este deposant ser verdat vio scrivyr mucas vezes al dicho Anthon de Sanctangel y que el paresce que la dicha partida quontenida (pag. 117) en el dicho articulo escripta en el dicho libro de Anthon de Sanctangel es scripta en el dicho libro de mano del dicho Anthon de Sanctangel.

- Venerabilis dominus Nicolaus Barbera, presbiter beneficiatus en eclesia loci Villareal de la Plana, regne Valencie, testis juravit et per juramentum interrogavit sup quontentis in octavo articulo et voluntate partis qui sup quontentis in eo deposuit ut sequitur:

Dize este deposant ser verdat que tubo una vez al dicho lugar de Villareal no se acuerda de cierto en que anyo era ni quanto tiempo, ha un hombre que se llamava Anthon de Sanctangel y dezia era de la ciudat de Calatayut un el qual lugar adoleçio el dicho Anthon de Sanctangel y trobando se muy malo vinyeron a llamar a este deposant por aquello confasase y este deposant lo fue pa convesar (pag. 117 vto.) y entrando donde el dicho Anthon de Sactangel estava el dicho Anthon de Sanctangel dixo a este deposant como se sentia muy malo y que se queria luego confessar y comulgar yque le perolease tanbien luego. E asi este deposant hoyo de confesion al dicho Anthon de Sanctangel y depues le ministro el sacramento de la eucaristia y dize que al tiempo que queria recebir el cuerpo de nuestro sennor Ihesu Cristio le vio dezir muchas oraciones debotas y en especial una oracion que los que estavan alli dixieron que nunca tan denta oracion hoyeron dezir y asi le vio recebir el cuerpo de nuestro sennos Ihesu Cristo con mucha debocion y contribucion en lo que demostrava y depues este deposant lo peroeo y recebydos los dichos sacrametnos vio como el dicho Anthon de Sanctangel murio con senyales de grant contento y como buen cristiano y nunca otro vio moryr mejor como cristiano que a el que mas no y sabe.

- (pag. 118) Johannes Gil, habitator loci de Villareal de la Plana, regni Valencie, testis predictum presentator juravit et per juramentum interrogavit sup quontentis in octavo articulo qui sup quontentis in eo depsuit ut sequitur.

Dize este deposant que a su parecer habra unos siete anyos poco mas o menos con todo dize no es cierta del tiempo que ribo al dicho lugar de Villareal un hombre de honrra que se llamava Athon de Santngel y dezia era de Calatayut y traya consigo un escudero llamado Francisco, el qual Anthon de Sanctangel vio a possar en casa de un conpadre deste deposant ostalero llamado Francisco Cabello y estando ally adolecio y vidia ante que muriese fablando este deposant con el dicho Anthon de Sanctangel le dixo agora me confessare y comulgare y despues Dios me ayudara. Et dize que depues el otro dia vio comulgar al dicho Anthon de Sanctangel y vio recibio el cuerpo de nuestro sennor diziendo muchas debotos oraciones y cosenyales de gran debocion y de mucha contricyon y como buen cristiano en lo que demostro dize que nunca vio recebir el cuerpo de nuestro senno a niguno con mas debocion y contricion en o que parecia que al dicho Anthon de Sanctangel ya se lo dezian los que alli estavan presentes y epues luego el mesmo dia dize muryo et verdat que ulmose fallo en el articulo de su muerte mas hoyo dezir las que sey de fallaron havia muerto como buen cristiano y que mas no y sabe.

- (pag. 118 vto.) Franciscus Cabello, ostalero habitant loci de Villareal de la Plana, regni Valencie, testis predictum presentator juravit et per juramentum interrogavit sup quontentis in octavo articulo qui sup quontentis in eo depsuit ut sequitur.

Dize este deposant ser verdat que habra unos seis o siete anyos poco mas o menos contado dize no es bien cierto del tiempo, rybo a casa deste deposant uno llamado Anthon de Sanctangel, el qual dezia era de Calatayut y trahia consigo un escudero llamado Francisco y estando alli adolecio en la dicha casa deposant y estando asi doliente como quiere que le parecia tenia ahun buen subjeto dixo a este deposant que no obstante que al tiempo de su partida se avia confesado en Calatayut que el queria la hora confesarse y comulgarse y recebir el cuerpo de nuestro Sennor Ihesu Cristo y faxer ordenes de cristiano. Et asi rogo a este deposant que le fiziese venyr alli al vicario del dicho lugar pa que lo confesase y este deposant lo fizo asi y vio como se confeso en el dicho vicario y depues vio como rogo al dicho vicario que le truxiese el Corpus Cristi. Et asi luego el dicho vicario gelo truxo y vio como al tiempo que queria recebir el Corpus Cristi dixo muchas oraciones debotas y cantaba tales que todos los que alli estavan estavan marabillados y asi con mucha debocion y llorando de mocionado tenia grant contricion de sus pecados y como buen cristiano en lo que parecia vio recibio el cuerpo de nuestro Sennor y luego mando que lo vinyesen a perolear y asi vio lo perolearon y despues lo hovieron poleado mando que le truxiesen con crucifixo y traydo que gelo hovieron dixo otra el muchas oraciones debotas con lagrimas y dixo que a la hora que el presbitero trayda en la misa daria la alma a Dios y asi dize que fue, ni dize que diziendo in manis mas comendo dio lalma a Dios.

- (pag. 119) Reverendus frater Garsias Garçes, in sacra theologia magister ordinis carmeritensis, habitator de presente Çesarauguste, testis predictum presentator juravit et per juramentum interrogavit sup quontentis in primo articulo qui sup quontentis in eo deposuit ut sequitur.

Dize este deposant que no conoscio a la madre del dicho Anthon de Sanctangel mas dize siempre hoyo dezir quel dicho Anthon de Santangel era eneroso y cristiano lindo y de buena parte de parte de su madre.
Interrogatus sup quontentis in secundo et quarto articulis respondio que el tubo mucha pratica y conocimyento con el dicho Anthon de Sanctangel por mas de vinte anyos ante que mueriese e conesto dize lo vio mucho tratar y darse con hombres de bien y cristianos de natura y con personas religiosas y nunca le vio fazer tratos yllicitos mas ante en lo que pudo sentir vier y conocer lo vio vibir como buen hombre y lo vio diputado del regno de Aragon una vez.
Interrogatus sup quontentis in quinto et septimo articulis respondio que en el dicho tiempo que tubo pratica y conocimiento con el dicho Anthon de Sanctangel lo vio muchas vezes oyr misa y rezar mucho en unas otras que tenia y le vio oyr sermones y dize que vio fazia algunos servicios al convento del Carmen de Calatayut y sintio asi por el dicho Anthon de Sanctangel como por otros como fazia (pag. 119 vto.) almosnas a otros conventos y algunos pobres. Et dize mas que el confeso por mas de diez anyos al dicho Anthon de Sanctangel y dize que nayo y de havia que se confesava dos y tres vezes y dize sabia asi por el como por otros que gelo dezia como se comulgava cada hun ahyo. Et dize cierto en su conciencia que entodo lo que en el dicho Anthon de Sanctangel asi en su confesion como en su vida y pratica pudo sentir, ver y conoscer y vio y conscio dize lo vio vibir como bueno y catholico cristiano y por tal lo tubo siempre este deposant y en tal fama y reputacion vio era tienido y reputado en la ciudat de Calatyut ydo del se havia noncia y dize que nunca conocio en el casa alguna de mal cristiano ni cosa que supiese a heregia.
Interrogatus sup quontentis in septimo articulo dixit nihil de cierta sciencia salbo que hoyo lo quontenido en el dicho articulo al mesmo Anthon de Sanctangel.
Interrogatus sup quontentis in nono articulo respondio que vio de lo que a el se acuerda unas tres vezes al dicho Anthon de Sanctangel ser Justica de la ciudat de Calatayut y vio que en aquellos anyos que era Justicia procurabase hiziesen procesiones por las necesidades que a la sazon se ofrecian.
Interrogatus sup quontentis in undecimo articulo respondio que en lo que pudo sentir y ver (pag. 120) dize que el dicho Anthon de Sanctangel guardava bien las fiestas mandadas guardar.

Interrogatus sup quontentis in decimo quarto articulo respondio que nunca supo que el dicho Anthon de Sanctangle recibierse cosa alguna de comer de judios ni que el geles enviase a ellos mas ante dize conoscio en el y en su dezir y praticar que tenia hodio a los judios.

Interrogatus sup quontentis in decimo quinto articulo respondio que nunca supo que el dicho Anthon de Sanctantel tubiese apensionado meje alguno judio sino cristiano.

PRUEBAS DEL FISCAL PARA PROBAR EL PRESTIGIO DE ALGUNO DE SUS TESTIGOS JUDIOS.

(pag. 130) Articulum infrascriptum offert et dat procurator fiscalis ad probandum infamiam contra Anthium de Sancto Angelo, civitatis Calatayubii.

Et primo dize el dicho procurador fiscal que el dicho Anton de Sanctangel mayor, ciudadano de Calatayud, reo y criminoso al tiempo que vivia y murio fue y era infamado y sospechoso de los crimenes de heregia y apostasia y tenia fama de mal cristiano y por tal era tenido nombrado y reputado y tal de lo sobre dicho fue era y es voz comun y fama publica en la ciudat de Calatayut, donde del dicho denunciado es havida verdadera noticia y estos es verdat.

- Johannes Grasias, alias Sardinillo, habitator civitatis Calatayubii, testis pro parte procuratoris fiscalis notarius predictum presentatus juravit et per juramentum interrogavit sup contentis in articulo pro parte diciti procuratiris fiscalis oblato et sup contentis in eo deposuit per ut sequitur qui mimitis in posse reverendi domini magister Martinnus Garsie inquisitoris juravit per Deum et deposuit ut sequitur: (pag. 130 vto.)

dize este testigo deposant que conocio a Simon de Sancta Clara , mayor, Jorge de la Cabra, Joan de Fariza, Joan Lopez Coscollan, Joan de Sayas, sastre, Ferrando de Buendia, Ferrando Lopez, Joan Daça, Leonart de Sanctangel y Isabel de Linyan, Anthon de Sanctangel, Albaro de Gotor, Jayme de Santa Clara, Joan de buenafe, Alonso Marixa, de vista y pratica que con ellos tubo y dize que todos los suso dichos eran confesos y tenidos en esta ciudat por personas de malos tratos y usureros e mas eran tenidos en reputacion de malos cristianos que no de buenos, por tales este deposant los tuo en el tiempo que vivia. Testes: Michael Domingo et Joannes de Uncastillo, notariii sancte oficii habitantes Calatayubii.

- (pag. 131) Articulos infrascriptos offert et dar promotor fiscalis in causa quos supplicantes admitti et recipi.

Et primo dize el dicho Procurador fiscal que por quanto el cristiano nuevo de la cidat de Calatayut antes se llamava Benardut es buen hombre de buena fama y quando era judio era buen judio verdadero y de buenos tratos y de buena contratacion y tal que fialgo dipo con juramento quando era judio se debe darse y credito y tal de los suso dicho fue y era voz comun y fama publica.

Item dize el dicho procurador fiscal que Yuçe Çadoch judio era buen judio verdadero, debuenos tratos, de los principales judios de Calatayut a cuyo drecho debe darse y credito y por tal tenido nombrado y reputado.

Item dize el dicho procurador fiscal que el dicho Yuçe Çadoch despues de haver deposado en la presente causa al tiempo de la expulsion de los judios e absento de la ciudat de Calatayut y se fue de la ciudat de Tudela a donde murio a cuya causa no se pudo reproduzir en la present causa.

(pag. 131 vto.) Die XXX agugusti anno M CVIIII, Calatayubii.

- Eadem die Johannes Bernat, cristiano nuevo habitant en Calatayut, medio juramento prestito in posse dicti Ludovici Maluenda, commisarii.

Dizo que conocio a Yuçe Çadoch, Brahem Arruet, Yuçe el Guerto, judios que moravan en esta ciudat de Calatayud y que sabe que el dicho Yuçe Çadoch morio en navarra stando judios porque ha fablado este testigo acon sus fijos y gelo han assi dicho que murio alli en Tudela de Navarra y que tales la fama. Quanto a Brahem Arruet dize que sabe que se posso en Napoles al tiempo del destierro. Y assi miesmo un Yuçe el Guerto que havia muerto ciego que yva ademandar por Dios en Napoles que tambien havia otro Juçe el Guerto que se posso en Navarra y que ha oydo dezir aqui a parientes suyos como murio alli en navarra y que aquista una fija suya que se trono cristiana y la tiene Pedro, dicha cristiana nueva que vive a la puerta Terrer y lo mismo como es muerto lo fabra el mismo Pedro y que tal es la fama conoscimiento el sobre dicho Yuçe el Guerot en Navarra.

- (pag. 132) Die V marcii anno MDXVII, Aljaferie.

Eodem die el Reverendo Senno Matre Pascual Rordan inquisidor fizo parecer antesi a Miguel Gutierrez de Toledo, sastre habitnat en Çeçarauguste, cristiano nuevo, al qual mediante juramento et forma et que fizo las preguntas siguientes:

Et primo preguntado si conocio a Yuçe Çadoch, judio, el qual al tiempo de la expulsion de los judios de Araon se fue a Tudela de Navarra, donde murio, que digelo que sabe dixo respondio que al concocio al dicho Yuçe Çadoch, judio el qual sabe que era natural de Calatayut de donde se fue al timpo de la dicha expulsion a Tudela de Navarra, donde le vio y Platico a donde sabe y vio murio judio dos o tres hannos despues de dicha expulsion. Preguntado si este Yuçe Çadoch judio sabe y vio que fuesse buen judio y buena persona para judio y que fuesse verdadero y de buenos tratos y de las principales judios de (pag. 132 vto.) Calatayut, respondio y dixo que le tenia como se le pro honrra, por tal le vio tener y tal era la voz comun per jurament.

- Die XII febroari anno MCCCCLXXXXIIII. Calatayubii.

Eadem die coram reverendo domino fratre Petro de Valladolit, inquisitore comparvit Fratre Franciscus Ferrando, prior eclesie sant Petri Martiris civitans Calatayubii, que predictus Michaelem de Galbe fiscalis adiprobandi contra in suo acontratutorio et juravit in psse dicti dins juramentum per Deum et per juravit depsosuit sup sequitur.

Dize ser verdat que el conocio muy bien a Pedro Garcia, cristiano nuevo que seyendo judio se llamava Benardut y que lo tuvo (pag. 133) por buen judio y verdat y no de malos tratos ni le vio fazer cosas que fuesse de mal judio y de mala pratica y estos a hun se demostro por que era de los que regian la aljama de los judios desta ciudad y official de aquella en algunos annos y es cierto que si fuera de mala pratica o mal jdio no le encomendaran la aljama oficio ninguno y por buen judio y de buenos tratos como dicho ha este testigo la tuvo en lo que del pudo saber e conocer y ahun dize que la aljama de los judios de la ciudad acostumbrava dar las fiestas de nadal al dicho convento cierta alimosna y que algunos annos el dicho Pedro Garcia, cadano como clavario y otros annos les demandava si geles havian dado sino que geles faria dar y esto sabe porque lo vio. Testes: Ferdinandus de Aguerri, carterari et Joannes Duncastillo, notarii habitant Calatayubii.

- (pag. 134) Certificacion de cómo Yuçe Çadoch y Pedro Garcia eran buenos hombres de buena fama, verdaderos y de buenos tractos y por tales tenidos.

A todos y qualesquiere juezes y officiales y otras qualesquiere personas aquien la present certificacion pervedra, certiffico y fago se yo Pedro Aymar, habitant en Çaragoça. E por las autoridades publica y real publico notario y scrivano de la judicatura de los bienes confiscados ypor razon de los crimenes de heregia y appostasia en la dicha ciudat y arçobispado de Çaragoça, como a cinco dias del mes de março del anyo de la natividat de nuestro Sennor Mil quatrozientos noventa y cinco, dentro el real palacio del Aljafferia desta dicha ciudat. E postre mi dicho notario, el reverendo Johan Rodirguez de Sant Pedro, canonigo de Burgos y de Leon, liçençiado en santa theologia, inquisidor de la heretica pravedad, precediente devido juramento, interrogo a los reverendos magnificos y discretos sennores mastre Martin Garcia, maestro en santa thelogia, micer Andres Gutierrez de Quintanilla, assessor de lsa santa inquisicion, micer Pedro de Murjuristas , Miguel de Galbe, procurador fiscal de la santa inquisicion, Johan de Bostes e Johan Dotri notarios y scrivanos de la dicha santa inquisicion. E ellos o el otros dellos conocian a Ferrando de Sayas, Juçe buena vida, judio, micer Johan Binas, jurista, Yuçe Çadoch, judio, Martha muer de Andreu Torquat, Maria muger de Martin Dominguez, Andrea muger de Sthevan Calvo, Maria Garcez muger de Alvaro de Gotor, Gaspar de Santa Cruz, Salomon Azay, judio, Haym Banaron judio, Jamila Carfati muger de Simuel Çarfati, Ceti enforna judia muger de Yuçe Çarfati y el dicho Yuçe su marido, Mosse Aninay judio, Ysrael Çarruch sastre, Salomon Abayut, Jehuda Benardut, Haym Abenpesat, Milia Gomez, Yuçe el Bayo juio y a cadauno dellos y a propio parecer los tienen. Los quales respondieron por virtud del dicho jurametno en la forma siguiente: en quanto al dicho Ferrando de Sayas todos los suso dichos respondieron que no lo conocian. Item quanto al dicho Juçe Buenavida judio respondieron los dichos maestre Martin Garcia , micer Andres Gutierrez de Quintanilla, Miguel de Galbes e Johan Dotri que lo conocian (134 vto.) e lo tenian por bueno pora ser judio, los otros respondieron que no lo conocian. Quanto al dicho mier Johan Bines, respondieron los los suso dichos interrogados que lo conocian y lo tenian por bueno. Quanto al dicho Yuçe Çadoch dixieron los dichos Andres Gutierrez assessor, Johan Dotri y Johan de Bostes que lo conocian y era de los honrrados de la aljama y que lo tienian por bueno, los otros restantes interrrogados dixeron que no lo conocian. Quanto a la dicha Martha muger de Andreu Torquat dixieron todos los dichos interrogados que no la cononcen. Quanto a la dicha Maria mujer de Martin Dominguez dixeron todos que no la conocen mas de quanto esto enpresso. Quanto a Andrea muger de sthevan Calvo dixieron todos que no la conocen. Quanto a la dicha Maria Garçez muger de Alvaro de Gotor dixeieron todos que no la conocian. Quanto al Gaspar de Sancta Cruz, dixeron todos que no lo conocian salvo el dicho Dotri que disxo lo conocia y que no lo tenia por hombre bien assentado. Quanto al dicho Salomon Azay, todos dixeron que no lo conocian. Quanto a la dicha Jamila Çarfati dixieron assi mesmo que no la conocian. Quanto a la dicha Çeti Enforna muger de Yuçe Çarfan y al dicho Jyçe su marido porque deposaron en Valladolit que no los conocian. Quanto al Mosse Aninay judio todos dixieron que lo conocian y que es hombre que en este officio no gele dava mucha fe porque fue açotado por la inquisicion por rebolvedor del officio y maliguador y falsario. Quanto al Ysrrael Çarruch, saste, dixieron todos que no le conocena. Quanto al dicho Salomon Abayut dixeron todos que no lo conocen, recepto el dicho mastre Martin Garcia que dize lo conocio y que lo tenia por bueno. Quanto al dicho Jehuda Benarudut dixieron todos que lo conocieron y que lo tovieron en este presso y en otros por buen judio y buen hombre. Quanto al dicho Haym Abempesat dixeron todos que no lo conocen mas e quanto esta enpresso. Quanto a la dicha Milia Gomez dixeron todos que en el tiempo del votar deste presso y de la deliberacion del todos (pag. 136) la tuvieron por muger buena y querida. Et quanto al dicho Yuçe el Bayo todos respondieron que lo conocieron por hombre malo y que como falso testigo y por malo lo açotaron. E preceptado el dicho micer Pedro de Mur que dixo que no lo conocio.

- (pag. 135) A todos quantos la presente prevendra y presentada ser certifico y fago se y relacion yo Alonso Martinez ciudadano y notario publico de la ciudad de Çaragoça y del secreto de la sancta inquisicion en las diocesis de Çaragoça, Huesca, Taraçona y Lerida como por mandado del sennor mastre Pascual Rordan, inquisidor de la heretica y pravedat en las mesmas diocesis por la autoridat aplica dada y deputado yo he reconocido y mirado unos pressos criminales que juntamente stan cosidos a instancia del procurador fiscal del dicho santo officio levados y fechos contra Johan Lopez coscollan, Anthon Ximeno de Rueda, Simon de Sanctga Clara, mayor, Joan del Romeral, Maria del Romeral, Ysabel de Linyan, Alfonso de Sancta Cruz, Leonart de Sanctangel, Jayme Albarez, defuntos, vezinos de la ciudad de Calatayut entre los quales pressos y en la clamosa contra ellos en el principio dellos por el dicho procurador fiscal dada sta nombrado y stava enximido el preso de Anthon de Sancta Fe (pag. 135 vto.), mayor de dias tambien defunto y vezion de la dicha ciudad de Calatayut y fallo y consta como todos los sobre dichos pressos y cadauno dellos fueron puestos en sentencia so diversos calendarios en el anno de la natividat de nuestro sennor mil quatrozientos noventa y quatro y esto por dicho fiscal, por las partes defendientes las memorias de los dichos defuntos. E por que lo sobredicho sta assi en la verdat yo el dcho notario fago la presnete certificacion de mi mano suprascripta e con mi acostumbrado signada.

ACUSACION E IDENTIFICACION DEL ACUSADO POR PARTE DEL FISCAL.

- (pag. 138) Los infrascriptos articulos offresce y da Miguel de Galbe procurador fiscal de la sancta inquisicion en el reyno de Aragon en el presso de Anthon de Santangel, mayor, ciudadano y mercader vezino de la ciudat de Calatayut, cuya memoria y fama ha sido citada y denunciada por el dicho sancto officio de la inquisicion , los quales suplica y requiere el dicho procurador fiscal al dicho sennor inquisidor ser admitidos y recebidos los testigos sobre las cosas en ellos y cadauno dellos contenidoas nombrara y presentara o por su parte se presentara y nombraran.

Et primo dize el dicho procurador fiscal y aprovar entiende que el dicho Anthon de Sanctangel ha mas de XXVIII o XXX annos que es muerto y por muerto del dicho tiempo aqua es tenido nombrado y reputado y tal fue era y es la voz comun y fama publica en la dicha ciudat de Caatayut y en otras partes.

Item dize el dicho Procurador fiscal que Anthon de sanctangel, mayor, y Anthon de Santangel, mercader y Anthon de Sanctangel ciudadadno de la dicha cidat de Calatayut era toda una misama persona, (138 vto.) y se llamava por los dichos tres nombres en el tiempo que vivia ypor una misma persona fue y era tenido nombrado y preputado y tal dicho suso dicho fue era y es la voz comun y fama publica en la dicha ciudat de Calatayut y en otras partes donde a el se tenia verdadera noticia.

Item dize el dicho procurador fiscal que el dicho Anthon de Sanctangel thovo dos fijos que el uno se llamava Pedro de Sanctangel y el otro Anthon de Sanctangel ypor sus fijos fueron eran e son tenidos nombrados y reputados y tal de lo suso dicho fue era y es la voz comun y fama publica en la dicha ciudat de Calatayut y en otras partes.

Item dize el dicho procurador fiscal que este dicho Anthon de Sanctangel, mayor, mercader y ciudadano de Calatyut fue fijo de uno llamado Pedro de Santangel, vezino de la dicha ciudat de Calatyaut ypor tal era tenido nombrado y reputado y tal de los suos dicho fue era y es la voz comun y fama publica.

Item dize el dicho procurador fiscal que el dicho Anthon de Sanctangel, mayor, fue citado y denunciado de los crimenes de heregia y apostasia por los reverendos padres inquisidores de la heretica pravedat en el dicho reyno de Aragon en el anno de mil quatrozientos noventa y tres con otros muchos muertos de la dicha ciudat de Calatayut y assi consta su memoria (pag. 139) y fama y de los otros dichos muetros fueron publicados edictos y otras citaciones en las yglesias parrochiales de la dicha ciudat de Calatayut por las quales fueron llamados y citados sus fijos nietos herederos y detenedores de sus bienes y otros sua interesse putantes, pa que de un cierto tiempo viniessen a defender las memorias y famas de los dichos muertos lo qual fue publico y notorio en la dicha ciudat de Calatayut.

Item dize el dicho procurador fiscal que el dicho Anthon de Sanctangel, mayor, mercader citado ciudadano de la dicha ciudat de Calatayut y fijo del dicho Pedro de Santangel en el tiempo que vivia morava y solia morar y vivir en unas casas que estavan cerqua de las casas y palacio del senno obispo de Taraçona en la dicha ciudat de Calatayut y cerqua otras casas que fueron de micer Joan de Nueros que agora son de micer Ferrando Lopez, ciudadanos de la icha ciudat.

Item dize el dicho procurador fiscal que fue y es vierdat que el dicho Anthon de Sanctangel, mayor, que morava y vivia cerqua la casa y palacio del sennor Obispo de Taraçona en el timpo que vivia fue yera hombre rico mercader (pag. 139 vto.) y que tratava mercaderias en grueso y fue y era ciudadano que entrevenia en el regimiento de la dicha ciudat y fue visto Justica y tener y regir de los officios mas principales de la dich ciudat de Calatayut y assi es cierto que del dicho Anthon de Sanctangel denunciado y pressado y no de otro se dize y debe dezir Anthon de Sanctantel mercader y Anthon de Sanctangel ciudadano y que morava cerqua casa del dicho sennor Obispo de Taraçona y de cara de las dichas casas que fue fueron de micer Joan de Nueros que agora son de miecer Ferrando Lopez.

Item dize el dicho procurador fiscal que en el dicho tiempo no fue visto ni oydo que en la dicha ciudat hoviesse ni ovo otro que se llamasse Anthon de Sanctangel ciudadano ni mercader y caso que constasse y asi que huviesse alguno que se llamasse Anthon de Sanctangel fue y era uno que no era ni fue mercader ni ciudadano ni tenido por tal y ste fue fijo de Pedro de Santangel, el qual diferencia del dicho Anthon de Sanctangel, mayor, mercader y ciduadano se llamava y era llamado y nombrado Sanctangelejo el de la rariz horadada el qual de nombre prepio se llamava Anthon y era menor en edat y reputacion que el otro que este Santangelejo fue y es verdat que todo e ltimpo que vivio o casi estuvo y moro y (/pag. 140) tuvo su abitacion y morda y sus casas en la prarrochia de Sant Pedro de los Serranos y muy lexos en calle y parrocha de las casas del dicho Anthon de Sanctangel mayor mercader y ciudadano de la ciudat de Calatyut, el qual tenia las dichas sus casas como dicho es fronteras a las casas que fueron de micer Joan de Nueros y cerqua de las dichas casas del obispo de Taraçona, las quales estan sitias en la parroquia de Sancta Maria la Mayor de la dicha ciudat y en la dicha parrochia y cerqua de las dichas casas del obispo y de las casas que fueron de micer Joan de Nueros y agora son de micer Ferrando Lopez, nunqua stuvo ni mor demira de hombres aqua sino el dicho Anthon de Sanctagel, mayor mercader y ciudadano de parte de suso primero nombrado.

Item dize el dicho procurador fiscal que el dicho Anthon de Sanctangel , mayor mercader y ciudadano en el tiempo que bivia tenia fama y reputacion de mal cristiano y tenia mucha conversacion y pratica con judios y que con ellos y a su consejo observava los ritos y cerimonias de los judios y comia de sus manjares y por tal era tenido nombrado y reputado.

Item dize el dicho procurador fiscal que Yuçe Çadoc judio de la aljama de los judios de Calatayut al tiempo de la expulsion de los judios general se absento y se (pag. 140 vto.) fue de todo el reyno de Aragon al reyno de Navarra en donde morio luego poro despues de la expulsion y port tal fue y es tenido nombrado y reputado.

Item dize el dicho procurador fiscal que Pedro de Sanctangel fijo del dicho Anthon de Sanctangel morio en el anno de Mil quinientos y uno, quinientos y dos o quinientos y tres ypor tal es tenido y nombrado.

Item dize el dicho procurador fiscal que todas y cadunas cosas suso dichas fueron eran e son vedaderas publicas manifiestas y notorias y dellas es verdat.

TESTIGOS DEL FISCAL PARA PROBAR LA ACUSACION E IDENTIFICACION ANTERIOR.

(pag. 141) Testes recepti por dictum domini inquisitorum in dictum comissariumsup untent indicta plica articulorum.

- Et primo honorabilis Andreas Cetina senior civis e habitator civitatis Calatayubii, testis citatis por dicti presentatus asd missus in actus per juramentum predicti in ut modum inquisitorem judicem comissarium interrogatus sup contentis in primo artiuclo dicte redile sinplice articulorum dicto testi espositis declaratis per vidixit intellecti sup quibus deposuit dixit se hore qui sequitur:

Dize el presente testigo deposante que es verdat que el conocio muy bien a Anton de Sanctangel, mayor de dias, ciudadano de la ciudat de Calatayut, el qual Anton de Sanctangel dize este testigo que ha mas de treybta annos que due y es muerto y por tal tenido nombrado y reputado (pag. 141 vto.) en la dicha ciudat de Calatayut y esto dize sabe el present testigo deposante porque biviendo este testigo en la dicha ciudat de Calatayut en el dicho tiempo fue y despues ha seydo y es voz comun yfama publica en la dicha ciudat que el dicho Anthon de Sanctangel fue yera y es muerto y quel dicho Anthon de Sanctangel murio fuera de la dicha ciudat de Calatayut y que al tiempo que murio yva con el y lo acompanava uno llamado Francisco de Tabaria, habitant en la dicha ciudat de calatyaut et hoc dixit perjurmentum.

Interrogatus sictus testis sup contentis in secundo articulo dicte redile senplice articulorum sup quibus deposuit e dixit que es verdat que como dicho y deposado ha este testigo deposant conocio muy bien al dicho Anthon de Sanctangel articulado en el timpo que bivia y vio y hoyo que fue y era llamdo y nombrado y que unos lo (pag. 142) llamavan y nombravan Anthon de Sanctangel . mayor, y otros Anthon de Sanctangel ciudadano y que como quien que se llamava o era nombrado por los dicho nombres fue y es verdat que toda fue y era una misma persona y que por una misma persona fue y era tienido nombrado y reputado ypor tal lo tenia y tuvo y vio tener y reputar el presente testigo deposante, hoc dixit per juramentum.

Interrogatus ictus testis sup contentis in tercio articulo dicte redile senplice articulorum sup quibus deposuit e dixit que es verdat que el dicho Anthon de Sanctangel, mayor, articulado tobo y procreo dos fijos uno de los quales se llamava Pedro y el otro Anthon de Santangel, los quales dize el presente testigo conocio muy bien y que por fijos y como fijos del dicho Anthon de Sanctangle los vio tener y que eran tenido nombrados y reputados en la dicha ciudat de Calatayut, hoc ixit per juramentum.

Interrogatus ictus testis sup contentis in quinto articulo dicte redile senplice articulorum sup quibus deposuit e dixit que es verdat que oyo dizir y fue voz comun fama publica en la dicha ciudat de Calatayut despues de muerto el dicho Anton de Sanctangel en el articulo nombrado y no muchos annos despues quel dicho anthon de sanctangel mayor, fue scitado y denunciado por los crimenes de heregia con otros muchos muertos de la dicha ciudat de Calatayut por los sennores inquisidores y que havian seydo publicados e dictos y transsatatorias por las yglesias parroquicales de la ciudat de Calatayut como en el dicho articulo se contiene y lo suso dicho dize sabe porque assi lo hoyo dezir a muchas personas de cuyos nombres no se acuerda y que tal delas cosas suso dichas fue y ha seydo la voz comun y fama publica en la dicha ciudat de Calatayut, hoc dixit per juramentum.

Interrogatus ictus testis sup contentis in sexto articulo dicte redle senplice articulorum sup quibus deposuit e dixit que (pag. 143) es verdat que como dicho y deposado ha conocio muy bien al dicho Anthon de Sanctangel, mayor, en el artuclo nombrdo, y assi mesmo dize sabe muy bien las casas del dicho Anthon de Sanctangel en el articulo mencionadas que stan cerca las casas del sennor Obispo de Taraçona y cerca las cosas que fueron de micer Johan de Nueros que agora son de Ferrando Lopez en la dicha ciudat de Calatayut, y dize el present deposant que todo el tiempo que vino el dicho Anthon de Sanctangel en la dicha ciudat de Calatayut de que este deposant se acuerda siempre lo vio vevir e morar en las dichas casas y que nunca el deposant vio ni hoyo dezir que el dicho Anthon de Santangel morase en otras casas sino en las suso dichas y en el articulo menciondas, hoc dixit per juramentum.

Interrogatus ictus testis sup contentis in septimo articulo dicte cedule senptice atticulos sup quibus deposuit qui dixet (pag. 143 vto.) que es verdat que el dicho Anthon de Sanctangel en el dicho articulo nombrado fue y era hombre rico y que fue y era ciudadano que intervenia en el regimiento de la dicha ciudat de Calatayut e por tal lo vio tener y reputar y por tal lo tuvo este deposant y que vio al dicho Anton de Sanctangel, mayor, ser Justicia y tener e intervenir en los otros officios mas principales de la dicha ciudat de Calatayut y que del dicho Anton de Santangel se dizia y por el se entendia quando era nombrado Anton de Santangel, mayor, y Anthon de Santangel ciudadano y esto dize sabe porque assi lo vio como dicho y depsado ha por juramentom .

Interrogatus ictus testis sup contentis in octavo artiulo dicte cedule senplice articulo sup quibus deposuit dixet que es verdat que el present deposant no conocio en la dicha ciudat de Calatayut en el tiempo quel dicho Anthon de Sanctangel, mayor, bivia otro alguno (pag. 144) que se llamsse Anthon de Sanctangel, mayor ni Anthon de Sanctantel ciudadano, bien es verdat que havia otro Anthon de Sanctangel el qual se llamava de la nariz horadada, el qual este deposante conocio mas que no era mercader ni ciudadano de la ciudat, ni tenido por tal por tal, el qual dicho Anthon de Sanctangel dize este deposante que el de la nariz horadada que morava y tenida sus casas habitacion y morava en la dicha ciudat de Calatayut en la parrochia de Sant Pedro de los Serranos muy lexos en calle y parochia de las casas del dicho Anrthon de Sanctangel. Mayor, el qual conocio dicho ha y en el dicho articulo se ocntiene tenia las dichas sus casas fronteras a las casas que fueron de micer Joan de Nueros y cerca las casas del Obispo ede Taraçona, las quales son sitias en la parrocha de Sancta Maria la mayor de la dicha ciudat de Calatayut como en el dicho articulo se contiene en la qual dicha parrochia de sancta Maria dize el present testigo deposante que nunca vio ni hoyo dizir que bivesse ni morase otro Anthon de Sanctangel sino solament el dicho Anthon de Sanctangel, mayor, (pag. 144 vto.) y ciudadano como dicho ha et hoc dixit porque assi lo ha visto como dicho y depsado ha de parte suso, per jurament.

Interrogatus ictus testis sup contentis in decimo articulo dicte cedule senplice articulis sup quibus deposuit dixit que es verdat que el present testigo conocio muy bien a Yuçe Çadoch, judio en el dicho articulo nombrado y que el present deposant vio como el dicho Yuçe Çadoch se fue de la dicha ciudat de Calatayut al tiempo de la expulsion general e los judios, se fue y absento de la dicha ciudat de Calatayut y que despues hoyo dezir el present testigo de posante quel dicho Yuçe Çadoch judio murio y fue y es muerto en el reyno de navarra y que por tal lo ha tenido y tiene el presente testigo deposante y que por tal lo ha visto y tendido y reptuar, hoc dixit per juramentum.

- (pag. 145) Petrus Marina, senno agricola habitator civitatis Calatayubii, testis citatis por dicti presentatus ad missus in actus per juramentum predicti in ut modum inquisitorem judicem comissarium interrogatus sup contentis

in primo articulo dicte prime articulo sup quibus depsuit dixit que es verdat quel presente testigo deposante conocio muy bien a Anthon de Sanctangel, mayor de dias ciudadano de la ciudat de Calatayut, el qual dize este deposant que fue y es muerto havra treynta annos poco mas o menos y esto dize sabe el presente testigo deposante porque en el dicho tiempo hoyo dezir y fue y despues y de present haseydo y es voz comun y fama publica en la dicha ciudat de Calatayut que el dicho Anthon de Santangel, mayor, fue y es muerto y por tal tenido nombrado y resputado et hoc dixit per juramentum.
Interrogatus ictus testis usp contentis in secundo articulo dicte cedule senplice articulis sup quibus deposuit et dixit que es verdat que como el presente deposante ha dicho y deposado conoer muy bien al dicho Anthon de Sanctangel en el dicho articulo nombrado y que fue y es verdat que Anthon de Sanctangel, mayor y Anthon de Sanctangel ciudadano era una misma persona y que lo vio llamarse y ser llamado y nombrado por los dichos nombres et hoc dixit se sare porque assi lo vio como dicho y deposado ha y que no vio este deposante que el dicho Anthon de Sanctangel fuesse mercader y hoc dixit poer juramentum.
Interrogatus ictus testis sup contentis in tercio articulo dicte cedule senplice articulis sup quibus deposuit dixit que es verdat que el present testigo deposante vio como el dicho Anthon de Sanctangel en el articulo nombrado tobo dos fijos, quel uno se llamo Pedro y el otro Anthon de Sanctangel como en el articulo se contiene, sabelo el presente deposante porque dize que conocio al dicho Anthon de Sanctangel, mayor y a los dichos sus fijos y que por padre (pag. 146) y fijos los vio tenerse y reputarse y por tales los vio tener y reputar y los tenia y tivo este deposante como en el dicho articulo se contiene por juramentum.
Interrogatus ictus testis usp contentis in sexto articulo dicte cedule senplice articulis sup quibus deposuit dixit que es verdat que el presente testigo deposante sabe muy bien las casas que fueron del dicho Anthon de Sanctangel en el dicho articulo mencionadas que stan cerca de las casas del sennor Obispo de Taraçona en la dicha ciudat de Calatayut y cerca las casas que fueron de micer Joan de Nueros que agora son de micer Ferrndo Lopez y dize este deposante que si empo quel dicho Anthon de Sanctangel, mayor, bivio en la dicha ciudat de Calatatyut del tienpo que este deposante se acuerda siempre lo vio bivir habitat y morar en las dichas casas y no en otras algunas. Hoc dixti porque asilo vio vino dicho y deposasado ha.
Interrogatus ictus testis sup contentis in septimo articulo dicte cedule senplice articulis sup quibus (pag. 146 vto.) deposuit dixit que el dicho Anthon de Sanctangel, mayor, fue y era hombre rico, y que era ciudadano principal de la dicha ciudat de Calatayut que intervinia en el regimiento y officios de la dicha ciudat, y quel present deposant lo vio en la dicha ciduat ser Justicia y lugartienient y Almutaçaf y Jurado de la dicha ciudat y que Anthon de Sanctangel, mayor, ni Anthon de Sanctangel ciudadano no se diria por otro al olviro sino pro el suso dicho, hoc dixit y fore porque assi lo vio como dicho ha per juramentum.
Interrogatus ictus testis sup contentis in octavo articulo dicte cedule senplice articulis sup quibus deposuit dixit que es verdat que en aquellos tiempos en quel dicho Anthon de Sanctangel, mayor, bivia huno en la dicha ciudat, otro que se llamava Anthon de Sanctangel que algunos le dizian Santangelejo de la nariz horadada y otros le dizian Santangel de la nariz horadada y que este era hombre que bivia de la administracion de sus heredades y los mas dias yva y vivia a un termino de la dicha ciudat que se llamaba Campiel (pag. 147) con un asno y que este Anthon de Sanctangel no era mercader ni ciudadano y que siempre bivio y tuvo sus casas y habitacion en la dicha ciudat de Calatayut, en la parrochia de Sant Pedro de los Serranos, muy lexos en calle y parrochia de las dichas casas donde morava el dicho Anthon de Sanctangel, mayor y ciudadano, y dize este deposante que es verdat que havia tanta diferencia en reputacion y condicion del Santangel de la nariz horadada al dicho Anthon de Sanctangel, mayor de dias y ciudadano, como deste deposante que es un labrador al Justicia de Calatayut, de manera que dize este testigo deposante que Anthon de Sanctangel, mayor y Anthon de Sanctangel ciudadano se devia y podera entender por el dicho Anthon de Sanctangel, mayor primero nombrado y no por otro alguno, y que en la dicha calle donde el dicho Anthon de Sanctangel, mayor, morava nunca vio en el dicho tiempo que biniese ni morase otro que se llamase Anthon de Sanctangel sino el, e lo suso dicho dize habe el presente deposante porque assi lo vio como dicho y doposado ha per juramentum.

- (pag. 147 vto.) Petrus de Moros, nunciis curie justiciatus habitant Calatayut, testis citatis por dicti presentatus ad missus in actus per juramentum predicti in ut modum inquisitorem judicem comissarium interrogatus sup contentis in primo articulo dicte plice articulo sup quibus deposuit dixit

Que es verdat que el presente testigo deposante conocio muy bien a Anthon de Santangel, mayor de dias, cidadano de la dicha ciudat de Calatayut y con esto dize este testigo que el dicho Anthon de Sanctangel fue y es muerto mas ha de veyte y cinquo annos y que murio fuera de la dicha ciudat de Calatayut en el plano de san Mateo en un lugar que se llama Alpecer deste deposante Viccarcal y esto dize sabe el presente deposaznte porque (pag. 148) en el dicho tiempo de despues aca lo ha assi hoido dezir de muchas personas de cuyos nombres no se acuerda y que tal de las susosdichas cosas ha visto y hoydo se r y que ha seydo la voz comun y fama publica en la dicha ciudat de Calatayut y que por tal lo ha visto y hoydo tener y que es tendio nombrado y reputado como dicha ha el dicho Anthon de Sanctangel y que por tal lo ha tenido y tiene este deposant hoc dixit per juramentum.
Interrogatus ictus testis sup contentis in secundo articulo dicte cedule senplice articulis sup quibus deposuit dixit que es verdat que el presente testigo deposante conocio al dicho Anthon de Sanctangel, mayor de dias y Anthon de Sanctangel ciudadano de Calatayut y que era una misma persona, y se llamava al tiempo que bivia por los dichos nombres y que por una misma persona fue y eratenido nombrado y reputado y esto dize sabe el presente testigo deposante porque assi lo vio como dicho y deposado ha per juramentum.

Interrogatus ictus testis sup contentis in tercio articulo dicte cedule e dicto testi lectis per sup (pag. 148 vto.) quibus deposuit dixit que es verdat que conocio al presnte testigo al dicho Anthon de Sanctangel, mayor, y assi mesmo dize conocio a los dichos Pedro y Anthon de Sanctangel sus fijos y que por padre y fijos los vio ad juvitem tenerse tratarse nombrarse y reputarse y ser tendios nombrados y reputados comunment y que por tales los tenia y tuvo el presente deposante, hoc dixit se fore porque assi lo ha visto como dicho ha per juramentum.

Interrogatus ictus testis sup contentis in sexto articulo dicte cedule senplice articulis sup quibus deposuit dixit que es verdat que el dicho Anthon de Sanctangel, mayor y ciudadano de Calatyaut en el tempo que bivia morava, y solia bivir y morar en las casas en el articulo mencionadas que stan sitias en la dicha ciudat de Calatayut cerca las casas del sennor Obispo de Taraçona y cerca las casas que fueron de micer Joan de Nueros que agora son de micer Ferrando Lopez, y esto dize sabe (pag. 149) el presente testigo deposante porque sabia y sabe muy bien las dichas casas y siempre vio bivir y morar en ellas al dicho Anthon de Sanctangel hoc dixit per juramentum.

Interrogatus ictus testis sup contentis in septimo articulo dicte cedule senplice articulis sup quibus deposuit dixit que es verdat quel dicho Anthon de Sanctangel. Mayor fue y era hombre muy rico y que fue y era ciudadano principal y ue intervinia en los officios principales de la dicha ciudat de Calatayut y quel present testigfo deposante lo vio ser Justicia y lugarteniente de Justicia y regir y tener de los principales officios de la dicha ciudat, y que el tromxa que el bivia se dizia y entendia por el y no pro otro alguno en la dicha ciudat Anthon de Sanctangel. Mayor, y Anthon de Sanctangel ciudadano de Calatayut y esto dize sabe porque assi lo vio y hoyo como dicho ha per juramentum.

Interrogatus ictus testis sup contentis in octavo articulo dicte cedule senplice articulis sup quibus deposuit dixit que es verdat que en el tiempo que el dicho Anthon de Santangel, mayor, bivia este testigo deposante stuvo y habito en la presnte ciudat de Calatyut mas que no se acuerda (pag. 149 vto.) haver conocido en la dicha cidat de Calatayut alguno que se llamasse Anthon de Sanctangel que fuesse persona nombrada por ciudadano de la dicha ciudat sino el dicho Anthon de Santangel, mayor, que morava en las dichas casas cerca las casas del dicho Obispo de Taraçona y cerca las dichas casas que fueron de micer Joan de Nueros que agora son de micer errando Lopez y que en las dichas casas ni en la calle donde son sitias nunca vio en el dicho timpo bivir ni morar otro que se llamasse Anthon de Sanctangel sino el dicho Anthon de Sanctangel mayor y ciudadano como dicho ha per juramentum.

Interrogatus ictus testis sup contentis in nono articulo dicte cedule senplice articulis sup quibus deposuit dixit que es verdat queste testigo deposante concoscio muy bien a Yuçe Çadoch en el deceno articulo nombrado y que de mas no se acuerda per juramento.

Interrogatus ictus testis sup contentis in un decimo articulo dicte cedule senplice articulis sup quibus deposuit dixit que es verdat que como dicho ha este testigo conocio muy bien al dicho Pedro de Sanctangel en el dicho articulo nombrado y que fue y (pag. 150) es muerto y por tal tendio nombrado y reputado y que al parecer deste deposante ha que murio veynte annos y no muchos menos, hoc dixit per juramentum.

- Joannes de Moros el Royo, agricola vicinus civitatis Calatayubii, testis citatis por dicti presentatus asd missus in actus per juramentum predicti in ut modum inquisitorem judicem comissarium interrogatus sup contentis in primo articulo dicte primee articulo sup quibus depsuit dixit

Que es verdat que el present testigo deposante conocio muy bien a Anthon de Sanctangel ciudadano de Calatayut mayor de dias en el dicho articulo nombrado y que es verdat quel dicho Anthon de Sanctangel mayor fue y havito y que ha murio muchos annos quantos de quantos no dize que no le acuerda bien es verdat que acuerda que murio antes de la pestilençia que ha veunte y cinquo annos que passo, y que por muerto lo vio y ha visto tener y reputar y lo ha tonido y reputado este deposante, hoc dixit per juramentum.

(pag. 150 vto.) Interrogatus ictus testis sup contentis in un secundo articulo dicte cedule senplice articulissup quibus deposuit dixit que es verdat que como dicho ha conocio al dicho Anthon de Sanctangel mayor en el dicho articulo nombrado y que era ciudano de Calatayut y que Anthon de Sanctangel mayor y Anthon de Sanctangel ciudadano era una mesma persona, sabelo el presente deposante porque por los dichos nombres vio y hoyo que era llamado en el tiempo que bivia y que por una mesma persona fue y era tenido nombrado y reputado, era mercader o no dize el presente deposante que no lo sabe, hoc dixit per juramentum.

Interrogatus ictus testis sup contentis in un tercio articulo dicte cedule senplice articulis sup quibus deposuit dixit que es verdat que el presente testigo deposante concocio muy bien a Pedro y Anthon de Sanctangel, fijos del dicho Anthon de Sanctangel mayor en el dicho articulo mencionados y que por fijos y como (pag. 151) del dicho Anthon de Sanctangel mayor los vio tener nombrar y reputar comunemente por tales los tenia y tuvo este deposante, et hoc dixit per juramentum.

Interrogatus ictus testis sup contentis in sexto articulo dicte cedule senplice articulis sup quibus deposuit dixit que es verdat que el presente testigo deposante sabe muy bien las casas que fueron del dicho Anthon de Sanctangel en el dicho articulo expresadas que stan sitias en la dicha ciudat de Calatayut cerca de las casas del sennor Obispo de Taraçona y cerqua de las casas que fueron de micer Joan de Nueros que agora son de micer Ferrando Lopez, y que es verdat que en el tiempo que bivia el dicho Anthon de Sanctangel siempre lo vio este deposante estar, morar y habitar en las dichas casas et hoc dixit se fare porque assi lo vio y ha visto conocio (pag. 151 vto.) dicho y deposado ha per juramentum.

Interrogatus ictus testis sup contentis in septimo articulo dicte cedule senplice articulis sup quibus deposuit dixit que es verdat que el dicho Anthon de Sanctangle mayor en el dicho articulo nombrado en el tiempo que bivia fue y era hombre muy rico y ciudadano que intervinia en el regimiento de la dicha ciudat y esto dize sabe el presente testigo deposante porque como dicho ha lo conocio y por tal como dicha ha lo vio tener y reputar y que le vio ser Justicia y lugartenient y tener y regir los officios mas principales de la dicha ciudat et hoc dixit per juramentum.

Interrogatus ictus testis sup contentis in octavo articulo dicte cedule senplice articulis sup quibus deposuit dixit que es verdat que en el dicho tiempo conocio este deposante en la dicha ciudat otro que se llamava Anthon de Sanctangel, que no fue ni era mercader ni ciudadano ni tonido por tal y que este se llamava Santangel de la nariz horadada y que era menor en dias y en reputacion (pag. 152) el dicho Anthon de Sanctangel mayor y que el dicho Santnagel de la nariz horadada tenia sus casas y moro siempre en la parrochia de

Sant Pedro de los Serranos de la dicha ciudat muy lexos en calle y parrochia de las casas del dicho Anthon de Sanctangel mayor y ciudadano, el qual como dicho ha toma sus casas y morada como en el dihco articulo se contiene y que nunca vio este deposante que en la dicha calle y parrochia de Santa Maria cerca las casas del Obispo de Taraçona y de las casas que fueron de micer Joan de Nueros que agora son de micer Ferrando Lopez morasse ni biviese otro Anthon de Sanctangel sino el dicho Anthon de Sanctangel mayor de suso nombrado. E lo suso dicho dize sabe el presente deposante predico assi lo vio como dicho y deposado ha per juramentum.
Interrogatus ictus testis sup contentis in nono, deicmo e undecimo articulo (pag. 152 vto.) dicte cedule senplice artuculissup quibus deposuit dixit que es verdat que super quibus et quo eorum respondit et dixit se nihil.

- Joannes Vicent, agricula habitantor civitas Calatayubii, testis citatis por dicti presentatus causa sitatis persentatus per dictii in domini inquisitore judice, comissarium interrogatus sup infracripto, dicto testi espositise decalratis speun ut dixit tellectis sup quibus deposuti per infra per juramentum penum perscriptum.

Et primo fuit interrogatus dictus testis super contentis in primo articulo dicte cedule senplice articulo sup quibus depsuit dixit que es verdat que el present testigo deposante conocio muy bien a Anthon de sanctangel mayor de dias y ciudadano de la ciudat de Calatayut y conesto dize el presente testimonio deposante ha mas de treynta annos poco mas o menos que el dicho Atnhon de Sanctangel el mayor de dias fe y es muerto y por tal hovido y reputado sabelo el presente testimonio (pag. 153) deposante porque ha mas de treynta annos que hoyo dezir a muchas personas y fue voz comun y fama publica en la dicha ciudat quel dicho Anthon de Sanctangel mayor se yva a Mallorca y que murio en el camino y que despues aca ha seydo tenido y reputado por muerto y hoc dixit per juramentum.
Interrogatus ictus testis sup contentis in secundo articulo dicte cedule senplice articulis sup quibus deposuit dixit que es verdat que como dicho ha conocio al dicho Anthon de Sanctangel mayor y Anthon de Sanctangel ciudadano era una misma persona y que se llamava por los dichos nombres y por por uno misma persona era tenido nombrado y reputado y que al parecer deste deposante el dicho Anthon de Sanctangel mayor y ciudadano tractava mercaderia y era mercader e lo suso dicho dize sabe el present deposant porque assi lo vio como dicho y deposado ha per juramentum.
Interrogatus dictus testis sup contentis in tercio articulo dicte cedule senplice articulo sup quibus deposuit dixit que es verdat que el dicho presente deposante conocio muy bien como dicho y deposado ha al dicho Anthon de Sanctangel mayor, y assi (pag. 153 vto.) mesmo dize conocio a pedro y Anthon de Sanctangel fijos del dicho Anthon de Sanctangel mayor y que por fijos y como fijos del dicho Anthon de Sanctangel los toma y tuvo este deposante y por tales los vio tener nombrar y reputar y que eran tenidos nombrados y reputados, hoc dixit per juramentum.
Interrogatus ictus testis sup contentis in sexto articulo dicte cedule senplice articulo sup quibus deposuit dixit que es verdat que el dicho Anthon de Sanctangel mayor en el tiempo que bivia solia morar y bivir en las casas en le dicho articulo expresadas, as quales dize sabe muy bien el presente testigo deposante y que estan en la dicha ciudat de Calatayut cerca de las casas del sennor Obispo de Taraçona y cerca de las (pag. 154) casas que fueron de micer Joan de Nueros que agora son de micer Ferrando Lopez y esto dize sabe el presente testigo deposante porque assi lo vio como dicho y deposado ha per juramentum.
Interrogatus ictus testis sup contentis in septimo articulo dicte cedule senplice articulo sup quibus deposuit dixit que es verdat que como el presente testigo deposante ha dicho y deposado conocio muy bien al dicho Anton de Sanctangel mayor en el dicho articulo nombrado y quel dicho Anthon de Santangel articulado fue y era hombre rico y que tenia muchos bienes yque fue y era hombre ciudadano y que intervinia en el regimiento de la dicha ciudat de Calatayut y le vio en diversos tiempos regir los officios mas principales de la dicha ciudat e lo suso dicho dize sabe el presente testigo deposante porque assilo vio como dicho y deposado ha y que sobre lo contenido en el dicho articulo no se acuerda mas de lo que arriba ha dicho y deposado per juramentum.
Interrogatus ictus testis sup contentis in octavo articulo dicte cedule senplice articulo sup quibus deposuit dixit que es verdat que en el dicho tiempo quel dicho Anthon de Sanctangel mayor bivia en la dicha ciudat no vio ni hoyo este deposante que huviesse ni huno (pag. 154 vto.) en la dicha ciudat otro que se llamase Anthon de Sanctangel, que fuesse mercader y lo suso dicho dize, bien es verdat que en el dicho tiempo conocio otro que se llamava Anthon de Sanctangel mas que no era mercader ni ciudadano, antes muchos le llamavan Santangelejo el de la nariz horadada, el qual tenia sus casas habitacion y morada en la parrochia de sant Pedro de los Serranos de la dicha ciudat, que es muy lexos en parrochia y calle de las casas del dicho Anthon de Sanctangel, mayor, el qual tenia sus casas como en el dicho artiuclo se ocntiene. E dize el present testigo deposante que en la dicha partida ni calle donde el dicho Anthon de Sanctangel mayor tenia sus casas como dicho es no morava ni moro en aquel tiempo quel bivia otro alguno que se llamasse Anthon de Sanctangel. E dize mas este deposante que en el suso dicho tiempo siempre que en la dicha ciudat se nombrava Anthon de Sanctangel vio y hoyo este testigo que se entendia por el dicho Anthon de Santangel mayor y ciudadano sobredicho. E lo suso dicho dize sabe este testigo deposante porque assi lo vio y hoyo como dicho y deposado (pag. 155) ha per juramentum.
Interrogatus ictus testis sup contentis in nono articulo dicte cedule senplice articulo sup quibus deposuit dixit que es verdat que es verdat que el presente testigo deposante vio como el dicho Anthon de Sanctangel mayor de parte de suso nombrado en el tiempo que bivia en la dicha ciudat de Calatayut tenia y tuvo mucha platica y conversacion con judios. E assi mesmo dize este testigo deposante que hoyo dizir a muchas personas cuyos nombres no se acuerda, y que fue voz comun y fama publica en la dicha ciudat de Calatayut quel dicho Anthon de Sanctangel mayor se havia ydo de la dicha ciudat suyendo por miedo dela inquisicion y que assi y endose havia muerto fuera de la dicha ciudat de Calatayut, y esto dize sabe el presente testigo deposante porque assi lo vio y oyo vivo dicho y deposado ha per juramentum.
Interrogatus ictus testis sup contentis in undecimo articulo dicte cedule senplice articulo sup quibus deposuit dixit que es verdat que que como dicho ha el present testigo deposant concoscio muy bien a Pedro de Sanctangel fijo del dicho Anthon de Sanctangel (pag. 155 vto.) en el articulo nombrado y que el dicho Pedro de Sanctangel ha que es muerto y murio havra deztseys annos poco mas o menos y esto dize sabe el present deposante porque dicho Pedro de Sanctangel murio en la dicha ciudat porque por tal como dicha ha lo ha visto tener y reputar y fertando y reputado comunmente y que por tal lo ha tenido y tiene este deposante per juramentum.

- Dominicus Ferriz, agricola habitator civiatis Calatayubii, testis citatis por dicti presentatus causa sitatis persentatus per dictii admissus juratis et per juramentum interrogatus sup infrascriptis icto testis lectis expositis declaratis et penun ut dixit intellectis super quibus deposuit prout infra per juramentum penum per scriptum.

Et primo fuit interrogatus dictus testis super contentis in primo articulo dicte cedule (pag. 156) senplice articulo sup quibus depsuit dixit que es verdat que el presente testigo conocio muy bien a Anthon de Sanctangel mayor de dias e mercador y ciudadano de la dicha ciudat de Calatayut, y con esto dize el present testigo deposante que havra treynta annos poco mas o menos quel dicho Anthon de Sanctangel fue y es muerto sabelo el present deposante porque por muerto lo vio y ha visto tenia y reputar y que por tal lo ha tenido y tiene este testigo y que tal ha seydo y es la voz comun y fama publica en la dicha ciudat de Calatayut, hoc ixitr per juramentum.

Interrogatus ictus testis sup contentis in secundo articulo dicte cedule senplice articulo sup quibus deposuit dixit que es verdat que Anthon de Sanctangel mayor y Anthon de Sanctangel mercader y Anthon de Sanctangel ciudadano de Calatayut era y fue todo una misma persona y se llamava por los dichos tres nombres en el tiempo que bivia ypor una mesma persona era tendio nombrado y reputado en la dicha ciudat, e lo suso dicho dize sabe el present depsosante (pag. 156 vto.) porque vio como dicho y deposando hoc per juramentum.

Interrogatus ictus testis sup contentis in tercio articulo dicte cedule senplice articulo sup quibus deposuit dixit que es verdat que el presente deposante coonocio muy bien al dicho Anthon de Sancangel mayor en el dicho articulo nombrado y assi mesmo dize conocio a Anthon de Sanctangel y Pedro de Sanctangel fijos suyos y que el dicho Anthon de Sanctangel mayor huvo en fijos a los dichos Anthon y Pedro de Sanctangel articulados sabelo el present deposoante porque por fijos y como fijos del dicho Anthon de Sanctangle mayor los vio tener nombrar y reputat y ser tenidos nombrados y reputado e hoc dixit per juramentum.

Interrogatus ictus testis sup contentis in quarto articulo dicte cedule senplice articulo sup quibus deposuit dixit que el presente deposante conocio muy bien al padre del dicho Anthon de Sanctangel mayor porque no se acuerda como se llamava et hoc dixit per juramentum.

(pag. 157) Interrogatus ictus testis sup contentis in quinto articulo dicte cedule senplice articulo sup quibus deposuit dixit que es verdat que el dicho Anthon de Sanctangel mayor fue citado y llamado por el sancto officio de la inquisicion como en el dicho articulo se contiene sabelo el presente deposante por que assi lo vio como dicho y deposado ha per juramentum.

Interrogatus ictus testis sup contentis in sexto articulo dicte cedule senplice articulo sup quibus deposuit dixit que es verdat que el present testimoio deposante como dicho ha conocio muy bien al dicho Anthon de Sanctangel mayor mercader citado y en el dicho articulo nombrado y con esto dize el presente testigo deposante que el dicho Anthon de Sanctangel mayor en el tiempo que bivia solia morar y bivir en las casas en el dicho articulo mencionadas, y esto dize sabe el presente deposante porque alli lo vio como dicho y deposado ha per juramentum.

Interrogatus ictus testis sup contentis in septimo articulo dicte cedule senplice articulo sup quibus deposuit dixit que es verdat que el dicho Anthon de Sanctangel mayor en el dicho articulo nombrado en el tiempo que bivia fue y era (pag. 157 vto.) hombre rico y mercader como en el dicho articulo se contiene y fue y era ciudadano que intervenia en el regimiento y officios de la dicha ciudat porque el deposante lo vio Justicia y tener de los officios mas principales de la dicha ciudat de Calatayut, lo suso dicho dize el presente testigo deposante porque assi lo ha visto vivo dicho y deposado ha y que el presente deposante vendio cannamo en aquel tiempo al dicho Anton de Sanctangel mayor, lo qual el dicho Santangel comprava pa revenderlo y tractar con ello, y que en el dicho tiempo quedose nombrava o era nombrado Anthon de Sanctangel mayor Anthon de snactangel mercader o Anthon de Sanctangel ciudadano siempre se entendia por el dicho Anthon de Sanctangel en el dicho articulo mencionadas lo suso dicho dize sabe este deposante porque assi lo vio y hoyo como dicho y deposado ha per juramentum.

Interrogatus ictus testis sup contentis in octavo articulo dicte cedule senplice articulo sup quibus deposuit dixit que es verdat que el en el tiempo quel dicho Anthon de Sanctangel (pag. 158) mayor mercader y ciudadano bivia no vio ni hoyo este depsante en la dicha ciudat de Calatyut, que en la dicha ciudat huviesse otro llamado Anthon de Sanctangel que fuesse mercader ni ciudadano bien es verdat que havia en la dicha ciudat otro Anthon de Sanctangel pero no mercader ni ciudadano ni tenido por tal, el qual comunmente era llamado y nombrado Sanctangel de la nariz horadada, el qual en verdat y reputacion era muy menor que el otro, el qual dicho Sanctangel bivio y morava y tenia sus casas en la parrochia de Sant Pedro de los Serranos de la dicha ciudat, muy lexos en calle y parrochia de las casas del dicho Anthon de Sanctangel mayor mercader y ciudadano, el qual tenia sus casas y habitancion como dicho es fronteras a las casas que fueron de micer Joan de Nueros y cerca de las casas del Obispo de Taraçona, las quales estan sitias en la parrocha de Sancta Maria la mayor de la dicha ciudat y que en la dicha parrochia y cerca de las dichas casas el Obispo y de las casas que fueron de micer Joan de Nueros que agora son de micer Ferrando Lopez nunca este depsant se acuerda (pag. 158 vto.) que stuviesse ni morase sino el dicho Anthon de Sanctangel mayor, mercader y ciudadano y no otro alguno del dicho nombre y lo suso dicho dize sabe este deposant porque assi lo vio como dicho y deposado ha per juramentum.

Interrogatus ictus testis sup contentis in nono articulo dicte cedule senplice articulo sup quibus deposuit dixit que es verdat que el dicho Anthon de Sanctangel mayor mercader y ciudadano en el tiempo que bivia tenia mucha conversacion con judios e hoc dixit poer juramentum que porque assi lo vio y demas no se acuerda sobre lo contenio en el dicho articulo.

Interrogatus ictus testis sup contentis in undecimo articulo dicte cedule senplice articulo sup quibus deposuit dixit que como dicho ha conocio muy bien al dicho Pedro de Santangel en el dicho articulo nombrado y que ha que murio veynte annos poco mas o menos y que por tal lo ha visto tener y reputar hoc dixit per juramento.

- (pag. 159) Bernardinus Montannes, habitator civitas Calatayubii, testis citatis por dicti presentatus causa sitatis persentatus per dictii admissus juratis et per juramentum interrogatus sup infrascriptis icto testis lectis expositis declaratis et penun ut dixit intellectis super quibus deposuit prout infra per juramentum penum per scriptum.

Et primo fuit interrogatus dictus testis super contentis in primo articulis deosuti et dixit que es verdat que el present testimonio deposant conocio muy bien a Anthon de Sanctangel mayor de dias y ciudadano de la ciudat de Calatayut, el qual dicho Anthon de Sanctangel dize el present deposant que fue y es muerto havra trunta y dos annos (pag. 159 vto.) poco mas o menos y que por muerto lo ha tenido y tiene este deposante y por tal lo ha visto tener nombrar y reputar y ser tenido y reputado hoc dixit per juramentum.

Interrogatus ictus testis sup contentis in secundo articulo dicte cedule senplice articulo sup quibus deposuit dixit que es verdat que como ha dicho y deposado conocio al dicho Anthon de Sanctangel y que anthon de Sanctangel mayor Anton de Sanctangel ciudadano fue y era una misma persona, y que por los dichos nombres lo vio nombrar este deposante y por una mesma persona que se nombrava por los dichos nombres fue y era tenido nombrado yreputado y esto dize el present deposante porque assi lo vio y hoyo como dicho y deposado ha, y que si el dicho Anthon de Sanctangel era mercader o no eu no le acuerda al presente deposante, per juramentum.

Interrogatus ictus testis sup contentis in tercio articulo dicte cedule senplice articulo sup quibus deposuit dixit que es verdat quel dicho Anthon de Sanctangle tobo dos fijos que el uno se llamava Pedro y el otro Anthon de Sanctangel, sabelo este deposante (pag. 160) porque los conocio muy bien y que por fijos de dicho Anthon de Sanctangel mayor los vio tener y tuvo este deposante y por tales los vio tener y reputar comunmente y eran nombrados y reputados estando en su misma casa y llamando al dicho Anthon de Santangel mayor pare y el a ellos fijos et hoc dixit por juramentum.

Interrogatus ictus testis sup contentis in quinto articulo dicte cedule senplice articulo sup quibus deposuit dixit que es verdat que sobre lo contenido en el dicho articulo no sabe cosa alguna de cierta sciencia per juramentum.

Interrogatus ictus testis sup contentis in sexto articulo dicte cedule senplice articulo sup quibus deposuit dixit que es verdat que el dicho Anthon de Sanctangel mayor bivia y solia morar y bivir en unas casas que son sitias en la dicha ciudat de Calatayut cerca las casas del sennor Obispo de Taraçona y cerca las casas que departe son de micer Ferrando Lopez si eran de micer Joan de Nueros o no dize el present deposante no se acuerda, lo suso dicho dize sabe porque assi lo vio como dicho y deposado ha per juramentum.

(pag. 160 vto.) Interrogatus ictus testis sup contentis in septimo articulo dicte cedule senplice articulo sup quibus deposuit dixit que es verdat que el dicho Anthon de Sanctangel mayor en el dicho articulo nombrado fue y era hombre rico y ciudadano que intervinia en los officios y regimiento de la dicha ciudat de Calatayut y que le vio tener y regir officios de los mas principales de la dicha ciudat de Calatayut y que en el dicho tiempo quando quien que se nombrava Anthon de Sanctangel mayor o Anthon de Sanctangel ciudadano se entendia por el nobmrado en el dicho articulo y no por otro alguno de lo suso dicho dize sabe el present deposante porque assi lo ha visto y hoydo como deposado ha per juramentum.

Interrogatus ictus testis sup contentis in octavo articulo dicte cedule senplice articulo sup quibus deposuit dixit que es verdat que nunca vio ni hoyo en la dicha ciudat de Calatayut que huviesse otro Anthon de Sanctangel mayor ni Anthon de Sanctangel ciudadano sino el suso dicho et hoc dixit per juramentum.

Interrogatus ictus testis sup contentis in nono articulo (pag. 161) dicte cedule senplice articulo sup quibus deposuit dixit que es verdat que el dicho Anthon de Sanctangel mayor en el dicho articulo mencionado en el tiempo que bivia tenia y tuvo mucha conversacion con judios y esto dize sabe el present deposante porque assi lo vio y que fue y ha seydo fama publica en la dicha ciudat de Calatayut quel dicho Anthon de Sanctangel mayor se havia absentado de la dicha ciudat e y havia ydo fuyendo por miedo del descripto por el sancto officio de la inquisicion, hoc dixit per juramentum.

Interrogatus ictus testis sup contentis in decimo articulo dicte cedule senplice articulo sup quibus deposuit dixit que es verdat que el presetne deposante conocio muy bien a Yuçe Çadoch judio habitant en la ciudat de Calayaut y que al tiempo de la general expulsion de los judios el dicho Yuçe Çadoch se fue y absento de todo el reyno de Aragon y se fue al reyno de navarra donde murio y este dize sabe el presente deposante porque como dicho ha conocio al dicho Yuçe Çadoch y lo vio yrse de la dicha ciudat de Calatayut en el tiempo de la general espulssion suso dicha, y despues lo vio (pag. 161 vto.) morir este deposante y se hallo presente donde murio el dicho Yuçe Çadoch, en la ciudat de Tudela de Navarra. E lo suso dicho dize sabe este deposante porque assi lo vio como dicho ha per juramentum.

- Michael de Peralta, habitant civitas Calatayut, testis citatis por dicti presentatus causa sitatis persentatus per dictii admissus juratis et per juramentum interrogatus sup infrascriptis icto testis lectis expositis declaratis et penun ut dixit intellectis super quibus deposuit prout infra per juramentum penum per scriptum.

Interrogatus ictus testis sup contentis in decimo articulo dicte cedule senplice articulo sup quibus deposuit dixit que es verdat que el presente testigo deposante (pag. 162) conocio muy bien a Yuçe Çadoch judio de la aljama de los judios de Calatayut y que es verdat que este testigo deposante vio como el dicho Yuçe Çadoch al tiempo de la general espulsion de los judios se absento y fue del reyno de Aragon y que despues hoyo dezir el presente deposante como el dicho Yuçe Çadoch havia muerto en el reyno de Navarra y que por tal ha seydo y es tenido y reputado el dicho Yuçe Çadoch et hoc dixit porque assi lo ha visto y hoydo como dicho ha este deposante per jurament.

- Joannes de Miedes, civis civittas Calatayubi, alguaciris sacti officii inquiscionis in regnes Aragonum e Navarre, testis citatis por dicti presentatus causa çitatis persentatus per dictii admissus juratis et per juramentum interrogatus sup infrascriptis icto testis lectis expositis declaratis et penun ut dixit intellectis (pag. 162 vto.) super quibus deposuit pro ut infra per juramentum penum per scriptum.

Et primo fuit interrogatus dictus testis super contentis in primo articulis deosuti et dixit que es verdat que el presente testimonio deposante conocio muy bien a Anthon de Sanctangel mayor en el dicho articulo nombrado y que el dicho Anthon de Sanctangel mayor y ciudadano de Calatayut fue y es muerto mas ha de veynte y quatro annos y que por muerto lo ha visto tener nombrar y reputar y por tal lo ha tenido y tiene este deposante per juramentum.

Interrogatus ictus testis sup contentis in secundo articulo dicte cedule senplice articulo sup quibus deposuit dixit que es verdat que Anthon de Sanctangel ciudadano mayor y Anthon de Sanctangel ciudadano de Calatayut era una mesma persona que se llamava y era llamado por los dichos nombres en el timpo que bivia, que unos le dizian Anthon de Sanctangel mayor y otros Anthon de Sanctangel ciudadano y que por una mesma persona fue y era tenido y reputado en el (pag. 163) tiempo que bivia en la dicha ciudat de Calatayut e lo suso dicho dize sabe el present testigo deposante porque assi lo vio como dicho y deposado ha per juramentum.

Interrogatus ictus testis sup contentis in tercio articulo dicte cedule senplice articulo sup quibus deposuit dixit que es verdat que el dicho Anthon de Sanctangel mayor en el dicho articulo nombrado tobo dos fijos que el uno se llamava Pedro y el otro Anthon de Sanctangel y que por fijos los tenia y tuvo y por tales eran y fueron nombrados y reputados e hoc dixit porque assi lo vio como dicho y deposado ha per juramentum.

Interrogatus ictus testis sup contentis in quarto articulo dicte cedule senplice articulo sup quibus deposuit dixit que es verdat que hoyo dezir y fue voz comun y fama publica en la dicha ciudat de Calatayut quel dicho Anthon de Sanctangel mayor con otros havia seydo honrado y llamado por el officio de la sancta inquisicion como en el dicho articulo se contiene e hoc dixit y que demas nose acuerda sup contentis in dicto articulo per juramentum.

(pag. 163 vto.) Interrogatus ictus testis sup contentis in sexto articulo dicte cedule senplice articulo sup quibus deposuit dixit que es verdat quel presente deposante sabe muy bien las casas del dicho Anthon de Sanctangel en el dicho articulo mencionadas y que el dicho Anthon de Sanctangel en el tiempo que bivia solia morar y bivir en las dichas casas que estan cerca las casas del senno Obispo de Taraçona y cerca de las casas que fueron de micer Joan de Moros sitias en la dicha ciudat, las quales casas que fueron de micer Joan de Nueros son agora de micer Ferrando Lopez Jurista, e lo suso dicho dize sabe el presente deposante porque assi lo vio como dicho y deposado ha per juramentum.

Interrogatus ictus testis sup contentis in septimo articulo dicte cedule senplice articulo sup quibus deposuit dixit que es verdat que el dicho Anthon de Sanctangel mayor en el tiempo que bivia fue y era hombre muy rico y que tenia mucha hazienda, y que fue y era ciudadano de la dicha ciudat y que intervinia y rigia officios de los mas principales (pag. 164) de la dicha ciudat de Calatayut y que por el uno por otro alguno se dizia y entendia quando se nombrava o era nombrado Anthon de Santangel ciudadano de Calatayut, lo suso dicho dize sabe el present deposant porque assi lo vio como dicho y deposado ha per juramentum.

Interrogatus ictus testis sup contentis in octavo articulo dicte cedule senplice articulo sup quibus deposuit dixit que es verdat que en el tiempo que el dicho Anthon de Sanctangel mayor bivia no havia otro Anthon de Sanctangel en la dicha ciudat que fuesse mayor ni que fuese ciudadano de Calatayut bien es verdat que huvo en el dicho tiempo otro que se llamava o era su nombre Anthon de Sanctangel mas que comunmente se dizia Sanctangelejo de la nariz horadada, el qual dize morava y tenia su casa y habiancion en la parrochia de sant Pedro de los Serranos de la dicha ciudat de Calatayut, muy lexos calle de la casa del dicho Anthon de Sanctangel mayor el qual como dicho es (pag. 164 vto.) tenia su casa y habitacion en la parrochia de sancta Maria la mayor cerca las casas del senno Obispo de Taraçona y cerca de las dichas casas que fueron de micer Joan de Nueros que agora son de micer Ferrando Lopez y que siendo que en la dicha ciudat se nombrava Anthon de Sanctangel mayor, y que nunca vio ni hoyo este deposante que en la dicha partida morase uno que se llamasse Anthon de Sanctangel, sino el dicho Anthon de Sanctangel mayor de parte de suso nombrado, hoc dixit porque assi lo vio como dicho y deposado ha per juramentum.

Interrogatus ictus testis sup contentis in nono articulo dicte cedule senplice articulo sup quibus deposuit dixit que es verdat que el dicho Anthon de Sanctangel mayor en el tiempo que bivia tenia y tuvo mucha platica y conversacion con judios en la dicha ciduat de Calatayut y que fue y era fama en la dicha ciudat quel dicho Anton de Sanctangel mayor tenia (pag. 165) parentesco con algunos judios, hoc dixit porque assi lo vio según dize como dicho ha per juramentum.

Interrogatus ictus testis sup contentis in undecimo articulo ultimo dicte cedule senplice articulo sup quibus deposuit dixit que es verdat que como dicho ha conocio muy bien a Pedro de Sanctangel fijo del dicho Anthon de Sanctangel, mayor y con esto dize el presetne deposante quel dicho Pedro de Sanctangel fue y es muerto y que ha que murio quinze annos poco mas o menos y que por muerto como dicho ha ha seydo y es tenido nombrado y reputado en la dicha ciudat de Calatayut y que por tal lo ha tenido y tiene el present deposante, hoc dixit per juramentum.

Notrio Garsie Rodriguez de Cardona, habitant civitas Calatayubii.

SENTENCIA Y FALLO DEL DEL INQUISIDOR GENERAL

(Pag. 176) Cristioniem invocato nos el doctor Toribio de Saldanya inquisidor de la retica y apstatica pramidad por la autoridat publica en los arçobispado de Çaragoça e obispados de Taraçona, e Lerida da doy deputado.

Visto cierto proceso criminal ante nos y en nuestra audiencia trtado entre partes es assaber de la una parte el procurador fiscal y mnistro del santo Officio de la inquisicion agente y denunciante y de la otra Anthon de Sanctangel mayor de dias ciudadano de la ciduat de Calatayut (pag. 176 vto.) reo denunciado de y sobre razon de los crimenes de heregia y postasia en el dihco presso contenidos, visto como por la informacion por el dicho procurador fiscal ministrada consta el dicho reo ser sospechoso de los dichos crimenes y por tal declarado por virtut de la qual declaracion fue proceydo particularmente contre el sobre la verdad de los dichos crimenes segunt el drecho dispone. Vista la denunciacion contra el dicho reo y su memoria y fama de y sobrerazon de los dichos crimenes dada por el dicho procurador fiscal, e visto todo lo probado y deduzido por el dicho procurador fiscal contra el dicho reo. E vistas (pag. 177) esso mesmo todas las defensiones por parte de los defendientes la memoria y fama del dicho reo, dadas y todo lo que demas quisieran dizir e allegar. E visto todo lo processado artículo y meritos dello como por tenor e meritos del dicho y presente processo clara y liquidamente parece le dicho Anthon de Sanctangel en el tiempo que vivia haver passado a los ritos y ceremonias judaicas porque consta el dicho Anton de Sanctangel haver comido por muchas vezes pan cotaço en el tiempo de la pascua de los judios enviado de la juderia, e mas arrucaques, turrado, alcahalillas y otras tortillas con salsas y hamin en los dias de los sabados y otros potajes todo guisado y embiado por judios y mas consta (pag. 177 vto.) haver ayunado el ayuno de quipur en la forma y manera que lo ayunavan los judios, y mas haver dado dineros para olio para la lameda de la sinoga y dado por muchas vezes dineros en limosna a pobres judios y pora la çedaca y haver guardado los sabados al modo judaico y haver encendido y fecho encender muchos cienfuelos el viernes en la noche como lo fazian de los judios, y mas haver rezado oracion judayca en otras fiestas en letra de judios y al tiempo que murio que rezava y rezo oracion como judio en ebrayco y mas que al tiempo que naçio un fijo de un judio le viniron por albricias y streno y dio al (pag. 178) que las traxo ocho reales y mas que se fallo parte a la fiesta y acto de la circuncision del dicho ninyo judio y streno como los otros de la fiesta en que havia muchos judios e contramas comiersos, y mas porque el dicho Anthon de Sanctangel tomo cargo de plegar el dicho de las confessos de Calatayut para la bolsa que se fazian contra la inquisicion el qual cargo le daron micer Montesa, Joan de Pero Sanchez, micer Loys de Sanctangel y otros conversos desta ciudat por hereticos condemnados en el studio de la casa del dicho mier Montesa e mas que fablando el dicho Anthon de Sanctangel con cierta persona sobre la muerte del bienventurado mastre Epila, inquisidor y de quien la podria haver fecho dicha muerte el dicho Sanctangel dixo (pag. 178 vto.) escusando los confessos estas palabras cuerpo de Dios eran lo con los confessos que lo havran de matar halo muerto un labrador porque se echava con su mujer, y porque consta ue fablando con un judio mucho amigo suyo por dos o tres vezes el dicho Sanctangel dixo al dicho judio estas palabras que el creya que la creença que los critianos reyan era falsa y errada y que pues satava entrellos no poerla fazier otro sino dissimular como quiere que el creya lo contario de lo que demostrava y mas que disputando unas vezes con otro judio sobre el mesias y diziendo el judio que el nunca vreeria que Iesuchisto era Dios y hombre, el dicho (pag. 179) Sanctangel respondio vos fulano tomar lo que bien vos vnega creer que es messias y no Dios y hombre que assi lo fago y creo yo y replicando el judio que mal fablava que aquella opinion ya es quarta Ley el dicho Anthon de Sanctangel dixo entonces, yo no tengo sino una ley es assaber la vuestra de los judios que es ley santa y buena empo creo que es venido el messias y vos podriades lo tener assi y saldriades dessa captuidat, y mas consta el dicho Anthon de Sanctangel haver tenido mucha platica y conversacion con judios y haver fecho y cometido otros crimenes y errores en nuestra santa fe catholica, por lo queal rarece y claramente (pag. 179 vto.) consta el dicho Anthon de Sanctangel haver fenecido sus dias en las dichas heregias e errores e haver por ello incurrido en sentencia de excomunion mayor y en las otras penas del drecho de donde se concluye clarament que su memoria debe ser dampniada y por tal declarada por ende attendido que vanamente suyo de la carrera de Dios, la qual le fuera mejor no haver conocido que despues es conocida de por la en grant offensa de la magestat divina a la qual offender e hun mas grant que a la humana porque es razon que el rigor del dicho se levante y el dicho denunciado y (pag. 180) su memoria perezcan. Estas cosas attendidas y consideradas havido sobrellas y sobretodo el presente proceso confeso con varones letrados de sciencia y consciencia tomenlo a Dios ante nuestros ojos con intencion de administrar justicia.

Hallamos que devemos depnunciar y pronunciamos declarar y declaramos el dicho Anthon de Santangel que haver passado a los ritus y ceremonias judaicas judaizando y haver feydo y ser heretico y apostata verdadero y haver fenecido su vida en la dicha heregia y apostasia y haver incurrido en excomunion mayor y en todas (pag. 180 vto.) las otras penas y censuras por el drecho contra las tales stablecidas y en consistacion y por dereyto de todos sus bienes assi mobles como sedientes nombres drechos y acciones y que los devemos de aplicar y aplicamos a la camara y fisco real a la qual en virtur de sancta obediencia mandamos tome y acenpe (acepte) aquellos por suyos y como suyos del dia que cometio los dichos crimenes aca con todos los frutos caydos y corridos dellos. E que devemos de damniar y damniamos su memoria y fama como de tal hertico y apstata. E mandamos que sus huesso sean defenterrados de doquiere que stuvieren si discernis (pag. 181) sepudieren y relaxamoslas y mandamos las relaxar a la justicia y juez seuclar y en el lugar dellos la estatua representacion el dicho heretico laxamos a vos el muy circunspecto senno mossen Francisco Ferrandez de Heredia, para que en ellos fa lo que por justicia fallare poder sy dever e fazer et eudam. E privamos y primados denunciamos a tosos los fijos y descendientes del dicho Anthon de Sanctangel por heretico condemnado por linea masculina fasta el segundo grado y por femenina fasta el primero garado inclusive de todos los officios y beneficios assi eclesiasticos como seculares dandolos por inabiles para impetrar y posseer otros (pag. 181 vto.) officios.

PROCURACION QUE HIZO ANTHON DE SANCTANGEL, HIJO DEL ACUSADO, EN UNOS CIUDADANOS DE ÇARAGOÇA PARA QUE PROSIQUIERAN CON EL CASO DE SU PADRE.

(Pag. 186) Sia a todos manifiesto que yo Anthon de Sanctangel, ciudadano de la ciudat de Calatayud y de parte habitante en la ciudt de Çaragoça, de grado y de mi cierta sciencia no revocando los otros procuradores por mi antes de agora fechos constituidos creados y ordenados agora de nuevo fago constituezco reo y ordeno ciertos speciales e a las cosas infrascriptas generales proprocuradores son assaber a los honores y discretos Pedro Romeo, Marín Lopez y Pedro Perez Danyon, notarios ciudadanos siquiere habiadores en la ante dicha ciudat de Çaragoça absentes bien assi si fuessen presente a todos ensemble y acadahuno dellos por si conjuntamente o de partida en tal manera que no sea mehor la condicion del presetne que la del absente an elo que por el uno dellos sera contentado por el otro o otros dellos puede seyer mediado seydo e determinado. Specialment y expressa a intervenir por mi y en nombre mio en todos e cadahunos pleytos questiones alteraçiones e controversias assi civiles como criminales movidos e por mover, los quales (pag. 186 vto.) y de presente ha cospero de haver con qualesquiere persona o personas, cuerpos collegios o universidades de qualesquiere ley stado grado preheminencia o condicion sean assi endemadando como en defendiendo ante qualquiere judge competent ordinario delegado o subdelegado eclesiastico o seglar. Dante a torgar a los dichos procuradores mios e a cadahuno dellos por si pleno libero franquo e bastant poder de demandar responder deffender opponer proponer exevir contenir recontenir reparthir aplicar quadreplicar requerir a protestar lit o lites contestar testimonios cartas o otras sin provas e probaciones en manera de prueba produzir e a lo produzido e produzidero por la partadiecha cotradizir e impugnar judges impetrar e recusar qualesquiere causas de sus pension proponer e adretar otra qualesquiere offrecer e dar emparas ser fazer e aquelas renunciar e perpetuas dar a aquelos a duerrar posiciones, offrecer e dar a los offrecidos e que se offreceran por la part a dicha mediant juramento… (pag. 187 vto.) dins obligacion de todos mis bienes y rendas assi muebles como sedientes hovidos y por haver en todo lugar, ffecho qfue aquesto en la ciudat de Çaragoça a dixiocho dias del mes de março anno nativitate domini millessimo quingentessimo decimo octavo. Testimonios fueron las sobre dichas cossas lo honores maestre Pedro de (pag. 188)Recalde, cirugico, y Pedro de la Reta, barbero, habitantes en la dicha ciudat de Çaragoça. Notario Johan Donyati, habitante en la ciudat de Çaragoça.

COMUNICACIÓN AL INQUISIDOR GENERAL PARA QUE NO LEA LA SENTENCIA A LOS FAMILIARES DEL ACUSADO HASTA NUEVA ORDEN.

(pag. 190) Reverendo sennor. Yo soy informado por vos haveys mandado llamar o citar los herederos de Anthon de Sanctagel, vezino de Calatayut ya defunto para oyr sentencia en un preceso que contra la memoria del dicho Sanctangel dize que sta fecho que se començo muchos años ha. E porque por parte de los dichos herederos me ha seydo pedido e suplicado que pues ahora yo voy a este Reyno con el Rey nuestro Sennor mandase sobreseher en la prolacion de la dicha sentencia ha sta que yo sea alla llegado y tenga entera informacion del negocio y pues la dilacion es tiene tonimoslo asi por bien por ende vos rogamos y mandamos que sobreseays en pronunciar la dicha sentencia e si fuere pronunicada en la execucion della hasta que nos syendo llegado a ese reyno visto el negocio mademos sobrello lo que fuere de justicia y en esto otra cosa no se haga que tal es nuestra voluntad, garde nuestro sennor vuestra reverenda persona como si debays. De san Martin a XXVI de Março de quinientos e deziocho.

ALEGACIONES DE LOS HEREDEROS Y DESCENDIENTES DEL ACUSADO PARA QUE NO EJECUTEN LOS BIENES HEREDADOS TRAS SU MUERTE.

Rodrigo Munyoz, Hernando de Sayas y Anton de Sanctangel dezimos como nosotros por nuestro propio interesse por razon de los bienes y herencia de Anthon de Sanctangel defunto cuya memoria fue condepnado por el inquisidor deste reyno o vimos apellacion pa ante vuestra reverendisima de la dicha sentencia por que asido que nosotros muy perjudicial e con protestacion expresa que no entendemos de defender ningun delicto de heregia hi por aventura lo uno cometido Anthon de Sanctangel, sino a fin y efecto de saluter las horas y bienes de nuestras mugeres e hijos y herederos, el lo qual suplicamos a vuestra reverenciaque nos mande dar traslado de la dicha sentencia y de todos los actos del preceso echo contien el contra el condepnado e fin y efecto que la confiscacion et ha en los bienes del dicho defunto que se dize nosotros poseemos no a lugar ni se puede executar en los dichos bienes ante se dellare nosotros y cada uno de nos ser libres de qualesquiere demanda que sobre lo dicho el fisco aya puesto, e rebocar los secrestos ni envargos que se ayan echo por parte del dicho fisco en los dichos bienes y ansi humiliente lo suplicamos a vuestra reverendismoa que lo mande declarar como justo juez que es. Putanta die XXIII mensis junii anno MDXVIII. Die XXVI dicti mensis fuit probatur in concedam compia procurator fiscali et assignatur eidem ad respondetur et intimatur.

DESESTIMACION DE LAS ALEGACIONES QUE HACEN LOS HEREDEROS DEL ACUSADO POR PARTE DEL INQUISIDOR GENERAL.

El Bachiller German procurador fiscal de este sacro consejo respondierndo a una peticion presentada por parte de Anthon de Sanctangel e Rodrigo Munyoz e Herrando de Sayas, partes contrarias en el publico y causa de Anthon de Sanctangel de cuya memoria fue condenada por el delito de la heregia,digo que la dicha peticion es no guarda a la qual V.S. no debe dar lugar por que no fue presentada por parte bastantte ni en tiempo ni en forma, E las razones en ella alegadas a manera de agrabyo no son juridicas ni verdaderas ni la papelacion en esa causa por las partes contrarias presentada no ha lugar ni se debe admintir de drecho antes la confiscacion y todo lo precedido en esta causa esta bien y ustamente fecha por que publico e suplico a V.S. lo mande asy pronunciar no dando lugar a lo en contrario pedido e alegado que no es juridico ni verdadero y sobre todo publico con implimiento.

NUEVA SUPLICA DEL HIJO DEL ACUSADO PARA QUE NO EJECUTEN EL EMBARGO DE BIENES DECRETADO EN LA SENTENCIA.

El bachiller German, fiscal susodicho respondiendo a la peticion ultimamente presentada por parte de Anthon de Sanctangel e su consortes, afirmando me en lo de suso por mi pedido e alegado, digo que sin enbargo de las razones encontrario alegadas que no azen al caso ni son juridicas ni verdaderas, cessante no valederas y negando lo prejudicial quanto a este articulo concluyo.

ULTIMA SUPLICA DEL HIJO Y DESCENDENDIENTES DEL ACUSADO PARA QUE NO EJECUTEN LA SENTENCIA, PIDIENDO TAMBIEN COPIA DEL PROCESO PARA PODER REVISAR Y ARGUMENTAR LA PARALIACION DEL PROCEDIMIENTO DE EMBARGO DE BIENES.

(pag. 200) Anthon de Sanctangel e consortes stando e preseverando en todo lo por nosotros pedido e suplicado a cerqua de la causa o letigio del dicho Anthon de Sanctangel defunto cuya memoria fue condepnada por este sancto oficio, dezimos que aceptando qualesquiere confesiones asi tantas como spressar que resulten o resultar puedan del processo y cedulas por parte del dicho fisco dadas contra lo predio e suplicado por nuestra parte y protestando del vicio y millidat e inaptitut del dicho processo e sentencia milla enel pronunciada ante de drecho conovico como alias. Dize que a nlando avlando con el acatamiento que deven e pueden por lo dicho en la cedula ultimo presentada por el dicho fisco pa inpugnar nuestra intencion confiessa el dicho fiscal que no somos partes para inpugnar ni pedir lo que suplicamos y asi queda fundada nuestra intencion e la suya excluyda ypor la mesma razon parece (pag. 200 vto.) no danyar anos dichos suplicantes la sentencia en el dicho processo nulla e invalida pronuncaiada pues no nos tiene por parte legitima a las otras cosas por el dicho fisco en su cedula dichas pretendidas en quanto dize que la peticion nuestra no fue en tiempo devido ni en forma dada ni menos en ella ay razones vedaderas y que la apellacion por nos dada no ha lugar mas la confiscacion y todo lo procedido en la dicha causa es bien fecho y fustamente y ansi pues no es juridico ni verdadero lo que por nos y parte nuestra se pide que mande V.S. debe por dicha nuestra parte y contra la parte del fisco haze o fazer puede satisfaziendo a todo lo dicho en la mejor forma que se puede e debe si el dicho fisco quisiera percibir y bien ver lo contenido en nuestra suplicacion e peticion que es no mande dar por entero copia de todo el dicho processo sentencia actos por quanto lo que a nosotros no nos danya ni danyar puede (pag. 201) por los respectos y causas justas en fuero yrazon scriptas et a las contenidas como Sios plaziendo entendiemos demostrar en su tiempo y lugar por lo que nosotros o al otro de nos en su bienes y posteridat coviene defender y esto siempre fue y es tiempo de dizir y suplicar y pa ello ganando la forma devida y no son razones vanas ni inpertinentes como el dize mas verdaderas y canonicas y tales que no pueden de drecho ni razon scripta ni se ha acostumbrado en este sancto consistorio denegar y sea justo devido e acostumbrado obtener y pro tanto no dubdan suplicar perseverando en el dicho que in dilacion les mande dar copia de todo el processo sentencia que pa lo pretendido por nosotros se debe dar como asi proceda de justicia no enbarganre lo por el fisco pedido y menos juridicamente dicho y suplicado, et licet.

NO SABEMOS SI AL FINAL SE EXPROPIARON O NO LOS BIENES DEL ACUSADO, PROPIEDAD DE SU HIJO Y DESCENDIENTES.

PROCESO CONTRA CLARA ESCOBAR, LA COSTURERA, HABITANTE DE CALATAYUD, ACUSADA DE JUDAIZAR. (AHP, inquisición caja 9, Nº 8). COMIENZO DEL PROCESO: 8 de Febrero de 1488.

TESTIGOS DEL FISCAL QUE DECLARAN EN CONTRA LA ACUSADA.

(Pag. 5) Testes secripti pro parte procuratoris fiscalis officii sacta inquissicionis contra Claram la Costurera habitant cinvitatis Calatayubii.

- Die octava mensis februarii annis anativitate domini millesimo quadringenesimo octuagesimo octavo via presente civitatem Calatayubii comram reverendis dominis fratre Michaele deMonterubeo et Martino Navarro inquisitoribus patres heretite et apostase pravitatis in civitate Calatayubi residentibus compavuit Açach Abeatar, ebreis habitator aljame dudeorum dicte civitas Calatayubii, qui juravit de pose dictorum dominnorum inquisitorum per Deum et decem precepta legis que dens dedit Moysy in nome suam et per juramentum respondit in huit qui sequitur modum:

Et primo dize este testimonio deposante que havra quatorze o quinze anyos poco mas o menos que sabe este deposant como huna clamada Clara la costurera habitant en la dicha ciudat de Calatayut preguntava a este deposant que en que dia caya el ayuno de de quuipur y el ayuno del reyna ster et que este deposant gele dezia a la dicha Clara que dias se dayunam los dichos daynos de la reyna ester et de quipur. Et mas dize este deposant que huyo dizir a la dicha Clara (5 vto.) como ayunava los dichos ayunos de quipur et de la reyna ester et a su parescer de este deposant dize que la dicha dona Clara la costurera ayuno los dichos ayunos por tiempo de vitne anyos poco mas o menos segunt que la dicha Clara la costurera le dezia a este deposant.
Item mas dize este deposante que la dicha Clara la costurera comia carne en quaresma estando sana, et mas dize este deposant que en el dia del sabado enviava amin guisado de su casa a la dicha Clara la costurera lo que vree este deposant que la dicha clara comia el dicho amin quel presente deposant le enviava segunt lo que conoscio et demostrava la dicha Clara et mas dize este deposant que segutn las demostraciones que la dicha Clara fazia cree este deposant que la dicha Clara fiziera si pudiera todas las cilimonias judaycas segunt lo que arriba adicho le vi fazer.
Item mas dize este deposant que havra trenta y cinquo anyos poco mas o menos que se le recuerda a este deposant questando enferma havra huna clamada dona Sol, judia, la dicha Clara fue a casa de la dicha dona Sol que a servir a la dicha dona Sol, Judia, et la servio et stuvo la dicha Clara en la muerte de la dicha dona Sol, judia, et la acompanyo con otras judias y jodios quando la levavan a enterrar llorando con los (pag. 6) otras judias y judios, et la acompanyo fasta la fuesa a enterrar con aquellas celimonias que los judios y judias fazian y son las celimonias que los judios fazen quando algun pariente lievava a enterrar que acompanyan el cuerpo y algunos lloran y quando ya le dexaan en terrado cada huno toca en la seputtura y dize "Dios te perdone", mas no sabe este deposant si la dicha dona Clara puso la mano sobre la sepultura de la dicha dona Sol et si dixo ditas por doneroso. Et que la dicha Sol depo ala dicha Clara su manto.
Item mas dize este deposant que la dicha Clara daria alguans de vezes a este deposant dineros pora olio que diese a la lampeda de la sinoga por la anima de la dicha Sol, judia, et asi mesmo dize este deposant que algunas otras vezes la dicha Clara dio dineros a este deposant pora la lampeda de la sinoga por devocion y asi este deposant tomava los dichos dineros et diolos los hunos para olio a la lampeda et los otros dineros para la lampeda de la sinoga segunt que la dicha Clara le havia dicho que dase los dichos dienros.
Item mas dize este deposant que en el medio de la pascua de los judios este deposant enviava pan cencenyo a la dicha Clara a peticion e mandado suyo. Et mas dize este deposant que huyo dizir a la dicha dona Clara como comia el dicho pan centenyo y que por que era duro que fazia el dicho pan centenyo a todas que es hun cozinado que fazen los judios del dicho pan centenyo. Testes: Hohannes Perez et Joannes de Torrexon, nuncii oficii santi inquisicionis civitas Calatayubii.

- (pag. 6 vto.) Eadem die coram dicto Domingus inquisitoribus et vicario generali comparvit Johannes de ciguenta, cozinero habitant en Calatayubii predictum citaris, qui in manibus et pose dictorum dominum inquistorum juravit per deum at crucem donimun nostri Ihesu Cristo eius sacro sancta quatruor evangelia per coram eo posita et perum reverenter inspecia dicere veritatem, qui per juramentum respondit et dixit se core quod sequitur:

Item dize este testimonio deposant que tuvo por vezina ha huna muxer que se dize Clara la costurera y que vio muchos sabados se fazia doliente y no fazia nada y que luego el domingo estava buena e sana y que su pensamiento deste testimonyo y de otros era que la dicha Clara la costurera se fazia doliente por guardar los sabados.
(pag. 7) Item mas dize este testimonio que sabe que la dicha dona Clara no come caraquoles lo qual die saber este deposant por quanto gele ha huydo dizir a la dicha Clara como no comia caracoles. Testes: honor Johannes Martinez, notarius, et Dominicus Egidii, nunciis officii sancti inquisicionis civitas Calatayubii.

DECLARACION DE LA ACUSADA CLARA ESCOBAR, ALIAS LA COSTURERA.

Die decimo septima mensis maii anno quo sup computato anativitate domini millesimo CCCC LXXXVIII intra tempus edicti ac in dominus Ferdinandi Lopez ubide presente officium inquissitoris exercetu coram reverendo domino fratre Michaele de Monterrubeo inquisitore heretice et apostatice pravitatis residente de presente in civitate Calatayubii comparvit Clara de Escobar alias la costurera, habitant civitatis Calatayubii, que dixit que offerebat et dabat por ut de facto obtulit et de dit coram dicto domino inquisitore quandam conffessionem peam prerpetratorum et inscriptis alieva manu escriptuam cuisquidem conffessioni tenor sequitur et este talis:

Esto que se sigue es lo que yo Clara Descobar maestra   (pag. 7 vto.) conffiesso et maniffiesto devante de vosotros senyores inquissidores por el edicto por vosotros fecho por ser obediente a la sancta madre yglesia.
Primeramaent que yo comido carne de la juderia no por cerimoni mas por necessidat questava enferma.
Item mas con licencia del inquisidor fray Miguel Ferriz que Dios perdone questando enfferma mi madre que era judia la fue a servir et asoterrar et desto me absovio el official que Dios perdona et me dio mi penitencia.
Item que he comido amin fecho en mi casa algunas vegadas de todo lo sobre dicho demando perdon a vosotros senyores e a la sancta madre yglesia y me encomiendo a Dios y a vosotros enyores. Testis Johannes de Torexon et Petrus Torrexon, portarii dicte officii sancte inquisicionis civitas Calatayubii.

ALEGATO DE ACUSACION DEL PROCURADOR FISCAL.

(Pag. 9) Coram   nobis reveredis presbiterum dominis magistoritis et vicarios generali in episcopato Turasone regni aragonum, comparvit et compareszi Martinus Cacinus vicari ville de Molina procurator fiscalis et minister ffe inquisicionis qui in motu procuratori predicto insinuando et causa quibus potent et devent et infra scripta eius proposito et intencionis plenis utilitatis et eficacii valent posut aplicari petit ait et enunicat contra Clara Descobar habitant civitas Calatayubii ream et cirminosa de vimine heresis et apostasie behementer suspecta et difamatam et culpabilem et merito previendam infrascripta criminisbus peam ne qui faccit comisis et perpetatus amonia et singula crimina hereticalia quonsequentes articulos declarata modo et forma sequentibus:

Et primo dize el dicho procurador discal e misnistro de la sancta inquisicion que la dicha Clara Descobar denunciada teniendo conpetaca en la ley de Moysen ha fecho y observado ritus y cerimonias judaicas e crimen de heregia y apostasia en la fe cometido y ha observado el sabado por diesta como los judios le obserban absteniendose de fazer facienda en el qual ha comido muchas vezes carne estando sana y hamin guisado de judios del viernes pa el sabado a la forma judaica y ha festivado las pascuas de los judios comiendo pan centenio y turrado y alcahalilla y ha dayunado mucho ayunos de judios snnaladamente el ayuno de quipur que dizen los judios el grand perdon y por fazer sus limosnas ha fecho muchas limosnas a judios asi en general como in special a la forma judaica y esto es verdat.
Item dize el dicho procurador fiscal que la dicha rea y arminosa ha francamente confesado dentro del tiempo de la gracia por que (pag. 9 vto.) ha dicho cosas civiles y de poco perjudicio y ha ometido cosas graves y ponderosas por que ha celado ser criminosa y fue y es verdat ella ser cириminosa como dicho es por que ultra suam confesiones se le prueba todo lo suso dicho y mas que dio dineros pa olio a la sinoga por el alma de su madre (dona Soli) y que les habes (aves) que avia de comer fazia degollar a judios y no otros por ello, y otras cosas muchas que ha fecho contra la fe de nuestro sennor Ihesu Cristo y la Ley evangelica y esto es verdat.

EL PROCURADOR FISCAL INTERROGA A LA ACUSADA, CLARA ESCOBAR.

- (Pag. 10 vto.) Die vicesimo prima mensis maii anno anativitate domini Millesimo quadringentesimo octagesimo octavo apud e civitate Calatayubii coram reverendis dominis inquisitoribus predicti instante et suplicante dicto procuratore fiscali heretice et apostatice pravitas dicte civitas Calatayubii videm presentis justa procuracionis (pag. 11) per dictos reverendos dominos inquisitores et vicarius gneralem factam se sup de interrogando protesenti ad interrogando dictam coram Clara Descobar serosus et ad parte et obsiqui intrucciones aliquo medio juramento per quan mandavit in eorum posse prestari juramentum et ne incontinenti mandato dictorum reverendum dominum inquisitorum et jueror pose juravit per Deum at crucem sanctam dominum nostri Iheus Cristo em presentia sacrosanta quatuor evangelia corma eo pravan e penam reverenter inspecit in presenciam predicits mambus corporalis tacta ex per juramentum fuit interrogatus super articulis dicte denunciationis pee dictum procuratotis fiscalis de sup oblat inhuit qui sequitur modum:

Et primo fuit interrogada dicta Clara la costurera sup contentis in primo articulo e predicti articulis dicte denunciationis predictum procuratorem fiscalem de sup oblit et penam intellecto que per jurametum sup contentis in eo ad partrenlatu dicti primi articuli donde dize que ayunando el ayuno de quipur dixo et espuso que despues que es cristiana ha hayunado el dicho ayuno ocho o nueve vezes en esta manera que en todos aquellos dias de quipur no comia esta (pag. 11 vto.) conffesant fasta en las tardes de noche y que se desayunava en las dichas tardes con carne.
Item quo ad illam pertielam dicti primi articulis donde dize que esta conffesant ha guardado el sabado dixo et respuso que no lo ha guardo nunqua todo el sabado porque algunas vezes fazia fazienda en los dichos sabados empero quera a fazienda y no filava en los dichos sabados por devocion del sabado porque los judios lo guardavan el dicho sabado.
Interrogada la dicha Clara la costurera fuper contentis in secundo articulo e predictie ariculisdicte denunciationis predictum procuratorem discalem de supoblat empo tecto per eam intellecto que per juramentum sup contentis in eo auo ad partrenlatu dicti secundo articuli donde dize questa conffesant dio dineros pora la sinoga e dixo et respuso esta conffessant que no le acuerda bien empero que puede ser que si, que no teniendo oyo esta conffesant en su cassa dio dineros pora olio a la dicha sinoga por el alma del la madre desra deposant llamda dona Sol, judia. Empo que es bien cierta esta (pag. 12) conffessant como algunas vezes dio olio pora la dicha sinoga por la alma de la dicha dona Sol, judia, que lo dava a hun jodio cuyo nombre no le recueda a esta deposant.
Item dixo et conffesso esta confessant como depues se le acordado tomo ha comido esta confesant hamin en sabado guisado y enviado a esta confesant de la juderia empero no se le acuerda porquanta vezes.

(pag. 12 vto.) Interrogada dicha Clara la costurera porque fasta agora ha negado con juramento algunas cosas que en la suso dicha conffession presente pa apotrado dixa y respuso esta conffesant como fasta agora no se le havia recordado a esta conffessant. Testes: Johannes de Huncastillo et Dominicus Egidii, nunciius sacta inquisicionis.

- (pag. 13) Die XXIII menssis maii anno anativitate domini M CCCCLXXX octavo. Eadem die reverendis dominis inquisitoribus predicti instante et suplicante dicto procuratore fiscali heretice et apostatice pravitas dicte civitas Calatayubii videm prestne justa procuracionis per dictos reverendos dominos inquisidores et vicarius generalem factam se sup de interrogando protesenti ad interrogando dictam coram Clara Descobar serosus et ad parte et obsiqui intrucciones aliquo medio juramento per quan mandavit in eorum posse prestari juramentum et ne incontinenti mandato dictorum reverendum dominum inquisitorum et jueror pose juravit per Deum at crucem sanctam dominum nostri Iheus Cristo in presentia sacrosanta quatuor evangelia corma eo pabran e penam reverenter inspecit en presenciam predicts mambus corporalis tacta ex per juramentum fuit interrogatus super articulis dicte denunciationis pre dictum procuratotis fiscalis de sup oblat inhuit qui sequitur modum:

(pag. 13 vto.) Et primo fuit interrogada dicte Clara la costurera si quando al enterramietno de una judia clamada dona Soli, madre desta de esta conffessannnnt si toquo en la mano en la fuessa de la dicha dona Soli, y si stuvo siete dias por muert de la dicha dona Soli su madre desta confessant tras puerta al modo judaico, dixo y respuso que no se le acuerda a esta confessant que hoviese tocado con la mano, en la dicha fuessa de la dicha Sol, judia, ni stado siete dias tras puerta salvo que se acuerda muy bien que fue esta confessant adacompanyar el dicho cuerpo muerto de la dicha Sol, judia y su madre desta confessant quando la enterraron et hoc dixit por dictum juramentum. Testes: Johannes e Huncastillo et Dominicus Gil, nunciis sancte inquisicionis.

TESTIGOS DEL FISCAL QUE DECLARAN EN CONTRA DE LA ACUSADA.

(Pag. 18) Testis recepti por parte procurationis fiscalis officii sante inquisicionis contra Claram Descobar.

- Die VIII febroari anno MCCCCLXXXVIII apud civitatem Calatayubii. Açach Abçatar ebreis habitant aliame judeorum civitas Calatayuii testis corma reverendis dominie fratre Michaele de Monterrubeo et Martino Navarro inquisitoribus heretice et apostatice pravitas comparvit qui in corum eorum pose juravit per Deum at decem precepta legis Moysy et per juramentum dixit ad sequitur:

Et Primo dize este testimonio deposant que havia quatorze o quinze anyos poco mas o menos que sabe este deposant tobo huna clamada Clara la costurera habitant en la dicha ciudat de Calatayut preguntava a este deposant que en que dia caya el dayuno de quipur y el ayuno de la reyna (pag. 18 vto.) Ester y que este deposant gele dezia la dicha Clara en que dias se dayunavan los dichos ayunos de la reyna Ester e de quipur. E mas dize este deposant que huyo dizir a la dicha Clara Descobar que dayunava los dichos ayunos de quipur et de la reyna Ester a sus parecer deste deposant dize que la dicha dona Clara Descobar ayuno los dichos ayunos por tiempo de vinte anyos poco mas o menos segunt que la dicha Clara le dezia deste deposant.

Item mas dize este deposant que ladicha Clara Descobar comia carne en quaresma et que este deposant en el dia del sabado enviava amin guisado de su casa deposant a la dicha dona Clara de Escobar et cree este deposant que la dicha Clara comia el dicho amin queste deposant lenviava segunt lo que conoscia et demostrava la dicha Clara. Et mas dize este deposant que segunt las demostraciones (pag. 19) que la dicha Clara fazia cree este deposant que la dicha Clara fiziera si pudiera todas las cilimonias judaycas.

Item mas dize este deposant que havra trenta y cinquo anyos poco mas o menos que se le recuerda questando enferma huna Clamada dona Sol, judia, la dicha Clara fue a casa de la dicha dona Sol a servir a la dicha Sol, judia, et la servio et estuvo la dicha Clara en la muert de la dicha dona Sol, judia, et la acompanyo con otras judias et judios quando la levavan a enterrar llorando con los otros judios et judias et la acompanyo fasta el fosar donde la enterraron con aquellos celimonias que los dichos dichos judios et judias fazian, et que la dicha Sol dexo a la dicha Clara su manto.

Item mas dize este deposant que la dicha dona Clara dava a este deposant algunas vezes dineros pora olio que diese a la lampeda por la anima de la dicha Sol, judia. Et asi mesmo dize este deposant que algunas vezes otras la dicha Clara Descobar dona dineros a este deposant (pag. 19 vto.) pora a la lampeda de la sinoga por devocion y asa este deposant tomava los dichos dineros e dio los hunos dineros pora olio a la lampeda e los otros dineros pora la lampeda de la sinoga segunt que la dicha Clara le havia dicho a este deposant.

Item mas dize este deposant que en el medio de la pascua de los judios este deposant enviava a la dicha Clara pan cencenyo a peticion e demanda suya. Et mas dize este deposant que huyo dizir a la dicha Clara como comia el dicho pan cencenyo et que porque era duro que fazir el dicho pan cencenyo acordas que es hun cozinado que fazen los judios del dicho pan cencenyo. Testes: Johannes Perez, Johannes Torrexon, nunciis officii sancte inquisicionis.

(Pag. 20) Die vicensis febroari anno MCCCCLXXXVIII, apud civitare Calatayubii.

- Honor domincus azmar vizinus loci de cervera, testis per dictum comparvit coram dictis dominus inquisitoribus et in eorum pose et manibus juravit per Deum ac crucem domini nostri Ihesu Cristi et sup sacro sancta quatuor evangelia coram eo posita a reverenter inspecta suis propiis manibus corporalis tacta qui per juramentum respundit in modum qui sequitur:

Et primo dize el dicho testimonio que puede haver quatro anyos poco amenos questando en Daroqua huyo dizier de huna muxer cuyo nombre no le recuerda salvo que la oia morava cerqua el studio en Daroqua y su marido era hun hombre chiquito y vendia anguardient y que a su parecer se clamava Diego, hoyo dizir a la dicha muxer que havia morado en esta ciudat de Calatayut e quetenia por vezina a Clara la Costurera y que hun dia estando doliente (pag. 20 vto.) la dicha Clara la dicha muxer del anguardentro contra voluntat de la dicha Clara le havia muerto huna gallina porque enforcasse y que segunt le havia dicho huna moça de la dicha Clara que la dicha Clara no havia podido comer de la dicha gallina degollada por mano de la dicha muxer del anguardentro et que havia comido de huna ova gallina que hun judio hermano de la dicha Clara cuyo nombre no le recuerda havia degollado porque comiese la dicha Clara. Testes: Johanes Martinez, notario, et Johannes Torrexon, nunciis sancti inquisicionis oficii habitantoris civitas Calatayubii.

Die XXI febroari anno MCCCCLXXXVIII

- (Pag. 21) Honorabilis Ysabel Serrano yxor Sancii Navarro, habitant civitas Calatayubii, testis coram dictis dominus inquisitoribus at in eorum pose et manibus juravit per Deum et crucem domii nostri Cristi et sup sacro sancta quatuor evangelia coram eo posita a reverenter inspecta suis propiis manibus corporalis tacta qui per juramentum respondit in modum qui sequitur:

Dize esta deposant que havra hun anyo poco mas o menos dio esta deposant a huna clamada Clara la costurera habitant en Calatayut hun pedaço de tozino por Jueves Lardero y que despues dixo esta deposant a huna moça clamada Francesseta que entonces y ha hun a present esta con la dicha Clara, Franceseta comio el tocino y la dicha Francesta dixo a este deposant que la dicha Clara non havia comido bocado del dicho tocino que ami lo dio y me lo comi yo y porque lo havia yo toquado el dicho tocino me fizo lavar las manos pora parale (preparle) la mesa.
Item mas dize estaa deposant que huyo dizir (pag. 21 vto.) a la dicha Clara como no comia del congrio por que le fazia mal y que no comia enguilas porque no le agradavan mucho. Testes: fuit predictis Johannes Torrexon e Dominicus Egidii, nuncii sancti oficii inquisicionis civitate Calatayubii.

Die XIII marcii anno MCCCCLXXX octavo.

- Honor Johannes de Ciguenta, habitant civitas Calatayubii, testis coram dictis dominus inquisitoribus at in eorum pose et manibus juravit per Deum et crucem domii nostri Ihesu Cristi et sup sacro sancta quatuor evangelia coram eo posita a reverenter inspecta (pag. 22) suis propiis manibus corporalis tacta qui per juramentum respondit in modum qui sequitur:

Item dize este deposante que tuvo por vezina ha una muxer clamada Clara la costurera y que vio que muchos sabados que la dicha Clara la costurera se fazia doliente yque no fazia nada el dicho dia del sabado y que luego el domingo stava buena y sana y que su pensamiento deste deposant y de otros era que la dicha dona Clara la costurera se fazia doliente pora guardar los sabados.
Item mas dize este testimonio que sabe que la dicha dona Clara no come caracoles, esto die saber este deposant porque ge lo ha oydo dizir la dicha Clara que no comia caracoles. Testes Johannes Maritinez, notario et Dominicus Egidi nuncius sancti inquisicionis oficii habitant Calatayubii.

EL FISCAL INTERROGA A LA ACUSADA CLARA ESCOBAR.

Die XXVI MCCCLXXXVIII apud civitatem Calatayubii.

- (Pag. 22 vto.) Eadem die coram reverendo domino fratre Martino de Monterrubio inquisitore heretice et apostasie pravetat civitatis Calatayubii comparvit Clara la Costutera habitant civitas Calatayubii que jurant in posse dicti domini inquistoris per Deum et crucem domini nostri Ihesu Cristi eius sacro sancta quatuor evangelia coram eo possuit at per ea reverenter inspecta suis propiis manibus ut posit tacta que per juramentum et respondit et dixit in modum sequitur:

Et primo fue interrogada la dicha Clara la costurera si havia pasado adalgunos ritos y cerimonias judaycas dixo y respusso que no salvo que por hun manto que lesso (dejó) su madre desta depossant clamada dona Sol, al tiempo de su muert dio cierto olio no se le acuerda quanto pora la sinoga hun judio cuyo nombre no le acuerda.
Item mas dize esta conffesant que havra quatroze anyos poco mas o menos dos vezes ayuno el dayuno de quipur en companya de hun su hermano llamado Alvaro de Scobar que fue casado en esta ciudat de Calatayut con huna muxer llamada Cathalina que mora cabo Sant Miguel de la misma ciudat que de pues.
(pag. 23 vto.) Item mas dize esta conffessant que algunas vezes ha purgado la carne quitando las grasas al modo judayco empero que de quatorze anyos aqua no la purgado esta conffesante la dicha carne.
Item dize mas esta conffessant que habiendo conmo judia ocho o nuevo anyos poco mas o menos y en aquella de judios. Empero que de quatroze anyos a esta parte no ha tubido en aquella mala crehera ni fe de judios antes se ha convertido a la nuestra sancta fe de cristianos. Testes: magnificus Johannes de Ardiles, assesor officii sancte inquisicionis civitas Calatayubii, et Johannes Martinez, notarius habitant dicte civitas.

- Die vicessima ssexta mensis marcci anno quo sup computaris anativivte domini millessimo quadringentessimo octagessimo octavo coram dicto reverendo domino fratre Martino de Monterrubio inquisitori comparvit Clara la Costutera habitant civitas Calatayubii que jurant in posse dicti domini inquistoris per Deum et crucem domini nostri Ihesu Cristi eius sacro sancta quatuor evangelia coram eo pssuit at per ea reverenter inspecta suis propiis manibus ut posit tacta que per juramentum et respondit et dixit in modum sequitur:

Et primo fue interrogada la dicha clara la costurera si havia passado adalgunos ritos et cerimonias judaycas dixo et respuso que no salvo que por hun manto que lesso su madre desta depsant colamada dona Sol, judia al tiempo de su muert dio a la dicha Clara cierto olio pora la sinoga no se le acuerda quanto y el dicho olio diolo ha hun judio cuyo nombre no le acuerda por lalma (el alma) de su madre desta conffessant.

Item mas dize esta deposant et confessant que havra quatroze anyos poco mas o menos dos vezes ayuno el ayuno de quipur en companya de su hermano llamado Alvaro de Scobar que fue casado en esta ciudat de Calatayut seu con huna muxer clamada Cathalina que mora cerqua cerqua sant Miguel de la mesma ciudat que despues fue havra se que atornar judio en esta manera que no comia en todo el dia fasta la noche con candela.

(pag. 24 vto.) Item dixo et conffesso que algunos sabados leso de filar. Empo no sino porque en aquellos dias tenia costuras. Testes: Johannes Torrexon et Dominicus Egidii portariis officii sancte inquissicionis.

- Die decimo octava menis aprilis anno quo suo computato anativitate domimi MCCCCLXXXVIII coram dicto reverendo domino Martino Navarro inquisitore comparvit dita Clara la Costutera habitant civitas Calatayubii qui juravit in posse dicti domini inquisitoris per Deum et crucem sancta domini nostri Ihesu Cristi eius sacro sancta quatuor evangelia coram eo possuit at per ea reverenter inspecta suis propiis manibus ut posita tacta que per juramentum et respondit et dixit in modum sequitur:

Et primo dize et conffiesa la dicha Clara Descobar han guardado el sabado en esta manera que no fazia nada y esto fue por muchos sabados. Empero que de qutroze anyos a esta parte no ha guardado el dicho sabado.

Item mas dize et conffiessa la dicha Clara Descobar que algunas vezes ha purgado la carne quitando las grassas al modo judayco empero de quatorze anos aqua no la purgado esta depsant la dicha carne.

Item mas dize esta depossant et conffessant que ha vinido como jodia ocho nueve anyos poco mas o menos y en aquela crehencia de judios. Empero que aquatorze anyos a esta parte no ha tenido en aquella ni a la crehencia ni fe de judios antes se ha convertido en la nuestra sancta fe de cristianos. Testes: magnificus Joannes Ardiles, assessor et Joannes Martiquo.

CONFESION DE RETRACTO Y ABJURA DE LA ACUSADA ANTE LA INQUISICION.

(Pag. 32) Ante la presencia de vosotros reverendos senyores padres ffray Miguel de Monterruvio, de la orden de los predicadores, licenciado en sancta Theologia, prior del monasterio de Sant Pedro de las duenyas, inquisidor de la heretica y apostatica pravidta por todo el reyno de Aragon y en los obispados de Taraçona, en el dicho reyno y Çiguença, Osma y Calahorra en el reyno de Castilla por la fanta fe apostolica dado y deputado. E maritn Navarro presbiero, maestro en sancta Theologia, vicario perpetuo del lugar de Cella, inquisidor assimismo de la dicha heretica y apostatica pravidat, por todo el reyno de Aragon y en los suso dichos obispados por la dicha santase de Apostolica y deputado, otrossi vicario general y Juez ordinario por el reverendisimo senyor don Andres Martinez por la misericordia divina Obispo de Taraçona, specialment dado y deputado para inquirir la dicha heretica y apostolica pravidat en todo el dicho obispado.

Constituyda personnalmente yo Clara de Scobar, alias la costurera, habitant en la ciudat de Calatayut puestos ante mi los sacrosantos quatro evangelios (pag. 32 vto.) por mis manos corporalment tocados e revenrenciados et acatado anathematrio e abjuro toda specie de heregia y apostasia que se levante contra la santa fe catholica y ley evangelica de nuestro redeptor y salvador Ihesu Cristo y contra la santa sede Apostolica y romana yglesia e senyaladament aquella en que yo e caydo que seyendo cristiana babtizada passe e torne a los ritos e celimonias judaycas porque ayune por tiempo de ocho o nuevo anyos el ayuno clamado de quipur y una vez ayune el ayuno de la reyna Ster de los judios. E porque de algunas vezes olio para las lampedas de la sinoga en remission de la anima de mi madre judia clamada Sol. E porque gurade el sabado por fiesta de judios en esta manera abstiniendome algunos sabados de fazer fazienda senyaladmament de filar a psadno los candiles con mechas nuevas algunos viernes en la noche, e mudandome algunas vezes camisa limpia en los dichos sabados. E porque purgava la carne al modo judayco quando las grassas que los judios quitan y la landieziella de la pierna antes de ponerla a cozer. Et porque (pag. 33) comi hamin en sabado enviado de la juderia pasado por judios, a modo judayco fecha de viernes para el sabado. Et porque comia aves degolladas de judios. E porque stuve y me falle en la muerte de la dicha mi madre judia clamada Sol y fuy a la sepultura de la dicha mi mare sol ensemble con los otros judios y judias y lloro ha y por su muerte. E porque comia pan cancenyo turrado y alcahalillas que me enbiavan los judios en su pascua de pan cancenyo. E porque comi carne en cuaresma alguans vezes stando sana. E porque me absen de comer tocino, caracoles y anguila por sser viandas que los judios no pueden comer. E porque vivi como judia ocho o nueve anyos en la ley de moysen en esta maera, creyendo aquella siyendo algunos aynos que los judios fazen creyendo arovecharvan a salvacion de las animas.

E porque fize cometi e perpetre los ritos y celimonias judaycas suso dichas e porque me perjure una e muchas vezes en la causa de las fe e porque fue scomulgada por no haver manifestado (pag. 33 vto.) las dichas mis heregias. Por tanto abjuro e reniego aquelas y otras qualesquiere heregias y confieso en la santa fe catholica de nuestro salvador y redemptor Ihesu Cristo y ley evangelica y en la sancta romana yglesia y sede apostolica y con la boqua y con el corazon verdaderamente digo e affirmo que la ley de Moysen fue y es muerta y manida por el adueniamiento de nuestro redemptor y salvador Ihesu Cristo Dios y hombre verdadero y por la santa Ley evangelica quel por ssi nos dio y por sus santos apostoles por todo el universso mundo pieycar fizo y sino y la santa sede apostolica haverse de crier y creher verdadera determino digo y affirmo que no hay otra ley verdadera ni buena sino esta, la qual yo pecadora verdaderament creo con ffirme corazon y entera voluntad y aquella publicamente conffiesso y porque en aquella solament salvar me entrendo y en ella protiesto que agora y para siempre morir y vivir quiero y anssi lo jduro por stos sacro sants quatro evangelios. E allende desto juro, quiero cometrenisare tal error qual ante de agora fize cometi e perpetre, y digo que ninguno se pude salvar sino en ella e de present he abjurado e abjuro ni otros error alguno que vaya o venga contra la santafe catholica y ley evangelica esi lo tuviere por cierta sciencia o credulidat o presumpcion o en otra qualesquiere manera, juro de luego revelarlo e dizrilo a vosotros senyores inquisidores e vicario general o a quien por tiempo el tal oficio tendra y ultra de los suso dicho juro e prometo que recebire humilmente e con paciencia qualquiere penitencia que por vuestras reverencias por los dichos crimenes nuestros me sera impuesta in justicia y dada y que aquella con todas mis fuerças eficazmente e con effecto complire sin dimoracion alguna y sin venir en todo ni en parte contra ella, por stos sacrosantos quatro evangelios. E quiero confieso e me plaze que si en algun tiempo yo vendre en todo o en parte contra las cosas suso dichas por mi juradas e abjuradas, lo que Dios no querra, que en tal caso sea hovida e tonida por relapessa e subiela a sofrir las penas que de drecho canogigo se requera que suffra con todo rigor qual (pag. 33 vto.) quiere relapsso en lso crimenes de hergia y apostasia e quiero e confenso que aquellas me sean dadas e las haya de sofrir quando quiera que algo se me probare han crebantado de los suso dicho por mi jurado y abjurado e pido a los presentes notarios testimonios signado y corregido desta mi confftession e abjuracion e a los presentes ruego que sean dicho testigos.

SENTENCIA Y FALLO DEL DE LOS INQUISIDORES.

(pag. 36) In Cristi nomine invocatos ffray Miguel de Monterruvio, de la orden de los predicadores, licenciado en sancta Theologia, prior del monastierio de Sant Pedro de las Duenyas, inquisidor de la heretica y apostatica pravitat por todo el reyno de Aragon y en los obispados de Taraçona, en el dihco reyno y Çiguença, Osma y Calahorra en le reyno de Castilla por la fanta fe apostolica dado y deputado. E maritn Navarro presbiero, maestro en sancta Theologia, vicario perpetuo del lugar de Cella, inquisidor assimismo de la dicha heretica y apostatica pravitat, por todo el reyno de Aragon y en los suso dichos obispados por la dicha santa sede Apostolica y depuado, otrossi vicario general y Juez ordinario por el reverendisimo senyor don Andres Martinez por la divina misericordia Obispo de Taraçona, para inquirir de la dicha heretica y apostatica preaventat en todo el dicho Obistado de Taraçona.

Dicto por nos el presetne processo criminal atetado et unicillado ante nos y en nuestra audiencia entre el procurador fiscal et ministro de la sancta inquissicion de la una parte agente et denunciante et Clara Descobar, alias la costurera, habiant en la ciudat de Calatayut denunciada de los crimenes de heregia y apostasia de la otra parte, rea et deffendiente examinado diligentemente el presente processo et todas las cosas en aquel contenidas fallamos por verdat por tenor de sus coffessiones que la dicha Clara Descobar seyendo cristiana babtizada passo a los ritos et celimonias judaycas et ha cometido crimen de heregia y apostasia segunt que por tneor de su parte (pag. 36 vto.) e de sus confesiones et de instro de su abjuracion poco ante de agora en presencia nuestra fechas a instancia de la dicha Clara Descobar consta et parece. Vista la espontanea abjuracion fecha por la dicha Clara Descobar de los dichos sus crimenes de heregia y apostasia et de otra qualquiere heregia que contra la sancta fe catholica et ley evangelica de nuestro senyor Ihesu Cristo se levante y el juramento que ha fecho de tener confessar y guardar aquella verdaderamente en vida y muerte y de recebir y cumplir la penitencia que por nos le fuere impuesta por los dichos sus delitos de hergia y apostasia con pena de relapsa si fuera o vinere en todo o en parte contra lo por ella, jurado et aburado estas y otras cosas atendidas et conssideradas havido sobre ellas et sobre todo el presente processo maduro consexo con personas letradas et de buena consiencia (conciencia) tenientes a Dios y teniendo a Dios ante nuestros oxos de cuyo voluntat proceden todos los restos e inistores inyzios a dar et promulgar esta nuestra definitiva sentencia procedimos en la forma siguiente. Et porque los terminos del prestne processo et por sus conffessiones canonica et legitimamente nos consta la dicha Clara Descobar haver passado a los ritos et celimonias judaycas por ende por esta nuestra sentencia pronunciamos y declaramos la dicha Clara Descobar haver seydo heretica judayzales y haver incurrido en las penas del drecho. (pag. 37) Et porque vemos agora la dicha Clara Descobar haver se arepentido de los dichos sus crimenes de heregia y apostasia et haver confesado aquellos seguel dize con verdadera contriccion y en quanto ver y conocer podemos haver conocido sus grandes culpas y peccados y abnegados aquelos et querer ser restituydos et vinidos a la madre sancta yglesia apostolica y romana la qual no cierra el gremio suyo a los que a ella con buena voluntat y verdadera penitencia se tornan queriendo los recibir con misericordia pues ha abjurado los dichos sus crimenes et errores de heregia y apostasia absolmemos et absoluta denunciamos a la dicha Clara Descobar de la sentencia dexcomunicacion mayor de que era ligada del dia que cometio los dichoscrimenes de heregia y apostasia. E reduzimosla en quanto de drecho podemos et devemos al gremio de la sancta madre yglesxia apostolica y romana ffaziendo la mienbros della et viniendo la a ella si con verdadero corazon abia tornado a la sancta madre yglesia y la penitencia a ella inpuesta et mandamientos nuestros grardaren et cumplieren y porque los delitos y errores tan grandes no deven quedar inpunidos y tales errantes segunt las canonicas constituciones sea por luengo tiempo de examinar et ver si anda entinebras o en luz o si verdaderamente o falsa sea conffessado o simuladamente tornado a la ley de nuestro senyor salvador y redemptro Ihesu Cristo por ende por esta nuestra diffinitiva sentencia de Claramaros penitenciamos y en lugar e sentincia y por sentencia (pag. 37 vto.) comdepnamos a la dicha Clara Descobar a carcel pertetua retenta misericordia y le mandamos que no pueda levar encima de su persona por ores oro ni plata ni perlas ni anthossar ni ambies ni corales ni piedras preciossas ni vestir seda ni grana ni maurellte ni panyo riquo alguno de setze sueldos ariba la bara, ni yr a bodas ni a missas nuevas ni a espectaculos de grandes plazeres mundanos ni pueda ser meyesa, apothecaria, corredera ni tener otro officio publico alguno mas antes siempre este en habito humilde. Et porque por no haver venida ase conffesar en tiempo divido sus heretiquo y apostaticos errores ha perdido todos sus bienes por ende declaramos todos los bienes de la idcha Clara Descobar ensemble con los suytos recebidos del tiempo aqua que cometio los dichos crimenes haver estado y ser confiscados a la camera o fisco del Rey nuestro Senyor. Al qual mandamos en virut de obediencia en quanto de drecho podemos y devemos que aquellos torne por suyos y como suyos.

Alvaro López Asensio

PROCESO CONTRA PEDRO POLO, ÇAPATERO, HABITANTE DE CALATAYUD, ACUSADO DE JUDAIZAR (AHP, inquisición caja 10, Nº 1). COMIENZO DEL PROCESO: 25 de Abril de 1488.

TESTIGOS DEL FISCAL PARA ACUSAR A PEDRO POLO.

(Pag. 4) Testis scitan et recepti in causa et pro parte procuratoris fiscalis contra Petrum Polo, habitnat civitas Calatayubii.

Die XXV menssis aprilis anno anativitate domini MCCCCLXXXVIII.

- Eadem die coram reverendo domino ffratre Michaele de Monterrubeo inquisitore heretice et apostocie residente in civitate Calatayubii comparvit Rabi Salomon Axequo judeis habitant aljame judeorum ville Cetine, qui juravit por Deum et decem precepta legis que Deus didit Moysi in nome suam et per juramentum respondit ad quod sequitur:

Et primo dize este deposant que havra quatro anyos poco mas o menos estando este deposant en la present ciudat de Calatayud se le acuerda muy bien como uno clamado Pedro Polo, çapato, habitant de la dicha ciudat de Calatayut que mora en la ruva de la dicha ciudat, ha ayunado el ayuno de quipur. E esto sabe este deposant porquanto ablando este deposant (pag. 4 vto.) con el dicho Pedro Polo scubriendo solo el dicho Pedro Polo a este deposant porquanto eran mucho amigos por dos vezes le dixo el dicho Pedro Polo a este deposant como havra ayunado el dicho ayuno de quipur y esto le dezia el dicho Pedro Polo a este deposant sobre razones de su boqua propia a la deste deposant.
Item dize este deposant sabe como el dicho Pedro Polo, çapato, dava olio a la sinoga a la cedaqua y limosna a judios pobres y esto sabe este deposant porquanto el dicho Pedro Polo, çapato, en la dichas fablas dixo a este deposant que el tambien se dava olio a la sinoga dava a la cedaqua y limosna a judios pobres y este le dixo el dicho Pedro Polo a este deposant de su boqua propia a la deste deposant. (pag. 5) Testes: magister Johannes Ardiles, jurispurdenter et assessor, et dominicus Gil, nunciis sancte inquisicionis habitant civitas Calatayubii.

Die XXVI mensis marcii anno anativitate domini MCCCCLXXX octavo.

- Eadem die coram reverendo domino Martino Navarro, inquisitore predicto, comparvit Maria, uxor Petri Navarro, habitant civitas Calatyubii, testis predictum que juravit in posse dicti reverendus domini inquisitoris per Deum et crucem sancta domini nostri Ihesu Cristi eius sacro sancta (pag. 5 vto.) quatuor evangelia coram eo possuit at per ea reverenter inspecta suis propiis manibus ut posit tacta que per juramentum et respondit et dixit in modum sequitur:

Et primo dize este deposant que puede haver siete anyos poco mas o menos vivio y stuvo esta deposant dos meses en casa de uno clamado Pedro Polo, çapato, y con Angelina su muger que mora en la Ruva de la present ciudat de Calatayut, vio esta deposant como por la pascua del pan cancenyo de los judios trayoron a los dichos sus amos ciertos judios cuyos nombres no sabe este deposant pan cancenyo y vio como los dichos sus amos comian del dicho pan cantenyo en el timpo del carnal que guisavan verças y esto sabe esta deposant porque lo vio según dicho ha.

Item dize esta deposant que en el mismo tiempo vio como los dichos Pedro Polo y angelina su muger amos desta deposant comieron hamin (pag. 6) en dias de comer carne el qual hamin guisavan en su casa hun dia pa otro esto sabe esta deposant poque lo vio según dicha ha.

CONFESION DE PEDRO POLO ANTE LAS ACUSACIONES.

Confession de Pero Polo, çapato.

Muy reverendos padre ysenyores. Yo Pedro Polo, çapato, confiesso a vuestras paternidades las cosas infrascriptas por razon vuestro mandato (pag. 6 vto.) y scarto de mi consciencia en el tiempo del edicto.
Item sente acuerda seyendo moço en casa de mi amo que le dizian Lorenço Adrian se me fizo de baxo la barilla (barbilla) una landia y mandome el meje que no comiesse saladura ni lechugas ni vinagre, era mediada cuaresma, aquella media cuaresma comi carne y guevos.
Item que he comprado vaqua a la carniceria de los judios porque me la davan del murillo dedola queria y singuesos y tambien e comprado carnotiessa porque lo davan varato y lo e conressado y fecho penitencia dello.
Item me acerre en la juderia que Pedro Tirado arrendava la carniceria de la juderia y daron collacion de armendolas y garvanços turrados y comi dellos y bevi del vino que nos daron de bever.
Item una veguada fuy a Darangiga y convido hun judio que le dije Alezar, e comi en su casa e la carne que comi no se si era de la juderia o no, sino que dize hun moço que lleve comigo (pag. 7) quel judio le envio a merquar la carne de la carneciria de los cristianos que o no lo se sea remetido a la conciencia del moço.

Item a cabo de dias vino aquel judio con otro de Arandiga e los convido diles en mi casa, no se si era pollos o gallinas, ellos se las degollaron y se las pelaron y gelas assaron que no las quisieron confiar duninguno dellos y haver vrero lles trayeron uno de la juderia mas no soy cierto dello.

Item teniendo obreros judios me han presentado pan cancenyo y turrado y rosquetas fechas con specias y çafran y ende comido y les daron de mi casa pan liendo y lo confesse y me daron cargo y amas de ocho anyos que no mende trayeron y les dixe que mende truxessen que no le tomaria.

Item endo moros y judios en mi casa obreros levavan la fazienda de mi casa el viernes y el sabado a la tarde y la fazian el domigo en sus casas y haver otros dias de fiestas y si por ventura les faltava filo o oripell o alguna otra cosa vinian por ella e lo levavan el dia de la fiesta ha mi pocos dias porque yo mandava que levassen lo que havian (pag. 7 vto.) menester sino que si mandales faltava que no sela darian y tambien o fecho fazienda alguna algunos dias de fiestas yo y mis moços cristianos y hami los obreros moros y judios con nosotros en mi casa assi como hundia de sancto Thomas cerqua de pascua de navidat de nuestro sennos Ihesu Cristo e otras fiestas cerqua de ferias o cerqua de otroas pascuas si devia alguna fiesta teneiendo prissa y he furrado çapatos el dia de domingo por sey fechizos pa calçar el dia y tambien rasguarsse hun bariegui o çapato calcandolo e coserlo el domingo o otra fiesta quando la tal cosa acahecia y hami fallandome de fuera de mi casa, e caminando el domingo y otras fiestas, lo qual cofessado y fecho dello penitencia.

Item en mi casa se a guisado carne con garvanços y guevos de la carne de la carniceria de los cristianos el sabado pa el domingo (Hamin) y en otros dias de comer carne ende he comido no en viernes ni en sabado ni dias de dayno mandados por la madre sancta yglesia.

Item una vegada fuy a Daranda y me convido hun moro y comi en su casa pero en mi conçiençia no se me acuerda que me dio a comer.

(pag. 8) De todas estas cosas sobredichas e confesssado e fecho penitencia dellas e mefecho absolver con bullas assi del legado como dela sancta cruzada, y conotras de los cristianos. Qui po yo estoy por esto y apesado acceptar qualquiere penitencia que vuestras reverendos padres les plazera darme e estar a la ordinaris de la madre sancta iglesia como buen cristiano. Testes: Johannes Torrejon et Petrus Torrejon, habitantes dicte civitas Calatayubii.

ADICION CONFFESSIONIS PETRI POLO, CERDONIS.

Muy reverendos padres y sennores. Yo Pedro Polo me he recordado que hun dia vino Ferrando Lopez a mi dixome que clamase a Jayme de Funes y Marquo Xavar y a Gonçalbo de Menes y a Martin el Plato que nos queria favlar e fuemos a la yglesia de Sant Pedro de la Ruva, alli nos fixo a todos que havia enviado una carta de çaragoça, la qual havia traydo el fijo de Joan Lopez y de Gaspar de Sancta Cruz a Anthon de Sanctangel, e el dicho Anthon de Sanctangel le havia rogado favlarsse con algunos si querian dar (pag. 8 vto.) alguna cosa pa que en Çaragoça se pudia pa haver una bulla del Sancto Padre pa que los bienes no se confiscassen y haver pa que valiesse firma e manifestacion y alli favlando muchas cosas demandamos acuerdo fue este que dixo Martin el Plato y otros soy confesso no y de quiero dar nada y dixe yo Pedro Polo, yo no quiero pleytar con Dios y con el Rey dixo Gonçalbo, bien dize dixo Marquo Xavar el çapatero quel que haviamos de dar alli que mas valia dello e dixo Jayme de Funes quel se tenia ya prentas pa darlos, mas querra darlo pa daquellos que no pa otros, y Gonçalvo de menes y yo Pedro Polo te tornamos la repuesta de voluntad de todos que no era la voluntatd de ninguno de dar ninguan cosa e dixo Ferrano Lopez que plazer fazieamos de dar aquella repuesta que todos y adalgunos que el havia favlado e que adalgunos que le havian dicho de ssi y haver deposado dineros en el cambio gelos queria volver y no tornar cargo desto y que axi gelo dizia a Anthon de Sanctangel y sende de sy xerra ni entendorya mas en ello. Dize XXVIIII mensis hanuari anno anativitate (pag. 9 vto.) millesimo quadringentesimo octogesimo octavo. Testes: Joannes Torrejon et Dominicus Egidii, nuncii frate inquisicionis civitas Calatayubii.

ACUSACION DEL PROCURADOR FISCAL CONTRA EL ACUSADO.

(Pag. 10 vto.) Ceteru antem die que computabatur nona messis Maii anno anativitate domini MCCCCLXXXVIII coram dicti reverendis dominus inquisitoribus et vicario generalis comparvit dicti procuratoris fiscalis ... de facto obtuli et dedit quiodam denunciacionem tenorys sequitur:

Et primo dize el dicho procurador fiscal ministro de la santa inquisicion que el dicho Pedro Polo denunciado teniendo esperança en la Lei de Moysen ha fecho, cometido ritus y cirimonias judaicas crimen de heregia y apostasia en la fe cometiendo y ha observado el sabado por fiesta como los judios lo obserban, absteniendose de negociar y de tomar dineros el dicho dia en el qual ha comido muchas y diversas vezes carne estando sano y hamin guisado de judios de viernes pa el sabado aforma judaica y ha festibado las pascuas de los judios conmiendo pan cencenio y turrado y alcahalillas y a daynado mucho ayunos de judios senialadamente el danyuno de quipur que dizen los judios del grand perdon y por fazer sus limosnas a judios senalaladamenta a la çedaca y esto es verdat.

(Pag. 11 vto.) Item dize el dicho procurador fiscal que el dicho reo criminoso a francamente confesado dentro del tiempo de la gracia porque a dicho cosas ceviles (terribles) y de poco prejudicio y ha obtuenido cosas graves y pondrosas porque a declarado ser criminoso y fue y es verdat el ser como dicho es cirminoso porque ultrasava confesion sele provaban todas las cosas suso dichas y mas qui ha dado muchas vezes olio a la sinoga y quando juraba por esta cosa dizia pa los diez mandamientos de la Ley de Moysen y pa el santo dia de quipur por dende manifiesto paresce el creer en la Ley de Moysen y asi mesmo a dicho y ficho otras muchas cosas contra la fe y ley evangelica de nuestro sennor Ihesu Cristo y esto es verdat.

TESTIGOS PARA PROBAR LAS ACUSACIONES DEL FISCAL CONTRA PEDRO POLO.

Die X mensis marcii anno MCCCCLXXXVIII. Çaragoça.

- (Pag. 15 vto.) Eadem die coram domino inquisitore comparvi Johan de Soria, çapatero que fue chapinero, habitant en la ciudat de Çaragoça, testimonio pro parte del procurador fiscal produzido presentado citado qui juravit in posse dicti domini inquisitoris per deum sup crucem domini nostri Ihesu Cristi at en sacro sacte quatuor evangelia coram eo posita sup propis manibus corporaliter tacta qui diceret quiodam veritate de his qui sup quibus interrogat esset qui per juramentum e invum respondit e dixit in modum qui sequitur:

Dize que estando este deposante en casa de Lorenço el Chapinero, vezino de Calatayut, adolecio hun fijo suyo de edat de diziocho anyos poco mas clamado Gonçalvo, puede haver ocho anyos poco mas o menos, e que vio entorno estado el dicho su fijo mucho trabajando de la (pag. 16) dicha enfermedat quasi como muerto vinieron ende cinquo o seys judios e senyal e sepussieron alderredro de la cama a donde estava echado el dicho enfermo e començaron de cantar en ebrayco sabadeando et que echavan fuera a este deposante porque no los viesse et que no se le acuerda de los nombres de los dichos judios, salvo del huno dellos que se llamavadon Simuel el vieio, çapatero de obra chiqua, et que viera ende estar con los dichos judios alderredro del lecho la muger de Pedro Polo e la muger de Gonçalvo de Menes e Marco, hermano de la dichoa mueger del dicho Lorenço, e su madre del dicho Marco et el dicho Pedro Polo e que odos estos son conversos. (pag. 16 vto.) Testis: Johannes Domingo et Michael Domingo, notarios habitantis civitas.

Die XXI mensis aprilis anno MCCCCLXXXVIII. Calatayubii.

- Eadem die coram reverendo fratre Micaelle de Monterrubio, inquistor comparvit Brahem Xavar, judeus assahonator habitant aliame judeorum civitas Calatayubii, testis pro parte procurador fiscalis predictuis presentatis qui juravit in posse dicti domini inquisitoris per Deum sup Decem precepta legis Moysi qui diceret omniodam veritate de his qui sup quibus interrogat esst qui per juramentum e quiodam respondit e dixit in modum qui sequitur:

Dize este deposante que havra tres anyos poco mas o menos como algunas vezes negociando este deposante con hun clamado Pedro Polo, çapatero y adbador que mora en la rua de la presente ciudat de Calatayut, mercando (pag. 17) algunas cosas del, quando le querra dar a entender el dicho Pedro Polo que alguna cosa le estava entanto y este testigo lo creyesse, el dicho Pedro Polo jurava en esta manera alguans vezes y otre juro por los diez mandamientos de la ley de Moysen otras vezes jurava por el dia santo de quipur que tal cosa me esta entanto o que tal cosa es verdat, segunt en las rrazones que estava.
Item dize este deposante que de diez annos aca sabe como el dicho Pedro Polo comio carne en quaresma estando sano y esto sabe este deposante porque gele vio comer la dicha carne en quaresma al dicho Pedro Polo estando sano por tres o quatro anyos. (pag. 17 vto.) Testes: Magnificus Johannes Ardiles, jurista e assessor e Johannes Torrejon, nuncii habitantoris Calatayubii.

Die XIIII marcii anno MCCCCLXXXVIII. Calatayubii.

Eadem die coram reverendo domino fratre Micaele de Monterrubio, inquisitor comparvit Açach de Funes, judeus habitant aliame judeorum civitas calatayubii, testis pro parte procurador fiscalis predictuis presentatis qui juravit in posse dicti domini inquisitoris per Deum sup Decem precepta legis Moysi qui diceret omniodam veritate de his qui sup quibus interrogat esset qui per juramentum e quiodam respondit e dixit in modum qui sequitur:

Dize este deposante que de hunos vinte y cinquo anyos poco mas o menos y dende entonces aqua vio algunas vezes este (pag. 18) deposante a Pedro Polo, çapatero, habitant en esta ciudat en la Rua que traya carne de la carneceria de los judios y esto era de la carne caser que quiere dezir buena porque el jduio la puede comer. Testes: Johannes Torrejon e Dominicus Gil, nunciis habitantes civitas Calatayubii.

DECLARACION DEL ACUSADO CONTESTANDO A LAS ACUSACIONES DE LOS TESTIGOS Y FISCAL.

(Pag. 22) Muy Reverendos e devotos Padres en Ihesu Cristo. Despues de esadas vuestras manos ocurreme responder a lo contenido en mi proceso.

Primerament digo e atorgo haver mandado traer e traydo carne de la juderia he comido aquella como algunas personas ecclesiasticas e de otras diversas condiciones trayan e comian en aquel tiempo en esta ciudat e no por servar ritu ni cerimonia judayca segunt consta por mi confession no empo discerniedo entre carne y carne antes bien algunas vegadas truxe de la carne que los judios llaman tressa.
Item assi mesmo atorgo haver comido pan cancenyo como dize hun deposant e otras cosas de judios putadas no por sevar cirimonias ni ritus de judios segunt que mas largaemnte manifeste en mi confession y por esta mesma razon guisado en mi casa de hun dia pa otro comi hamin en dias empo de comoer carne y no lo como ni guise al fin que hun testigo es visto testificar segunt que por la dicha mi confession pareçe.
Item a lo que dize hun testigo que me vio comer carne en quaresma estando sano tres o quatro anyos. Ada questo respondo con reverencia hablando no sey verdat lo qual muy bien se puede porvar por personas que en aquel tiempo stuvieron en mi casa significandome el tiempo salvo ya la comiesse con tal o se me jante necessidat qual yo manifeste en mi confession.
(Pag. 22 vto.) A todas las otras cosas contenidas en mi processo en mi processo contra mi depossadas respondo con reverencia hablando no seyer verdaderas y por quanto yo ignoro los nombres de los tales deposantes supplica a vuestras reverendos padres me manden manifestar los tales deposantes y conoceran mi inmunydat y la falsedat de aquellos estos digo si assi de derecho procede, e

sino por no exatar mi amalenconia e diffamar o tomar sospecha de que por ventura cargo nome tiene remito la discussion desta causa a vuestras reverendos padres a las quales Dios nuestro senyor a constituido judges y ministros suyos pa condemnar al malo y premiar al bueno.

Merçe senyalada me haran vuestras paternidades reverendas en el examen de los sobre dichos testigos con diligencia e temos de Dios et Zelo de la sancta fe Catholica adviertan a las condiciones de los tales deposantes e a las amistancias del tiempo y lugar, las quales cosas miradas confio de la divina bondat que aquella despertara en vuestras piensas la prudencia de Salomon y el spiritu de Danyel propio ha pa que vuestro judicio proceda recto y conforme a la ley divina e vuestras conciencias dello reporten premio e mi condemnacion o liberacion a todas sea manifiesta.

(Pag. 23) E quiere el dicho Pero Polo suplicando a vuestras paternidades se manden informar como el dicho Pedro Polo toda su vida ha vivido como buen y verdadero y cristiano confesado e comunicando cada anno y asi es fiado insto trovado y conosido y esto es la verdat.

Item humiliter el dicho Pedro Polo como verdadero e catholico cristiano ha acostumbrado todo el tiempo de su vida vistiar las yglesias oyr missa y viespras e sus divinos officios y asi es fiado visto e conoscido y esta es la verdat.

TESTIGOS QUE PRESENTA LA DEFENSA

(Pag. 32) Testis recepti per viam informacionis por parte Petri Polo.

- Et dominus magnificus Rodericus de Sayas, infançonis habitant Calatayubii fuit ex aminatus per denunciam inquisitorem ex officio medio juramento per in prestito sup sequentibus articulis.

Et primo fue preguntado si sabe que el dicho Pedro Polo havia vivido como bueno y catholico cristiano e fecho obras de buen cristiano, responde e dize el present deposant que conoce muy bien al dicho Pedro Polo de tiempo de XVIII annos a esta parte e que de que lo conoce aca la visto vevir como bueno e catholico cristiano e que en su opinion lo ha tenido este deposant todo su tiempo al dicho Pedro Polo por buen Cristiano mas que a otro qualquier de lo que estan pressos por el officio de la sancta inquisicion e dize quenunca le vio fazer ni praticar ritos ni ceremonias judaycas ni cosa alguna que fuesse contra nuestra santa fe catholica e dize que uno no sabe sobre lo contenido en el dicho articulo y dize mas que la visto mucho con temor de yr no yr a misa en los mas dias y en los dias solepnes (pag. 32 vto.) le veya estar en misa mayor y en viespras y en cirimonias tanto como a otro qualquier cristiano desta ciudat e postre es dibido en esta ciudat e postre lo tiene este deposant a saber es por buen cristiano catholico es verdat per juramentum.

- Honorabilis dominus Ximini Çerdo, hatant loçi de Atheca, testis pro parte Petri Polo, çapati, per dictis et presentatus juratus et interrogatus sup primo et secundo articulo cedule, qui super quontentis in eis dixit per sequitur:

In sup primo articulo dize este consce a Pedro Polo en el articulo nombrado por quanto ha estado en su casa viros cinquo anyos comendo y bevendo y dormiendo alli he abia dos anyos poco mas que es fuera de su casa en el qual tiempo vio este testimonio al dicho Pedro Polo vivio como buen cristiano a lo qu pudo veer en el, por quanto lo vio muchas de vezes asi en dias de fiestas oyr misa y los divinos oficios y en los dias dentresemana muchas de vezes sallir de casa y le hoyo dizir que yva a misa y los dias de quaresma esceptados los domingos (pag. 23) lo vio ayunar por quanto no le veya comer sino una vegada en el dia et no vio comer en su cassa assi en la quaresma como en otros diaspredichos de comer carne sino viandas quaresmales y que en los dias de fiestas no vio que fiziesse fazienda ni que la mandasse azer, e le vio rezar en hunos dias que tenia y a muchas de vezes dizia assi a este testimonio como a los otros moços que tenia que fuessen a misa.

- Mossen Johan Çit, clerigo beneficiado en la iglesia de Sant Andres de la ciuat de Calatayut, testimonio por parte de Pedro Polo produzido sup primo articulo dizit que conoce a Pedro Polo en el nombrado de vista y pratica y ha tonido con el de mas de quinze anyos a esta parte y dize que de quinze anyos a esta parte lo ha tonido el dicho Pedro Polo por buen y catholico cristiano en lo que este (pag. 23 vto.) deposante vio en el porque le vio yr a misa y estar en aquella casi conmunio en este tiempo despues que lo conoce y estar en aquella como bueno y catholico cristiano en lo que este deposante vio y mas que le vio continuamente en este dicho tiempo conffesar y comulgar cadahun anyo y que por esto este deposante lo tiene en opinyon de buen cristiano al dicho Pedro Polo.

Sup secundo articulo dixit que es verdat que como dciho ha de parte de suso lo ha visto al dicho Pedro Polo estar en misas y viespras muchos dias casi como en sant Andres y en sitios y esto sabe porque lo vio.

- (pag. 34) Anthonius de olves Çerdo, habitator et familiaris Petri Polo, testis ad instanciam et por parte dicti Petri Polo citatis pro dicti presentatus juratus et per juramentum interrogatus ut sequitur deposuit.

Et fuit interogatus sup contentis in primo, in secundo articulis dixo ha ocho annos que este testimonio esta continuamente en su casa y que por el juramento por el presentado siempre le ha visto fazer cosas de bueno y verdadero cristiano a saber es oyr missa todos dias o los mas gradar las fiestas mandadas por la sancta madre yglesia, ayunas todsa la quaresma, dar limosnas a pobres cristianso, coffessar y comulgar, estar en los offiçios divinos y fazer cosas de muy buen cristiano, y que cosa de judio ni a un que tocase a juderia nunca vio ni supo este testimonio ni que la fiziesse y a un que segunt sus (pag. 34 vto.) obras del dicho Pedro Polo este testimonio no lo tenia por converso ata tanto que vino la inquisicion e hoc per juramentum.

- Venerabili Johannes Ferrandez, capirot vicarius ecclesie beati Petri Francorum, civitatis Calatayubii, testis ad instanciam et pro parte dicti Petri Polo citatis pro dictus presentatus juratus et per juramentum interrogatus ut sequitur deposuit:

Et fuit interrogatus sup contntis in primo et secundo articulis dicot testi, testis penum intellectis sup quibus dixit que puede haver vinte annos poco mas o menos que el presente testimonio deposant tiene conocimento con el dicho Pedro Polo al gual todo el dicho tiempo en todo lo que este testimonio ha podido conocer, lo ha visto vivir como buen cristiano hoyendo (pag. 35) missa confessandose muchas vezes en el anno y dize que de tiempode diez annos a esta parte este testigo a oydo de confession al dicho Pedro Polo dos, tres y quatro vezes y dize que le ha visto dar muchas y diversas vezes limosna a cristianos pobres y visitar las yglesias y oyr los officios divinos enteros, y assi concluyendo dize que lo ha tenido por todo el dicho tiempo de veynte annos que con el dicho Pedro Polo ha tonido conoçimiento y pratica por bueno y catholico cristiano, et hoc per juramentum.

- Miquael de Villabona Çerdo Calataiubii habitator testis ad instançia et por parte dicti Petri Polo citatis pre dictus presentatus juratus et per juramentum interrogatus ut sequitur deposuit:

Et ffuit interrogatus sup contentis in (35 vto.) in primo et secundo articulis dicto testi, lectis penum intellectis sup quibus dixit que abra tres annos poco mas o menos que este testimonio deposant estuvo en la casa y servicio del dicho Pedro Polo por tiempo de un anyo en el qual tiempo dize que vio al dicho Pedro Polo vivir como cristiano ayendo missa dando limosnas y faziendo cosas de uen cristiano y dize que nuna vio el contrario ni lo sintio ni lo supo per juramentum.

- Lupus de Guivara, çerdo, Calataiubii habitator testis ad instanciam et por parte dicti Petri Polo citatis pre dictus presentatus juratus et per juramentum interrogatus ut sequitur deposuit:

Et primo ffuit interrogatus super (pag. 36) contentis in primo et secundo articulis dicto testi, lectis etpenum intellectis qui super quibus ut sequitur depusuit, e dize este testimonio que el por temporadas a estado en casa y servicio del dicho Pedro Polo, tiempo de tres annos y que abra dos annos poco mas o menos que este testimonio salio de casa del dicho Pedro Polo y que en el tiempo que estuvo en casa del dicho Pedro Polo siempre vio fazer al dicho Pedro Polo cosas de buen cristiano y de hombre de buena conçiençia oyendo missa guardadando las feistas mandadas por la santa madre yglesia dando limosnas a pobres cristianos y que por tal como por buen cristiano lo ha tonido este testimonio, todo el timpo que lo ha conoçido et hoc per juramentum.

- (pag. 36 vto.) Honor Jacobus Jover, mercator calataiubii habitator, testis ad instanciam et por parte dicti Petri Polo citatis pro dictus presentatus juratus et per juramentum interrogatus ut sequitur deposuit:

Et fuit interrogatus dictus testis sup contentis in primo et secundo articulis, dixo que ha tiempo de veynte anyos que el present testimonio tiene e ha tonido vezindat pratica y conocimiento con el dicho Pedro Polo, en el qual tiempo este testimonio ha visto al dicho Pedro Polo vivir como buen cristiano hiziendo las obras en todo lo que este testimonio podia conoçer de buen cristiano, guardando las fiestas mandadas guardar por la sancta madre yglesia oyendo missa quonffessando y comulgando en el anno a la pascua florida dando limosna a pobres cristianos fablando y por exortando y acatentado cosas de buen cristiano, y por tal como por buen cristiano este testimonio lo ha tonido y nunca supo conocio ni sintio el contrairo et hoc per juramentum.

- (pag. 37) Maginicus Micahel el Peralta, justicia e locient Bajulus civitatis Calathajubii testis.

Et primo fuit interrogatus sup primo e secundo articulis insive sup citacio oblate por parte Petri Polo contentis ende testis lectuis qui sup contentis in eis dixit he fore per seguitur:

Dize el present deposant que conoce al dicho Pedro Polo en el articulo nombrado e dize que lo conoce de este tiempo aca, y que por todo el tiempo que lo conoce la visto el present deposant vivir como buen cristiano oyendo misas, sermones e los officios divinos e faziendo obras de buen cristiano e que nunca le (37 vto.) vido fazer cosa ninguna que fuesse contra nuestra sancta fe catholica e por buen cristiano por la mayor parte desta ciudat es havido y tenido e por tal lo tiene este deposant.

- Reverendus dominus Berengarius Martinez de daroqua, officialis et vicarius generalis episcopi Tirasonen in citate Calatayubii, testis pro parte Petri Polo meam perdicti predictus et presentatus juratus et per juramentum interrogatus in modum sequentur:

Interrogado sup primo et secundo articulo dicto testilero et penum intellecto respondit el present deposant que haviendo notiçia ni luenga pratica con el dicho Pedro Polo, mas en quanto lo ha praticado siempre lo ha conosçido por buen cristiano y a muchas e diversas personas dignas de fe que han tonido con el luenga pratica ha huydo dizir lo tenia por (pag. 38) buen cristiano y con muy buenos tratos de cristiano.

MAS TESTIGOS QUE PRESNTA EL FISCAL EN CONTRA DEL ACUSADO.

Die XXVIII septembris anno MCCCCLXXVIIII. Calatayubii.

- (pag. 44) Eadem die coram reverendo domino Martino Garcia, inquisitor comparvit Brahem Çahadias, judio habitant en la aliama de judios de Almaçan testimonio por parte del procurador fiscal predicido pesentado citado ad probandum contenta in quodam dedeviciacione olat contra Petrum Polo comparvit medio juramento qui juravit in posse dicte domini inquisitoris per Deum sup decena precepta legiis Moysi que diceret omnidant veritate de his qui diret e sup quibus interrogatius esset qui per jurmentum et in eum respondit e dixit in modum qui sequitur:

Et primo dize que havra mas de quinze anyos que murio el padre deste deposante judio que dize que vio como vinieron aconortales a este deposante y a su hermano Yuçe Çahadias, Gonçalvo Menes y Pedro Polo y Marquo Çapateros, habitantes en esta ciudat y assi les conortavan todos tres y cadauno dellos por si los dizia como havia pedido muy honrrado padre y que buen poso huviese y Dios lo perdonase a su ley que no quedava otro mejor judio en esta juderia. Testes: Mosen domingo Desenya e mosen Anthon Navarro, clerigos habitantes en Calatayut.

Die XXIII mensis ugusti anno MCCCCLXXXXVI. Cesarauguste.

- (pag. 46) Honor Johannes Martinez, notarius habitant civitas Calatayubii, testis prodictus y dixo que en el ano mas cerqua passado del XXXV vino a este deposante Ferran Lopez fijo de don Johan Lopez e dixole como los conversos de Çaragoça havia embiado a Calatayut el fijo de Johan Lopez e al fijo de Gaspar de Sancta Cruz diziendo que havian menester dineros pa obtener huna anima pa los bienes de la enquesta que pagase este testigo con los otros de la dicha ciudat de Calatayut, et este no quiso dar nada passado esto vinieron a este deposnate Miguel Perez e Pedro Polo de Calatayut comentando con el testigo que les havia demandado dineros dixo eltestigo que no le parecia bien dar nada e apres vino a este testigo el Ferrando Lopez que pues no dava que no probase a los otros e apres el Ferrando Lopez dixo que no havia plegando nada. (pag. 46 vto.) Testes: Micer Johan Dalgas, jurista, e Johan De Pina, pelayre habitant en Çaragoça.

Die XXIII madii anno MCCCCXXVIII. Calatayubii.

Eadem die coram reverendis domiis fratre Micaelle de Monterrubio et Martino Navarro, inquisitoribus comparvit Gaspar de Sancta Cruce, notarius civitas Calatayubii qui posse dictorum dominorum inquisitoribus juravit per Deum sup crucem domini nostri Ihesu Cristi e in sacro sacti quatuor evangelia coram eo posita suis propis manibus corporalitat tacta diceret omnimodam veritatem de his qui çiret e sup quibus interrogatus esst qui per juramentum respondit e dixit inmodum qui sequitur:

Dize el presente testimonio deposante que estando preseo en companya de Pedro Polo el presente testigo huyo dizir al dicho Pedro Polo que el dicho Pedro Polo havia (pag. 47) oydo dizir que el dayuno de quipur quien quiere que lo ayunava pues no lo ayunase sino affin de hazerse riquo que no era peccado ni heregia y que el dicho Pedro Polo havia oydo dezir que micer Alonso de la Cavalleria el qual sigue la corte havia dicho lo sobre dicho es asaber que quien dayuna el ayuno de quipur solamente assin de hazerse requo que no pecca ni es heregia. Testes: Micael Boyl, notario, et dominicus Gil, nuncii officii sancte inquisicionis resident Calatayubii.

Die XI augusti anno MCCCCLXXXVIIII. Calatayubii

- (Pag. 47 vto.) Eadem die coram reverendo domino Martino Garsie inquisitor comparvit Jaco Lappa, Banqualeris, aliame judeorum civitas calatayubii habitant, testis qui virtute excomunio canonis in ebreysino late venit eante omnia juravit imposse dicti domini inquisitoris per Deum sup decem precepta legis Moysi, diceret omnidam veritate de his qui çiret sup quibus interrogatus esset qui per juramentum et in eum respodit e dixit in modum qui sequitur:

Dize este testimonio deposante que de siete anyos a esta parte vio muchas vezes levar carne de la carnecçeria de los judios de la caser a hunos llamdos Garci Xavart, Pedro Izquierdo e a huno que se llama el conde que bive a Vallupie a Pedro Poloteniendo la carneceria y a otros muchos cuyos nombres no se acuerda y esto publicamente. Testes: Johannes Duncastillo, notario, e Jacobus de Monclus, nuncii officii sante inquisicionis.

EL FISCAL INTERROGA AL ACUSADO.

Eadem die XIIII octobirs anno MCCCCLXXXVIIII. Calatayubii.

- (pag. 49) Eadem die reverendus dominus Ludovicus de Alarquon, inquisitor processit ad secundam interrogaciones Peter Polo, çerdonis, de criminen heresis denunciati qui ante onia juravit in posse dicti reverendi domini inquisitoris per Deum et cruçem santm domini nostri Ihesu Cristi et eius sacro sancta quatuor evangelia suis propiis manibus corporaliter tacta et per juramentum fuit interrogatus et respondit ut sequitur:

Et primo fue preguntado si a garudado el sabado por fiestas de judios o pascuas de juddios si a daynado el dayuno de quipur de la reyna ester o otros daynos judaycos se ha dado dineros o olio para la sinoga si ha dado para la çedaqua, si ha quitado los senos de la carne o la glandolilla o la ha mandado quitar o hecho alguna otra çerimonia judayca, dixo que no per juramentum.
E fue preguntado sup dictis testium del primer testigo e dize que le dixo Pedro Polo que daynaba el dayno de quipur e dixo y respuso que nunco tal dixo ni fizo por juramentum.
(pag. 49 vto.) Preguntado sobre lo que dizen los testigos del hamin y pan çançenio dixo que se refiere a su quonffession fecha en el tiempo de la gracia en la qual tiene quonffessado.

Preguntado sobre el dicho del terçero testigo que dize que se fallo donde ençima de uno que estava para morir sabadeavan unos judios e dixo que puede ser que el se fallase (hallase) en alguna parte donde hoviesse algun doliente y estoviessen ende algunos judios como son medicos o esto tal mas en parte que el viesse judios sabadeassen nunca se fallo (hayó) per juramentum.

Preguntado sobrel dicho del quarto testiguo que abla de los juramentos, dixo que nunca tal juro ni nunca comio carne en quaresma estando sano per juramentum.

Preguntado sobel dicho del quinto testigo que abla de la carne, dixo que es verdat que de la carne que la merco de la juderia y vino della como en su conffession lo tiene quonffessado, et hoc per juramentum.

Preguntado sobrel dicho del sexto testigo que (pag. 50) dize que dixo que Dios perdonasse al judio a su Ley, dixo per juramentum que a el se acuerde nunca tal dixo per juramentum.

Preguntado sobrel dicho del seteno testigo dixo que ya lo tiene dicho en su quonffession del tiempo de la gracia, y que es verdat lo que dize el dicho seteno testigo de que comunico del dicho caso como al testigo dize por interrogacion preguntado sobre el dicho del octavo testigo que dize de las palabras del quipur, dixo que no se acuerda haver dicho tales palabras por juramento puede ser que enpues que el prior de Duennas, inquisidor, y fablo del ayuno de quipur, y dixo que algunos lo havian ayunado a intençion de ser riquos y assi que puede ser que este testigo dixesse que lo havra dayunar el quipur fiziesse riquo el hombre, todos los judios farian riquos y assi que desta manera que a el se acuerde nunca tal dizo por juramento.

Preguntado genealiter de aliis hereticis verbiis dixo lo que ha dicho.

Preguntado si sabe que algunos ayan judayzado dixo que no sabe cosa nignuna por juramento. (pag. 50 vto.) Testes: Venerabiliter Johannes Abril et Anthonius Navarro, presbitori Calatayubii habitatores.

Et incontinenti premissi ita factis el dicho Reverendo Sennos inquisidor amonesto con Dios y con sus sanctos al dicho Pedro Polo denunciado que el denunciado dezir y conffessar sus errores hereticales, a fiel viniesse y conffessasse con contricion los dichos sus errores hereticales su R. P. Estava aparexado de le reçebir con mucha misericordia y darle penitençia saludable. En otra manera que si el contrario fiziesse protestava coo de fecho protesto contra el dicho Pedro Polo denunciado de usar con el juxta la vigor del drecho de todo lo qual requirio y mando ami Martin Perez de Quinto, notario del dicho sancto officio testifficasse acto publico uno y muchos y tantos quantos fuere necesarios, y el dicho denunçiado respuso que su Reverenda Paternidad quiera bien mirar su causa a verdaderamente el a echo lo que ha dicho que ha fecho y lo que ha dicho que ha fecho no la fecho per juramento. E yo dicho notrario de lo sobre dicho testifficione acto publico. Testes: fueron presentes y afistentes los presentes dichos.

EL FISCAL INTERROGA DE NUEVO AL ACUSADO.

Die XXIIII novenbris anno MCCCCLXXXVIIII. Calatayubii.

- (Pag. 52) Eadem die el reverendo sennor micer Martin Garçia, inquisidor procedio a interrogacion de Pedro Polo, çapatero, preso y denunçiado de crimen de heregia el qual ante todas cosas juro a Dios sobre la cruz y santos quatro evangelios de dezir verdat y por el juramento jue preguntado y respondio como se sigue:

Et primo fue preguntado si se fallo en un colloquio donde delante de un enfermo unos judios estavan sabadeando, dixo que nunca se fallo enparte que viesse que judios sabadeassen a enfermo ni delante del.

Preguntado si juro nunca por lo diez mandamientos de la ley sancta de Moysen o por el dia de quipur santo, dixo que nunca tal juro per juramentum.

Preguntado si conortando un judio de la muerte de otro, dixo buen poso haya que buen judio era, dixo que de tal no se le acuerda y que posible es que dixiesse que buen (pag. 52 vto.) poso hoviesse a su leyuras (ley), e si tal dixo que fue exlapsu linque y no por que el creya que en ninguna manera el judio se podiesse ni pueda salvar nin ase babtizasse y recibiesse los sacramentos de la sancta madre yglesia.

Preguntado si ha dado dineros para olio a las lanpadas de la sinoga o a la çedaqua o si ha deyunado el ayuno de quipur o otros daynos judaycos dixo que nunca tal dayno ni fizo per jurameto, y confesto dixo que estava puesto y apotrexado de reçebir con paçiençia qualquiere penitençia o por sus reverendas paternidades le fuesren inpuestas y mandada. Testes: Fuit partes magnifficus Johannes Martinez, rector sancta inquisiçion, et Johannes Donp, notario habitatores Calataiubii de presenter.

Die XVII decembris anno MCCCCLXXXVIIII.

- (Pag. 53) Eadem die reverendus dominus Alphonsus de Alarcon, inquissitor iterum pressita interrogacionem dicit Petri Polo capti sup arbiis dicte dictorum restium in peti presu contentor quibus lectis de verbo a verbum et penum intellectis ante omnia juravit inpose dicit dominun inquisitoris per Deum sup crucem domini nostri Ihesu Cristi et sup sacro santa quatuor evangelia, et per juramentum ffuit interrogatus et respondit in modum qui sequitur:

Preguntado si ha dado dineros para olio a la sinoga o a la çedaqua o si ayunado el ayuno de quipur o fecho otras algunas cerimonias judaycas a lo qual respueso no haver fecho otra cosa ningua sino lo que ha dicho y confesado en el presetne processo, a lo qual se reffiere en esto fue amonestado primo secundo tercio ind domino Iehus Cristo que dixiese la verdat que diziendola que seria tractado con mucha clemençia en otra manera que husaria queel de la rigor del drecho, a lo qual respuso el dicho Pedro Polo no haver fecho otra cosa sino segunt que arriba dicho y lo confesado (pag. 53 vto.) teien y que aquello es verdat y que se apexado recibir y cumplir qualquiere penitençia que le sea dada por sus reverençias sup juramentum. Testes: Anthon de la Miel, nunçio y Miguel Domingo, notario del offiçio de la sancta inquisiçion.

Judíoconversos e Inquisición en Calatayud

ALEGATO DEL DE LOS ACUSADOS.

Die II aprilis anno M CCCCLXXXXII. Calatayubii.

(pag. 57) Eadem die los reverendos fray Pedro de Valladolit et maestre Martin Garcia, inquisidores, en presencia de los magnificos micer (pag. 57 vto.) Andres Gutierrz de quintanilla, assessor e de mi Johan Delbo. Notario de los testimonios infrascriptos, amonestaron con Ihesu Cristpo por una, dos y tres vezes al dicho Pedro Polo denunciado que dixi este y confesante enteramente la verdat de lo que estaba acusado y de todos los ritos y ceremonias judaycas que havia fecho e si havia tenido alguno error cerrarla santa fe catholica y que si asi lo fazia se habria con el con mucha misericordia quontra manera, lo contrario faziendo parte nuestra que el juxta los votos del presente presso es asaber que lo atormentaron. E el dicho Pedro Polo respondio que nunqua havia fecha ritos ni ceremonias judaycas ni mas de los que tenia confesado. Testes: dominus domiicus Senya, presbiter et frater Ferdinandus de Castanyeda, testes sinodales.

(Pag. 59 vto.) Et post dicta eadem die inter decima et vindecima horas ante meridie juxta dicta pronunciacionem de mandato dicto domino inquisitor fue descendido el dicho Pedro Polo a la estancia de las torturas, falli (alli) desnudo fue puesto en la estalereta del tormento del agua. Hatandole fue interrrogado que dixiese todos los ritos y cerimonias judaycas que havia fecho respondio que nunqua los fizo. Hatado fuele empeçada de quimar el agua, e quimada un poco dixo que nunqua penso en cerimonia judayca ni la fizo directament ni indirecta. Hasi le fue quimada el aqua por nueve vezes y siempre dixo que nunqua havia fecho rito ni cerimonias judaycas ni por la pretensa le pasaron ni havia fecho mas de lo que tenia confesado, E asi no dando por acabado el tormento que iniciaron aquel ad prima diem sequentur quemacione y asi se quito del dicho tormento. Testes: dominus dominicus Senya, presbiter et frater Petrus de Castanyeda, testes sinodales.

CONFESION DE RETRACTO Y ABJURA DEL ACUSADO ANTE LA INQUISICION.

(Pag. 60) Ante la presencia de vosotros los reverendos sennores padres fray Pedro de Valladolit, maesro en sacta theologia, prior del monasterio de sant Andres de Medina del Campo del orden de Sancto Domingo. Et maestre Martin Garcia, maestro en sacta theologia, canonigo de la Seu de Çaragoça, inquisiodores de la heretica pravedat dados y diputados po la authoridat apostolica. En los Arçobispado de Çaragoça y obispado de Taraçona. En yo el dicho maestre Martin Garçia, vicario general eso mismo, specialmente creado para el officio de la sancta inquissiçion por el muy reverendo sennor don Andres, por la divina misericordia Obispo de Taraçona.

Constituido personalmente yo Pedro Polo, çapatero, habitant en la ciudat de Calatayut, puestos ante mi los sacros sanctos quatro evangelios por mis manos corporalmente tocados e con reverencia mirados y acatados anathematizo y abjuro generalmente toda spece de heregia y apostasia que se levante contra la sancta fe catholica y Ley evangelica de nuestro salvador y redeptor Ihesu Cristo y iglesia romana. E senyaladamente aquella heregia y apostasia de que por vuestras (pag. 60 vto.) son havido y por vehementer sospechoso de haver passado a los ritos y çeremonias judaycas, porque confesse que comi carne de la carniceria de los judios y comi carne en casa de un judio. E asi mismo comi pan cotaço turrado y otras cosas de comer que menviaban los judios, y porque no gurade muchos dias de fiestas faziendo hazienda en aquellos dias. Epo que se dize que vine a casa de un judio a convocar unos judios por la muerte de un judio que havia falleçido, y que comi en el tiempo de la quaresma estamiendo buena carne. E por que se dize que tuvieron unos cinquo o seys judios de senyal alderredro de una cama donde estava echado un mochcho enfermo cantando en ebrayco e sabadeando. E porque ha dize jure por los diez mandamientos de la Ley de Moysen y por el dia sancto de quipur, por lo qual soy havido por vehementer sosspechoso de los dichos crimenes de heregia y apostasia.

E assi abjurados los dichos errores de heregia y apostasia de que soy havido por sosppechoso e todas otras qualesquiere heregias y apostasias que sean o ser puedan contra la dicha sancta fe catholica (pag. 61) y ley evangelica con entero corazon verdaderamente confirmo que la Ley evangelica de nuestros redemptor y salvador Ihesu Cristo es la verdadera y sancta, segunt que la madre sancta iglesia la tiene y cree. E assi lo confieso publicamente creyendo en ella segunt que la madre sancta yglesia la cree y tiene. E que no he cometido ni tenido los dichos errores e havido por sospechoso por mi abjurado, ni ometese ni terne otro error alguno que sea o ser pueda contra la sancta fe catholica y lye evangelica. E si lo tuviese o cometiese o de otro lo supiese por scierta sçieençia credulidat proviçion e de otra qualquiere otra manera, luego lo revelare a vosotros los reverendos sennores inquisidores o a quien por tiempo el tal ofiçio tendra y assi mismo juro y prometo humilmente y con paçiençia reçibire qualquiere prueva que po vuestras reverencias por las dichas sospechas me sera dado e la cumplir con todas mis fuerças enteramente sin disminuçion alguna y sin yr y venir en todo ni en parte contra ella so pena de incurrir en las penas por los sacros canones estatuydos contra (pag. 61 vto.) aquellos que fazen o tenian a caher en lo que yo dicho Pedro Polo he jurado y abjurado las quales quiero y confierente sean inpuestas segunt que el drecho dispone. Assi lo juro y prometo complir por estos sacro sanctos quatro evangelios ante mi puestos y por mi corporalmente tocados y reverentemente mirados. E puedo a los presentes notarios testimonio signado desta mi confession e abjuraçion e a los presentes rogo que sean dello testigos. Testes: dominus Berengarius Martinez de Daroca, officialis et habitant civitas Calatayubii et magister Johannes Codevera, prior monasteri sant Petri Martiris dicte civitatis.

SENTENCIA Y FALLO DEL DE LOS INQUISIDORES.

(pag. 62) Cristi nomine invocato nos fray Pedro de Valladolit, maestro en sancta theologia prior del monasterio de sant Andres de Medina del Campo del orden de sncto Domingo. Et mastre Martin Garcia, maestro en sancta theologia canonigo de la Seu de Çaragoça, inquisidor de la heretica y apostatica pravedat, dados y diputados por la authoridat apostolica en los arçobispado de Çaragoça y obispado de Taraçona. E yo el dicho maestre Martin Garcia, vicario esso mismo espeçialmente creado por el dicho sancto oficio e por el muy reverendo sennor don Andres por la divina miyaçion obispo de Taraçona.

Visto çierto proceso ante nos y en nuesra audiençia tractados entre partes es asaber el venerable Miguel de Galbe, clerigo procurador fiscal y ministro del dicho san cto oçio de la una parte, agente y denunçiante. E de la parte otra Pedro Polo, çapatero, habitante en la ciudat de Calatayut, reo y denunçiado de et sobre razon de los crimienes de heregia y apostasia en el dicho processo contenido. Et visto como el dicho Pedro Polo fue por nos hovido por sospechoso y por tal declarado de los dicos crimenes por virtut de la informaçion por el dicho procurador (62 vto.) fiscal a nos ministrada. E visto todo lo procesado particularment contra el dicho Pedro Polo sobre la verdat de los dichos crimenes de heregia y apostasia. E vistos todos los articulos de lo atendido, o por la probança fecha por el dicho procuradro fiscal no consta clara ni liquidamiento el dicho denunçiado haver cometido los dichos crimenes de heregia ni apostasia de que acusado aunque resulta grandes sospechas contra el dicho Pedro Polo de los dichos crimenes. E atendido que en nuestra paciencia el dicho Pedro Polo a abjurado publicamente los dichos cirmenes de que es obido por sospechoso. Por ende hovido nuestro consejo con personas letradas de sçiençia y consçiençia. Et personalmene de consejo del magnifico miçer Andres Gutierrez de Quintanilla açesor del dicho sancto offiçio teniendo a Dios ante nuestros ojos con intençion de ministrar justiçia.

Fallamos que devemos pornunçiar y pronunçiamos y declarar y declaramos al dicho Pedro Polo haver seydo y ser sospechoso de los dichos crimenes por el, specialment abjurados. E por que no es razon que las dichas sospechas y crimenes queden inpunidas provamos (pag. 63) que en lugar de penitençia mandamos al dicho Pedro Polo que no cometa los dichos crimenes ni errores de heregia y apostasia por el abjurados de que es havido por sospechoso, y asi mismo condepnamos al dicho Pedro Polo a carcel temporal a nuestro arbitrio y vuluntat, reservando a nos otra qualesquiere penitençia que a nosotros sera bien vistos deba ser impuesta al dicho Pedro Polo. Atendido los mitos de sus processos, la inquisiçion y declaracion de la qual en nos reservamos. E mas lo condepnamos al dicho Pedro Polo en todas las cosas justamente fechas en el dicho processo las quales en nos reservamos. E asi lo pronunçiamos.

Die XX marcii anno MCCCCLXXXXIII. Calatayubii, dominus sancte inquisicionis.

Eadem die reverendus frate Petrus Valladolit, prior e inquisitor eis instante receptor de las pecunyas de la parte de Pero Polo penit entiado hunidas informacion del valor de todos sus bienes devotis hoveribus tasso y declaro la tercera parte de todos sus bienes en dos mill sueldos dineros jaqueses pagaderos al dicho Martin cosa daqui a Sant Johan del mes de junio primero vinient inlasme la qual tasacion el dicho Pedro Polo accepta apudme Michalele Marquo, notario. Testes: Pedro Betian, luagrtienient, et receptor e Martin Adrian, notario ciudadano Calatayubii.

PROCESO CONTRA PEDRO DE SANTA CLARA, ALIAS EL ÇEDAÇERO, HABITANTE DE CALATAYUD, ACUSADO DE JUDAIZAR (AHP, inquisición caja 9, N° 1).
COMIENZO DEL PROCESO: 11 de Marzo de 1488.

TESTIGOS DEL FISCAL PARA ACUSAR A PEDRO DE SANTA CLARA.

Die XI mensis marci anno MCCCCLXXVIII.

- (pag 5) Eadem die apud in civitatem Calataiubii, coram reverendo domino ffratre Michaelle de Monterrubeo, inquisitore heretice e apostatice habitant Calataiubit comparvit Açach Enforna, judey habitant aljame judeorum civitas predicte, et qui juravit in posse dicti domini inquisitoris per Deum et decem precepta legis Moysen et per juramentum dixit ut qui sequitur:

Dize este testimonio deposant que havra seys anyos poco mas o menos estando este deposant en el mercado de la present ciudat huno llamado Pedro de Sancta Clara, alias el cedacero que mora en huna calle que salle al mercado cabo casa de Gonçalvo de Moros, el pregunto con mucha affeccion vaxiquo, quando es el dia sancto de nuestro quipur y que este deposant dixo al dicho Pedro de Sancta Clara tal dia es y el dicho Pedro de Sancta Clara dixo a este deposant gracias a Dios que luego y seremos en el dicho ayuno de quipur. Item mas dize este testimonio depossant que en el mismo tiempo el dicho Pedro de Sancta Clara, alias el cedero, dio a este depossant dos sueldos por dos vezes pora olio a la sinoga y queste depossant tomo los dichos dineros y merquo olio dellos y lo envio a la sinoga con hun mesase de su casa cuyo nombre no le acuerda (pag. 5 vto.) Testes: Petrus Diaz, notarius e Johannes Torrexon, nuncios dicte audiencie.

Dicte die e anno.

- Eadem die coram dicto reverendo domino fratre Michaele de Monterrubeo, inquisitore comparvit, Jehuda Çahadias, judey habitant aljame judeorum civitas predicte, et qui juravit in posse dicti domini inquisitoris per Deum et decem precepta legis Moysen et per juramentum dixit ut qui sequitur:

Dize este depossant que abra tres meses poco mas o menos dixo a este deposant huno llamado Astrugo (Astruc), judio habitant en Calatayut que ha hunas bodas de Pedro el Çedaçero degollo todas las aves que se comieron en las dichas bodas. Testes: prime dicte.

CONFESION DEL ACUSADO

(pag. 6) Esta es la conffession o reconciliacion de Pedro de Sancta Clara, Çedaçero, habitant en Calatayut, con la sancta madre yglesia con el officio de la sancta inquissicion de la santa fe catholica.

Primo que por el officio que tengo con el qual sostengo mi casa he participado con muchas personas e diversos stados e condiciones, primerament con Johan Lopez Coscollan et con Pedro de Sancta Clara, Platero, y aquesto en particular fue infformado que noy y devia tener ni menos creer sino solo hun Dios verdadero el qual huvo creado el cielo y la tierra et que no hende fablase con ninguno ni resurreccion ni mucho menos aserpsion (ascension). E yo visto lo que por ellos eracreydo he yo informado si de lo sobredicho como del sagramento del altar que me dezian que no era verdat ni era nada so stado por spacio de tiempo de dos anyos poco mas o menos en su credulidat. Et he estado en esta incredulidat diziendo en un mismo hosthentara con algunas otras personas que no semeacuerda han cando (cuando); ende de lo sobredicho salvo con mi fijo Leonart y con Johan Desperanden vezinos de Calatayut y mi ijo de dixo que se maravillava mucho de mi questava en semblanto incredulidat car no podia veyer ni creer todo lo que la sancta madre yglesia tenia et fazia et de aquesto me rogava mi fiijo que no ende fablase con ninguno (pag. 6 vto.) sino que fuesse a mis conffessores et que me confiesse et apreycaciones et asi lo fize et gracias fago a mi redemptor Ihesus que fue informado et reduzido totalmente a la sancta fe catholique de quatro anyos poco mas o menos lo qual creo et tiene en todos los ditos articulos de la fe catholica.
Item del sancto sagramento del altar et dia de Corpus Cristi faziendo la procession qual de la ciudat como fueron al mercado desta ciudat yo estando con el dicho Pedro el Platero, passando la cristodia (custodia) me gerrolle (arrodillé) et como cristiano ami creador y redemptor como cofratre de la corfraria de Corpus Cristi adore, adoro et creo verderametne que debaxo de aquellos accidentes esta aquel el qual es Dios verdadero e hombre nacigo del vientro virginal de sanctisima virgen Maria, la qual tengo por advocada et como me levante no trobe a Pedro de Sancta Clara antes se apto y no fizo reverencia al Prous y me increpo porque yo creya lo sobredicho. Et yo dixe que me dexase por amar ade Dios que ami me havia plazido adorar y fazer reverencia a mi sennor Iehus Cristo y esto havia a la fiesta que venia de Corpus Cristi tres ayos a mi parecer.
Item veniendo en enfermedat se grera o maniffiesta he comido carne e guebos antes de misa o apres de misa en tiempos no devidos y encora en dia de viernes Sancto comi guebos antes del oficio (pag. 7) no por golateria mas por neccessidat y tambien le acuerda haver comido carne en quaresma stando sano de enfermedat ho y encora guisar hamin con carne con garvançós de part de noche el sabado pora el domingo porque fuesemos todos a misa, e yndo con companya de cristianos e judios por caminos o ferias o fuera de ferias comido carne degollada por judios o garvanços turrados o rosquillas o pancenceyo empo no se le acuerda, en pascua de judios,

- 398 -

o en que tiempo. Et asi mesmo de moros no por judayçar ni servar la ley mahometiqua mas santiguando et comiendo como bien de mis senyor Ihesus.

Item quando yo Pedro de Sancta Clara fizo bodas con mi muxer segunt ordinaçion de la sancta madre yglesia el segundo dia clamado torna boda, vino hun judio clamado Astruc, sastre, a estenar con los otros cristianos y estreno y porque tomo la bianda ya degollada para comer el judio no queria conmer de la vianda degollada daronle a el que degollase ave o haves pora que comiese et asi lo fizo et comio en las bodas.

Item stando mi fija Maria, muxer de Mallen Tayedor, mal de fiebres que otros me dezian que deoxo, clame hun judio el nombre del qual no sabe ni le recuerda que le regaba mucho que viniese a mi casa (pag.7 vto.) a visitar huna fija que tenia enferma et el dicho judio vino y viola et dixo que le asase la cinta de la enferma y daron gela y el fizo ciertas mesuras a palmos y acontos et perfumola con muchas yervas de Sant Johan y otras yervas y mediant dias huvo sanedat y esto mismo fize otra vegada fazer al dicho judios por hun mecovrio et Dios mediante huvo sanedat, y el dicho judio faziendo aquelas mesmas rezava mas no sabia lo que dezia.

Item de todas las suso dichas cosas assi en qual como en particular me so conffesado con conffesores mios maestro en theologia assi de la orden de predicadores como de frayere menores et de otras ordenes et o estado absuelto por las bullas. Los quales yo havia tomado de mis peccados todos et de qualquiere sentencia de excomunicacion et me daron petitencia lo qual conpli et recibi el sancto sagramento del altar como fiel cristiano et asi la dicha conffession sagramental e penitencia no abastado pora sanffacion (salvacion) de mis cupas agora me someto a las reverencias de vosotros senyores inquissidores.

Item dize mas que en el tiempo suso dicho questant en la dicha incredulidat ha hun que conffesant algunas cosas no conffessava las suso dichas cosas tocante a la dicha incredulidat.

ACUSACION DEL FISCAL

(Pag. 10) Coram nobis reverenidis patris inquisitoris et vicari generali heretice et apostatie in episcopatu tirasone regni Aragonum conparvit et conparet Martinus de Garces, procurator fiscalis et minister sancte inquisicionis et in nomine procuratore predicto insinuando et denunciando ac illis me via modo forma et causa quibus potest et debet et infra scripta eius proposito et intencionis penis utilitatis et eficaci valent posuti aplicati pecit agit et denunciat que et adversus Petrum de Sancta Clara, alias çedaçero, habitantorem civitastis Calatayubii, reu et criminosus de crimine herentesis et apostasie ac eclesie santorie heretico behementer suspectum difamatum et culpabilem et merito puniendi infra scripti minibus comisis et perpetratis omnia et singula crimina excesus et delictam hereticalia et santorie persone quentes articulos declarata modo et afirma sequentibus:

Et dize el dicho procurador fiscal ministro de la santa inquisicion que el dicho Pedro de Sancta Clara, denunciado, teniendo esperança en la ley de Moyesen ha fecho y observado ritos y cerimonias judaicas, crimenes de heregia y apostasia en la fe cometido, y ha observado el sabado por fiesta como los judios le obserban, absteniendose de negociar en el dicho dia en el qual ha comido hamin guisado por judios en la juderia y en su casa, y ha comido muchas y diversas vezes carne y en cuaresma estando sano y sin necesidat, y ha festibado las pascuas de los judios comiendo pan cancenio y turrado y alcahalillas y ha dayunado muchos ayunos de judios senialadamente el de quipur que se llama el gran perdon y por fazer sus limosnas ha fecho muchas limosnas a judios asi en general como en particular a la forma judayca y esto es verdat.

Item dize el dicho procurador fiscal que el dicho reo y criminoso ha futanmente confesado dentro el tiempo de la gracia por que ha (pag. 10 vto.) dicho cosas ceviles y de poco prejudicio y ha omitido cosas graves y pondero sabe por que ha celado ser criminoso y fue y es verdat el ser criminoso como dicho es por muchas vezes dio dineros pa olio a las lanpadas de la sinoga, y ha estado mucho tiempo que no ha creido nuestro sennor Ihesu Cristo ser fijo de Dios ni a ver venido a tomar carne umana en la virgen nuestra sennora ni menos a creydo en el santo sacrametno del altar que alli se consagrase el cuerpo de nuestro sennor Ihesu cristo y asi mismo ha dicho y afirmado que la ley de los judios era la verdadera y que en aquella los buenos judios se salbaban y ha dicho otras muchas flasfemias contra la sancta fe catolica en oporbio de nuestro sennor Ihesu Cristo y de la sancta madre yglesia y esto es verdat.

Item mas dize el dicho procurador fiscal que el dicho Pedro de Sancta Clara ha cometido y perpetrado todos los suso dichos crimenes de heregia y apostasia en lafe, muchas otras cosas contra la ley evangelica de nuestro sennor Ihesu Cristo, et mala mulis acumulando et meis persistendo y perseverando publica ni perdimenta de sensiones factorias et perturbaciones o facio de libero exercicio sten misiones pertulit. Et dedit pecunias pa la bolsa de los conversos por la qual se entendia el libero exercicio de la sancta mision cesaria y esto es verdat.

EL FISCAL INTERROGA AL ACUSADO.

Die IIII mensis junii anno MCCCCLXXXVIII.

(Pag. 14) Eadem die reverendus dominus Martinus Navarro inquisitor e vicarius generalis instancie et suplicante dicto procuratore de loci heretice (pag. 14vto.) et apostantice pravetat jux per dictos reverendos dominos inquisitores e vicarium generalem heretice pravitat sancte de interrrogando Pretrum de Sancta Clara denunciatu ad interrogandum dictum Petrum de Sancta Clara habitator civitas Calatayubii de presente ab suis instructore aliquo per quem mandavit interrogat pose prestar juramentum olim incontinenti juravit inposse dicti dominum inquissioreis per Deum omniun sanctam dominus nostri Ihesu Cristi sacro sanctos quatuor evangelia coram eo posuit. Reverenter inspecta emssu propiis manibus corporalitar tactas qui per juramentum fuit interrogatus dictius Petrus de Sancta Clara especiffiter sigillam sup uno quolis articulorum contentorum in dicti denunciacione predictum procuratorem fiscalem inpunitam de sup oblit inhivit qui sequitur modum.

Et primo fuit interrogatus dicti peturs de Sacta Clara sup contentis in primo articlo predictus articulis dicte denunciacionis predicutm procuratorem fiscalem de sup oblit et lecio et peam intellecto que per jurametum sup contentis in eo quo ad particular illa dicti primi articuli donde dize si a guardado (pag. 14) el sabado o si ha comido amin en el dicho dia del sabado guissado de judios en la juderia y en su casa et sia comido carne en quaresma estando sano et si ha ayunado el ayuno de quipur et si ha comido en las pascuas de los judios pan cencenyo turrado y alcahalillas et si ha dado limosnas a judios, dixo et respuso que por todo el tiempo de dos anyos questuvo incredulo en la fe de nuestro senyor Ihesu Cristo segunt que en la dicha su conffesion ha dicho y conffessado guardado todos los dias del sabado et ayuno por dos vezes el dicho ayuno de los judios y que puede haver quarenta y tres anyuos poco mas o menos estando en la ciudat de Valencia este conffesant en casa de hun amo suyo llamado daniel Dalmau, casado con huna muxer llamada Aldora, que vivia en el Torret, non por mandado del dicho su amo ayuno el dicho ayuno de quipur por dos o tres vezes en esta manera que no comia fasta que era de noche y que quando era de noche comio carne y tambien en dos anyos que este deposant stuvo en casa del dicho Daniel Damau guarde los sabados a indicacion del dicho Daniel Dalmau desta manera que en los dichos Sabados no fazia fazienda ninguna.

(pag. 15 vto.) Et mas dize este confessant queldicho pan cenceyo rosquillas y turrados que en la dicha su conffission a conffessado haver comido que lo comio asien las pascuas de los judios como en otros dias. E mas dize este conffesant que muchos dias de viernes et sabados en quaresma e en otros dias prohibidos en carnal satando sano ha comido carne y esto porque la saadura y el pexcado le fazian mal. Et mas dize este confesant que a socorrido et fecho almosna ha huna judia hermana suya pobre clamada Clara, judia, que vive en Arandiga porque estava en mucho menester le ha subvenido en partidas en suma e voluntat de cinquanta sueldos poco mas o menos.

Interrogatus dictus Petrus de Sancta Clara sup contentis in segundo articulo et dictis articulis dicte denunciatibus per dicte procurator fiscalis de sup oblit lecto penum intellecto per juramentum dize que este confessant dio dineros pora olio a los lampedas de la sinoga dixo et respuso que es verdat que en el tiempo susso dicho de dos anyos que era incredulo (pag. 16) en la fe de nuestro senyor Ihesu Cristo dio en quatro o cinquo vezes pora olio a la sinoga dos sueldos.

Item quo ad illam predicti secundi articulo donde dize queste conffessant a estado mucho tiempo que no ha creydo en nuestro senyor Cristo ser fijo de Dios ni haver venido a tomar carne humana en la virgen Maria nuestra senyora ni menos ha creydo en el sagramento del altar et que la ley de los judios era verdadera sancta y buena y en aquella los buenos judios se salvan dixo et respusso que todo el dicho tiempo de de dos anyos qustuvo en la diha incredulidat no creyo que nuestro senyor fuese fijo de Dios ni haver venido a tomar carne humana en la virgen Maria ni ha creydo en el sagramento del altar ante no creya en la fe de nuestro senyor Ihesu Cristo et dizia que tenia fe et creheça en el dicho tiempo de la incredulidat que la fe de los judios era sancta y buena y que en ella los buenos judios se podian salvar e se salvavan. Et que en las fiestas et domingos de los cristianos si los gardava no los gardava por devocion que tuviesse sino por aparençia que ninguno no lo indicasse que era mal cristiano et fuese tunido por los cristianos en buena reputacion y que en todo el dicho error estuvo este deposant a indicaçion (pag. 16 vto) de Pedro el Platero et de Joan Lopez Coscollano, en todo este tiempo suso dicho de dos anyos. E que sobre lo contenido en el dicho segundo articulo no y sabe otro sino lo que en la dicha su conffission ha dicho y conffessado.

Item dize et conffiesa este conffessant que depues se le acordado que en los dias de la pascua de las cavanyvelas de los judios ha comido por tres vezes en casas de judios dentro de las cavanyvelas ensemble con los judios que alli estavan todos asentados ha huna con la que juntamente con ellos los nombres de los quales no le recuerda, carnes judaycas e vevia del vino judayco e comia de otros muchos menjares judaycos que los dichos judios tenia apexados en los dichos dias de la pascua et comian en aquellos dias los dichos judios. Es asaber la primera buelta que como este deposant dentro de las dichas cabanyvelas fue en el lugar de Albarrazin en casa de hun judio pariente deste conffesant llamado de sobre nombre Çerruch y puede haver esto hunos trenta anyos poco mas o menos et estuvo este conffessant present quando se fizo la bendicion de la tavla (tabla). La segunda buelta questuvo et comio de dentro de las cavanyvelas fue en la ciudat de Daroqua en casa de hu judio clamado Salomon Çerrut, pariente deste conffessant et havra esto hunos quinze anyos poco mas o menos et stuvo presente a la vendicion (pag. 17) de la tavla, la tercera vegada que comio de dentro de las cabanyvelas fue hun almuerzo en la dicha pascua de las cabanyvelas estando en la ciudat de Calatayut en casa de hun judios no se acuerda si se clamava Astruch Vitales o Salomon Çerrut, jduios, et que ha hunos quinze anyos poco mas o menos que comio en el dicho almuerzo baxo de las dichas cabanyvelas.

Interrogatus dicti Petrus de Sancta Clara si havia conffesado los ayunos de quipur que havia fecho a ningun su conffessor desde el dia que los cometio fasta oy dixo et respuso que nunqua lo conffesso fasta oy como quiere que cadaun anyo se conffessava de todas las cosas como cristiano empero que aquellos ayunos de quipur no conffesso a ningun conffesor. Interrogado porque no los conffessava dixo et respuso que por verguença los lexava de conffessar por que lo tuviessen en estima de mal cristiano. Testes: Johanes Martienz, notarius, et Dominicus Egidii, nuncii habitant civitas Calatayubii.

TESTIGOS DEL PROCURADOR FISCAL EN CONTRA DEL ACUSADO.

Die VI mensis febroari anno MCCCCLXXXVIII.

- (Pag. 21) Eadem die coram reverendo domino Martino Navarro inquisitore heretice et apostatice pravitat comparvit Elvira de Bonilo, habitant civitas Calatayut qui juravit in posse dicti dominis inquisitoris per Deum et crucem sancta dominum nostri Ihesu Cristi eiu sup sacro santa quatuor evangelia coram eo posita sup propis manibus corporaliter tacta qui diceret quiodam veritate de his qui sup quibus interrogat esset qui per juramentum e invum respondit e dixit in modum qui sequitur:

Dize esta deposant que abra ocho meses poco mas o menos dixo a esta deposant huno llamado Pero Sanchez que esta casao en Maluenda que Pedro el Çedaçero muchos sabados yba por la manyana a la juderia y no venia fasta la noche. Testes: Johannes Perea e Joannes Martinez, notario habitant in civitas Calatayubii.

- 400 -

Die XXIII febroari anno MCCCCLXXX octavo.

- (pag. 21 vto.) Eadem die coram revendis dominus frate Michaele de Monterrubeo et Martino Navarro inquisitoribus heretice et apostatice pravitat, in civitate Calataiubii comparvit Cathalina uxor Joannis Lopez de Valtyenya, soguecii habitant civitas Calataiuvii, qui juravit emore posse per deum et crucem sanctam domini nostri Ihesu Cristi et per juramentum dixit qui sequitur:

Dize esta testimonio deposant que abra dos meses poco mas o menos oyo dizir esta deposant que huno llamado Pedro el çapatero, fijo de domingo el çapatero, que vive en Calatayut en la plaça de la figuera que havia oydo dizir a huna muxer llamada la muxer de Andres del Payre, vidua que mora a Vallopiel, cerqua la casa de Diego Lopez que quantas aves havian muerto Pedro el çedaçero pora las bodas de su primero fijo, las havia enviado a degollar al Rabi de la juderia de la presente ciudat. Testes: habitant predicitis Johannes de Torrexon et Dominicus Egidii, nuncii habitatores civitas Calatayubii.

Die XXVIII mensis junii anno Millesimo CCCC LXXXVIII.

- (pag. 21 bis) Eadem die coram reverendo domino fratre Michaele de Monterrubeo inquisitore comparvit Astruguo Vitales, judeus aljame civitas Calatayubii qui juravit per Deum et deçem precepta legis Moysi. E per juramentum et in deposuit ut sequitur:

E dize este testimonio deposant que havra quarenta y cinquo annos poco mas o menos tiempo que se acuerda muy bien este deposant que en las bodas de uno llamado Pedro el çedaçero, por mandado del dicho Pedro el çedaçero degollo este deposant una gallina y por mandado del cozino (cocinero) de dicha boda del dicho Pedor de Sancta Clara, alias el çedaçero, degollo este deposant tres o quatro pares de gallinas cuyo nombre del dicho cozino es Alfonso Marixuela.
(pag. 21 bis vto.) Item dize este deposant que havra veynte ocho annos poco mas o menos por la pascua de pan cancenyo de los judios entro este deposant a casa de Pedro de Sancta Clara, alias el çedaçero, con un mesaje (muchacho) de su casa cuyo nombre no se acuerda a este deposant pan cançenyo, turrado y alquaaquillas, el qual pan çançenyo el dicho moço dava en casa del dicho Pedro de Sancta Clara y lo recibian alli segunt el dicho moço dixo a este deposant.
Item dize este deposant que avra quinze annos poco mas o menos sabe este deposant como el dicho Pedro de Sancta Clara dio a este deposant quinze sueldos pa que este deposant mercase dellos unas faldillas y las diesse a una su hermana judia llamada Clara que mora en Arandia, y este deposant tomo (pag. 21 tris) los dichos quinze sueldos y los merquo de panno (paño) y lo dio el dicho panno a la dicha clara judia. Testes: Fuit presentes vocati Johannes de Murillo, notario, et Johannes Torrexon, nunciis, officii sancte inquisicionis.

Die Vicesima quinta febroari anno M CCCC LXXX octavo.

- (pag. 22) Eadem die coram reverendus dominus inquisitoribus predicti comparvit Benedictus Somer, agricultor, vizinus loci de Terrer aldee civitas Calataiuvii, testis per dictum fiscalis, qui juravit inpose dicto omniorum inquistor per Deum et crucem sanctam domini nostri Ihesu Cristi emisus propiis manibus corporaliter tacta et per juramentum dixi ad quod sequitur:

Dize este deposant que havra dos anyos poco mas o menos estando este deposant en la plaça del dicho lugar de Terrer con algunos del dicho lugar de Terrer ablando de la inquissicion dixiendo que los que havran comido carne degollada de jodio o moro tambien e caso de la inquisicion dixo hun judio clamado a Strugo, vezino de Calatayut si esos es caso de enquesta muchos lloraran senyualadamente dixo por quanto sabia que huvo llamado Pedro de Sancta Calra, alias çedarero, a unas bodas no sabe si dixo de fijo o fija le havria fecho degollar todas las aves. Testes qui supra.

Die II mensis marcii anno M CCCC LXXX VIII.

- (pag. 22 vto.) Eadem die coram reverendo domino Martino Navarro inquissitore per dicto compavit Johannes Gonçalvez, filia Johannes Gonçalvez, et Ysabellis Lope, uxor magistri Petri el Platero habitatoribus civitas Cesarauguste vinit invico mayoris dicte civitas Altorongera que juravit in pose dicti domini inquissitoris per deum et crucem sanctam domini nostri Ihesu Cristi eius sacro sancta quatuor evangelia coram eo penna at reverenter inspecta susi propiis manibus corporaliter tacta et per juramentum dixit id qui sequitur:

Dize este deposant questando en casa de huno llamado Pedro de Sancta Clara el çedaçero vio este deposant que hun dia que no sabe si era sabado o viernes salvo que le cuerda era dia de pexcado guisaron amin en casa hun dia pora otro y que es recordant quel dia que lo comieron el dicho amin era dia de pescado y el dia que lo comieron no sabe que dia era sino que era fiesta del qual amin comieron el dicho Pedro el çedaçero y su muxer cuyo nombre no le acuerda y las moças de casa cuyos nombres no le acuerda y que tambien ende comieo este deposant y hun su fijo del dicho Pedro el çedaçero clamado Joan y (pag. 23) una fija del dicho Pedro el çedacero cuyo nombre no le acuerda sino que sabe questa casada con Granyen el Organero y tambien con comieron del dicho amin. Testes: Joannes Perez, notarius et Dominicus Gil, nuncius officii sancte inquisicionis civitas Calatayubii.

Die VIIII mensis aprilis anno M CCCC L XXX VIII.

Eadem die coram reverendo domino fratre Micalelle de Monterubeo inquisitore predicto comparvit Andrea Domingues, uxor Gostin Tirateii, habitant civitas Calatyiubii, qui juravit in pose dicti domini inquissitoris per deum et crucem sanctam domini nostri Ihesu

Cristi eius sacro sancta quatror evangelia coram eo penna at reverenter inspecta susi propiis manibus corporaliter tacta et per juramentum dixit id qui sequitur:

Et primo dize este testimonio deposant que havra cinquo anyos poco mas o menos rinyerido (pag. 23 vto.) el marido desta deposant llamado agostin de Balduch, tiretero, con huno llamado Pedro de Sancta Clara, alias el çedaçero, habitant en la dicha ciudat de Calatayut que agora esta presso en la inquissicion oyo esta deposant quel dicho Pedro de Sancta Clara dixo al dicho su marido llamado Agostin: "cristiano de natura, cristiano de mala ventura". Testes: magnifficus Joannes de Ardiles, jurispurdentus et acçessor, et Johannes Torrexon, nuncii officii sancte inquissicionis civitas Calataiubii habitator.

Die XXXI marci anno anativitate M CCCC LXXXVIII.

- Eadem die coram reverendo domino fratre Michaele de Monterubeo inquisitore predicto comparvit Manuel Corcoz, judeus habitant aliame judeorum civitas Calataiubii, qui juravit per Deum ac decem precepta legis Moysy et per juramentum dixit sup per sequitur:

Et primo dize este testimonio deposant que habia quatro anyos poco mas o menos que hun dia (pag. 24) estando este deposant en el mercado de la present ciudat de Calatayut se llego a este deposant huno llamado Pedro de Sancta Clara, alias el çedaçero, habitant en la dicha ciudat de Calatayut questa preso en la sancta inquissicion y en pues de fablado muchas cosas el dicho Pedro de Sancta Clara y este deposant vinieron a fablar de la inquissicion y el dicho Pedro de Sancta Clara dixo esta inquisicion aze Yzebel no habeys leydo vos las ystorias de los reyes ayt follareys (hoiréis) como aquella Yzebel fue sentenciada y murio a mala muerte y era fija del Rey y esta nuestra Reyna es aquella que tanbien se llama Ysabel que quiere quasi dezir Yzebel y tanbien fara lasin de aquella. Testes: Johannes Torrexon et Dominicus Egidii, nuncii sancte inquissicionis civitas Calatayubii.

Die decima mensis madii anno M CCCC L XXX VIII.

- Eadem coram reverendo domino fratre Michaelle de Monterubeo inquisitore comparvit Brahem Arruet, habitant aljame judeorum civitas Calatayubii qui juravit (pag. 24 vto.) in pose dicti domini inquissitoris per deum et crucem sanctam domini nostri Ihesu Cristi eius sacro sancta quatuor evangelia coram eo penna at reverenter inspecta susi propiis manibus corporaliter tacta et per juramentum dixit id qui sequitur:

Dieze este testimonio deposant que abra tres anyos poco mas o menos que huno llamado Pedro de Sancta Clara, alias çedaçero questa preso por la inquissicin dio al present deposant tres reales castellanos de plata pora que los diese a huna hermana quel dicho Pedro de Sancta Clara tiene judia en Arandiga que se clama Clara y dize mas que huyo dizir quel dicho Pedro de Sancta Calra otras vezes havia enviado dineros de la dicha su hermana pero no sabe con quien geles havia enviado ni se le acuerda que gele dixo. Testes: Johannes Torrexon et Dominicus Egidii, nuncii officii sancte inquisicionis civitas Calataiubii residentes.

DECLARACION DEL ACUSADO.

(Pag. 32) Ante la presençia de vosotros reverendos sennores padres fray Miguel de Monterrubeo del Orden de los predicadores, linçençiado en sancta theologia, prior del monesterio de sanct Pedro de las Duenyas, inquisitor de la heretica y apostatica pravedat, por todo el reyno de Aragon y en los Obispados de Taraçona, en el dicho reyno: Çiguença, Osma y Calahorra, en el Reyno de Castilla, por la sancta Sede Apostolica, dado y deputado. E Martin Navarro presbitero maestro en sancta Theologia, vicario perpetuo de la iglesia parrochial del lugar de Çella, inquisidor assi mesmo de la dicha heretica y apostatica pravedat por todo el reyno de Aragon, y en los suso dichos obispados por la dicha sancta Sede Apostólica dado y deputado, otro si vicario general y juez ordinario por el reverendo sennor don Andres por la divina miraçion, obispo de Taraçona, espeçialmente dado y deputado para inquirir de la dicha heretica y apostatica pravedat en todo el dicho obispado de Taraçona.

Constituido personalmente, yo Pedro de Sancta Clara (pag. 32 vto.) alias çedaçero habitador de la present ciudat de Calatayut, puestos ante mi los sacro sanctos quatro evangelios por mis manos corporalmente tocados, e reverentment mirados e acatados anatematizo et abiuro toda espeçie de heregia y apostasia que se levante contra la sancta fe catholica y ley evangelica de nuestro redemptor y salvador Ihesu Cristo y contra la sancta Sede Apostolica y Romana yglesia y senyaladamente aquella en que yo he caydo. Porque seyendo Cristiano babtizado passe a los ritus y cerimonias judaycas, porque ayune el ayuno de quipur de los judios por tiempo de dos o tres annos en la ciudat de Valençia en esta manera que no comia, fasta que era de noche y quando era denoche cenava carne y otras viandas. E por que gurade el sabado por fiesta absteniendome de fazer fazienda alguna por tiempo de dos anno. E por que comi pan cançenyo rosquillas y turrado en la pascua de los judios y en otros dias. E por que comi carne en quaresma estando sano. E por que di almosna a una judia pobre. E por que estuve incredulo del sancto sacramento del altar por tiempo de (pag. 33) dos annos poco mas o menos a induccion de algunos malos cristianos creyendo el dicho sancto sacramento no era verdat ni era nada mas antes en el dicho tiempo no creya sino un solo Dios verdadero, el qual ovo creado el cielo y la tierra y creya en el dicho tiempo de dos annos que no havia incarnaçion ni passion ni resurreccion y mucho menos assenssion y por que no creya en la fe de nuestro sennor y salvador Ihesu Cristo, en el dicho tiempo de los dichos dos annos. E por que di en quatro o cinquo vezes dos sueldos para olio a las lanpadas de la sinoga. E por que creya que la Ley de los judios era sancta y buena y los buenos judios en aquella se podian salvar y se salvavan y por que no guardaba los dominguos y fiestas de los cristianos por devoçion que tuviesse sino por aparençia porque ninguno me indicase que era mal cristiano, e fuesse tunido por los ciristianos en buena reputacion, y esto por tiempo de los dichos dos annos. E por que he comido (pag. 33 vto.) en los dias de la pascua de las cabanyvelas de los judios por tres vezes en casas de judios dentro de las cabanyvelas ensenble con los judios que alli estavan todos assentados en una mesa, comiendo carnes judaycas e otros menjares judaycos que los judios comian y bevian del vino judieguo. E por que entodo el tiempo de mi vida nunca confesse a mis conffessores los ayunos de quipur y otros errores hereticales a un que confessava otros pecados mas ante los dexava de confessarpor berguença y por que no me tuviessen en estima de mal cristiano y reçibia cadaun anno el Corpus Cristi ansi fictamente confessado. E por que fize cometi e perpetre los ritus e çeremonias judaycas suso dichas, e por que me perjure una e muchas vezes en la causa de la fe. E por que fue excomulgado por no haver manifestado las dichas mis heregias. Por tanto abjuro y reniego anatematizo y maldiguo aquellas y otras qualesquiere heregias y consiento en la sancta fe catholica (pag. 34) de nuestro salvador y redentor Ihesu Cristo y ley evangelica y en la sacta romana yglesia y Sede Apostolica y con la boca y con el coraçon verdaderamente diguo y affirmo que la Ley de Moyusen fue y es muerta y evanida, por el advenimiento de nuestro redentor y salvador Ihesu Cristo Dios y hombre verdadero, e por la sancta Ley evangelica que el por si nos dio y por sus sanctos apostoles por todo el universo mundo predicar fizo y mando. Y la sancta sede Apostolica haverse de tener y creher verdadera determino, diguo y affirmo que no hay otra Ley buena ni verdadera sino esta. La qual yo pecador verdaderamente creo con firme coraçon y entera voluntad, y aquella publicamente confiesso y diguo que ninguno no se puede salvar sino en ella, y por que en aquella solamente salvar me entiendo, y en ella proprotiesto que agora y para siempre morir y vinir quiero y ansi lo juro por estos sacro sanctos quatro evangelios. E allende desto juro que (pag. 34 vto.) no cometre ni fare tal error quel ante de agora fize cometi e perpetre, e de presente, e abiurado e abjuro, ni otro error alguno que vaya o venga cotnra la sancta fe catholica, e Ley evangelica. E si lo toviere lo que Dios no queran le plegue, o de mi, o de otros lo supiere, por çierta sciencia o credulidat o presumpçion o en otra qualquiere manera juro de lueguo revelarlo y dezir lo a vosotros sennores inquisidores y vicario general o a quien por tiempo el tal offiçio tendra, y ultra de los suso dicho juro y prometo que reçibre humilmente y con paçiençia qualquiere penitençia que por vuestras reverençias por los dichos cirmenes mios me sera inpuesta invicta y dada y que aquella con todas mis fuerças eficazmente y con efecto cumplire sin diminuçion alguna y sin venir en todo o en parte contra ella por estos sacro sanctos quatro evangelios e quiero consiento e me plaze que si en algun tiempo yo ire a berve en todo, o en parte contra las cosas suso dichas por mi juradas, y abiuradoas lo que Dios no quiera que en tal caso sia hovido y tunido por relapso y subierto a sufrir las penas que de drecho canonico se requiere que sufra con (pag. 35) todo riguor qualquiere relapso en los cirmenes de heregia y apostasia, y quiero y consiento que aquellas me sian dadas y las haya de sufrir quando quiere que algo se me probare haver crebantado de los suso dicho por mi jurado y abjurado. E pido a los presentes notarios testimonio signado y corregido desta mi conffession y abjuracçion y a los presentes pido que sean dello testigos. Testes: reverendus Berengarius Martinez de Daroca, officialis, et Johannes de Nueros, Petrus de Arquos, jurisprudenti et Franciscus de Contamina, cives Calatayubii.

SENTENCIA DICTADA POR LOS PADRES INQUISIDORES.

(Pag. 36) Cristi nomine invocato nos fray Miguel de Monterubeo del Orden de Predicadores, liçençiado en sancta theologia, prior del monesterio de sant Pedro de las Duennas, inquisidor de la heretica y apostatica pravedat por todo el regno de Aragon y en los Obispados de Taraçona en el dicho regno, Çiguença, Osma y Calahorra en el regno de Castilla, por la sancta Sede Apostolica dado y deputado. E Martin Navarro, prebitero maestro en sancta theologia, vicario perpetuo de la yglesia parrochial del lugar de Cella, inquisidor assi mesmo de la dicha heretica y apostatica pravedat por todo el dicho regno de Aragon y en los suso dichos Obispados por la dicha sancta Sede Apostolica, dado y deputado otro si juez ordinario, sapeciamente creado por el reverendisimo in Cristo padre don Andres Martinez, por la divina miraçion obispo de Taraçona para inquirir de la dicha heretica y apostatica pravedat en todo el dicho obispado de Taraçona.
Visto por nos el presente presso criminal practicado y ventillado ante nos y en nuestra audiençia entre el procurador fiscal y ministro de la sancta iqnuisiçion de la una parte agente y denunçiante e Pedro de Sancta Calra, alias el çedaçero, habitant de la ciudat de Calatayud denunçiado (pag. 36 vto.) de los crimenes de heregia y apostasia de la otra parte y deffendiente exhaminado diligentemente el presente presso ffallamos por verdat e por tenor que sus quonffessiones que seyendo cristiano lanzado passo a los ritos y cerimonias judaycas y ha cometido crimen de hergia y apostasia segunt que por tenor del presente presso e de sus quonffessiones e del instro que sus abjuracion poco antes que agora fecho en presencia nuestra a instancia del dicho Pedro de Sancta Clara, alias el çedaçero, quonsta y parece, vista la spontanea quonffession ffecha por el dicho Anthon de Blanas de los dichos sus crimenes de hergia y apostasia e de otra qualesquiere heregia que quontra la sancta ffe catholica y ley evangelica de nuestro sennor Ihesu Cristo se levante y el juramento que ha ffecho de tener quofferssar y guardar aquella verdaderamente en vida y en muerte y de recebir y cumplir la penya (pena) que por los dichos sus delictos de heregia y apostasia con pena de relapso si fuere, o vinyere en todo, o en parte contra lo por el jurado y abjurado. E estas y otras cosas atendidas y quonsideradas havido sobre ellas y sobre todo el presente processo maduro quonssejo con personas letradas y de buena sciencia (pag. 37) tenientes a Dios y teniendo a Dios ante nuestros ojos de cuyo vulen preceden todos los rectos y instos, judicios a dar y promulgar esta nuestra diffinitiva senteçia procedemos de la fforma siguiente. E por que por los ministros del presente proceso y por sus quonffessiones canonica y legitimamente nos quonsta el dicho Pedro de Sancta Clara, alias el çedaçero, han passado a los ritos y cerimonias judaycas por ende por esta nuestra diffinitiva senteçia ponunciamos signamos e diffinitivamente declaramos el dicho Pedro de Sancta Clara, alias el çedaçero, haver seydo hento judayzado e haver passado a los ritos y cerimonias judaycas e haver incurrido en las penas del drecho. E porque vemos agora el dicho Pedro de Sancta Clara, alias el çedaçero, haverse repentido de los dichos sus crimenes de heregia y apostasia y haver quonffessado aquellos con verdadera quontricion segunt dize y en quanto ver y conoçer podemos haver conocido sus grandes culpas y peccados y abnegando aquellos querer ser restituydo al gremio de la sancta madre yglesia apostolica y romana, la qual no cierra el gremio suyo a los que con buena voluntat y verdadera penitençia se tornan querrendolo reçebir ha abjurado los dichos sus crimenes y errores de heregia y apostasia absolvemos y absuelto denunciamos al dicho Pedro de Sancta Clara. Alias el çedaçero, (pag. 37 vto.) de la sentencia de executacion mayor de que era ligado del dia que cometio los dichos crimenes de heregia y apostasia. E reduzimoslo en quanto de drecho podemos y devemos al gremio de la sancta madre yglesia apostoloca y romana, ffaziendolo mienbro della e uviendolo a ella si con verdadero coraçon havra tornado a la sancta madre yglesia e mandamientos

nuestros guarde y cumpliere. E por que los delictos y errores tan grandes no deven guardar inpunidos y el tal errante según las canonicas quonstituciones se ha por luengo tiempo de exhaminar y ver si oida en tenebras, o en luz, o si verdaderamente, o falssa seha quonffessado, o simuladamente tornado a la ley de nuestro sennor y salvador Ihesu Cristo. Lorende por esta nuestra didiffinitiva suia declaramos pentenciamos y en lugar de provian y por previan quondenamos al dicho Pedro de Sancta Clara, alias el çedaçero, a carcel perpetua retenta y le mandamos que no pueda levar ençima de su perssona por arreo oro ni plata ni perlas ni aljoffar ni ambres ni corales ni piedras preciosas ni vestir seda ni grana ni chamelote ni panno riquo alsinio de seze sueldos arriba la vara ni yr a bodas ni a missas nuevas ni a expecta en los de grandes plazeres mundanos ni pueda (pag. 38) ser el dicho Pedro de Sancta Clara, alias el çedaçero, advocado notario procurador medico apotecario ni corredor ni tner offico publico alguno ni pueda traher armas de ninguna specie que sean excepto hun cuchillo pequenno ni ande a cavallo en cavallo ensillado mas siempre ste en habiso humil. E porque por no haver venido ase quonffessar en tiempo devido sus hereticos y apostaticos errores ha perdido todos sus bienes. Lorende de declaramos todos los bienes del dicho Pedro de Sancta Clara, alias el çedaçero, ensemble con los ffruytos recebidos del tiempo aqua que começio (comercio) de presente quonfiscados a la camara y fisco del rey nuestro senno, al qual mandamos en virtut de obedinçia en quanto de drecho podemos y devemos aquellos tome por suyos y como suyos.

PROCESO CONTRA PEDRO SANCHEZ, ALIAS EL RECADERO, TENDERO, HABITANTE DE CALATAYUD, ACUSADO DE JUDAIZAR (AHP, inquisición caja 9, N° 1).
COMIENZO DEL PROCESO: 24 de Enero de 1488.

(Pag. 1 vto.) Examineys y plegue a nuestro Senyor Dios que qunt entera tengo la ffe tan enteramente entre mi anima en la gloria de paradisso. Die XXIIII januari anno M CCCCLXXXVIII. Infra testis edicti.

Die XXVII juniii anno MCCCCLXXXXIIII. Calataiubii per reverenter domini fratre Petrum de Valladolit, inquisitore fuit examinatus de consitena medio juramento sup sua confesione present in ea sup dictus testis negavit procer confesa present de confessatus pecit veniam.

CONFESION DE ACUSACION DEL ACUSADO.

(Pag. 2) MCCCCLXXXXVIIII.

Muy reverendos seniores padres inquisidores en la ciudat de Calatayut, yo Pedro Sancehz, mayor de dias, tendero vezino de la ciudat de Calatayut he sentido et oydo haveys puesto el predicto de las cosas que ningun cristiano aya errado o inçidido en cirimonias o comeres o otros delitos judaycos o en otras cosas que sian fuera de la ffe. E yo a gloria de nuestro senyor Dios sia siempre et de la gloriosa Virgen Maria madre suya he vivido en la ffe catholica e no pensando errar he caydo en las infrascriptas cosas de las quales demando misericordia ydigo mi culpa y ruego a las reverençias vuestras me perdonen.

Primerament he errado porquanto a un mege judio que tenia apensionado por la amistat que tenia con el que le empresetava algunas vezes fruyta o quando melones que le embiava alla a su casa.
Assi mesmo mucho tiempo que ha bien trenta anyos que yva loga algunas vezes camino con algunos judios y comia con ellos alli a la tabla guevos o pescado o esto tal que en la verdat no me recuerdo si era mora o cristiana lo que lo guisava que haya pro tiempo.
Assi mesmo a maestre Huda Lupiel que era un judio cirujano por quanto fizo en mi casa dos o tres curas buenas en mis fijos y a buen mi por lo semejante le embiava algunas vezes fruyta algunas vezes melones o esto tal.
Al present en mi conçiençia no me acuerda otro de si me acordare lo conffessare. Et de todo demanda misericordia e porque me pareze la conçiençia sia limpia e pro que nuestro senyor Ihesu Cristo Dios padre iusto y verdadero mas accepta la obediençia que el sacrifficio yno me insumeto a la santa ffe catholica y a vosotros senyores padres inquisidores ministros de aquella, lo qual con testigos dignos de ffe. Remeto a vuestras conçienças que (falta).

TESTIGOS QUE DECLARAN CONTRA EL ACUSADO.

Die XI junii anno M CCCCLXXXVIIII. Calataiubii.

(pag. 4) Eadem die coram reverendo domino Marco Garsie, inquisitore heretice et apostatice comparvit Joannes Garsie inquisitore tenderius habitant civitatis Calatayubii, testis pro dicti qui juravit per Deum sup crucem et jurato deposuit ut sequitur:

Dize el dicho testimonio deposante que vio havra mas de vinte annos como Pedro el recardero desta ciudat al tiempo de la pascua de los judios levava a los judios pan liendo, lechugas y a el le davan alcahalillas y turrado y le vio recebir estrenas de judios et hoc deposuti per jurament. Testes: mossen Domingo Destuga, clerigo, y Galardo de Cardesa, familiar del dicho sennor inquisidor.

ACABA EL PROCESO. ESTA INCOMPLETO.

PROCESO CONTRA LEONOR ALVAREZ, VIUDA DE SPERANDEO RAM, HABITANTE DE CALATAYUD, ACUSADA DE JUDAIZAR (AHP, inquisición caja 10, N° 6).
COMIENZO DEL PROCESO: 28 de Julio de 1488.

TESTIGOS QUE DECLARAN EN CONTRA DE LA ACUSADA.

(Pag. 21) Testes recepti Leonorem uxorem sperandei Ram.

Die XXVIII julii anno M CCCCLXXXVIII.

- Eadem die coram reverendo domino inquisitore comparvit Jaco Enrodrich, jduio habitan en Calatayud, testis qui juravit per Deum e decem precepta legis Moysi et de present dicluta, virute juramentum deposuit ut sequitur:

Et primo dize que viniendo una judioa que se dizia la Portugalesa en esta ciudat de Calatayud, la qual era parienta y tia desta deposant era muy pobre y esta dicha judia portugalesa tenia ciertos parientes en estadicha ciudat como eran la muger de Sperandeu Ram que era hermana de la dicha portugalesa y Johan Lopez de Mayor, padre desde Ferrando Lopez que esta presso por la inquisicion, era su pariente y assi mismo era su parienta la muger de Jayme de Montesa, dellos quales parientes y de sus casas, la dicha portugalesa eran soctorrida (socorrida) y ayudada para todas sus necessidades y sabelo este deposant por que la mesma portogalesa gelo dixo por muy muchas vezes como de todas estas cosas era soccorrida de tyrigo y de vestidos viejos y de todo lo que avie necessario, y le oyo muchas vezes dezir que sino fuesse por los parientes que tenia ella cristianos que (pag. 21 vto.) que moriria de fambre y por su ayuda dellos. Testes: dominicus de Senyan, clericus, et Jacobus de Monclus, officii sancte inquisicione.

Die VIIII mensis augustii anno M CCCCLXXXVIII, apud loci de Carenas.

- Eadem die coram reverendo Martino Navarro, inquisitore comparvit Catherina Matheu, uxor Joanis Yust, habitator loci de Carenas, testis eis que uravit per Deum sup crucem et si de vitate dicenda y per juramentum deposuit ut sequitur:

Dize esta deposant que estando ella en casa y servicio de uno llamado Jayme Alvarez, mercader habitant en Calatayud, que avra esto vint y seis annos poco mas o menos vio que la muger del dicho Jayme Alvarez, llamada Leonor, y dos fijas que tenian, la una dellas quales se llamavan Leonor que caso con Sperandeu Ram y la Otra sa llama Beatriz, muger de Jayme el Tortosino, como quien que en todos los (pag. 24) dias dentre semana hilava pero no en dia de sabado, a esta deposant no le acuerda que los viesse filar. Testes: venerabile dominus Joannes de Pradas, presbiter habitant loci de Carenas e Joannes Martinez, notario habitant civitas Calatayubii.

CONFESION DE LA ACUDADA.

(Pag. 26) Reverendos Padres, yo Leonor, viuda muger de Sperandeo Ram, habitant en Calatayut como obediente al edicto y mandatos de vuestras reverencias y de la santa inquisicion les confiesso y manifiesto que en tiempos passados viniendo mi marido que dios haya, fue dos o tres vezes a las bodas de dos judias hermanas de dos judios meges que visitavan a los que stavan enfermos en mi casa, el uno clamado maestre Vidal Avayut y maestre Huda Avayud y de un hermano del dicho maestre Vidal y hizo colacion de rosquetas y de confites y no me recuerda su beni, y que hido algunas vezes a visitar algunos enfermos y sano y una vegada fue a visitar haun judio enfermo y tenia alli cabanyvelas paradas y no me recuerda otro y assi suplico a vuestras reverencias me perdonen y absuelvan haver que lo he dichos nombrados según lo vio y hecho.

Die XXVI januarii anno anativitate domini M CCCC LXXXVIII de mi en las casas de la habitacion de Eleonor Alvarez, viuda muger que fue de Sperandeo Ram, vezina de Calatayut, en presencia del Reverendo micer Berenguer Martienez de Daroca presbitero de la Penya (iglesia de Santa María de la Peña) vicario general del reverendisimo Sennor Obispo de Taraçona et comissario por los reverendos padres inquisidores de la ciudat de Calatayud, subdelegado en poder del qual la dicha Eleonor dio et offrecio la presente su confession em scripto de mano deotra scripta supliendo a su reverenda aquella munde sser leyr et fazer et exsequir lo contenido en aquella et injungre la penitençia qual se debe de justicia et la qual confession por mandado de su revenrencia fue leyda. Et la dita Eleonor juro en poder del dicho sennor comissario sobre la cruz e los sanctos quatro evangelios de nuestro Sennor Ihesu Cristo. Et por el juramento dixo todas las cosas sobre ditas sey vender no recordarsele otras cosas al present e de lo qual requirio el dicho sennor comissario por mi Gil de Magallon, notario sey ende se fizziese scriptura accto publica. Testes: Joan de Miedes, ciudadano et Miguel Palacio, clerigo familiar del sennor vicario general habitant en Calatayut.

PROCESO CONTRA CATALINA DE FUNES, MUJER DE PEDRO FERRER, SASTRE, HABITANTE DE CALATAYUD, ACUSADA DE JUDAIZAR (AHP, inquisición caja 14, Nº 8).
COMIENZO DEL PROCESO: 25 de Agosto de 1491.

CONFESION DE CATALINA DE FUNES ANTE LA INQUISICION.

Die XXV januari anno M CCCCLXXXVIII.

(Pag. 3) Muy reverendos sennores padres inquisidores, confiando en nuesto Sennor Ihesu Cristo y redentor nuestro deseando venir et morir en aquesta sancta ffe catholica y religion cristiana, yo Cathalina de Funes, muger que soy de Pedro Ferrer, sastre, vezinos de Calatayut, viniendo a la obediençia de la sancta madre yglesia y a vosotros padres, rogando vos me oyays de conffesion:

Primeramente me conffiesso que huna vegada ffue con mi marido por ruego de hun obrero que teniamos de nuestro officio y ffuemos a casa de hun mermano suyo et de que ffuemos ay por hazernos ffiesta, sacaron en hun plato havas cozidas con sal pimyenta de las quales yo no comi ninguna de ffastio que huve y visto ellos que nonde comia sacaron turranes y fiziemos collacion.
Item que en tiempos passados ante que el vicario general lo vedasse usandose en la ciudat nos trayeron dos otres vezes pan çançenno y turrado y he comido y despues que lo vedo el vicario general nunqua mas lo comi.
(Pag. 3 vto.) Item que huna vegada fize carne cozida con garvanços hun martes pa el otro dia que era miercoles y lo comymos.
Item que les embie pa huna o dos vezes porque gelo rrogaron a mi marido et gelo pagavan sino que no quiso tomar paga esto fue ante que lo vedasse el vicario general.
Item huna vegada que le embiaron a mi marido huna pierna de cecina de crabon (cabra macho) o de cabra hun judio de Albarrazin porque les corto hun panyo pa huna boda.
Item que tenia huna ninya mal y passando una mora por la carrera vio la ninya mal encima el talbero y entro la mora por veer que mal tenia y deta que la vio dixo que la havia tomado di ojo et huntola de olio.
Item tambien huna judia le fizo pa aquel mesmo mal con huna estidilla de agua y olio.
Item ffue huna vegada a la juderia por comprar media rrova de lino y leve huna vezina mia pa que lo conociesse y de que huvimos visto el lino fizimos de bener el judio que vendia el lino y desto ya a mis padres conffesstres me conffese ypo ello presetne era. Recebi por donde mego nuestro (pag. 4) Sennor Ihesu Cristo, el qual tomo muerte y passion en el arvol de la cruz que me quiera perdonar y que do siempre a obediençia de la sanctamadre yglesia y de vosotros padres inquisidores.

TESTIGOS QUE PRESENTA EL FISCAL CONTRA LA ACUSADA.

Die XXIIII aprilis anno MCCCCLXXXVIII. Calatayubii.

- Eadem die coram reverendo domino Martino Navarro, inquisitore comparit Cathalina de Sarasque, uxor Martini de Berengui, habitator en la ciudat de Calatayubii, testis qui juravit poer deum sup crucem domini nostri Ihesu Cristi qui diceret omnidam veritatem de his que cirat et sup quibus interrogatus esset qui per juramentum respondit in modum qui sequitur:

- Dize este deposante que havra quatro annos poco mas o menos estando esta deposante en casa de huno llamado Pedro Ferrer, sastre, que mora cabe casa de Marquo el çapatero en la ruva de la presente ciudat de Calatayut, en la qual casa estuvo esta deposante (pag. 4 vto.) dos annos poco mas o menos sabe este deposante como el dicho Pedro Ferrer y su muger llamada Cathalina los mas sabados se mudavan las camisas limpias esto sabe este deposante porque quanto ella cada sabado les dava las dichas camisas limpias a los dichos Pedro Ferrer y Cathalina su muger y selas mudavan y gelas vio esta deposante limpias y mudadas los dichos sabsados y tambien que se acuerda esta deposante como huna vez pregunto a la dicha Cathalina su ama desta deposante que porque se mudava los sabados y las camisas limpias y que la dicha Cathalina dexo q esta deposante que se me da mas mudarmela el sabado que el domingo. Testes: Johannes Torrejon e Dominicus Gil, nuncii sancte inquisicionis.

Die XVII junii anno MCCCCLXXXVIII.

- (Pag. 5) Eadem die coram reverendo domino ffratre Michaele de Monterubio, inquisitore comparvit Açach Çarruch, judeus habitator aliame judeorum civitas Calatayubii testis qui juravit per Deum sup decem precepta legis Moysi, qui diceret omniodam veritate de his que cirat et sup quibus interrogatus esset qui per juramentum respondit in modum qui sequitur:

Et primo dize el presente testimonio deposante que havra diez annos poco mas o menos estando parida huna judia llamada Oro, cunyada deste deposante muger de Salomon Çarruch, judio hermano deste deposante el dia que circuncidaron el ninyo reziente nacido el dicho Salomon Çarruch padre del ninyo y este deposante convidaron a huno llamado Pedro Ferrer, sastre y a Cathalina su muger habitates de Calatayut, que biven en la ruva que pa noche si querian yr a la fiesta de la circunciçion del dicho mochacho y los dichos Pedro Ferrer y Cathalina su muger respondieron que eran contentos y assi a la noche fueron a casa del dicho Salomon Çarruch y estuvieron en la ffiesta de la circuncision y como el dicho mochacho ffue circunciso los dicho Pedro (pag. 5 vto.) Ferrer y Cathalina su muger abueltas con los otros judios que ay eran congregados hizieorn collacion de confietes y bevieron vino judayco esto sabe el presente testigo porquanto asii lo vio como lo deposa.

Item dize el prestne testigo que de ocho annos a esta parte por tres anyadas en el tiempo de la pascua de pan cançenno de los judios este testigo vio como Salomon Çarruch, hermano suyo, amigos del dicho Pedro Ferrer le embio pan cançenno turrado y alcahalillas con huna moça del dicho Salomon llamada Clariça, judia de la Almunia y el dicho Pedro Ferrer recibia y comia el dicho pan cançenno turrado y alcahalillas aquesto sabe el presente testigo por quanto despues de haver embiado el dicho salomon el dicho pan cançenno turrado y alcahalillas al dicho Pedro Ferrer este testigo le huyo dizir ocmo lo havia comido y le havia sopido bien.

Item dize el presentte testigo que havra quatorze annos sabe el presente testigo que hun tio suyo llamado Abraham Somer, judio de Albarrazin, armegos (amigos) del dicho Pedro Ferrer saste le embio huna puesta de baqua cecina judiega aquesto sabe el presente testigo por quanto el presente (pag. 6) deposante se fallo presente quando el dicho Pedro Ferrer demando al dicho Abraham Ciner la dicha puesta de vaqua de cecina y el dicho Abraham ciner de Albarrazin embio la dicha puesta de vaqua a este deposante pa que este deposante las diesse al dicho Pedro Ferrer y assi gela dio este testigo al mesmo Pedro Ferrer, el qual despues que huvo comido la dicha puesta de vaqua dixo a este depsante le havia sabido muy buena. Testes: magnificus Dominus Johannes Ardiles, açessor oficii sancte inquisicionis e Dominicus Egidi, nuncii dicte sancte ofiicii resident Calataiubii.

Die XXVIII junii anno Millesimo CCCC VIII. Calataiubii.

- Eadem die coram dicto domino inquisitor comparvit Salomon Çerruch, judeus habitator aliame judeorum civitas Calatayubii testis qui juravit per Deum sup decem precepta legis (pag. 6 vto.) Moysi, qui diceret omniodam veritate de his que cirat et sup quibus interrogatus esset qui per juramentum respondit in modum qui sequitur:

Dize este testimonio que havra hunos ocho annos poco mas o menos que estando parida la muger de ste deposante llamada Oro, judia, hun dia que no sabe que dia Pedro Ferrer, sastre, et su muger, cuyo nombre no sabe, que moran en la Rua vinieron a casa deste deposante a ver su mujer que estava parida et este deposante dioles collacion de melados y vino judayco et los dichos Pedro Ferrer et su muger fizieron collacion et comieron del dicho melado et bevieron del vino judayco. Et mas dize este testigo que de ocho anno a esta parte por tres vezes cada hun anno huna vez este testimonio passada la pascua de los judios de pan cançeno levo a casa del dicho Pedro Ferrer, turrado y alcahalillas elo dava a la muger del dicho Pedro Ferrer et la muger del dicho Pedro Ferrer lo tomava. (pag. 7) Testes: magnifius Johannes Ardiles e Johannes Murillo, notarius habitant Calatayubi.

ACUSACION DEL PROCURADOR FISCAL.

(Pag. 8) Catherina de Funes uxore Petri Ferrer, habitant civitas Calatayubii, hereticam et criminosa et de crimene heresis vehement suspecia de famatam et culpabile et merito punienda et condepnada de insia scripta criminibus per eam nequenter facti comisis et perpetratus omnia et singula crimina excesus et delicta hereticaliam contetis qua hofert et dat presentem denunctiacionem per subse quentes articulos de carata modo et forma sequitibus:

(pag. 8 vto.) Et primerament dize el dicho procurador fiscal que la dicha denunciada teniendo esperança en la ley de Moysen ha fecho y observado ritos et cerimonias judaycas crimen de heregia et apostasia en la ffe cometiendo a dicho muchas palabras hereticales senyaladament diziendo que la ley de Moysen era buena et daria salvacion et que tambien se podia salvar el judio en su ley como el cristiano en la suya et que a rezado salmos et oraciones judaycas a modo judayco et hoc est verdat.

Item dize el dicho procurador fiscal que la dicha rea et criminosa ha guardado el sabado como qualquiere judio vestiendose aquel dia mexor que otros et encendiendo el viernes a la noche muchas lampadillas et crefuelos por honrra del sabado como qualquiere judio et no faziendo laquel dia et notanta como hotros dias guardando las pascuas de los judios mayormente la del pan cotaço et de las cabanyvelas y a dado holio et dineros pora olio a las lamparas de la sinoga de los judios et que a dado almosna a los judios pora la çedaqua et fazia quitas et quitaba las grassas de la carne que traya et quando traya pierna saquava o mandava saquar la grandolilla de aquella et mas que dava la vendicion a modo judayco et aver dayunado los daynos judaycos senyaladament el dayno de quipur clamado el grant perdon, et el dayuno clamado el prendimiento (pag. 9) de la casa sancta et otro ayno clamado de la Reyna Ester et otros ayunos judaycos que echava hun pealgo (pedazo) de masa en el fuego quando masava.

Item dize el dicho procurador fiscal que la dicha rea et criminosa ha comido amin en sabado et en otros dias albondaquillas tabaheras et ha comido con judios a una mesa y de sus viandas y ha comido aruquaques, pan cotaço et turrado, en el timpo de la pascua de los judios et ha comido carne et aves degolladas de judios et mas aquea comido carne en cuaresma et viernes en sabados et en ayunos mandado por la yglesia estando sana et sin necessidat alguna et mas que ha comido potajes et otros menjares a la forma et manera judayca como qualquiere judio y estos es verdat.

Mas dize el dicho procurador fiscal que todas las cosas suso dichas y cada huna dellas fueron eran y son verdaderas publicas notorias y magniffiestas y aquellas sey verdaderas a conffessado la dicha denunciada rea et criminosa dicho reconoscido en presencia de ffidedignas personas et tal de las suso dichas cosas fue era y es la voz comun et fama publcia de la dicha .

INTERROGATORIO A LA ACUSADA.

Die XXX augusti anno millesimo LXXXXI. Calatayubii.

(Pag. 11) Eadem die el sennor maestre Martin Garcia, inquisidor procurador a interrogacion de Catherina de Funes, muger de Pedro Ferrer, sastre, presa, medio juramento que juravit per deum sup crucem domini nostri Ihesu Cristi qui diceret omniodam veritatem que per juramentum respondit in modum qui sequitur:

Et primo fue preguntada sobre lo contenido en el primer articulo de la denunciacion dada contra ella respuso y nego lo contenido en el. Sup secundo articulo dicte denunciacionis respondit e negavit contenta in eo. Sup tercio articulo dicte denunciacionis respondit et negavit contenta in eo salvo que se refiere a lo dicho y confessado por ella en huna quonffesion que dio en el tiempo de gracia. Sup quarto articulo dixit que lo dicho por ella es verdat y lo negado no es verdat. Testes: Johan Domp e Johan Castillo, notarios habitantes en Calatayut.

NUEVO INTERROGATORIO A LA ACUSADA.

Die VIII maii anno domini millesimo LXXXXIII. Calatayubii.

- (Pag. 14) Eadem die reverendos dominius fratre Petrus de Valladolid, inquisitor processis ad interrogata Cathaline de Funes capte…

Et primo fue preguntada se secundo camisa limpia en el sabado por honra del sabado e dixo que por hmrra del sabado no se le mudado en dia de sabado sino cayendo alguna fiesta de cristianos en el sabado o haviendo de yr adalgunas bodas dize que se la mudado la camisa limpia en el sabado sino por otro fesyeto huvo por limpieça.
(pag. 14 vto.) Interrogada si fue a una circuncision de un judio respondio que si que desta manera que a la noche tarde fue ella y su marido a casa de un judio llamado Salomon Çarruch, que aquel dia avia circuncidado un ninyo y alli estuvo ella y su marido una hora de la noche ablando y olgandose con la parida y con los judios y fizo alli collacion empo que no y fue por cerimonia ninguna judayca ni tal penso.
Interrogada si recibio e comio en su casa pan cenzenno y arruquaques en el tinpo de la pascua de los judios respondio que si comio pan cotaco y turrados que gelos enviava Salomon Çarruch y comio dello empues de la pascua.
Interroga si ha comido carne degollada e aves degolladas por judios o carne dellos pierna (pag. 15) cecina respondio que cecina o vaca ha comido que la enviaron presentada de Albarrazin a su marido Pedro Ferrer.
Deinde fuit interrogata si ha fecho otros ritos o cerimonias judaycas o ayunado ayunos de judios respondio que nunca tal fizo ni sabe que otros los hayan servado. Testes: Fray Ferrano de Castanyeda, ordiniis predicator, e Johannes de Xerez, nunciis.

NO HAY SENTENCIA.

PRIMER PROCESO CONTRA LUIS DE HEREDIA, PORTERO DEL REY, NOTARIO, HABITANTE DE VILLARROYA DE LA SIERRA, ACUSADO DE JUDAIZAR (AHP, inquisición caja 12, Nº 9). COMIENZO DEL PROCESO: 25 de Enero de 1488.

CONFESION DEL ACUSADO.

Die XXV jannuari anno millesimo CCCCLXXXVIIII.

(Pag. 3) Muy reverendo padre inquisidor en Ihesu Cristo de la inquisicion de la fe sancta catholica yo Loys de heredia portero de la magesta del senno rey depso y confiesso lo en el present quontenido:
Primo quonfiesso como yo he bivido mucho tiempo con el sennor vizconde et comido carne degollada de moro no por guardar las cerimonias mahometticas sino que todos en el lugar la comian.
Item poder deposo e confiesso que muchas vezes fazian presentes al palaçio moros et judios e comia de todo alli yo no por guardar las cerimonias judaycas ni mahometicas sino que todos los de palacio comian.
Item padre quonfiesso que muchas vezes soy ydo con su Dios asecutar y a fazer execuciones a los cristianos y esto porque se requiria a mi officio y muchas de vezes andando con ellos e fazer estos actos notrobar carne de cristiano y comer de lo que ellos comian no por cerimonia judayca sino por no trobar que comer.
Item quonffiesso como yo hun dia veniendo de la almunia con hun judio en el camino compre huna perdiz muerta y comila en casa del judio y era vigilia de sancta cruz o de sant Miguel.
(Pag. 3 vto.) Item padre confieso y deposo que viniendo de Soria con hun judio en quaresma yo estava enfermo de huna cuchillada que me daron en la pierna y no pudia beber ni comer los guebos y demande al judio huna pierna de perdiz y diomela y comila por la grant neçesidat que tenia no por viçio.
Item padre confieso e deposo como soy estado con el vizconde e vaylando y dançando con moros en sus fiestas por mandado del Sennor.
Item padre confieso y deposo que estando con el sennor de Çetina, que Dios perdone, convido hun judio de fariza al dicho Sennor y todos los scuderos fuemos a comer y a servir al Sennor y no se si era trabesado de judio o no se que el judio no comia cosa ninguna.

TESTIGOS DEL FISCAL CONTRA EL ACUSADO.

Die II mensis aprilis anno millesimo CCCCLXXXVIII. Cesaragusti.

- (Pag. 4) Eadem die coram domini vicario, Mira Alazar, muller de Vidal Abenarrabi, judio habitant en Çaragoça, testis pro parte procurator fiscalis predicta qui juravit per deçem precepta legis Moysi et per juramentum deposuit ut sequitur:

Item de posuit que abra dos annos que stando en la ciudat de Calatayut en casa de Mosse Costantin, judio padrestro desta deposant vio venir alli al tiempo de las quaresmas uno clamado Luys el portero de la dicha ciduat de Calatayut y traya perdizes et guisaba las ay y comialas apres yvase et hoc per juramentum. Testes: Mossen Pedro de Luna, arçediano, Anthon de la Miel, nunçio habitant en Çaragoça.

Die XXVI junii anno Millesimo CCCCLXXXVIII.

- (pag. 4 vto.) Eadem die coram reverendo domino fratre Michaele de Monterubeo, inquisitore comparvit Aye de Illuequa, agaremus habitant aljame agarenorum loci de Brea qui in pose dicti domini inquisitoris juravit per "ville ille allabi leq leha illehua" y por las palabras del Alcoram y por el ayuno del romadan et per juramentum et in vin ipiens dixit se scire qui sequitur:

Dize el present testimonio deposant que havra ocho annos poco mas o menos era fama publica por todo el lugar de Ebrea y asi este deposante le hoyo dizir en el dicho lugar pero no le acuerda a quien que estando hun dia Mose Alcoçantin, Jaquo Lapapa y los Maymons judios de Calatayud, Mose Cey el cimaquero, judio de Illuequa, por que no cumplian a numero de diez y segunt se dize la oraçion del minyan que dizen los judios e no la pueden dizir sino que sean diez, huno llamado Luys de Heredia que solia bivir con el vizconde de Biota y agora es portero falladonse (hallándose) entre ellos ha huydo este testimonio no sabe a quien salvo que en ebrea era la fama publica dello quel dicho Luys de Heredia dixo dat aqua que yo sere el dezeno y que asi el dicho (Pag. 5) Luys de Heredia entro en una casa con los dichos judios y fizo la oraçion con ellos po esta este testimonio de çierta sciençia no sabe salvo de hayda segunt dicho ha. Testes: Johannes Torreson et Dominicus Egidii, nuncii oficii sante inquisicionis residents Calatayubii.

Die septima marcii anno millesimo CCCCLXXXVIII.

- (pag. 6) Coram reverendo domino fratre Michaele de Monterubeo, inquisitore predicto comparvit Mose Costantin, mercator judeus habitator aljame judeorum civitas Calatayubi qui juravit per Deum et deçem precepta legis Moysi et per juramentum dixit qui sequitur:

Dize este deposant que abra quatro annos poco mas o menos vio este deposant como una llamado Luys de Heredia, portero habitant en Villaroya, comio dos perdizes en dias prohibidos a cristianos comer carne que no se le acuerda si en quaresma o en viernes o sabado de carnal era. Empo es çierto que eran dias prohibidos de comer carne a cristianos. Testes Johannes Torrexon et Petus Torrexon.

Die XXVIII febroari anno millesimo CCCCLXXXVIII.

- (pag. 6 vto.) Eadem die coram reverndo domino inquisitore comparvit Simuel Azan, judeus habitant Calatayubii, testis per dictum ritatus qui dicti dominus inquisitoris mandatus juramentum per Deum et deçem precepta legis Moysi diçeret veritate et virtute dicti juramenti respondit et dixit qui sequitur.

Dize este testimonio que puede haver tres annos poco mas o menos en quaresma vio este testimonio como huno llamado Luys de Heredia fijo de Francisco de Heredia el tuerto, el qual dicho Luys agora esta casado en Villaroya, vino con Mose Constantin de camino aposentarse en la casa del dicho Mose Constantin y el dicho Luys de Heredia trahia huna perdiz a este deposante no le acuerda si era afogada o de degollada, y el dicho Luys dixo quiero me comer esta perdiz, el qual aso la dicha perdiz y se la comio seyendo en quaresma en la casa del dicho Mose Constantin y sabelo este testimonio por quanto el lo vio asi como de la de arriba lo ha deposado y dicho e vido como el dicho Luys de Heredia estava sano. (No hay testigos).

Die XXVIII febroari anno millesimo CCCCLXXXVIII.

- (Pag. 7) Eadem die coram dicto domino inquisitor comparvit Rabi Abram judeus habitant Calatayubi, testis predictum citatis qui demandatus dicti domini inquisitoris juravit per Deum et deçem precepta legis Moysi et virtute dicti juramentum respondit qui sequitur:

Dize el dicho deposante que puede haver tres annos poco mas o menos en una quaresma de cristianos este testimonio y Bonafos Costantin fueron a Soria a tener el Purin a casa de Bien Veniste de Calahorra, judio de Soria e la fija del qual el dicho Bonafos estava esposado, y Luys de Heredia portero fijo de Francisco el tuerto por que era amigo de la casa de Mose Constantin fuelos acompanyo, y vio como el dicho Luys de Heredia en la dicha fiesta que stovieron obrar de seys dias en Soria comio con los dichos judios carne y de lo quellos comian y tanvien en el camino viniendo aqua en especial en Ciria que comio su buena parte de una perdizes de las que comienron este deposant y los otros judios y que dizir el dicho Luys de Heredia que stava doliente pero el bien andava es verdat que al dentrar de las posadas tosia y dizia que tenia romadizo y que Vienveniste de Calahorra sabe algo desto y que en Çiria posaron en casa de martin de Siaseras (pag. 7 vto.) y la huespeda y otros de Çiria saben de cómo el dicho Luys como las dichas perdizes y esto era en quaresma de los dias que alla estuvieron el dicho Luys de Heredia comio un sabado carne. Testes: Goetus Torrexon et Dominicus Egidii.

Die VI decenbris anno millesimo CCCCLXXXVIII. Calatayubii.

- Eadem die coram domino Alonso de Alarcon, inquisitore conparvit Anthon fijo de Johan de Cinquo Villas, natural de Soria de edat de XVI annos poco mas o menos que vino en esta ciudat con Johan Calbo, çapatero que juravit per Deum et crucem.

Et primo dize que puede haver dos o tres annos que stuviendo este testimonio en Soria en casa de su padre que tenia la casa cabe casa de Bien veniste de Calahorra, judio, dize que haviendo ydo desta ciudat a Soria Bonafos Costantin que stava sposado con una fija del dicho Veniste, e pasava en casa de su yerno con Luys de heredia, portero que vive en Villaroya y a la sazon havia traydo el dicho Bonafos ciertas cargas de ropa y joyas pa la sposada que la levo Johan deCastro desta ciduat dize que dicho Bienveniste era amigo de su padre deste deposante algunas vezes este deposante por mandado de su padre lo servia (pag. 8) al dicho Bien Veniste en algunas cosas como de levar las mulas al agua y semejantes cosas, y a la sazon hoviendo lleguado a casa del dicho Bienveniste los dichos Bonafos y Luys de Heredia y Joan de Castro, un viernes a la tarde que era tiempo de quaresma este deposante y el dicho Johan de Castro ceneron Pescado y el dicho Luys de heredia no quiso comer dixo sino fizose questava malo y çeno guevos et el sabado siguiente enviaron por este deposante a casa de su padre por que llevase las mulas a bever de casa del dicho Benbeniste y allo que comian los judios y que les cortaba el dicho Luys de Heredia gallinas y capon y vio que de que ovo cortado se poso alcabo de la mesa y comio de su parte de las dichas haves y y esto entonces el dicho Luys andava sano por la ciudat y todo esto fue por tiempo de quaresma et hoc per juramentum.
E dize que por otras vezes quando el dicho Bonafos yva a Soria veya que yva con el dicho Luys de Heredia y estava alli en casa del dicho Bienvenieste entre los judios pero no vio que comiese con ellos salvo la dicha vegada . (pag. 8 vto.) Testes: Anthonius Navarro et Michael Domingo, notarius.

Die XVI septembris anno millesimo CCCCLXXXVIII.

- Eadem die coram reverendo domino Alonso de Alarcon, inquisitore comparvit Astruga fija de Açach Acrix, texedor habitant en la aljama de judios de Calatayut, qui juravit per decem precepta legis Moysi de veritate diçenda:

Item dize que abra mucho mas tiempo de tres annos allandose esta deposante hun dia de viernes en casa de Mose Costantin, judio desta ciudat, vio como en la dicha casa aquel dia de viernes hun fijo mayor de Francisco de Heredia el tuerto que va por las aldeas como a huna mesa de huna perdiz con el dicho Mose Costantin et hoc per juramentum. Testes: Johannes Duncastillo, notario, et Anthonius de la Miel, nuncius.

ACUSACION DEL FISCAL (NO ES DEL ACUSADO SINO DE UNA MUJER, ES UN AÑADIDO)

(Pag. 14 vto.) Et primerament dize el dicho procurador fiscal que la dicha denunciada teniendo esperança en la ley de Moyessen ha ffecho y observado ritus cerimonias judaycas crimen de heregia y de apostasia en la ffe cometiendo ha dicho muchas palabras hereticales senyaladament que la Ley de Moyssen era buena y dava salvaçion y que tanbien se podia salvar al judio en su Ley como el cristiano en la suya y que arrezado salmos y oraciones judaycas a modo judayco.

Item dize el dicho procurador fiscal que la dicha rea criminosa ha gardado el sabado como qualquiere judia verstiendose aquel dia mejor que otros y ençendiendo el viernes a la noche muchas lampadillas y cienfuelos pora honrra del sabado y no aziendo azienda aquel dia ovo tanta como otros dias guardando las pascual de los judios mayormente la del pan cotaco y la de las cabanyvelas y a dado olio y dineros para olio a las lampadas de la sinoga de los judios (pag. 14) e que ha dado limosna a los judios para la çedaqua y azia quitar y quitava las grassa de la carne que traya y quando traya pierna sacava o mandava sacar a sus moças la glandolilla de aquella et mas que dava la bendicion a modo judayco e haver fecho et gisado hamin de viernes pa el sabado et albondiquillas tabaheras haver echado quando massaba un pealgo de massa en el fuego y haver (blanco) ayunado los ayunos judaycos senialadamente el dayno de quipur clamado el grant pedon y el dayuno clamado del prendimiento de la casa sacta y otro et ayuno de la reyna Ester y otros ayunos judaycos.

Item mas dize el dicho procurador fiscal que la dicha rea y criminosa ha comido con judios a una mesa y de sus viandas y ha comido pan cotaco arruquaques y turrado en el tiempo de la pascua de los judios ya comido carne y aves degolladas de judios y mas que ha comido carne en quaresma y en biernes y en sabados y en ayunos mandados por la iglesia estando (pag. 14 vto.) sana y sin necesidat alguna y mas ha comido potajes y otros manjares a la forma y manera judayca quisados como qualquiere judio, y ha dexado de comer toçino enguilas, caracoles e todos menjares que judios no comen y echava un pealgo de la massa en el fuego.

Mas dize el dicho procurador fiscal que todas las cosas suso dichas y cadauna dellas fueron eran y son verdat o sey verdaderas ha cnfessada la dicha denunçiada rea y criminosa dicho yre conocido en presençia a fide dignas personas y tal de las cosas suso dichas fue hera y es voz comun y fama publica en ladicha ciudat de Calatayut y en hotras partes.

EL FISCAL INTERROGA AL ACUSADO.

Die XVIIII febroari anno millesimo CCCCLXXXX in ciudtat Calatayut.

(Pag. 14) Eadem die el sennor Alonso de Alarcon, inquisidor procedio a interrogacion de Luys de Heredia preso que esta por la sancta inquisicion medio juramento sup contntis in denunciaciones oblat per procuratorem fiscalem qui juravit per Deum sup crucem domini nostri Ihesu Cristi ac eius qui sacro sancta quatuor evangelia coram exposita sup quiem propiis manibus corporaliter tacta qui respondit in modum qui sequitur:

Et primo fuit interogatus sup contentis in primo articulo denunciacionis dicto denunciato lecto exposito e declarato qui respondit e dixit que es verdat que seyendo este quonfesante de edat dizisiete o dizieocho anyos poco mas o menos que estando al officio de sastre con Benahem, judio, que desta ciudat dize que hun dia estando hablando con el de las leyes de los judios y cristianos dixole el dicho judio que tanbien se podia salvar el buen judio en su ley como el cristiano y que este quonfesante asi lo creyo (pag. 14 vto.) y le duro aquella crehecia que el judio se podia salvar en su ley por tiempo de dos meses que poco mas o menos y que acabo de aquel tiempo se quonfeso y lo dixo y le daron penitençia dello y el se quito dello y dize que seyendo muerto Mose Paçagon, judio, le dixo que Dios lo perdonasse assu ley y que lo dixo algunas vezez en Cetina y en esta ciudat.

Sup secundo articulo denunciacionis respondit e dixit que es verdat que hado por dos o tres vezes limosna a judios pa la çedaqua y mas quonfiessa que estando este quonfesante con el suso dicho Benahem, judio, sastre dize que por su conseio ayuno el ayuno de quipur que haze los judios desta manera que no comia fasta en la noche y en la noche dize que ceno con el dicho judio alli en su casa y comio de sus viandas y que aquel dia que ayuno no hizo cosa alguna sino folgar y passear por lo que el judio le dixo y que quando le mostro a dayunar el dicho ayuno le dixo que lo ayunase y que se faria rico y que seria de edat de dizisiete anyos poco mas o menos quando lo ayuno y mas quonfeso que havra vinte y dos o viente y tres anyos poco mas o menos que ayuno (pag. 15) el ayuno de hanian, que es el ahuno de la reyna Ester, desta manera que no comio fasta en la noche y en la noche fue a cenar a casa de maestre Huda Lupiel, judio, y comio intimamente con el dicho judio huna mesa y de sus viandas y que lo ayuno a consejo del dicho judio porque yva a su casa a curarse de huna quehillada.

Item mas quonfeso que ha comido alugnas vezes con Mose Gostatnin el joven a huna mesa con el de las carnes y haves degolladas de judios indo con el comio y que no era viernes ni sabado y mas quonfeso que en Soria estando doliente que havia acompanyado a Bonafos judio dize que comio gallinas degolladas de judios y mas quonffiesa que ha comido algunas vezes pan cancenyo turrado y alcahalillas y que lo comia en la pascua de los judios y empues y mas quonfeso que ha comido por dos vezes hamin en dia de sabado en casa de Levi de Funes, judio, y que lo comia con el a huna mesa y mas que comio otra vegada de las viandas y haves degolladas de judios en casa de dona Preciosa, judia desta ciduat y que ha bevido muchas vezes del vino que los judios beven.

(Pag. 15 vot.) Item mas quonfiesa que estando en Çaragoça con Loys de la Cavalleria, dize que comio muchas vezes en casas de judios senyaladamente en casa de Yuçe Carillo, judio çapatero hamin en sabado y que comia a huna mesa con ellos y dize que se somete a la sancta madre yglesia y a los sennores inquisidores y que es presto y aprejado de complir la penitençia que le fuere dada y el sennor inquisidor le amonesto huna dos tres vezes que diziese la verdat y que filo hazia que el lo advenia y sino que lo tractaria segunt derecho y las canonicas sanciones. Testes: Martin de Alarcon, scudero, e Miguel Luzon, carcelero habitant en Calatayud.

EL FISCAL INTERROGA AL ACUSADO.

Die XX febroari anno millesimo CCCCLXXXX Calatayubii.

Eadem die el senno Alfonso de Alarcon, inquisidor procedio a interrogacion de Loys de Heredia portero preso medio juramento qui juravit (pag. 16) per Deum sup crucem domini nostri Ihesu Cristi qui diceret omnidam veritatem qui per juramentum respondit in modum qui sequitur:

Et primo quonffeso que es verdat que ha comido en dos o tres quaresmas dos perdizes y en la huna tentilla de perdiz y que dize que estava malo de hun golpe que le daron en la pierna y mas quonfiesa que ha comido huevos en quaresma alguas vezes estando doliente y estando sano.

Item quonfieso que estuvo en hunas esponsajas de hun judio cuyo nombre no le acuerda.

Item quonffeso que comio a las bodas de Mose Gostantin judio desta ciudat de las viandas y haves degolladas de judios porque no comio junto con ellos y que era domingo.

Item quonfeso que comio en Teruel con Mose Gostantin juio carne degollada de judios y a huna mesa con el. Testes: Johan Martinez, notario y Miguel Lazon, carcelero habitant en Calatayut.

DECLARACION DEL ACUSADO: ABJURA.

(pag. 17 vto.) Ante la presencia de vosotras reverencias padres y sennores Alfonso de Alarcon, maestro en sancta theologia canonigo en la iglesia de Palencia, inquisidor de la heretica e apostatica pravedat. En el arçobispados de Çaragoça e diocesis de Traraçona, vicario general otrosi dado e deputado para la dicha inquisiçion por el reverendisimo sennor don Andres, Obisto de Taraçona e de maestre Martin Garcia, maestro en sancta theologia canonigo de la Seu de Çaragoça, inquisidor de la heretica pravedat dado e deputado por la autoridat apostolica en los dichos arçobispado e diocesis.

Constituido personalmente yo Luys de Heredia, portero habitant en la ciudat de Calatayut, puestos ante mi los sanctos quatro evangelios y por mi con reverencia mirados y acatados y corporalmente toquados anatematizo y abjuro toda especie de heregia y apostasia que fuere o se levante contra la fe sancta catholica y ley evangelica de nuestro salvador y redeptor Ihesu Cristo e contra la sancta fe de apostolica y ygleisa romana y senyaladamente anatematizo y abjuro aquella heregia en que he incurrido asyendo como soy cristiano (pag. 18) babuzando comi en casa de judios de sus comieres y assi mismo comi una pocion en casa de un judio y he tenido que el buen judio se podia salbar en su ley tambien como el cristiano en la suya en la qual crehencia estube tiempo de dos meses poco mas o menos, algunas vezes dixo seyendo muerto un judio que Dios le perdone en su Ley y he dado dos o tres vezes limosna a judios para la çedaca y asi mismo he ayunado el ayuno de quipur que fazen en los judios estando su comer ata la noche e folgando no faziendo fazienda ninguna en aquel dia , e asi mismo he ayunado el ayuno de haman que es dicho el ayuno de la reyna Ester estando sin comer ata la nochey a la noche me fue a çenar con un judio y a su casa y de sus viandas y asi mismo oras vezes muchas comi con otro judio a su mesa carnes y haves degolladas por judios y asi mismo he comido pan çençenio, turrado y alcalillas en la pascua del pan cencenyo de los judios y hamin en sabado en casa de judios y a una mesa con ellos y asi mismo otras muchas vezes he comido carne y haves degolladas de judios y a su mesa con ellos e bevia del vino judayco asi mismo he comido perdizes en quaresma y huevos y asi mismo comi a las bodas de un judio y de sus viandas y me he perjurado en la causa de la fe.

(pag. 18 vto.) E asi abjurados los dichos errores de heregia y apostasia e todas otras qualesquiere heregias e apostasias que sean o se puedan contra la dicha fe catholica y madre sancta yglesia con sincero coraçon verdaderamente digo y afirmo que la ley evangelica de nuestro redemptor y salbador Ihesu Cristo es la verdadera y sancta segunt que la tiene la sancta madre yglesia y los sanctos sacramentos della son buenos y verdaderos y asi lo confieso publicamente creyendo en la dicha sancta fe catholica y ley evangelica del nuestro redemptor y salbador Ihesu Cristo, creyendo los articulos y sacramentos della segunt que la sancta madre yglesia lo tiene y cree, y juro y prometo dasi tener e creer la dicha fe catholica y ley evangelica segunt que la yglesia cre e tiene y que no cometere tales errores como he cometido y de presente abjurado ni otro error alguno que esta contra la sancta fe catolica y ley evangelica. E si lo hubiere o cometiere o de otros lo supiere por cierta sciencia credulidat prestimonio o de otroa qualquiere manera luegolo revelar a vosotros reverendos sennores padres o a qualquiere por tiempo el tal oficio tendra y asi mismo juro y prometo que humilmente y con paçiençia tener bien (pag. 19) qualquiere persona que por vuestras reverencias por los dichos crimenes sera inpuesta y la cumpliere con todas mis fuerças enteramente sin disminucion alguna y sin yr y venir en todo o en parte contra ella so pena de incurrir en las penas por los sacris canones estatuydos que aquellos que fazen se tornar acaher en lo que yo he jurado e abjurado las y consiento me sean impuestas segunt que el drecho dispone a si lo juro y prometo cumplir por estos sacro sanctos evangelios ante mi puestos y por mi manualmente tocados y reverentmente mirados e pido a los presentes notarios testimonio signado de confesion e abjuracion y a los presentes ruego sean dello testigos. Testes: Dominus Berengari de Daroca, oficialis e Jhonnes de Nueros e Petrus de Arcos, jurispecti habitantes civitatis Calatayubii.

SENTENCIA DICTADA POR LOS PADRES INQUISIDORES.

(Pag. 19 vto.) Cristi nomine cuius causam agimus invocato nos Alfonso de Alarcon maestro en sacta theologia canonigo en la yglesia de Palençia, inquisidor de la heretica e apostatica pravedat por laa autoridat publica diputado en el arçobispado de Çaragoça e obispado de Taraçona, otro si vicario general dado e diputado para la dicha inquisicion por el muy reverendo sennor don Andres obispo de Taraçona y Martin Garcia maestro en sancta theologia, canonigo de la Seu de Çaragoça, inquisidor dado e diputado por la autoridat publica para inquirir de la dicha heretica e apostatica pravedat en los dichos arçobispado e obispado de Taraçona. Visto cierto processo ante nos y en nuestra audiençia tratado entre partes, de la (pag. 20) una parte el procurador fiscal y ministro de la sancta inquisicion denunçiante y de la otra Luys de heredia reo y demanddao de sobre razon de los crimenes de heregia e apostasia en el dicho processo contenidos y visto como el dicho denunciado fue havido por nos asi pronunciado por sospechoso de los dichos crimenes de que es denunciado y acusado. E visto como fecho presso contra el sobre los dichos crimenes de que fue denunciado muy claramente consta asi por testimonios mayores de toda excepcion como por sus personas confesiones por sus propias boca fechas el dicho Luys de Heredia haver cometido y prepetrado los dichos crimenes de heregia e apostasia de que es acusado y haver tenido esperança y crehençia en la Ley de Moysen y haver pasado a los ritos e cerimonias judaycas por donde el dicho Luys de Heredia ha seydo y a descomulgado de excomunion mayor desde el dia que cometio y perpetro los dichos crimenes de heregia y apostasia. E visto como el dicho Luys de heredia espontaniamente y con coraçon contrito en quanto ver y conoçer podemos confeso de los dichos errores de heregia e apostasia (pag. 20 vto.) abjurando aquellos e jurando de mas no tornar a ellos ni a otro error ninguno que vaya o venga contra la fe sancta catholica y ley evangelica de la madre sancta yglesia pidiendo ser absuelto de la excomunicaçion en que ha incurrido y ser avido al gremio de la sancta madre yglesia y admetido a los sacramentos della e a la comunion de los fieles cristianos. E visto todo lo otro processado articulos y meritos dello havida deliberaçion con hombres de sciencia y de conçiençia teniendo a Dios ante nuestros oxos con intençion de administrar iustiçia, fallamos que devemos de pronunciar y pronunciamos y declarar y declarados el dicho Luys de Heredia haver seydo heretico e apostata de verdadero y aver tenido crehencia en la ley de Moysen y haver pasado a los ritos y ceremonias judaycas, e por consiguiente haver incurrido en las penas del drecho, e haver sieydo y ser excomulgado del dia que cometio los dichos crimenes de heregia e apostasia aca. E porque venlos agora el dicho Luys de Heredia haverse reprentido de los dichos crimenes de heregia e apostasia por el cometidos (pag. 21) y haver confesado y abjurdo aquellos en quanto ver y conoçer podemos e querer ser restituydo y vuido al gremio de la sancta madre yglesia querendo lo recebir con misericordia absolvemos y absuelto denunçiamos al dicho Luys de Heredia de la dicha excomunicaçion en que ha incurrido reduziendolo al gremio de la sancta madre yglesia e viniendolo a ella faziendo la miembro della en quanto de drecho podemos y devemos si a ella con verdadera contricion y coraçon habran tornado y la pennia que por nos a el fuere dada se nuestros mandamientos guardere y cumpliere y porque los tales delitos y errores no es razon de quedar inpunidos y los tales errantes es razon de ser exhaminados e ver si andan en luz o entenebras y si verdaderamente o faltase han confesado o simuladamente tornado a la Ley de nuestro redemptor y salbador Ihesu Cristo. Porende declaramos y pronunciamos y en lugar de pennia condemnamos al dicho Luys de Heredia a carcel perpetua retenta misericorida e le mandamos que no pueda levar encima de su persona ni de sus cavalgaduras por arreo oro ni plata ni perlas ni aljofar ni ambar ni corales ni piedras preciosas ni vestir (pag. 21 vto.) seda ni grana ni clamelote ni panyo rico alguno de preçio de seze sueldos arriba la vara ni pueda cenyr espada ni cavalgar a cavallo en cavallo ni yr a bodas ni a misas nuevas ni a espectaculos de grandes plazeres mundanos ni pueda ser advocados procuradores medicos notarios apothecarios corredores ni tener otro oficio publico alguno y asimismo declaramos todos los bienes sobre dichos de Luys de Heredia ser confiscados a la camera e fisco del Rey nuestro sennor con todos los frutos e reditos dellos del dia que començo e perpetro los dichos errorers aqua, al qual mandamos en virtud de obediençia que aquellos tome y ocupe por suyos y como suyos dandole pa ello nuestra autoridat y liçençia y asi lo pronunçiamos y juzgamos paresce nuestro judicio y sentençia de firma. Testes qui supra proxime nominatii.

SEGUNDO PROCESO CONTRA LUIS DE HEREDIA, PORTERO DEL REY, NOTARIO, HABITANTE AHORA DE CALATAYUD, ACUSADO DE JUDAIZAR (AHP, inquisición caja 12, N° 9). COMIENZO DEL PROCESO: 6 de Enero de 1492.

(Pag. 1) In dei nomine amen noverit universi anno anativite domini millesimo quadrigentesimo nonagesimo secundo die vide com numerator sexta mensis januari apud civitatem Calathaiubii Tirason diocesis, in dominibus ubi officium sancte inquisicionis de presente exercetur coram reverendo domino frattre Petro de Valladolit inquissitore heretice e apostatice pravitatis autoritate apostolica diputado in archiepiscopatu Çesaraugustam, episcopatu Tirasonensi compuit, fuit personaltiter constitutis venerabilis Michael de Galbe procurator fiscalis e minister dicte sancte inquisicionis quomodam in feripet obtulit denunciacionem de facta sum lata confessione paper o scripta contra adversus Ludovicum de (pag. 1 vto.) Heredia denunciatum, penitenciatum predictis sanctum officium thenor talis et presente sequitur:

ACUSACION DEL PROCURADOR FISCAL DEL SANTO OFICIO.

(pag. 2) (1) Et primo dize el dicho procurador fiscal que el dicho denunçiado fue y ha stado penitençiado y recovaliado por el officio de la sancta inquisicion de los crimenes de heregia y apostasia por los abjurados, la qual pennia juro de complir según que por tenor de la abjuracion por el fecha y presso que el actuado claramente se de nuestra ad que secesen et hoc est verunt.

(2) Item dize el dicho procurador fiscal que el dicho denunciado reo criminoso decibiendo la sancta madre yglesia y perjurando e en la causa de la fe depo de quonfessar muchas cosas en el presso de la dicha abjuracion que fizo las quales ahora se le prueva y haver parte dellas el mismo quonfiessa et hoc et verunt (pag. 2 vto.)

(3) Item dize el dicho procurador fiscal que el dicho denunciado amas de la dicha su abjuracion ha fecho y ayunado por muchas vezes el ayuno de quipur y otros ayunos judaycos stuviendo a piedes destalcos y con las otras cerimonias y los judios los acostumbran hazer et hoc fuit eest verunt.

(4) Item dize el dicho procurador fiscal que el dicho denunçiado quo fazia los dichas ayunos judaycos dezia oracion judayca y de mandava perdon a los que con el lo hazian et hoc futi et eest verunt.

(5) Item dize el dicho procurador fiscal que el dicho denunciado fue mas ficto y simulado en la dicha su abjuracion, por quanto dixo que no havia guardado el sabado y agora paresce que el ha guardado y observado muchas vezes el sabado y las pascuas y fiestas de los judios absteniendose de fazer fazienda en ellas y ellos como judios, et hoc fuit e est verunt

(6) Item dize el dicho procurador fiscal que el dicho denunciado ha feyto ficto simulado en la dicha su abjuracion porque era y es cirminosso y retajado como judio y no lo dixo ni manifesto a los sennores inquisidores al tiempo de la dicha su abjuracion y agora paresce muy claramente (pag. 3) como es armasso y retajado y el consintio que los criminadiessen y retajassen et hoc fuit et est verunt.

(7) Item dize el dicho procurador fiscal que todas las cosas suso dichas fueran eran y son verdaderas publicas manifiestas y notorias y de aquellas el dicho reo y criminos se ha jactado en presencia de fidedignas personas et hoc fuit e est verunt.

INTERROGATORIO AL ACUSADO POR PARTE DEL PROCURADOR FISCAL.

Die VIIII januari anno M° CCCC XXXX II. Calatayubii.

(Pag. 4) Eadem die Reverendus dominus fratre Petrus de Valladolit, inquisitor precessit ad interrogacionem Ludovici de Heredia, presenti qui ante oram juravit in posse dicti inquisitor per Deum et super crucem et de veritate dicenda est.

Et primo interrogatus sup primo articulo denunciaciones edi lecto respondio que es verdat lo contenido en el dicho articulo.
Sup II articulo denunciacionis respondio y dixo que no dexo de confesar cosa ningua que a el acuerde y que lo que le acordava ya lo dizo y que si mas le acordara el lo dira.
Sup III articulo denunciacionis negavit contenta in eo.
Sup IIII articulo denunciacionis negavit contenta in eo.
Sup V articulo negavit contenta in eo.
Sup VI articulo denunciacionis edi lecto responde y dize que es verdat que es criminoso (pag. 4 vto.) y que quanto a esto dize que se refiere a lo que sobre ello tiene y a confessado.
Sup VII arituclo denunciacionis respondio y dize que atorga lo ha torgado y niega lo negado et hoc per juramentum. Testis ad predicta fueron presentes dictis Petrus de Arquos, jurispectus, Petrus Betrian, locumitenes receptoris habitantoris Calathajubii.

TESTIGOS QUE DECLARAN EN CONTRA DEL ACUSADO.

Die prima marci anno M° CCCC LXXXX. Calatayubii.

- (Pag. 6) Eadem die Francisco de Heredia, menor de dias fijo de Francisco de Heredia, en una interrogacion que el reverendo padre inquisidor Alfonso d'Alarcon le fizo con juramento entre otras cosas dixo lo siguiente:

Dize este testigo que seyendo de edat diez annos a indicacion del dicho su padre y estando en casa del dicho su padre en la qual casa estuvo de continuo quinze annos poco mas o menos en todo el dicho tiempo que alli estuvo que era ya de edat de vinticinquo annos, quando se sallio de casa ayuno de diez annos fasta vinticinquo anno que serian quinze annos el ayuno de quipur, quinze vezes cada anno una vez. E assi mismo algunas vezes ayunando el dicho ayuno de quipur Luys de Heredia presso penitenciado y Pedro de heredia habitante en Cetina, hermanos suyos el qual ayuno de quipur fizo este confesante por el dicho tiempo con el dicho su padre y algunas vezes con los dichos sus hermanos (pag. 6 vto.) quando con uno quando con otro no no comiendo en aqual dia fasta la noche fallida la estrella y estavan ayunando apres descalços y que en aquel dia ninguno dellos no fazia fazienda ninguna antes folgavan rezando en aquel dia una oraçion judayca cadauno dellos que comiença "Adonay çabahoh yzrrahel baran adenay loha melohim çabahor barut adanay melahim meloha Ysrrahel" et ydende que havian cenado se demandavan los fijos al padre y el padre a los fijos en apartado que ninguno no les siniesse perdon y ellos se perdonavan los unos a los otros.

Mas dize que por todo el dicho tiempo de quinze annos juntamente con el dicho su padre ha guardado el sabado y la paschua del pan cenzenno no comiendo otro pan en la dicha pascua sino pan cenzeno, los quales sabados y paschuas, assimismo dize vio guradar juntamente con este confesante y eldicho su padre en el dicho tiempo al dicho Luys y a Pedro quende (pag. 7) venian a casa y todos juntos las guardavan no comiendo en la paschua de pan cenzenno sino pan cenzenno y turrado y algunas vezes alcahalillas, la qual pascua siempre cahe en la semana sancta y comia assi en la dicha pascua como en otros dias de quaresma y en sabados y viernes de carnal carne mercada de la juderia y hamin en sabado enviado de la juderia de cada de Mosse Paçagon y esto comia estando sanos y que en los dichos sabados y paschua no fazia ninguno dellos fazienda antes folga van por les festivar y honrrar. Testes: Andres Gutierrez de Quintanilla, assessor officii sancte inquisicionis, Anthonius Navarro, presbiter.

EL PROCURADOR FISCAL INTERROGA AL ACUSADO.

Die XVI decembris, anno Mº CCCCLXXXX primo. Calatayubii.

- (Pag. 8) Eadem die el reverendo sennor mastre Pedro de Valladolid, inquisidor publico a interrogacion mediante domino Andrea de Quintanilla, asessor del dicho sancto officio, de Luys de Heredia denunciado deste sancto officio, el qual ante todas cosas juro en poder del dicho sennos inquisidor por Dios sobre la cruz e los sanctos quatro evangelios de dezir toda la verdat que sabia y sea interrogado:

Et primo fue preguntado si havia guardado el sabado por cerimonia judayco, respondio y dixo que no.

Interrogado si havia ayunado lunes, juebes y viernes por cerimonia judayca respondio que no.

Interrogado si havia ayunado algunos ayunos judaycos con su padre o con sus hermanos como es el ayuno de quipur o el de la reyna Ester o otros ayunos judaycos, respondio que no ha fecho otro sino lo que ha confesado ante Castillo notario y lo que esta en su presso.

Interrogado si era criminosso, respondio que no.

(pag. 8 vto.) Interrogado si sabia que su padre o algunos de sus hermanos fuessen cirimoniosso, respondio que no, salvo que sabe que su hermano fue antes ovo mal en su miembro de una vatida que le echo en su miembro.

Interrrogado si quando paschuas o fiestas de judios que estuvo crehencia en la ley de Moysen, dixo que se rereferia a su confesion que fizo en su processo e que otro no havia fecho.

E fecha la dicha interrogacion el dicho sennor inquisidor amonesto primo, secundo, tercio al dicho Luys de Heredia confesasse lo que havia fecho en terminos y que si lo que fazia lo abraçaron con misericordia y que de otra manera protestava de pretender como antes prestare en los dichos crimenes y el dicho Loys de Heredia dixo que se referia a lo que tenia confesado en su processo, que otro no sabia ni se le acordava (pag. 9) Testes: ad predicta Joannes d'Uncastillo, notarius Fernan Daguerri, carcellers habitantes en Calatayut.

NUEVA INTERROGACION AL ACUSADO.

Die VI januari anno Mº CCCCLXXXXII. Calatayubii.

(Pag. 10) Eadem die coram reverendo domino fratre Petro de Valladolit, inquisitore comparvit Ludovicus de Heredia, procesatur per officium sancte inquisitorem qui juravit per Deum et virtute in confessus fuit sponte sequitur:

Dize que de aya pocos dias enpues de fey deputado este quonfesant dize que le ha venido a la memoria como era y es criminosso, lo qual le dixo su madre llamadaYsabel que muier de Francisco de Heredia padre suyo, pronunciado, y esto le dixo estimiendo escriviendo esta quonfesant pequenyo de edat de ocho o nueve annos y que ella gele dixo diziendo le este testimonio que madre los mochachos me llaman rezimellado, que mal he huvido yo en mi miembro la hoia respusso y dixo le la dicha Ysabel madre suya fijo tu aguelo Luys de Heredia truxo a su casa unos jodios llamados maestre Juçe Toriel, medico, maestre Salomon Avayut, çilugiano, y Huda Moreno, çapatero y el dicho maestre Yuçe Lupielen presençia de los dichos joidos y de tu aguelo te circuncidio y te saquo un poco de sangre de tu miembro y te pusieron (pag. 10 vto.) nombre Jaquobiquo y te estrenaron quatro reales y eras de verdat quando te circunçidron de edat de quatro o çinquo años y dize este quonffessante que dende pequenno a sta edat de quatroze anno poco mas o menos estuvo este quonffessante en casa del dicho Luys de Heredia, çapatero. Testes: Ferdinandus de Castanyeda et Ferran de Aguerri, carçelarius officii sancte inquisicionis.

Die X januari anno Mº CCCCLXXXXII, Calatayubii.

(Pag. 12) Eadem die reverendous fratre Petrus de Valladolit, inquissitor nomit primo secundo et terçio Ludovicum de Heredia, captum quam diceret veritatem de his qui perpetravit et si dixi veritatem que tractaret cum eium maximo misi vida ala que tractaret que eum de reigore. Et illico diceret Ludovicus de Heredia juravit per Deum et virtute in conffessatur fuit sponte sequitur:

Dize este confesante que stuviendo en casa de Francisco de Heredia, padre suyo en la Çiudat de Calatayut en las casas que eran de Pedro de la Cabra en lasquales estava el padre deste quonfessante en donde estuvo y moro unos diziocho annos poco mas o menos esestuviendo este quonfesante de edat de setze annos o mas el dicho Francisco de Heredia padre suyo le dixo que "fijo cree en la Ley de Moysen y aquella guarda y assi mismo de fe de Ihesu Cristo y guardalas entramas a dos y assi ayuna los ayunos de los judios como es el ayuno de quipur y el de la reyna Ester porque si los aynas te faras riquo", y assi este quonfesante a judicio del dicho su padre juntamente con el y con la muxer de su padre que llamada Ysabel que ayunaron todas juntameinte los dichos ayunos de quipur y de la reyna Ester por dos o tres vezes cada hun anno una vez y al ayuno de quipur ayunaban un dia del mes de (pag. 12 vto.) setiembre y el de la reyna Ester en quaresma no comiendo este conffesante ni los otros quel diesse sino una vez ya anochecido y cenaban carne y assi mismo fazia el dicho ayuno una llamada Graçia, hermana de la madre de ste quonfessante llamadoa ysabel y estuviendo los susso dichos assentados en la mesa ante de comença de comer el dicho Francisco de Heredia thomaba una taça en la mano e un poco de vino y teniendo assi la taça este quonfesante dizia una oracion judayca y comença "Barbata Adonay çabahot ilohevo meholan" que no sabe mas della ni si ay mas palabras en la oración y assi como havia dicho la dicha oracion el dicho Francisco de Heredia, padre suyo, respondia "amen", y luego bevia un poco del vino de la taça y assi ende bebia este quonfesante y cadauno de los susso dichos un poco y depues cenaban todo. Y dize este quonfessante que el dicho su padre quando le dizia que tuviesse la una ley y la otra le dizia tu fijo tenindo la Ley de Mosen y la de Ihesu Crsito en qualquiere dellas puedes salvar y assi con aquella crehençia ayuno los dichos ayunos. E mas dize este quonfessante depues sallio de casa de su padre y era de edat de vinte annos poco mas o menos asta edat (pag. 13) trenta annos poco mas o menos por siete ocho vezes ayuno los dichos ayunos de quipur y de la reyna Ester no comiendo en todo el dia asta la noche y esto fizo teniendo crehença en la Ley de Moysen y que por aquella havia de salvar no dexando la fe de nuestro senno Ihesu Cristo. E mas dize que en la voluntat en quanto podia guardaba los dias de los sabados no faziendo fazienda quitando se de fazer fazienda quanto podia como quien quonstituendo con otro o por necesidat muchas de vezes fazia fazienda. E asi mismo dize que havia unos vinte seys annos poco mas o menos en la villa de Taust estuviendo alli en la guerra que con otros que stavan frontaleros una pascua de pan çençeno de los judios quando estuviendo con un judios de Taust llamado el riquo, con el qual comia los tres dias primeros de la pascua comiendo juntamente con el de sus viandas y beviendo de su vino judayco y respondia a la vendiçion de la mesa fazia el dicho judio diziendo "amen".
E mas dize que en el dicho tiempo que stuvo con el dicho su padre fizo con el juntamiento un ayuno de quipur no comiendo asta la noche y asi era en la casa de Lazaro el Soguero donde la hoia que quedavan y fazia la vendiçion de la mesa como dicho tienen (pag. 11 vto.) a saber es al prinçipio de la mesa teniendo el vino en la taça. E mas dize que muchas de vezes ha comido pan cencenno y alcahalillas y arruquaques eviada de la juderia, lo qual como en la dicha pascua algunas de vezes y que en casa de Mosse Quonstantin algunas de vezes endo allo por la dicha pascua leudo ha dado y comiendo este quonfessante y vebio de su vino judayco y que habra vinte annos que se quito de la crehençia de la Ley de Moysen pareçiendole que yba errado.
E mas dize que quando se lavava las manos dezia una oracion judayca que comença "meloha melay melaho", e la misma oracion assimsimo quando el dicho su padre se lavaba las manos le hoyo dizir la dicha oración. E assimismo dize al dicho su padre vio en los dias de los sabados vestir camisas limpias. Preguntado quien gelo demostro la dicha oraçion que fazia al lavar las manos y que quiere dizir respusso que no lo sabe que quiere dizir y que a un judio la hoyo dizir la oraçion de la "veraha" y la otra al dicho su padre.
(Pag. 14) Dize este quonfessante que por dos pascuas de pan çençenno que cayan (caían) en quaresma stuviendo bueno comio carne guardando las dichas pascual no faziendo fazienda ninguna en aquellos dias y dize que los ayunos judaycos que fizo con el dicho su padre los fizo estuviendo apres escalços.
Preguntado que es locan que ha dexado de dizir lo suso dicho asta agora respusso que lo ha dexado de dizir por no danyar al dicho su padre y por verguença que tenia de lo que havia fecho de dizir y que conoce haver errado y pido venia y perdon y dize que sta a pexa de cumplir qualquier pena que por la dicha razon le fuere inposada por los crimenes por el cometido. Testes: Johannes Domper e Michael Domingo notarii sancti officii.

SENTENCIA CONTRA EL ACUSADO.

(Pag. 16) Dei nomine invocato nos fray Pedro de Valladolit, maestro en sancta Theologia, prior del monesterio de Sant Andres de Medina del Campo del Orden de Sancto Domingo. E maestre Martin Garçia, canonge de la Seu de Çaragoça, inquisidor de la heretica y apostatica pravedat, dados y diputados por la authoridat apostolica en el Arçobispado de Çaragoça y Obispado de Taraçona. E nos el dicho maestre Martín Garçia, vicario general eso mismo espeçialente creado para el offiçio de la dicha sancta Inquisiçión, por el muy reverendo sennor don Andres por la divina ministracion Obispo de Taraçona.
Visto çierto proçesso criminal anteno y en nuestra audiençia tractado entre partes es asaber de la una parte el procurador fiscal ministro de la sancta inquisiçion, e de la otra Luys de Heredia, habitante en la presente ciudat de Calathayud, reo denunciado de sobre razon de los crimenes de heregia y apostasia en el dicho proçesso contenidos, e visto como el dicho Luys de Heredia fue havido por sospechoso y por tal denunçiado de los dichos crimenes por virtud de la informacion por el dicho procurador fiscal ante nos ministrador (pag. 16 vto.). E visto como despues por el presso special contra el formado claramente consta el dicho Luys de Heredia haver confessado que comio en casas de judios de sus comeres y de las aves degolladas por judio y haver creydo quel judio se podia salvar en su ley tanbien como el cristiano en la suya y haver estado en la dicha creencia por tiempo de dos meses, poco mas o menos y haver dicho algunas vezes seyendo muerto un judios que Dios le perdonasse en su Ley y haver dado dos o tres vezes limosna a judios para la çedaca, y assimsimo haver ayunado el ayuno de quipur y assi mismo haver ayunado el ayuno de Haman que es dicho el ayuno

de la reyna Ester y el dia que ayunava en la noche haverse hido a cenar con judio donde comio de sus viandas judaycas, e otras muchas vezes con otro judio a su mesa carne y aves degolladas por judio, y haver comido pan cenzenno turrado y alcahalillas en la paschua del pan cenzeno de los judios y hamin en sabado en casa de judios y a una mesa con ellos y bevido de su vino judayco y haver comido perdizes en quaresma y huebos y haver comido a las bodas de un judios y de sus viandas e consta por los dichos de los testigos contra el produzidos e por nos legtitimamente examinados el dicho Luys de Heredia haver ayunado el ayuno de quipur y haver guardado los sabados y las paschuas (pag. 17) del pan cenzenno de los judios juntamente con su padre Francisco de Heredia e con Francisco de Heredia menor su hermano y en el dia que ayunavan rezaban una oración que comiença asssi "Adonay çabahor yzrrahel baran adonay loha melohim çabahot barut Adonay melohim meloha yzrrahel", y fazian otras oraciones judaycas e consta haver confessado por su propia boca que es criminosso y despues haver dicho en nuestra presencia y juyzio que no es criminosso ni guardado el sabado por cerimonia judayca, e consta despues haver confessado que es circunçisso y que quando le circunçidaron le puesieron nombre Yacobico, y le estrenaron quatro reales. E consta finalmente haver confessado que por induccion de us padre Francisco de Heredia ayuno dos o tres vezes los ayunos de quipur y de la reyna Ester, y otra vez el ayuno de quipur porque el dicho su padre le dezia que creyesse en la Ley de Moysen yque aquella guardasse con la fe de Ihesu Cristo, guardando las entramas y de la reyna ester que se faria rico e assi mesmo por otras siete u ocho vezes haver ayunado el dicho ayuno de quipur teniendo creençia en la Ley de Moysen y que por aquella (pag. 17 vto.) se havia de salvar no dexando la fe de nuestro sennor Ihesu Cristo e assi mesmo en la voluntad haver guardado quanto podia los dias de los sabados e asi mesmo haver observado la paschua del pan cenzenno de los judios y comido con judios en la dicha pascha y assi mesmo que dezia una oracion judayca al principio del comer tomando en una ttaça un poco de vino, la qual comiença assi "barata Adonay Çabahot yloheno molohan" y al qual vino bevia un poco y assi mesmo al lavar de las manos dezia otra oracion judayca que comiença "meloha melay melaho" y haver fecho otras cerimonias judaycas donde claramente se concluye dito dia no haver confessado ni abjurado entreramente sus errores en el tiempo de la dicha su abjuracion, y haverse abjurado una y muchas vezes en la causa de la fe, e haver seydo aser fute comiso, e simulado e haver andado e andar en tiebras e no en luz, e haver recebido la madre sancta yglesia y la confession por el fecha hazer contra el y no le relevar de la pena y visto quel dicho Luys de Heredia no confeso los dichos errores enteramente ni en tiempo ni segunt que devia ni con las senyales de contracto que era razon de sus confesados antes los que confeso (pag. 18) fue por temor de ser convençido mas que por gana que tuviesse de los confessar y por enganyar a los juezes y livrarse de las penas que por drecho merecia. Assi que a nos fue visto no venir con la concontricion que devia para haver deser recebido e venido a la madre sancta yglesia e a lo que parecio de la forma de su confesar junto lo processado no han confesado en enteramente la verdat donde claramente parece haver feydo eser varia ficto e simulado en lo por el confesado y la dicha su confesion agraviar sus errores de la forma que fue fecha que aleviarlo de la pena. Atendido que por las cosas susso dichas clara y laquidamente consta el dicho Loys de Heredia haver feydo a ser heretico e apostata verdadero e haver passado a los ritos e cerimonias judaycas, e haver feydo e ser fruto estimulado en la dicha su confesion e abjuracion por el fecha ser dicta estimulada. E assi haver gravemente errado e offendido a la magestad divina a la qual offender es muy mas grave que a la humana porque la tal offensa viene e injuria de todos los cristianos. E consta el dicho Luys de Heredia haver feydo e ser excorado de excomunion mayor del dia que cometio los dichos crimenes de heregia y apostasia aca. E assi muchas vezes por nos ha feydo requerido y amonestado confesasse los dichos errores enteraemnte y como devia no lo ha querido fazer antes con animo endurecido ha estado y esta perpetuamente negativo y sumulado en ellos no (pag. 18 vto.) queriendo haver piedat de si mesmo ni de su alma y asi es razon que con el cesse toda concordia y el drecho fielmente y su rigor no calle la pena que merece de la vindicta no ha de ser mejor que la memoria de sus excessos de manera que la pena castigue lo que la spiritual disciplina no puede, por ende porque otros sean refrenados de cometer los crimenes semejantes y el sea castigo de los crimenes perpetrados havida natura deliberacion y consejo con varones letrados justos prudentes e de buena consciencia sobrel dicho pressso cada cosa y parte del segund quel drecho en tal caso dispone teniendo a Dios ante nuestros ojos con intençion de administrar justicia de consejo magnifico Andres Gutierrez de Quintanilla asessor deste sancto officio. Fallamos que devemos de pronunciar e pronunciamos e declarar y declaramos el dicho Loys de Heredia haver passado a los ritos y cerimonias judaycas e haver feydo e ser heretico e aposta judayzado y en lo por el confesado e abjurado haver seydo e ser futo estimulado e haver feydo e ser exocortado e anathematizado del dia que cometio los dichos crimienes aca y del dicho tiempo aca los bienes del dicho Luys de Heredia haver seydo e ser confiscados con todos los rentos e rentas dellos a la camara e fisco del Rey nuestro sennor al qual mandamos en virtud de sancta obediençia que aquellos tome y octuxe por suyos e como suyos. E primamos e primados (pag. 19) denunciamos a los fijos e descendientes del dicho Luys de Heredia heritoco fasta el segundo grado inclusivamente de todos los officios y beneficios eclesiasticos e seculares dandollos por inhabiles por impetrar e posseer otros de nuevo. E como la madre sancta yglesia contra el dicho Luys de Heredia heretico juayzado como es piadosa no tiene pena condigna para punir los dichos crimenes y errores con la protestacion quel drecho quiere es asaber cityra vindictam, e efusionem saguinis fallamos que devemos remitir e remitimos al dicho Juys de Heredia heretico a la corte e justicia secular, a saber es al magnifico micer Johan de Nueros, lugarteniente de justicia desta presetne ciudat de Calatayut que es presente para que el con piedat e clemençia le de la pena que segund sus meritos y culpas merece. E mandamos al magnifico mossen Stevan, alguazil deste sancto officio luego gelo de y entregue. Assi lo pronunciamos y juzgamos por este nuestro juyzio e definitiva sentencia.

PROCESO CONTRA JOHAN DAÇA, MERCADER, HABITANTE DE CALATAYUD, ACUSADO DE JUDAIZAR. (AHP, inquisición caja 19, Nº 3). COMIENZO DEL PROCESO: 16 de Marzo de 1488.

TESTIGOS DE LA ACUSACION.

Die XVII marcii anno Mº CCCC LXXXVIII.

- (Pag. 2) Eadem die coram domino inquisitor comparvit Maria Nunnyez, uxor Joannis Pastor, habitatores en Calatayubii, testis predictum que juravit per Deum et ut dicenda:

Dize este testigo que puede aber quatro o cinquo annos poco mas o menos una quaresma viniendo la prima de Joan Daça su marido se purgo undia de jueves y comio carne y despues la dicha purga destemprole y comio carne en el viernes de la dicha quaresma.
Item dize mas este testigo que antes que el dicho Joan Daça recibiese la dicha purga en la dicha quaresma comia torcaxos y dizia que no se seintia sano pero dize este testigo que bien vidia que el dicho Joan Daça negociava y andava de fuera de casa y en casa y este testigo le dizia que dexasse de purgarse fasta passada la quaresma porque no comiesse carne (pag. 2 vto.) y no quiso porque esto sabe bien.
Item dize mas esta testigo que una vegada vino un castellano que no sabe como se llama salvo que de judios se abia fecho cristiano y convidolo el dicho su marido y estovo alli en su casa una yantar y estando cabel fuego el dicho converso fablava muchas cosas de cristiano y despues el dicho Joan Daça su marido dixo absento el converso "que agudo es este hombre y que sabido con el ebrayco que sabia y despues con lo cristianego que ha aprendido judios meda fijos yo les fare aprender ebrayco". Testes: mosen Franciscus, dean de Calatayut, e Joannes Martinez, notario.

CONFESION DEL ACUSADO JOAN DAÇA.

(Pag. 4) Muy reverendos y sennores padres por quanto el domingo mas ante passado e ento de gracia para aquellos que en algon contra la sancta ffe catoliqua e ley evangeliqua, yo Johan Daça, menor, como quiese no aya modo ni incurido en crimen alguno de heregia contra la dicha nuestra sancta ffe catholiqua e ley evangeliqua de nuestro sennor Ihesu Cristo porque teniendo mas fustifficarme y que los mis animos de vuestras reverendas paternidades sean infformados por alguno quisiere lo simil azer criminal acerqua las cosas inffrascriptas y son estos de los quales demando humilmente a vuestras reverencias me den aquella penitençia que a ver deviere la qual soy presto recebir y complir con mucha obvedençia como catolico cristiano.
Primerament indo camino a cobrar deudos por la tierra de don Pedro de Luna que comido alguans vezes carne degolada de moros no pudiendo allar otra carne de cristianos por que los luguares eran de moros y esto podia aver mas de XIIII anyos y agora sere yo de edat de XXV a XXII anyos lo qual ya coffesado y ffecho penitençia.
Item que esta ido con Francisco Lopez el qual tenia arrendada la carneçerya de la juderya que yba yo a pessar alla la carne degollada de jodios y huna maya (parrilla) nos faziendos grandes ffrios tome hun poco del ffigurado y echelo en las brasas y comimelo y esto no con cirimonya alguna sino que por guana que tenia de comer y abra esto sobra de otros XIIII anyos lo qual ya conffesado y ffecho penitençia.
Item que seyendo pequenyo en casa de mi madre he comido huna carne y guisado en casa, el qual guiso no de forma alguna, sino que comio guisau con otros comenres e aquello y todas las sobre dichas cosas e conffesado a Mosen Capirot, vicario de San Pedro de la Ruva y mea dado penitençia y la e complido como qualquiere cristiano e tonido a cumplir y de todos las cosas sobre dichas me someto a la santa madre Yglesia y a vosotros padres inquissidores que me deys aquella penitençia que mereciere y vuestos animos que devescan sobre della como quiere ya dello aya ffecho penitençia como y lo aya conffesado como cristiao. Yo Johan Daça doy la presente mi conffesion asenpta de mi mismo.

EL INQUISIDOR INTERROGA AL ACUSADO.

Die III de augusti anno domini Millesimo D.

(Pag. 6) Eadem de reverendus dominus Andreas de Turrequemata, inquisitor assessore, iterrogaçione Joannis Daça habitator locoris qui juravit per Deum sup crucem de voluntate decenda:
Et primo fue interrogado si abia tenido algun error contra nuestra sancta fe o dicho palavras hereticas o fecho ceremonias de jodios, respondio e dixo que no abia fecho otra cosa sino aquello que fecho e confesado que dio en tiempo de de gracia porque no lo fizo por cerimoni alguna judayca.
Item si abia comido pan cenzenno de los judios dixo que no.

TESTIGOS CONTRA EL ACUSADO A INSTANCIA DEL FISCAL.

Die XV septembris anno Millesimo D; Calatayubii.

- (pag. 6 vto.) Eadem die coram reverendo domino Ferdinando de Montemayor, inquisitore comparvit Felipus Garsie, cristianus novus, habitatoris civitas Calatayubii, olim vocatus Çalema Abenardut, testit qui juravit per deum e sup crucem de veritate dicenda est:

Et primo fue preguntado si sabe quien y quales personas hayan dicho o fecho cosas algunas que sean contra nuestra sancta fe, respondio que el havia fecho algunas deposiciones en la casa del Rey ante el prior de duenyas, inquisidor que fue en esta ciudat e Obispado de Taraçona, antebuyl notario contra Ferrando Daça e hun hermano suyo el mas pequenyo que agora esta in esta ciudat de Calatayut, cuyo nombre ne le acuerda y con padre de Alonso Daça, notario habitant en la dicha ciudat y mastre Lopez, medico que agora vibe en Burgos, fijo de Gabriel Lopez que desta dicha ciudat y otro cuyo nombre no le acuerda por agora y dixo que pudia le fuese leida la dicha deposicion que fizo.
E luego su reverencia dixo que porque aquella se havia buscado e no ovise e allava que depusiese con verdat todo lo que se (pag. 7) acordase contra los suso dichos y lo deposase y asi el dicho testimonio deposo lo siguiente:
Dize el present deposant ser verdat que puede haver vinte anyos, dos anyos mas, o dos menos que un dia de la pascua del pan cencenyo teniendo que negociar con Jeuda Naçan, judio que mora en la juderia desta ciudat y dize este testimonio que en la casa del dicho Jeuda y era cerca de la una hora en pues de medio dia y fue con el un su hermano deste testimonio llamado Enrique Garcia, que a la sazon se llamava Mose Abenardut, y a la sazon eran judios y dize que y dos damos a la dicha casa del dicho judio tocaron a la puerta somera de la dicha casa y fallaronla cerrada y no les respondieron y dize que apres fueron a la puerta vaxa de la dicha casa e hallaron escrivido el postigo, o puerta y no estava cerrada por de dentro y enesto enpujaron el dicho postigo o puerta y entraron dentro de la dicha casa y dize que subieron danbos arriba por las escaleras de la dicha casa y fallaron a los sobre dichos Ferrando Daça y su hermano el menor y al dicho padre (pag. 7 vto.) de Alonso Daça y al mesmo Alonso Daça notario y al dicho mastre Lopez y a otro confeso que estava con ellos cuyo nombre no se acuerda, que por todos eran sus personas y dize que los fallaron asentados a una mesa con el dicho Jeuda Nazan dentro de una camara alta de la dicha casa en do comian pan cencenyo y hamin y haves y que vio como el dicho judio Naçan tenia vestido unas cit y tenia unas horas en la dicha mesa cabe el do estava comiendo y como los vio el dicho Jeuda levantose de la mesa y fuese pa este deposant y su hermano y mostrando enojo porque havian entrado alli dixoles que porque havian entrado alli, sin se haver llamado y dixo que le respondio este testigo que ya havian llamdo y se havia crebado este testigo su cabeça y no les havian hoydo y vos me asignasteis para esta hora y vine, dize que el dicho Jeuda les dixo quese fuesen y este testimonio y su hermano se fueron y no passo mas y dize que esto como dicho ha ya lo deposo en la primitiva quonfesion (pag. 8) y que ad cancelam se refiere a lo que entonces dixo.
Item si por lo que dicho ha del comer de la pascua, sivio y conocio que los suso dichos guardasen y se celebrasen la pascua con el dicho judio como judios, dixo que si y dixo mas que los dichos Daças eran parientes del dicho judio y que descendian de aquella generacion de los Naçanes judios y que el dicho mastre Lopez es pariente de los dichos Daças.
Item con quien es casado el dicho Johan Daça el menor y en que parte ibe en esta ciudat dixo que es casado con una fija de Gonçalbo de Moros, mesonero que paresce que mora en el mercado desta ciudat y que se clama Johan Daça y que seria en aquel tiempo de diziocho o viente anyos.

- Eadem die coram dicto domino inquisitore comparvit Enrrique Garcia, cristianus novus habitatoris civitas Cesarauguste (8 vto.) olim vocatus Mose Benardut, naturalis Calatayubii, testis et qui juravit per Deum et sup crucem et de veritate decenda et interrogacionis:

Dize este testimonio que al principio de la inquisicion el hovo deposado las cosas infrascriptas y puede fazer por su reverencia e ha estado dicha que no se falla su deposicion y que lo haya agora deposar. Dize que un dia de pascua de pan cencenyo asi entre doze y una horas passado medio dia poco mas o menos que su hermano agora llamado Felipe Garçia y la hora se llamava Çalema Benardut y eran udios fueron a casa de Jeuda Naçan judio desta ciudat y este testimonio fue con el dicho su hermano y tocaron a la puerta alta de la casa del dicho judio y no les abrieron y en esto apretaron la puerta y hallaronla abierta y en esto entraron los dos dentro de la dicha casa y subieron unos escalones y entraron en una camara do fallaron al dicho judio Naçan asentado al cabo de una mesa y con el el padre de Alonso Daça y a Ferrando Daça y al dicho Alonso Daça que vibe y es notario y a hun hermano menor del dicho Ferrando Daça que vibe en esta ciudat y no le sabe el (pag. 9) nombre propio ni sabe con quien es casado sino que es un hombre rexoado y mastre Lopez mege que solia vibir con el Duque de Medinaceli todos naturales desta ciudat y vio como comian todos con el dicho judio asentados a la dicha mesa y vio como tenian pan cencenyo a la mesa y que no vido otro pan y que a la entrada vio que estaban las escudillas de la mesa con sobras de hamin y que bestrayan capones o gallina asada y que el judio tenia un cit vestido y que vio un libro en la mesa cerrado como unas horas como de quarto de pliego de pergamino el qual estando cerca del judio y como las y como las vieron entrar trobaronse los que estaban a la mesa y dize que el que seria y levava las haves a la mesa se llamava Jento Cohen y llevava vestido sobre si otro cit y no se acuerda quien sallio a ellos mas de quanto sabe que era judio y ruvyo con los de casa por razon no havian cerrado la puerta y que quien les havia abierto y llegose a su hermano deste testigo y a este deposante y dixoles que callasen y no se curasen (pag. 9 vto.) de dezirlo y de dibulgarlo y mas dizeles dixieron que lo havian fecho descortes y asi dize que se dispudieron (depidieron) y se fueron; y dize este testimonio que sabe que el dicho judio Naçan era pariente de los dichos Daças.

Item si por lo que tovo del comer de la dicha pascua conoscio que los sobre dichos celebrasen y gardasen la dicha pascua respuso que no sobe dizir la intencion dellos mas que comian todos como los judios suelen comer. E mas dixo interrogado que por tales los tenian el deposante.

Item que es verdat que este testimonio quando vio lo suso dicho dixo que el testimonio ha agora trenta y cinco anyos antes que la inquisicion viniese a esta ciudat ni della se hoviese memoria alparecer deste testimonio y que entiende que hara a la sazon quinze o sennos y que se acuerda bien dello como de lo que hoy ha fecho que si menester fuere devio strara el lugar do comio y de donde sacaban los capones o gallinas.

Item quien otros se fallaron presentes en los suso dicho y lo vieron resposuso a los testes de aquella casa y los dichos (pag. 10) judios que tenian vestidos el cit cit y que viniendo aquí la inquisicion y poniendoselos e ditos dixieron este testimonio y el dicho su hermano a los dichos judios ya veis lo que nos manda la sancta inquisicion, si hemos de dezir lo que vimos y respondieron los suso dichos judios asi lo entendemos de fazer que el Naçan morio a la sazon del destierro y el otro judio se fue y querio saber que ninguno de los de aquella casa sean vibos o donde estan.

ACUSACION DEL PROCURADOR FISCAL.

Die II nobembreis anno M° D°. Calatayubii.

(Pag. 12) Coram vos reverendo domino Ferdinando de Montemayor judecretis licenciato archidiacono de Almaçan, inquisitore heretice et apostatice pravitad a sancta sede apostolica in archiepiscopatu Cesarauguste et episcopatu Tirasone dato et deputato comparvit et compet Micael de Galbe, promotor fiscalis et minsiter officii sancte inquisicionis dicte heretice et apostatice pravitat, qui nomine procuratorio predicto insinuando et denunciado a chillis melioribus bramado et foma quibus de jure et alem facere pot et debibus et infrascripta eius proposito et interncioni plenius utilius et efitacius porint et balent aplicari et adaptar pesat agit et denunciat contra et ad usus Johannem Daça, habitatorem civitas Calatayubii, captum renin et sum et de heresis et apostasie defaman cumpabiliem et merito priviendum et condempnandum de infrascriptas criminibus preemni nequiter fectis dictis comissis et perpetratis amonia et singula crimina excesus et delicta hereticalia per sub sequentes articulos declarata et de signata modo et forma sequenti:

Et primo dize el dicho prcurador fiscal que el dicho denunciado teniendo esperança en la Ley de Moysen ha fecho y observado ritos y ceremonias judaycas crimen de heregia (pag. 12 vto.) y apostasia en la ffe cometiendo, ha dicho muchas palabras hereticales senyaladamente que la Ley de Moysen era buena y dava salvacion y que tambien se podia salvar el judio en su Ley como el cristiano en la suya y ha rezado salmos y oraciones jduaicas y es criminoso y esto es verdat.

Item dize el dicho procurador fiscal que el dicho reo criminoso ha guardado y solemplnizado el sabado como qualquiere judio bestiendose aquel dia mejores bestidos que otros dias y mudandose camisas limpias por honra de lsabado, y ha guardado las pascuas de los judios especialmente la del pan cotaco solemplnizando aquella juntamente con los judios en sus casas comiendo a una mesa de sus haves y carne judayca y solazandose con ellos honrrando en todo la dicha pascua y fiesta como los judios y esto es verdat.

Item dize el dicho procurador fiscal que el dicho reo denunciado ha dado limosna para la bolsa de la çedaqua y a judios pobres y ha quitado y mandado quitar las grassas de la carne y landiezilla de la pierna al modo judayco y ha fecho ayunos judaycos en especial el ayuno de quipur y es verdat.

Item dize el dicho procurador fiscal quel dicho presso denunciado (pag. 13) ha comido con los judios a una mesa de sus haves y carne judayca, juntamente con ellos yestava presente a la bendicion de la mesa judayca y ha comido pan cotaco en la dicha pascua de los judios y hamin en sabado fecho en la juderia y ha estado en bodas, circuncissiones y fiestas de judios y ha comido en ellas y ha estado en las pascuas de las cabinyvelas de los judios y ha comido en ellas y esto es verdat.

Item dize el dicho procurador fiscal quel dicho reo y presso sabe y ha visto que otros malos cristianos han fecho cometido y perpetrado los ritos y cerimonias judaycas suso dichas y lo ha callado encubeyndo los dichos hereges y permetiendose estas escomulgado por la dicha razon y esto es verdat.

Item dize el dicho procurador fiscal que todas y cadaunas cosas suso dichas fueron eran y son verdaderas procuras manifiestas y notorias y dellas el dicho denunciado se ha factado en presencia de muchas fidedignas personas y esto es verdat.

INTERROGATORIO A JOHAN DAÇA.

(pag. 14) Et posa dictu eadem die dicti dominus inquisitor procurator fiscal interrogacione dicti Johannys Daça qui juravit per Deum et sup crucem et veritate dicti juramenti fuit interrogatus sup articulis dicte denunciacionis in modum sequinte:
Et primo fiut interrogatus sup primo arituclo negavit quontenta in eo.
Item sup quontentis in secundo articulo negavit quontenta in eo.
Item sup quontentis in tercio articulo negavit quontenta in eo.
Item sup quontentis in quarto articulo negavit quontenta in eo, salbo que seyendo mochacho de edat de siete a ocho anyos comio en casa de su padre por dos vezese comio pan cotaco que le dieron alli pero no sabe si se lo dio su madre o la moça ni sabe si lo trexeron de la juderia y que no sabe en que tiempo era.
Item sup quontentis in sexto articulo negavit quontenta in eo.
Interrogado como se llama dizo que se llama Johan Daça que su padre se llamaba (ilegible) Daça y su madre Gracia de Blanes.
Interrogado quantos hermanos tenia dixo que tenia un hermano llamado Ferando Daça y otro hermano llamado Johan Daça que esta en la corte y dixo que es el menor delos dichos sus hermanosy que era converso dixo que si que por tal se tenia.

INTERROGATORIO A LA MUJER DEL ACUSADO.

- (pag. 15) Eadem die reverendus domino Ferdinandus de Montemayor, inquisitor present ad interrogacionem Marie de Moros, uxoris Johannis Daça, capturatu que juravit per Deum et sup crucem et de veritatem dicendum:

Et primo fue interrogada si havia ella fecho o enviado algun momorial o carta haviso a su marido en especial una que le fue mostrada la qual fallo oy el alguazir en una camisa que se traxo para el dicho inhyabidator, respondio que era verdat que ella ordeno la dicha carta y que la scribio un fijo que es de nueve annos y que la envio al dicho su marydo cosida en una camisa que el envio oy interrogada pues dize en el albaran que hasentido tres testigos que era el uno Benardut y dos mujeres que diga como lo sintio o quien gelo dixo, respondio que no le dio ninguno haviso dello sino que ella presumio que habya deposado contra su marydo Benardut que es casado con una nieta de los Urries, por razon su nieto Alonso Daça le fizo dar unas cosas las quales le dio Pedro Nieto de mastre Garcia Lopez (pag. 15 vto.) preso que vibia en carreras quel Perez mercader, y quanto a las mujeres dize que presumio de dos vagajas cuyos nombres no sabe que viben en la carrera havian depuesto contra el y esto presumio porque le dixeron que el dicho su marido havia tenido amistat con ellas y que se quexaban del pero que de cierto no lo sabra.
Quel dicho sennor inquisidor le mando que hubiese en secreto lo sobre dicho y mandole sopena de excomunion y descrerio y otras penas que no enviase unas carta ni haviso al dicho Johan Daça.

COMPARECENCIA DE LOS HERMANOS GARCIA, TESTIGOS.

Die 3 de diciembre del año de 1500. Calatayubii.

(Pag 16) Rurfus vero die comumerata tercia mensis decembris anno quo supra persimie recitado computato anativitate domini millesimo quinquagesimo in dominibus inquisicionis Calathayubii el reverendo sennor Fernando de Monte Mayor, inquisidor susso dicho con asistençia y acuerdo del magnifico asessor del dicho sancto officio actento que su reverencias tenian algun escrupulo o sospecha siquier duda sobre las deposicionis que Felippe Garcia, Enrrique Garcia hermanos havian fecho en este sancto Offcio cuyo tenores de parte darriba fue testigos acerqua del dentra en la cosa que dizen en sus deposiciones porque en aquello parecian ser deversos en el deposar y havra a los dichos Felipe e Enrrique Garcia fuessen (pag. 16 vto.) venido por su mandato llamados. Et porque la verdat mas claro pareciesse mandaron sus reverencias a nos otros Johan Delbosque a Johan Dam, notarios del dicho sancto officio que fuessemos personalemnte con los sobre dichos Felipe Garcia y Enrrique Garcia; primo con el uno y despues con el otro, apartados el uno del otro, los levassemos y que los dicho Gelipe Garcia e Enrrique Garcia nos demostrassen la casa de Jehuda Naçan nombrada en sus deposiciones, y que al ojo nos demostrassen las dos puertas que dizen a via en la dicha casa y no dixiessen porqual dellas avian entrado al tiempo e sazon que dizen en sus deposiciones y de todo lo que los sobre dichos Felipe e Enrrique Garcia exiessen e nos mostrassen cerqua de lo que dicho es lo asentassemos, continuassemos en los actos de la presente causa. Et luego nos los dichos notarios cumpliendo el mandado de (pag. 17) sus revercias fuemos con el dicho Enrrique Garcia, el qual nos llevo dentro del varrio de la villanueva vulgarmente assi llamada de la dicha presente ciudat de Calathayud, la qual solia ser juderia y dentro de unos calliços de la dicha Villanueva nos senyalo la casa que dezia era del dicho Jeuda Maçan, la que esta situada entre dos calliços cerca de una cruzillada y vimos al ojo como la dicha casa tenia dos puertas que la una della sallia al çaliço somero e la otra al calliço de baxo y que la puerta de la dicha casa que sale al calliço de baxo es la puerta mayor y la otra puerta del galliço somero era la puerta menor y a la que vuemos con el nos mostro la dicha puerta somera de la dicha casa e interrogado por nosotros nos dixo e senyalo la dicha puerta somera de la dicha casa y dixo que por la dicha puerta somera entraron en la dicha casa el y su hermano Felipe Garcia, la vegada que vieron (pag. 17 vto) lo recitado en sus deposiciones y que era verdat que primero fueron el y el dicho su hermano a la dicha puerta baxa de la dicha casa, como la trobaron cerrada fueron a la otra puerta somera que dicho es y allaron la que estava estrenyda sin tener ninguna cerradura y que enpujaron la puerta y abriose y entraron dentro de la dicha casa y subieron una escalereta y hallaron en la dicha casa alto a los nombrados en su deposicion segund que en aquella se contiene. Et fecho todo lo susso dicho nos volvimos al barranquo de la dicha Villanueva con el dicho Enrrique Garcia al que enviamos que dandonos haver ante sus reverencias juntamente con el infrascripto testigo que en ello se fallo para que dexandolo ante sus reverencias viniesse con el dicho Felipe Garcia ante nos otros. Et luego ataxoco venido ante nos otros el dicho Felipe Garcia e interrogado por nosotros y endo juntamente con nostros y con el testigo infrascripto nos llevo drecho camino a la misma casa que el dicho Enrrique Garcia deantes nos mostrara y nos dixo ser aquella la casa del dicho Jehuda (pag. 18) Naçan que dixo en su deposicion y nos demostro primero la puerta baxa de la dicha casa, la qual dixo era la puerta mayor y dixo que primero fueron a tocar a la dicha puerta la vegada que fueron a la dicha casa recitada en su deposicion y que como la fallaron cerrada fueron a la otra puerta somera de la dicha casa por do entraron y assi el dicho Felipe Garcia nos llevo a la dicha puerta somera de la dicha casa y nos la fenyalo y vimos al ojo ser la dicha casa situada entre dos calliços y tener las dichas dos puertas a la calle segund yque arriba dicho es y en las deposiciones suso dichas de los dichos Felipe y Enrrique Garcia se contiene, y vimos mas como entre la cruzillada de los dichos dos calliços y la dicha casa no ay otra casa sino un descubierto o patio circundado de tapia e lo qual todo assi como passo nos la dichos notario por descargo de nuestro officio, lo continuamos asentamos por mandado de sus personas aquei en el presente presso de lo qual fue esto testigo presente el honor Johan (pag. 18 vto.) de Solorzano familiar del dicho sennor iqnuisidor por que todo passo assi como dicho es en testimonio de verdat lo firmamos de manos nuestas.

INTERROGACION A ENRRIQUE GARCIA, TESTIGO.

Et primo pre dictu dominum inquisitore fuit interogatus dictus testes si habia fecho alguna deposicion en este sancto officio e contra quien, respondio el dicho testis que havia deposado contra Johan Daça mercader mayor de dias e Ferrando Daça, Alonço Daça fijo del dicho Johan Daça maste Lopez fisico lotro Daça menor que le pareçe se llama Johan Daça desta ciudat de Calatayut. Et luego por el dicho sennor inquisidor le fue mandado que dixiesse declarasse lo que depuso ante los sobre dichos, el qual dicho teste dento en sustancia todo aquello que contra los susso dichos depuso en una deposicion que fizo a XV dias del mes de setiembre deste presente anno, la qual arriba en el pressente presso es inscrita. Et fecho lo susso dicho por mandato del dicho sennor inquisidor le fue leydaal dicho testito la sobre dicha e percalenda deposicion e aquella en todo ratiffico e confirmo en ella presenero.

Item el dicho teste quantas puertas havia en al dicha casa del dicho Jehuda Naçan que salliessen a la calle devio, lo que deposado ha dixo que dos (pag. 19 vto.) puertas que la una era la puerta baxa, la otra la puerta somera, lo que le sabe mas puertas.

Item por qual de las dichas puertas entro quando vido lo que deposado ha dixo que por la puerta somera de la dicha casa como dicho ha.

Item que edat abrian a la sazon los dichos mastre Lopez y Johan Daça menor y Alonso Daça, respuso que uno se podra determinar de cierto mas que a su parecer el dicho mastre Lopez seria de mas edat y los dichos Johan Daça e Alonso Daça de la edat destentes demanera que cree que Ala sazon los dichos Johan Daça y Alonço Daça serian de edat de XV a XVI annos poco que no se afirma si eran mayores que de menos cierto que no lo eran.

Item Ferrando Daça y de Jacudaça padre del dicho Alonça Daça cirta etasen dixo que los sobre (pag. 20) dichos eran hombres fechos.

Item de injuricia es, respuso enemiga no ha tenido ni tienen con ninguno de los sobre dichos porque sabe que el dicho Alonso Daça ovo malas palabras en el mercado desta ciudat con su hermano Felipe Garcia avra un anno poco mas o menos sobre lo hun pleyto e lo injurio de palabra y a un el dicho Alonso Daça levanto la mano para quererle dar lo qual sabe por dicho del dicho su hermano que despues deito les ha visto a los dos hablarse y que esto no lo ha dicho ni dize ni deosa sino por el fecho de la verdat. Testes fueramos premissus presentes.

INTERROGACION A FELIPE GARCIA, TESTIGO.

Item primo fui tinterrogatus dictus testis per dictu dominus inquisitorem si abia fecho alguna depsicion contra algunasen la inquisicion, respuso que se acordava haver deposado contra maestre Lopez medico, Ferrando Daça, Alfonso Daça, Johan Daça su padre, otro cuyo nombre no se acuerda in dixiesse, declarasse que es lo que abia deposado de los sussodicos he dicho teste, luego recito en sustancia aquello que depuso en una deposicion que fizo de los suso dicos a XV dias del mes de setiembre deste presente anno, la qual de parte de arriba en el presente deposicion es inserta y lluego aquella por mandado del inquisidor le fue leyda y aquella ratiffico y confirmo y en ella (pag. 21 vto.) persevero, y en todo dixo que era verdat, salvo en aquello que dixo que tocaron a la puerta somera de la dicha casa de Naçan y no les abrieron y que fueron a la puerta baxa y empujaron la puerta y allaronla abierta, dentraron en ella. Dize que fue por el contrario que primero fue a la puerta baxa de la dicha casa y allaronla cerrada y dize que la puerta somera de la dicha casa porque la dicha casa esta sitiada entre dos calliços, renpujaron la puerta susso dicha somera y hallaronla abierta y assi entraron el y su hermano y su bieron por la escalera de la dicha casa y allaron a los susso dichos nombrados en la dicha deposicion a la mesa comiendo con el dicho Naçan como dicho tiene.

Item dice quien eran los nombrados en su deposicion, respuso Ferrando Daça y Joan Daça padre de Alonso Daça eran hombres fechos y mastre Lopez de edat de XXV annos poco mas o menos y Alonso Daça y Joan Daça ferian de XX annos poco mas o menos.

(Pag. 22) Iterrogado como ha venido a su noticia aquel error que dize de la puerta dixo que la primera vez que depuso aquí ante su reverencia y ante el sennor asessor pidio que ante todas cosas le fuesse leyda su deposicion que dixo havien fecho antel inquisidor, inquisidor por no variar y se acorda por qaul puertaabian entrado y que no le dando la deposicion dexo que havian entrado por la puerta baxa pareciendole que era assi y que luego depuses de haver fecho la dicha deposicion falliendo de aquí de la casa de la iquisicion el mismo dia este testigo a Enrrique Garcia su hermano si se acordava bien por que puerta abian entrado porque le parecia que por la puerta baxa y que la hora el dicho su hermano le dieron que batieron a la puerta baxa y hallaronla cerrada fueron a la puerta somera y allandola puerta estrenida (pag. 22 vto.) la empujaron, dentraron por aquella puerta e que assi agora aviendo ydo por mandado de sus reverencias averla dicha puertas se afirma que entraron el y su hermano por la puerta somera de la dicha casa y no por la puerta baxa y que entrando por la dicha puerta suberon por una escalera de quatro o cinquo escalas.

Item si tenia o abia tenido enemiga con alguno ellos susso nombrados en su deposicion dixo que no es verdat que abra dos annos emas que trayendo este testigo un pleyto con el dicho Alonso Daça y abiendose dado sentencia a favor deste testigo el dicho Alonso Daça en la plaça desta ciudat le llamo judio e alço la mano para darle no le dio, e aquel mismo dia y este testigo a su casa dize le sallio un moço que era pariente del dicho Alonso Daça que bivia en la botica de Miguel (pag. 23) Perez y le sallio de casa de Valtierra con un palo por le dar a el y corrio empos deste testigo y este testigo le fue huyendo, que no le pudo alcançar, que despues vino la justiçia y lo arresto al testigo y despues los hizieorn amigos y que otra cosa no ha passado entre ellos y que es verdat que despues se ha fablado el y el dicho Alonso Daça y ue el otras pendencias con el no ha tenido sino por el dicho pleyto y que con las otros nombrados en su deposicion nunqua pendencia ha tenido y que lo que deposado ha dize es verdat segund que lo ha dicho y que no le dize sono por el fecho de la verdat. Testes fuit dictis presentes predictis veneabilis Martinus Ybanyes e Michael Alcayde de Dominicus Predicationis conventualis Calatayubii.

NUEVO INTERROGATORIO DEL FISCAL AL ACUSADO.

Die XI decembris anno Mº Dº. Calatayubii.

(Pag. 24) Eadem die el dicho sennor inquisidor en presencia del sennor assessor amonesto con nuestro sennor Iheus Cristus al dicho Juhan Daça, preso que dixiese y confesase enteramente la verdat de lo que estava acusado ante que se hiziese la publicacion de los testigos por el procurador fiscal que le seria mas del dicho Juhan Daça respondio que no era de mas encargo de lo que tenia dicho y que siempre que algon mas se le acordaria se lo diria.

(Pag. 25) Et primo fuit interrogatus super primo teste negavit que a el se acuerde pero dize que conoscio bien al dicho Jehuda Naçan en la dicha adeposicion nombrado y sabia bien su casa.

Item sup secundo teste dixo que no se acordava de tal cosa que le dexasen la copia de los dichos testigos y que el pensara en ello.

Item que dixiese que enemigos tenia, respondio que tenia por enemigo a Jayme de Ayerbe que al presernte no se acordava que otros enemigos.

Item que dixieses quien queria por advocado y procurador para la defension de su causa, respondio que queria por advocado al almositero desta ciudat de Calatayud y por procurador Pedro del Lanz, notorario considero. Testes: Petrus Carceranus et Agustinus Cathalan. Nuncius officii sancte inquisicionis.

NUEVO INTERROGATORIO DEL FISCAL AL ACUSADO.

Die IIII Januari anno M° D° I°. Calatayubii.

- (Pag. 24 bis) Eadem die coram dicto domino Ferdinando de Montemayor, inquisitore comparvit dicti Johannes Daça, qui dixit se veble exhonerare contenciam suam de his de quibus. Et in quonteni de mandato dicti dominus inquisotores et posse juravit per deum et crucem et sancta quatuor evangelia et de veritate dicedam et per juramentum confesi ut sequencia:

Et primo dixo que era verdat lo que los testigos deposavan entra el. Item que dixiese claramente como havia passado aquellos que los testigos deposaban contra el respondio que el tenia amistat con aquel judio Naçan nombrado en la deposicion de los dichos testigos y yba algunas vezes a la casa del dicho judio y dize que se acuerda que un dia de la pascua del pan cencenyo de los judios el dicho Naçan encontro en la carrera a este confesant y como tenian amistat los dos dize que el dicho judio le dixo que se viniese con el asu casa y este confesant fizolo asi yde que (pag. 24 bis vto.) fueron a su casa el dicho judio le rogo que comiese con el aquel dia y este confesant fue contento de complazerlo. Asi dize que se sento a la mesa este confesant con el dicho judio y con su mujer y comio alli juntamente con ellos gallinas y capones y hamin y pan cotaço y de las otras cosas que alli le daron y vebio del vino que ellos vebieron, y dize vio como el dicho judio staba sentado al cabo de la mesa y tenia alli un libro y tenia bestido un citcit que era un habito blanco con unas cordetas y vino como el dicho judio bendizio la mesa y no se acuerda si respondio el a ella y dize que guando esto acahecio era a suxecer de verdat de unos quinze o seze anyos y que en esto de la verdat no se puede bien determinar, y que pidio que le fuesen leydos los testigos.

Encomient le fueron leydas las deposiciones de los dichos testigos e aquellas dixo que era verdat lo que deposavan como la ha dicho y que se acuerda que estando comiendo vieron alli ciertos judios, cuyos nombres no se acuerda y que el dicho Naçan se levanto a ellos yles fablo, no se acuerda que y dize que no se acuerda si se fallaron en aquella comida algunos otros cristianos y todo esto confeso (pag. 25 bis) con lagrimas pidiendo misericordia, sometiendose a la sancta madre yglesia y a la sancta inquisicion y dixo que pensariase se acordara de masy si mas se acordare de ello.

NUEVO INTERROGATORIO DEL FISCAL AL ACUSADO.

Die V januari anno M° D° I°. Calatayubii.

- Eadem die el dicho sennor inquisidor en presencia del sennor assessor amonesto y dixo al dicho Juhan Daça que pura quedo en deliberacion de pensar sobre lo que havia seydo interrogado que dixiese en virtut del interrogatorio presto la verdat de todo lo que se le ha acordado y que no dixiese mentira y que mirase si se fallaron en aquella comida con el las dichas personas pues los testigos dizen que las dichas personas se fallaron (hallaron) en ella y y el ha dicho que los testigos deposan verdat y asi mesmo que declarase la intencion con que fizo aquella comida y si lo fizo por solemnizar la pascua de los judios, respondio quanto a esto de la intencion que el no comio alli con el judio con intencion de judayzar sino que comio alli como dicho ha sin tal intencion y que como era moço entonces no penso mas en ello sino comer lo que le dieron y quanto a lo de las personas que nombran los testigos respondio que (pag. 25 bis vto.) no se le acuerda muy bien de cierto pero dize que cree que mastre Garcia Lopez, medico de Calatayut, se fallo en aquella comida porque estando aqui preso el y el dicho mastre Lopez dize que le dixo un dia: Johan ojo preso como hoyo dezir al dicho mastre Lopez tales palabras si Juhan Daça tubiese fuerte yo le pagaria la carcel de dos anyos y le ayudaria bien para su casa.

Item si le envio a dezir el dicho mastre Lopez con el dicho Juhan oio o con otra persona que tuviese fuerça en negar lo de su copia, respondio que no sabra mas de lo que el dicho Juhan oio le dixo, y de quanto un dia le dixo el moço que estava con Gilaber preso despues que el fue dada la copia que tuviese fuerte de todo berrya a bien y dize que no se acuerda si le nombro al mastre Lopez ni que le dixiese que de su parte benia. E dixo que queria mas pensarse bien esto de las personas que dizen los testigos se fallaron en aquella comida. Fuit sibus ectumet perseverantia in dictis.

Eadem die el dicho sennor inquisidor interrogo medi juramento al dicho moço de Bilabert de Sancta Cruz, llamado Pedro de Tresmio, que dixiese si mastre Lopez, preso despues de haverle dado la copia de sus testigos se le dixo algunas palabras que dixiese a Johan Daça preso, respondio que el dicho mastre Lopez despues de haverle dado la copia de sus testigos dixo a este deposant que dixiese al dicho (pag. 26) Juhan Daça que tuviese firme en su verdat y que si no lo havia fecho que no lo dixiese y si lo havia fecho que lo dixiese y que este deposant lo dixo a Pedro de Sancta Cruz pa que lo dixiese al dicho Juhan Daça. Fuit sibus ectumet perseverantia in dictis.

Die VII januari anno M° D° I°. Calatayubii.

- Eadem die el reverendo senno inquisidor medio juramento interrogo a Pedro de Sancta Cruz sobre lo que el moço del dicho Gilabert dixo, el qual respondio que nunca el moço del dicho Gilabert ni otro alguno le dixo las dichas palabras y que las dixiese al dicho Juhan Daça e encontinent fue traydo en presencia del dicho Pedro de Sancta Cruz y diziendole que dixiese las palabras que le havia dicho. E enpeço de ditubar y no supo bien dezir las palabras, y diziendo el dicho Pedro de Sancta Cruz que nunca tal cosa havia hydo, dixo el dicho moço que podia ser que no lo hoviese oydo el dicho Pedro y a si mandaronlo oyr al dicho moço.
Eadem die medio juramento fue interrogado Juhan oio sobre lo que dixo el dicho Juhan Daça, y respondio que es verdat que depues de ser dadas las copia e maestre Lopez y a Juhan Daça (pag. 26 vto.) el dicho Juhan Daça envio su copia a Gilabert de Sancta Cruz con su moço del dicho Gilabert, y el dicho Gilabert la lio (leyó) y en presencia de mastre Lopez y dixo no es nada y dize que el dicho mastre Lopez dixo entonces si Juhan Daça (ilegible) pues no lo he fecho nunca lo confesare y dize que el dicho Gilarbert le dixo al dicho mastre Lopez pues ayudarle de alguna cosa a Juhan Daça y el dicho mastre Lopez le dixo fazer lo vos que yo le ayudare de lo que vos direis y dize que despues el dicho Gilabert en presencia del dicho mastre Lopez envio con su moço la copia al dicho Juhan Daça y le dixo que le dixiese que tubiese fuerte y no se insumetiese que mastre Lopez le madaria pa su mujer y a sus fijos fablar al Juhan Daça que lo dixiese a Pedro de Sancta Cruz y que depues dixo el dicho moço que ya lo havia fecho asi.

Die VIIII januarii anno Mº Dº Iº, Calatayubii.

- Eadem die Pedro el Carcelero dixo al dicho sennr inquisidor y al sennor assessor que el dicho Johan Daça les rogava que quisiera subir a la carcel que queria fablar con ellos. E si luego (pag. 27) los dichos sennor inquisidor y assessor subieron a la carcel y mandaron sacarle en presencia al dicho Juhan Daça e benido alli el dicho sennor inquisidor le dixo como el carcelero les havia dicho que queria fablar con ellos y asi que misrase que es lo que queria.

En continent el dicho Juhan Daça dixo que havia pensado dende el oro dia aca, en lo que quedo ende liberacion asi dize que se ha acordado que en aquella comida que fizo en casa del dicho judio viose fallo alli y comio alli en la dicha mesa con estre deposant y con el dicho judio Ferrando Daça, mercader su hermano y dize que los dos fueron juntos a la dicha casa porque el dicho judio los comido a entramos y que no se acuerda que mas por cristianos conmiesen alli y que esta es la verdat y dize que el dicho Ferrando Daça es mayor de hedat que no el de buencinco (25) annos poco mas o menos. E continent de mandamiento el dicho sennor inquisidor y en su Dios y sobre la cruz y sanctos quatro evangelios que era verdat esto que dicho ha. Fuit sibus ectumet perseverantia in dictis.
E encontinent el dicho sennor inquisidor y el sennor assessor visto el modo de la confesion del dicho Juhan Daça le fizieron muchas exortaciones con muchas buenas palabras judictivas (pag. 27) para que dixiese verdat y no dixiese mentira y que si para ventura en lo que havia confesado no havia dicho la verdat que mejor le era retraerse luego y dizir la verdat que no perseverar en la mentira, y el dicho Juhan Daça dixo que todo lo que el havia confesado era verdat como lo havia dicho y que asi lo dira siempre y que nunca dello se desdira superandole haviesen misericordia y esto dixo con legitimas firmas.
Item dixo que se le ha acordado que sey endo del dicho Fernando Daça su hermano moço por casar que era entonces venido de Valencia de estar con amo a casa del padre deste deposant que estava entonces en Maluenda y dize quel no se acuerda de cierto quanto tiempo ha determinadamente salbo que el dicho Ferrando Daça era entonces moço a su parecer de hedat de seze o diziocho anyos y venido alli a Maluenda diza que el dicho Ferrando Daça dixo a este deposant y a otros que alli encasa de su padre como havia estado en Valencia en una traperia y que despues havia arredado de deprender de terçertelas de cedaço, y que se puso en una casa de un maestro de telas de cedaço y que estubo alli una temporada y vio alli como en aquella casa su amo y los que alli estavan guardaban el sabado y colgavan el biernes en la noche y fazian fazienda en el domingo y que (pag. 28) comian carne en los sabados y que el dicho Ferrando miente estubo en la dicha casa guardo tanbien los sabados folgando en aquellos y en los viernes a la noche y comia carne en ellos y trabajava en los dias de fiesta y esto dizele hoyo dezir en Maluenda muchas vezes y que no se acuerda quien otros lo hoyeron y dixo que el pensaria mas a si en lo que a el tocase como que de otros supiese y que todo lo que se le acrodara lo dicho.

Die XVI januari anno Mº Dº Primo. Calatayubii.

- (Pag. 29) Eadem die el dicho fratre inquisidor juntament con el dicho assessor interrogo mediante juramento a mastre Garcia Lopez preso intro de sequetare:

Et primo fue preguntoado si despues que fueron dadas las copias de los testigos a el y a ouhan Daça si vio o supo lo que constenia la copia del Juhan Daça, respondio que es verdat como dicho ha que vio la copia del Juhan Daça en poder de Gilabert Santa Cruz y lo que tenia la dicha copia.
Item si despues que supo lo que quontenia la dicha copia de Juhan Daça si dixo el tales palabras si Juhan Daça confiesa o se instruere y o cremadoço, o perdidoso, respondio que no.
Item si las dixa otro en presencia suya dixo que ni se le acordava haver hoydo tal cosa.
Item si el u otro por el enviaron a dezir a Juhan Daça que tubiese razio y no se intumetrese que el lea y daria pa dos anyos ala carçel y pa su mujer y pa sus fijos, respondio que no sabe tal consa, pero dize que es verdat que despues de sabida la copia del dicho Johan Daça (pag. 29 vto.) confabulavan este confesant y Gilaber de Sancta Cruz y Johan oio que estaban todos tres en una estanci y dezian que el dicho Juhan Daça por yr sea su casa y a su mujer y fijos se intimeteria y confesaria lo que no havia fecho y esto dezian creya por que tenia al Juhan Daça por hombre truydo y libiano y dize que le pareçe que el Juhan oio dixo a este confesante que seria bien que le diese algo al palaque e stubiese en la carcel porque po no tener que gastar en la carcel no confesase lo que no havia fecho.
Item si le dixieron que enviase algo a la mujer de Juhan Daça o si le dixo Gilabert alguna de las dichas palabras, respondio que no.

Item si el moço de Gilabert dixo a el o al dicho Gilabert como havia dicho al Juhan Daça que tubiese fuerte y confesase, respondio que no sabia tal cosa.

Die XXI jannuarii anno M° D° primo. Calatayubii.

- Fuit sibi lectum et perseveratnt in dictis. Eadem die el dicho sennor inquisidor interrogo mediante jurament a Gilabert de Sancta Cruz preso en la forma siguiente:

Et primo fue preguntado si depues que fueron dadas las copias de los testigos (pag. 30) a mastre Garcia Lopez y a Juhan Daça estando el mastre Lopez en su conpanya si le envio al Juhan Daça en su poder, respondio que es verdat que un dia stubo con deste respondient le reaxo la honra del Johan Daça diziendole que dezia el Juhan Daça que la viese yeste respondient le dixo luego tramela que no la quiero ver y conto do dize que lio parte della pero que no la acabo de leer que luego la dixo al dicho moço diziendole que la tornase que no la queria ver y dize que depues liendo la copia de mastre Lopez vio como lo que havia leydo en la copia del Juhan Daça con formava con uno de los testigos de la copia del mastre Lopez y asi lo dixo al mastre Lopez.

Item si el y mastre Lopez dixieron que el dicho Juhan Daça se insmeteria y que nego seria cremado o perdido mastre Garcia Lopez, respondio que es verdat que el y mastre Lopez tubiendo al Juhan Daça por hombr muy tunido y que desseava mucho sallir de la carcel dixieron que creyan que el dicho Juhan Daça por sallir de la carcel se insuneteria y dize que en estas fablas dixo el mastre Lopez yo no creo ahun que se insutera que diga cotra mi lo que nunca fue pero si lo dixiese mal me podria fazer. (pag. 30 vto.).

Item si se concerto o fablo entre el y el dicho mastre Lopez que seria bien de cometer al dicho Juhan Daça de dar algo pa su scentacion de la carcel de mujer y casa y asi enviaron o alguno dellos envio a dezir al Juhan Daça que tubiese rezio y que no confesase y que el mastre Lopez le ayudaria. Respondio que nunca tal se fablo ni concreto entre ellos y tal envio ninguno dellos adezir a dicho Juhan Daça.

Item si el o mastre Lopez o Juhan oio enviaron a dezir al Juhan Daça con el moço deste respondient alguna razon sobre lo sobre dicho, respondio que no sabe si mastre Johan Ojo le dixieron al moço deste respondient que dixiese al Juhan Daça que no dixiese sino la verdat pero que es cierto que el no dixo tal cosa al dicho moço y dize que depues el dicho moço les dixo como por el corral havia dicho al Juhan Daça que no dixiese sino la verdat y que no sabe si lo dixo esto al moço de suyo por lo que les hoyo fablar o si gelo mandaron dezir el mastre Lopez o el Juhan Ojo.

Item si el o el mastre Lopez stubieron a la ciudat pa que socorriese a la muer de Juhan Daça, respondio que no.

DECLARACION DEL ACUSADO ANTE EL INQUISIDOR Y EL NOTARIO.

(Pag. 31) Eadem die el dicho Juhan Daça preso en presencia del dicho sennor inquisidor en presencia de mi Juhan del Bost, dixo al Alvaro suero su advocado y a Pedro del Lanz su procurador que el no queria defenderse de los testigos contra el publicados porque dezian verdat en lo que le confiavan y que el asi lo havia confesado y se havia inivetido a la sancta madre yglesia y asi que no queria que por el se diese contradictorio alguno.

E en continient el dicho su advocado le relato en suma lo que queria el contradictorio que havia fecho y que pues havia confesado y dezia no lo diese lo daria, e por tanto lo que confesase la verdat enteramente y que no dixiese ni confesase mentiras que el ni contra otros. E el dicho Juhan daça dixo que el havia confesado entermante la verdat de lo que se le havia acordado y que si mas se le acordara el lo confesaria.

Item por el dicho senno inquisidor que dixiese si aquel lo que havia confesado si lo havia confesado por temor o por sallir de la carcel, respondio que lo que el havia confesado no lo havia confesado por temor ni por sallir de la carcel sino de buena voluntat porque era asi la verdat. Johan del Bost, notario.

ULTIMA DECLARACION DEL ACUSADO.

Die XII marcii anno M° D° primo. Calatayubii.

(pag. 32) Eadem die el dicho sennor inquisidor amonesto al dicho Johan Daça que viese si sele havia acordado algo mas en esta su causa en que hoviese de descargar su conciencia asi de lo que habia del, como de otros porque el fiscal queria renunciacione y concluyr con la causa. E el dicho Juhan Daça respondio que ya havia bien descargado su conciencia asi (pag. 32 vto.) lo que el era encargo como de lo que de otros sabia y que no se le acordava de mas y quanto al dicho Alonso Daça dixo que nunca el lo vio en la dicha comida en casa del dicho judio. E con esto dixo que el no queria mas dezir desta su causa de lo dicho y que renunicava y concluya en ella sup suplicando ser pronunciado de firmament en la present causa con misericordia.

EL 11 DE MARZO DE 1501 SE TRASLADA EL PROCESO A ZARAGOZA, ARCHIVÁNDOSE DEFINITIVAMENTE EL 10 DE JULIO DE 1501 POR LOS OFICIALES DE LA INQUISICION DE CALATAYUD. AL PARECER, AL ACUSADO LO DEJARON EN LIBERTAD POR SU DECLARACION.

PROCESO CONTRA GRACIA BENEDIT, VIUDA DE JUAN DE SAN JORGE, HABITANTE DE CALATAYUD, ACUSADO DE JUDAIZAR. (AHP, inquisición caja 12, Nº 2).
COMIENZO DEL PROCESO: 16 de Enero de 1489.

CONFESION DE LA ACUSADA.

Die XVI januari anno anativite domini millesimo quadringentesimo octuagesimo nono.

(Pag. 3) Yo Gracia Benedit confieso a vuestras paternidades haver comido carne tiesa de la judería porque la daban varata y esto azia por la necesidat grande que yo tenia y no por cerimonia judayca ninguna. E asi mesmo se me acuerda haver comido pan çençenyo ensemble con mis vezinas y se me acuerda haver comido turrado y esto que me lo davan vezinas mas pero era fecho de judio. Mas que ha bevido vino de la juderia. Item que tenia huna moçeta y la envia dos o tres vezes los sabados a la juderia a fazer lumbre porque le dasen alguna cosa y esto por la necesidat que yo tenia.

TESTIGOS DEL PROCURADOR FISCAL CONTRA LA ACUSADA.

Die VII marcii anno Mº CCCC L XXX VIII.

(Pag. 4) Eadem die coram reverendo domino Martino Navarro, inquissitore predicto comparvit Cathalina Gomez, Vidaros, mora a Sancta María la Penya qui juravit inposse dominit nostri Ihesu Cristi sup sacro sacta quatuor evangelia, coram ea posita at pena reventer inspecta fuit sup propiis manibus corporalitatta qui dixi se dicte veritates:

Dize esta deposant que abia ocho annos poco mas o menos esta deposant fue clamada a casa de Jorge el Pelligero, que morava en la Rua, haberla una su nieta clamada Agreda, muger de Johan Jorge el pelligero que mora en la Rua nuera del dicho Jorge el Pelligero. E dize esta deposant questando alli esta deposant mortajando la dicha nieta suya (pag. 4 vto.) esta deposant la suegra de la dicha su nieta que holim vive y mora en la Rua y se lama (llama) madre de los Jorges de los pelliceros, derramo desde que la dicha primera fue mataxada toda el augua que estava en huna tenaxa y dixo un hierno de la dicha madre de los Jorges, madre dexatnos augua para que nos lavemos cuyo nombre del dicho yerno a esta deposant no a cuerda y mas dize que ya es nmuerta, respuso la dicha su suegra no fijo que toda esta augua se tiene de derramar y derramada el augua tomo la idcha tenaxa y saquola a la carrera y puso la bocayuso. Testes: Johan Perez, notario et Domingo Gil, portero.

ACUSACION DEL PROCURADOR FISCAL.

(Pag. 7 vto.) Et primerament dize el dicho procurador fiscal que la dicha denunçoada teniendo esperança en la Ley de Moissen ha fecho y observado ritus y cirimonias judaycas crimen de heregia y de apostasia en la ffe cometiendo ha dicho muchas paravras hereticales, senyaladament diziendo que la Ley de Moyssen era buena y dava salvaçion y que tanbien se podia salvar el judio en su Ley como el cristiano en la suya y que ha rezado salmos y oraciones judaycas a modo judayco.
Item dize el dicho procurador fiscal que la dicha rea y criminosa ha gardado el sabado como qualquiere judia vestiendose aquel dia mejor que otros y encendiendo el viernes a la noche muchas lampadas y ciefuelos pa honrra del sabado y no haziendo hazienda aquel dia como otros dias guradando las pascuas de los judios mayormente la del pan cotaco y la de las cabanillas y a dado olio y dineros para olio a las lampadas de la sinoga de los judios e que ha dado limosna a los judios pa la çedaqua y azia quitar y quitava las grasas de la carne que trayda y quando traya pierna sacava o mandava sacar a sus moças la glandolilla de aquella. Et ficho e omsado hamin el viernes pa el sabado et albondaquillas tabaheas, e han echado quando massava un pedalgo de massa en el fuego y han (pag. 8) ayunado los ayunos judaycos senualadament el dayno de quipur clamado el gran perdon y el dayno clamado del pedimiento de la cassa ssancta y otro ayuno de la Reyna Ester y otros ayunos judaycos.
Item mas dize el dicho procurador fiscal que la dicha rea y cirminosa ha comido con judios a una mesa y de sus viandas y ha comido pan cotaco, arruquaques y turrado en el tiempo de la pascua de los judios y ha comido carne y aves degolladas de judios y mas que ha comido carne en quaresma y en biernes y en sabados y en ayunos mandados por la iglesia estando sana y sin necessidat alguna y mas que ha comido potages y otros manjares a la forma y manera judayca guisados ocmo qualquiere judia.
Mas dize el dicho procurador fiscal que todas cossas sussodichas y cada una della fueron eran y son verdaderas publicas notrorias y maniffiestas y aquellas seyer verdaderas ha y conffessado la dicha denunciada rea y criminosa dicho y reconocido en pressencia de fidedignas personas (pag. 8 vto.) y tal de las cossas susso dichas fue era y es voz comun y fama publica en la dicha ciudad de Calatayut y en otras partes.

INTERROGATORIO DEL FISCAL A LA ACUSADA.

Die XXIIII, julii anno Mº CCCC LXXXVIIII. Calatayubii.

(Pag. 10) Eadem die domino reverendo domino Martinus Garcia, inquisitor predicti ad interrogacionem Gracie Benedit, vidue habitant calatayubii medio juramento sup contentis in denunciacione qui juravit per Deum supo crucem domini nstri Ihesu Cristi et sup sacro sancti quatuor evangelia, coram eo posita sup propiis manibus carporaliter tacta diceret omniodam veirtate de hiis qui ciret e sup quibus interrogativi esset qui juramentum respondit in modum qui sequitur:

Et primo fuit interrogata idcta denuncaita sup contentis in dicta denunciaciones que respondit e negavit contenta in eo.

Sup contentis in secundo articulo dicte denunciacione dictedenunciata que respondit e negavit contenta in eo.

Sup contentis in tercio articulo respondit e negavit contentis in eo salvo lo dicho e confesado por ella en su conffesion dada en el tiempo de la gracia.

(pag. 10 vto.).

Preguntada porque se faze la pascua de resurreccion la qual respuso e dixo que por entrar en pascua preguntada por que se faze la pascua de Navidat la qual respuso e dixo que no sabia.

Preguantada porque se faze la pascua de mayo la qual respuso e dixo que no sabia sino que quando venia la pascua entrava en pascua.

Preguntada que dixha aquellos sanctos palavras sobre el Sanguis Cristi que alli en el caliz la sangre de Ihesu Cristio la qual respuso e dixo que no sabia.

Sup quarto artuculo dixit que lo dicho e confesado por ello es la verdat y lo negado no es verdat, fuit sibi lectum. Testes: Bernardino Montanyes, alguazir e Jacobus de Monclus, nunciius, habitantores Calatayubii.

COPARECENCIA DE LA ACUSADA

Die prima novenbris anno M° CCCC LXXX VIIII. Calatayubii.

(Pag. 11) Eadem die coram reverendo domino Alfonso de Alarcon, inquisitore comparvit Garcia Benedit, vidua Calatayubii qui juravit in pose domini inquisitoris per Deum et per juramentum dize e confiesa eo siguiente:

Primo dize esta quonfesante questando mochacha de hedat de quatorze o quinze annos en el lugar de Huesa con huna tia suya llamada Maria Benedit, hermana de Johan Benedit, padre desta quonfessant ayuno con la dicha su tia el el ayuno de quipur por tres o quatro viezes y no comiendo fasta la noche el qual ayuno fizo a judicio de la dicha su tia. E mas dize esta quonfesante que comio huna estudilla de hamin mas que no era en sabado y que no le acuerda quanto tiempo ha o quanto no el qual hamin como en casa de Anthon de Sant Jorge, fijo suyo, guisado en la dicha casa de su fijo.

Item dize que en el dicho tiempo que fizo los dichos ayunos vio asi mismo ayunaron el dicho ayuno de quipur Johan que era pelayre, marido de la dicha su tia y dos fijas dellos llamadas la huna Maria y la otra Buensçana, que crehe que son nueras que eran de la hedat desta deposant, quando ayunavan el dicho (pag.11 vto.) ayuno de quipur. E dize depuse no le acuerda mas de lo suso dicho que se reffiere a su confesion. E que si mas se le recordare que lo venrra a manifestar iterrogada de odio negavit. Testes: maestre Johan Perez de la Rrau, cilurgrano et Martin Perez del Offiçio de la sancta inquisicion.

TESTIGOS EN CONTRA DE LA ACUSADA.

- (Pag. 15) Grabiel de Caspe Pelligero habitante en Çaragoça dize: Item questando este deposant en la casa de la viuda de Sant Jorge, que mora al arquo de Sant Johan, vio que guardaba el sabado con todas las çelimonias de judios que fazen en el sabado se comia carne de la carniceria de los judios e pan cotaço e turrado que le trayan de la juderia que ha poco mas o menos de hun anno que le vio gardar el sabado et vio como ayunava el ayuno de quipur a la manera judayca y esto sabe porque lo vio entrando y salliendo en casa y vio guisar el viernes para el sabado a comer.

Die XVIIII junii anno M° CCCC LXXXVIIII

- (Pag. 15 vto.) Eadem die coram reverendo domino Martino Garçia, inquisitore comparvit Johannes de Samper, habitator Calatayubii, testis qui juravit in presenciam dominsus inquisitoris per Deum et crucem domini nostri Ihesu Christi et sup sacro sancta quatuor evangelia et per juramentum dixit qui sequit:

Item dixo que hoyo dizir a la muxer de Johan de Sant Jorge y a su fija Leonor sobre razones cristianos de natura cristianos de mala ventura puede haver dos meses. Testes: honorabiles frater Michael Ferrer, ordinis predicatorum et Johannes de Valdomeso, nunciis sancte inquisiçionis.

Die XXI novembris anno M° CCCCLXXXVIIII. Calatayubii.

- Eadem die el sennor maestre Martino Garcia, inquisidor procurador a interrogacion de Gracia Benedir presa mueger de Sant Jorge medio juramento que juravit per deum sup crucem domini nostri Ihesu Cristi e sup sacro sancta quatuor evangelia coram eo posita quisque propiis manibus corporalitar tacta diceret respondit ut sequitur:

Et primo quonffeso que haviendosele muerto huna su sobrina dize que derramo el agua de las tenajas que tenia en casa y que lo hizo a conseio de la muger de Johan de segovia, çapatero, que morava en la Rua y que lo hizo porque le dixo que si lohazia que no morian mas en su casa porque morian mucho. Testes: martinus Perez e Johannes Castillo, notario habitant Calatayubii.

Die XXV novembris.

- (pag. 17) Eadem die reverendus dominus Martinus Garcie, inquisitor processus ad interrogatus Gracia Benedit uxoris Joannis de Sant Jorge, qui juravit imposse dicti domini inquisitoris per Deum sup crucem eo in interrogata dixit in sequitur:

Et primo dize que se le acuerda por algunas vezes haver dicho "cristianos de natura cristianos de mala ventura" y assi mesmo dize que ha guardado los sabados adreçando la casa suya el viernes a la noche por honrra del sabado, mudandose camisa limpia en el dia del sabado, no faziendo tanta fazienda en el dia del sabado como los otros dias de la semana y esto fizo en su casa instruyda por una tia suya llamada Maria Benedit, ques de Guessa (Huesa), la qual la criuo en estas cosas y a fazer los aynos judaycos solempnizava con su tia laos sabados, comia carne (pag. 17 vto.) en los sabados y dize que estas cosas fizo esta confessant seyendo joven, y dize que las vezes que ayuno el ayuno de quipur con la dicha su tia fueron quatro vezes de la manera que lo ha dicho et hoc per jurament. Testes: Petrus Margarit, alguazinus, Anthon de la Miel, nunciius.

NO HAY SENTENCIA.

PROCESO CONTRA JOHAN ESPERANDEN, MENOR DE DIAS, SASTRE, HABITANTE DE CALATAYUD, ACUSADO DE JUDAIZAR. (AHP, inquisición caja 15, N° 6).
COMIENZO DEL PROCESO: 17 de Enero de 1488.

COMPARECENCIA DEL ACUSADO

Die XXII jannuari anno M CCCC LXXXVIII.

(Pag. 2) Delante de vos muy reverendos sennores padres comparezco yo Johan Speranden, sastre por obedecer y hazer el madado de la sancta Inquisicion y por la salut de mi anima.

Como quiere muy reverendos sennores padres que las cosas que abaxo dire aya yo conffessado fecho penitencia de todo ello y por mis padres espirituales y en ras de anima aya ya recebido absolucion y con la penitencia han ffecho y quanto a Dios nuestro sennor creo my anima sinsa bullas y con bullas a mayor seguridat absuelta.
Seyendo sennores moço de vinte annos poco mas o menos estando con amo en Valencia vinieron dos judios el huno se llama Huda Castiel, el otro Çaporta y eran de aquí de Calatayut y enbiaron huna apudilla de hamin a mi amo e comy yo della et ni jamas ende comy fecho de judio ni que judio me lo diese y comilo en dia de comer carne y verdat es sennores que ende comido guisado en my casa y de carne de cristianos y en dia de comer carne y no en otra manera ninguna ni con ninguna cerimonia judayca ni la fize ni la se ni nunqua la vi fazer ni nunqua tal por la present me passo, mas sennores teniendo prisa de coser algunos vestidos por no crebar las fiestas e domingos he dado a coser a judios y ahun he cosido yo algunas fiestas (pag. 2vto.) ratos, dias de domingo y de pascua por complir y dar recaudo a los que me encomyenda su azienda y porque viniese gana de otra vegada darme a coser et mas sennores indo por los vestido a casa de hun judio que dava a coser me fizo sacar por colacion hun melado e lo comi y tanbien me ha presentado como otros muchos, turrado y lo he comido santiguando y lo he todo quonffessado et he fecho penitencia dello pero sennores pan cancenno ni otros comeres de judios nunqua los comi.

TESTIGOS DEL FISCAL CONTRA EL ACUSADO

Die XX mensis maii anno M CCCC LXXXVIII.

- (pag. 3) Eadem die coram domino inquisitore comparvit Michael Bravo, agricultor habitator locii de Morata, testis qui juravit per Deum sup crucem domini nostri Ihesu Cristi qui diceret omniodam veritaten hiis qui ciret et sup quibus interrogamus esset qui juramentum respondit inmodum qui sequitur:

Dize este deposante que havra cinquo annos poco mas o menos se acuerda muy bien como huna vez huvo clamado Johan Esperandeo, menor de dias, sastre de Calatayut, el qual havia ydo a Morata a cortar hunos vestidos de huna boda, no se le acuerda pa quien, y que corto en su casa deste deposante vino huna muger clamada Barholomea, muger de Martin Crabera, lavrador habitant en Morata, por cortar huna rropa la qual dixo al dicho Johan Esperandeo acuerdaseos de cómo mun sabado Albaro el jubonero fizo el enfermo y os comisteys huna gallina y que el dicho Johan Esperandeo dixo y respuso que si que el la comio por amor del dicho Albaro (pag. 3 vto.) y ahun que dixo el dicho Johan Esperandeo nunqua medie el dixiendolo por el dicho Albaro que judio es y que creya que se havia ydo a Judea a fazer judio. Teste: Johannes de Hun Castillo, notario e dominicus Gil, nuncii habitator Calatayubii.

Die IIII julii anno M CCCC LXXXVIII.

- Eadem die coram reverendo fratre Michaelle de monterubio, inquisitore predicto, comparvit Açach Enforna, minor habitator aliame judeorum civitas Calatayubii testis qui juravit pee Deum sup decem precepta legis Moysi qui diceret omniodam veritatem que per qui per juramentum respondit inmodum qui sequitur:

(Pag. 4) Dize este deposante que havia hunas tres semanas poco mas o menos estando este deposante hun dia viespra de Sant Johan mas cerqua passado arrimado a la tienda de Johan el sastre, sordo, que mora en el mercado, este deposante estando vendiendo beatillos en la dicha tienda a huna muger del dicho Johan el sastre, cuyo nombre no sabe, salvo sabe que es la que y bive el dicho Johan el sastre, dixo a este deposante estas palavras "enganyala que buena vehema es" que quiere dezir venia tornado de ebrayco en rromance bestia. Testes: Johannes Torrejon e dominicus Egidii, nuncii oficii sancti inquisicionis civitatis Calatayubii.

Die XXI Marcii anno M CCCC LXXXVIII.

- Eadem die coram dicto domio inquisitoris comparvit Mosse Jaco, judeis habitator Calatyubii testis qui juravit per Deum sup decem (pag. 4 vto.) precepta legis Moysi qui diceret omniodam veritatem qui hiis qui diret et sup quibus interrogatus esset qui per juramentum respondit inmodum qui sequitur:

Dize este deposnate que havra tres meses poco mas o menos mercando este deposante huna rretaja de panyo de huno llamado Johan Esperanden el joven sastre, que mora en el mercado cabe casa de Johan Abat, estando en discordia este deposante del precio de la dicha retaja, por quanto el dicho Johan Esperanden le devia dava mucho dixo este deposante al dicho Johan Esperanden: por la fe del Dio (Dios) no dare mas de tanto y que el dicho Johan Esperanden entonçe juro pues por la Ley de Moysen no lo levareys por esse precio sino que deys tanto y que este deposante visto que havia jurado que no gele diria menos de lo que le dixo diole aquello que demando y tomo su retaja. Testes: Petrus Laraz, notoario e Johannes Torrejon, nunciiis dicti sancti oficii.

Die prima junii anno M CCCC LXXXVIIII. Calatayubii.

- (pag. 5) Eadem die coram reverendo domino Martino Garcie inquisitore comparvit Maria de Lanuça, uxor Jacobi de Luna, habitant Calatayubii, testis qui juravit per Deum sup crucem domini nostri Ihesu Cristi qui diceret omniodam veritaten hiis qui ciret et sup quibus interrogamus esset qui juramentun respondit inmodum qui sequitur:

Dize la presente deposante que el dia que batearon al marido desta deposante que puede haver cinquo annos poco mas o menos y entonçe babtizaron dos fijos tambien desta deposante, estando esta deposante en la juderia vino a ella huno llamado Johan Esperanden, sastre yerno de Maturano, vezino desta ciudat y fallo a esta deposante que estava llorando y dixole porque llorays dixo esta deposante no tengo de llorar que soy viuda en vida no veys que babtizan a mi marido y a mis fijos entonces dixo el dicho Johan Esperanden a esta deposante y no enredeys que qudays bien rriqua que quedays en vuestra Ley y en vuestra (pag. 5 vto.) juderia porque le babtizava dos fijos el mesmo dia dixo el dicho Johan Esperanden tendreys dos angelitos emparayso yo lo azio por modo descarnio et hoc dixit per juramentum. Testes: Garsias de Valladolit e Johannes Valdanyelo, escutifferi habitant Cesaraugusti.

Die VII julii anno M° CCCC LXXXVIIII. Calatayubii.

- Eadem die coram dicto domino inquisitore comparvit Salomon Avayut judio sastre mayor de dias habitant en la aliama de judios de Calatayut, testis testis qui juravit per Deum sup decem precepta legis Moysi qui diceret omniodam veritatem qui hiis qui diret et sup quibus interrogatus esset qui per juramentum respondit inmodum qui sequitur:

(Pag. 6) Dize este deposante que po muchas vezes ha visto yr a bodas y esposajas de judios a Johan de Esperanden el joven y a Pedro Çit, sastre y a Rodrigo Çit, sastre y a Salvador Crimillas, sastre, que mora en la Rua habitant en esta ciudat y dize que les veya baylar y dançar en las bodas de los dichos judios qu vio assi mesmo como los suso dichos fazian collacion en los dichos esponsorios y bodas de fruta y vino. Testes: Martinus Perez, notarius, et Jacobus de Monclus, nuncii officii sancte inquisicionis habitantor Calatayubii.

ACUSACION DEL PROCURADOR FISCAL.

- (Pag. 7) Coram nostri reverendo Pedro Martinez de Darocha, decretory doctoris ac inquisitore heretice apostatice...

E primerament dize el dicho procurador fiscal que el dicho denunciado teniendo sperança en la ley de Moysen ha fecho y observado ritus e cerimonias judaycas, crimen heretica y de apostasia e de en la fe cometiendo, ha dicho muchas palvras hereticales senyaladament que la Ley de Moysen era buena e dava salvacion e que tenia bien se podia salvar el judio en su Ley como el cristiano en la suya e que ha rezado salmos e oraciones judaicas.
(Pag. 7 vto.) Item dize el dicho procurador fiscal que el dicho reo e criminoso ha guardado e solepnizado el sabado como qualquiere, vistiendose aquel dia meior que otros e mudandose en aquel camisas limpias, rencendiendo e faziendo encender el viernes a la noche muchas lampadicas y cienfuelos por honra del sabado, y no haziendo hazienda aquel dia e no tanta como otros dias guardando las pasquas de los judios, maiorment la del pan cotaço y de las cabanillas y ha dado olio y dineros pa olio a las lampadas de la sioga de los judios e que ha dada elemosina a los judios pa la çedaca e hazia quitar e quitava las grassas de la carne que traya e quendo traya pierna sacava e mandava sacar a sus moças la glandolilla de aquella. E mas que dava la bendicion al modo judayco, e han fecho e guisado hamin el viernes pal sabado, e albodaquillas tabaeas e haver ayunado los ayunos judaycos, senialdament el ayuno de quipur, clamado el gran perdon y el ayuno clamado el pedimiento de la casa sancta e otro ayuno de la reyna Ster e otro atos ayunos judaycos. Item mas dize el dicho procurador fiscal que el dicho reo e criminoso ha comido con judios a huna mesa e de sus viandas, e ha comido pan cotaco. Arruquaques e turrado en el timpo de la pascua (pag. 8) de los judios e ha comido carnes de haves degolladas de judios e mas que ha comido potaje e otros manjares a la forma judayca guisados como qualquier judio e ha comido tocino enguilas, caracoles e otros manjares que judios no comen.
E mas dize el dicho procurador fiscal que todas las cosas suso dichas e cadauno dellas fueron eran y son verdaderas publicas, notorias e manifeistas y millor seryer verdaderas ha conffessado el dicho demandado e criminoso dicho e reconocido en presencia de fidedignas personas y tal de las codas suso dichas fue era y es conoscimiento e fama publica en la dicha ciudat de Calatayut.

DECLARACION DEL ACUSADO ANTE EL FISCAL.

Die XVII maii anno M CCCC LXXXXII. Calatayubii.

(Pag. 10) Reverendo dominus Berengarius Martinez de Daroca, inquisitor en pressencia ad interrogacion Johannes de Esperanden, minor dies, sutoris capti qui quidem Johanes de Esperanden captibus juramentun per Deum crucem domini nostri Ihesu Cristi e sup sacro sancta quatuor evangelia, coram eo posita e per manibus tacta reverent inspecta e obsulata et per dictum juramentum conffessatur fuir in forma sequinti:

Et primo dize que estando en la ciudat de Valencia aprendiz con hun sastre clamado mastre Garcia, seyendo este conffesant de hedat de seze (siete) anyos poco mas o menos comio hamin en sabado y guardo tres sabados con el dicho su amo y con su familia en los quales no fizo hazienda ninguna y que el dicho su amo guardava todos los sabados.

Item dize el dicho conffessant que estando en la ciudat de Çaragoça con hun tio suyo clamado Anthon de Esperanden, hermano de su padre, de hedat de diez o doze anyos ayuno con el tres anyos el ayuno de quipur, ayunando todo el dia fasta la noche y a la noche comian carne y quel dicho su tio y su muxer clamada Espança no comian fasta la noche y a la noche comyan carne y que ayuno los dichos ayunos porque el dicho su tio le dava a entender que por ello havia de haver mcuho bien.

(pag. 10 vto.) Item interrogado dins denuciationis insecundo articulo sup quo deposo e conffesso ser verdat que el ha comido pan çançenyo el qual nunqua fizo el traer assu casa ni mucho menos embio por el empo tenia moços judios obreros o trayan a su casa de aquel pan e algunas vezes ha comido dello y no empo por cirimonya judayca ni por devocion que de comer lo trayesse no sabe si era en el timpo de la pascua.

Item dize este conffessant que ser verdat que algunas vegadas se ha guisado hamin en su casa y albondiguillas y ha comido dello el qual hamim era de carne degollada de cristiano y que el nunqua ha comido de judios ni viandas de judios antes judios ha comido en su mesa y de las viandas que este deposant comia y que ha comido arruquaques y turrado enviadole de la juderia y que no sabe si era en la pascua ni en que tiempo stuvo quando gelo trayan sus obreros y mas dize que comio de huna gallina degollada de judio de la qual comieron los de casa de Pascual Bautista de Castexon de Alharva y en esta manera que defastio porque el judio la havia degollado echaron tocino en la olla porque el dicho judio no comiesse della y assi comio el dicho judio della.

Mas dize este conffessant que ha comido carne en sabado y en cuaresma sistano sano. Y mas dize este conffessant y que a dicho a huna judia porque se le havia tornado el marido y fiziera cristiano que ella no quedava pobre sino rica, pues quedava judia y en su juderia y que diziendole ella que sus fixos serian angelicos enpayso le dixo este conffessant de angelicos en payso esso y lo azio.

Item dize que algunas vegadas ha ydo a honrrar judios en sus bodas y desposaxas de hun judio clamado Papa el sastre y dança en ellas este conffessant y uno clamado Gonçalvo de Funes sastre y que algunas vegadas burlando ha docho algunos crisitanos que "hantor", que quiere decir asno, y fablado algunas palabras en ebrayco las quales le demandavan aquellos obreros judios.

(11) Et post dicerit denuciancionis etiam conffessatu fuit et dixit que ha tirado la landrezilla de la pierna pa echarla a cozer por tres vezes y que algunas vegadas ha andado bacillando en la ffe ha creido algunas vegadas la Ley de Mose ser sancta y buena.

INTERROGACION A UN NUEVO TESTIGO EN CONTRA DEL ACUSADO.

(12 vto.) Adveniente ante die videlis qui computa batriz vicessima tercia mensis maii anno computato anativitate domini millesimo quadrigentesimo nonagesimo secundo apud civitatem Calatayubii coram dicto domino inquisitore comparvit dictus procurator ffiscalis e minsiter officii sancti inqisicionis dixit que inmodum probacionis seu faciendo ffident de contentis in sua denunciacionem e articulis dixit que predicebat prut de facto per dixit in testes in presentibus causa videlis nos Jaquon, judeis habitator Calatayubii et eo instante fuit qui juravit imposse dins domini inquisitoris per Deum sup dicte precepta legis Moyse que dicerreta anyo denat veritatem et fuit interrogatus si sabe que Johan de Esperandeo aya fecho algunos ritos o cerimonias judaycas o venido en alguna manera contra la sancta ffe catholica e futi sibi lecta quedan deposicio facta penum die vicesima marcii anno LXXXVIII que dixo el dicho Johan esperandeo por la Ley de Moysen que vosotros y no otros crehemos y esto es la verdat en quanto se le acuerda a este deposant. Teste: mossen Johan Munnyoz, sacristan de Sancta Maria la Mayor e Mosen Miguel Donamilla, racionero de la dicha yglesia.

NO HAY SENTENCIA.

PROCESO CONTRA GRACIA DE BLANAS, HIJA DE ANTON DE BLANAS Y MUJER DE JOHAN DE CASTRO, SASTRE, VECINA DE CALATAYUD. (AHP, inquisición caja 22, N° 1).

COMIENZO DEL PROCESO: 22 de Febrero de 1514.

Die XXII febroari anno Millesimo D XIII.

COMUNICACIÓN DE CARGOS A LA ACUSADA.

(PAG. 2) Eadem die el dicho sennor inquisidor, liçençiado Francisco Gonçalez de Frexneda amonesto en forma a Gracia de Blanas, mujer de Johan de Castro, sastre, cristiano nuevo vezino de Calatayut, exortandole que dixiesse y confessasse la verdat de qualquiere cosa que hoviesse fecho contra la santa fe catholica de nuestro Sennor Ihesu Cristo y que hoviesse fecho algunos ritos o cerimonias judaycas he dicho algunas palabras hereticasles e supiesse algunas cosas de sus padres de aquel o de otros algunos que sean quontra la sancta fe catholica pa que confessando la verdat sia natado ad misericordia y en otra manera sia recebido, que ella por los remedios del drecho y que el fiscal la quiere denunciar. Item Gracia a la qual respondio a la dicha monicion que nunca cosa fizo de juderia ni sabe que otro lo haya fecho.

ACUSACION POR PARTE DEL PROCURADOR FISCAL.

(Pag. 3) Et primo dize el dicho procurador fiscal que la dicha rea denunciada teniendo esperança en la Ley de Moyssen ha dicho que tambien se podia salvar el buen judio en su Lye como el buen crisitano en la suya y esto es verdat.

(pag. 3 vto.) Item dize el dicho procurador fiscal que la dicha rea denunciada estando sola patestat de su padre y madre y por su judricion y juntamente con ellos hizo el ayuno de quipur y otros ayunos judaycos estando sin comer en todo el dia fasta la noche y a la noche se desayunaron carne al modo judayco y demando por dona los dichos sus padres y madre y les beso las manos y ellos ley donaron.

Item dize el dicho procurador fiscal que la dicha rea denunciada estando solu potestat de los dichos sus padre y madre y por su judiction y juntamente con ellos guardado el sabado abteniendose da fazer fazienda en aquel bestiendose mejores bestidos que otros dias y se mudavan camisas limpias por honrra del sabado y encendia muchas lumbres el viernes a la noche y dexandose de fazer fazienda los dichos viernes a la tarde por la honrra del dicho sabado.

Item dize el dicho procurador fiscal que la dicha rea denunciada assi mesmo estando con los dichos sus padres y madre rezava oraciones judaycas las quales le demostravan los dichos sus padres y madre.

Item dize el dicho procurador fiscal que la dicha rea denunciada estando so la potestat de los dichos sus padre y madre y juntamente con ellos por muchas vezes comio pan cotaco en la pascua de los judios y hamin en sabado juniado e de la juderia Guisado al modo judayco y otras vezes lo guisavan en casa un dia pa otro comian aquel en sabado.

(pag. 4) Item dize el dicho procurador fiscal que la dicha ra denunciada estando con los dichos sus padre y madre quitava las grassas de la carne y la landrezilla de la pierna al modo judayco y dava almosna a los judios y guardava juntamente con ellos la pascua de las cabanyvelas de los judios y otras pascuas de los judios.

Item dize el dicho procurador fiscal que la dicha rea denunciada despues de casada ha fecho y cometido los susos dichos ritos y cerimonias judaycas assi a solas como con otros malos cristianos.

Item dize el dicho procurador fiscal que la dicha rea denunciada sabe y ha visto que los dichos sus padres y otros malos ciristanos han fecho cometido y perpetrado los suso dichos ritos y cerimonias judaycas y lo ha callado y calla de presente incubriendo favoresciendo los dichos hereticos perjuradose por una y muchas en la causa de la ffe.

Item dize el dicho procurador fiscal que todas y cadaunas cosas suso dichas fueron feran y son verdaderas publicas manifiestas y notorias y ellas el dicho procurador fiscal se ha jactado en presencia de muchas fidedignas personas.

CARCEL PARA LA ACUSADA.

(Pag. 5) Eadem die el dicho ha jugar pa certos respectos su no movientes en dio et asi que en carcel y por carcel a dicho Gracia demandada la ciudat de Calatayu y tres leguas enderrodor en la qual mando que no saliesse del dicho carcel con sus pies ni asenocen su crebanto de carcel y de confiesso y convieta en yde otras penas crimynarias en la qual acepto el dicho carcel en solas dichas penas y que tendiense lo que fue interrogado so pena de exomunyon. Fiat large. Testes Joannes de Vergara et Petrus Gonzalez, nunciis inquisicionis.

INTERROGACION DEL FISCAL A LA ACUSADA.

(Pag. 6) Eadem die dictus dominus inquisitoris interrogatus medio juramento predicto a dictam denunciata sup questentis in dicta denunciaciones interrogata qui sequitur modus:

Et primo interrogavit sup primo articulum respondit que no dixo las palabras acontenidas en el articulo ante dize quando se puede savar sino el agua del bautismo.

Sup II articulis respondit que nunca fizo lo que tendio en el articulo ni tales se supo.

Sup III artulis negavit contenta in eo

Sup IIII articulo negavit y de su padre mas no a ella y sus herederos el pater noster avemaria credo y la salve e otras oraciones de cristianos ni nunca le vido fazer cosas de judios.
Sup V articulo negavit. Sup VI artuculis negavit. Sup VII articulis negavit. Sup VIII articulis negavit.

(Pag. 6 vto.) Eadem die dictus dominus inquisitor testis respondibus en carcel e por carcel la dicha denunciada la ciudad de Calatayut y tres leguas enderredor a la qual mando que del dicho carcel no sallieesse presus so pena de cofesso e comento y de otras penas arbitrarias en la qual açepto el dicho carcel prometio y se obligo y juro en de no crebantar lo sobre dichas penas en fiat large. Testes: Johanan de Vergara e Petrus Gonzalez, nunciis inquisitoris.

NO HAY SENTENCIA.

PROCESO CONTRA CONSTANZA DE ARIZA, HIJA DE JUAN DE ARIZA, MAESTANTE DE CALATAYUD, POR JUDAIZAR. (AHP, inquisición caja 22, Nº 2).

COMIENZO DEL PROCESO: 4 de Febrero de 1514.

TESTIGOS ACUSATORIOS DEL FISCAL

Die IIII febroarii anno Mº Dº XIIII Cesarauguste.

(Pag. 4) Eadem die el dicho Sennor inquisidor fizo comparecer ante si al dicho Johan Cit, preso, el qual mediante juramento en forma prestado por el fizo las siguientes e no otroas cosas:

Preguntado si sabe y vio que los viernes a las noches encendiessen unos candiles que otros dias dixo que vio que tenian mas candiles encendidos que otros dias y esto veya porque eran sus vezinos, que las encendían de noche e Johan de Fariza sus fijos llamada Maria de Fariza que vive en la plaça de Calatayut que esta en su casa Leonor de Sancta Fe, que como no sabe como se llama que están juntas en una casa, y en casa el dicho Johan Lopez las encendia que no sabe como se llama y que puede haver todo esto mas de XXXX annos poco mas o menos y que entonces serian, ad edat de XVI aca XVIII annos poco mas o menos.

Die XXIII febroari anno Mº Dº XIIII. Aljaferie.

- (pag. 4 vto.)   Eadem die coram dicto domino inquisitore comparvit dins Michael de Galbe procurador fiscalis qui in modum veritatis, respondixit in causa dictu Johannes Çit denuciado…

E dize el denunciado que vio que los fijos y fijas del dicho Johan de Fariza yban comiendo por la calle del pan cencenyo y aquellos gelo mostravan a este testigo a su mujer desde testigo, assi el dicho pan cancenyo que ha dicho las rosquetas de las alcahalillas que aquellos avian comido por la calle y que todos los fijos de Johan de Fariza son muertos salvo las dichas sus fijas que stan en su companya, que entonçes aquellos ferian de edat los mayores dellos de diez annos poco mas o menos y lo sobre dicho dixo serverdat en (pag. 5) todo lo demas persevero en las dichas sus confessiones, deposiciones. Testes: Cristoforus de Alcubiere et franciscus Petrus, presbiterus habitantes Cesarauguste.

ACUSACION Y LECTURA DE CARGOS DEL PROCURADOR FISCAL.

(No fecha)

(Pag. 6)   Coram vos reverendo domino licenciato Freancisco Gonçalbez de Frasneda, inquisitore heretice et apostatice prevedat a sancta Sede Apostolica in toto regno aragonum dato et deputato comparvit Michael de Galbe, promotor fiscalis et minister officii sancte inquisicionis dicte hertice pravedat qui dicto nomine… in modo et forma seguitur:

Et primo dize el dihco procurador fiscal que la dicha rea denunciada teniendo esperança en la Ley de Moysen ha dicho que tambien se podia salvar el buen judio en su ley como el buen cristiano en la suya.

Item dize el dicho procurador fiscal que la dicha (pag. 6 vto.) rea denunciada estandose la potestat de su padre y madre y por judiccion (jurisdicción) dellos y de otros parientes suyos y juntamente con ellos hizo el ayuno de quipur y otros ayunos judaycos estando sin comer en todo el dia fista la noche y a la noche se desayunava con carne y demando perdon a los dichos sus padres y madre y les beso las manos y ellos le perdonaron.

Item dize el dicho procurador fiscal que la dicha denunciad estando so la potestat de los dichos sus padre y madre y por juriccion dellos y juntamente con ellos guardo el sabado absteniendose de fazer fazienda en los dichos sabados por honrra de aquel bestiendose mejores bestidos que otros dias y mudandose camisas limpias y los biernes a las noches encendiendo muchas lumbres y dexandose de fazer fazienda los dichos biernes a la noche por honrra del dicho sabado.

Item dize el dicho procurador fiscal que la dicha rea denunciada assi mesmo estando solapotestat de los dichos sus padre y madre rezava oraciones judaycas las quales le demostravan los dichos sus padre y madre.

Item dize el dicho procurador fiscal que la dicha rea denunciada estando con los cihos sus padre y madre y jutnamente con ellos por muchas vezes comio pan cotaco en la pascua de los judios y hamin en sabado enviado de la juderia guisado al modo judayco y otras vezes lo guisavan en casa de los dichos sus padre y madre quisando de un dia pa otro y aquel comian en sabado.

(pag. 7) Item dize el dicho procurador fiscal que la dicha rea denunciada estando con los dichos sus padre y madre quitava las grassas de la carne y la landrezilla de la pierna al modo judayco y dava almosna por su marido a los judios y guardava juntamente con ellos las pascuas de los judios con especial la de las cabanyvelas.

Item dize el dicho procurador fiscal que la dicha rea denunciada ha fecho y cometido los suso dichos ritos y cerimonias judaycas assi a solas como con otros hereticos.

Item dize el dicho procurador fiscal que la dicha rea denunciada sabe y ha vista que los dichos sus padre y otros malos cristianos han fecho cometido y perpetrado los suso dichos ritos y cerimonias judaycas y lo ha callado y calla de presente incubriendo y famoseando los dichos hereticos perjurandose una y muchas vezes en la causa de la ffe.

Item dize el dicho procurador que todas y cadaunas cosas suso dichas fueron eran y son verdaderas publicas notorias y manifiestas y dellas la dicha rea demanda se ha jactado en presencia de muchas fidedignas personas.

INTERROGATORIO DEL FISCAL A LA ACUSADA.

(No fecha)

- (pag. 8) Eadem die el dicho senno inquisidor tomo juramento en forma de dicho recebido e interrogacion de la dicha Gostaça de Fariza sobre los articulos de la dicha denunciacion en la firma siguiente:

Et primo interrogada sup 1°, 2°, 3°, 4°, 5°, 6°, 7°, 8°, 9° articulos negavit.

- Eadem die el dicho sennor inquisidor fizo parecer (comparecer) ante si a la dicha denunciada a la qual fizo jurar por Dios et en virtud del juramento le fizo las preguntas siguientes:

Preguntada si supo que su madre fuesse jodia dixo que no fue ella jodia ante nacio cristiana supolo porque ella gelo contava.
(pag. 8 vto.) preguntada su aguelo de parte de su madre si nacio judio y como se llamava y de que linaje descendia, dixo que no sabia nada desto, y que no conocio al dicho su aguelo.
Pregundada si supo o hoyo que su padre hoviesse marido jodido, dixo que no lo supo ni lo hoyo.
Eadem die el dicho sennor inquisidor mando a la dicha denunciada medio juramento por dios en so penas de carcel.

NUEVO INTERROGATORIO AL DENUNCIANTE.

(Pag. 8 vto.) Eadem die coram dicto domino inquisitore comparvit dominus Michael de Galbe procurador fiscalis (que toma juramento de nuevo al preso Johan Çit) qui dixit que vio que los fijos (pag. 9) y fijas de Johan de Hariza yvan comiendo por la calle de pan cencenyo y resquetas de alcahalillas y esto fido su mujer deste testigo y que todos los fijos del dicho Johan de Hariza son muertos salvo la dicha denunciaiada y su hermana y que entoces el mayor dellos de edat de diez o doze annos poco mas o menos et dixit per juramentum. Testes: Cristoforus de Alcubiere et franciscus Petrus, presbiterus habitantes Cesarauguste.

NO HAY SENTENCIA.

PROCESO CONTRA PEDRO ÇIT, VECINO DE CALATAYUD. ARCHIVO SEMIARIO CONCILIAR DE ZARAGOZA (CRETA) (NO TIENE SIGNATURA). COMIENZA EL PROCESO: 16 de Enero de 1488.

CONFESION FECHA EN EL TIEMPO DE GRACIA POR PEDRO ÇIT.

Die XVI januari anno MCCCCLXXXVIII.

(Pag. 4) Muy reverendisimos y sennores padre inquisidores y ministros de la sacta inquisicion yo Pero Çit fastre vezino e haibtante en la ciudat de Calatayut estando en dias pasados en Çaragoça senti y supo como vuestra reverencia havia sermonado la sancta iquisicion y declaradndo los trenta dias de la gracia ya confesar y puse de fazer vuestro mandado.

E assi muy reverendos padres como quiere que ya en dias pasados ha bien cinquo o seis anyos me acahecio haber fablado dos palabras las quales cierto no quisiera haver hablado como quiere quese dixeron entre amigos en manera de un donayçe pero luego me fue dello aconfessar domini vicario mossen Capirot e aun amas cumplimiento le encomende y el tomo cargo deyr por mi a maestre Colmera e contarla como havia acontecido el haver fablado las palabras e sobre que razones alqual maestre Colmera era veniddo las horas proveido de inquisidor.

Sennores padres las palabras fueron estas que un dia de viernes fancto estando en mi puerta quando un vezino fablando del sermon que havian fecho e fablando de los perdones e injurias que se havian perdoando dixo aquel vezino mio como havia tanto llorado como nunca en su vida lloro ensi encareciendo como havia tanto llorado dixe yo pues calla e no llores tanto que no fue tanto como dizen ya pues vibo a quien lo dixe eme confese dello con el dicho mossen Capirot el qual me dio penitencia y lo fablo con el dicho fray Comera.

Sennores por quanto las reverencias fuestras tambien fablan de haver comido de los trurrados de los judios me parece sennores que como nuestro oficio es fastre estru hilo no coser yo tenia unas judias hermanas de mastre Gargonya, donzellas, las quales fazian filo para otros e para mi y me parece que en dias pasados havre ido un dia a su casa por hilo ellas me sacaron unos turrados e de un pan que fazen con salsas y con huevos y me dieron collacion y yo como se que tenemos ley de gracia la qual nos gano el buen redemptor e pues no lo coma hombre con mala intencion puede hombre santiguar y comer que ciertos sennores viendo unas tan gentiles donzellas como aquellas combidarme de collacion no siente quien no santiguara e comiera de buena gana.

Et asimesmo sennores por quanto si algunas personas movidas de alguna enemiga o malicia y con adepose contra mi quiere dezir sennores que han una duenya mujer quieres de Rodrigo de Cabanyas que me tiene muy enemiga la qual sennores se ha dedicado dezir por muchas de las de buenos testimonyos dignos de fe cristianos lindo que haqui venia de enquesta que no tenia otro desseo ahunque impuse denumpciar su anima sino debe avisar delante de vuestras reverencias por me fazer quemarla si sennoiores me fue retirado por muchas de vezes de las personas que se lo digan los quales testimonios tengo yo bien guardados para quando seran menester.

Item me acuerdo que en dias pasados habia en tres o quatro anyos demandaban a la luminaria de la virgen Maria de la Penya asi como acostumbran de demandar cada sabado los infantes de la yglesia e yo tome en devocion de dar cada sabado y continuaba mi devocion de manera aque viendo las prontas de los beneficiados de aquella yglesia que vaya que todos ellos se fazian debe star con un judio que moraba cabo, ni casa, tomaba enoxo de la pronta dellos como todos se strenian con judio e les daban a ganar sus dineros de manera que un dia que me venian a demandar ala lumbraera les dixe que se fuesen a la juderia a demandar pues que los judios ganaban sus dineros e les daba in hazienda que aquellos les diesen a la lumbraria y porque algunos silo hovieron no me hagan otro testimonio de lo que paso es esta la verdat.

PRECEPTI CONTRA PETRUM UT FUTUREM HABITATORIS CALATAYUBII (TESTIOS DEL PROCURADOR FISCAL EN CONTRA DEL ACUSADO).

Die VII marcii anno MCCCCLXXXVIII.

- (Pag. 6 vto.) Eadem die coram reverendo domino frate Michaelle de Monteruvio inquisitore comparvit Mosse Abayut judeus habitantoris aljama judeorum calatayubii qui juravit per Deum et decem precepta legis Moysi… dixit qui sequitur

Dize este deposant que havia diziocho para mas o menos estando este deposant cosiendo en casa de uno llamado Pero Çit, sastre, que mora en el mercado de la ciudat de Calatayut, vio este deposant quel dicho Pero Çit cosio moscamenda siendo pascua o en domingo enpo que se acuerda que los cristianos tenian fiesta.

Die XIIII marcii anno MCCCCLXXX octavo.

- (Pag. 7) Eadem die coram dixho domino inquisitore comparvit Asser Abencrespo judei habitatoris aliame judeorum civitatis Calatayubii qui juravit per Deum et Decem precepta legis Moysi… dixit qui sequitur
Dize este deposant que algunas vezes ha visto este deposant en domingo y en dias de pascuas de cristianos coser a Pedro Çit, sastre, de la dicha ciudat.

Die XXVIII febroari anno MCCCCLXXXVIII.

- Eadem die coram dicho domino inquisitore comparvit Salomon Abayut judeis habitatoris Calatayubii, testis et qui juravit per Deum et precepta decem legis Moyssi.... dixit qui sequitur

Dize este deposant que Johan de Sayas, sastre, que rogo a este testimonio que le fiziese hamin algun sabado y que (Pag. 7 vto.) queria venir a comerlo a su casa deste testimonio y queste testimonio fue contento y en un sabado al tiempo de comer vinieron el dicho Johan de Sayas y Pedro Çit que la hora estaba moro y moraba con el dicho Johan de Sayas y esto puede saber dizisiete annos poco mas o menos los quales Joan de Sayas y Pero Çit comieron en la casa deste testimonio el dicho hamin en sabado. Testes: Johannes Torrejon et Peres Torrejon.

Die VII junii anno MCCCCLXXXVIIII.

- Eadem die coram reverendo domino magistro Martino Garsie, inquisitore comparvit Izrael Çarruch, sutor habitator aliame judeorum Calatayubii testes et qui juravit per Deum decem precepta legis Moysi... dixit qui sequitur

(Pag. 8) Dize este deposant que vio a las bodas de Yuçe Çahadias, judio que fue a ellas viros llamados Pero Çit, Rodrigo Çit y Johan Çit, hermanos fijos de Johan Çit que y alí baylaron y les fizieron entrar y fizieron alli collacion como los judios cuando estavan dize que podia faver esto poco o menos a superar unos quantos annyos. Testes: Andreas Gutierrez assesor et Jaraba de Fonte inquisitores.

Die VI marcii anno MCCCCLXXXVIII.

- Eadem die coram reverendo domino inquisitoris comparvit Jehuda Abenardut, judeis habitatoris aliame judeorum citiatis Calatayubii testis et qui juravit per Deum et decem precepta legis Moysi... dixit qui sequitur

(Pag. 8 vto.) Dize este deposant que havia trenta annos poco mas o menos se acuerda muy bien este deposant como un sabado a hora de comer fue este deposant a casa de uno llamado Pero Çit sastre que hermano es de Johan Çit, que moraba a la sazon en la juderia de la presente ciudat de Calatayut, a el qual este deposant tenia conocimiento amistat fallo al dicho Pero Çit que ya un pleito suyo llamado tambien Pero Çit quentara este Pero Çit el joven en el mercado de la present ciudat de Calatayut, los quales estavan comiendo en la mesa hamin y entonces dixo este deposant hamin comeis y maravillandose este deposant de dicho comer y haviendo conocimiento dello al dicho Pero Çit dixo a este deposant de que os marabillais que nosotros tambien guardamos el sabado quando podemos y todas las pascuas fue esta de judios como judios e asi dize se acuerda (Pag. 9) este deposant que dicho Pero Çit que le dixo Benardut a voz bien me puedo stobir ruego voz que me tengais secreto y que ste deposant dixo al dicho pero Çit que no mireis de nada esso havia de dezir, amas se acuerda este deposant que dixo al dicho Pero Çit el joven su nieto que estava alli presente comiendo como dicho ha con el dicho Pero Çit el joven a la sazon seria de quatorze anyos poco mas o menos veamos a tu sabere bueno el hamin hambien hazes lo que tu tio haze y quel dicho Pero Çit el joven riendose dixo a este deposant si tambien me guardo como mi tio el sabado y fago quanto el faze y dize mas sabe quel vino qu vebieron en aquel yantar era vino judiego y esto sabe este deposant por quanto pregunto al dicho Pero Çit que vino vebian y el dicho Pero Çit le respondio de donde habian de veber fruyto de buen vino de los judios (pag. 9 vto.) de la taberna de los judios lo havemos mercado y que despues de haver estado alli algun rato fablando con los sobreidchos se fue. Testes: Johannes Divita et dominicus Egidii, habitatoris Calatayubii.

Die XVIII mensis Junii anno MCCCCLXXXX.

- Eadem die coram reverendo domino Martino Navarro, inquisitore comparvit Jaco Hara (Hiara), judeo habitator aliamae judeorum civitatis Calatayutbii, testis qui juravit per Deum et decem precepta legis Moysi... dixit qui sequitur.
Dize este deposant que havia seisa nnos poco mas o menos sabe este deposant como por una viespra de pascua de mayo de los judios quando a Dios dio la Ley a Moysen vi como uno llamado Pero Çit, sastre, que mora en el mercado de la presente (pag. 10) ciudat de Calatayut levo mercada de la carniceria de los judios una pierna de cordero jurgada a modo judaico y esto sabe este deposant porque el mesmo le dio la dicha pierna al dicho Pero Çit por quanto en aquel tiempo uno llamado Salomon Hara , hodios hermnao deste deposant era carnicero en aquel dia havia mucha causa ayudavale este deposant e asi le dio la dicha pierna al dicho Pero Çit. Testes: Joahannes de Uncastillo, notario y Dominicus Egidii.

Die prima julii anno MCCCCLXXX octavo.

- Eadem die coram reverendo domino frate Michaelle de Monterruvio, inquisitore comparvit mastre Jehuda Gargonya, judeus alimae judeorum Calatayubii, testes qui juravit poer Deum et decem precepta legis Moysi... dixit qui sequitur

(Pag. 10 vto.) Dize este deposant que sabe muy bien se fallo (halló) presente alguans de vezes que en las pascuas de los jodios de pan cancenio quel padre deste deposant clamado Mosse Gargonya, jodio que enviaba con su moça, cuyo nombre no le acuerda, pan cancenio, alcahalillas y turrado a las casas de pero Çit, sastre, de Calatayut a que despues este testimonio hoyo dezir al dicho Pero Çit como havia comido del dicho pan cancenio, alcahalillas y turrado y que le habia sabido muy bueno y que este le hoyo dezir este testimonio algunas vezes que fue lo sobredicho de quatorze annios a esta parte e que tambien en el dicho tiempo le vi de envio este deposant muchas vezes y a el dicho Pero Çit el qual le dezia le sabia bueno.

Die Vii junii anno MCCCCLXXXVIIII. Calatayubii.

- (Pag. 11) Eadem die coram reverndo domino Martino Garcie, inquisitore, comparvit Salomon Abayut, judeo habitatoris Calatayubii testis est qui juravit per Deum et Decem precepta legis Moysi... dixit qui sequitur

Dize este deposant que por muchas vezes ha visto yr a bodas y esposasas de juidos a Pero Çit saste de Calatayubii y lo veya baylar y dançar en aquellas y fazer collacion en ellas de fruta y vino.

ACUSACION O ALEGACION DEL PROCURADOR FISCAL CONTRA EL ACUSADO.

(Pag. 13) Et primerament dize el dicho procurador fiscal quel dicho denunciado teniendo esperanza en la ley de Moysen ha fecho e abjurado ritos y ceremoias judaicas crimen de heregias e apostasia en la fe cometiendo ha dicho muchas palabras hereticales, senialadamente diziendo que la ley de Moyssen era buena et dava salvacion e que tambien se podia salvar el judio en su ley como el cristiano en la suya et que ha rezado salmos (pag. 13 vto.) et oraciones judaicas a modo judaico.

Item dize el dicho procuradro fiscal quel dicho reo criminoso guardado el sabado como qualquiere judio bestiendose aquel dia mejor que otros et encendiendo el viernes a la noche muchas lampadillas et cienfuelos por honrra del sabado como qualquiere judio et no faziendo fazienda aquel dia e no tanto como otros dias guardando las pascuas de los judios, mayormente la del pan cotaco et la de las cabanyllas y a dado aolios y dineros para olia de las lampadas de la sinoga de los judios et que ha dado almosna a los judios et que ha dado almosna a los judios para la cedaqua et fazia quitar e quitava las grassas de la carne que traia e quando traida pierna sacava o mandava sacar la grandolilla de aquella et mas que dava la vendicion a modo judaico e havia dayunado los dayunos judaicos senyaladament el dayuno de quipur clamado el grant perdon et el dayuno clamado de pedymiento de la cassa sancta et otro ayuno de la reyna ester et otros daynos judaycos.

Item mas dize el dicho procurador fiscal quel dicho reo criminoso ha comido hamin en sabado et en otros dias albondaquillas tabaheas et comido con judios a una messa y de viandas y ha comido arruquaques pan cotaco e turrado en el timpo de la pascua de los judios et ha comido carne e aves degolladas de judios et mas que ha comido carne en quaresma en viernes et sabados et en ayunos mandados por la yglesia estando sano et sin necessidat alguna e mas que ha comido potages e otros manjares a la forma e mano judaica guisando como qualquiere judio y esto es verdat

(Pag. 14) Mas dize el dicho procurador fiscal que todas sus cosas suso dichas y cada una dellas fueron eran y son verdaderoas publicas notorias y manifiestas y aquellas seyer verdaderas a conffesado el dicho denunciado reo e criminoso dicho reconocido en presencia de fidedignas personas et tal de los suso dichas cosas fue era y es la voz comun et fama publica en la dicha ciudat de Calatayut y en otras partes.

EL PROCURADOR FISCAL INTERROGA AL ACUSADO.

Die X julii anno MCCCCLXXXVIIII. Calatayubii.

- (Pag. 16) Eadem die el sennor mastre Martin, inquisidor publico a interrogacion de Pero Çit presso... qui juravit per Deum sup cruce dominis nostri Iesu Chisti et sup sancta quatuor evangelia... dixit qui sequitur

Et primo fue preguntado sobre lo contenido en el primer articulo de la denunciacion el qual respuso enpo lo ocntenido en aquel solaro lo dicho e confesado por su confesion el timpo de la gracia.

Sup II articulo respondit e negant contenta in eo.

Sup tercio articulo respondit e negant contenta in eo.

(Pag. 16 vto.) Sup quarto articulo dixit que lo dicho es conffesado por el es verdat y lo negado no es verdat.

Testes: Jacobus de Monclus e Johan de Valdenieso.

COMPARECENCIA DEL ACUSADO ANTE EL FISCAL

(Pag. 19) A muy reverendos senyores padres e como la memoria del hombre sea muy debil e falta no e podido asi reduzir a mi concentra lo que por agora avras reverencias en esta mi confesion doy e digo de lo qual conozco ser encargo a nuestro sennor Ihesu Chisto y a vosotros senyores que agora estais en lugar suyo po naver me asi acordado no dicho como de razon deciera acordarme, de lo qual demando misericordia a mi sennor Ihesu Cristo me querra perdonar y vosotros senyores darme penytencia con aquella misericordia que siempre con los pecadores acostumbrais hazerlo.

Seniores ultra de lo qe vuestras reverencias por otras vezes e confesado y en mi confesion se ha acordado que estando en Valencia de edat de onze hasta doze annos antes que el rey don Alfonso de Aragon muriese dedeprendiendolo sitio de saste en quasa de un maestro que se llama mastre Terol donde estava un hermano suyo que le llamavan Galcara Terol, quasi poco payor que yo e otro joven que se llamava Miguel de Chelva ya obrero (pag. 19 vto.) y otro obrero que se llamava Juanot de Valencia de Valencia confeso y como yo senyores como quiere que era de poca edat e no criado adaquellas malas costumbres acaeci en casa de aquel amo donde con aquel tiempo que en ella estuve, conoci dellos cosas de malos crisitanos e por quanto estava aprendiz e ha bendio con carta no me podia salir de su servicio pero luego que tuve un poco acheque visto aquellas malas costumbres que tenia me dispuse de sallir de alli, y seniores en aquel tiempo que alli estuve me acaecio esto que como era yo el mas pequenyo de noche quando nos yvamos a costar quedava yo çaguero por matar la candela e quando venia al tiempo de matarla como lo tenia de costumbre me santiguava y diziendo Ihesus matava la candela donde le fue recitado a mi amo como lo fazia deque el y ella me llamaron un dia en secreto e me reptavan que tenia malas pratiquas e que no lo fiziese e yo admirado de los quargos quedava pensando aver fecho alguna falta en casa demande porque lo dezia y ellos me dixieron como me santiguava e dezia Ihesus que no lo dixiese.

(Pag. 20) E yo por tenerlos contentos dixeles que no lo fazia pero tome otro medio por no perder mis buenas costumbres e canviar los malos que asi como me solia santiguar a dizir Ihesus antes de matar la candela porque aquellos no lo viesen y lo dixiesen al maestro matavala antes e hazialo enpues y seniores por ser prolixo quando vuestras reverencias seran de la paz daqua por mas estando si lo quera saber demi dize las quosas que dellos conoci de malos cristianos.

E seniores lo que ellos me fizieron fazer e fize fue esto que aquaecio que vuestra quaresma que estuve alli todos comian carne e me fizieron que yo lo comierse e la comi y a mas con cumplimiento biespra de la Virgen Maria de março como de razon devieramos tomar los annos de la encarnacion todos comimos carne aquel dia y asi mesmo seniores como tenia ellos practica de no fazer fazienda los viernes en la noche ni el sabado sino por aparenças y enpues el sabado en la noche y el domingo todo el dia cosian y asi me fazian coser a mi el domingo mientras que estuve en aquella casa y por esto viniemos elejo.

(Pag. 20 vto.) Mas me acaecio seniones estando en aquella casa que acaso vino un judio pogre de Mulviedro ai a Valencia e demandava por Dios e demando ay en casa de mi amo aledaron todos por dias e tambien le di yo por Dios.

Y asi seniores por agora no se me aquerda mas pero quando quiere que vengan vuestras reverencias si algo se me aquordare lo dire porque seniores yo estoi aparejado a recebir toda aquella penitencia que por vuestras reverencias me sera dada y asi me someto a vuestras reverencias suplicando a besando las manos daquellas os plazia fazer lo que por mi dicho por el sennior alqual vos supliraron.

NUEVA COMPARECENCIA Y CONFESION DEL ACUSADO ANTE EL FISCAL.

Die IIII novenbris anno MCCCC LXXX VIIII.

(Pag. 21) Eadem die coram reverendis dominis Alfonso de Alarcon et Martino Garsie, inquisitoribus vicaris qualibus comparvit Petrus Çit et juravit per Deum et Ihesu Christi sup facia facta quatuor evangelia... dixit qui sequitur.

Et primo dize que le ha acordado despues que vio su confession en el tiempo de la gracia que puede han obra de trenta annos pocmo mas o menos que estando este deposante en Çaragoça aprendiendo el officio de sastre en casa de Joan de Daroca ques sastre, hun dia passando por el coso de la dicha ciudat allando a un pobre que estava echado en el suelo arrimado a la murea la vieja frontero de casa de Domingo Decho que el qual pobre estava al sol y era viejo, mal ropado como doliente este deposant acercose y a el dicho pobre (pag. 21 vto.) prensando que era cristiano et diole un dinero por limosna et como este confessant le ovo dado el dinero el dicho pobre levanto la cara para arriba por morir quien se lo dava et dixo para amor del Dio (Dios) sea y como esto oyo confeidero esto confessar que el dicho pobre era judio et arrepentiosse por que gelo havia dado et huno manzillan de quitargelo porque estava de mala guisa et mucho magistrado el dicho pobre assi gelo dixo.

Item mas dize et confiessa que se le ha acordado que puede havra ahora de diez annos poco mas o menos que faziendo bodas un judio desta ciudat pariente suyo llamado Jehuda Çahadias el dicho Çahadias a su padre le envio a este confessant un pedaço de carne de ternera fin este confessant y su muger y los de su casa comieron como buenos cristianos santiguando et comiendo et no por niguna ceremonia, et dize que otras cosas no le acuerdan mas de lo que ha confessado por agora et de lo que confesso dentro (pag.22) el tiempo de la gracia et que en otra cosa ninguno el no es encargo a la sancta inquisicion et que nunca fizo ni practico ni ceremonia judaica ni cosa que sea contra nuestra sacta fe catholica et que desto que ha confesado demanda... dia a los sennores inquisidores et quanto al otro que del se dize todo lo remite a la discrecion y buenas consultas de los dichos sennores que no se quiere deffensar en cosa ninguna sino que sus reverencias examinen la verdat de su causa et muestren justicia como jueces y padres de verdat. Testes: Matinus Paz et Michael Domingo.

TESTIGOS DEL PROCURADOR FISCAL CONTRA EL ACUSADO.

Die XVI julii anno MCCCCLXXXX.

- (Pag. 23) Eadem die coram reverendo domino Martino Garcie inquisitore comparvit Mariam Uxorem Micaelis Pardos, habitatoris civitatis Calatayubii... dixit qui sequitur

Dize esta deposante que puede haver diziocho annos poco mas o menos que estando esta deposant en la casa de Pedro Çit preso por la sancta inqusisicion vio como el dicho Pedor Çit y esta mujer que oy llamada Maria y un hermano del dicho Pedro Çit y esta mujer que oy llamada Maria y un hermano del dicho Pedro Çit les vio comer tres comidas sanas comer tres semanas de una quaresma carne. Testes: Jacobus de Monclus.

Die VI junii anno MCCCCLXXXVIII.

- (Pag. 23 vto.) Eadem die coram reverendo domino inquisitore comparvit Juçe Azarias judei aliame judeorum Calatayubii testis et qui juravit per Deum sup decem precepta Moysi... dixit qui sequitur.

Dize este deposant que puede haver doze anyos poco mas o menos y quando moço Açach Çahadias tio de Pero Çit hermano de de su padre llamado Johan Çit que el dicho padre de Pedro Çit compro un cordero y fizo el confierço de Caniverte del dicho Çahadias y estubo alli los siete dias como los otros judios y ahí comio y fue estando y veviendo los dichos siete dias asi a la rebuelta con los otros judios y a la bendicion de la mesa no sabe ni se acuerda si respondio los dichos Johan Çit y Pero Çit.

(Pag. 24) Item dize el present deposant que puede haver unos seis o siete anyos que vio este deposant como el dicho Pero Çit que agora esta preso merco una pierna de cordero de la juderia y alli en presencia deste deposant y de otros judios quito las grasas de la dicha pierna a la forma judayca y dixo si mi mujer quisiese no me cumpliria asi fazer esto y no se acuerda quien eran los otros dudios que alli estavan salbo Jaco y Açach y el carnicero y jurament. Testes: Andreas Gutierrez et Micahel Domingo habitatoris Calatayubii.

Die XXV febroari anno MCCCCLXXXX.

- Eadem die coram reverendo domino Martino Gacie inquisitore comparvit Petro Ferrer furor, habitator civitas Calatayubii… dixit qui sequitur

Dize que habia seis annios poco mas o menos que un dia de fiesta parte de tarde uno llamado Pero Çit sastre (pag. 24 vto.) de la dicha ciudat de Calatayut preso que esta agora por la sancta iqnuisicion vino a este testimonio y a Johan Plo, çapatero de la dicha ciudat, y les rogo que le fiziese palzer que para un hombre provo que quisiesen llegar por la ciudat algunos dominios para socorrerlos y que este testimonio y Johan Plo dixieron que eran quentas y asi aquella tarde llegaron por los cristianos dos o tres sueldos y dende que hovieron llegado daronle al dicho Pero Çit aquello que havian llegado y luego el dicho Pero Çit tomo los dineros y dixo voy seles a dar al pobre bergonzat y asi sepre no saber adonde y luego dende a poco rato un hombre de la dicha ciudat cuyo nombre no le acuerda uno a este testimonio y al dicho Johan Polo y dixoles vosotros no llegabales ahora para un pobre vertonzant como es esto que el dinero que llegaste a Pedro Çit lo ha dado a un judio pobre yentonces este testimonio y el dicho Johan Polo primero aquella misma tarde al dicho Pero Çit y le dixieron como les havian dicho qual dinero que havia dado para el hombre pobre que llegaron que era aquel hombre pobre judio y el (pag. 25) dicho Pero Çit respondio judio yo ire alla y si judio es yo geles quitare y el otro dia el dicho Pero Cit les dixo como como no era aquel hombre judio aquí haviadado los dineros. Testes: Andreas Gutierrez assessor y Joannes Domingo, notario officialis sancta inquisicionis.

Die XVIII septembris anno MCCCCLXXXX. Calatayubii.

Eadem die coram reverendo domino Martino Garcie inquisitore comparvit Brahem Çahadias, judeus habitator Calatayubii testis est qui juravit sup Decem precepta legis Moysi… dixit qui sequitur.

Dize este deposant que hoyo dezir a muchos cuyos nombres no le acuerda a este deposant que un dia de viernes sancto estando Pero Çit preso y Albaro el estalero que solia vibir en esta ciudat y tenia meson en el mercado que agora vibe en Aranda de Duero y que (pag. 25 vto) estavan fermonando y que lloraba el dicho Albaro que aquello que dezia el sermonador que le havia dicho el dicho Pero Çit treudo al dicho Albaro que callase que no llorase que por abentura no havia estado verdat. Testes: Mossen Domingo de Senya e Mosse Johan Navarro, clericis habitatoris Calatayubii.

NUEVA COMPARECENCIA DEL ACUSADO ANTE LOS PADRES INQUSIDORES.

Die VI aprilis anno MCCCCLXXXX. Calatayubii.

(Pag. 26) Eadem die en presencia del muy reverendo sennor don Belenguer Martinez de Daroqua, clerigo de la yglesia de sancta Maria de la Penya de la ciudat de Calatayut, inquisidor de la heretica y apostatica pravidat en el obispado de Taraçona ensemble con los reverendos senyores padres inquisidores de los testimonios dispuestos y de mi Mohan Martinez de Aninyon, notario comparescio Pedro Çit sastre denunciados y preso por el officio de la sancta inquisicion al qual juro en poder del dicho reverendo sennior por Dios sobre los quatro evangelios y por sus manos tocados reverendos inspectos de dezir y que dira dar de lo que afin del mesmo como de qualquier otra persona supiere e fuere interrogado en virtut del dicho jurament confesso.

Et primo dize el dicho deponente conffesant que enpues de las coffessiones por el dadas le ha acordado que estando en la ciudat de Valencia en casa de huno que se clamava maestre Covai, Sastre, aprendiz, seyendo de verdat de doze hasta treze annios que fue en el annio que murio (pag 26 vto.) el rey Alonsso en Napoles y porque se fizo deffunssion suya entoces se acuerda muy bien que viniendo al mes de setiembre el dia aquantes no le acuerda por inducto del dicho maestre su amo y de la muxer suya los quales ayunaron el ayuno de Quipur el present conffessant lo ayuno con ellos por aviplazerles y star en amor de ellos el qual ayuno a ellos desta forma lo que le acuerda que en todo el dia fasta la noche no comieron y a la noche comieron carne en mesas, muy limplias las tonaxas y con muchas lumbres encendidas el qual ayuno ayudado los dichos sus anios le dieron a entender ganava muchas perdonanças y que havia de haver por ello mucho bien.

Item dize el dicho conffessant que por inducto de los dichos su amo y ama ayuno otro ayuno a ellos ensemble clamado de la reyna Ester el qual a su parecer cae en los meses de febrero o de março que muy bien no le acuerda, dandole a entender los dichos sus amo y ama que aquel ayunado havia de ganar muchas e iban mucho bien lo qual dize el conffesant que amo era tan moro y de tan poqua verdat todo creio y por esta causa lo ayuno.

Item dize el present y dicho conffessant que reconocio enssi el yerro que tenia y viniendo a la conffession en el tiempo de la quatesma conffesso aquel yerro que (pag. 27) fecho havia ayunado aquellos ayunos y se aparto de aquellos y se reduzio a la ffe de Cristo y la ley evangelica y resso de alli adelante fazer toda manera de cirimonia judayca y havia porque por aventrua otra vegada no ffuesse seduzirse sallio de casa de aquel amo y nunqua jamas quiso star en casa de ningun amo conffesso y que otra casa nunqua no reverisante de otros. Testes: Johannes Ximenez et Venardino Ximenez.

TESTIGOS DEL PROCURADOR FISCAL CONTRA EL ACUSADO.

Die VIIII septembris anno MCCCCLXXXX. Calatayut.

- (Pag. 28) Eadem die ... Johannes de Salvaterra, vicario loci de la guardia, regni Castella, testis juravit et per juramentum in posse reverendi domini Alfonssi Dalarcon inquisitoris present deposant per sequitur.

Dize este testigo deposant ser verdat que el qual deposant conoce muy bien a Pedro Çit sastre habitante en la ciudat de Calatayut mas ya de diez annyos y que hun dia de los meses de mayo junio o julio hablando el dicho Pedro Çit con el presente deposant de las cosas de la inquisicion el dicho Pedro Çit sastre dixo el presente testigo deposant como le havia prendido y tenido tiempo en la carcel muy fuerte porque dixiesse lo que nunqua havia penssado ni fecho y que el havia ya conffessado y dicho que havia ayunado el ayuno de quipur de quanto en su conffession havia dicho no stoviere no havia fecho mas havia ni penssado de fazerlo sino por sallir de la carçel havia dicho todo aquello que conffessado havia y dize e mas el presente testigo deposant que havia vinte y cinquo dias poco mas o menos quel dicho Pedro Çit malenconiandose porque le havia matado hun gallo dixo a despecho de sus dias que agora que no tengo manos me faze (pag. 28 vto.) stas cosas que cuando yo tenia manos no se me fazia y dixo otra vegada o malgrado hayas su Dios y otra vegada dixo y diole acuerdo que se dixo deste o de su Dios o reniego de su Dios yo es muy certo dixo lo uno dellos.

Die XVIII augusti anno MCCCCLXXXX. Calatayut.

- (Pag. 29) Eadem die ... Martinus de Calveria habitatoris civitatis Calatayubii, testis juravit et juramentum... dixit qui sequitur

Dize este testigo deposant ser verdat que hun dia del presente mes de agosto stando Pedro Çit sastre preso por el officio de la sancta Inquissicion fablando con el presente testigo deposant le dixo el dicho Pedro Çit, Martin yo he conffessado que ayune el ayuno de quipur y pleque a Dios que si yo nunqua tal auno ni cosa de los que yo he conffessado nunqua fize que los diablos tienen mi anima sino que todo lo he dicho por miedo de star en la carçel y por sallir de alli.

- (Pag. 29 vto.) Eadem die imposse que dicta domini inquisitoris juravit Petri Daliaga habitator civitatis Calatayubii... dixit qui sequitur.

Dize ste testigo deposant ser verdat que hun dia de los meses de mayo o junio mas cerqua passados el presente deposant staba en el mercado de la presente ciudat de Calatayut estando delante de la casa de Pero Çit sastre preso por el officio de la sancta inquisicion y el dicho Pedro Çit demando el present deposant el arco y roldones y el gelo dio y el dicho Pedro Çit sallio amar con el dicho arco fuera de su casa en el mercado y aprotado de la dicha su casa fasta ocho o diez passadas poco mas o menos.

EL FISCAL INTERROGA AL ACUSADO.

Die XIIII augusti anno MCCCCLXXXXI. Calatayubii.

(Pag. 30) Eadem die reverendo domino Martino Garcia inquisitor (interroga bajo juramento a Pedro Çit)... in modum sequitur.

Et primo interrogado si a cosido o feco otra fazienda en dias de pascuas o fiestas mandas guardar por la yglesia respusso que es verdat que algunas vezes osando de su officio en dias de pascua y festas mandadas guardar por la yglesia conpussa mucha que tenia a cosido algunas ropas y vestidos que fazer por ascurar por vestir las adequellas cosas cuyas eran que las pidian en los tales dias y esto es costumbre entre los sastres.
Item preguntado si ha estado en boda o bodas de judios y si ha comido en ellas depusso que no.
Item interrogado si dixo alguna o algunas vezes que guardava los sabados y pascual de judios depusso que no a por tal cosa ni guardo tales dias sino solo las fiestas mandadas guardar por el officio.
(Pag. 30 vto.) Preguntado si merquo o comio carne judayca maiormente una pierna de cordero purgada en dia de pascua de judios respuso que no.
Preguntado si comio o recibio pan cotaco arruqaques y que si dixo que comia de aquel a lo qual respuso de que se reffiere a lo dicho y conffessado en su confession dada en el tiempo de la gracia.
Preguntado si ha comido carne en quaresma o en otros dias prohibidos de comer carne respuso que no.
Pregutnado si a quitado grassas algunas a la carne respusso que nunqua lo fizo.
Preguntado si a llegado por si o conocia o con otras personas limosnas algunas para judio o judios pobres respuso que no.
Preguntado si dixo adalguna persona que no curasse o llorar y esto en el dia del viernes Santo respuso que en esto se reffiere a su conffession por la fecha en el tiempo de la gracia.
Preguntado si a ayunado dayunos algunos de judios respuso que se reffiere sobre dicho a su conffession.
(Pag. 31) Preguntado si fue a la juderia a llorar a una casa en donde estava un judio muerto o si fue a su deffunssion y si levo lino por el, respusso que es verdat que hacia unos vinte annos poco mas o menos que no le acuerda determinadamente el tiempo ubiendo llamado su padre llamado Johan Çit fue este denunciado y el dicho su padre a casa de un judio e afirmo que el dicho su padre de su denunciado y fueron a la dicha casa tres dias despues que fue muerto y soterrado el dicho judio que era de Calatayut y fueron assi a la dicha casa por fablar con los fijos judios del dicho judio y fabaron con ellos y les contaron el enoxo que tenia y el judio difunto llamado Açach Çahadias.

EL VICARIO GENERAL DE LA DIOCESIS DE TARAZONA INTERROGA AL ACUSADO.

Die XVII augusti anno MCCCCLXXXXI. Calatayubii.

(Pag. 32) Eadem die reverendo Lorengariz Martinez de Daroqua, officialis Vicarii generali episcopi et Turiasonensis (interroga al reo Pedro Çit el qual jura en la cruz de Ihesu Cristi y en los evangelios, quien contesta) in modum sequitur.

Item preguntado si havido de bodas de judios y fecho collacion comiendo y biviendo alli de su vino dudayco respuso que es verdat que ha ydo algunas de vezes a ver folaces de bodas de judios mirando como dançaban y vaylaban con ellas como amigos o tios cristianos de Calatayut costumbravan de yr y que parece estar que fiziese collacion en las tales bodas beviendo de su bino porque no le acuerda si es cierto.

(pag. 32 vto.) Preguntado sobre los dichos de los otros testigos respusso sobre todo ello si reffiere a la confesion y conffessiones por el fechas y dize ser verdat todo lo conffesado por el.

Preguntado si ha hecho que lo que huno convessar no era verdat que tales que semblantes palabras que mostrando y dando a entender que lo que havian dicho y confesado no lo havia confesado porque assisnesse la verdat sino por sallir de la carçel respusso que es verdat lo que havia conffesado las quales palabras dixo que dixo con mucha ira y malenconia que tenia por estar assi tan fangado y viendose assi perdido que no tenia que comer y estava por esso y beyase assi tan eclipsado y no porque no fuesse assi verdat como lo ha convessado ante dixo que todo lo conffessado por el es verdat que otra cosa no le acuerda y que si otra cosa alguna estuviesre probado contra el que lo remito a la consciencia de los reverendos sennores inquissidores para que los dichos de los tales y las personas de aquellos y si les pareciere ser tales que se les pueda darse que acuerda agora y dize ser verdat lo dicho y possado (pag. 33) contra el por los tales testimonios y de todo dixo este denunciado que pide venia y pide que sera por fuero y apexado de percibir qualquiere penar que por los reverendos sennores inquissidores le fuere impossada. Testes: Johannes domino notorii officii sancta inquisicione et ffacet Johannes de Piedrahita, habitatoris de Calatayubii.

COMPARECENCIA Y DEFENSA DEL ACUSADO.

(Pag. 34 vto.) Ante la presencia de vosotros senyores padres mastre Martino Garcia conocico de la Seu de Çaragoça, maestro en sancta theologia inquisidor vicario general de la heretica y apostatica pravedat dado e deputado por las autoridades apostolica y ordinaria en el arçobispado de Çaragoça y obispado de Taraçona et el micer Berrenguer Martinez de Daroqua prior de sancta Maria de la Penya official ecclesiastico de Calatayut inquisidor dado e deputado para el officio de la sancta inquisicion por la autoridat apostolica en el dicho obispado de Taraçona.

Personalmente yo Pedro Çit sastre habitant en la ciudat de Calatayut puestos ante mi los sacro sanctos quatro evangelios pormi corporalmente con todos y con reverencia a mirados (pag. 35) a los cuales anatematizo e abjuro toda especie de heregia y apostasia que sea o ser pueda o se levante a nuestra sancta fe catholica o ley evangelica de nuestro salvador y redemptor Ihesu Chisto e contra la sancta Sede Apostolica e yglesia romana y senyaladamente y especialmente abjuro e anatematizo aquella heregia enque he incurydo la seyedo como sey cristiano buatizado xafre a los ritos y cirimonyas judaycas y a que fize collacion en casa de pan cotaco arruquaques y turrado y bevi del vino de los judios y un dia de viernes sancto estovido en mi puerta fablando del sennorio que havia fecho y diziendo como en su vida havia llorado ocmo le dixe yo estas palabras pues calla e no llores tanto que no fue tanto como dizen e assi messmo he comido carne en quaresma y en dias prohibidos por la madre sancta yglesia estando sano y he dado limosna a judios y he guardado el sabado y he quebrantado el domingo e otras festas mandadas guardar por la yglesia y fuy a un mal cristiano de visitar y corotar ciertos judios a los quales se les havia muerto su padre judio y he ayunado el ayuno de Quipur de los judios y otro ayuno de los llamados (pag. 35 vto.) de la Reyna Ester estando sin comer en todo el dia fasta el noche y me he perjurado una e muchas vezes en la causa de la ffe.

Assi abjurados los dichos errores de heregia y apostasia se una qualequiere heregias apostasias que sea o ser pueda contra la dicha sancta fe y madre sancta yglesia en entero corazon verdaderamente digo y affirmo que la ley evangelica es la verdadera y sancta segnaque (señal) la tiene la madre sancta yglesia e los saccramentos dellos son buenos yverdaderos e assi lo conffiesso publicamente creyendo en la idhca sancta ffe catolica y ley evangelica dento (de nuestro) salvador y redenptor Ihesu Chisto creyente de los sagramentos della según que la madre sancta yglesia los tiene y cree y juro assi tener y creer la dicha fe catolica y ley evangelica según que la yglesia lo cree y tiene y que no cometere tales errores como he cometido y de por si abjuro ni otro error alguno que sea contra la sancta fe chatolica y ley evangelica e si lo moviesre e cometiere o de otros lo supiere por cierta credulidat por presupcion de una o (pag. 36) qualquiere manera luego lo revelare a vosotros reverendos senyores padres iqnuisidores o a quien por tiempo el tal officio tendra y assi mismo juro e prometo que huviere y con paciencia pondre qualquiere penitencia que por uestras reverencias por los idchos crimenes me sera dada ni la compliere con todas mis ffuerças entermanete fui denunciacion algunas stas yr ni venyr en todo ni en parte contra ella so pena de incurrir en las penas por los santos canones esta mydas contra aquellas que fazen o tornan a caer en lo que yo he jurado e abjurado las quales quyero y assiento me sean impuestas sugun que el drecho dispone y esto por estos sanctos quatro evangelios ante mi puestos y por mi corporalmente con todos y con reverencia mirados le pido testimonio signado detrás mi assessiones e abjuraciones e a los presentes ruego que sea dello testigos.

SENTENCIA DICTADA POR LA INQUISICIÓN.

(Pag. 36 vto.) Nomine nos maestre Martin Garcia maestro en sancta theologia cononico de la Seu de Çaragoça inquisidor y vicario general e deputado por las autoridades catolicas e ordinarias contra la heretica por verdat en el arçobispado de Çaragoça e obispado de

Taraçona e micer Berenguer Martinez de Daroca prior de sancta Maria de la Penya de la ciudat de Calatayut official eclesiastico de la dicha ciudat inquisidor apostolico dado e deputado para el officio de la sancta inquisicion en el dicho obispado de Taraçona.

Visto cierto y presso ante nos y en nuestra audiencia pactado entre partes es a saber de la una el procurador general ministro de la sancta inquisicion parte denunciante y de la otra Pedro Çit (pag. 37) reo denunciado de sobre razon de los crimenes de heregia y apostasia en el dicho presso cometidos e visto como el dicho denunciado fue havido e por nos assi denunciado por sospechoso de los dichos crimenes de que fue acusado y denunciado muy claramente consta assi por testimonios como por su propia confession el dicho Pedro Çit sastre ha cometido y perpetrado los dichos crimenes de heregia y apostasia deque acusado y han tenido esperança y credencia en la ley de Moyse y han passado y tornado a los ritos e cirimonias judaycas por donde es y façendo descomulgado de excomunion mayor desde el dia que cometio y perpeto los dichos crimenes de heregia y apostasia ata visto como el susodicho Pedro Çit sastre expontaneamente e con coraçon contricto en quanto ver y conocer podemos conffesso los dichos errores de heregia y apostasia abjurando aquellos e jurando de mas no tornar a ellos ni a otro error alguno que vaya o venga contra la sancta fe ctolica y la ley evangelica de nuestro salvador y redenptor Ihesu Cristo pidiendo ser absueldos de la exomunion enque han (Pag. 37 vto.) incurrido y ser unidos al gremio de la madre sancta yglesia e unidos e adviendo a los sagramentos della e a la comyon de los fieles cristianos. E visto todo lo otro y cessado articulos y meritos dello honda deliberacion con hombres prudentes de sciencia y de conciencia teniendo a Dios ante nos a los con intecion de administrar justicia fallamos que devemos de pornunciar y pornunciamos declarar y dclaramos al dicho Pedro Çit sastre haver seydo y ser heretico e apostata verdadero e haver cometido criemen de heregia diziendo palabras hereticales e haver passado e torna con ellos ritos e cerimonias judaycas e por consigiente han incurrido en las penas del derecho e haver seydo y ser descomulgado del dia que cometio los dichos crimenes de heregia apostasia aquea e porque vemos agora el dicho Pedro Çit haverse rependtido de los dichos crimenes por el cometidos y haver conffessado y abjurado aquellos en quanto ver y conocer podemos espontaneamente e con coraçones contrictos e querer ser restituydo e unydo al gremyo de la madre sancta yglesia queriendolo recibir con misericordia absolvido e absuelto denunciamos al sobre dicho Pedro Çit de la dicha excomunion mayor en que ha (pag. 38) incurrido reduziendo al gremyo de la madre sancta yglesia e uniendolo della faziendolo miembro della en quanto de derecho podemos y devemos si della con verdadero coraçon y contricto havia tenido y la penitencia que por nos le fuere dada a nuestros mandamientos guardare e cumpliere y porque los tales delitos y errores no debe quedar impunidos y el tal errante es razon de ser examinado e ver si anda en tiniebras o en luz y si verdaderamente o fasta se ha conffessado simuladamente ha tornado a la ley de nuestro salvador y redenptor Ihesu Cristo. E ende declaramos y penitenciamos y en lugar de penitencia condepnamos al dicho Pedro Çit a carçel perpetua retenta misericorida e mandamosle que no pueda levar encima de su persona ni de su cavalgadura por arreo, oro ni plata ni perlas ni aljjeffas ni vestir seda ni grana ni chamelote ni pongo reo alguno depreto de fecho solo arriba la bara ni pueda ceniar spada ni cavalgar a cavallo ni yr a bodas ni a missas nuevas ni a espectaculos de grandes (pag. 38 vto.) plazeres mundanos ni pueda ser abvocado procuradro medico noto apothecario arredro ni tener otro officio publico alguno y assi mismo declaramos todos los bienes del dicho Pedro Çit sastre son confiscadas a la camara y fisco del rey nuestro senyor con todos los frutos e sendas dellas del dia que comieron e perpetraron los dichos errores aqua el qual mandamos en virtut de la sancta hobediencia que aquellos tome o compre por suyos e como suyos dandole para ello nuestra autoridat e herencia assi lo pronunciamos e juzgamos por este nuestro juyzio e discurra sentencia.

MAS TESTIMONIOS EN CONTRA DEL ACUSADO: "RECEPTI IN CAUSA ET CONTRA PEDRO ÇIT".

Die XXII febroari anno MCCCCLXXXXIIII.

- (Pag. 39) Eadem die coram reverenedo domino Petro de Valladolit inquisitore heretica comparvit Joannes de Lizoma, habitant en Calatayubii... juravit per Deum sup curce domini nostri Ihesu Cristi et sacro sancta quatuor evangelia... dixit qui sequitur.

Dize este testigo deposant que en el anyo de que quatro rentas de venta en los meses de junio o julio haviendo en esta ciudat mucha pestilencia e muriendo mucho de pestilencia estando este deposant en el mercado de la ciudat de Calatayut endo estava hun hermano desde deposant llamado Martin de Lizoma y otro llamado Pedro Çit sastre que tenia por fe que ninguno que levasse aquel habitillo por que el lo levava que no podia morir de pestilencia que en esta ciudat entonces havia que no havia benido por otro sitio por tantos juramentos que les havian fecho fazer y fazoles dezir lo que no havian fecho en cadahalsso y fuera de (pag. 39 vto.) cadahalsso y puesto a la verguença y según lo que este les pudo entender lo dizia del ofifico de sancta inquisicion. Testes: Joannes Sanper et Joannes Duncastillo, notario sancto officio habitatoris Calatayubii. (EL MANTILLO ES UN TALISMAN JUDIA).

- Eadem die coram dicto domino inquisitore comparvit Martino de Lizoma habitatoris civitatis Calatayubii qui juravit poer Deum sup cruce domini nostri Ihesu Christi e fazio sancta quatuor evangelia... dixit qui sequitur.

Dize este deposant que en el tiempo que mucha de pestilencia en la ciudat de Calatayut y fue en los meses de junio o julio del anyo mil quatrocentos noventa dos, estando hun dia en el mercado de la presente ciudat de Calatayut este deposant e hun hermano suyo llamado Johan de Lizoma e uno llamado Pedro Çit sastre que ha fecho prisionado or el officio de la sancta inquisicion que ha mi lieva mantillo dixo el dicho Pedro Çit sastre (Pag. 40) que tenia por fe que ninguno que levasse aquel mantillo no podia morir de pestilencia y que aquella tubulario que entonces estava en esta ciudat no havia vinido por otro sino por tantos juramentos falssos que les havia fecho fazer y fecholes dezir lo que no havyan fecho y en cadahalsso y fuera de dadafalsso y puesto a la verguença y según lo que este pudo entender lo dizia del officio de la sancta inquisicion.

MAS PRUEBAS DEL FISCAL.

Alvaro López Asensio

- (Pag. 41) Coram vobis esendis anis inquisitoribus et vicario generali heretica et apostatica pervitatis sacta sede Apostolica et autoritate ordinaria in toto regno aragonum dictis et deputatis comparvit et comper Michael de Galbe promotor fiscalis et minister officii item inquisicionis dicte heretice et apostatice.

Et primo dize el dicho procurador fiscal que el dicho Pedro Çit denunciado fue y a stado penitenciado y reconciliado en la forma acostumbrada por el officio de la santa inquisicion por los amigos de heregia y apostasia por el quonfessados y abjurados la qual penitencia juro y conjuro de cumplir segunt que por tenor de la abjuracion por el fecha y presso que el aditado clarametne se demuestra ade que se refiere.

Et dize el dicho porcurador fiscal quel dicho denunciado reo y criminoso recibiendo la madre santa yglesia y perjurandose en la causa de la ffe de por deconfessor muchas cosas en el prosso de la dicha abjruacion e de las quales agora se les pruevan y de otras quonfesso y abjuro se ha retraydo y las ha negado y dicho nunqua han las fecho y esto es verdat.

(Pag. 41 vto.) Item dize el dicho procurador fiscal que apres dejan fecho el dicho denunciado la dicha su abjuracion y jurabit y anathematizado que todo y quanto alli abjuraba y confessa era verdat y que todo aquello contenido en la dicha su abjuracion havia el fecho cometido y perpetrado y que otra cosa mas que aquello no se le acordava han fecho ni cometido ha dicho una y muchas vezes en su dia de muchas y si de aquellas qualonias que la pestilencia que venia a la ciudat de Calatayut era por los muchos jurato falsos que havia fecho en la inquisicion por dizir y quonfessar lo que nunqua havia fecho cometido ni perpetrado y que injustamente los inquisidores lo havian cadafalsado y enorotado y esto es vedat.

Item dizeel dicho procurador fiscal que todas las ocasas susodichas y cadauna dellas fueron eran e son verdaderas puestas manifiestas y notorias y dellas el dicho denunciado se ha jactado en punta de muchas y fidedignas y novas y esto es verdat.

EL FISCAL INTERROGA AL ACUSADO.

Die XXVI febroari anno MCCCCLXXXXIIII. Calatayubii.

- (Pag. 43) Eadem die el sennor Fray Pedro de Valladolit inquisidor por la interrogacion de Pedro Çit preso y penitenciado en medio juramento qui juravit per Deum et primo fue preguntado por el dicho inquisidor sobre lo quontenido en el primer artiuclo dixit.

Et primo fue preguntado sobre el segundo articulo dixit que es verdat que empues que abjuro publicamente sus errores digo que no era verdat aquello que havia abjurado y esto ha dicho algunas vezes y dize y confiesa mas que estando este quonfesante en la carçeldeste sancto officio de la inquisicion antes abjurase publicamente quonffeso dos ayunos judaycos que el huno era el ayuno de Quipur y el otro el de la reyna Ester y dize que los confeso por sallir de la carçel y no poque fuese a dizir y agora dize y confiesa que nunqua tales ayunos el fizo como confeso y dize que antes que abjurase los dichos errores lo dixo a maestre Maretin inquisidor y al official que de la ciudat y a Benardino Montanyer alguazir como el lo que havia confesado lo havia dicho por sallir de la carçel y no porque fuese verdat y dize que juro falso y que no delibera de antes (pag. 43 vto.) jurar falso sino que en lo que dize de suyo es verdat y asi lo quonfiesa y dize.

Preguntado sobre el tercero articulo dixit que no le acuerda el haver dicho las palabras comentadas en el dicho articulo.

Preguntado si ha oydo dezir adalgun presenciado que lo que havia confesado que no fuese verdat respuso y dixo que nunqu tal oyo ni sabe. Testes: Johan Martinez, notario, et fora de Aguerri, carcelero habitante e Calatayut.

ACUSACIONES DEL FISCAL.

Die XIII julii anno MCCCCLXXXXIIII. Calatayubii.

(Pag. 44 vto.) Eadem die el reverendo sennor inquisidor con nuestro sennor Ihesu Christo al dicho Pedro Çit sastre una dos o tres vezes que deposase e confesase todos los ritos y cirimonias judaycas que havia fecho y todos los ayunos de Quipur que havia fecho porque su reverencia creya que el havia fecho muchos ayunos de Quipur y otras cirimonias y que fazia que los trataria con mucha misericordia en otra manera sino los confesase que preyria contra el segundo el rigor del dicho Pedro Çit prestado por el primero juramento en poder del dicho sennor inquisidor, respondio por todos e sobre la cruz en respondio que no ha fecho mas de aquello que confesso en el tiempo de la gracia y mas dixo que los ayunos de Quipur y de la reyna Ester que confeso y abjuro que los fizo y que juro falso en los confesar no aviendolos fecho por el sallir de la carçel y que no quiere mas jurar falso, que sereprente que de aquel juramento que fizo falso quando confeso los dichos ayunos y dize que quando confeso los dichos ayunos (pag. 45) dixo a maestre Martin Garcia, inquisidor y a Bernardino Mantanyans en cart de alguazil de aquellos ayunos que cofesavan que no los havia fecho y que los confesava por sallir de la carçel que havia estado un anyo en la carçel y no le havia dado copia y dicho nada y le dezia havia de star en la carçel sino confesava mas de dos anyos. Testes: Johannes de Cordova et Pero de Moros officii sancta iqnuisicionis.

AÑADIDO QUE ES EL FINAL ¿POSIBLE SENTENCIA DE MUERTE DEL ACUSADO EN EL CADALSO).

(Pag. 45) Adveniente autem die sabato conmemorata quartudecima mensis junii anno anativitate Ihesu Chisto millesimo CCCCLXXXXIIII apud civitate Calatayubii en las heras vulgaritem municipate de la pueta Terrer extramuros dicte civitatis situate demane ante me in die coram verendos dominis Frey Petro de Valladolit inquisitore heretice apostatice pravitatis auctoritate apostolica deputato in archiapiscopatu Çesaragustam apostolatu Turasonensis et domino laurenço Ramon deciton doctore vicario generali ad inquirendo dehersi deputato et reverendum iuxto pren et dominum Andrea Matinez obispatu Turiassoem per tribunali

- 445 -

sedentibus in quodam cadaffalso indicta plaea sunt eras situato proft factu fide sermone in actu per infrascripto per sentencia dicta Petro Çit denunciado...

NUEVA ACUSACION PROBATORIA DE LA INQUISICION.

(Pag. 46) Nomine invocato nos fray Pedro de Valladolit maestro en sancta theologia de la orden de predicadores inquisidor de la heretica y apostatica en el arçobispado de Çaragoça e obispado de Taraçona por la sancta Sede Apostolica deputato e micer Lorenço Ramon, doctor en decretos Vicario General specialiste creado para el officio de la dicha sancta inquisicion por el muy reverendo sennor don Andres por la digna misericordia obispo de Taraçona.

Visto cierto presso criminal ante nos y en nuestra audencia tractado entre partes es asaber de la una parte el procurador fiscal y maestro del oficio de la sancta inquisicion agente y denunciante y de la otra Pedro Çit sastre reo y denunciado y sobre razon de los crimenes de heregia y apostasia en el dicho presso contenidos, y visto como el dicho Pedro Çit fue havido por sospechoso de los dichos crimenes y portal declarado y denunciado por virtut de la informacion por el procurador fiscal ante nos mostrada. E visto como depues por el presso especial contra el formado claramente consta el dicho Pedro Çit haver fecho collacion de pan cotaco yarra y vino judayco en casa de judio, y que un dia de viernes sancto estando en la puerta fablando con una persona del sermon que havia fecho y diziendo la dicha persona que en su vida havia lorado tanto dixo el dicho Pedro Çit (pag. 46 vto.) unas tales palabras pues calla e no llores tanto que no fue tanto como dizen, y asi mismo consta haver dado limosna a judios, y haber guardado el sabado y crebantado el domingo y otras fiestas por la sancta madre yglesia mandadas guardar y haber ydo con un mal cristiano a visitar y convocar ciertos judios a los quales se les havia muerto su padre judio. E consta nos haver ayunado el ayuno de Quipur de los judios y otro ayuno judayco llamado de la reyna ester estando sin comer en todo el dia fasta la noche y haverse perjurado una e muchas vezes en la causa de la fe e consta el dicho Pedro Çit haver confessado e abjurado publicamente los dichos errores y consta asi mismo que depues de la dicha su abjuracion haverse retrasido de por el confesado e abjurado, e haver dicho y confesado en nuestra peresencia que los dichos ayunos judaycos es asaber de Quipur y de la reyna Ester por el abjurados nunca los fizo y que los confeso por sallir de la carçel y no porque los huviese fecho y que juro falso en los confessar. Donde parece clarament el dicho Pedro Çit no haver conservado ni abjurado sus errores y asi deveya haver seydo y ser sute comienso y simulado e haver andado y andar en tenebras yno en luz y haver recebido la madre sancta yglesia y quedar verdadero heretico y asta judayzado e atendido que por las cosas susodichas clara y seguidamente consta el dicho Pedro Çit haver seydo y ser heretico e (pag. 47) apostata verdadero. E haver passado a los ritos y cirimonias judaycas se haver seydo y ser futo y simulado e asi haver gravemente errado y ofendido a la malestar divina a la qual ofender es muy mas grave que a la humana porque la tal ofensa concerne en su jura de todos los crisitanos e consta el dicho Pedro Çit haver feydo y ser excomunicado de excomunicacion mayor el dia que cometio los dichos crimenes de heregia y apostasia aca e a huno que muchas vezes por nos ha seydo requerido y amonestado confesase los dichos errores enteramente y como decyas nolo ha querido fazer antes con animo endurecido ha estado y esta percivare negativo y simulado en ellas no queriendo haver piedat de si mismo ni de su ara y asi en razon que con el cesse toda misericordia y el dicho se levante y su rigor no calle la pena que merece de la vindicta no ha de ser menor que la memoria de sus excessos de manera que la pena castigue lo que la espiritual disciplina no puede por lo que otros sean refenados de cometer los crimenes semejantes ya el sea castigo havia natura deliberacion y confeso con barones lacrados sustos pendentes e de buena conciencia sobre el dicho presso cada parte y cosa del segunt que el dicho en tal cosa dispone teniendo a Dios ante nuestros ojos con intencion de adminsitrar justicia de (pag. 47 vto.) consejo de magnifico micer Andrea de Quintanilla assesor deste sancto oficio.

NUEVO PRONUNCIAMIENTO Y SENTENCIA.

Fallamos que devemos de pronunicar y pornunciamos y declarar y declaramos el dicho Pedro Çit haver passado a los ritos y ceremonias judaycas e haver fecho y ser heretico y apostata judayzado y en lo por el confessado e abjurado haver seydo y ser suto y simulado e haver seyeto y ser excomunicado anathematizado del dia que cometio los dichos crimenes aca y del dicho tiempo aca los bienes Pedro Çit con todos los frutos y rendas dellos haver seydo y ser confiscados a la camara e fisco del rey nuestro sennor al qual mandamos en virtut de sancta obediencia que aquellos tome y ocupe por suyos y como suyos e privarnos y primados denunciados por los fijos y descendientes del dicho Pedro Çit fasta el segundo grado inclusive de todos los oficios y beneficios eclesiasticos y seculares dando los por inabiles para inpetrar y posser otros de nuevo. E como la madre sancta yglesia contra el dicho Pedro Çit como es pradosa no tiene pena con digna para punir los dichos crimenes y errores con la prestacion que el dicho quiera es asaber otra vindicta et esusoline sanguinis fallamos que devemos remitir y remitimos al dicho Pedro Çit a la justicia e juez secular a saber es al magnifico Miguel de Peralta, justicia de la presente ciudat de Calatayut que es presente para que el comprenda y clemencia le de (pag. 48) a pena que segunt sus meritos y culpas merece. E mandamos al magnifico mosen Esthevan Gato, alguazirl deste sancto oficio luego gelo de y entregue. Asi lo pronunicamos y juzgamos por este nuestro juizio.

PROCESO CONTRA ISABEL LUNELL, VIUDA DE PEDRO DE LA CABRA Y HABITANTE DE CALATAYUD, ACUSADA DE JUDAIZAR. ARCHIVO SEMINARIO CONCILIAR DE ZARAGOZA (CRETA), (SIN SIGNATURA). FECHA DE INICICO DEL PROCESO: 18 de Enero de 1488.

CONFESION DE LA ACUSADA ANTE LA ACUSACION HECHA POR EL FISCAL (EN LATIN).

(Pag. 3) Conffessio dicte Ysabelis Lunel tempore Graçie. Muy reverendos sennores, como quiere que de las cosas infrascriptas yo, Ysabel de la Cabra me haya diversos vezes confessado con mis padres de penitençia pero por quanto se dize ellas ser de tal natrua que se deven intimar a los jutges y padres de la sancta inquisicion. Por tanto a mayor seguridat de mi consciençia digo y confiesso puramente y simple que abra doze o quatorze annos poco mas o menos que tyeniendo mi fixo Pedro de la Cabra una muxer que se traxo de Valençia, yo con temor que con ella no se hoviesse de casar sintiendome algunos sobresto muy apassionada a mi y a su padre que Dios perdone un moro dixo que si unos alvaranes que el daria se le ponian en el licho que la aboreçeria que nunca la podiesse ver: lo qual con la gran passion que dello tenia puso por execuçion y di los dichos alvaraneas a uno que ge les pusiesse en la rama, y por que tanto tiempo ha que bien todas las particularidades dellos no me acuerda. Assi desto como de un judio o judia que lo mesmo me dixo que haria si yo queria que la aboreçeria y para esto demando en mi casa un baçin de (pag. 3 vto.) agua y un espejo, y una donçella que le dixiesse los veria y ni vio nada ni fue nadantes desto en la verdat yo luego lo tuve y vi que era burla, pero a mayor descargo de mi consçiençia y por saber mas por menudo algo si sobresto el tiempo me hoviesse tirado de la memoria acordava demandarlo a las dichas personas que en esto entreneman. Enpues he pensado ser mexor y mas a mi descargo exhaminado o mirado por los sennores inquisidores que no que parezca ser por mi primero amonestado pues yo no quiero digan otro de la verdat. Assi mesmo conviesso que un dia en casa de un judio llamado mastre Tradoz entre otras vezes que yva assu casa por visitarlo a el y a su muxer se le murio yo estando alli una fija pequenna a donde despues de muerta saco ni se si su madre o otra muxer de una caxa lienço y començo a dar a los que alli estavan sendos pedaços no me acuerdo si yo tomasse del dicho lienço o no y sobre mi fe antes al no que al si me affirmo pero yo me refiero a lo que diran lo que alli estoviereon que en la verdat pienso ha mas que quatorze annos y tengo la memoria (pag. 3 bis) desto perdida como fue por menudo. Assi mesmo confiesso que por amistat que yo y mi casa con la deste judio teniamos assi por ser fisico muy bueno como por muchos plazeres y a un serviçio que de su casa reçibia como toda la ciudat sabe, que dexo todo quanto tenia a mi sennor que Dios haya en fe y algunas vezes por que era hombre que quasi de apassionado nunca sallia de casa, yo yva assi por le demandar algunos consexos para dolientes de mi casa y fuera de aquella como por verlo y visitar lo, y a ver algunas vezes dar le un moça o moço de los de mi casa para que lo sirviessen esta por todas las vezes que el se quiso anprar dello, exceptado en los domingos y fiestas nuestras. Asi mesmo confiesso que avra mas de diziocho o veynte annos que creo enviaron de casa deste judio a mi casa unos panes que ellos massan con salsas y a un pan cançenno y no me affirmo si entonçe quedo en mi casa o no y por mi sennor que Dios haya y a un por mi les fue dicho que no les (pag. 4 bis) acaeçiesse que en ningun tiempo de su casa a la mia trayessen ninguna de aquellas cosas ni a un cosa alguna de comer que allende que lo tomariamos reçibiriamos en ello muy grande enojo y a un conoçerian que nos pesaria tanto que se maravillarian. Y assi yo ne se que a mi casa mas haya venido nada de aquellas cosas. Esto sennores muy reverendos he dicho con protestaçion que si mas me acordare han dicho o fecho lo intimare y conffessare a vuestras reverencias ofrfreçiendo me prompta y aparexada areçebir la penitençia que por ellos me fuere dada y podrian vuestras reverençias han informaçion como a este judio acusa de ser tan gran fisico lo yvan a visitar eclesiasticos, hidalgos, ciudadanos proçipales assi honbres como muxeres no reputando ser cargoso a la conçiencia. Testes: Johannes Torrexon et Petrus Terrxon, habitant Calatayubii.

TESTIGOS DEL FISCAL EN CONTRA DE LA ACUSADA.

Die XV febroarii anno M° CCCC LXXXVIII. Calatayubii.

- (Pag. 4) Eadem die coram dictis reverendis dominis inquisitoribus conparvit Anthona uxor Johannis Naharro, vicini loci de Munebrega que de dictorum dominorum inquisitorum mandato et in eorum manibus et posse juravit per Deum super Cruçen domini nostri Ihesu Cristi inter sacro sancta quatuor evangelia coram ea portam et penam manu aliter tacta et reverenter inspecta diçere vitatem et virtute dicti juramenti respondit ut sequitur.

Dize eque avra nueve annos que salio de la casa y serviçio de Jorge de la Cabra que con el qual y con su muxer padre y madre de Pedro de la Cabra vivio (pag. 4 vto.) por tiempo de nueve annos poco mas o menos y dize que en este dicho tiempo le acuerda que por dos o tres vezes el dicho Jorge de la Cabra y su muxer le mandaron levar cierto olio a la casa de don Tradoz judio mege que habitant en Calatayut y que cadauna destas vezes levava una rova o media lo qual levava en un cantero la dicha deposant a casa del dicho don Tradoz, y lo dava al dicho don Tradoz mesmo el qual dicho don Tradoz a la hora que este deposant levava el dicho olio, le dona una oliera a esta deposante y le dezia toma Anthoniça y fuiche essa oliera desse olio que traes y lieva lo a la sinoga, y la dicha deposante lo fazia ansi que tomava la dicha oliera y hinchiala de olio, y levava lo a la sinoga y dava lo a un judio viexo cuyo nombre no sabe salvo que era viexo y cano, y no grande sino hombre de media estatura y despues esta dicha testimonio tornava la dicha oliera a casa del dicho don Tradoz y quedava se alli en la dicha casa de don Tradoz por que era biernes en la tarde y dormia se alli y estava para fazer y fazia el fuego a los dichos judios.

Interrogada en que dias levo el dicho olio a la casa del dicho don Tradoz y ala sinoga respondio (pag. 5) y dixo que en dias de biernes lo levo y que era a las tardes.

Interroga dictatestis por cuyo mandado levava el dicho olio a la casa del dicho don Tradoz respondio y dixo que el dicho su amo Jorge de la Cabra en presençia deste testimonio le mandava a la dicha su muxer que enbiasse el dicho olio y la dicha su muxer lo dava a este testigo para que lo levase a la casa del dicho don Tradoz como arriba ha dicho y deposado.

Interrogada la dicha testigo que si sabe que es lo que el dicho judio a quien dava el dicho olio en la sinoga fazia del dicho olio respondio y dixo que en su presencia desta dicha deposante lo echava en las lanparas de la sinoga.

Item dize que muchos viernes en las tardes los dichos sus amos enviavan a esta testigo a un que no le enviavan con olio la enviavan ala casa del dicho judio don Tadorz para que les adobasse el fuego y las cresoleras que los judios acostumbran de ençender los biernes a las tardes y dize esta deposante (pag. 5 vto.) que alla en la dicha casa de don Tradoz se estava los dichos viernes en las noches fasta en los sabados fasta sallidas missar y alli comia y dormia. Testes: Reverendus dominus Mgister Petrus Perez presbiter et magister in sancta theologia et Michael Buyl, notarius.

PRUEBAS Y DENUNCIA DEL PROCURADOR FISCAL CONTRA LA ACUSADA.

(pag. 7) Reverendo domino Martino Garçie anonico habitant civitatis Çesaraguste magister in sancta Tehologia et inquisitore heretice et apostatice pravitatis autoritate apostolica deputato ad in querem dum de dicha heretica apostatica pravidat in arçobispatu Çesaraguste et eiposcopo sove comparunt et comparet venerabilis dominus Gomecius de Cientfuegos, canonicus seguntinibus procurator fiscalis et minister sacte officii inquisitionibus ac procurator fiscalis et minister sancte officii inquisicionis dicte hertice provitatis quo nomine curatorio per dicto insinuando denunciando acillis melioribus via modo forma causa quibus asure a facere potes et de bet insta scripta posilo et item quod plenibus utilius efficacius valet et possunt aplicari peat agit et Deum fiat quem et adversis (blanco) civitatis calatayubii rea et criminosa... delicta hereticalia contra quen offertet presenten denuncçiaçionem (7 vto.) y sub sequenter aribulos declarata modo et forma secuentibus.

Et primerament dize el dicho procurador fiscal que la dicha denunciada teniendo esperança en la Ley de Moysse ha fecho y observado ritus cerimonias judaycas, crimenes de heregia y de apostasia en la ffe cometiendo ha dicho muchas palabras hereticales enyaladament que la Ley de Moysen era buena y dava salvaçion y que tanbien se podia salvar el judio en su ley como el crisnao en la suya y que a rezado salmos y oraciones judaycas a modo judayco.

Item dize el dicho procurador fiscal que la dicha rea e criminosa ha guardado el sabado como qualquiere judia vestiendose aquel dia mejor que otros y encendiendo el viertes a la noche muchas lampadillas y cienfuelos pora honra del sabado y no faziendo azienda aquel dia otro tanto como tors dias guardando las pascuas de los judios mayormente la del pan cotaco y la de las cabanyvelas y a dado olio y dineros para olio a las lampadas de la sinoga de los judios e que ha dado limosna (pag. 8) a los judios para la çedaqua y azia quite y quitaba las grassas de la carne que traya y quando traya pierna sacava o mandava sacar a sus moças la glandolilla de aquella. Et mas que decia la bendicion a modo judayco e haver fecho et gisado hamin el viernes pa el sabado et algondiquillas tabaheras e haver echado quando massava un pedago de massa en el fuego y haver (blanco) ayunado los ayunos judaycos senialadamente el dayuno de Quipur clamado el grant perdon y el dayuno clamado del pedimiento de la casa sancta y otro el ayuno de la reyna Ester y otros ayunos judaycos.

Item dize el dicho procurador fiscal que la dicha rea y criminosa ha comido con judios a una messa de sus viandas y ha comido pan cotaço, arruquaques y turrado en el tiempo de la Pascua de los judios y ha comido carne y aves degolladas de judios y mas que ha comido carne en quaresma y en viernes y en sabados y aen ayunos mandados por la iguelsia estando sana sin necessidat alguna y mas que ha comido potages y otros manjares a la forma y manera judayca guisados como qualquiere judio y ha (pag. 8 vto.) dexado de comer tocino, enguilas, caracoles e todos menjares dque judios no comen y echava un pealgo (pedazo) de la massa en el fuego.

Mas dize el dicho procurador fiscal que todas las cosas suso dichas y cada una dellas fueron eran y son verdaderas publcias notorias y manifiestas y aquellas sey verdaderas ha conffessado la dicha denunçiada rea y criminosa dicho yre conocido en presençia de si de dignas personas y tal de las cosas suso dichas fue era y es voz comun y fama publica en la dicha ciudat de Calatayut y en hotras partes.

EL FISCAL INTERROGA A LA ACUSADA.

Per interrogaçio facta sup contentis in articulis denunciacionis de persona Ysabellis de la Cabra, alias Lunel.

(Pag. 11) Die XXIII setembris anno anativitate domimi millesimo quadringentesimo octagesimo nono apud civitatem Calatayubii dominus Martinus Garçie iqnuisitor instate Michael Navarro fiscali officii inquisicionis percessi iuxta pronunciacionis interrogatione Isabellis Lacabra, viude habitore Calatayubii supra contentis in denunciate et virtutis in ea contentis que iuravit poer Deum supra crucem domini Ihesu Chiste facio sancta quatuor evangelia coram ea posuam ac pecam reverenter hinspecta sup propiis manibus corporalitaer tacta et per juramentum resppondit in modo sequenter.

Primo fuit interogata sup quontentis in primo arituculo dicte denunciaciones negavit per juramentum.

Interrogata sup secundo articulo dicte denunçiacionis negavi.

Interrogata sup terçio articulo dize que abra unos trenta y cinquo annos poco mas o menos estando esta quonfesante con Jorge de la Cabra su marido enesta ciudat una vez de casa de don Tradoz Quonstantin judio habitant en la aljama de los judios (Pag. 11 vto.) desta ciudat enviaron pan çencenyo a casa desta confesant y esta deposant y los de su casa todos comieron con el dicho pan cenyo e exceptuado el dicho su marido Jorge de la Cabra que no de comio. E mas dize que quando fize bodas huna fija del dicho don Tradoz

Quonstantin cuyo nombre no le acuerda envio el dicho don Tradoz huna puesta de ternero y capones vivos a esta deposant y esta conffesant y el dicho su marido y todos los de su casa comieron dellos.

Interrogada sup quarto articulo dize denunciacionis que sup contentis in eo dize ser verdat e atorga ser asi todo lo sussodicho de la parte de arriba e lo conffessado por ella en su conffession a la qual conffession en todo e por todo se reffiere, e asi mesmo mega lo vegado por ella y esto por el dicho ju
rametno por ella prestado. Testes: a los suso dicho Martin Perez, notario e Anthon de la Miel, nunçio de Sancta inquissiçion.

TESTIGOS DEL FISCAL Y EN CONTRA DE LA ACUSADA.

Die XXV mayo anno Mº CCCC LXXXVIII. Calatayubii.

- (pag. 16) Eadem die coram domino inquisitore comparvit Yuçe Albalit judio habitant Calatayut encara dicte testimonio qui juravit per Deum sub decem precepta legis Moysi.

Dize este depossante que por mandado de su tia levo a casa de Jorge de la Cabra de Calatayut pan cotaco turrado y alcahalillas en tiempo de la pascua de los judios y despues de la pascua enbiava al dicho Jorge y su muxer pan liendo y lechugas y este dicho pan y turrado y alcahalillas recibia la mujer del dicho Jorge y dize que assi mesmo vio como los mesages (muchachos) del dicho Jorge levavan carne de la carneceria de los judios. Testes: Mossen Domingo Desemia, clerigo, y Garcia de Valladolit, familiar del sennor açessor Quintanilla.

- (pag. 16 vto.) (Sin nombre del testigo) Dize que havra vinte y tres anyos poco mas o menos que estando este deposante con Jorge de la Cabra que padre de pedro de la Cabra de Calatayut que esta agora preso en Çaragoça dize quem muchas vezes la muger del dicho Jorge que que esta agora presa dize que lemandava que fuese por carne a la juderia desta ciudat y este deposane la traya y vio muchas vezes como la dicha muger del dicho Jorge de la Cabra que sacava la glandoliça de la pierna antes de echar la a cozer y la lavava y empues vio como de aquella carne que este deposante traya de la juderia comian el dicho jorge y su muger y su fijo Pedro de la Cabra preso.

Item deposa que vio como trayan rosquillas y alcahaquillas en la pascua de los judios de casa de don Tradoz Quonstantin el vieio al dicho Jorge y a su muger y vio este deposante como comian de aquellos presentes el dicho y su muger y el dicho Pedro de la Cabra preso y passada la pascua de los judios vio como la muger del dicho Jorge enviava a casa del dicho Tradoz pan liendo lechugas y vinagre y este (pag. 17) deposante lo levo por mandado de la dicha muger de Jorge de la Cabra. Testes: mosen Domingo de Senya, clerigo et Guallart de Cardessa, familiares del sennor inquisidor habitant en la ciudat de Calatayut.

Die XV julii anno Mº CCCCLXXXVIII. Calatayubii.

- Eadem die coram domino mertino Garsia inquisitore comparvit Ysach Enforna, judio habitant en la Aliama de judios de Calatayut testimonio qui juravit per Deum sup decem precepta legis Moysis qui diceret omnidam veritate de his qui diceret et sup quibus interrogatus esset qui per jurandum respondit in modum qui sequitur.

(Pag. 17 vto.) Dize que huyo dizir a la madre de Cabra presa havra medio anyo poco mas o menos que le dixo como en dias passados havia fecho por los Tradozes judios y yvan a su casa y fazian hunos por otros y que agora por el tiempo no les osavan fallar y que lo dexavan por el tiempo. Testes: Martinus Perez , notarius, e Jacobus de Monclus, nucius habitant en Calatayut.

- Eadem die coram reverendo domino Martino Garsia inquisitore comparvit Salomon Abayut judio habitant en la aliama de judios de Calatayut testimonio que juravit per Deum sup decem precepta legis Moysi qui diceret (pag. 18) omiodam veritatem de his qui ret et sup quibus interrogatus esset qui per juramentum respondit in modum qui sequitur.

Et primo dize que al tiempo que nacio Mose Constantin (Mosse Constantin) judio que oy bive uçe era fijo de don Tradoz Gostantin judio desta ciudat que cree havra quarenta anyos poco mas o menos dize que estando este deposante con el dicho don Tradoz dize que lo embiaron luego como fue nacido el dicho Mose Gostantin a casa de Diego de Condon a este deposante con la nueva y a casa la muger de Pedro de Santangel y a casa de Joge de la Cabra y a casa de Anthon de Santangel y este deposante les dixo las nuevas y el dicho enyego le dio medio florin dalbricias y la de Pedro de Santangel le dio seys reales y Anthon de Santangel ocho reales y Jorge de la Cabra hun florin y su muger presa que esta por la inquisicion quatro reales ydize que la muger del dicho Jorge que esta presa vio este deposante como fue a la circuncision y estreno huna pieça de almeria.

(pag. 18 vto.) Item mas deposa quando caso el suso dicho Mosse Gostantin judio con la primera muger vio como fueron a estrenar a las bodas el dicho Jorge de la Cabra y la dicha su muger que oy esta presa y la madre de Bernat Garcia que fue a las dichas bodas y otros muchos cuyos nombres al presente no le acuerdan y dize que vio como estrenavan y assi mesmo y de vio a Yneygo de Condon en las dicas bodas y lo vio estrnar que no vio que ninguno de los suso dichos comiesen alli en las bodas ni sabe que estrenaron salvo les vio estrenar a todos los suso dichos. Testes: Jacobus de Monclus, nuncius et Guallarddus de Cardesa, familiaris dicti inquistor.

Die VI marcii anno M CCCC LXXX VIII.

- (Pag. 25 - confusion del original) Eadem die coram reverendo domino fratre Michaelle de Monterrubio inquisitor comparvit Yuçe Çadoch Abayut judio habitant en la aliama de judios de Calatayut testimonio que juravit per Deum sup decem precepta legis Moysi qui diceret omiodam veritatem de his qui ret et sup quibus interrogatus esset qui per juramentum respondit in modum qui sequitur.

Dize este deposante que quinze dias empues de los sposorios de su fijo llamado Çalema en diverdos dias subieron a casa deste deposante huno llamado Jorge de la Cabra y su muger, cuyo nombre no le acuerda, enpo es bina (viuda) oy habitant en la ciudat de Calatayut es a saber en hun dia el huno solo y en otro el otro a los quales dio este deposante collacion de confites y bevieron de su vino judiego y dize mas que al tiempo de las bodas del dicho su fijo envio este deposante a los dichos Jorge de la Cabra su muger capones los quales tomaron en su casa y dize mas este testigo que despues de las dichas bodas en el mismo anyo en hun dia que fue pascua de los (Pag. 25 vto. – confusión del original) judios y de los cristianos vienieron a casa deste deposante la dicha muger de Jorge de la Cabra y huna muger cuyo nonbre no le acuerda empo que caso con huno llamado Pedro Lopez, habitante de Calatayut a las quales dio este deposante collacion de frutas y bevieron de su vino judiego. Testes: Anthonius de la Miel e Jacobus de Monclus, nuncio habitatoris civitas Calatayubii.

Die XXI augusti anno Mº LXXXVIII. Calatayubii.

- (Pag. 19) Eadem die coram reverendo domino Alfonso de Alarcon inquistore comparvit Jeuda Gargonya fisicus judeius habitator aliame judeorum loci de Ylluequa testis qui juravit per Deum sup Decem precepta legis Moysi qui diceret omnimodam veritate de hiis qui ciret et sup quibus interrogatus esset qui per juramentum repondit et dixit in modum qui sequitur.

Dize este testigo que de vinte anyos a esta parte vio muchas de vezes biviendo mastre Tradoz judio medico en la juderia en las casas donde de presente se exercere el officio de la sancta Inquisicion que Jorge de la Cabra e su muger que es la que oy vive, padre e madre de Pedro de la Cabra preso, venian en diversos dias del anyo y en muchas pascual e ffiestas de Christianos y de judios senyaladamente en las pascuas del pan cancenyo y cabanyvelas de judios a casa del dicho maestre Tradoz y fazian collacion alli de rosquetas turrado y alcahalillas e algunas vezes les vio fazer la collacion e collaciones debaxo las (pag. 19 vto.) cabanyvelas en la dicha pascua de cabanyvelas con maestre Tradoz y su muger preciosa judia y bevian del vino judayco. E mas dize este testigo que vio assi mismo a los dichos maestre Tradoz e a dona preciosa, su muger, en el tiempo que maestre Tradoz vivia que yvan a casa de Jorge de la Cabra e fazian alli collacion la qual casa entonces el dicho Jorge que tenia en la dicha ciudad de Calatayut. E assi mesmo vio este testigo como el dicho Jorge e su muger en los dias de pascuas de judios e otros dias emprestar trapos de raz e plata pa casa del dicho maestre Tradoz e assi mesmo el dicho maestre Tradoz, judio emprestava trapos de raz e plata al dicho Jorge de la Cabra. (pag. 20) Testes: Miguel Domingo, notario et Jayme de Monclus, nuncio habitant en Calatayum.

Die secunda septembris anno Mº CCCCLXXXVIII. Calatayubii.

- Eadem die coram reverendo domino Martino Garsia inquisitor comparvit Oro muger de maestre Mosse Alpastan, judia habitrant en la aliama de judios desta ciudat testimonio que juravit poer deum sup decem precepta legis Moysi diceret omniodam veritatem de hiis qui ciret et sup quibus interrogata esset qui per juramentoum respondit e dixit in modum qui seguitur.

(Pag. 20 vto.) Dize que havra vinte y dos anyos o viente y tres poco mas o menos que vio este deposante estando donzella en casa de su padre llamado Salomon Alazan, judio desta ciudat de Calatayut, vio como en las ochavas de la pascua del pan cancenyo quando venia la pascua de los cristianos junta con la de los judios el dicho su padre y madre llamada dona Çeti judia habitant en la dicha ciudat de Calatayut embiavan pan cotaço, turrado y alcahalillas a casa de Jorge de la Cabra y de su muger que esta presa y que passada la pascua de los judios el dicho Jorge de la Cabra y su muger emviavan al padre y madre desta deposante pan liendo y lechugas huna cesta y esto poralgunas pascuas del pan cancenyo. Testes: Mosen Domingo de Senya et mosen Navarro, clerigos habitnates en Calatayut.

Die II mensis aprilis anno Mº CCCC LXXVIII. Calatayubii.

- (Pag. 21) Eadem die coram reverendo domino Martinus Navarro inquisitor comparvit Gracia uxor Michaellis Navarro, habitant civitas Calatayubvii que juravit imposse dicti domini inquisitor per Deum supo crucem domini nostri Ihesu Christi e sancta quatuor evangelia coram eo posita suis per propiis manibus corporaliter tacta diceret omniodam veritatem de hiis que ciret e sup quibus interrogatus esset qui per juramentum respondit in modum qui sequitur.

Et primo dize esta deposante que havra vinte anyos poco mas o menos fue huna vez esta deposante a casa de huno llamado Jorge de la Cabra que mora a la plaça de la Figuera por mercar vino, vio esta deposante como huna moça de la casa del dicho Jorge de la Cabra cuyo nombre no le acuerda a esta deposante en presencia de la madre de Pedro de la Cabra que oy bive cuyo nombre (pag. 21 vto.) della no le acuerda a esta deposante molia pan cancenyo el qual la dicha vieia dio a la dicha moça empresencia desta deposante y que este deposante devrando a la dicha moça que porque molia aquel pan cancenyo y que la dicha moça le respuso esta deposante que lo picava pa poner en unas verças que cozinava. Testes: magnifificus Joahnnes Ardiles, jurisprudenter e Johannes Torrejon, nuncius habitant Calatayut.

- (Pag. 22) Ceterum antem die videlibus que computabam decima mensis octobris anno anativitate domini millesimo qusdringentesimo nonagesimo coram domino Alfonso de Alarcon, inquistor comparvit Anthona Naharro uxor Johannis Naharro vicino loci de Munebrega testis por parte Gomieçi de Cientfuegos procurator fiscali predicta ad probandum contenta in denunciacionem oblatis contra supra dicti deunciatis e fuit ad misa ad jurandum e juravit per Deum et sup crucem domini nostri Iheus Christi qui diceret omniodam veritatem et fuit interrogavit:

Si sabia que la muger de Jorge de la cabra aya fecho algunos rritos o cerimonias de judios que respondit e dixit foreva contenta in quadum de osicionen facta per die XV febrori anno M° CCCC L XXXVII quam in efectuarvit e ad dixit que puede haver doze annos poco mas o menos que sallio de casa de Jorge de la Cabra y que quando levava aquel olio que dize en su deposicion aquellas tres vezes que lo levo dize que en su precer era quando lo trayan el olio de savinyan pa casa de su amo que entoces lo levaria et hoc dixit per juramentum.

- (Pag. 25) (CONTINUA CON EL SIGUIENTE TEXTO SIN ENCABEZAMIENTO IDENTIFICATIVO DEL TESTIGO) La qual estava casada con un judio que vivia en esta ciudat, por que el dito don Tradoz estava mal contento del dicho su yerno y no queria allarse en la mente de la dicha su fija Raga, el dicho don Tradoz a esta confessant que fuese a visitarle su fija en aquella dolençia y esta confessant fue contenta, la fue a visitar unas tres o quatro vezes y que la postrera vez que la yva a visitar allola ya muerta que la ternian ençima de una mesa y muchos judios alderredor della y estuvo alli con aquellos judios un grand rato las quales estavan aziendo el planto por la judia e dize que llevassen a enterrar la muerta se vino a su casa esto dize porque no se acuerda si lo dixo en el tiempo de gracia.
Item dize que crehe haver dicho quando murio el dicho don Tradoz y quando murieron las dichas sus fijas que bien posse huviessen en su Ley po que aella no se le acuerda y si lo dixo lo diria con ignorançia no pensando errar y dize que otro no le acuerda (pag. 25 vto.) haver fecho ni dicho contra nuestra sancta fe catholica sino lo que dixo en el tiennpo de la gracia y lo que agora y en la interrogacion que le han fecho ha confessado y dize que per agora otro no se acuerda. Testes: Petrus Margarit, alguaziRus, Anthon de la Miel, nuncius.

Die tercia decembris anno M° CCCC LXXXVIII. Calatayubii.

- (Pag. 27 vto.) Eadem die coram reverendo domino Alfonso de Alarcon inquisitor comparvit Yuçe el Bayo, judio habitrant en la aliama de judios desta ciudat testimonio que juravit per deum sup decem precepta legis Moysi (pag. 28) diceret omniodam veritatem de hiis qui ciret et sup quibus interrogato esset qui per juramentoum respondit e dixit in modum qui seguitur.

Dize que al tiempo que este deposante y Pedro Simal heretico tenian cierto trigo de la companyan que ellos tenian en casa de Jorge de la Cabra que desta ciudat este deposante por tenerlo el trigo mas a su mano mudolo de alli de casa del dicho Cabra que ya era muerto a huna casa de la cristiandat y al mandar el trigo hallo que faltava del dicho trigo hun cafiz de trigo de aquel trigo que havia tenido en su casa y dixolo a la muger del dicho Jorge la Cabra, la qual agora esta presa por la inquisiçion quexandose a ella diziendo como le faltava hun cafiz de trigo de aquel trigo que havia tenido en su casa e que mirasse como havra estado aquello por quanto el deliberava de demandargelo et que entonçes le dixo la dicha muger de Jorge la Cabra como dezis esso que parece quer" eys dizir que lo ay ava furtado sios querria dar de lo mio a vos y a qualquiere judio como os furtaria yo el trigo que si algunos trapos o camissones me vienen en sabado pa lavar (pag. 28 vto.) los alço pa el domingo y para el disancto por no lavrlos en sabado mirar como havia de tomar de vuestro trigo que a vos y a qualquiere judio quando otro no puediesse mi ojo le querria dar por seer judios se dize este testigo que veyendo la justificacion tanto grando que la dicha muger de Jorge la Cabra le fizo y la buena voluntat y affeccion que demostrava tener a los judios y a su Ley depose estar de la demanda que le fazia cassi se dexo perder aquel cafiz de trigo que le faltava et hoc per juramentum. Testes: ad predicta Michael Domigon, notarius, e Antohonius Navarro, clericus.

- (Pag. 29) Eadem die coram reverendo domino Alonso de Alarcon inquisitor comparvit dona Preciosa vidua judea uxor que fuit de don Tradoz, judey habitant en la aliama de judios desta ciudat testimonio que juravit per Deum sup decem precepta legis Moysi diceret omniodam veritatem de hiis qui criet et sup quibus interrogata esset qui per juramentum respondit e dixit in modum qui sequitur.

Dize esta deposante que havra hunos vinte y quatro annos poco mas o menos estando esta deposante en la ciudat de Calatayut parida de una fija en las casas que depresente se exercere el officio de la sancta inquisición vino a veer a esta deposante que estava en la cama parida y le estreno hun timbre o florin po no le acuerda si era tiembre o florin mas que era la huna pieça de oro.
(pag. 29 vto.) Item dize esta deposante que havra quatorze annos poco mas o menos que la dicha Ysabel Lunell madre del dicho Cabra vino a casa desta deposante a le conortar por quanto en la noche que vino a esta deposante se le havia muerto huna fija suya desta deposante y estando la fija desta deposante muerta en casa que entoce muy poquo havia que era muerta la dicha Ysabel Lunel estuvo conesta deposante a aconortandola mucho hun buen rrato y despues de alli se fue y que con la mucha angustia y trebajo que esta deposante tenia no vio ni le acuerda si la dicha Ysable Lunel lloro quando le vino aconortar a esta deposante. Testes: el magnifico Andres Gutierrez de Quintanilla açessor e Joan Dominicus, notario de la Sancta Inquisicion.

- (Pag. 30) Ceterum anten die videlius que computobantur prima mensis marcii anno computato anativitate domini millesimo quadringentesimo nonagesimo apud civitatem Calatayubii Regni Aragonum coram reverendo domino Martino Garsia, inquisitore comparvit Gormedinus de Cienfuegos procurator fiscalis qui dixit in modum probacionis seu faciendo fidem de contentis in sua denunciaciones e articulis eiusdem dixit per predicebat de facto per dixit intestem sup present carisa videlis Juçe Çadoch, judeum habitantor aliame judeorum civitatis Calatayubii et eo in sancte fuit ad misus intestes qui demandat dicte domini inquisitor no ys (pag. 30 vto.) et ad instanciam dicte procurator fiscalis juravit per Deum sup decem precepta legis Moysi que diceret omnyodam veritate de his que diret et sup quibus interrogavis esset e per juramentum fuit interrogatus dictis testis:

Si sabe que la muger presa de Jorge de la Cabra aya fecho algunos rritos o cerimonias de judios o venido en alguna manera contra la sancta fe catholica de Ihesu Cristo el qual por el juramento por el expresado dixo que no sabia mas de los dicho e deposado por el en dos deposiciones la primera fecha a VI dias del mes de março y la otra nueve dias del mes de julio anno computato anativitate domini millesimo (pag. 31) quadringentesimo octuogesimo octavo quas in effectu natrituir et post fuerunt sibi legi e dixit ffore vera contenta in easdem per juramentum peum de sup imposse dicti domini inquisitor (le leen la declaración). Testes: Fuerun predictis prestimonins honnor Jacobo de Moclus e Anthonio de la Miel, nunciis officii sancte inquisicionis habitant Calatayubii.

Die IIII junii anno M° CCCC LXXXX. Cesarauguste.

- (Pag. 32) Eadem die coram reverendo domino Alfonso de Alarcon inquisitor comparvit Jeuda Benardut judio habitrant en la ciudat de Calatayut testimonio por parte del procurador fiscal produzido pa probar lo contenido en la denunciacion dada contra Ysabellez Lunel, captam e denunciatam qui juravit per Deum sup decem precepta legis Moysi qui diceret omnyodam veritatem de hiis quiceret et sup quibus interrogatus esset qui per juramentum resondit in modum qui sequitur.

Dize esta deposante que conoce a la muger de Jorge de la Cabra de Calatayut cuyo nombre no le acuerda a este deposante que havra diez o doze annos poco mas o menos y que no es cierto del tiempo salvo que fue despues de la muerte del padre de Pedro de la Cabra que haviendo habierto huna puerta de la Ygleisa que hizieron de Sant Paulo que era antes sino en la ciudat de Calatayut Pedro de la Cabra preso que esta por la sancta inquisicion (pag. 32 vto.) y que aquella puerta sallia azia la juderia y los judios quexabanse mucho porque havra habierto aquella puerta hazia la juderia y assi este deposante porque tenia amistat con el dicho Pedro de la cabra preso delibero de ytrle a fablar que quisiese barrar aquella puerta y assi fue a su casa y como ffue en su casa no lo hallo y hallo a la dicha su madre y dixole a este deposante que le queria y este deposante le dixo sennora yo os lo dire porque vos gelo degays tambien que ya veys que nos ha fecho puerta por la yglesia de sant Paulo hazia la juderia y no lo puede hazer porque tenemos provision del Rey que no havemos de tener en la juderia sino ciertas puertas y el ha nos fecho otra puerta y que la dicha su madre presa del dicho Pedro de la Cabra preso dixo y de mala yra de Dios le venga que y o le dicho peores cosas que vosotros le direys y que mala yra de Dios viniesse porquien la havia fecho yglesia que bien se estava sinoga y dixo mas la dicha madre del dico Pedro de la Cabra (pag. 33) preso tales palavras que no havia fecho aquella yglesia por devocion del cristiandad, sino porque los creyessen que eran buenos cristianos por que su suegro Pedro de la Cabra y su marido Jorge de la Cabra y su fijo Pedro de la Cabra se estavan judios y que ella havia mostrado al dicho Pedro de la Cabra su fijo desde pequenyo adayunar el ayuno de quipur y que dixo mas tales palavras la dicha madre del dicho Pedro de la Cabra preso agora como que lo deven maldezir los judios a su ffijo por esta puerta y si ellos supiessen la Ley que mi fijo gurada no lo maldezirian que antes lo bendizirian porque el la Ley de Moysen guarda, sino que ha hubierto (abierto) aquella puerta porque lo tuviesen por buen cristiano por haver ne dineros y que le dixo la dicha madre del dicho Pedro de la Cabra que lo que ella le havia dicho que no lo dixiese a ninguno que a este deposante bien lo podia dizir y qssi este deposante se fue y topose acaso luego con el dicho Pedro de la Cabra preso y dixole como le venia (pag. 33 vto.) de buscar de su casa porque le queria hablar acerqua de aquella puerta que havia havierto hazia la juderia y que se maravellava mucho del porque lo havia fecho según lo que su madre le havia dicho no lo dixiese a ninguno que a la ley en que vivia y que algo le havia dicho su madre que secreto lo tenia y que si venia conta ellos que lo maldezirian los judios y que no le quiso mas delatarlo que su madre del dicho Pedro de la Cabra preso le havia dicho por no ponerlos en malenconia y el dicho Pedro de la Cabra dixo a este deposante Benarditn no creys demas que ya he hablado con los clavarios y todo se hara como vosotros querreys y esto fue en la ciudat de Catalayut. Testes: Petris Margarit, alguazil officii sancti inquisicionis et dominus Dominicus Domingo, clericis habitatoris civitatis Calatayubii.

Dia XVII augusti anno M° CCCC LXXXXI.

- Eadem die coram reverendo domino reverendo Martino Garsie inquisitore comparvit Dominitis Destevan qui juravit poer Deum et sup crucem domini nostri Ihesu Cristi (pag. 34) (falta) (pag. 34 vto.) otras vezes muchas provider el pan çançenyo en casa de Jorge de la Cabra y que vio dezir a muchos vezinos del dicho Jorge de la Cabra que trayan pan çançenyo a la dicha casa muchas pascuas de judios de la juderia et hoc dixit per juramentum (le leen la declaración). Testes: Joannes del Bosque e Johannes Demp, norario habitantis Calatayubii.

- Ceterum ante die videlius quomputabavit decima septima mensis augusti anno quo supra coram dicto domino inquisitoris comparvit dictus procurator fiscalis qui in modum probacionis seu faciendo de contentis in sua denunciacionem e articulis siusdem dixit que dicebat per de facto per dixit in testem Joahnnes Garcia et eo instante ffuit ad mismus intestem qui (pag. 35) juravit per Deum sup Crucem domini nostri Ihesu Cristi et sup sacro sancti quatuor evangelia coram eo posita sup propiis manibus corporaliter tacta que dicerte omniodam vritatem

Et ffuit interrogatus sup contentis in primo secundo tercio articulis dite denunciacionsi qui per juramentum respondit e dixit fore vera contenta in quadam deposiconem facta pe eum die XI junii anno M° CCCC LXXXVIIII quam in efectu narravit et ad deudo dixit Que vio guardar dos pascuas de pan cancenyo de los judios a la dicha muger de Jorge de la Cabra y mas dize que vio como la dicha muger del dicho Jorge de la Cabra presa dona limosna a los jduios pobres y que dizia la dicha muger de Jorge de la Cabra que pues demandava pora amor de Dios los judios que tambien dar era a los judios pobres como a los cristianos y esto le vio como dava limosna alos pobres judios assi en viernes ccmo en otros dias dentre semana y mas (pag. 35 vto.) deposa que vio como quando le besavan a la dicha muger de Jorge de la Cabra la mano sus fijos llamada la huna Beatriz y la otra no le acuerda el nombre les pasava la mano por la cara abaxo y no las santiguava y esto le vio hazer muchas vezes y este deposante le pescudava que porque les passava assi la mano por la cara y ella respondio que porque no los tomassen del ojo y mas dize que le vio comer carne en quaresma a la dicha muger de Jorge de la Cabra y al dicho Jorge estando sanos y sin necessidat alguna e mas deposa que vio como la dicha muger de Jorge de la Cabra los sabados no hazia tanta hazienda como entre semana y vio assi mesmo como el sabado no tomava dineros quando vendio vino sino su fija Beatriz y esto ffue en el tiempo en su pre calendada de posicion et hoc dixit per juramentum (le leen la declaración). Testes: Frater Johannes de Piedrahita et Johannes del Bosch, notario sancte inquisicinis.

- (Pag. 37) Post modum vero die conmimerata tricessima mensis augusti anno domini millesimo quadrigentesimo nonagesimo primo coram sup dicto reverrendo domino nostre Martino Garsie inquisitiore comparvit Dominicus Senyan procuratoro fiscalis ad portis fue intencionen ...Yuçe Albalit judeus habitator ville de Arandiga presentem suplicando admiti. Et dictus inquisitor admisor qui jurant in posse domini susi per Deum et sup decem precepta legis Moysi quie dicenda. Et per juramentum fuit interrogatus certa contenta in denunciacione oblatus per sui parte contra dictam Ysabellem Lunell respondit:

Y dixo que lo que el sabia y a lo havia ante de agora deposado y permandado del dicho sennor inquisidor revino en sustancia. Lo que dixo en una deposacion que fizo a XXV de mayo anno de LXXXVIIII la qual deposicion es la insta de este presso y despues aquella le fue leyda y esto no en lo (pag. 37 vto.) dicho y dixo que los dichos presentes que dixo en su deposicion las levaban de casa de Çalema Enrodrich y que este testigo levo dellos por sus manos y que de los mesmos persentes vio este testigo que enviavan de casa de don Mosse Constantin y de don Tradoz su fijo a casa del dicho Jorge de la Cabra y de su muger et dixit per juramentum (le leen la declaración). Testes: ad per dicta Joan Duncastillo, notario, e Anthon de la Miel, nuncio.

EL FISCAL INTERROGA A LA ACUSADA.

Die XV setembis anno Mº CCCCLXXXXI. Calatayut.

- (Pag. 38) Eadem die el sennor maestre Martin Garcia iqnuisidor a interrogacion de Ysabel Lunel muger de Joge de la Cabra presa que esta por este sancto officio de la inquisicion medio juramento que per juravit per Deum sup crucem domini nostri Ihesu Christi qui diceret omnidam viritatem e per juramenta respondit qui sequitur.

Et primo fue preguntada sobre lo contenido en el primer testigo de su proceso respurso y dixo que nunqua tal fizo a salvo quanto adaquello que dize el testigo del fazer lunbre de aquello dize que se refiere a lo dicho y conffesado por ella y que otro no sabe ni ha fecho.
Preguntada sobre lo contenido en el segundo testigo de su proceso respuso y dixo que se refiere a las quonffesiones fechas por ella y que otro no ha fecho.
Preguntada sobre el dicho del tercero testigo prepuso que nunqua tal fizo.
(pag. 38 vto.) Preguntada sobre el quarto testigo respuso y dixo que nunqua otro fixo mas de lo quonffesado por ella.
Preguntado sobre el quinto testimonio respuso que nunqua tal dixo.
Preguntada sobre lo contenido en el sexto testimonio respuso y dixo que en el tiempo que el testimoio dize esta quonffesante no ha hahun venida a esta ciudad porque dize que quando estava parida la muger de Tradoz de hun fijo suyo llamado Bonafos que havra diziocho o vinte annos vino esta quonffesante a casa del dicho Tradoz y hallo la parida del dicho Bonafos y dize que le parece a estea quonfesante que lestreno a la muger del dicho don Tradoz parida medio florin.
Preguntada sobre lo contenido en el septimo testimonio respuso y dixo que se referia a lo quonffesado por ella.
Preguntada sobre el octavo testimonio respuso y dixo que nunqua tal fizo slalvo quanto (pag. 39) a los trapos de rraz y plata dize que es verdat segunt el testigo lo dize.
Preguntada sobre el dicho del nono testimonio respuso y dixo que no es bien certa dello porque dize que se refiere a lo dicho del testigo.
Preguntada sobre el dicho del dezeno testimonio respuso que no se le acuerrda que pensara en ello.
Preguntada sobre el dicho del onzeno testimonio respuso y dixo que nunqua tal fize ni dixo.
Pregntada sobre el dicho del dozeno testimonio respuso quanto al priker. Item de las estrenas que nunqua tal fizo quanto al segundo he que dize el testigo que conocio huna judia que era huna fija muerta dize que le refiere a lo quonffesado por ella.
Preguntada sobre el dicho del trezeno testigo resuso y dixo que nunqua tal dixo.
(Pag. 39 vto.) Preguntada si ha ficho algunos rritos o cerimonias de judios o venido en alguna manera contra la sancta fe catholica o si sabe que otras personas lo aya fecho respuso que nuqua tal fizo ni sabe y otros lo aya fecho (le leen la declaración). Testes: mosen Miguel de Carenas, clarigo, e Johan Duncastillo, notairo habitant en Calatayud.

ARGUMENTOS DEL PROCURADOR (ABOGADO) DEFENSOR A FAVOR DE LA ACUSADA.

(Pag. 45) Contra unos clamados testimonios e otras cosas en manera de prueva traydas Gil de Magallon, notario assi como procurador de Ysabel de Lunel vidua muger que fue de Gorge de la Cabra preso por el officio de la sancta inquisicion en aquellas mejores manera via vIdo et forma que mejor a su prepuesto intencion adaptarse pueden e deven obiciendo et que tradiziendo et jubi de defension poniendo; dize que no se debe haver razon alguna de unos clamados testimonios produzidos por parte del procurador fiscal del offico de la sancta inquisicion como aquellos no sian produzidos ni presentados juxta en dicho ni los haver produzidos la parte presEnte los quienes son instados y enemigos son personas de muy poco seso son singulares que no bienen con testigos deposan de oyda e no tiene testigos depossan sciencia. Et assi no se debe haver razon ninguna dellos.

A specie descendiendo y en las cosas suso dichas stando y perseverando dize que (pag. 45 vto.) (pag. 45 vto.) no se debe haver razon del primo clamado testimonio actendidas las cosas suso dichas y otras en dicho stantes senyaladament que el dicho testimonio es unico e singular y que es personal de mala vida y de mala condicion y que acostumbrado de pasar algunos testimonios y que es perjura por quanto apres gela fizo clamada depossicion manifesto lo que havia de passar y es enemiga de la dicha su predichay la trae y la ha tratado muy mal con grande malicia y a hun se ha juntado que ella la ponia en la quisicion por donde claramente demuestra el dicho testo se fecho y mucho y seguidament huvo depossado senyaladament en quanto se quiere sacar dezir quel de part suso le mandava levar olio a casa de hun judio et que el judio le dava una de un judio et que el judio le dava una oliera pa que levasse olio a las lampadas de la sinoga yel dicho testigo lo yde e huna de donde se inserece si bien es ponderado que la dicha su principal no tiene culpa dello porque puesto enso mas no atorgado que ella le mandasse levar el olio a la casa del judio ella no lo mandava levar a la sinoga como asi mismo testigo deposant dize que el judio gelo mandava levar e assi se muestra ello no tener culpa en ello sino la moça que lo levava pues no quonsta que gelo mandasse pa las (pag. 46) lampadas de la sinoga ni ahun se debe haver razon de la deposante del dicho clamado testimonio en quanto se fuera dezir que esto era el viernes en la noche y que es quedaria alli e esto no se alcaso pa que se quedasse alli por que no consta que ella gelo mandasse alli porque a hun que el testimonio dixo que ella ge lo madasse no se le devar dar fe ninguna a su dixo por quanto lo dize con sanya. Et assa no se debe haver razon ninguna del clamado testimonio.

Menos se debe haver razon del sengundo clamado testigo atendidas las cosas susos dichas las quales quiere haver aquí por instos e rependos assi como si de a palavra facessen dichas instacias y repetidas senyaladament en quanto deposa que en la pascua del pan cencenyo le davan e tenian pan turrado y pan cencenyo a la dicha su principal y que ella las enbialas per quanto ella se lo ha confesado y lo dio en su confesion en el tiempo de la gracia. Et assi no se debe haver razon alguna de su deposante.

Menos se debe haver razon del tercero testigo attendidas las cosas suso dichas las quales quiere haver aquí per instos e rependos senyaladament e quanto la de dicha su principal dava olio pa la sinoga el qual testigo es falso e falso y es unico et es infiel judio.

(Pag. 46 vto.) Menos se debe haver razon del clamado quarto testigo attendient las cosas suso dichas las quales quiere haver aquí por instro de rependos senyaladamente en quanto a la testigo que ere forçar a depossar que traya carne de la juderia pa la dicha su principal y que sacava la landrezilla, el qual testigo es falso asi dixo en su clamada depossicion eres enemiga y le lieva muy ala voluntatr a la dicha su principal ayas hun que puesto caso que tuviesse carne de la juderia y la comkisse es pecado mortal enpo no es crinen de heregia ni consta ni quonstar puede el sacar de la landrezilla por que ella nunqua tal cosa fizo ni tres annos expressament lo niega ni a hun se debe haver razon del dicho testigo en quanto se qui es fara que en la pascua del pan cencenyo que le trayan alcallilas y turrado y pan cencenyo y que la dicha su principal les enviava de retorno pan liendo y lechugas y vinagre el qual testigo es falso por quanto los judios no comen vinagre de cristiano según su ley que le es proybe. E assi es visto mas depossar con malicia et iniquidat que con verdat ni por causa de dezir la verdat. Et assi de qunto hun depossido que la dicha su principal no se debe (pag. 47) haver razon ninguna la debe el testigo en una es falso en todo debe sey flso e assi no se debe havra razon niguna en quanto se ffuera depossar que la dicha su principal quando dos pascuas del pan cencenyo en la ciudat y que dava dineros a judios pobres. E que passava la mano a sus fijos por la cara y que se santiguava y que le dezia porque lo fazia y que responde que pa que no los tomassen de ojo la qual depossicion es falsa o falso modo se ha con iniquidad, y le tene ha tonido por las razones suso dichas por que puede quonfesar de todo el que tene o devatir de unas razones como ella assi como es buena cristiana nunqua tuvo a la pascua ni tuvo crehencia sino en nuestro Sennor Ihesu segunt que oy le tiene el qual crehhe la ha de redemir y saber ni ha tenido ni tiene crehencia ende ni nosy ahun puede provar que ella fazia facienda y tomava dineros de uno que saqua todo qualquiere cosa que en aquel dia puede e debe fazer toda buena cristiana y qualquiere muger cristiana puede y debe fazer e tener. Et assi no se debe haver razon del dicho clamado testigo como es visto e singular.

Menos se debe haver razon del quinto clamado testimonio ante dicho las cosas suso dichas las qualesquiere haver aquí por instros et de rependos senyaladament en quanto depossa que la dicha su principal tenia (ilegible) en su casa lo qual no faze el caso.

(Pag. 47 vto.) Menos se debe haver razon del seyseno clamado testimonio ante digas las cosas suso dichas las quales quiere haver aquí por instros et rependas senyaladament en quanto el dicho testigo se quiere ssacar a depossar que quando nacio Mosse Constantin judio fijo de maestre Tradoz que oy vive que le dio de albricias la dicha pricinal le dio al que le truxo la nueva y que quando lo circundieron le estreno una pieça de almeria que esto haviaquaranta y dos anyos poco mas o menos la qual depossicion es falso o falso modo solirada. Et senyaladament el dicho Mosse Constantin judio tiene de edat de cinquanta anyos poco mas o menos. E ahun dize que la dicha su principal no ha trenta cinquo anyos que huvo venir con su marido Gorge de la Cabra assi el dicho testigonio ha depossado no satva ella en la ciudat et assi es suso. E ahun dize que no se debe haver razon de la clamada depossicion del dicho testimonio en quanto dize que estreno en las bodas y esto porque yr lo (ilegible) et assi no se debe haver razon ninguna de aquel.

Menos se debe haver razon del seteno testigo attendidas las cosas suso dichas las quales quiere haver aquí por instos et rependos. Et senyaladament en quanto se quire fforçar a diezir que la dita su principal fue a las pascuas a casa de tal judio y que comio y bevio vino judayco y que ellos le enviaron despues de la pascua del pan cencenyo (Pag. 48) que fizo collacion en la dicha casa y que comio e bevio alli la qual deposancion no mueve a la dicha su principal puesto que assi fuesse como lo dize que pa comer y bever vino judayco dellas y no se clamen de heregia enpo a mayor cautela yn lo dio en el tiempo de la gracia en su confesion y assi no le mueve cosa ninguna.

Menos nueve clamado testimonio attendidas las cosas suso dichas las quales quiere haver daqui por rependas senyaladament por quanto el presente testimonio se quiere fforçar a depossar que la dicha ysabel present que algunos dias de pascua del pan cencenyo y en otras fiestas de cristianos e de judios le vidian fazer collacion y bever vino judayco y debazo de las cabanihuellas de los judios junto e asentado con mastre Tradoz el qual testigo es falso y falso modo sobre todo por las razones suso dichas. Empo puesto por caso mas no atorgado que la dicha su principal fiziesse collacion ni beviesse vino judayco no pa esso es caso de heregia por que ella no lo comia ni bevia con cerimonia judayca (ilegible) (pag. 48 vto.) en las cabanyvelas lo qual no quonsta ni constar puede legitimanete ni ahun de la dicha clamada depossicion no se debe haver razon en quanto dize que le prestavan tambien pa enpaliar lo qual no es juderia assi no se debe haver razon del dicho clamado testigo.

Menos se debe haver razon de un clamado noveno testigo en quanto se quiere ssacar a depossar que encasa de maestre Tradoz en las dichas de las pascuas del pan cencenyo le davan pan cencenyo y la dicha Ysabel les dava pan lihudo y lechuguas de retorno la qual depossant no le debe nozer en casa niguna por quanto ella lo confeso en el tiempo de la gracia et assi no se debe haver razon nignuna del dicho testimonio.

Menos se debe haver razon del dezino testigo attendidas las cosas suso dichas las quales quiere haver aquí por instos et rependos assi como si de palabra a palabra fuessen dichas senyaladament en quanto et assi dicho et assi dicho de uno dicho de ninguno. Et assi dize el dicho procurador que no le nueze el dicho testimonio a la dicha principal.

(Pag. 49) Menos nueze el clamado onzeno testigo attendidas las cosas susodichas las quales quiere haver aquí por instros et rependos senyaladament en quanto el dicho testimonio es unico e singular lo que depossar quiere mas sudicar que no depossar en quanto quiere dezir que dixo que no le furtaria testigo antes dixo que le daria y que le dixo que si algunos en domingo y no sabado queriendo inseretar que queria guardar mas el sabado que el domingo et asi mas parece que quiere judicar que no depossar et assi no se debe haver razon de la dicha depossacion.

Menos se debe haver razon del clamado dozeno testimonio attendis las cosas suso dichas las quales quiere haver aquí pa instros et rependos senyaladament por quanto este testigo si quiere ssacar a dezir que la dicha su principal fue a strenar a una judia parida al qual streno un florin o tambien e mas dize que la dicha su principal vino a conovar a la muger de Tradoz y al Tradoz porque stavan testigos de la muerte de una fija que se les havia muerto dize que esta dopossante (pag. 49 vto.) no se debe haver razon al quanto por quanto es visto e singular de no deposa de eregia ninguna mas puesto caso e no que ella fuesse a visitar dize que no lo fizo por visitarlos sino por quanto mastre Tradoz era fisico y ella tenia una fija muy mal y porque el dicho mastre Tradoz stava mal que no podia yr a visitar a su fija ella vinia el pa consultar la afermedat que tenia su fija y los remedios que de daria y estando favlando con el muriose le alli al fija y pues que stava alli de dejarle su parecer pero a mayor cautela ya lo dixo et lo dio en su confesion en el tiempo de la gracia e assi no le debe nozer el dicho testigo.

Menos nueze la depossicion del camado trezeno testigo attendidas las cosas suso dichas las quales quiere haver aquí pa instos e repetidos senyaladamnte en quanto hviere depossar que un judio vino a favlar a casa de su marido Gorge de la Cabra que cerrassen una puerta que havian abierto aza Sant Paulo y que dixo la dicha su principal que en ora mala mas havria valido que se stuviera sinoga y que no la fizieron por otra yglesia sino por dar a entender que eran buenos cristianos y que le dixo que ella le havia demostrado asi su fijo Pedro de la Cabra, e dize que el dicho testigo es falso y falso modo rebritado y por que es unico e singular y porque depossa de confesion extra juddicial de la qual no se debe haver razon alguna porque es judio infiel y enemigo de la fe y pa demostrar (pag. 50) que el dicho testigo es falso y falso modo depossa injusta e falsa que fue y es verdat que en tiempo que ella y su marido daron muchas joyas a la yglesia de sant Paulo y enbelas cosas dentro un calix pa que dixiesen missa a hun e apres es cierto el dicho Jorge de la Cabra ella y su fijo le avian ficho ciertos beneficios por donde se celebrava tres dias en la semana missa en la dicha yglesia e assi claramente se demuestra la depossicion del dicho testigo seyr falsa y mala la si verdat fuesse lo que el testigo se fuerça de possar no se havria fecho los sacrificios, beneficios que se fazen y han fecho en la dicha yglesia despues que ellos stan presos por el officio de la santa inquisicion e assi no se debe haver razon del dicho testigo ni de su clamada depossacion.

ARTICULOS DEL PROCURADOR (ABOGADO DEFENSOR) GIL DE MARGALLON A FAVOR DE LA ACUSADA.

(Pag. 53) Los articulos infrascriptos da y ofresce Gil de Magallon, notario procurador sobredicho en la causa que va y piende entre el procurador fiscal de la sancta inquisicion e Ysael Lunell principal del dicho procurador, los quales supliqua seyer advertidos como de derecho parecian.

1.- Primerament dize el dicho procurador que la dicha su principal es cristiana y nascida de cristiano y cristiana y es persona de buena fama y buena vida e de conversacion honesta et que ha acostumbrado bivir catholiquamente a como fiel cirstiana e al es la voz comun y fama publica en la dicha ciudat de Calatayut y alla donde de ella noticia se ha hovido y se ha. Et aquesto fuera y es verdat.

2.- Item dize el dicho procurador que el dicho su prinicapl de cinquanta anyos a esta parte ha oydo missa todos domigngos e fiesta mandadas guardar por la sancta madre yglesia y los dias otros entre semana. Et aquesto fue er y es verdat.

3.- Item dize el dicho su procurador que la dicha su principal dende el tiempo que el derecho manda daqua el dia que fue presa ha ayunado y observado todos aquellos dias que manda la sancta madre yglesia ayunar y observar como catholiqua y fiel cristianao. E aquesto fue era y es verdat.

4.- item dize el dicho procurador que la dicha su procurador dende el tiempo que fue de hedat de recebir los sacramentos de la sanctamadre yglesia, es assaber confessar y combregar e fazer todo aquello que catholiquo y fiel cristiano debe e ha de hazer en los tiempos que la sanctamadre yglesia lo manda y ordena. E aquesto fue era y es verdat.

5.- (Pag. 53 vto.) Item dize el dicho procurador que el dicho su principal assi como catholiqua y fiel cristiana ayunava e dava elimosinas e fazia oraciones e todas aquellas cosas que buena fiel y catholica cristiana devia e debe fazer. Et aquesto fue era y es verdat voz comun y fama publica.

6.- Item dize el dicho procurador que cessa seyer verdat que la dicha su principal seyendo catholiqua cristiana como lo es huviesse ni aya passado a ningunos ritos judayquos. Et aquesto fue era y es verdat.

7.- Item dize el dicho procurador que no obstante lo que por el procurador fuscal es puesto en su denunciacion diziendo que la dicha su principal ha passado a los ritos judayquos çarde tal no consta ni constar puede. E puesto caso mas no a otorgado ante expressamente negado que alguna cosa el dicho procurador fiscal le provasse lo qual no consta ni cosntar puede en la forma que de derecho debe constar ni de los testigos se debe dar niguna razon porque no les dan nobmres ni congnombres los quales de derecho se debe dar.

8.- Item dize el dicho procurador que la dicha Anthona Simon es enegima captial de la dicha su principal e la ha tractado mal una e muchas vegadas y le lleva lama voluntat e aquesto fue era y es verdat.

9.- Item dize el dicho procurador que la dicha Anthona Simon se ha factado una y muchas de vegadas que la faria poner en la inquisicion en presencia de muchas personas e esto por causa e razon que dizia que no le queria pagar una soldada que le devia e aquesto fue era y es verdat.

10.- Item dize el dicho procurador que la dicha Anthona Simon es persona de mala fama e mala vida y de por converssacion y que ha acostubrado de hazer muchos (pag. 54) y deverssos furtos et es persona muy civil e agexta e tal persona que se nunqua no se la debe dar e aquesto fue era y es verdat.

11.- Item dize el dicho procurador que cessa sey verdat que la dicha su procurador dasse rovas ni cantaros de olio a ninguna persona pa que aquella dassen a la sinoga e aquetos fue era y es verdat.

12.- Item dize el dicho procurador que cessa sey verdat que ella embiasse nunqua moça pa fazer fue po ni otra cosa nunqua a ningun judio e ni es puesto por caso mas no atorgado que constasse que ella embiasse alguna moça no la envio con intençion de hazer la dicha lunbre ni otra cosa nunqua que fuesse en ofenssa de la sancta fe catholiqua e aquesto fuera y es verdat.

13.- Item dize el dicho procurador que cessa sey verdat que ella aya dado olio ni dineros pa ello. E puesto caso mas no atorgado que alguno con mala voluntat lo quisiesse dezir dize que es su fiel judio e persona leve e de poqua condicion e persona tal que ningun credito se le debe dar en judicio ni fuera de judicio e aquesto fue era y es verdat.

14.- Item dize el dicho procurador que la dicha su principal no ha trenta y cinquo anyos qu vino a Calatayut poquo mas omenos y aquesto era y es verdat. IItem dize el dicho procurador que cessa sey verdat que la dicha su principal haya estrenado en bodas ni envites (pag. 54 vto.) ningunos ni aya dado dineros ningunos ni bisitado a ningun judio. E puesto caso mas no atorgado que la dicha su principal aya visitado ha comido algunas cosas de la juderia aquellas no las fizo con cerimonia ninguna judayqua ni por passar a los ritos judayquos. Et caso que con alguna fiziesse e comiesse alguna cosa aquellas dio en su confession a la qual se refiere. Et aquesto fue era y es verdat.

15.- Item dize el dicho procurador que todas y cadaunas cosas fueron y son verdaderas publicas y notorias e manifiestas e de todas y cadauna dellas fue era y es voz comun fama publica en la dicha ciudat de Calatayut e aun alla donde a ella noticia se ha e ha hovido. Et aquesto fue era y es verdat.

TESTIGOS QUE DECLARAN A FAVOR DE LA ACUSADA, PRESENTADOS POR SU PROCURADOR.

- (Pag. 65) Et primo mossen Miguel Perez de Terrer vicario de sancta Maria de Media villa de la ciudat de Calatayut testigo de parte dicte por Ysabelis predictus presentatus juratus per juramentum interrogatus qui sequitur.

Et primo interrogatus sup contentis in primo articulo cedule articulorus en lecto respondio e dixo que de vinte o vint e cinquo annos a esta parte conoci a la muger de Gorge Lacabra que agora dizen esta presa por la inquisicion y dize que la causa desta ciudat de Calathayud del tiempo que la vio casada con el dicho George de Lacabra y despuesque enviudo aca y dize este teste que de que la conoce aca la ha conocido y visto vivyr como cristiana y oryr misa muchas vezes y quasi continuo los dias de festas y algunos dias dentre en semana en la dicha yglesia (pag. 65 vto.) de Sancta Maria de Meida viilla y que conocia en ella en aquello que venya oy a la dicha yglesia que demostrava ser buena cristiana por que sea casada de padre y de madre de crisitanos dize este deposant que no le sabe este teste porque no conocio al padre ni a la madre de la muger del dicho George de la Cabra (le leen la declaración).

- Mossen Anthon Vicent canonge de sancta Maria de Media Villa, testis por parte de dicte vidue de Lacabra

Et primo interrogatus sup primo articulo cedule articulatoris endem testis lecto responde y dize este teste (pag. 66) que conoce la viuda de Jorge la Cabra, madre de Pedro la Cabra que oy vive y esto de mas de vinticinquo annos a esta parte y que este teste al dicho tiempo aca la conoce por cristiana a la qual dize que la ha visto en misa y en viespras muchas vezes en la dicha ygleisa de sancta Maria de Media Villa desta ciudat de Calatayut de donde este teste es canonico y dize que no sabe que sea fija de cristiano y crisitana porque dize este teste que no conocio a su padre ni a su madre della y dize este teste que en quanto ha podido ver en la dicha muger de George la Cabra la ha visto vevyr honestamente y como qualquier cristiana y pa tal la ha visto dever y la ha devido este teste y que otro no y sabe este teste mas de lo dicho.

- (Pag. 66 vto.) Mossen Francisco de Funes racionero de sancta Marya de Media villa de Calatayut teste por parte dicte denunciatus per dictus.

Et primo interrogatus sup primo articulo cedale respondit e dixit de quinze annos ha esta parte este teste que no a acordado ni conocido a madre de Cabra a causa que de dicho tiempo aca le ha dicho muchas vezes misa en la yglesia de Sant Paulo desta ciudat que esta sobre la juderia desta ciudat, la qual yglesia ha tenido encargo la dicha madre de Cabra y su fijo Pedro de la Cabra y assi dize que pro el dicho respeto este teste ha tenydo mucha para con la dicha madre y assi en la dicha yglesia y assi dize que oyendo missa ay en la dicha ygleisa le ha visto este teste a la madre (pag. 67) de Cabra oyr aquella devotamente y como buena cristiana en quanto este teste en ella podiese ver y conocer e por tal dize es ha devydo y tiene en quanto en ella ha conocido et ser verdat (le leen la declaración).

- Ludovicus de Sabinyan bachiller habitaro civitas Calathayubii teste pro parte Ysabellis Lunel.

Et primo interrogatus sup primo articulo redule respondi et dixit que el ha conocido a la dicha Ysabel Lunel (pag. 67 vto.) madre de Pedro la Cabra de quatorze o quinze annos aquesta parte y que del dicho tiempo aca este teste la ha visto venyr como buena christiana en quanto el la practicado y dize que la ha conocido siendo christiana y muxer muy humilde y que sobre que es fija de christiano porque conocio a su padre christiano en la ciudat de Balbastro y que en quanto el la ha estimado y la ha uviendo contiene por sancta cristiana e tal la ha visto tener tractar y nombrar en la ciudat y della seya notica es ser verdat (le leen la declaración).

- (Pag. 68) Reverendus Antonius Pasdyner, comendator sancti augustiny Calatayut ordinys Marie de Mercede pro parte Ysabelis Lunel pre dicta:

Et primo interrogatus sup primo articulo cedule respondio y dixo este teste que de seis o siete annos a esta parte algunos annos ha oydo de confesion a la dicha Ysabel Luenl madre de Cabra y que en quanto el ha podido ver y conocer en ella este teste la tiene por buena y honesta cristiana y que otro no y sabe sobre lo contenydo en el dicho articulo (le leen la declaración).

- (Pag. 68 vto.) Anthona muger de Pascual Ferrando de Torrixo teste pro parte de Ysabel Luenl pre dicta.

interrogata sup secundo articulo respondi que conocio a la dicha Ysabel Lunel muger que fue de Jorge la Cabra en el articulo nombrada porque dize que estuvo moça en su casa cinquo annos cumplidos que haze que sallio de su casa y puede haver XXX annos y dize que en este dicho tiempo que stuvo en casa del dicho Cabra vido que la dicha muger de Jorge la Cabra todos domingos y fiestas de christianos y en otros dias de la semana que yba a oyr su misssa a sancta Maria de media Villa y a otras presentes y le bido fazer obras de buena christiana (le leen la decalración).

- (Pag. 69) Mari Ximez muger de Johan Gascon el cubero habitant en Calatayut teste por parte Ysabelis Lunel pre dicta:

Et interrogatasup XX articulo dize este teste que no sabe nada de lo contenydo en el dicho articulo porque no tiene tal pratica en su casa de la dicha Ysabel.
Sup XXI, XXII, XXIII, XXIIII, XXV articulis dixo este teste que no sabra cosa ninguna de lo contenydo en los dichos articulos porque no ha tenydo tal pratica en casa de la dicha Ysabel madre de Cabra.

- Sancha muger de Silvestre Serrano habitant en Calataytut por parte dicte Ysabelis per dictua: ante primo interrogatio sup XVII articulo (le niega).

(pag. 69 vto.) Interrogato sup XVIII articulo dize que la dicha Ysabel Lunel madre de Pedro la Cabra estuvo mucho tiempo enferma cierto tiempo que era casada con Joan Lopez hermano de Fernanda Lopez el que quemaron dize que otro no sabe sobre lo contenido en el dicho articulo per juramentum.
Interrogato sup XVIII articulo dixit que muestra al por nunca vio que de casa de ningun judio enviassen a casa de christianso lindus ni de camisas las tales presentes.
Sup XX, XXI e XXIII articulo dixit que vio que deviendo la dicha madre de Cabra enferma a la dicha su fija que en algunos dias de fiestas fazia yr algunas moças a lavar trapos a la cequia porque dize que no sabe si era en dias de domingo do en que fiesta era porque dize esta depsoant y le parecia (pag. 70) que lo hazia con necesidat por toner aquella fija enferma et los dixit per juramentum (le leen la declaración).

- Joan Gascon cubero habitant en Calatayut teste por parte Ysabellis Lunel matris Peter de la Cabra:

Et primo interrogatus sup XX, XXI, XXII, XXIII e XXIV articulis dixo que no sabe cosa ninguna de cierta sennora de lo contenido en el dicho articulo porque no ha estado de estada en casa de la madre del dicho Cabra et dixit per juramentum.

- (Pag. 70 vto.) Joan Romero fijo de Silbestre Serrano habitant en Calatayut por parte dicte Ysabelis Lunel pre dicta: Interrrrogatus sup XVII, XVIII, XVIV, XX, XXI e XXII articulos dize no ha tenido tal y otra en casa de la madre del dicho Cabra, per juramentum.

- Silvestre Serrano fijo de Silbestre Serrano habitant en Calatayut por parte Ysabelis Lunel pre dicta: Interrogatus sup XXII, XXIII, XXIV, XXV, XXVI y XXVII articulis respondit (pag. 71) porque dize no ha teinido tal servicio en la casa de la madre del dicho Pedro la Cabra et hoc per juramentum. (le leen la decalración).

- Cathalina de Heredia muger que fue de Jayme de Sactangel habitant en Calatayut por parte Ysabelis Lunel pre dicta: et primo interrogata sup XXVII articulo cedule respondit et dixit semihil fare.

Sup XVIII dize que vido como la dicha Ysabel Lunel tuvo grant tiempo enferma a su fija muger que fue de Pedro Lopez que tiene agora casa al monton de la Ruva e dize que otro no y sabe per juramentum.

Sup XVIIII articulo dize que ella no ha vista que tal pratica haya havido en las otras (pag. 71 vto.) como en el artiuclo se recita et hoc per juramentum.

Sup XX articulo dize este testigo que no sabe cosa ninguna de lo contenido en el dicho articulo por no ha tenido tal en casa de la dicha Ysabel para poder lo ver y saber et hoc per juramentum (le leen la declaración).

- Garçia Dagreda pelayre habitant en Calatayut teste por parte Ysabellis Lunel predictus est.

Et iterrogatus sup XVII, XVIII e XVIIII articulis cedule articulatus el teste respondit e dixit que no sabe cosa niguna de lo contenido en los dichos articulos por que no ha tenido tal pratica ni tonia en casa de la dicha Ysabel Lunel pa saberlo salvo que vido que la dicha fija de la dicha Ysabel muger que fue de Pedro Lopez estuvo enferma en casa de la dicha su madre por quanto tiempo ni quanto no dize que no lo sabe (le leen la declaración).

Die XIII novembris anno M° CCCC LXXXX primo.

- (Pag. 72) Ysabel Moros, uxor Ferdinandi de Moros habitant civitas Calatyut testis pro parte Ysabellis Lunel sçitaris per juramentu et just in modi requentens.

Et primo fuit interrogata sup deçimo articulo dize esta deposant que conoçio a la dicha Ysabel Luenl una fija casada cuyo nombre no sabe a la qual por dos o tres vezes vio que estava mala y se dizia que stava mala de mal de orinas y estava de manera que no se podisa tener drecha y hoyo dezir como los medios la visitavan y esto havra unos quinze annos poco mas o menos.
Interrogatus sup deçimo nono arituclo dize no saber cosa alguna de scierta scieca salvo que habydo dezir algunas personas de la dicha ciudat de Calatayut cuyos nonbres no le acuerda lo contendio en el dicho articulo.
Interrogata sup vicesimo articuco dize este testigo cosa ninguna.
Interrogata sup viçesimo primo articulo dize este testimonio no sabe nada salvo que alguna (pag. 72 vto.) veze por la notiçia que tenia con la dicha Ysabel Lunel yba y dentrava en su casa y vio algunas vezes a la dicha Ysabel y a Pedro Cabra presso su fijo y a la mujer del dicho su fijo a jantar comer pierna entera y dize no sabe otro por el juramento.
Interrogata viçesimo secundo articulo dize este testimonio que del dicho teimpo asta el teimpo que la tomaron pressa por la inquissiçion vio muchas de vezes a la dicha Ysabel Lunel en los dias de fazer fazienda no mandados guardar po la Yglesia vio fazer fazienda assi como en filar y cosar y dize que un dia de sabado que no era fiesta mandada guardar por la Yglesia la dicha Ysabel Lunel convido a jantar a esta depossante y vio esta depossante como la dicha Ysabel Luenl guisso verças las quales comieron cristianos a jantar.
Interrogada sup viçemo terçio articulo dize esta depossante no sabe cosa alguna.
Interrogata sup vicesimo quarto articulo dize este testimonio no sabe nada ni es de tal edat que lo pudiesse saber.
(Pag. 73) Interrogata sup viçesimo quinto articulo dize esta depossante que vio a la dicha Ysabel Lunel muchas de vezes yndo a su casa a le veer assi en dias de domingos y fiestas mandadas guardar por la Yglesia como en los otros dias en los dichos dias de domingos y fiestas no le vio fazer fazienda niguna ante bien lo vio guardar aquellas fiestas en todo lo que en ella pudo berer y conocer.
Sup aliis aritulis no fue introgada de voluntat de la parte.
Interrgota si es parienta de la dicha Ysabel respuso que es verdat que tenia deudo con Jorge de la Cabra marido que fue de la dicha Ysabel Lunel mas que no sabe en que grado y dize que su madre desta teste y la muxer que fue de Ferrando la Cavallan eran hermanas y su madre se llamava Maria Munyoz y su padre Anton de Moros (le leen la declaración).

Die XIIII novembris anno (blanco) in locu Daroce.

- (Pag. 73 vto.) Cathalina Corroça, uxor de Martin de Daroça lançeri, habitant de Darochie dicti habitant civitas Calatayubii testi pro parte Ysabellis Lunel sçitatiis juravit et per juramentum sequitur.

Interrogata sup octavo articulo dize esta deposant no saber cosa ninguna ni menos la de Jorge de la Cabra en el dicho articulo nombrada.
Interrogata sup nono et decimo articulis dize esta deposant no sabe nada.
Interrogata sup decimo septimo articulo dize esta depossante que concoe a Ysabel Lunel predi quanto estuvo por tiempo de nueve meses poco mas menos en servicio de Brianda de la Cabra fija de la dicha Ysabel de Lunel la qual Brianda morava a hora en la calxa nueva de Calatayut y aber que salio de su servicio unos quatorze annos poco mas o menos en el qual tiempo que alli estuvo la dicha Brianda estuvo de enoxada de continuo a lo que pudo veer en ella de mal de orinas y vio como lo mas del dicho tiempo estava en la cama y los medicos la venia na veer y dizian como enoxada del dicho mal de orinas y vio como la dicha Ysabel la venia mucho a veer a la dicha Brianda y dize no sabe otro por el (pag. 74) juramento salvo que hoyo dizir a dalgunas vecinas de alli del barrio como mucho tiempo ates que viniesse esta depossante al serviçio de la dicha Brianda la dicha Brianda estava enoxada de dicho mal y dize esta depossant que nunqua vio a maestre Tradoz judio que viniesse a la dicha casa menos visitase a la dicha Brianda ante bien vio como la venia a visitar maesttre Domingo medico que era y era cunyado del Pedro Lopez marido de la dicha Brianda.
Interrogata sup deçimo octavo articlo dize no saber mas de lo que dicho tiene en el XVII articulo.
Interrogata super deçimo nono articulo dize esta deposante que en el dicho tiempo que estuvo en la dicha casa hoyo dizir a la dicha madre de Brianda lo contenido en el dicho articulo.
Interogada sup vicesimo secundo articulio dixo esta depossant que en el dicho tiempo que sirvio en la dicha casa por quando en casa de la dicha Ysabel Lunel se guisava el comer para la dicha Brianda que stava mala esta deposante yba por el (pag. 74 vto.) comer a casa de la dicha Ysabel Lunel para la dicha Brianda assi en dias de sabado como en los otros que no eran fiestas vio a la dicha Ysabel

coser y filar y vio como las moças suyas fazian rosqueda en la dicha casa no seyendo differencia ninguana a lo que pudo veer en unos dias mas que en otros no que fuesse fiestas.

Interrogata sup viçesimo tercio et vicesimo quanrto articulis dixo esta depossant no saber nada.

Interrogata sup viçesimo quinto articulis dize que en el dicho tiempo questuvo en casa de la dicha Brianda y en su serviçio yndo muchos dias de domingos y fiestas mandasas guardar por la yglesia a casa de la dicha Ysabel Lunel vio a la dicha Ysabel lunel no fazia fazienda ante se estava assentada provando a lo que en ella pudo veer los dichos dias como cristiana y por tal la tenido y tiene esta deposant al que en ella a podido ver (le leen la declaracion).

Dicti die anno per loco.

- (Pag. 75) Joannes Sthevan alias canonge, habitant parrochie sancte Marie de Media villa civitas Calatayubii testis pro parte Ysabel Lunel sçitatsi et in per juramentum sequitur.

Interrogatus sup vicesimo, vicesimo primo et viçesimo secundo e viçesimo terçio articulis dize no saber cosa alguna.
Interrogatus sup vicesimo quinto articulo dize este depossante no saber nada.
Sup aliis articulo no fuit in de voluntare partis (le leen la declaración).

Die XV nobenbris anno Mº CCCCLXXXX primo.

- (Pag. 75 vto.) Ysabel uxor Johannis de Xidillot habitant Calatayubii testis pro parte Ysabellis Lunel sçitat predicti in modum sequitur.

Interrogata sup VIII articulis dize este testimonio no saber nada.
Quo nono, X, XI et XII et XIII articulis dize este testimonio no saber nada.
Quo XIIII, decem dize que de quarenta annos a esta parte ha que la conoce a la dicha Ysabel habitant en Calatayut e dice no sabe nada.
Quo ad decimun septum articulum dize no saber nada.
Interrogata sup decimo octavo articulo dize que havra quarenta annos poco mas o menos vio e concocio a la dicha Ysabel Lunel que tenendo una fija la quel era cassada.
Quo ad XVIIII articulum dize no saber nada quo a XX articulo dize no saber nada.
(Pag. 76) Interrogata sup XXI articulum dize este testimonio que en dicho tiempo que algunas de vezes comio en casa de la dicha Ysabel y vio como comian algunas vezes piernas las quales vio como las sacaban de la olla y la cortaban y dize no saber otro.
Quo ad XXII articulum dize que muchas de vezes vio a la dicha Ysabel filar, coser assi como en los otros dias de fiestas de cristiana y que le vio guardar las fiestas de christianos en quanto en ella pudo ver.
Quo ad XXIII articulum dize no saber nada. Quo ad XXIIII articulum dize no saber nada (le leen la declaración).

- (Pag. 76 vto.) Magister Joannes de Agua habitant Calatayubii teste.

Et interrogatus sup VIII, VIIII, X articulis dize que no sabe quien es la dicha Joana ni Anthona sino que sea una moça que tuvo la madre del dicho Cabra que es de la Viluenya, casada en Valtorres y que della no sabe otro sino que oyo dezir que se estava con Pedro de la Cabra que otro no sabe.
Interroatus sup XVII, XVIII y VIIII, XX, XXI, XXII, XXIII, XXIIII y XXV articulis dixit que no sabe otra cosa sobre ellos salvo que vido que una fija de la dicha madre de Lacabra que estava en casa de Pedro Lopez que estuvo mucho tiempo enferma y mas que seyendo este testigo mocho y endo por vino a casa del dicho Cabra que lo enviavan a la dicha casa por vino comprado vehia este teste que la madre del dicho Cabra tomava dineros assi en sabados como en otros dias hoc per juramentum.

Die XXI novembris anno Mº CCCC LXXXXI apud locum Maluenda.

- (Pag. 77) Honor Maria Perez de Linyan muger de Ximeno de Linan habitant Calatayubii teste pro parte Ysabellis Lunel predicta.

Et primo interrogata sup XVII articulo dixit se nihil sabe.
Interrogata sup XVIII articulo dize este teste que es verdat que como una fija de la dicha muger de Cabra el viejo estuvo mucho tiempo enferma po si la visitava el dicho mastre Tradoz o no dize que no lo sabe.
Sup XVIIII articulo dize que no sabe ni ha visto que tal publica se fomasse en dicha ciudat de Calatayut.
(Pag. 77 vto.) Sup XX articulo dize este teste que no sabe nada.
Sup XXIIII articulo dize este teste que de XXV annos a esta parte ella ha tenido noticia con la muger de Jorge la Cabra la vieja y dize que no se acuerda de mas tiempo po dize que no sabe si en el tiempo recuerda en el dicho articulo la dicha muger de Jorge la Cabra estava en caragita o donde po que ella no se acuerda que en le dicho tiempo estuviesse en Calatayut et per juramentum.

Die XXVIIII novenbris anno quo supra Calatayubii.

- (Pag. 78) Johannes Çapata de Açor civis Calatayubii testes pro parte Ysabellis Lunel scitatis in modum sequitur.

Interrogatus sup X articulo dize que conoce abra unas trenta annos poco mas o menos a la dicha Ysabel Lunel yba a su casa muchas vezes y tenia alli mucha pratica y conversaron conella y la mayor buenos cristianos a lo quel vio azer.

Interrogatus VII articulo dize que del dicho tiempo que la conoce muchas vezes assi en dias de domingos como de fiestas la vio a la dicha Ysabel estar causa y en misa y en los divinos officios.

Interrogata sup III articulo dize este teste no saber nada.

Interrogata sup IIII articulo dize que en el dicho tiempo que la conoce a esta parte ha visto unas o dos vezes comulgar y recibir el corpus domini que muchas de vezes la vio a la dicha Ysabel Lunel en tiempos de quaresma ir a la ygleisa de sant Agostin de Calatayut y que hizo le dizir como sey vio aconssessar por el comendador de la dicha casa.

(Pag. 78 vto.) Interrogatua sup V articulo dize que del dicho tiempo que la conoce a la dicha Ysabel la visito muchas de vezes dar limosnas a pobres christianos.

Interrogata sup VI articulo dize no sabe nada. Interrogata sup VII articulo dize este teste que no y sabe ninguna que lo remita a los letrados. Interrogata sup VIII articulo dize no saber nada. Quo ad VIIII, X articulos nhil fire. Quo ad XI articulo dize no saber nada. Quo ad XII articulo dize no saber nada. Quo ad XIII articulom dize no saber nada. Quo XIIII articulum dize este testimonio que havra unos XXXV annos poco mas o menos que vio a la dicha Ysabel Lunel vino a morar y habita a la ciudat de Calatayut que ante del dicho tiempo de la vio que morar en la ciudat de Çaragoça y dize no saber otro.

Interrogata sup XV articulum dize este teste que lo dicho por parte de arriba es verdat.

(Pag. 79) Interrogata sup deçimo sexto articulo dize no saber nada.

Interrogata sup XVII articulo dize no saber nada salvo que sabe que la dicha Ysabel Lunel tenia un mege judio llamado maestre Tradoz el qual visitava los enfermos de la dicha casa a este sabe porque lo vio.

Interrogata sup XVIII articulo dize que ha visto a la dicha Ysabel tener una fija mala la qual su fija estuvo mala y lo vio mala unos seys annos poco mas o menos.

Interrogatua sup XVIIII dize no saber nada de scierta sciencia salvo que lo ha hoydo dizir adalgunas personas que no le acuerda.

Interrogata sup XX articulo dize no saber nada.

Interrogata sup XXI articulo dize que algunas de vezs en el dicho tiempo ha comido en casa de la dicha Ysabe Lunel carne de pierna po que vio que la prierna o piernas que comian alli eran enteras quando los cortaban y no vio que saquasse las grassas in ladrezilla.

(Pag. 79 vto.) Interrotaga sup XXII articulo dize que en el dicho tiempo muchas de vezes yndo a casa de la dicha Ysabel lo vio en los dias de las sabados que no eran fiestas que la dicha Ysabel filava y cosia y vendia vino y thomaba dineros y que uno no sabe de los contendio en el dicho articulo.

Interrogata sup XXIIII articulo dize no saber nada.

Interrogata sup XXV articulo dize que havra XXXVIII annos poco mas o menos que vio a la dicha Ysabel Lunel morar y habitar en la ciudat de Çaragoça y que depues del dicho tiempo vio como vino la dicha Ysabel a morar a esta y hoyo dizir como aquí en Calatayut pario a Pedro de la Cabra presso fijo suyo.

Interrogatua sup XXXVI articulo dize este teste que es verdat como Jorge de la Cabra confuero con este teste como queria abrir la puerta mencionada en el dicho articulo y por esto cree que el dicho Jorge lo faze abrir y dize no saber otro.

Quo ad XXVII articulum dize lo que dicho ha (le leen la declaración).

Die X deçembris anno Mº CCCC LXXXX primo. Calatayubii.

- (Pag. 80) Ysabel Mayez, uxor Esthefan Garçie loci de Aninyon pro parte Ysabellis Lunel sçitatis et just in modum sequitur.

Et primo fuit interrogtus super primo articulo dize esta deposoante que conoçe a la dicha Ysabel Luenl por quanto estuvo en su servicio moça unos quinze meses poco mas o menos y a que sallio de su serviçço unos vintisiete annos o mas que era en el tiempo quel rey don Johan de buenea memoria tuvo cortes en la ciudat de Calatayut, en el qual tiempo que stuvo en la dicha casa vio a la dicha Ysable Lunel estar en misa y en sermones y en los divinos offiçios. E assi mismo dize que le vio guardar las fiestas mandadas guardar por la yglesia en quanto en ella pudo veer y conocer. E mas dize que le vio dar limosnas a pobres christianos (pag. 80 vto.) y la vio en algunas albricias y en los dias de quaresma muchas de vezes ayunar no comiendo a lo que en ella pudo veer sino una vez a medio dia y no mas y a la noche fazian collaçion y dize que lo que en aquellos dias que ayunaba y en otros dias prohibidos de comer carne no comia carne sino viandas de quaresma por las quales cosas en quanto en la dicha Ysabel Lunel a podido veer y conocer la tenido por buena christiana y tieen asta que vea el contrario y por tal la vito en el dicho tiempo tener.

Interrogata sup decimo tercio quarto e quinto e sexto articulo dize lo que dicho tiene en el primer articulo. Interrogata sup septimo articulo dize no saber cosa niguna que se remite al dicho. Interrogata sup VIII, VIIII y X articulo dize no saber nada porque no conoçe a la dicha Anthona. Interrogata sup XI articulo dize no sabe cosa ninguna. Interrogata sup XII articulo dize que nunqua vio que Ysabel envio a ninguna persoana a fazer fuego a casa de algun judio que veriga a noticia de esta depossante. Interrogata sup XIII, XIIII, XV articulo dize no saber nada. Interrogata sup XVI, XVII articulo dize no saber nada. Interrogata sup XVIII articulo dize que despues que sallio de servicio de la dicha Ysabel Lunel una vez que fue a su casa vio como la dicha Ysabel tenia en la cama mala una fija suya po quanto tiempo estuvo mala ni quien la visitarva lo sabe.

Interrogata sup decimo nono articulo dize esta deposate no sabe nada.

Interrogata sup vicesimo articulo dize que en el dicho tiempo que estuvo en la dicha casa ni antes ni despues nunqua fue por carne a la carnicería de los judios ni sabe persoan ninguna que laya traydo a la dicha casa ni la dicha Leonor haya manda tal cosa.

Interrogata sup viçesimo primo articulo dize (pag. 81 vto.) que en el dicho tiempo que stuvo en la dicha casa vio muchas de vezes que traya pierna entera esta deposente assi entera sinse quitar grasas alguans ni partir la assi entera lo echavan en la olla y a hora de comer la saquaba a la mesa entera assi como la via puesto de la queal pierna vio como cortaban a ala dicha Leonaor y su marido y los dichos comenges comian de dicha carne de pierna.

Interrogata sup XX secundo articulo dize que en el dicho tiempo que estuvo en la dicha casa le acuerda que en los dias de los sabados que no eran fiestas vio a la dicha Leonor coser filar y devanar y no vio que fiziesse diferençia en fazer fazienda en unos dias que en otros sino que ffuesen fiestas.
Interrogata sup allis articulis dize esta depossante no saber cosa ninguna (le leen la declaración).

Die X decembris anno Mº CCCC LXXXX primo.

- (Pag. 82) Munyoz Daguaviva fija de mastre Pedro de Aguaviva mora puerta Terrer habitant en la Calatayut testes es pro parte Ysabelis Lunel predicta.

Et primo interrogata sup interrogatus dixo que no es puerta ni familiar de la dicha Ysabel madre de Pedro de la Cabra po dize ue ha estado moça con ella y en su casa por tiempo de un anno y dize que havra unos dizisiete o diziocho annos poco mas o menos que sallio de su sevicio y casa y tanbien dize que de la hora aca toda via ha ydo y bendido y ha mucho stirado en su casa de la dicha Ysabel y dixo que querria que ganasse esta causa la dicha Ysabel madre de Cabra y dixo que no excortada (exhortada) ni ha estado condenada por ningun delito y que dize que no le ha seydo dado ni prometido cosa ninguna porque depossasse en esta causa.
Dinde fue interrogada sobrel (pag. 82 vto.) primo articulo de la cedula dizo que ella siempre de que tiene noticia de la dicha madre de Cabra ha visto vivir en habito de cristiana que le ha visto fazer sino obras de buena christiana y por tal la ha visto tener y la tiene esta deposante et hoc per juramentum.
Sup II articulo dize que algunas vezes la ha visto oyr misa en las ygleisas desta ciudat a la dicha Ysabel como es en sancta Maria la Mayor y en Sacnta Maria la Penya y en otras yglesias de la ciudat y esto del tiempo ara que esta deposant la conoce y esto ha visto allandose en las dichas yglesias oyendo los divinos oficios.
Sup III arituclo dize que al tiempo queestuvo en casa de la dicha Ysabel a su parecer vido que la dicha (pag. 83) su duenyaayunava la quaresma porque no le vehia comer sino una vez a medio dia y tan bien dize que le vehia guradar las fiestas y le vehia ayunar algunas vigilias y ayunos mandados en la que ella pudo ver.
Sup IIII articulo dize que unas quatro o cinquo vegadas la vido confesar a la dicha Ysabel y comulgar unas quatro o cinquo vezes en sancta Maria el comulgar y el cofesar en Sant Agustin con el comendador.
Sup V articulo dize que en el dicho tiempo vido que la dicha Ysabel dava limosna en los sabados a Sant Agostin y a los frayles predictados y a los del Carmen.
Sup VIII articulo dize que no sabe nada. Sup X dize que no sabe nada. Sup XI dize que no sabe si dio olio a la sinoga.
(Pag. 83 vto.) Sup XII articulo dize que nunca vido que la dicha Ysabel enviasse moça ni moço a fazer fuego a los judios. Sup XIII articulo dize que ella nunca vido que la dicha su duenya diesse olio a ningun judio po si lo dio o no que no lo sabe.
Sup XIIII articulo dize que no sabe quanto ni quanto tiempo ha que vino a Calatayut la dicha Ysabel y dize que bien es verdat que en le tiempo que estuvo paraticando en la dicha casa vido que la dicha Ysabel stava con judios como si con sastres, çapateros y otros menestrales or que le fazian fazienda y por grata la vido que praticava con judios en quanto ella pudo conocer.
Sup XV dixo lo que arriba ha dicho. Sup XVI, XVII articulis dize que nunca vido que tales cosas enviasse la dicha Ysabel como se recita en el articulo.
Sup XVIII articulo dize que lo que sabe es que vido como la dicha su fija (pag. 84) de la dicha Ysabel estuvo enferma y vido como la visito una vegada el dicho maste Tradoc et hoc per juramentum.
Sup XVIII artiuclo dixit similiter. Sup XX articulo diae que mietnras ella estuvo en casa de la dicha Ysabel y mientras que ella comprava la carne dize que aquella comprava de la carneiceria de la christiandat y que nunca vido comprar carne en la dicha casa de la carniceria de los judios et hoc dixit per juramentum.
Sup XXI dize que ella nunca le vido a la dicha Ysabel sacar la landrezilla de la pierna ni las grasas della sino que entera ponian a cozer la pierna en la olla y assi entera la sacavan al plato.
Sup XXIII dize que ella nunca le vido a la dicha Ysabel que posasse la mano a su fijo y soberano.
(pag. 84 vot.) Sup XXV articulo dize que en te tiempo que ella estuvo en la dicha casa ni a ella ni a otra moça que estava entonces en la dicha casa no vido que la dicha Ysabel mandasse que lavassen los trapos en dias de fiestas y dixo este teste que nunca lo mando hazer a sus moças (le leen la declaración).

Die XIII decembris anno mº CCCC LXXXX primo. Calatayubii.

- Michael Cortes, filius Anthon Crotes habitant loci de Terrer, testis sçitatis pro parte dicti Ysabellis Lunel putatus interrogatus in modum sequite.

(Pag. 85) Interrogatus sup primo artiuclo dize que concoe a la dicha Ysable de pratica y notiçia que tenia en su casa y esto de vinti tres annos poco mas o menos a esta parte y comia algunas de vezes y dormia y vivia en su casa por muchas de vezes y comisaba con Jorge de la Cabra su marido que muchos negocios y que la tiene a su parecer a la dicha Ysabel por buena christiana y por tal lo visto tener y dize no sabe otra.
Interrogata sup II articulo dize que en el dicho tiempo que muchas de vezes ha visto a la dicha Ysabel en dias de domingos y fiestas como en otros dias e la ha visto estar en misa.
Sup III articulo dize que en el dicho tiempo stando en su casa de la dicha Ysabel yndo y veniendo alli y comiendo en dias de ayunos hoyo dizir a la dicha Ysabel que ayunaba y en aquellos dias comia viandas de quaresma.
Sup IIII articulo dize que en el dicho tiempo por dos vezes vio a la dicha Ysabel confessar estuviendo a los piesl del confessor e una vez en Sant Pedro Martil y la otra en Sant Agostin.

- 461 -

(Pag. 85 vto.) Sup V articulo dize que en el dicho tiempo venido a la dicha casa le vio muchas de vezes a la dicha Ysabel dar limosnas a pobres crisitanos. Sup VI articulo dize que por las dichas cosas que le vio azer de christiana no conosce que la dicha Ysable Lunel fiziesse ritos algunos judaycos. Sup VII articulo dize este testimonio no sabe cosa alguna que lo remite al dicho. Sup VIII articulo dize este testimonio no saber cosa ninguna salvo que hoyo dizir no sabe a quien que la mencionada en el dicho articulo era enemiga de la dicha Ysabel. Sup VIIII articulo dize no saber nada.

Sup X articulo dize no saber cosa ninguan de scierta sciencia salvo que hoyo dizir no sabe a quien que una moça que se llamaba Anthona o Johana que havia estado moça con la dicha Ysabel havia rrobado de la casa de la dicha ysabel artas cosas. Sup XI articulo dize este teste no sabe cosa ninguna.

(Pag. 86) Interrogata sup XII articulo dize testimonio que ha hoydo dizir a una moça que sirvio con la dicha Ysabel llamada Anthona de Valtorres que sirvendo en sirviçio de la dicha Ysabel havia ydo a fazer fuego a casa de un judio e dize no saber otro.

Interrogatua sup XIII articulodize no saber nada. Interrogata sup XIIII articulo dize que del dicho tiempo que conocçe a los susso dicho Ysabel y asu marido los ha visto estar habitando en Calatayut y de la dicha ciudat los conoce y nunqua los vio ni conocçio en otra parte y dize no sober otro que es contenido en el dicho articulo.

Sup XV dize lo que dicho ha. Sup XVI articulo dize lo que dicho tiene de parte de arriba. Sup XVII articulo dize este teste que en dicho tiempo viniendo muchas de vezes como dicho tiene a la dicha casa una vez que havra diziocho annos poco mas o menos vio y hoyo como el dicho Jorge de la Cabra y la dicha Ysabel dixo a un moço que tenia alli en su casa cuyo nombre no le acuerda, vez lieva (pag. 86 vto.) este cafiz de trigo a maestre Tradoz y vio como levava el dicho caffiz de trigo y que lo levavan decasa del dicho judio y hoyo dizir la hora de dicho Jorge que enviaba el dicho trigo porque el dicho judio le visitava a su fija que la hoia estaba mala.

Sup XVIII articulo dize que vio al dicho Jorge una fija que tenia mala mucho tiempo del qual enffermat murio y dize no sabe otro. Sup XVIIII articulo dize este teste no saber nada de scierta sciencia salvo que la hoyo dizir no sabe quien lo contenido en el dicho articulo. Sup XX articulo dize este testimonio sa saber nada.

Sup XXI dize este testimonio que en dicho tiempo muchas vezes viendo a la dicha casa y comiendo alli como dicho tiene vio muchas de vezes como los dias de comer carne saquaba la pierna entera cochade la qual pierna assi entera et vio cortar y comer della vio assi a los (pag. 87) dichos conjuges y assi mismo comia della este teste po si quitaban las grasas de las dichas piernas o si quitavan la dicha lacrezilla que no se dava aguarda del.

Sup XXII articulo dize este testimonio que en el dicho tiempo viniendo como dicha tiene a la dicha casa muchas de vezes vio e le acuerda deste teste como algunos dias de sabados la dicha Ysabel thomaba dinero y cosia. Interrogada como lo sabe respusso por quanto un dia de sabado e dio este testigo a la dicha Ysabel miel dinos. Interrogada sup XXIII articulo dize no saber nada.

Sup XXIIII articulo dize este testimonio dize que no le acuerda de scierta sciencia salvo que ha hoyo dizir no sabe aquien que los mencionados en el dicho articulo habitaban en Çaragoça y dize no saber otro.

Sup viçesimo quinto articulo dize no saber cosa ninguna ni cree que la dicha Ysabel en dia de domingo ni de fiesta mandosse lavar trapos algunos y esto dize creer por que la tenido y tiene por buena christiana .

(pag. 87 vto.) Interrogata sup viçesimo sexto articulo dize no saber nada scierta salvo que lo hoyo dizir no sabe a quien lo contenido en el dicho articulo (le leen la declaración).

Die dicte anno in loco quibus supra.

- (Pag. 87 vto.) Anthona uxor Johannis Salvo agricultoris habitant loci de Valtorres aldee civitas Calatayubii testis pro parte Ysabellis Lunell sçitaus qui juravit et hiis inmodum sequitur.

Interrogata sup primo articulo dize esta deposant que conoçe muy bien a la dicha Ysabel Lunel por quanto estuvo moça en serviçio suyo unos siete annos y abra que sallio de la dicha casa onze annos poco mas o menos. E dize esta deposant que en el dicho tiempo que stuvo en la dicha casa en la ciudat de Calatayut vio a la dicha Ysabel Lunel muchas de vezes estar en misas y en los divinos offiçios lo mas de continuo en la yglesia de sancta Maria de media villa de la ciudat de Calatayut y los mas de los sabados del dicho tiempo luego de manyana las mas vezes esta deposssante yva acompannar y acompanava a la dicha Ysabel Lunel a misa al monesterio de Sant Agostin de la dicha ciudat y alli hoyo misa y la dicha Ysabel pagava la dicha misa al frayre que la dizia dandole por la misa que dizia seys dineros y affiçia a la dicha misa un dinero una candela y quando una candale y oblades y algunas de vezes esta deposante no yndo la dicha Ysabel a la dicha missa por mandado de la dicha Ysabel esta deposante yba a fazer dizir la dicha misa y daba seys dineros al que le dizia y offreçia assi mismo ofreía a la misa una candela y una oblada y oras sino levava oblada offreçia un dinero. E mas dize esta deposante que muchas de vezes vio a la dicha Ysabel dar quando dineros quando pan a los pobres christianos que le pedian limosna. E mas dize que en el dicho tiempo que stuvo en la dicha casa algunas de vezes en quaresma la acompanyo a la dicha Ysabel y la vio estar a los pies (pag. 88 vto.) de un frayre del dicho monesterio que cree que convesava y luego que havra confesado la vio comulgar en la dicha yglesia y recibio el corpus domini. E assi mismo dize que la vio a la dicha Ysabel guardar las fiestas y domingos no faziendo fazienda ninguna que sta depossatne viesse. E la vio a la dicha Ysabel en los dias de quaresma y en los otros dias prohibidos de comer carne sino viendas de quaresma y la vio en los dias de quaresma y en los dias otros de anynos ayunar no comiendo sino una vez a mdio dia o por alli y viandas de quaresma y esto dize a lo que pudo ver por las quales cosas a lo que en ella a podido veer y conocer lo ha tenido por buena christiana y dize no saber cosa alguna.

Interrogata sup VIIII articulo dize que no y sabe cosa alguna de scierta sçiençia salio que ha hoydo dizir no le acuerda a quien lo contendio en el dicho articulo.

Interrogata sup X articulo dize que conoce a una llamada Anthona Simon la qual quando esta deposante entro en la dicha casa en servicio de la dicha Ysabel la dicha Anthona que es casada agora en Munebrega sallo aquel dia mismo de la dicha casa. E dize esta deposante no saber cosa ninguna de scierta sçiençia salvo que hoyo dizir que la dicha Anthona tenia mala fama y tenia malas manos y peores fechos.

Interrogata sup XII artiuclo dize que es verdat que de ay a dos annos o tres que huno dentrado en la dicha casa un dia de sabado demandava esta depossante por mando de la dicha Ysabel fue a casa de maestre Tradoz judio medico que visitava a una fija de la dicha Ysabel que stava mala y assi fizo fuego en la dicha casa del judio.

Interrogata sup XVI articulo dize esta depsante qu en todo el dicho tiempo que stuvo en la dicha casa nunqua vio que la dicha Ysabel enviase olio a casa de ninguna.

Interrogata sup XVIII dize que en el dicho tiempo que stuvo en la dicha casa vio estar enfferma a una fija de la dicha Ysabel por mucho tiempo del que mal murio y dizia que stava mala de mal de piedra y estava assi mala muchas de vezes en casa de la dicha Ysabel en Calatayut y vio esta depossante muchas de vezes venir y visitar a la dicha enferma en el tiempo que vivia al dicho judio maestre Tradoz.

Interrogata sup XVIIII articulo dize no saber nada de scierta sciencia salvo que hoyo dizir no sabe a quien lo contenido en el dicho articulo. Interrogata sup XX articulo dize que en el dicho tiempo que stuvo en la dicha casa nunqua truxo ni vio traer a la dicha casa carne de la carniçeria de los judios.

Interrogata sup XXI articulo size que en el dicho tiempo qu stuvo en la dicha casa muchas de vezes echo la pierna entera sin se quitar grasas ningunas ni aquella partir y la echava en la olla y assi quando era cocha vio assi cirtera sin quitar grasas algunas cortar de la dicha pierna y comer de la dicha pierna assi la dicha Ysabel como el dicho Gorge de la Cabra.

Interrogata sup XXII articulo dize esta deposante que le acuerda muy bien que en el dicho tiempo (pag. 90) que stuvo en la dicha casa muchos dias de sabados qu no eran fiestas mandadas guardar por la yglesia vio a la dicha Ysabel filar y coser y devanar y azer otras faziendas por casa y dize a lo que de parte le acuerda que no vio que la dicha Ysabel fiziesse mas differençia en fazer fazienda en unos dias y en otros sino que fuesse fiestas (le leen la declaración)

Dicte die anno in loco.

- Mathea, uxor Pascasi Terron agricultoris habitant loci de Terrer teste propter dicte Ysabellis Lunel sçitatis per juramrentum in modum sequite

Interrogata sup primo articulo dize que conoçe a la dicha Ysabel Lunel por quanto estuvo moça (pag. 90 vto.) de serviço en su casa un anno de por alli y abia que sallio de su casa a su pareçer unos dizisiete annos poco mas o menos en el qual tiempo que stuvo en la dicha casa vio a la dicha Ysable algunas de vezes los dias de domingos y fiestas y en otros dias yr y estar en misa y en los divinos officios y en quaresma le vio una vez conffesar estuviendo a los pies del conffor . E asi mismo dize que le vio guardar las fiestas y fazia guardar a sus moças y la vio ayunar muchas de vezes en las viespras de la virgen Maria en los dias de quaresma no comiendo sino una vez en el dia y a medio dia, o por alli y viandas de quaresma y esto a lo que pudo ver y le vio dar limosnas a pobres crhistianos por las quales cosas la uvo por buena christiana en quanto en ella a podido veer y conocer.

Interrrotata sup II, III, IIII et V articulis dize no saber sino lo que dicho tiene en el primo articulo. Interrogata sup VI articulo dize no saber nada. (Pag. 91) Interrogata sup VIIII articulo dize no saber cosa ninguna.

Interrogata sup X articulo dize que ha hoydo dizir no sabe a quien lo contenido en el dicho articlo mas que no hayo dizir como se llamava salvo dizian una moça que havia estado con la dicha Ysabel que agora segunt dize esta en Munebrega et que dize no saber otro.

Interrogata sup XI articulo dize no saber nada. Interrogata sup XII articulo dize que nunqua vio ni hoyr que la dicha Ysabel Lunel enviasse a fazer fuego ninguno a casa de ningun judio y dize no saber otro. Iterrogata sup XIIII e XV articulis dize no sabar mas de lo dicho. Interrogata sup XVI articulo dize que nunqua vio que la dicha Ysabel enviasse a dalguna persona que levase olio a casa de ningun judio ni pa la dicha. Interrotata sup XVII articulo dize no saber nada.

(Pag. 91 vto.) Interrota sup XVIIII articulo dize no saber cosa ninguan. Interrota sup XX artuculo dize que nunqua vio a la dicha Ysabel enviasse por carne a la carniceria de los judios ni nunqua vio que ninguna persona truxiesse a la dicha Ysabel Lunel ni a su casa carne de la carniçeria de los judios.

Interrogata sup viçesimo primo articulo dize esta deposante que en el dicho tiempo que stuvo en la dicha casa muchas de vezes esta deposante truxiendo quando ella yvando otro mesaje que stava en la dicha casa traya la pierna entera assi como la trayan esta deposante sinse quitar grassas algunas de la dicha carne ni aquella partir la echava a cozer en la olla y assi cucia la saquava quando era cocho y queria comer Gorge de la Cabra y la dicha Ysabel Lunel y saquada que la via a la mesa vio que assi entera cortaban la dicha pierna y no vio que quitassen grassar algunas y de la dicha pierna vio comer a la dicha Ysabel Luenl y al dicho su marido y que (pag. 92) no vio que quitassen de la dicha pierna la landrezilla.

Interrogata sup viçesimo secundo articulo dize que en el dicho tiempo que stuvo en la dicha casa le acuerda muy bien que muchos dias de sabados que no eran fiestas mandadas guardar por la yglesia vio a la dicha Ysabel filar devanar y venderse vino en su casa y chomar dineros del vino que vendia en su casa y que no vio que ninguna defferençia en fazer fazienda fiziesse la dicha Ysabel en unos dias que en otros salvo sino que fuese fiesta mandada guardar por la Yglesia y este dize a lo que de presente le acuerda y pudo veer y conoçer en la dicha Ysabel Lunel (le leen la declaración).

Die XIIII deçenbris anno Mº CCCC LXXXXI.

- (Pag. 92 vto.) Joana, uxor que fuit Johannis de Soria, texitoris habitant civitas Calatayubii testis pro parte Ysabellis Lunel sçitatis per juramrentum in modum sequite

Interrogata sup primo articulo dize que conoçe a la dicha Ysabel Lunel dotze annos poco mas o menos a esta parte y esto por quanto esta deposante este stuviendo vezina de la dicha Ysabel por tiempo de siete annos primeros que la conoscio tuvo mucha pratica y

conversaçion en su casa que lo mas del dia entodo el dicho tiempo esta depossante se estava en casa de la dicha Ysabel Lunel y la servia y comia lo mas alli salvo que las tades por quanto esta depossant esta depossante tenia obreros en sus casa y truxan y su marido estava en servicio de Pedro La Cabra presso se yba esta depossante a s ucasa por dar recacudo a sus obreros en el yde tiempo que stuvo alli que eran los postreros siete annos vio esta deposante a la dicha Ysabel Luenl en los dias de domingos y fiestas mandadas guardar por la ygleisa como en los otros dias yr a misa y estar en misa y en los sermones u en los divinos offiçios y esta depossante muchas de vezes yba con ella y la acompanaba y le vio algunas de vezes fazer dizir misa y pagar al clerigo que la dizia la misa por (pag. 93) que sta deposante por si mandado le pagava de los dineros que le dava y le vio offecer en las misas y dar limosnas muchas a pobres christianos en special en las pascuas de los christianos y la vio muchas viespras de nuestra sennora y de algun sancto o sancta y en los dias de quaresma los mas de los dias y quisole todos exceptadas los domingos y fiestas ayunar no comiendo sino una vez en el dia a medio dia o por alli y viandas de guaresma y a las noches no le vio çenar y esto a lo que pudo veer y conocer como quiere que a las tades sy va y passavaz esta depossante a su casa y le vio guardar los domingos y fiestas no faziendo fazienda y le vio comer de las viandas que qualquiere christiano acostumbra comer y dize mas que la vio estar algunas de vezes en quaresma agenollada a los pieedes del comendador que queria y es agora de Sant Agostin de la ciudat de Calatayut estuviendo alli buen rato de tiempo en el lugar donde acostumbra conffessar otros por la qual cree que confesaba porque despues la vio recibir el corpus algunas de vezes comulgadonse y dize que nunqua le vio que a su notiçia venga haver fecho ninguna çelimonia judayca por las quales (pag. 93 vto.) cosas la tunido por buena christiana y por tal la visto tener nombrar y reputar.
Interrogata sup II, III, IIII, V, VI y VII artuculis dize no sabermas de lo dicho.
Interrogata sup VIII Articulo dize que conoçe a una llamada Anthona Simon del lugar de Valtorres de la Viluenna que se dizia ser a la qual havria unos diez annos poco mas o menos la vio que stava moça de serviçio con la dicha Ysabel Luenl y la vio estar alli unos dos o tres annos poco mas o menos. E dize esta deposante que a su parecer havia unos tres annos poco mas o menos estuviendo esta deposante en Calatayut en su casa texiendo un dia de martes ante de mdio dia la dicha Anthona Simon que se dize que es casada con una cesta de guebos como a casa desta deposante y le demando que si sabia de Pedro Cabra si estava en Calatayut por que le queria revar aquella cesta de guebos y esta deposante le respusso que no sabia donde estava y envio esta deposante a una su moça llamada Cathalinica a saber si esta en casa Cabra y vriviole la respuesta que no estava en ciudat y assi esta deposante merquo un sueldo de guebos (pag. 94) a la dicha Anthona, y assi estuviendo la dicha Anthona dixo a esta depossante tales o semblantes palabras. En el merquado me a thomado Gonçalvo el sastre e me a dicho como havia sentido que yo quero depossar contra la sennora diziendo lo por la dicha Ysabel Luenl y assi me a rogado que no quiera dizir cosa ninguna contra ella e yo le respusse po fare desso lo que vio se me vendia y no me aga favlar sino yo la fare quemar del mas alto cerro que hay en Calatayut pues agora an ychado dicho edicto de pena de excomunicaçion que qualquiere que supiesse algo que lo hoviesse de dizir y mas dize que le dixo que me ha diffamado por ladrona diziendo que si yo lavia furtado ella no dize la verdat que nunqua tal fize y assi con estas razones se fue por las quales demostro a lo que le parecio a esta deposante que la dicha Anthona tenia odio contra la dicha Ysable Luenl y dize no saber otro a las quales palabras no estava ninguno sino ellos dos.
Interrogata sup VIIII articulo dize no saber mas de lo dicho en el octavo articulo. Interrogata sup X articulo dize no saber nada de (pag. 94 vto.) scierta sciencia salvo que hoyo dizir a dalgunas personas vezinas de sta deposant cuyos nonbres no le acuerdan y speçial a la dicha Ysabel Lunel como la dicha Anthona era mala de su persona por que tenia que fazer con uno llamado Gaspar, moço que stava despuelas con el dicho Pedro de la Cabra y assi mismo hoyo dizir que furtaba de casa lo que podia dava al dicho moço y esto dize que hoyo en el tiempo que vio que stuvo la dicha Anthona moça en la dicha casa. E dize mas que havra dos annos poco mas o menos que hoyo dizir no le acuerda a quien salvo que era de Valtorres sobre razones favlando como la dicha Anthona era mala muxer de su persona que su marido della la havia fablado con un hermano suyo. E dize esta deposante que segunt los vestidos que ha visto levar a la dicha Anthona donde que es casada segunt el marido pobre que tiene y bulto que levava que le pareçe que levava almadraquet ya un en el tocado que levaba y le vio levar algunas de vezes viniendo los martes a Calatayut de lo qual esta deposante la çaguera vez que lo vio en su casa en Calatayut que havra (pag. 95) un anno poco mas la rento le diziendo le que no fuesse tan ancha y la dicha Anthona no le dixo nada sino riose esta deposante la tunido en epçicion de mas mala que no de buena muxer a lo que le pareçio.
Interrogata sup unceçimo articulo dize no y sabe cosa ninguna. Interrogata sup XII articulo dize que en el dicho tiempo que havra unos dotze annos poco mas o menos estuviendo esta deposante en la dicha casa un dia de sabado estuviendo maestre Tradoz judio en la dicha casa que havia venido alli a visitar a una fija de dicha Ysabel Lunel que stava mala la oy hoyo como la dicha Ysabel en le dicho dia de sabado envio a la dicha Anthona a fazer fuego a casa del dicho judio.
Interrogata sup deçimo articulo et deçimo quarto et decimo quinto articulo dize no sabe nada. Interrotata sup XVI y XVII articulo dize no saber cosa ninguna.
(Pag. 95 vto.) Interrogata sup XVIII articulo size que vio por tiempo de siete annos poco mas o menos una fija de la dicha Ysabel que stava mala y la vio muchas de vezes y lo mas del dicho tiempo estar assi mala en casa de la dicha su madre Ysabel Lunel. Interotata sup XVIIII et XX articulis dize no saber nada. Interrogatus sup viçesimo primo articulo dize que en el dicho tiempo que estuvo en la dicha casa vio muchas de vezes traher pierna entera la qual pierna entera esta deposante la echaba en la olla sin quitar grassar ningunas ni partirla, la qual pierna assi entera dende que era cocha vio como la saquaba e la olla y la ponian en la mesa assi entera y la cortaban y vio comer de la dicha carne de la pierna a la dicha Ysabel Lunel y al dicho Pedro de la Cabra y a los otros familiares de la dicha casa.
Inerrotatus sup viçesimo secundo articulo dize este testimonio que en el dicho tiempo que stuvo en la dicha casa vio muchos dias de sabados como la dicha Ysabel Lunel fazia fazienda como es filar y devaar en lo que le de presente le puede acordar no le (pag. 96) parçe que fiziese mas differençia en fazer fazienda en unos dias mas que en otros sino que fuessen fiestas de christianso. Interrogatus super vicesimo tercio et vicesimo quarto articulis dize no saber cosa ninguna.
Interrogatus sup vicesimo quinto articulo dize que en el dicho tiempo que stuvo en la dicha casa ni ante ni apres nunqua vio quela dicha Ysabel Lunel mandasse lavar a ninguna persona trapos ningunos en los dias de domingos y fiestas mandadas guardar por la

Yglesia ante bien los idchos dias lo vio guardar no faziendo fazienda niguna tuniendo aquellos dias ocmo por christiana a lo que pudo veer en ella. Interrogatus sup vicesimo sexto et vicesimo septimo articulis dize este testimonio saber nada (le leen la declaración).

- (Pag. 96 vto.) Theresa muger de Miguel Binyan del lugar de Mores testigo.

Et primo interrogato sup primo artuculo cedule respondit que conoce a la dicha Ysabel Lunel muger que fue de Jorge la Cabra por que dize que estuvo con ella en su casa y no por tiempo de dos annos que ha que salllio de casa de la dicha Ysabel XXIIII o XXV annos y esto dize porque ha XXI o XXII annos que caso con este marido que oy tiene y ante de casar con el despues que huvo salido de la dicha casa estuvo en casa de su madre unos dos annos y dize que de que la conosce aca la ha visto venir como buena christiana y en fama de buena muger por tal cosa devido esta deposante.

Sup II artuculo dize que en el dicho tiempo que estuvo con la dicha Ysabel Lunel dize que muchas viezes la conocio a la yglesia quando yba a oyr misa y vehia que aquellas oya en lo que demostrava devocion y que muy continuamente assi en dia de domingos y de fiestas la vehia que yva (pag. 97) a la yglesia assi ahora de misa como quando dezian viespras.

Sup III artuclo dize que en el tiempo que estuvo en casa de la dicha Ysabel Lunel dize que vio como la dicha Ysabel Lunel ayunava en las fiestas de nuestra sennora y en otros dias que no se acuerda que dias eran y sablelo porque no le vehia comer sino quando todos comian en casa a medio dia y despues no cenava sino que fazia collacion como es costumbre de hazer la entre christianso y esto de lo que ella vido.

Sup IIII articulo dize que en los dias a mas que estuvo con la dicha Ysabel Lunel dize que por el tiempo de la quaresma en dos quaresmas dos vezes cada quaresma una vez esta deposant la acompanyo quando la dicha Ysabel segunt della dezia se yba a confesar y la una vez se acuerda que la aconpanyo a Sant Pedro Martir y la vido estar a los pies del confessor que no se acuerda que frayle era y la otra vez (pag. 97 vto.) que la acompanyo quando dezia que se yba aconfessar no se acuerda si la acompanyo al Carmen o a donde salvo que se acuerda que dos vezes acompanyandola la vido estar a la dicha Ysabel a los pies del confessor e hoc dixit per juramentum.

Sup V articulo dize que vido que la dicha Ysabel dava limosnas a pobres christianos luego rezar muchas vezes el pater noster y el ave Maria. Sup VI articulo dize que no sabe que cosa es ritos ni cerimonias judaycas. Sup X e XI articulis dixit se nihil sabe. Sup XII articulo dize que nunca tal le mando la dicha Ysabel ni entre que en su casa estuvo ni nunca y fue ella a fazer fuego a los judios. Sup XIIII artuculo dixit nihil sabe. (Pag. 98) Sup XV articulo dixit ad qui fuit. Sup XVI e XVII articulis dixit se hinil scire.

Sup XX articulo dize que es verdat que en el dicho tiempo que estuvo en casa de la dicha Ysabel Lunel y de su marido Jorge la Cabra viodo como merquaron un morillo de dos de vaca de la carniceria de los judios desta ciudat de Calatayut, los quales pusieron en sal y fechos cecina dize que dellos comieron los dichos sus amos y dodos los de casa, la qual cecina ponian a cozer con la otra carne. Et dize que tan bien vido comprar en la carniceria de los judiso un doble de vaca y dellos comieron todos y que otra carne de la juderia no vido traher a la dicha casa que a ella acuerda.

(Pag. 98 vto.) Sup XXI articulo dize que en el sobre dicho tiempo que estuvo en la dicha casa por vezes truxo pierna a la dicha casa y pierna entera po assi como la trahia sin quitar nada de dentro della esta deposante por su manos la ponia a cozer y assi gelas llevavan a la mesa a los dichos sus amos et hoc per juramentum. COSTUMBRES CRISTIANAS DE ADOBAR CARNE Y COMER COMIDA DE CARNE.

Sup XXII dize queno se acuerda que le vidiesse guardar o no guardar ni fiestas de judios ni el abado a la dicha Ysabel Lunel sino que de lo que le parece dizze que fazia fazienda assi en el sabado como en los otros dias sino que cayesse en el alguna fiesta de cristianos porque no el vehia fazer sino como los otros christianos fazian assi en un dia como en otro que no fuessen fiesta como es coser , filar, medir vino hazer por su casa et doc per jurametum.

Sup XXIII articulo dize que nunca tal vido que las santiguasse a sus fijos la dicha Ysabel de lo que se acuerda a este (pag. 99) teste ni que les pusiesse la mano encima dela cabeça. BENDICION JUDIA A LOS NIÑOS.

Sup XXIIII articulo dixit se nihil scire. Sup XXV articlo dize que no se acuerda que en dias de dayunos ni en fiestas mandadas la dicha Ysabel le mandasse yr a lavar trapos ni vido que tal mandasse en aquella razon.

Sup XXVI articulo dixit se nihil scire per juramentum (le leen la declaraición).

- Johannes Navarro escudero habitant en Ylluequa testimonio pro parte de Ysabel Lunel presa produzido.

Sup primo articulo dixit que conoce a Ysabel Lunel en el articulo nombrada de vista y pratica que ha tonido con ella por quanto estuvo en su servicio tres annos y ha que sablo seys annos y dize seyer verdat que la tiene por buena christiana porque la vio estar en abito de cristiana y yr a missa viespras y estar en aquellos como los otros christianos y que otro no sabe.

Sup Ii articulo dize que en el dicho tiempo que estuvo en casa de la dicha Ysabel por muchos domingos y fiestas y otros dias de nuestra Sennora este testigo vio como la dicha Ysabel yva a missa como dicho ha.

Sup III articulo dize que en dos quaresmas que estuvo en casa de la dicha Ysabel en el dicho tiempo gelos vio que no comia sino huna vegada al dia y dizia ella ayunava y asi mesmo le vio ayunar otros ayunos mandados aynar por la Sancta madre Ysglesia como Christiana en lo que este testigo vio.

Sup IIII articulo dixit que ensi las dichas dos quaresmas le vio conffessar y comulgar a la dicha Ysabel Lunel como y azen los christianos.

(Pag. 100) Sup V articulo dixti que es verdat que en el dicho tiempo por muchas vegasdad vio dar limosnas a pobres chrisitanos y fazia oraciones y le oya dezir el pater noster y el havemaria y que la tiene por buena christiana en lo que este testigo ha visto.

Sup VI articulo dixit que nunqua le vio hazer crimonia alguna dejudios ni sabe que la aya fecho. Sup X articulo dizit se nihil scire.

Sup XI articulo dixit que nunqua vio en todo el dicho tiempo que la dicha Ysabel dasse rovas de olio o persona alguna pa que lo dasse a la sinoga ni nunqua en el dicho tiempo oyo dizir que lo diesse.

Sup XII artiuclo dixit que en el dicho tiempo nunqua vio que la dicha Ysabel Lunel mandase a sus moças que fuese a fazer lumbre a casa de judios algunos. Sup XIIII articulo dixit se nihil scire. Sup XV articulo sixit que lo dicho por el es verdat. Sup XVI articulo dixit que como dicho ha que nunqua vio enviar en el dicho tiempo olio alguno a la sinoga ni a casa de judios pa que lo enbiassen a la sinoga.

(pag. 100 vto.) Sup XVIII articulo dixit se hihil scire. Sup XVIIII articulo dixit se nihil scire. Sup XX articuli dixit que en el dicho tiempo que estuvo con la dicha Ysabel muchas vezes este testigo ffue a comprar carne mas siempre la traya de la christiandat y que nunqua supo ni oyo que trasiesen carne de la carneceria de los judios pa la dicha Ysabel ni pa su casa.

Sup XXI articulo dixit que nuqnua vio que la dicha Ysabel quitase ni fiziesse guitar la landerezilla de la pierna ni otras grasas de carne alguna porque treya este testigo la pierna de la carneçeria y empues cortava la y veya la sana y esto mcuhas vegadas en el dicho tiempo.

Sup XXII articulo dixit que en el dicho tiempo que este testigo estuvo en su servicio de la dicha Ysabel no sabe ni oyo que la dicha Ysabel guardasse pascuas algunas de judios ni sabados algunos, a mas dize que vio (pag. 101) como la dicha Ysabel por muchos sabados filava y hazia otras haziendas por su casa y le vio vender vino y tomar dineros en sabados como en toros dias dentre semana. Sup XXIII articulo dizis e nihil scire. Sup XV articulo dixit que en el dicho tiempo que este testigo estuvo en servicio de la dicha Ysabel nunqua vio ni supo que la dicha Ysabel fiziese hazer trapos en los domingos ni fiestas en loas noches antes le vio guardava los domingos y fiestas la dicha Ysabel en lo que este testigo vio.

Sup XXVI articulo dixit que no sabe quien mando abrir la puerta en el dicho articulo nombrada bien es verdat que luego muerto el padre de Pedro de la Cabra vinieron este testigo y el dicho Pedro de la Cabra a esta ciudat de Calatyut de Çaragoça y vio este testigo como estava abierta la puerta de Sant Paulo desta ciudat hazia la juderia (le leen la declaración).

EL FISCAL INTERROGA A LA ACUDADA.

Die XV marcii anno Mº CCCC LXXXXII. Çesarauguste.

- (Pag. 109) Eadem die reverendius dominus magister Martinus Garsie inquisitor pressentis ad interrogacionis Ysabellis Lunel capte que juravit per Deum et sup cruçem de veritate diçenda

Et primo fue preguntada cerqua la confesion por ella fecha tempre gracie que declarase aquello que confeso de los panyacelos de lienço si lo recibio ella como las otras que alli estaban o no dixo que cierto ella no recibio panyacelo alguno del lienço que alli sacaron ni de otro.

Item si el pan cotaço que confeso creya haver enviado a su casa de la juderia si lo recibio y como dixo que si.

Item si lo recibio o comio en el tiempo de la pascua de los judios respondio que no sabe si quando gelo truxeron era en la pascua o no enpo dize que quando gelo tuxieron lo comio y que no lo comio a mala intencion.

Item si le ordeno alguno en scripto la dicha confesion de tempore gracie respondio que Pedro de la Cabra ge la ordeno (falta texto).

EL FISCAL INTERROGA A ANTHONIE NAHARRO TESTE POR PARTE FISCALIS PRE DICTE

Die XXIII marcii anno M CCCC LXXXXII. Çesarauguste.

- (Pag. 109 vto.) Eadem die reverendi dicte fratre Petrus de Valladolit magister e Martinus Garsie, inquisitores present fuit ad interrogatione Anthonia uxoris Johannis Naharro habitator loçi Munyebrega testis por parte procutator fiscalis predicte qui juravit per Deum et sup crucem de veritate dicenda et quem quntenta in sua deposante.

Et primo fue preguntada si el olio que dixo levava a don Tradoz judio de Calatyut los biernes a la noche por mandado de Jorge de la Cabra gelo mandava levar tanbien Ysabel Lunel mujer del dicho Jorge de la cabra respondio que se referia quanto adaquello a la dicha su deposicion.

Interrogada si depues que venia lde levar dicho olio si dezia al dicho Jorge la Cabra y a su mujer como havia dado el dicho olio al dicho don Tradoz respondio que puede ser que geles dixiese enpero dize que como ha mucho tiempo y ella era la quera muy moça que no tiene dello memoria ni se le acuerda.

Interrogada si quando por mandado de los dichos Jorge y su mujer yva en los biernes en la noche y en los sabados a servir al dicho don Tradoz y les levava el dicho olio quando volvia si le preguntaba los dichos Jorge y su mujer si havia fecho todo lo que el dicho don Tradoz y su mujer le havian mandado y que les respondia ella respondio y dixo que es verdat que los dichos Jorge la Cabra y su mujer le demandaban a esta deposant si havia fecho lo que los dichos don Tradoz y su mujer le havian mandado y esta deposant les respndia que si. E ahun dize se acuerda que porque algunas vezes los dichos judios se quexaban a los dichos sus amos desta deposant y de mal servicio que esta deposant les fazia quel dicho Jorge y su mujer le fazian dar decolpesy tohadas a esta deposant por ello especialmente vidia dize que la dicha su duyenya y su fija mujer que era ede mastre Pedro de la Cabra ataron desnuda a esta deposant a un pilar de la sala y la açotaron muy reziamente y estubo alli atada mas de media hora. E despues otra vez la ataron aun pilar del porche y desnuda le dieron muy muchos açotes y le pusieron dos badallos en la bocay estovo por mas de ora (pag. 111) y media, y dize que açotandola le dizia la dicha su duenya que porque no fazia lo que el dicho don Tradoz le mandava.

Interrogada si en el tiempo de la pascua de los judios del cotaço si vio trair al dicho Jorge y a la dicha su mujer pan cotaço de la juderia y si lo comian en la dicha pascua, respondio que entre estubo en servicio del dicho Jorge la Cabra y su mujer encada hun anyo vio como en el tiempo de la pascua de los judios del cotaço trahian a la casa de los dichos sus amos pan cotaço y alcalillas de la juderia el qual trahia una moça judia del dicho don Tradoz cuyo nombre no se acuerda, lo qual vio recibia la dicha su duenya. E vio como comian del dicho pan cotaço y alcalillas el dicho Jorge de la cabra y la dicha su mujer y la dicha su fija dellos llamada Maria mujer que fue de maestre Pedro de la Cabra y esto les vio comer en el tiempo de la dicha pascua de los judios y asi mismo esta deposant comio algunas vezes dello.

Interrrogada si sabe que los sobre dichos hoviesen fecho algunos ritos o cerimonias judaycoas respondio que no (le leen la declaración).

EL FISCAL INERROGA A JOANNIS GARCIA TESTIS PRO PARTE FISCALIS PRE DICTI.

- (Pag. 111 vto.) Eadem die dicti domini inquisiores predicti ad interrogacione Johannis Garcie alias sardinillo, testis deposicione qui juravit per Deum et sup cruçem de veritate dicenda.

Et primo fue preguntado si en el tiempo que estubo en servicio de Jorge de la cabra y de su mujer Ysable Lunel si vio que tuviesen a la dicha casa en el tiempo de la pascua de los judios del cotaço pan cotaço arruquaques y alcalillas y a quien vio comer dello respondio que en dos anyos que stubo en la dicha casa en cada hun anyo de los dichos dos vio como en la pascua de los judios (pag. 112) del cotaço, trayan a la dicha casa de Jorge de la cabra y de su mujer pan cotaço y alqualillas el qual vio trahia un moço judio de don Tradoz Gostantin cuyo nombre no se acuerda y vio como la dicha mujer del dicho Jorge recibia el dicho pan cotaço y alcalillas, e vio asi mismo como comian del dicho pan cotaço y alcalilla el dicho Jorge de la cabra y la dicha su mujer que oy esta presa y Pedro la Cabra su fijo y Maria e Ysabel la Cabra fijas del dicho jorge la Cabra, y esto dize les vio comer a todos lo sobre dichos dentro del tiempo de la pascua de los judios del cotaço. E dize que luego el dia siguietne pasada la dicha pascua este deposant por mandado del dicho Jorge y de su mujer levava aldicho don Tradoz y a su mujer pan liendo, lechugas y vinagre.

E mas dixo quento al capitol de la glandollilla que auando algunas vezes la dicha su mujer de Jorge Lacabra no estaba en casa que algunas vezes vio como Ysabel la Cabra, mujer que fue de Pero Lopez, fija de los dichos Jorge la Cabra y su mer quitaba asi mismo la glanolica de la pierna y las grasas (pag. 112 vto.) como fazia la dicha su madre, e que de la dicha carne vio comian ellos y todos los de casa.

E mas dize quanto a la almosna que vio como muchso biernes en la noche un judio clamado el Samas que ahun bive y esta en la sinoga mayor de Calatayut y otro judio muerto cuyo nombre no se acuerda quando el uno quando el otro tenian ademandar almosna a la dicha mujer de Jorge de la Cabra estando alli presente Pedro la Cabra su fijo y vio y hoyo como el dicho Pedro la Cabra dezia la dicha su madre unas tales palabras, sennora dar les que demandan por Dios y asi vio como la dicha mujer de Jorge la Cabra dava dineros y otras vezes pan a los dichos judios que demandaban la dicha almosna, los quales judios dize vio eran a la sazon llegadores de la almosna de la çedaca de los judios asi como el dicho Pedro daba el pan para los dichos judios (le leen la declaración).

EL FISCAL VUELVE A INTERROGAR A LA ACUSADA.

Die VIIII aprilis anno M° CCCC LXXXXII. Calatayubii.

- (Pag. 115) Eadem die lo reverendos sennores padres inqisidores ffray Pedro de Valladolit e Martin Garcia inquisidores de la heretica e apostatica pravedat en presencia de mi Miguel Domingo notario e de los testimonio debaxo nombrados los dichos sennores inquisidores amonestaron a Ysabel Lunel viuda muger que fue de Jorge de la Cabra presa con Ihesu Christo por huna dos y tres vezes que dixiese y conffessase los rritos y cerimonias judaycas que havia cometido y perpetrado y assi mesmo si sabia de otros que lo dixiese y que silo hazia que la abraçaria y tractaria con mucha misericordia y la admetria en la sancta madre yglesia en otra manera el contrario haziendo que la indicarian seseguno provado y actuado cotra ella en su proceso et justa el derecho. Et la dicha denuncaida dixo y respuso que ella nunqua havia fecho cerimonia de judios y que lo que ella havia fecho ya lo havia confesado po que rito judayco alguno ella jamas havia fecho ni lo sabia (pag. 115 vto.) de otras personas algunas y que lo huviesen fecho y que otro no sabra. Testes: Anthonius de la Miel e Petrus de Moros, nuncii habitant civitas Calatayubii..

SENTENCIA.

- (Pag. 117) In nomine invocato nos fray Pedro de Valladolit maestro en sancta tehologia prior del monesterio de Sanct Andres de Medina del campo del Orden de Predicadores y maestre Martin Gacia canogino de la diocesis de Çaragoça, inquisidores de heretica y apostatica pravedat por las ciduades e diocesis de Çaragoça y de Taraçona por la autoridat apostolica diputado. E nos el dicho maestre Martin Garçia vicario qual esso mismo especialmente creado por la dicha sancta inquisicion por el muy reverendo sennor don Andres por la divina misaçion Obispo de Taraçona.

Visto cierto proceso criminal ante nos y en nuestra audiençia tractado entre partes es asaber de la una parte el procurador fiscal ministro de la sancta inquisicion e de la otra Ysabel Lunel viuda muger que fue de Jorge la Cabra habitante en la presente ciudat de Calathayud rea demandada de y sobre razon de los criminies de heregia y apostasia en el dicho processo contenidos e visto como la dicha Ysabel Lunel fue havida por sospechosa y por tal denunciada de los dichos crimenes por virtud de la informacion por el dicho (pag. 117 vto.) procurador ante nos ministrada. E visto como despues por el processo special contra ella servado sobre la verdat de los dichos crimines claramente consta la dicha Isabel Lunel en el tiempo del edicto de gracia haver confessado que fue a ver a una judia y ala visita y a su casa, y que estando ay se murio una fija de la dicha judia a donde despues de muerta sacaron de una caxa liençço y començaron a dar de comer y por tal denunciada y por tal denunciada y por tal denunciada los dichos crimenes por virtud de la que lo siviessen esto portadas las vezes que el se quiso miprardello. E assi mesmo haver visitado a un judio fisico que se dezia mastre Tradoz Constantin e haver tenido grande familiaridad con el y algunas vezes haverle dado su moça o moço de su casa para que lo siviessen esto portadas las vezes que el se quiso miprardello. E assi mesmo cree haverle enviado de casa del dicho judio a su casa unos panes que los judios masan con salsas y a un pan cencenno e consta despues haver confessado que recibio y comio del pan cotaço que le enviavan los judios y carne judayco y que visito a una judia parida y que no se acordava si le estreno y que fue y estuvo al planto de una judia muerta y cree que dixo quando murio don Tradoz Constantin que buen posso obviese e su ley y que le pareçia haver estrenado a una judia parida medio (pag. 118) florin y haver dado trapos de raz y plata prestada a un judio para sus fiestas. E consta por los dichos de los testigos contra ella producidos e por nos legítimamente examinados la dicha Ysabel Lunel haver tenido grande conversación con judios e consta haver enviado a sus mensajes (mesajes o muchachos) por muchas vezes en los viernes a la tarde y en los sabados a casa de un judio para que les adobarsse el fuego y las crisoletas que los judios acostumbran de encender los viernes a las tardes. E consta que muchas vezes enviava a sus mesajes a comprar carne de la carniceria de los judios y consta que sacava la glandoliça de la pierna antes de echarla a cozer y la lavava a modo judayco, y de aquella carne comia. E consta haver comido carne en cuaresma estando sana. E consta que recibia pan cencenno arruquaques y turrado que le enpresentavan de la juderia y de la que comia en el tiempo de la pascua del pan cencenno de los judios y el zaguero dia de la dicha pascua enbiava a los judios que gelo empresentavan pan liendo, lechugas y vinagre e consta haver dicho que havian fecho por los Tradoces judios y que abian fecho unos por otros y que ahora por el tiempo no osava y consta haver dado de albricias quatro reales a uno que (pag. 118 vto.) le turxo la nueva que una judia havia parido fijo y consta haver hido a bodas y a circuncisión de judios y haver este enado en ellas. E cosnta haver fecho collacion en casa de judios senyaladamente en las pascuas del pan cencenno y cabanyvelas de judios de rosqetas turrado y alcahalillas y algunas vezes que fazia collacion debaxo de las cabanyvelas e bevia del vino judayco teniendo grande conversación con los judios y faziendose enprestidos e muchos plazeres. E consta haver estrenado a una judia parida una pieça de oro . E consta haver dicho por una yglesia que havia estado sinoga que mala hura de Dios le viniesse a quien daquella sinoga havia fecho yglesia que bien estava sinoga y que no lo havian fecho pro devocion della christiandat sino porque los creyesen que eran buenso de christanos. E consta haver guardado las pascuas del pan cenzenyo de los judios. E consta haver dado limosna a judios pobres assi en viernes como en otros dias dentre semana. E consta que guardava los sabados no haziendo tanta facienda en aquellos como en los otros dias dentre semana e no tomando dineros en el dia del sabado. E consta (pag. 119) que dave bendicion judayca a sus fijos quando le besaban la mano desta manera que les passava la mano por la cara abaxo y no los santiguava. E consta que dixo haver mostrado a su fijo Pedro de la Cabra el ayuno de quipur deste pequenyo y consta haverse perjurado una y muchas vezes en la causa de su fe donde claramente consta la dicha Isabel Lunel haver passado a los ritos y ceremonias judaycas y ser convicta de heregia y haver feydo aser heretica y apostata verdadera, y haver gravemente errado y asendido a la magestat divina a la qua lofender es muy mas grave que a la humana porque la tal ofensa viene en injuria de todos los christianos e visto asi mismo que consta haver seydo excomunicado de excomunicacion mayor del tiempo que cometio los dichos crímenes aca. E ahunque muchas vezes por nos ha seydo requerida y amonestada convesase los dichos errores enteramente y como devia no lo ha querido fazer antes con animo induciendo ha estado y esta pertinaz negativa esmulada en ellos no queriendo haver piedad de su misma ni de su anima y asi es razon que con ella cesse toda misericordia y el dicho se levante y (pag. 119 vto.) sin rigor ni calle la pena que merece do la vindicta no ha de ser menor que la memoria de su excesso de manera que la pena castigue lo que la espiritual disciplina no puede por ende por otros sean refrenados de cometer los crímenes semejantes e a ella sea castigo de los crímenes ya perpretados havida manera de liberación y consejo con barones letrados justos penitentes e de buena conciencia sobre el dicho presso cada cosa y parte del segunt quel drecho en tal caso dispone teniendo a Dios ante nuestros ojos con intecion de administrar justicia por consello del magnifico micer Anfres gutierrez de Quintanylla asesor de este sancto oficio.

Fallamos que devemos de pronunciar y pronunciamos declarar y declaramos a la dicha Isabel Lunel haver pasado de los ritos y ceremonias judaycas e haver seydo y ser heretica y apostata judayzada y haver seydo y ser excomunicada de excomunicacion mayor del tiempo que cometio los dichos crimenes aca y del dicho tiempo aca los bienes de la dicha Isabel Lunel haver seydo y ser confiscados con todos los sentos y rendas dellas a la camera e fisco del rey nuestro sennor al qual mandamos (pag. 120) en virtud de sancta obediencia que aquellos tome y ocupe por suyos y como suyos. E primamos e primados denunciamos a todos los descendientes de la dicha Isabel Lunel fasta el primero grado inclusive de todos los oficios y beneficios eclesiasticos y seculares dando los por inabiles pa inpetrar e poseer otros. E como la madre sancta yglesia contra la dicha heretica judayzada como es piadosa no tiene pena con digna pa los dichos crímenes y errores con la prestación quel dicho quiere es asaber scitra vindicta y efusione sanguinis fallamos que devemos remitri y remitimos a la dicha Isabel Lunel a la justicia e juez secular a saberes al magnifico micer Juhan de Nueros lugarteniente justicia desta presente ciudat de Calatayut que es presente para que el con peidat y clemencia segunt sus meritos y culpas le de la pena que merece. Et mandamos al magnifico mosen Esthevan Gan, Alaguazir deste sancto oficio luego gela de y entregue asi lo pronunciamos y juzgamos por este nuestro judicio.

PROCESO INQUISITORIAL CONTRA JUDAIZANTES DE LA COMUNIDAD DE CALATAYUD. (AHPZ, CAJA 20, Nº 15).
COMIENZO DEL PROCESO: 22 de Agosto de 1509.

ACUSACIONES DEL PROCURADOR FISCAL.

(Pag. 4) Los artículos sobre los quales han de ser interrogadas las personas sobre dichas son los que se siguen:

1.- Pedro Casado (labrador, vecino de Paracuellos de Jiloca).

Et primo dize el dicho procurador fiscal quel dicho Pedro Casado es converso y desciende de linaje de judios y por tal es tenido nombrado y reputado y esto es verdat.
Item dize el dicho procurador fiscal quel dicho Pedro Casado ablando del Espiritu Sancta dixo tales o semejantes palabras que "Espiritu Sancto que nada y es gran renegador y blasfemador de Dios y de nuestra Señora y de todos sus sanctos" y esto es verdat.

2.- Joan Cortes (zapatero, vezino de Fuentes de Jiloca).

Item dize el dicho procurador fiscal quel dicho Joan Cortes, çapatero vezino del dicho lugar de Fuentes es grant renegador y basfemador de Dios y de nuestra Señora y de sus sanctos y por tal es tenido nombrado y reputado.
Item dize el dicho procurador fiscal quel dicho Joan Cortes una y muchas vezes ha dicho tales y senblantes palabras diziendo uno o valme la virgen Maria y como me dize mal dixo el dicho Joan Cortes essa puta bieja es y esto es verdat.

3.- María Perez de Moros (vecina de Terrer).

(pag. 4 vto.) Item dize el dicho procurador fiscal que la dicha Maria Perez de Moros es conversa y desciende de linage judios y por tal es tenida y reputada.
Item dize el dicho procurador fiscal que la dicha Maria Perez de Moros una y muchas ha comido pan cotaco y hamin y otros comeres judaycos y esto es verdat.
Item idze el dicho procurador fiscal que la dicha Maria Perez un y muchas vezes ha quitado y mandava quitar a sus moças la landrezilla de la pierna y las grassas de la carne antes de echarla a cozer segunt costumbre de judios y esto es verdat.

4.- Domingo Lopez (vecino de Bubierca).

Item dize el dicho procurador fiscal quel dicho domingo Lopez es grant renegador y blafemador de Dios y de nuestra Señora y de todos sus sanctos y por tal es tenido y reputado.
Item dize el dicho procurador fiscal quel dicho Domingo Lopez una y muchas vezes ha dicho tales y semblantes palabras "pesar de Dios y de la puta de su madre y del royu de su hijo y esto es verdat.

5.- María de Pina (mujer que fue de Joan de Sant Martín, vecina de Ateca).

(Pag. 5) Item dize el dichorocurador fiscal que la idcha Maria de Pina, cristiana nueva, después de haverse convertido a nuestra sancta ffe católica muchas vezes ha ablado en hebraico y ha dicho oracion de judios y esto es verdat.
Item dicze el dicho procurador fiscal que la dicha Maria de Pina se ha repentido una y muchas vezes porque se hizo cristiana y esto es verdat.
Item dize el dicho procurador fiscal que la dicha Maria de Pina que estando doliente dixo que no queria comer el caldo sino que fuesse guisado al modo judayco y esto es verdat.
Item dize el dicho procurador fiscal que la dicha Maria de Pina después que se convertio a nuestra sancta fe católica muchas vezes estando sana ha comido carne en cuaresma biernes y sabado y esto es verdat.

6.- Pedro Ximenez (vecino de Sestrica).

Item dize el dicho procurador fiscal quel dicho Pedro Ximenez después que se convertio a nuestra sancta fe católica una y muchas vezes se ha repentido por haverse fecho cristiano y esto es verdat.
Item dize el dicho procurador fiscal después que se (pag. 5 vto.) convertio el dicho Pedro Ximenz acostumbrado guarda y ha guardado el sabado y el domingo y otros dias de fiesta mandados guardar por la sancta Madre iglesia ha costumbrado y costumbre fazer facienda y la faze fazer a sus moços y esto es verdat.
Item dize el dicho procurador fiscal quel dicho Pedro Ximenz despues de convertido ha demostrado tener mucha afección a la a la mosayca y ha fablado muchas palabras en hebraico enfavor della y esto es verdat.
Item dize el dicho procurador fiscal quel dicho Pedro Ximenez ha dicho muchas vezes "que la gracia de Dios ya era acabada y que Dios no tenia ninguna gracia" y esto es verdat.

Item dize el dicho procurador fiscal quel dicho Pedro Ximenez teniendo muy poca devocion a las cosas de la fe católica y al sacramento del altar a manera descarnio quando el sacerdote queria comulgar a alguno, dezir "yo nos endare una tacilla, vos endare una teracilla" y esto es verdat.

Item dize el dicho Procurador fiscal quel dicho Pedor Ximez ha costumbrado comer y ha comido estando sano carne en cuaresma viernes y sabado y en otros dias prohibidos y esto es verdat.

7.- Mossen Miguel Arnal (presbítero, vecino de Moros).

(Pag. 6) Item dize el dicho procurador fiscal quel dicho mossen Miguel Arnal ha procurado de juduzir y ha juduzido a algunas personas que se desdixiesse de lo que havian deposado en la inquisición a favor de la fe dandoles dineros porque lo fiziessen y esto es verdat.

Item dize el dicho procurador fiscal que el dicho mossen Miguel Arnal una y muchas vezes ha dicho que la inquisición no se fazia sino por robar y por dinero y que algunos tomavan presos los inquisidores que eran mejores que no ellos y esto es verdat.

Item dize el dicho procurador fiscal quel dicho mossen Miguel que una y muchas vezes ha dicho que los inquisidores a poder detormentos fazian quofessar a los confessos y que todo era fallo lo que confesaban y esto es verdat.

8.- Mastre Martin de Ayvar (cristiano nuevo, vecino de Atiença o Atienza).

(Pag. 6 vto.) Item dize el dicho procurador fiscal que el dicno mastre Martin de Ayvar despues de haverse convertido a nuestra sancta fe católica ha costumbrado rezar oraciones en hebraico y esto es verdat.

Item dize el dicho procurador fiscal quel dicho mastre Martin una y muchas vezes ha fablado en hebraico especial un dia estuvo ablando en hebraico un dia con una cierta persona que estava doliente en la cama y era cristiana nueva y esto es verdat.

Item dize el dicho procurador fiscal quel dicho mastre Martin despues de cristiano y estando sano ha acostumbrado comer y ha comido carne en cuaresma, viernes y sabado y esto es verdat.

9.- Martin Andres, alias Garcia (vecino de Villalba).

Item dize el dicho procurdor fiscal quel dicho Martin Andres, alias Garcia, una y muchas vezes ha dicho que mas valia dexar algun bien o renta al bordel que no ala yglesia y esto es verdat.

Item dize el dicho procurador fiscal quel dicho Martin Andres ha dicho en presencia de muchas personas que fiel tuviese a Ihesu Cristo y a nuestra Señora su madre que el les daria de bofetadas y esto es verdat.

10.- Anthon Lopez (sobrino de Pedro, vezino de Calatayud).

(Pag. 7) Item dize el dicho procurador fiscal quel dicho Anthon Lopez dixo que havia perdido por causa de la inquisición los dineros en Teruel y que visto esto mas quisiera ser judio y esto es verdat.

11.- Mossen Alonso de Sancta Cruz (presbítero, vecino de Calatayud).

Item dize el dicho procurador fiscal quel dicho mossen Alonso de Sancta Cruz quando dize misa no dize las palabras de la consagración ni consagra y esto es verdat.

Item dize ek dicho procurador fiscal quel dicho mossen Alonso de Sancta Cruz una y muchas vezes ha "que la inquisición no se fazia sino por robar y quitarles lo suyo y que con tormentos les fazian atorgar lo que no havian fecho" y esto es verdat.

Item dize el dicho procurador fiscal quel dicho mossen Alonso de Sancta Cruz ha dicho "por los que condempnarian por la inquisición que salbos eran y ha fecho sacrificios publicos y fecretos por ellos" y esto es verdat.

Item dize el dicho procurador fiscal quel dicho (pag. 7 vto.) mossen Alonso ha comido pan cotaco, hamin y otros potajes de judios y esto es verdat.

12.- Johan de Pomar, alias fidalgo (vecino de Villaluenga).

Item dize el dicho procurador fiscal quel dicho Joan de Pomar es casado dos vezes y casso (se casó) por palabras de presente vinyendo la primera mujer y esto es verdat.

13.- Alonso Çala (potrosero, vecino de Calatayud).

Item dize el dicho procurador fiscal quel dicho Alonso Çala que yndo camino y tropeçando un asno dixo "valamedios el del paraíso y el de la cesta" y esto es verdat.

Item dize el dicho procurador fiscal quel dicho Alonso Çala ha dicho muchas vezes "que mal poso huviesse el primer judio y su padre madre y todos sus parientes porque se tornaron cristianos" y esto es verdat.

Item dize el dicho procurador fiscal quel dicho alonso Çala ha dicho una y muchas vezes "que la inquisición no se facia sino por robar y por tomar dinero y que con tormentos fazian confesar a los confessos cosas que no havian" y esto es verdat.

14.- Violant de Luna, mujer de Gaspar Pelejero (cristiana nueva, vezina de Illueca).

(Pag. 8) Item dize el dicho procurador fiscal que la dicha violant de Luna despues que se convertio a nuestra sancta fe católica ha costumbrado guardar y ha guardado el sabado y entendia y costunbrava encender muchas lunbres los viernes a las noches por honrra del sabado y no fila en aquel y esto es verdat.
Item dize el dicho procurador fiscal que la dicha violante quitava las grassas de la carne y landrezilla de las pierna entes de echarla a cozer y esto es verdat.
Item dize el dicho procurador fiscal que la dicha violante una y muchas vezes se ha repentido por haverse tornado cristiano y esto es verdat.
Item dize el dicho perocurador fiscal que la dicha violante ha dicho depuse que es cristiana ha dicho por un judio y moro muerto que dios les perdona a su ley y esto es verdat.

15.- Pedro de Linyan (Escudero, vecino de Moros).

Item dize el dicho procurador fiscal quel dicho Pedro de Linyan es grant renegador y basffemador de Dios y de nuestra Señora y de todos sus sanctos y por tal es tenido nombrado y preputado.
Item dize el dicho procurador fiscal quel dicho Pedro de Linyan ha dicho una y muchas vezes "que Dios no es todo poderoso ni puede hazer al ni bien" y esto es verdat.
(Pag. 8 vto.) Item dize el dicho procurador fiscal quel dicho Pedro de Linyan ha dicho una y muchas vezes "que los diablos le havian de levar el alma y que Dios ni sacta Maria no lo podan remediar ni le podran perdonar un pecado que tenia" y esto es verdat.

16.- Marta Errando, mujer de Anthon Garcia (vecina de Velilla de Jiloca).

Item dize el dicho procurador fiscal que la dicha Marta erranda despues que fue muerto su marido tuvo nueve dias encendido un candil cada noche encerrado en la cambra donde mario su marido y esto porque creya que el alma del dicho su marido venia alli cada noche y esto es verdat.

17.- Catalina Marquo, muxer de martin Marquo (vecina de Villaluenga) (CONVERSA MORA).

Item dize el dicho procurador fiscal que la dicha Catalina Marquo, mujer de Martin Marquo, despues que se convertio de mora a nuestra sancta fe católica ha dicho una y muchas vezes que tanto valia la ley de los moros como la de los cristianos y que tambien se podia salvarse el moro en su ley como el cristiano en la suya y esto es verdat.

18.- Joan Andres (labrador, vecino de Villaluenga).

Item dize el dicho procurador fiscal quel dicho Joan Andres ablando de los sanctos corporales dixo una y muchas vezes "que los corporales no eran nada sino gotas de sangre o de bermejon".

19.- María Lopez fija de Garcia Lopez (vecina de Moros).

(Pag. 9) Item dize el dicho procurador fiscal que la dicha Maria Lopez ha comido hamin, pan cotaco y otros comeres y potajes de los judios y esto es verdat.
Item dize el dicho procurador fiscal que la dicha Maria Lopez estuvo ciertos dias siendo doncella en casa de Brahem Paçagon su tio y comia con los judios de su carne y de todo lo que el dicho su tio y los otros judios comian y esto es vedat.
Item dize el dicho procurador fiscal que la dicha Maria Lopez estando en casa del dicho su tio judio guardava el sabado como lo gradavan los dichos judios y esto es verdat.

20.- Mossen Miguel Ferrandez (presbítero y vecino de Miedes).

Item dize el dicho procurador fiscal quel dicho mossen Miguel Ferrandez al tiempo que canto misa vinieron muchos judios a su fiesta y envio a los conbidados en la mesa un judio y esto es verdat.
Item dize el dicho procurador fiscal quel dicho mosse Miguel ablando de nuestra Señora dixo "poner vos del lodo vos y sancta Maria" y es verdat.
(Pag. 9 vto.) Item dize el dicho procurador fiscal quel dicho mossen Miguel continuamente tiene mucha platica con moros y judios y desciende del linaje dellos y esto es verdat.

21.- Gonçalvo de Hueste (sastre, vecino de bubierca).

Item dize el dicho procurador fiscal quel dicho Gonçalvo "no dexa llevar condela ni oblada a la yglesia diziendo que todo era fumo y burleria" y esto es verdat.
Item dize el dicho procurador fiscal quel dicho Gonçalvo ha costumbrado comer carne en cuaresma biernes y sabado estando sano y esto es verdat.

Item dize el dicho procurador fiscal quel dicho Gonçalvo desciende de linaje de judios y dixo una vez "que mientras se dixiesse el passo en la yglesia y se fiziesse la representación de la passion no quaria (creería) en la yglesia" y esto es verdat.
Item dize el dicho procurador fiscal quel dicho Gonçalvo una y muchas vezes "ha dicho que el es judio y es moro y es crisitano y que en la bolsa licua muchas nominas de moros" y esto es verdat.

22.- Joan de Sos (albardero, vezino de Morés).

(pag. 10) Item dize el dicho procurador fiscal quel dicho Joan de Sos en dia de Purin de los judios comio con los judios juntamente a una mesa de todos sus comeres y viandas judaycas y estuvo presente a la bendicion de los judios y respondia a ella "amen" y esto es verdat.
Item dize el dicho procurador fiscal quel dicho Joan de Sos muchas vezes ha comido con judios y en sus casas assi en sabados como en otros dias de sus haves y carne judayca y estuvo presente en la bendicion de la mesa y esto es verdat.

23.- Pedro la Pica (pastor, vezino de Aranda).

Item dize el dicho procurador fiscal quel dicho Pedro la Pica ha dicho una y muchas vezes que no creya el "que Ihesus Chisto Nuestro Señor huviesse tomado muerte y passion por los pecadores sino que aquel que los judios mataron o cruíficaron era algun discipulo de Ihesu Chisto" y esto es verdat.

24.- Joan de Deça (labrador, vezino de Villaluenga) (CONVERSO MORO).

(pag. 10 vto.) Item dize el dicho procurador fiscal quel dicho Joan de Deça desciende de linaje de moros y assi ha comido muchas vezes con los moros de sus aldacas y carne travesada por ellos y esto es verdat.
Item Dize el dicho procurador fiscal quel dicho Joan de Deça ha guardado el biernes por honrra de la secta mahometana y dixo por un moro nuevo que Dios le perdonasse a su Ley y esto es verdat.
Item dize el dicho procurador fiscal quel dicho Joan de Deça es criminosso y se fizo crimiadar como moro y esto es verdat.

25.- Martín de Menes el viejo (vecino de Ateca).

Item dize el dicho procurador quel dicho Martin de Menes es tenido cavando y ablando de la confesión, dixo "que diablo, que confesión, por este diablo de confesión, que todo es nada" y esto es verdat.

26.- Pedro Garcia, menor (vecino de Ateca).

Item dize el dicho procurador fiscal quel dicho Pedro Garcia, menor, "ha dicho una y muchas vezes que la virgen Maria no era virgen sino que era corrompida" y esto es verdat.

27.- Ferrando de Ravanera (vecino de Ateca).

(Pag. 11) Item dize el dicho procurador fiscal quel dicho Ferrando de Ravaneda "ha dicho una y muchas vezes que ninguno que fuesse bautizado no podia ser dampnado (dañado)" y esto es verdat.

28.- Domingo Garcia (vecino de Ateca).

Item dize el dicho procurador fiscal quel dicho Domingo Garcia "ha dicho una y muchas vezes que la virgen Maria no havia quedado virgen despues del parto" y esto es verdat.

29.- Maria Ximenez, muxer de domingo Parient (vecino de Ateca).

Item dize el dicho procurador fiscal que la dicha Maria Ximenez, muxer del dicho Domingo Parient una y muchas vezes "ha dicho en este mundo no me veas mal passar que en el otro no me veras penar" y esto es verdat.

30.- Joan Perez de Somer (vecino de Ateca).

Item dize el dicho procurador fiscal quel dicho Joan Perez de Somer una y muchas vezes "ha dicho en este mundo no me veas en el passar que en el otro no me veras penar" y esto es verdat.

31.- Pedro Albarez (sastre, vecino de Morés).

(pag. 11 vto.) Item dize el dicho procurador fiscal quel dicho Pedro Albarez sastre es grant renegador y costumbra renegar y blasfemar de Dios de Nuestra Señora y de todos sus Santos y por tal es tenido nombrado y reputado.
Item dize el dicho procurador fiscal quel dicho Pedro Albarez "una y muchas vezes en juego y fuera de juego ha dicho reniego de la puta de la virgen Maria" y esto es verdat.

Item dize el dicho procurador fiscal quel dicho Pedro Albarez ha dicho "reniego de ti Dios que no me puedes hazer mal ni bien" y esto es verdat.

Item dize el dicho procurador fiscal quel dicho Pedro Albarez desciende de linaje de judios y de moros y por tal es tenido y reputado.

32.- Leonis de Aragon (Cristiano nuevo, vecino de Arándiga).

Item dize el dicho procurador fiscal que el dicho Leonis de Aragon, crisitano nuevo, una y muchas vezes despues que se convirtió a nuestra fe católica ha costumbrado degollar y degollava las haves al modo judayco y esto es verdat.

33.- Marien de Belbis, mujer de Yuçe de Arebalo (vecina de Villafeliche). (CONVERSA MORA).

(Pag. 12) Item dize el dicho procurador fiscal que la dicha Marien de Belbis, mujer que fue de Yuçe de Arebalo, siendo como es mora acosejava y ha aconsejado a algunos moros que se querian hazer cirsitanos que no lo hiciesen retrayendoles de su buen proposito y esto es verdat.

34.- Maria de Sus, mujer de Lope Navarro (vecina de Ibdes).

Item dize el dicho procurador fiscal que la dicha Maria Sus assi mesmo "havia dicho por muchas vezes en este mundo no me veas mal passar que en el otro no me veras penar" y esto es verdat.

Item dize el dicho procurador fiscal que la dicha Maria Sus dixo "que como el capellan amerava (derramaba) el vino en el caliz que tambien podia ella echar agua en la cuba" y esto es verdat.

Item dize el dicho procurador fiscal que la dicha Maria "ha dicho asi mesmo que havia dos paraísos y que esso le dava ir al uno que al otro" y esto es verdat.

35.- Diego Munyoz (labrador, vecino de Ariza).

(Pag. 12 vto.) Item dize el dicho procurador fiscal quel dicho Diego Munyoz dixo en presencia de muchas personas ablando de los nuestos y de los pobres tales palabras mas queria ser judio y levar capirote y entrar en la sinoga y tener que comer que no ser crisitano y no tener que comer y esto es verdat.

36.- Maria Sanz, mujer de Lope de Sancta Maria (vecina de Calatayud). BIGAMIA, NO JUDIA NI MORA.

Item dize el dicho procurador discal que la dicha Maria Sanz se caso y contraxo matrimonio por palabras de presente o faltim de futuro con Lope de Sancta Maria, texedor, vezino de la ciudat de Calatayut diziendo assi yo Maria Sanz juro a Dios y a los Santo quatro evangelios que por mis manos toco de no tomar otro marido ni esposo sino a vos Lope de Sancta Maria y el dicho Lope dixo lo mesmo y assi se besaron según que en semejante acto esposado y esposadolo costumbran fazer y esto es verdat.

Item dize el dicho procurador fiscal quela dicha Maria Sanz y el dicho Lope de Sancta Maria despues de lo suso dicho consumaron (pag. 13) el dicho matrimonio mete copula carnal es assaber durmiendo en una cama el uno con el otro como marido y mujer y esto por muchas vezes y tal de los suso dicho fue era y es la voz comun y fama publica en la presente ciudat de Calatayud.

Item dize le dicho procurador fiscal que los dichos Maria Sanz y Lope de Sancta Maria se han jactado uno y muchas vezes en presencia de fidedignas personas como eran deposados y uno con el otro y esto es verdat.

Item dize el dicho procurador fiscal que la dicha Maria Sanz despues de haver fecho los dichos desposorios y haver consumado el dicho matrimonio por copula carnal y haver viviendo el dicho Lope de Sancta Maria se ha desposado otra vez por palabras de presente y publicamente con uno llamado Diego de Lobera, vezino de la dicha ciudat de Calatayut con el quel ha vivido y vive publicamente como marido con mujer y por tales son tendios nombrados y reputados y esto es verdat.

37.- Mahoma el Mexo (alfaqui, vecino de Almonacid de la Sierra). (MORO)

(pag. 13 vto.) Item dize el dicho procurador fiscal quel dicho Mahoma el Mexo, alfaqui, ha dicho una y muchas vezes ablando del sacramento del altar que los clerigos tenian enganyado todo el mundo y que un fayre havia fecho bien que se havia tornado moro en granada y que los cristianos tenian por Santo al Papa y pro mas que Dios y que mas fazia que no Dios y otras palabras contra nuestra fe católica .

38.- Joan Martinez (vecino de Arandiga). JUDAIZANTE.

Item dize el dicho procurador fiscal quel dicho Joan Martinez dixo ablando de la inquisición "que casa de inquisición que casa de traycion que toman por testigos a tacanyos, putas y rufiantes y tales son los inquisidores como ellos" y esto es verdat.

Item dize el dicho procurador fiscal quel dicho Joan Martinez "ha dicho muchas vezes que todo lo que se fazia en la inquisición era falso y malo y que no tomavan sino los riquos" y esto es verdat.

Item dize el dicho procurador fiscal quel dicho Joan Martinez una y muchas vezes ha comido carne de la carniceria de los judios degollada con su ceremonia y ha comido assi mesmo carne en cuaresma estando sano y esto es verdat.

(Pag. 14) Item dize el dicho procurador fiscal quel dicho Joan Martines procuro y trabajo por todas sus guertas con un judio que havia deposado en la inquisicion contra Pedro la Cabra, que se desdixiesse prometiendole dar Dios por ello y esto es verdat.

39.- Joan de Gotor (vecino de Arándiga).

Item dize el dicho procurador fiscal que ldicho Joan de Gotor una y muchas vezes ha comido con judios a una mesa juntamente con ellos de sus haves y viandas judaycas y estava presente a la vendicion que ljudio dava en la mesa y esto es verdat.

Item dize el dicho procurador fiscal quel dicho Joan de Gotor ha comido hamin y nuevos aminados guisado en la juderia el viernes por el sabado y esto es verdat.

Item dize el dicho procurador fiscal quel dicho Joan de Gotor corregia a los judios en sus oraciones es quando no les dezian bien ensenyandoles como las havian de dezir y esto es verdat.

40.- Joan Candelero (vecino de Calatayud).

(Pag. 14 vto.) Item dize el dicho procuradro fiscal quel dicho Joan Candelero una y muchas vezes "ha dicho que la inquisición no se fazia sino por robar y tomar dinero y que a los inquisidores haverlos rastrassen las mulas y que nunqua mas tornassen a Calatayut" y esto es verdat.

41.- Dianira de Lanuça (cristiana nueva, vecina de Illueca).

Item dize el dicho procurador fiscal que la dicha Dianita de la Nuça despues que se convertio a nuestras sancta fe católica ha costumbrado guardar y ha guardado el sabado no faziendo tanta facienda como en otros dias encendiendo el biernes a la tarde muchas lumbres por honrra del sabado y esto es verdat.

Item dize el dicho procuradro fiscal que la dicha dianyra de la Nuça despues que se convirtió ha costumbrado sacar y ha sacado las grassas de la carne y landrezilla de la pierna estando cruda y las mandava sacar y quitar a sus moças como lo fazia quando era judia y esto es verdat.

Item dize el dicho procurador fiscal que la dicha Dianyra de la Nuça los domingos y dias de fiestas mandadas guardar por la madre sancta yglesia (pag. 15) ha costumbrado fazer facienda y la fazia fazer a sus moços y moças como quando era judia y esto es verdat.

Item dize el dicho procurador fiscal que la dicha Dianita va muy pocas vezes a misa y casi nunqua y esto por razon de la poca devocion que tiene a la misa y al sacramento del altar y esto es verdat.

Item dize el dicho procurador fiscal que la dicha Dianita de la Nuça haviendola comulgado una vez y recebido el sancto sacramento de la eucaristía lo escupio de la boca y lo echo y esto es verdat.

42.- Pedro Garcia (vecino de Ateca)

(No hay nada de contenido, sólo el nombre.)

1.- PROCESO CONTRA PEDRO CASADO

INTERROGATORIO DEL FISCAL AL ACUSADO.

Die XXII augusti anno Mº Dº VIIII. Calatayubii.

- (Pag. 1) Eadem die el reverendo sennor mossen Luys de Maluenda comisario de la sancta Inquisición por el Reverendo sennor doctor Domingo Romero, inquisidor es mediante juramento en forma debierso prestado amonestado en forma a Pedro Casado vezino del lugar de Paracuellos para que dixiesse de si de mas todo lo que supiese moviere visto y el mesmo fecho o dicho que sea contra nuestra sancta fe catolica.

El dicho Pedro Casado respondio que el no es enemigo de nuestra sancta fe catolica sino solamente de jurar a Dios, endo juro a Dios pesar de Dios y de nuestra Señora y que esto algunas vezes y no muchas y que de sto es mucho pecador.

(Pag. 1 vto.) In sup primo articulo dixo que el no sabe silo es a no porque no conocio a sus aguelos (abuelos) es verdat que ha oydo dezir que su aguello de aorte de oadre era confesso que se dezia Joan Casado.

In sup II articulo dixo que quanto a lo del spiritu Sancto que el nunca tal ha dicho que a el se le recuerde quanto a lo del renegar y basfemar refiriese a lo que ha dicho.

Preguntado si se quiere defender de lo que se prueva contra el que darsele ha copia dixo que no se queria defender (pag. 2) ante lo denunciado por su reverencia para que si alguna culpa tenia desto que es puesto aparejado a recebir la penya que por su reverencia le sera impuesta lo acatara.

TESTIGOS DEL PROCURADOR FISCAL CONTRA EL ACUSADO.

- Eadem die comparece ante reverendo domino comisario Maria Ximenez, viuda mujer que fue de Marco Xavar, que desta ciudat juravit in forma

Dixo que ella no sabe o no cosa sino que vivendo esta deposante en Paracuellos de Xiloqua al tiempo que vino la inquisición y para despues que vino despues de la muerte del inquidor mastre Epila cantando ciertos mayores andrantes de alli del lugar que no se le acuerda que son agora, dize que cantavan que es cierto que prosa cantavan lo que escierto que era de los convessos, dize que stando cantando uno llamado Pedro Casado que en el dicho lugar de Paracuellos amenazo a los (pag. 2 vto.) desos mayores diciéndoles que se callasen sino que le callava sendas zarabandas y dize que le parece que en la dicha profanabravan a mastre Epila y por esso le pareceran bien que el Pedro Casado dixo que mastre Epila, y dize que los dichos mayores separaron y despues esta deposante les fizo tornar a cantar diciéndoles que no formasen miedo.

SENTENCIA: PENITENCIA MANDADA POR EL PROCURADOR FISCAL.

- Die VII septiembre hoc el reverendo sennor Domingo Romeo inquisidor por algunos instos respettos al dicho Pedro Casado habitante en Paracuellos de Xiloca que lieve un (borroso) de cinquo libras a nuestra senora de la guerra presente alli en la señora y que faga dezir alli una misa teniendo una candela en la mano y que para que se diga alli cinquo misas y que de alli la almosna (limosna) que le pareciere, y esto lo absolvio. Testes: Johanes de Miedes, alguazinus, Martines Adrian, cives Calatayubii.

2.- PROCESO CONTRA JOAN CORTES

CONFESION DEL ACUSADO ANTE EL FISCAL.

Die XXIII augusti anno M° D° VIIII, Calatayubii.

- (Pag. 3) Eadem die coram dominio comisario Dominico de Maluenda comparvit vocatas Johanes Cortes, çapatero habitant loci de Fuentes de Xiloca al qual se le amonesto que si havia dicho algunas palabras o fecho cosa alguna que fuesse contraria a la sancta fe católica e ley evangelica que lo haviesse de dezir y confesar, libremente sin mas processo, cosa y tratado con mucha concorda donde no lo quisiesse haver que siquiera el orden del dicho.
El qual dicho Joan Cortes dixo que manifesta toda la verdat de las cosas que le ocurriera y que si por ello es merecia y porque alguna le plazia le fuesse impuesto in sometiendose a la madre sancta yglesia.
Et si el dicho que diprosse (dispuiese) las cosas que le acordava, el qual dixo que una vegada passando por la ferreria en el dicho lugar de Fuentes burlando le dio un golpe en el stomago (pag. 2 vto.) un ferrero que estava alli de lo qual cayo amortecido y de que se retorno dixo que del es reo de Dios no es santo el anima.
Mas dize que jugando a los fraques con Joan Ximeno, vezino de alli de Fuents en la plaça y dandole sus a este interrogado y confirente dixo este jugando "sancta Maria que pretor me ha parado"; despues baniaban alli quatro o cinquo mancebos dezianse unos a otros "fijo de la puta vieja" y "fijo de la puta vagaza" y que eneste quontante dixo este interrogado "no quexa puta vieja", dixole entonces un Joan Marco "que ha dicho de nuestra sennora" y a la hora este interrogado le dixo que mentia que no lo havia dicho que nuestra Sennora sino que respondia a lo que decian lo moços y esto dize es lo que passo y que no passo mas en esto. Deinde el dicho sennor comisario retrivo juramento en forma que dixiesse verdat sobre lo que havia interrogado.

INTERROGATORIO DEL FISCAL AL ACUSADO.

(Pag. 4) Interrogado sup III articulo cedule fiscalis respuso que como le tenia ha dicho algunas vezes descreo de Dios y pesar me torne Dios y semejantes palavras por que no la renegado de Dios.
Interrogado sup IIII articulo dize que no la dicho por nuestra Sennora las dichas palabras sino por los otros como la dicha confesado y dixo que del decreto y pessar de Dios y a sela confesado y ha fecho penitencia por ello y que de nuestra Sennora dixo las dichas palavras.

EL FISCAL LO MANDA ENCARCELAR.

Et el dicho sennor comisario vista su confesion e la información que contra el hay diole por carcel al dicho Joan Cortes en lugar de Fuentes con sus terminos, y mandale no salliesse deste termino y carcel so pena de confieso y con convicto es y pena de D (500) florines.

TESTIGOS DEL PROCURADOR FISCAL CONTRA EL ACUSADO.

Die XXIIII augusti anno M° D° VIIII. Calatayubii.

- (Pag. 4 vto.) Eadem die instate procurador fiscales dictus fue testimoni defuit et illico per dixit Dominicus Martin habitator loci de Fuentes que fuit e juravit.

Et dixit que oyo dezir al dicho Joan Cortes porque le havian lohado un pesso de florines y unas formas tales palabras pessar de Dios y de quantos Sanctos, y que dixierndole este testimonio Joan Cortes por que hablas essas lo mas que Dios ni los Sanctos nos y merecen, dixo el dicho Joan Cortes pesar de Dios y de Sancta Maria y en contesta este testimonio dixole de dexadola a abra des la buena muger y agora meteysla dentro e assi no passo otra cosa.

Die XXII augusti anno M° D0 VIIII. Calatayubii.

- (Pag. 6) Eadem die coram reverendo domino Ludovico Maluenda comisario sancte inquisicionis compares Johanes Serrano, scolasticus gramaticus, habitatoris loci de Fuentes de Xiloca, veniens per dicti juravit de veritate dicenda et virtute juramenti exoneras suma consciencia deposuit prons sequit.

Dize el presente deposant ser verdat que conoce a uno llamado Joan Cortes confesso çapatero vezino del lugar de Fuentes de Xiloca, y dize que havia dos anyos poco mas o menos que stando unos jugando a la puerta del dicho Joan Cortes no se acuerda a que juego, vino a dezir uno de los que stavan alli que no se acuerda quien era, salvo que nombrando aquel tal a Nuestra Sennora, hoyo este deposant como el dicho Joan Cortes acudio y respondio a estas palabras, "essa puta vieja es", y dize que no sabe si lo dixo por nuestra sennora o por otra, y dize que stavan presentes alli y que lo sabian mexor que el uno llamado Moan Março, texedor, Anthon Pien, labrador y Hieronimo el Ferrero del dicho lugar de Fuentes, y dize que otra vez le hoyo dizir al dicho Jooan de Fuentes por cierto enoxo "mal grado haya Dios alla donde esta" y dize que quando tiene malenconio es un muy gran blasfemador y jurador y que quando no tiene enoxo que no lo es (hecha la declaración se la leyeron).

Die XXV augusti anno M° D° VIIII. Calatayubii.

- (6 vto.) Eadem die coram reverendo domino Ludovico de Maluenda, comisario dominicus de Galbe, procurador fiscal fuit repondio dictus predictus testis Johanes Serrano sup dicta sua deposiciones et juravit et retavit dicta suma deposiciones. Et posit modum fuit sibi lecta ad eis peticiones et perseveravit jura eam ratificando et interrogavit.

Dixo que las dichas palabras "dessa puta vieja" es que el dicho Joan Cortes las dixo consentiente luego apres que nombraron alli a Nuestra Sennora la Virgen Maria sin passar otras palabras algunas y dixo que de ser confesso el dicho Joan Cortes no lo sabe de cierto si no que lo ha hoydo dezir (hecha la declaración se la leyeron). Testes: Michel Perez, prebiter vicallaribus e Michael de Carenas, presbiter civitas Calatayubii.

- Eadem die coram dicto domino comisario comparvit venientes predictus Martinez Blasco, Textor habitant loci de Fuentes de Xiloca juravit predictum et dixi qui sequitur.

Dize este deposant que por una o dos vez vezes ha hoydo sobre juego blasfemar de Nuestro Sennor Dios a Joan cortes, al qual conoce bien, çapatero qui es del dicho lugar de Fuentes de Xiloca, diziendo "reniego de Dios o descreo de Dios", no es cierto este deposant de qual destos dos modos blasfemo pero del uno es cierto. Et hoc dixit per juramentum.

- (pag. 7) Eadem die coram pressato domino comisario et compares venientes predictus et Anthonius Ximeno, agrícola vicinus loci de fuentes de Xiloca, juravit per Deum et posuit pront sequitur.

Dize est deposant ser verdat que conoce a Joan Cortes, çapatero, el qual dize que es confesso y vezino del lugar de Fuentes de Xiloca, y dize que habra dos anyos poco o menos que stando jugando a la puerta del dicho Joan Cortes ciertos del dicho lugar, entre los quales le acuerda que havia uno llamado Johan Marco, texedor y Joan serrano y otros que no le acuerda agora quien son, y dize que uno de los que jugaban alli dixo "valas tiene la virgen Maria y como me dize ami, vio y hoyo este deposant como el dicho Joan Cortes, acudio y respondio con estas palabras, diziendo, "essa una puta vieia es" y dize que fue resprendido por alguno que stavan alli dello. Et hoc dixit per juramentum.

Die XXV augusti anno M° D° VIIII. Calatayubii.

(Al día siguiente le leyeron al testigo la declaración que hizo el día anterior) Eadem die coram reverendo domino Ludovico de Maluenda, comissario est fuit rerepondit dictus Antonius Ximeno (pag. 7 vto.) testis, Dominicus de Galbe procurador fiscales et interrogatus recitavit suma deposiciones et eten lecta eam ratificando in ea in omnibus presenciavit. Testes qui supra.

- Eadem die coram prefacto domino comisario et compares et vinyentes predictu et Joannes Março textor habitator predicti loci de Fuentes qui juravit per Deum et juramentum respondit qui sequitur.

Dize este doposat que el conosce a uno llamado Joan Cortes Çapatero vezino del lugar de Fuentes de Xiloca que segunt se dize es confeso y dize que havra cerqua de dos anyuos poco o menos que stando este testigo jugando contra el dicho Joan Cortes e con otros a la puerta del dicho Joan Cortes sobre un poyol y dize que estando este deposant cabe el dicho Johan Cortes y jugando cen el no le acuerda agora a que juego era, salvo que diziendo este deposante "o valas me la virgen Maria" y como me dize mal vio como el dicho Joan Cortes acudio a esto y respondio estas palabras, "essa puta vieja es", y dize que luego por este deposante y por otros que stavan alli fue reprendido dello, aunque despues negava que no havia dicho tal y de las que stavban alli presentes y eran Anthon Ximeno, Joaan Serrano, Hieronimo (pag. 8) el Ferrero y Domingo Martin, labrador y otros del dicho lugar que no le acuerda agora quien son, y dixo mas que el dicho Joan cortes es un hombre que con enoxo blasfema mucho de Dios. Et hoc dixit dictus per juramentum (hecha la declaración se la leyeron).

Die XXV augusti anno M° D° VIIII. Calatayubii.

- Eadem die coram Ludovicus de Maluenda comisario et Dominicus de Galbe, procurador fiscales fuit respondit predictus testis vocatus Johanes Março sup dicta depossicionem et per interrogavit per juramentum recitavit suma deposiciones et ea sibi lecta et et ratificando eam perseveravit in ea in omnibus et prima et addenda dixo que sea acuerda que jugaban a las site tablas o a las cartas, mas que es mas cierto que jugaban a las site tablas este testigo y el dicho Joan Cortes y los otros y que mas no y sabe per juramentum. Testes qui supra.

- (Pag. 8 vto.) Eadem die coram preffacto dominos comisario et comparescientes Dominicus Morata, filius Francicus Morata, habitatoris loci de Fuentes de Xiloca...predicto juravit per Deum et deposuit provit sequitur.

Dize este deposante que agora por sant Joan a mas cerca passado rinyendo Joan Cortes çapatero vezino de Fuentes de Xiloca con un cunyado suyo llamado Joan Vicent de fuentes de Xiloca. Et dicho Joan Cortes vino a blasfemas de Dios diziendo "reniego de Dios y de quein me pario y de quien me fizo o descreo de Dios y de quien me pario y de quien me fizo", no se acuerda en qual manera destas dos basfema salvo que de la una es cierto. Et hoc dixit poer juramento. (hecha la declaración se la leyeron).

- Eadem die coram preffacto domino comisario compares tenientes per dictum Hieronimus Vileilla faber ferrarisu juravit per Deum et et per juramentum dixit se fore quo sequitur.

(pag. 9) Dize este deposant que conoce a Joan Cortes çapatero vezino de Fuentes de Xiloca, el qual segunt fama publica en el dicho lugar es confeso y dize que habra diziocho meses a su parecer, a un que no es cierto del tiempo que jugando a su puerta del dicho Joan Cortes en donde jugaba el mesmo Joan Cortes no se acuerda si jugavan a tablas o a naipes y estando mirando este deposante como jugavan, y diziendo el uno de los que jugava que no se acuerda quien era, "o valas me la virgen Maria que juego pierdo" vio y oyo este deposante como el dicho Joan Cortes acudio y respondio diziendo estas palabras "essa puta vieja es" y dize que alli fue luego reprendido dello y el conto negava que no havia dicho tal cosa a lo menos a la fin que los presentes la havia entendido de los quales de las que le acuerdan eran Johan Serrano, Joan Março, Domingo Marin y este deposante vezinos del dicho lugar, y otra vez con enojo le hoyo descreer de Dios por dos o tres vezes al dicho Joan Cortes con enoxo que tenia. (hecha la declaración se la leyeron).

Die XXII augusti anno M° D° VIIII. Calatayud.

(Pag. 9 vto.) Eadem die coram dicto domino comisario comparvit Petrus Bazcancerib habitant loci de Fuentes de Xiloca et pre dictum juravit per Deum et per juravit dixit sesture quide sequitur.

Dize este deposante que puede haver dos anyos o por hay que jugando a las tables o a los naypes en el dicho lugar uno llamado Joan Cortes çapatero habitant en el dicho lugar y jugando con otros al poyo de su casa y mirando este testigo el juego, dixo el uno dellos "valame la virgen Maria que al me dize" y la ora respuso y dixo el dicho Joan cortes "essa una grant puta vieja es", y dixole uno llamado Joan Março de alli de Fuentes "o cuerpo de tal con el puto viejo que haveys dixho" y el dicho Joan Cortes respondio que ha dicho y el otro le dixo que haveys dicho tales y tales (Pag. 10) palabras rentandole las sobredichas que havia dicho segunt que arriba e francriptas y a la ora el dicho Joan Cortes le dixo por Dios que mentis como ruyn hombre y en esto este testigo se fue de alli con uno llamado Joan Serrano que le aparto y se fueron dambos y confabularon los dos de las dichas palabras pa reciendoles haver si mal dichas palabras e no hoyo mas que ha blasfen (blafema) sobrello. Testes: mismo se dize saben Joan del Moral y Joan de Eyerbe, menor. (hecha la declaración se la leyeron).

NO HAY TESTIGOS DE LA DEFENSA NI SENTENCIA.

3.- PROCESO CONTRA MARIA PEREZ DE MOROS

CONFESION DE LA ACUSADA ANTE EL FISCAL.

Die XIIII agusti anno M° D° VIIII.

(Pag. 12) Eadem die el dicho sennor comisario de monesto en forma a Maria Perez de Moros, viuda muger que fue de Miguel Cortes y madre de Garcia Cortes, habitantes en el lugar de Terrer que si alguna cosa ella havia dicho o fecho contra nuestra Sancta (Madre iglesia), como es haver observado ritos o ceremonias judaycas, comido del pan cencenno de los judios de sus viandas o otros semejantes cosas, o que las viesse visto fazer que lo confesasse, et la qual dixo que no era de las cosas sobredichas ni de otras algunas que fuesse contra la fe por que dize ella nunca conocio a su padre, el qual se dezia Felipe Perez de moros y de su madre la conocio muy poco tiempo en qual se dezia mal alma daça a todo su pensamiento.

INTERROGATORIO DEL FISCAL A LA ACUSADA.

Et fecho lo sobre dicho el dicho sennor comisario mediante juramento interrogo sobre los articulos denunciados (pag. 12 vto.) a la dicha Perez que respondio ut sequitur.
Interrogado sup I e II articulos denunciados niega que no nunca lo vido haver ni lo fizo.
Iterrogado fuit si tenia enemigos alli dixo que no ni sabe que ninguno tenga enemigos.
Interrogado si sabia de testigos que contra ella deposaban ante el sennor inquisidor dixo que ella no sabe y que ella faze lo que por el sennor inquisidor mandase.

DEJAN EN LIBERTAD A LA ACUSADA.

SENTENCIA.

Die XVI marçii anno Mº Dº decimo aljaferie

(Pag. 13) Eadem die el reverendo sennoR domino Domingo Romeo inquisidor atendida la confesión de la dicha Maria Perez de Moros y que a el le consta ser mujer de buena sana y de buena cristiana y de virtud y por otros justos resparos absolvio a la dicha Maria de la instancia del presente processo, simplemente y no res menos por alguna sorpresa que contra ella podria reservar la condeno y a que dasse y pagasse para las necesidades del sancto officio e para lo que a su reverencia parecera. Testes: mossen Miguel Perez, bachiller prebistiero beneficiado en el lugar de Fuentes de la Comunidad de Calatayut, Diego Lopez de Monroyo, familiar del dicho sennor inquisidor.

TESTIGOS DEL PROCURADOR FISCAL CONTRA LA ACUSADA.

Die XVIII augusti anno Mº CCCC L XXXX VIII apud locum de Belmont.

(Pag. 14) Eadem die coram reverendo domino Miguel Navarro iqnuisiotre comparvit Justinus Torres, agricola habitatoris loci de Torres, qui santiguando e dito est juravit inposse poer Deum dim inquisitoris per dicutm et juramentum respondit se save quod sequitur.

Dize esta deposante ser verdat que habra un anyo y medio poco mas o menos que estando un dia este deposante en el lugar de Terrer vio como la madre de Garcia Cortes, Joan Cortes y Miguel Cortes que bive en Terrer cuyo nombre este deposant ygnora habrio una pierna de carne por medio y saco della la glandezilla y las grassas que cabe ella estan al modo judayco per juramentum (hecha la declaración se la leyeron). Testes: Franciscus de Contamina et Johanes Martinez, notarius, habitantoris Calatayubii.

4.- PROCESO CONTRA DOMINGO LOPEZ

EL FISCAL INTERROGA AL ACUSADO (NO HAY ACUSACIÓN PREVIA).

Die XXIIII augusti anno Mº Dº VIIII.

(Pag. 16) Eadem die dominus comissario mediante juramento compareció Domingo Lopez habitante loci de Bubierca que si havia dicho algunas palabras hereticales contra nuestra sancta fe o fecho cosas algunas en su judicio de aquella se havia tractado con misericordia et el qual dixo que no havia dicho ni fecho tal cosa.
Deinde fuit Interrogado sup octavo articulo dixo que no hay tal cosa dello, pero que algunas vezes ha dicho que ser de Dios.
Interrogatus si tenia algunas enemigos dixo que no los tiene que el sepa.
Interrogado si quiere copia de los denuncias dixo que no antes dize que dexa la causa discreción del sennor inquisidor y que si alguna prueva le pareciere que se le deva dar que esta enparejado y a cumplirla.

TESTIGOS DEL PROCURADOR FISCAL CONTRA EL ACUSADO.

Die XXVIII julii anno Mº CCCC LXXXVIII.

- (Pag. 16 vto.) Eadem die coram reverendo domino Martino Navarro inquisitore comparvit Micael de Mesa, agricola habitator loci de Vixueca, teste pre dicti qui in posse dicte domini inquisitori juravit per Deum sup crucem et virtute ura deposuit ut sequitur.

Dize este deposante que havra diez annos poco mas o menos que uno llamado Domingo Lopez habitant en el lugar de Bubierca un dia estando en su puerta han, endo malenconia con los de su casa que a este deposante no le acuerda, quien eran oyo quel dite Domingo Lope dixo estas palabras "pesar de Dios y de la puta de su madre y del royn de su hijo" y despues este deposante ha oydo al dicho Domingo Lope muchas y diversas vezes renegar de Dios y de sancta Maria (hecha la declaración se la leyeron).
- 478 -

NO HAY SENTENCIA.

5.- PROCESO CONTRA MARIA DE PINA

EL FISCAL INTERROGA AL ACUSADA (NO HAY ACUSACIÓN PREVIA).

Die XXV augusti anno domini M° D° VIIII. Calatayut.

- (Pag. 17) Eadem die dominio Ludovicus de Maluenda comisario sacte inquisicionis mediant jurament in forma Mariam de Pina uxorem que fuit Joanis de Sant Martin habitatoris loci de Ateca in fide que si despues de su conversión apres que fue bautizada havia tenido alguna error en la sancta fe católica cristiana o se havia arrepentido por se haver tornado cristiana o havia fecho oficiado ritos o ceremonias de judios o comido carne en dias de viernes o sabado o en dias de cuaresma o de otros dias de ayunos mandados sin necesidad alguna que todo lo dixiesse luego assi de si como lo de otros supiesse porque porque tractada dixo que no havia fecho ni dicho ni tenido error alguno en nuestra sancta fe ni fecho las cosas sobredichas que ella acuerda ni las sabia de otro.

- Deinde fuit interrogada sup XI articulos denunciados eiden dixo que no se acuerda haver ablado palabras.
(Pag. 17 vto) Interrogato sup XII articulo dixo que no le acuerda haver dicho tal salvo que ha tres annos que estuvo de mal de modurrala y que desvariaba y que entonces la sangraron y que puede ser que entonces dixiesse dichas palabras.
Interrgado sup XIII articulo dixit que yendo a las bodas de su fijo en Castilla comio morçao de carnero en sabado como los comian los otros pero que en Aragon no las ha comido en sabado ni otra cosa que sea ella quonteniendo sana. (hecha la declaración se la leyeron).
Interrogada (a continuación) si se queria defender de las dichos testigos o si estava aparejada de cumplir la pennia que se fara dada dixo que no se queria defender sino que dexava e deso su causa a discreción del sennor inquisidor y que estava aparejada pa cumplir la pennia que le ha dada.

TESTIGOS DEL PROCURADOR FISCAL CONTRA LA ACUSADA.

Die XXX Marcii anno M° D° VI. Aljaferie.

Eadem die coram domino Bartholome Vinar, inquisitore comparvit per dictum Anthonius Bonet, ciruchicus, penitenciarius deduobus matrimoniis habitor loci de Atequa qui juravit per Deum et per juramentum dixit estire quod sequitur.

Et primo dize que el tiene por vezinos a lo costado de su casa paret en medio a los cristianos nuevos marido y mujer que son habitantes en el dicho lugar de Atequa que el se llama Joan de Sant Martin y el no sabe como se llama de nombre propio los quales fueron judios de la ciudad de Calatayut, En la qual casa se ato el otro cristiano nuevo que es medico y le parece que le dizen mastre Miguel y esta apensionado por medico en el dicho lugar y firme alli del octubre a esta parte, y dize que estando doliente la dicha mujer de Joan de Sant Martin que esta fue apres de Navidad mas cerqua passada y estans en la cozina de su casa la dicha mujer enferma, dize que de la camarodo este testigo dormia que no esta sino la paret en medio de la qual se hoye lo que se fabla en la dicha cozina de Joan de Sant Martin, dize que hoyo este testigo como el dicho medico dixo a la mujer del dicho Joan de Sant Martin, catat que hos trayo aquí esta preva de cozina y respondio la dicha mujer de Sant Martin que si guisada era de la costumbre que la costumbran fazer aqui no la tomare porque no me sabe buena y respondio el dicho medico y dixole a la dicha mujer de Sant Martin, no (pag. 18 vto.) de otra fuente esta guisada como soliamos en otro tiempo y fablole entonces a ella y el dicho medico en ebrayco y no entendio este testigo que le dixo en ebrayco sino que le respuso ella al dicho medico pues que assi es yo la tomare, y despues los dexo que stavan hablando en hebraico y este testigo dize no entendio lo que dezia porque no entiende el ebrayco.
Assi mesmo dize que en un sabado le vio comer a la dicha muger de Joan de Sant Martin de unas tripillas de ternero capoladas con queso y huevos y species que ella guisava, lo qual vido porque entro este testigo en su casa y la fallo comendo a la entrada de su casa en el proche y en tonces su marido no era en el lugar y dixole este testigo que como comia aquello siendo sabado y ello le respondio que bien lo podia comer pues que no era de la carne de la res que los menudos bien los podia comer pues que carne no era, este testigo dixole que aquello a la castellana yba que en sabado comian las menuncias de la res y dize que aquellas tripillas las havia tomado la dicha muger el miércoles antes y lo que comia era frio y no sabe quando se lo guiso, y fue quando lo fallo comiendo las diez oras ante de medio dia y comian ella y su fija gracia que es muchacha.

6.-PROCESO CONTRA PEDRO XIMENEZ

EL FISCAL INTERROGA AL ACUSADO (NO HAY ACUSACIÓN PREVIA).

(Pag. 20) Eadem die reverendo domino ludovicus Maluenda comissarius sancte Inquisiscionis ete mediante juramento in forma fuit recepta pronunciat in forma Petrum Ximenez justitia loci de Sestrica para que diga y confiesse si ha cometido algun error contra la sancta fe catolica o de otri lo sabe que lo faya fecho y de su contra diziendo lo que dar porque faziendolo assi senanando con mucha misericordia donde no que se faria justicia: Dixo y respondio que el no sabia que fuesse encargo de cosa que sea contra nuestra sancta fe catolica sino de caminar algunos dias de fiesta quando el sennor vizconde de biota lo envia a alguna parte.

(Pag. 20 vto.) Interrogado sup XV articulo dicte denunciaciones negavit contenta salvo de lo del canyar que ha dicho arriba.

Iterrogado sup XVI articulo dixo y nego lo contenido en el.

Interrogado XVII articulo negavit contenta in eo.

Interrogado sup XVIII articulo negavit juramentum.

Interrogado sup XVIIII articulo dixo que stando malo en cuaresma abia de quatro o cinco dias ha comido carne empo que nunca stando bueno.

Item dixo preguntado que le quieren mal muchos asi en sestrica assi mugeres como hombres a causa que este es mayordomo del sennor vizconde de Biota y tiene cargo de dar de cierta muchos y quando no hay porque no les da quierenle mal por ello personalmente vudiego de camarço sobre que le suyo echar preso.

Item si queria defender de los testigos (pag. 21) que han deposado contra el dixo que no se queria defender sino que dexava depo su causa a discreción de su reverencia y que esta presto a cumplir la penya que le sera dada por su reverencia con penitencia.

TESTIGOS DEL FISCAL EN CONTRA DEL ACUSADO.

Die XXVII Marcii anno M° D° XI. Aljaferie.

- Eadem die coram reverendo domino Pascasio Jordan, inquisitore comparvit dicte Michael de Galve procurator fiscalis qui in lodus placionis predicten in testen dicti fratre Joannem de Urrea de sup novatum qui fuit a dicte in testem et juravti im posse ... ut seguitur.

Dize que hoyo dizir uno llamado que crehe que se llama Ximeno fijo de Torinio vezino de Sestrica que es labrador natural de exea que no sabe donde anda este moço. (Pag. 21 vto.) dize que dixo a este deposant que havia hoydo dezir a uno llamado Pedro Ximenez, cristlano nuevo de Sestrica que le dixo que tanto queria morir en la Ley de moro como en la Ley de cristiano.

Et dize mas que queriendo yt a dezir misa en Sestrica faltandole el caliz el dicho Pedro Ximenez le dixo no hos cale caliz que yos dare una taça y no teniendo vestimento este dixo santel dicho Pedro Ximenez le dixo yo hos recortare presto un vestimento.

Et dize mas que hablando esta deposante con una mora que estava prenyada de Diego Ximenez fijo del dicho Pedro Ximenez diziendo este deposante a la dicha mora que se tomasse Cristiana sallandose alli ento antes el dicho Pedro Ximenez dixo a este deposante no le digays nada.

Et dize mas que podra haver seys o siete anyos que fue en el dicho tiempo (pag. 22) quiriyendo yr este deposant a bautizar al lugar de biver de Mores a un nieto del dicho Pedro Ximenez diziendo a este deposante que no havia pila en los dichos lugares, el dicho Pedro Ximenez le dixo yo vos en dare una terriza.

Et dize que hoyo dezir a uno llamado mossen Pedro Lopez, beneficiado de Sant Andres de Calatayut que una moça del dicho Pedro Ximenez le havia dicho que los sabados se juntavan en casa del dicho Ximenez los cristianos nuevos que que se juntavan pa hazer alguna cirimonia judayca y que sta moça dize que agora esta en exea y que no sabe como se llma ni de quien es fija. (hecha la declaración se la leyeron).

Die XXIIII febroarii anno M° D° VIIII. In aljaferie Çesaraguste.

- (Pag. 23) Eadem die coram reverendo domino Dominico Romeo inquisitore et compares venerable Petris Lopez, prebiterus qui juravit per Deum quod sequitur.

Dize este deposant que por tanto por cinco o seys anyos ha estado en el lugar de Sestrica y que estando alli de asiento ha tenido y tiene comonocimiento y alguna prqatica de un cristiano nuevo que bine alli y es justicia del dicho lugar que le llaman Pedro Ximenez del qual ha hoydo dezir que siendo judio le decían a su parecer Juçe Carrillo. E con esto dize que un domingo de ramos vide al dicho Pedro Ximeno llover o granizar y dize que este testigo lo reprendio de aquello y que no se acuerda que es lo que le respondio y que a esto se acerco una cristiana llamada Violante de Uncastillo de alli de Sestrica la qual lo vido y hoyo y el moro es de alli de sestrica llamado el Ferreruelo.

Mas dize que hoyo dezir al dicho Pedro Ximenez como estando el en Navarra judio con su muger casa y fijo y no teniendoles que dar de comer ni dineros pa mementarlo el se yba a dalguna parte que estava solitaria y que rogava alli al Dios de Moysen, o de habram, o de Jacob una destas razones y que luego hallaba alli dineros que se le parecian y quen el modo que lo dezia parecia que davase en aquello que era passado de su ley; y dize que ha hoydo dizir a la sennora Vizcondessa que esta misma (pag. 23 vto.) razon de los dineros gelo havia hoydo dezir al dicho Pedro Ximenez.

Item dize que un dia de sant Pedro Apostol le vido al dicho Pedro Ximeno henchir sacos de paja en una era de Brahen lumina, moro del dicho lugar y que la fazia levar y la levaba a su casa.

Item dize que hoyo dezir al sobre dicho que el primero dia de las rogaciones que el havia comido carne en su casa y que la havia dado a comer a los otros cristianos del lugar diziendo que bien lo podian comer y era carne degollada de moros lo qual hizouso y costumbre alli de no la comer y habiéndolo assi este testigo como cura que no la comiesen.

Item dize que hoyo dezir a Pedro de Aladonça habitante en Sestrica que el havia hoydo dezir al dicho Pedro Ximenez que la gracia de Dios ya era acabada que no havia gracia de Dios.

Dize mas que hoyo dizir a Pedro de Camarga, camarero y maestresala del dicho sennor Vizconde que el dicho Pedro Ximenez logava los domingos y fiestas mandadas por la yglesia una azemila que tenia a los moros y a otras personas y que sabia otras cosas malas del dicho Pedro Ximenez.

Mas dize que ha hoydo dezir a fray Joan Durrea, frayle de Sant Francisco que bive en Cambrón, que un dia no teniendo caliz pa dezir misa que le dixera el dicho Pedro Ximenez al dicho frayle yo vos enbiare una tacilla que no hayveys menester caliz et que yendo o queriendo yr a batizar otro lugar una criatura que dixera el dicho Pedro Ximenez no cal que yo vos ende dare una terrazilla.

Mas dize que hoyo dezir al dicho fray Joan que sabia como el dicho Pedro Ximenez havia storbado que una mora (pag. 24) no se fiziesse cristiana porque su fijo no se hoviese de casar con ella.

Mas dizeque hoyo dezir al dicho fray Joan Durrea que le havia hoydo dezir al dicho Pedro Ximenez tales palabras que buena era la cristiandad mas que mejor el conejo mas con el salmorrejo et alia multa.

Este Pedro Ximenez es muy rico y tiene sus bienes repartidos en Ebrea que tiene alli censales y deudoas y en Exea de los Cavalleros y en casa de una fija suya y alli en Sestrica.

Dixo mas este testigo que porque ello increpo de las dichas cosas al dicho Pedro Ximenez, y mas porque dixo a un cristiano nuevo que le dizen Joan de Linyan, habitant en Sestrica que sito bivia bien el dicho Pedro Ximenez que el lo notificaría a la inquisición y lo faria querria. El dicho Pedro Ximenez una noche con dos moros y su fijo Draguito emprendió matar a este testigo, y siendo dello havisado este testigo no sallio aquella noche, despues de havisado de su posada, y avisaronlo el sennorvizconde y la sennora Vizcondessa con un page que le enbiaron a su posada, y que apres se pusieron Pedro Bitgrian, vezino de Aninyon mucho amigo del Pedro Ximenez y mossen Miguel de Maçasde la Almunia entrellos, y poniendole algunos temores diziendo que lo amenaçaban a este testigo que diesse este testigo un albran de su mano de las cosas que havia dicho y sabido del Pedro Ximenez pa que se desdicesse dello (pag. 24 vto.) este testigo no lo quiso fazer salvo que dio de su mano un albaran de algunas cosas que del dicho Pedro Ximenez havia dicho e hoydo diziendo que no habia mas de aquello y que no se le acordaron todas las cosas que hahora ha dicho y que es verdat que ademas de lo que ha dicho sabe por publica voz y fama que dello hay en el dicho lugar de Sestrica como los sabados en su casa del Pedro Ximenez no fazen facienda como los otros dias ni habrian la puerta y que aquellos dias de sabados venian alli a casa del dicho Pedro Ximenez unos cristianos nuevos del lugar de Mores (hecha la declaración se la leyeron).

Die XXV augusti anno Mº Dº VIIII. Calatayubii.

- (Pag. 25) Eadem die coram perfato domino comissario compares Maria Cubera, vidua uxor qui fuit Bernardus Morellon qui habitant civitas Calatayubii, juravit por Deum de viritate dicenda et vitute e dicti e ponet fuit confessa est sequential.

Dize que ella tovo mucha pratica y darque que tomar con un moro llamado Andalla el Ruvio, canyanero de Villafelix, el qual era buen sastre y verdadero en todo lo que contratava con el a esta causa quando le dixeron que el dicho moro era muerto esta confessante acordandose que era bueno hombre de verdat no pensando lo que dezia dixo Dios leperdone a su Ley y que lo dixo como dize arriba no muy dando y no porque crea que los salvo ni nigun moro por bueno que sea se pueda salvar (hecha la declaración se la leyeron).

7.- PROCESO CONTRA MOSSEN MIGUEL ARNAL

EL FISCAL INTERROGA AL ACUSADO (NO HAY ACUSACIÓN PREVIA).

Die XXV augusti anno Mº Dº VIIII. Calatayut.

(Pag. 26) Eadem die el dicho sennor comisario quien mediante juramento en forma e derecho amonesto en forma acostumbrada y como arriba sta notado a mossen Miguel Arnal presbitero beneficacio en la iglesia del lugar de Moros.

Dixo y respondio que el nunqua cosa ha fe y hovido dicho que sea contra la inquisicion ni contra nuestra sancta fe catolica, per juramento.

Diende interrogado fuit sup denunciacione et primo sup XX articulo dixo que nunca tal cosa fizo, per juramento.

Interrogado sup XXI articulo dixo que nunca tal cosa fizo, per juramento.

Interrogado sup XXII articulo dixo que nuca tla cosa dixo.

Interrogado si se queria defender de los testigos que han deposado contra el, dixo que se (Pag. 26 vto.) queria defender porque pues el no era encargo de nada que no queria deparlo a discreción y con esto pidio copia de los testigos.

SENTENCIA.

E el dicho sennor comisario se la atorgo suis loco et tempore. E con esto mando al dicho Mossen Miguel que siempre que por parte de confesión de la santa inquisicion fuere llamado cacaratara de en las cosas de su habitacion paretcia personalmente ante su reverencia o ante el sennor inquisidor y dentro termino de diez dias y esto con pena de cincuenta florines aplicadores en tal caso a vos usos de preto officio. E el dicho mossen Miguel que presente era aceptado lo sobre dicho juro en forma de lo tener y cumplir assi ha la dicha pena.

8.- PROCESO CONTRA MARTIN DE AYMAR

EL FISCAL INTERROGA AL ACUSADO (NO HAY ACUSACIÓN PREVIA).

Die XXV augusti anno M° D° VIIII. Calatayut.

(Pag. 27) Eadem die el dicho sennor comisario mediante juramento en forma de drecho prestado amonesto en forma acostumbrada et a mastre Martin Daynar medico cristiano nuevo del lugar de Atecha.

El qual respondio que el no ha fecho ni dicho cosa que sea contraria a nuestra sancta fe católica sino creer todo lo que la sancta madre yglesia cree tan enteramente como ella lo cree y serir a Dios tan bien que cualquier cristiano catholico le pueda servir.
Deinde fuit interrogado sup contentis in denunciacione in XXIII articulo et negavit.
Interrogado sup XXIIII articulo dixo que ante que se pusiesse el edito en el qual mandaron quemar los libros (pag. 27 vto.) impresos en ebrayco este deposante toma libros scriptos en ebrayco e los quales leya este justiciado y que podria ser que alguno leyendole leer en los tales libros por esto digan que le han visto fablar en ebrayco y quanto a lo que dize que el fablo en ebrayco con una cristiana nueva doliente dize que a el no le acuerda tal cosa en su consciencia, per juramento.
Interrogado sup XXV articulo dixo que stando deliente una cuaresma que se purgo como pa dos dias carne enpo no satando sano y dize que esta cuaresma mas cerca passado comio estando doliente dos pares de suanos y que todo esto ya lo ha cofessado a su confesor y le ha absolvido dello.
Item dizo que no se que no se queria defender (de las acusaciones de los testigos), ante la dexo a discreción de su reverencia y de stava prescrito a fazer pa cumplir qualquiere penitencia que su reverencia le fuere impuesta.

9.- PROCESO CONTRA MARTIN GARCIA, ALIAS ANDRES

EL FISCAL INTERROGA AL ACUSADO (NO HAY ACUSACIÓN PREVIA).

Die XXV augusti anno M° D° VIIII. Calatayut.

(Pag. 29) Eadem die el sobre dicho sennor comissario de la sancta inquisicion y mediante juramento en forma de drecho prestado amonestado en forma solita (solícita) et per reteris de sup a Martin Garcia alias Andres del lugar de Villalba de Belmont de la comunidad de Calatayut.
El qual respondio que el no havia dicho ni fecha cosa que sea contra nuestra sancta fe catolica ni de otro lo sabe, per juramento.
Diende instante dito procurador fiscali sup dita denunciaciones interrogo sup XXVI articulo enden lecto intellecto respondio que ha mas de XX annos que posando a un tal de Bernat del lugar decrero muerto por el dicho lugar deste justiciado el qual trahian a enterrar aquel a Calatayut e ste justiciado dixo que adonde lo ha llevavan a enterrar y dixieronle que lo levavan a Calatayut a (pag. 29 vto.) enterrar al Carmen por causa que el dicho difunto havia dexado un majuelo al dicho monesterio, e este justiciado sobresto dixo por mi fe se grant son los misnistros de la yglesia mas valdria deparlo al bordeles (a los burdeles) que no a la iglesia y que stavan presente quando el dixo esto uno que se llamava mossen Anthon Vinayes y mossen Miguel maestro, clerigos del dicho su lugar de Villalba, per juramento.
Interrogado sup XXVII articulo dixo que el no ha dicha las palabras consentidas en el articulo, que es verdat que algunas vezes ha dicho ablando con algunas personas que dirian alguna cosa que no seria vedat dezir este interrogado estas palabras si esso que unos socios dezir es verdat Dios no es verdat et preguntado si lo que se depa a los dichas aprovecha para las dichas de quien lo (pag. 30) dexa, dixo que si cree que aprovecha porque el que depa tal cosa el buen fin tiene y gana merito a los que son de tales lepas usen mal dellas. Preguntado si es confesso o desciende de tal linaje, dixo que no le era ni desciende tal linaje.
E con esto dixo interrogado que el no se querra defender en esta su causa ante lo remitia y remitio la presente causa suya a su reverencia y al santo officio de la inquisición y stava presso a recebir cualquier penitencia que le sera impuesta con mucha paciencia.

TESTIGOS DEL PROCURADOR FISCAL CONTRA EL ACUSADO.

Die XXVII augusti anno M° D° VIIII. Calatayut.

- (Pag. 31) Eadem die coram per facto reverendo domino comissario sancta inquisicion compares Petrus Laurentinus, agricola vicini loci de Alhama juravit per Deum de veritate consistende qui juravit dicte conffesante sequenter.

Dize y confiessa que en el mayo mas cerca passado fueron a casa deste confessante Domingo Vaguena, pontador, Joan de Miedes, Pero Naharro, jurados del dicho lugar por ejecutar en predicta de pena que le savian e ha por causa que pretendian ellos que este confessante los havia amenazado y porque esto era falso que el no los havia amenazado por consiguiente le estavan aquella pena injustamente (pag. 31 vto.) y le querian fazer tal depation y dependose assi dexado a su razon con grande enojo que tomo que stava fuera de si y no si prendo ni parando mientes en lo que dezia ovo de venir a blasfemar y dezir reniego de Dios si mas pecha (impuesto ordinario) paguo en este lugar y que estas palabras dixo stando fuera de si con el gran enojo que tenia de la sin razon que le fazian y como quienquiera sea este confesante tovose haver de formal y lo conocio luego tal bien porque donde a tres o quatro dicho dixo las dichas palabras vino al dicho sennor comisario y se lo conto y cofesso superado como lo confiessa agora del qual se (pag. 32) repiente y demanda perdon y se somete por ello a su reverencia y al sancto officio de la inquisición y tal presto a recebir y cumplir con su apariencia qualquiere penitencia que le fuere impuesta.

Et dixo preguntado que el nunca dixo semejante jura ni blasfemia como esta ni la dice meiente que Dios le guarde el seso, per juramento.

10.- PROCESO CONTRA JOAN DE POMAR, ALIAS FIDALGO

EL FISCAL INTERROGA AL ACUSADO (NO HAY ACUSACIÓN PREVIA).

Die XXVII augusti anno M° D° VIIII. Calatayubii.

(Pag. 33) Eadem die el dicho sennor comisario mediante juramento en forma de drecho prestado el justament el dicho procurador fiscal a interrogación de Joan de Pomer, alias el hidalgo, vezino del lugar de Villaluenga en la forma siguiente.

Et interrogado sobrel XXXIII articulo de la dicha denunciacion a ello ydo y por el emedido dixo que es verdat que favra XXX annos que este deposante fue a Valençia y en Aljezira le desposaron por palabras de parte y mediante clerigo públicamente con una llamada Leonor que tanto tiempo ha que no sabe de quien era fija salvo que era moça de servicio de una parienta suya que stava en Aljezira llamada (pag. 33 vto.) Catalina de Pomar y esta su parienta fizo el cohabito y dize que tobo que fazer con la dicha su sposa conociendo aquella carnalmente y dize que stando assi vino a su noticia a mas la dicha su sposa era ya primero que hadale de sposa daron otro y assi vinieron sobreseo delante del officio de Valencia llamado mossen Joan Nuera, el qual por justicia cooncio deste caso y mando que la dicha su sposa tornasse con el dicho su primer sposo y a este interrogado dio por libre y le dio licencia que se pudiessera haver y le dio su carta testimonial desto lo qual traxo aca a esta tierra y la encomendo a uno llamado Martin Trigo que es pariente de la mujer que tiene aqua este deposanate, y assi ante que se tocasse otra vez un oficio la dicha letra al oficial de aqui que se llamava (pag. 34) mossen Daroca y el dicho oficial vista aquella le dixo sta bien que que mucho en ora buena que bien se poria (podria) casar y assi con esta se caso y esta casado con una mujer que se llama Joana Bellida natural del dicho lugar de Villaluenga. E dize que ha bien esto ha venido y vino ante los inquisidores y ellos le daron por libre destecaso, per juramento.

11.- PROCESO CONTRA VIOLANT DE LUNA

EL FISCAL INTERROGA A LA ACUSADA (NO HAY ACUSACIÓN PREVIA).

Die XXVII augusti anno M° D° VIIII. Calatayubii.

(Pag. 35) Eadem die reverendo dominus commissarius en mediante jurarmento in forma suis recepto y moment en forma conscient et supra aliis sancta videlis Violantem de Luna in fide neophitam uxorem que fuit Gasparis de Luna, pelligero sup ville de Illuecatem in fide neophiti, respondio que Dios ge lo demanden en este mundo y en el otro si ello es enemigo por esta parte a nuestra sancta fe catholica ni sabe de otro ninguna cosa.

Deinde fuit interrogada sup contentis in XXXVII arituculo denunciaciones et lecto respondit et negavit contenta in eo per juramento.

Interrogada sup contentis in XXXVIII articulo negavit contenta in eo per juramentum.

(Pag. 35 vto.) Interrogada sup XXXVIIII articulo negavit contenta in eo per juramento.

Interrogada sup XXXX articulo dixo e nego todo lo contenido en el como lo de los otros articulos per juramento.

Preguntada quien la quiere mal dize que uno llamado Bernaldino, cristiano nuevo le quiere mal por causa que seyendo el marido desta deposante almutaçaf de la dicha villa y el dicho Bernaldino tendero lo tomo en crencia falsa y le fizo pasar la pena.

Preguntada si queria defender a dexarlo a discreción de su reverencia y del sancto officio y dixo que no he guana defender sino que lo renuncia y remitio a discreción de su reverencia y del sancto officio y que para que fagan della lo que quisieren y demandamian.

SENTENCIA.

(Pag. 36) E con esto su reverencia le dio y ofizio en carcel y por carcel en la villa de Illueca y una luega en derredor con que no salga de la carcel en sin licencia de su reverencia y del sancto officio so pena de todos los crímenes de que es acusada y otros arbitrarios. E la dicha Violante que presnete era acepto la dicha carcel y por nuevo y encara juro en forma de tener guardar la dicha carcel so la dicha pena.

12.- PROCESO CONTRA PEDRO DE LINYAN

EL FISCAL INTERROGA AL ACUSADO (NO HAY ACUSACIÓN PREVIA).

Die XXVII augusti anno M° D° VIIII. Calatayubii.

(Pag. 37) Eadem die el dicho sennor comissario mediant juramento en forma de drecho prestado amonesto a la forma acostumbrada y acri banorada a Pedro de Linyan, scudero habitant en el lugar de Moros.

Dixo que el jurar a Dios y a sus sanctos que no se puede acusar que muchas vezes lo ha fecho empo renegar a Dios y de nuestra sennora que nunca lo fizo y dixo mas que este mes de agosto stando unas bestias suyas al sol dize que un moço suyo le dixo que las fiziesse llevar de asi porque no se adaquassen y este deposante dixo entonces no he miedo que se me adaquen que ya me he casado con Manuela de Abat y que sixo este el empo que no sabe si es verdat que mintiera sino que lo dize assi muchas (pag. 37 vto.) y dize mas que oyo dezir a un sandero de Pedro de Moros del dicho lugar de moros que era castellano y no se le acuerda como se llamava que para curar a cualquier bestia de gusanos era bueno untar una raja de una puerta de una manceba de viabat y que se la ponían al pestieço a la tal bestia y que curava y que este deposante lo fizo y lo probo empo que no porque dasse fe en ello sino por probar si era verdat esto, per juramento.
Deinde fuit interrogato sup confetis sip XXXXI articulo dixo lo que ha dicho arriba de jurar cetera negavit.
(Pag. 38) Interrogado sup XXXXII articulo negavit contenta in eo.

Preguntado quien le quiere mal dizo que le quieren mal mossen Angel Arnal y una manceba suya porque este deposante lo vee entrar y sallir en casa de la dicha su manceba le quieren mal, y dize que porque este deposante acompañaba a la mujer de Luys de Sancta Cruz el qual mataron todos los de la otra parte que se sospecha que lo mataron lo quieren mal por esto estos juran y a todos los que ha fecho y fazen por la dicha vida.
Preguntado si se quiere defender o si lo quiere deparar a discreción el respuso que le dassen liberar.

Que el sennor inquisidor le dio plazo de seys (pag. 38 vto.) dias para que se deliberasse y le dio y le dio protesion (protección) y carcel en este tiempo el dicho lugar de Moros y sus terminos y la presente ciudat de Calatayut del qual carcel le coconvidaron saliesse sin se licencia del sancto officio so pena de comisso. E el dicho Pedro de Linyan lo acepto.
Et in suis fuit assignatu fiscli eo petente a probando sui termini per funcione: dixo que se recela que sup diese hayan deposado contra el porque plazio a ellos sobre lo que le mando sup die. E con esto dixo que no se queria defender ante lo denunciado a discreción de su reverencia y de esto officio y es presto y aparexado a recibir la pena que le impusiere con mucha paciencia y que siempre que fuere llamado que dentro de diez dias el parecera antel sennor inquisidor so pena de criminosso.

13.- PROCESO CONTRA CATALINA MARCO.

EL FISCAL INTERROGA A LA ACUSADA (NO HAY ACUSACIÓN PREVIA).

Die XXVII augusti anno M° D° VIIII. Calatayubii.

(Pag. 39) Eadem die el dicho sennor comissario mediante juramento en forma de drecho prestado manifesto en la forma acostumbrada a Catalina Março, mujer de Martin Março del lugar de Villaluenga, monestada respondio que nunca fizo ella contradixo que sea contra la sancta fe catolica ni tiene miedo que no diga que ella ha renegado de la fe ante ruega a Dios que la dexe acabar en ella.
Deinde fuit interrogada sup XXXXV articulo denunciaciones, dixo que nunca tal palabra hablo y que si mal se falla (haya) que ella es contenta que le fagan polvos en aquella plaça, per juramento.
Preguntada si se quieren (pag. 39 vto.) defender o dexarlo a discreción de sus reverenciao del sancto officio dixo que no se queria defender ante el dexo a discreción.

14.- PROCESO CONTRA JOAN ANDRES.

EL FISCAL INTERROGA AL ACUSADO (NO HAY ACUSACIÓN PREVIA).

Die XXVII augusti anno Mº Dº VIIII. Calatayubii.

(Pag. 40) Eadem el dicho sennor comissario mediante juramtne in forma juris recepto y en la forma con su drecho sobre dicha a Joan Andres, labrador vizino del lugar de Villaluenga.
Y el dicho que nunca dixo palabras fereticales y cosa contraria a la sancta fe es verdat, que empo es vassados le levantaron una causarilla que el havia dicho que los corporales de Daroca eran de olmagra y esto fue sallio que el no dixo sino que los corporales de Daroca que el havia visto que eran de verdadera sangre y que se podrian xentar en un trapo blanco un almagra y que esto dixo y que nunca de otra fuente.
(Pag. 40 vto.) Deinde fuit interrogado sup XXXXVI articulo didicte denunciaciones refiriese a lo que ha dicho arriba y que otro no hay per juramentoy que ha confessado desto y que le han dado penitencia dello.
E dixo interrogado que no se quiere defender ante lo remite a discreción de su reverencia y tampoco a recebir la pena le fuere comparecencia.

15.- PROCESO CONTRA MICHAEL FERRANDEZ

EL FISCAL INTERROGA AL ACUSADO (NO HAY ACUSACIÓN PREVIA).

Die XXVIII augusto anno Mº Dº nono. Calatayubii.

(Pag. 41) Eadem die perfeta reverendo domino comissarius en medio juramento in forma juris presinto nominit in forma solicita et supra Michaelem Ferrandez, presbiterum beneficatum in eclesia loci de Miedes.

Dixo que el de cierta sciencia dixo cosa ni ha fecho que se contra la sancta fe catolica, per juramento.
Deinde fuit interrogado sup X articulo dixe denunciaciones enden refi lecto dixo que es verdat que en tiempo que el canto missa vinieron algunos infieles morosy judios a su fiesta empo que ninguno dellos que este interrogado supiesse el nunca tal mando se assento a comer con los cristianos bien es verdat que en la casa, enaptado ha les dieron algunas aves y de comer empo que en nada desto ovo ceremonia ninguna si se (pag. 41 vto.) fizo por ceremonia moriega ni judayca mas de quanto los dichos infieles por la amistat que tienen con el padre deste interrogado y con el sinse convidarlos vinieron por fazer fiesta y plazer a este interrogado y a su padre y que este interrogado ni otri por el no convido ni llamo a ninguno de los dichos infieles, per juramento.
Interrogado sup LI articulo dixo que es verdat que en dias passados mucho tiempo ha en la iglesia del lugar de Miedes havia una caxa que la llamavan la caxa de nuestra sennora a donde dexavan los dineros que cogian en su nombre y dize que un dia de domingo stando todos en missa acaecio que la dicha caxa fue sallada y este interrogado passando pordelante della que venia de dezir missa baxa para el coro uno que sellava Joan Quilez vizino de dicho (Pag. 42) lugar dixo a este interrogado mossen Miguel como haveys guardado la caxa de nuestra sennora y este interrogado passando por delante de dixo y respondio qal dicho Quilez porque del lado vos y ella y luego dixo la caxa por que no entendressen que lo dezia por nuestra sennora, per juramento.
Interrogado sup LII articulo dixo que el no tiene ningun pariente con moros mas de quanto algunas vezes les vende algunas aberias como es trigo, canyamo y otras cosas con judios que en aquel tiempo tuvo alguna reocupación empo que no era sino quando havia menester algun dinero que lo buscava entre ellos de entrar en casa de su padre y deste interrogado tobo muy poca participación que poras vezes es entravan en su casa salvo el dicho que es agora cristiano que se fize Miguel Ferrandez el qual acogian alguno dias y noches (pag. 42 vto.) por su casa enpo que no por ceremonia ninguna judayca ni mal fin porque despues este interrogado le convirtio a nuestra sancta fe catolica y dize que el es cristiano lindo una parte y que el es bien limpio desto.
Y dixo mas que ya sobreseas cosas fue llamado ante los inquisidores que eran eel tiempo que Miguel Domingo era notario de la inquisición y le intrrogaron y le mandaron a su casa y le daron por libre.
Preguntado si se queria defender o dexarlo a discreción dixo que queria acuerdo para ello y fuele dado vido el presnte dia para que lo acordasse y ello acepto.
(Pag. 43) Et post compareció eodem coram dicto domino comisario dictus Michael Ferranez dixo que ni se queria defender ni lo queria dexar a discreción porque pretendia que no havia delinquido cosa ninguna y los sennores inquisidores passados como dicho ha lo daron por libre.
Die prima septembris. Et su reverencia le assigno X dias pa que mostrasse como los inquisidores y possados le daron por libre.

16.- PROCESO CONTRA GONÇALVO DE HUETE

EL FISCAL INTERROGA AL ACUSADO (NO HAY ACUSACIÓN PREVIA).

Die XXVIIII augusti anno M° D° nono. Calatayubii.

(Pag. 44) Eadem die pre fata dominus comissarius in medio juramento in forma juris presinto nominit in forma solicita et supra Gondissalum de Huete, sastre habitant loci de Bubierca.

Respondio y dixo que en el lugar suyo de Bubierca no se acuerda quanto por ha stando este interrogado en casa de Anton Texedor del dicho lugar adonde stavan el dicho Anton texedor y Pedro de Ateca y no se acuerda si havia alli atri y dize que los dichos o el uno dellos dixeron como querian ir a Daroca, este deposante dixo a que haveis de ir y ellos dixeron a los sanctos Corporales, dixo este deposant por mi que sino havia de ir por otro sino por verlos que no fuesse alla que tambien fasta Dios en esta iglesia como alla, y ellos dixeron a haverlos perdones, dixo este interrogado bien (pag. 44 vto.) fazeys mas segunt la maldad que vi en Burgos no tengo devocion ninguna con milagros que me digan ha contenido porque en Burgos me falle yr done ovo publica fama por la ciudat en el monesterio de Sant Agostin fama manado sangre por la llaga del costado y assi vi como fue ello abixo alla con muchas clerecia y mucha gente y yo haver alla y me puse cerca del altar y vi como ello bispo subio en el altar y con su requete puso la mano en la llaga al crucifixo y por dos vezes y siempre saco polvo y no sangre y dixo el obispo entonces estas palabras por mi consciencia que stoy enpos deterrarlas (pag. 45) puestas y dar fuego al monesterio y a los frayres y dize que sobreseo no se le acuerda que mas posase empo si algunos testigos dixeren mas de lo que el dize que lo da por bueno todo lo que dixeren.

Dize y confiessa que una queriendose fazer una procesion este mayo pasado por agua en el dicho lugar este interrogado dixo que no iria a ella ahunque lo prendasen porque no aprovechava laida ni Dios los oyria ni los devia oir porque en dicha procesión yvan personas dellas que segunt fama havian renegado de Dios y otras que no se confesaban y otras que se rifavan con mujeres casadas y otros descomulgados y que endo tal gente que Dios no los devia ori y que esto dixo y no se acuerda quien stava presente quando lo dixo.

(Pag. 45 vto.) Dize e confiessa que ablando sobre el adoración de las ymagenes que stan en las iglesias ha dicho este interrogado que la adoración a Dios solo pertenecian, que las ymagenes eran palos que no pueden dar ni quitar gloria a nadie y que esto dixo algunas vezes y que ha latente son las dichas ymagenes stan para reinenbrança dellos santos que estan en el cielo.

Dize e confiessa mas que haviendose de reinar o representar la passion de nuestro Sennor un viernes Santo en el dicho lugar este deposante dixo que no lo queria ir a ver porque no lo iria a verasi que de dassen todo el mundo porque el no lo poria (poida) ver que arto fue que los judios lo crucificaron que no lo devian los cristianos crucificar y que al cristiano era tenerle crucificado en su alma.

(Pag. 46) Dize e confiessa que un dia los abades del dicho lugar le dixeron que porque no stava en las vispras (vísperas) de difuntos las quales dize despues de las otras vispras y completas y este interrogado respondio dezios las que yo mostrare que la missa querria corra quanto mas las vispras y dize que todo lo que se le ha acordado ha dicho y que si mas supiesse y he le acordasse mas diera y confesaria y que si algo mas con verdat que al sennor inquisidor pareciera diran algunos testigos contra el lo da por bueno y por verdat ahunque nunca dixo cosa en que pensasse errar ni con mala intención ante dize que cree todo lo que la sancta madre yglesia cree fuere como ella lo cree tiene y manda y si por lo que ha dicho y ha errado tuviere penitencia que aquella (pag. 46 vto.) el presto pa parejado recebir y cumplir con mucha paciencia.

Deinde fuit interrogado sup LIII articulo dicte denunciaciones dixo que nunca tal ha dicho salvo del ha dicho a su mujer estas palabras buenas tiendela y buena oblada que enta sa que teneys esse móranos se errar y no tenes de que, per juramento.

Interrogado sup LIIII articulo dixo que stando sano nunca comio carne en dias prohibidos, stando doliente si en cuaresma y en viernes y sabados, per juramento.

Interrogado sup LV articulo que el no sabe que desciende de linaje de jodios ni de moros que el sepa que ha mas del annos que salio de Soria de donde es y dize que quanto lo del passio que (pag. 47) no se le acuerda que si le acordasseran bien lo dixiera como ha dicho lo no quanto a todo lo otro contenido en el dicho articulo refieriese a lo que ha confessado arrriba, per juramento.

Interrogado sup LVI articulo dixo que ayer los del dicho lugar de Bubierca sobre que viniesse a confesar las cosas que havia dicho en los dias passados que este interrogado con enojo que tenia detamas afirmamos e vimos dizir y dixo que dezis que soy judio que soy moro que soy cirstiano que soy diablo verdares y que esto dixo tomo sana aborrrida y otros muchos desvarios que no le acuerdan agora y que también dixo que llevava cosas de judios moros y de diablo en la mesura sazon y affruenta y con el mesmo enojo y dixo que tornava a dizir y dixo que el stava y sta (pag. 47 vto.) presto a las obediencia de la sancta madre yglesia y de su reverencia y del sancto officio y es presto y aparejado a recebir qualquiere penitencia que le fuere impuesta con mucha paciencia.

TESTIGOS DEL FISCAL CONTRA EL ACUSADO.

Die XXVIII augusti anno M° D° VIIII. Calatayubii.

- (Pag. 48) Eadem die coram prefecto domino comissario sancte inquisicionis compares virtute dicti et per fiscalem in modum per dita Catalina Rio uxor Joannis Munyoz vicina loci de Bubierca.

Dize que entienden que havra seys annos o mas que un dia oyo dizir a Gonçalbo el sastre del lugar de Bubierca "que no era nada sancta Maria ni sancta Catalina ni Santiago que los santos en el cielo se stavan que aquellos santos dexalo no eran nada que fiel, los topava que en el fuego los echaria y que a esto se fallaron presentes Antona Lamalvera, mujer de Mingo (Domingo) Romero, Mari Herero, mujer de Anton Julian y otros que y a son fallecidos e ha juraron".

- (Pag. 48 vto.) Eadem die coram prefacto domino inquisitore compares virtute dicti et et per fiscales in modum per dicto Dominicus Castejon, presbiteri habitantes en Bubierca, juravit per Deum.

Dize que oyo dezir a Gonçalvo de Huete, sastre de ahí de Bubierca que de que dixiessen vispras de sanctos no staria en la yglesia empo que no sabe este deposante si stuvo presente a las vispras o no, per juravit.

Die VI septembris anno Mº Dº VIIIIº. Calatayubii.

- Eadem die coram prefacto domino inquisitore compares Antona Seron, vuxor que fuit Dominicus el Molinero, loci de Bubierca juravit per Deum e de virtute dicenda et exonerata suma confirma deposuit

(pag. 49) dize que havra unos seys annos poco mas o menos ahí en Bubierca cabeça ha del vicario a donde stava Maria Ferrer mujer de Antonon Julian y Catalina Rio, mujer de Joan Munyoz y este deposante y Gonçalvo el sastre del dicho lugar de Bubierca stando ahi ablando de las cosas de la iglesia no se acuerda como entraron en las razones salvo que sobrillas vino a dizir y dixo el dicho Gonçalvo el Huete sastre "que las ymagenes de la yglesia no eran nada que los santos en el cielo se stavan que esto todo era de palo y que si menester fuesse con ellos se escoleratava si frio havia y dize esta deposante que pues para que en la iglesia fazemos la obediencia a las dichas ymages quando entramos y el dicho Gonçalvo dezia y contentava a dizir no es nada faziendo su ademan con la mano", per juramento.

- (Pag. 49 vto.) Eadem die coram prefacto domino inquisitore compares Maria Ferrero uxor Antoni habitante loci de Bubierca juravit per Deum et exoneras suma deposuit qui dicenda seguitur.

Dize que havra unos seys annos poco mas o menos que en Bubierca stando Catalina Rio y Antona de Seron y esta deposante y Gonzalo el sastre y unos que no le acuerda sobrerazones que posaron las quales no le pueden acordar como empeçaron salvo que sobrillas el dicho Gonzalo vino a dizir y dixo "que aquellos sanctos questavan en las yglesias dixendolo por las ymagenes que no eran nada que los santos en el cielo stavan y que a una necessidat que los quemaria y esta deposante y las otras dixiendole que era mal dicho el dezia que ellas eran necias y que no lo entendio y que lo que el dizia era la verdat y que esto era cabe cosa del vicario del dicho lugar".
Item dize mas que en el mesmo tiempo que un dia diziendo esta deposante sobre razones (pag. 50) "que Dios dava su gracia a todos, el dicho Gonzalo el sastre que stava ahí dixo stasre ahi que dixo te dara que trantar annos que llevo el sayo roto y nunqua Dios me ha dado uno y tantos annos ha que llevo este capote roto y nunca Dios me ha dado otro y que tenia dos fijas por casar y nunca se las casava Dios si el no se las casava y esta deposante le dixo no os faze Dios otro que os da salud para no bajar y servido para lo guardar, el dicho Gonzalo respondio que me faze Dios pues que no me lo dar sinse trabajar y que esto stavan presentes quatro o cinco personas que nunca le han podido acordar quien son y que mas no sabe", per juramento.

Die XXVII augusti anno Mº Dº VIIII. Calatayubii.

- (Pag. 50 vto.) Eadem die coram domino Ludovico Maluenda comissario e compares per edictum Anthon Vela teçedor vezino de Bubierca, juravit et per juramentum dixit se fare quod sequitur.

Dize este deposant que por viespra de corporales mas cerqua passada hovo dos anyos a su parecer que stando este testigo y unos otros del dicho lugar pa yr a la fiesta de los corporales a Daroca a vez los sanctos corporales a ganar las indulgencias y razonandolo entre ellos como sia bien de yr y he, y fablando desto en presencia de uno llamado Gonçalvo de Huete sastre, converso, que dizen es habitant en el dicho lugar dize que es este testigo y a un barbero llamado Anthon y a otro llamado Pedro Atequa, habitantes en el dicho lugar, tales teneys otro que fazer nos cale yr que de creher lo o no creherlo no es nada, y respondio las oras este testigo, si es que articulo de fe es, dixo el dicho Gonçalvo de Huete no es, y este testigo dixo le entonçes (pag. 51) pa ser viejo no fablays bien y no passaron otras palabras.

- Eadem die coram dicto domino comisario e comparvit Anthonius Gil, barbero habirtant loci de Bubierca, compares per edictum e qui juravit per Deum eis et per juramentum dixit se fare quod seguitur.

Dize ser verdat que por la viespra de corporales que mas cerca passo ovo dos anyos que staba en su barberia este testigo y Anthon Bela y Pedro de Atequa fablando entre ellos y conçertando pa yr a ver los sanctos corporales a Darocoa y ganar las indulgencias, staba alli en la dicha barberia presente ellos uno llamado Gonçalvo de Huete, sastre que es Castellano segunt dizen, dize que los dixo el dicho Gonçalvo a donde quereys yr, y ellos le dixeron a ver los sanctos corporales, y entonces dixo el dicho Gonçalvo, esso no es articulo de fe, (pag. 51 vto.) creer o no creer que alli ste la sangre de nuestro sennor Ihesu Chirsto y que este respondio y los otros le dixeron que si, que assi lo havian de creer pues que todos conedian assi y el dicho Gonçalvo de Huete torno a dizir que no era, y assi dize que pararon en sus razones. Dicho dixit per juramentum.

- Eadem die coram dicto domino comisario compares per edictu Egiduis Garcia, agrícola vicinum loci de Bubierca, juravit per Deum eis et poer juramentum dixit se fare quod sequitur

Dize este deposant que un dia de domingo salliendo de la yglesia de misa este testigo y gonçalvo de Huete sastre habitant en el (pag. 52) dicho lugar puede haver unos seys o siete anyos a su parecer dize que el dicho Gonçalvo lo pueso en nuevas a este testigo y le vino a dizir que si cient personas yban a la yglesia que los cincuenta no sabian como havian padorar a nuestro sennor, y dixo mas que aquellos sanctos o ymagenes que tenia en la yglesia que eran tochos que no tenia el por mucho de quemarlos y fazer el comer con ellos, y este testigo dixo le que era mal dicho lo que sezia y el dicho Gonçalvo de Huete dixo que era bien dicho lo que el dezia y que el haria verdat lo que dezia y assi que del dicho Gonçalvo en su dezir y este testigo se fue asu casa y sto dize le hoyo dezir una vez y no mas y que a otros ha hoydo dezir que le han hoydo dezir las sobre dichas palabras por otras vezes las quales las han venido a deposar como la sobre dicha Catalina Rio, mujer de Joan Munyoz y Justina de Atequa habitante de Bubierca. (hecha la declaración se la leyeron). Testes: mossen Pedro de la Cal, presbitero, et mossen Pedro Munyoz, vicario de Embit.

Die XXVIIII augusti anno M° D° VIIII. Calatayubii.

- (Pag. 52 vto.) Eadem die coram dicto domino comisario eis compares per edictum Anthonius Carbonero, vicinum de Bubierca juravit per Deum et respondes fare quod sequitur.

Que fablando de las bulla que traxeron al dicho lugar por el mes de abril o de mayo de su anyo que las darian pa los vibos areal y pa los muertos a sueldos dize que hoyo dizir a Gonçalvo de Huete, sastre habitant en el dicho lugar fablando de sto que las bullas no valian nada pa los finados y que el Papa no las podia dar ni les aprovechavan por modum sufragio que no le podia sacar del purgatorio ni le aprovechaba la bulla sino que el finado fuesse meurto satisfecho y contricto.
Mas dize que le hoyo dezir al dicho Gonçalvo de Huete hablando de las processiones que se fazian por lluvia que dezia que por aquello havia dello ver Dios porque fiziessen presesiones que todera burreria y dezia ansadas que a mi no me veays yr a la procesión per juramento (hecha la declaración se la leyeron).

Die III septembri anno M° D° VIIII. Calatayubii.

- (Pag. 53) Eadem die coram reverendo domino Dominico Romeo inquisitore eis compares edictum Ferdinandus de Goneo, habitant loci de Bubierca juravit per Deum et per juramentum respondit se fare quod sequitur.

Dize este deposant que havra cerqua de ocho meses poco mas o menos que yendo a percar este testigo y uno llamado Gonçalvo de Huete, habitante en el dicho lugar de Buvierca, dize que yey ende en el camino Arago nanbe los dos, le dixo et fizo esta pregunta el dicho Gonçalvo de Huete, porque haver enpo estando en la cruz reclamaba de que dins quare me dere linguisti, como el fuesse Dios y dize este testigo que Dios era en tinidat Padre, fijo y spiritu sancto, dize que le respuso el dicho Gonçalvo de Huete, hara dexemos esta materia que han alhose podria dezir, y esto dize que dixo a manera de disputa a lo que parecio a este testigo y dize interrogado que este Gonçalvo de Huete que es muy curioso que se pone en demandar y disputar muchas cosas, y a la fin quando le responden algo dize que lo faze por pregunta, per juramento (hecha la declaración se la leyeron).

Die XVIII febroari anno M° CCCCLXXXVIIII. Calatayubii.

- (Pag. 54) Coram reverendo domino Michael Navarro inquisitore compavis per edictum eis Ferdinandus de Angulo, barbitonsor habitant loci de Carenas qui juravit per Deum et per juramentum respondit quod sequitur.

Dize este deposante ser verdat que habra quatro o cinco meses poco mas o menos estando este deposnat enfoermo vino a el una muer llamada Maria, mujer de Gonçalvo el sastre de Carenas, la qual dixo a este deposant que el dicho su marido no le dexava levar candela ni oblada a la yglesia por mas de ocho meses, por quanto le dezia que levar candela y oblada a la yglesia todo era fumo y que una vez que ende a escondido con una mujer la firio el dicho su marido Gonçalvo.
E mas que tambien en aquellos mesmos dias estando este deposant enfermo le vinieron uno llamado Anthon Garava y su mujer vezinos de Carenas, los quales dixeron a este deposant que un viernes fue una fija de los dichos Sancho Jarava y su mujer, a la casa del dicho Gonçalvo y que en el mismo dia cozino una caneça de carnero stando sanos. Et hoci dixit per juramento. Teste: Johanes Torrejon, et Dominicus Gil, protarii habitante Çesarauguste.

EL FISCAL INTERROGA AL ACUSADO SOBRE LAS ACUSACIONES Y DECLARACIONES.

(Pag. 54 vto.) Que pague L florines de oro silos toviere. Die XXVIII januarri anno M° D° XII aljaferie reverendo magíster Martines Garsie, inquisitor y vicarius generales in diócesis Tirasonensi attrenta dicta in sorinacine ministrata qui dicti Gonçalvi de Huete et actento per reliqua causam disaecioni et attentis que tentis… Testes Petrus Gonçalez et Johanes de Virgata, nuncios Çesarauguste. Fizo relacion loci de la plaça.

Die XXX aprilis anno M° D° XII. Aljaferie coram reverendo domino licenciado Antonio Criado inquisitore compares (el acusado). (pag. 55) Et forum interrogatus sup dicto dixit testis dixit que un primo suyo se sallio de seso y que andava jugando a la bola con unas orbera de unas noche de Sant julian y dize que diziendo todos en el lugar como era gran pecado este interrogado dixo que no era tan gran pecado que las ymagenes de los santos que no eran nada porque aquellos no davan ni ganarian gloria que los santos en el cielo estavan y que en tanta necessidat podia estar han bien que los poria rogar y ponerlas en el fuego y que si otra cosa alguna ha dicho algun testigo sobre esto que se remite a lo que el dize enpo que el no dizia aquello que dizia con mala intencion.

Sup dicto dicto secundi testis responde y dize que es verdat que viniendo un dia de una vinya suya se topo con un clerigo llamado Pedro Gil y otros clerigos y diciéndole este interrogado ya haveys dicho vispras por mi fe que no me pelata (pag. 55 vto.) mucho porque quando dezis vispras de difuntos no puedo estar en ellas porque assi me enojo con la missa larga como con las vispras largava y que esto crehe que lo ha deposado el dicho clerigo porque este interrogado lo ruvio (vió) con una manceba suya empo que esto no lo dixo con mala intencion.

Interrogado sup dicto secundi testis que se refiere a lo que tiene dicho sobre esto, y que a lo que dize el testigo que diciendo a este interrogado que pues paque en la yglesia haze mas obedencia a las ymagenes quando denunciamos a la yglesia este interrogado le respondio anda que no es nada que no le amere tal cosa que sse remite a lo que dize el testigo enpo que nunca dixo esto con mal intencion.

Interrogado sup dicto III testis que se refiere a lo que tiene dicho y que quanto a la segunda la que dixo el dicho testigo que es verdat todo aquello que dize que el dixo las dichas palabras assi como las retira el dicho testigo.

Sup dicto IIII testis responde y dize que es verdat que hablando con uno clamado Anton Vela texedor el qual crehe (pag. 56) que ha deposado esto: este interrogado dixo las mesmas palabras que el testigo dize y a viniese que dixo otros muchas palabras mas ponis, porque en aquel tiempo no crehe cosa ninguna de los corporales porque no sabia de como havia leydo y porque no creya en ningun ni logro y han y pensan que todo era burleria despues que vio aquello del crucifixo de Burgos que dizian que manava sangre por el costado y era todo burleria, y dize que despues se fue a confesar con uno llamado mossen Joan de Moros al qual le dixo como era articulo deste y la devia creer y que aquel que no lo creyesse no seria cristiano y assi este interrogado despues aqua de congtino ha reydo y crehe que es articulo de fe.

Sup dicto V testis que es verdat que se refiere a loque tiene dicho.

Sup dicto VI testis dize que es verdat lo que dize el dicho testigo.

(pag. 56 vto.) Sup dicto VII testis dize que viniendo las buldas (bullas) el dicho testigo dize al dicho lugar dixo este interrogado en la yglesia de dicho lugar empresencia de muchas personas que las buldas (bullas) que el Papa atorgava quelas atorgava sufragi y que esto dixo porque lo havra oy preycar assi y que no dixo otra cosa que esto crehe la ha deposado Anton crebonero lavrador de Buvierqua porque lo quiere mal y que quanto a lo que dije el testigo de las procesiones que es verdat que el dicho que no havia de lo ver ni Dios las haria bien ninguno y que el no yria a ella enpo que esto que la dizia porque yvan en las dichas presesiones muchos hombres renegadores y perjuros y que no lodizia por otra cosa ninguna.

Sup VIII dize que es verdat que lo dixo a uno llamado Servando el Sacastan enpo que lo dixo porque el tenia un libro de Santagon en donde determinava aquella question y que por aquello dixo que havria que dejar y no porque creyesse otro sino lo que crehe la sancta madre yglesia y que esto que lo ha deposado el dicho Ferrando porque sin que con el y pasaren lo dos a otros crajones y endo a pexquar.

(pag. 57) Interrogado sup dicto VIIII testis dize que el anyo que el pan valia a C sueldos el cafiz, la mujer de este deposante con la qual caso sendo ella viuda y minello tres fijas y dixo a este interrogado que nunca levava oblada ni candela a la yglesia, las las horas le respondio este interrogado que buena oblada y candela levava en dar a comer a daquellos sus fijos huerfanos que los abades buena renda tenian que fuesen pa si de carnudos y que en respecto de dar a comer a daquellos huerfanos en tiempo de tanto necessidat no tenia enfada el ofrecer ceteri negavit quanto a lo que dize el testigo de la cabeça del carnero dize que es verdat que biniendo este interrogado en Carenas y estando el en su casa se guiso una cabeça de carnero para un fijo de su mujer la segunda el qual estava enfermo un viernes y que esto lo ha deposado Ferrando de Anguila barbero que es su enemigo y que el no la vio guisar sino que se lo dexo y que dicha mujer que esta fue de quien que fue a ellos la muchacho guit bibicen mi per severancia in diche per juramentum. (Pag. 57 vto.)

Et juramentum el dicho sennor inquisidor preguntado al dicho Gonçalvo de Huete si se queria defender de los testigos que contra el deposant que si se querra defender que le mandaria librar copia de los dichos testigos, encarguo minibús y le asignaría tiempo.

Et el dicho Gonçalvo de Huete respondio que no se queria defendera antes bien dixo que dexava la causa a su reverencia que era cristano lindo y de buena parte y ha dicho que no lo a dicha con mala interrogación ni con pensamiento de mal cristiano antes crehe todo aquello que la sancta madre yglesia crehe y que el ha dicho todo es verdat dexilo aquello que se le ha acordado a cerqua de lo que dicen los testigos que contra el (pag. 58) deposan y que en la que el ha dicho como el haver feriado porqua no era pa el ponerse et semejantes cosas y despacas y que esta resto y apejado del recebir qualquiere penitencia que por su reverencia le fuere puesta, enpo que mire su reverencia que es hombre pobre y viejo que sino la ganava lo pueden ver.

SENTENCIA

Die V Marcii anno M° D° XII. Aljaferie.

Eadem die el dicho sennor inquisidor por ciertos respetos su animo movientes asigno en carcel y por carcel al dicho Gonçalvo de la Huete acusado el lugar de Bubierca y seys leguas en derredor al qual mando que del dicho carcel no salliesse con sus pies ni ahevos ni en otra manera so pena de crebantamiento de carcel y de otras penas arbitrarias. Et el qual dicho Gonzalo de Huete acepto el dicho carcel y prometio enpo dar de su reverencia por en demo crebantar el dicho carcel so las dichas penas en fiat large. Testes: Ximeno de Epila çapatero y Guillen de Epila pelayre habitantes deMarha.

Die XXIIII aprilis anno M° D° XV. Aljaferie.

(Pag. 58 vto.) Eadem die coram reverendo domino Pascasio Jordan, inquisidor compares el dicho Gonzalo de Huete vecino de Bubierca el qual puestos las manos en los santos evangelios en abjuro qualquiere specie de heregia en senaladament las dichas heregias de que es havido por leve sospechoso en y prometio y juro de no tomar a ellas ni a otras que sean o ser puedan contra la sancta fe católica e so pena de relasho o de otras penas pa dicho statuidas e ysi en algun tiempo las hiziere o de otri las finiere lo revalara e y que con paciencia complira la penitençia y pa la dicha leve sospecha le sea inposada et exquilus se feri juramentum. Testes Johanes Buojes, notario, et Michael de Sant Joan, carterarius officii sancte inquisición in Çesarauguste.

E asi dictus dominus inquisitoris dicto Gondisalum de Huete penitenciariem sive intimatur dicta penitencia sibi in positant predictum... (pag. 59) facere ad faciem et mandavit eidem quasum eam solveret receptori penitenciarium proventis e quiquagentiam florienos ami qui dixet psot esti solvere dictam penitenciam.

E dictius dominus inquisidor recibio juramento por Dios al dicho Gonzalo de Huete y por el juramento que responda que bienes posse assi muebles como sedientes dixo que bienes sitios no tiene ningunos salvo el dicho de bien de dar que tiene unas casas sitias en el dicho lugar de Bubierca que votaron a su mujer muerta cient y que no teiene sino una camilla de ropa que vale poco y el usufruto de una binya (Pag. 59 vto.) y despues reverencia le dio licencia que no obtasen el dicho carcel que tiene pueda yr asta arebalo y faria dentro el tiempo de la pasa de su pena e con esto que en lo demas el dicho carcel quede en su fuerça.

17.- PROCESO CONTRA PEDRO GARCIA

Die XXVIIII augusti, anno Mº D VIIII. Calatayubii.

(Pag. 61) Eadem die per fatis dominus comisarius medio juramento in forma per fuit supra Petrum Garsiam vicinum loci de Ateca.

Dixo que de cosa de ferigra no se fizo ningua cosa por de jurar por Dios y por el le padre de Dios que muchas vezes lo ha fecho.

EL FISCAL INTERROGA AL ACUSADO.

Deinde fuit interrogado sup LXIII articulo dicte enuncianis dixo que nunca tal cosa dijo que si tal se le prueva que le quemen asi luego, per juramento.

TESTIGOS CONTRA EL ACUSADO.

Alonso Garcia vizino de Atequa dize que hoyo dezir a Martin de Menes el viejo que havia oydo dizir a don Garcia, menor primo deste testigo fijo de Diego Garcia el viejo, "que la Virgen Maria no era Virgen sino que era corrompida (pag. 61 vto.) como qualquiere de las otras mujeres", dixo el dicho Martin de Menes medio juramtneo que nunca hoyo dizir lo suso dicho al dicho Garcia.

NO HAY SENTENCIA.

PROCESO INQUISITORIAL CONTRA VECINOS TODOS FALLECIDOS QUE VIVIERON EN CALATAYUD. (AHPZ, CAJA 12, Nº 7).
COMIENZO DEL PROCESO: 30 de Septiembre de 1489.

Die 30 septembris anno M CCCCLXXXVIIII. Calatayubii.

(1 vto.) In nomine amen. Noverim in testis que anno anativitate domini millesimo decimogentesimo octuagesimo nono odie vedelis e computabat tricesima mensis septembris apud civitatem Calatayubii coram reverendo domino Martino Garsie in sancta teología magistro inquisitore et apostatice pravidat a sancta sede apostolica in toto regno Aragonum dato et deputado. Et vicario Generali solium modo ad negocia in quistionis dicte heretice pravetat propenalis dato et deputado a reverendisimo domino Andrea Martinez miseracionis divina episcopo episcopatu de diochicis Tirasonem, o prepunt et compet domino senya promotor fiscales et minister officii sancte inquisitoris dicte heretice et apostatice pravedat qui clamose in sumando dixi que publica fama reberente ad eius noticiam per venerat seu eydem datum herat in terrigi qui auidam vocati: Maria Daça, uxor Benedicto Rami; Alfonso de Sancta Cruce; Simon Sancta Clara, mayor diem; Felipus de Moros; Jorgis de la cabra; Johanes de Hariza; Joannis Lopez Coscolan, Johanes de Sayas, sutor, Maria de Moros, uxor Raymundi Lopez; Ferdinandus de Buendia, Johanes de Maluenda, Johanes de Buendia, Didatus de la Tore, Anthonius de Sancto Angelo, Johanes Lopez de Mayr; Leonardus de Sancto Angelo, Ferinando Lopez, Jacobus (Jayme) Albarez, Gabriel de Sancta Crucem, Anthon de Blanas; Elisabet de Linyan, Domina que fuit loci (pag. 2) de Cetina, Jacobus Garsie, Johanes Romeral; Maria Suviux, uxor Johanes Daça; Anthonius Ximenez de Rueda; et Paulo de Daroca.

1.- PROCESO CONTRA JOHAN LOPEZ COSCOLLAN

FALTA ACUSACION DEL FISCAL, INTERROGACIÓN AL ACUSADO Y COMIENZA CON LA MITAD DE LA DECLARACION DE UN TESTIGO QUE DECLARA EN CONTRA DEL ACUSADO.

- (Pag. 4 vto.) "… El qual hamin dava este testimonio al dicho Joahn Lopez Coscollan y el lo recibia y le vio comer del en los dichos sabados este testimonio. Testes: Johanes Torrjon et Petrus Torrejon.

Die VI mensis Marçi anno Mº CCCC LXXXVIII.

- Coram reverendo domino Michaele de Monterrubeo inquisitore predicto comparvit Davi Cey, judeus habitant civitas Calatayut qui juravit ad Deum et deçem precepta legis que Deus dedit Moysis in monte Sinay et per juramentum dixit sçire per sequitur.

Dize este deposant que havra quatro annos poco mas o menos llamo a este deposante un judio llamado Salomon Xamblel habitant de la dicha aljama un sabado por la manyana el qual rogo a este testimono levase un poco de hamin a casa de uno llamado Johan Lopez Coscollan habitant de Calatayut y queste testimonio lo tomo (pag.5.) y lo levo a casa del dicho Johan Lopez Coscollan, el qual yantava por este testimonio lo dio a una su moça cuyo nombre no le acuerda la qual tomo el dicho hamin en presençia del dicho Johan Lopez Coscollan (le leen la declaración) . Testes: Johanes Torrejon et Petrus Torrejon.

- Eadem die coram reverendo domino Martino Navarro inquissitore predicto comparvit Mordohay Abencrespo, judeus habitator aljame judeorum civitate Calatayut qui juravit per Deum et deçem precepta legis que Deus dixit Moysi in monte Sinay et per juramentum dixit sçire per seguitur.

Dize este testimoni que havra dos annos poco mas o menos este testimonio dize que muchas de vezes uno llamado Johan Lopez Coscollan habitant de Calatayut demando a este testimonio quando es Quipur, quando es Cabanyvelas y otras fiestas y que ste testigo geles dizian las dichas fiestas los dias que eran (Le leen la declaración). (pag. 5 vto.) Testes: Petrus de Larraz, notarius et Johanes Torrejon.

Die XXI julii anno Mº CCCCLXXXVIIII.

- Eadem die coram reverendo domino inquisitore predicto comparvit Asser Abencrespo judeus habitant Calatayubii testis per edictum civitatis qui juravit in posse dicti domini inquisitor per deçam precepta legis Moysi dicem veritatem per juramentum et juramentum dixit per seguitur.

Dize este testimonio que una vegada dixo a Johan Lopez de Coscollan que por que se habia fecho cristiano y el dicho Johan Lopez le dixo a este testimonio cree tu que no me hize cristiano por me sino por enojo que una vegada que me dieron una bofetada en la sinoga y de aquella malencoma no fize sino sallir y fazerme cristiano y dixole que la bofetada le havia dado sobre un lugar de la sinoga. (le leen la declración). (pag. 6) Testes: Franciscus de Contamina et Dominicus Egidii.

Die XXVIII febroari anno M° CCCCLXXXVIII.

- Eadem die coram reverendo domino inquisitore comparvit Salomon Alpastan, medicus judeus habitant Calatayut qui edictum domini inquissitor mandato juravit per Deum et Decem precepta legis Moysi diçero viritatem et vitute dicti juramentum per seguitur.

Dize este testimonio que Johan Lopez Coscollan le rogo a este testimonio diziendo que le davan dineros y lo que hobiese menester y le fiziese hamin y este testimonio a ruego del dicho Johan Lopez lenvio unas dos vegadas hamin en sabado lo qual la muxer deste testimonio y su fijo saber y no saber otro. Testes: Pedro Torrexon y Domingo Gil.

Die V mensis febroarii anno M° CCCC LXXXVIII.

- Eadem die coram reverendo domino frater Michaelsi de Monterubeo inquissitor predicto comparvit Yuçe Hazi, sutor judeus habitant aljame judeorum civitatis Calatayut mandato reverendo domini inquisitor e in stante dixo procurador fiscales citarus qui juravit per decem precepta legis Moysi

Dize este testimonio que los mas sabados del anno y quasi todos Johan Lopez Coscollan quando vivia enviava a casa deste testimonio con algunos mesases suyos cuyos nombres (pag. 6 vto.) no le acuerdan salvo que una muger muller llamada Maria, muger que es de Johan el çapatero que mora de Sancta Maria la Mayor de la dicha ciudat, por hamin en sabado lo qual este testimonio lenviava los dichos sus mesases. E mas dize que sabe quel dicho Johan Lopez Coscollan comia carne en los viernes y en los sabados estimiendo bueno y las mas vezes de la carne de la carniceria de los judios y esto dize sber por que lo vio muchas de vezes.
Item mas dize deze saber este testimonio quel dicho Johan Lopez Coscollan comia carne en la cuaresma y en los viernes y en los sabados de la dicha cuaresma estando sano y esto dixo saber porque lo vio estando este testimonio a costuras en su casa y que sabe mas que no comia tocino conexo ni liebre y esto porque nunqua lo vio comer.
Item mas dize este testimoio que vio como el dicho Johan Lopez Coscollan en la pascua del pan çenceno de los judios comia pan çeçeno, alcahalillas, turrado.
Item mas dize que una vez el dicho Johan Lopez Coscollan le dixo que habia ensoyado a su madre que era judia y dio a este testimonio tres o quatro dineros pa que fiziesse dizir a un judio ençima de la fuessa de la dicha su madre cuyo nombre no le acuerda un responso en ebrayco y este presente testigo dixo que dio los dineros suso dichos a un judio llamado Yuçe Abenrrabi que ya es muerto (pag. 7).
Item mas dize este deposant como el dicho Johan Lopez Coscollan envio a su casa deste testimoio a la dicha Maria moça que entonce que con el estava poco apender de fazer los guissados de judios y que de apendio de fazer algunos dellos.
Item mas dize que stuviendo ablando con el dicho Johan Lopez Coscollan le dixo el dicho Johan Lopez Coscollan estas plabras en ebrayco: "en míname bag gahuti asily vaquener", que quiere dezir "no hay que fiar en el crisitano a un quando esta en la fuessa". (le leyeron la declaración). Testes: Honor Johanes Martineus, notarius et Johanes Torrejon, portuarius dicti officii sancte inquissicione.

Die febroari anno M° CCCCLXXVIII.

- Eadem die coram reverendo domino frater Michaele de Monterubeo Et Martino Nabarro inquisitoribus predicti comparvit Dominicus Loçano, agricultor, vicinus loci de Cervera aldea Calatayubii qui juravit per Deum ad juramentum dixi qui seguitur.

(Pag. 7 vto.) Dize este testimonio que havra cinquo annos poco mas o menos vino este testimonio a la presente ciudat de Calatayut un viernes sancto por hoyr el sermón y por quanto tenia conocimiento con uno llamado Johan Lopez Coscollan vezino de la dicha ciudat fue a su possada por possar un dardo que trahia este testimonio en la mano en su casa y que allegado este testimonio a la casa del dicho Johan Lopez Coscollan allego en aquel punto un moço cuyo nombre no le acuerda el qual morava con el dicho Johan Lopez Coscollan al qual moço dixo el dicho Johan Lopez Coscollan han acabado de la dar y el dicho moço dixo a un sermonan y que entonçe el dicho Johan Lopez Coscollan "dexo den me amantar y factense de ladrar". Et hoch dixit per juramentum (Le leen la declaración). Testes: qui supra.

2.- PROCESO CONTRA ANTHONIUS DE SANCTO ANGELO

FALTA ACUSACION DEL FISCAL, INTERROGACIÓN AL ACUSADO Y COMIENZA CON LA DECLARACION DE TESTIGOS QUE DECLARAN EN CONTRA DEL ACUSADO.

Die XXIII mensis ugusti anno M° CCCC LXXXVIII. Calatayut.

- (Pag. 8 vto.) Eadem die coram reverendo domino Michelle de Monterrubeo inquissitore predicto comparvit Anthonius de Salanes, habitant civitas Calatayubii qui data sibi propis licencia juravit in posse dicti domini qui juravit per Deum, et per juramentum dixit qui sequitur.

Dize este testimonio que havra cinquo annos poco mas o menos en el tiempo de la pascua del pan çençenno de los judios y dentro la dicha pascua vio como hun judio, cuyo nombre este testimonio ignora levava una cesta en la qual levava pan cenceño y devaxo del dicho pan cenceño cree este testimonio otra alguna cosa por este testimonio no vio sino el pan cenceño el qual judio en presencia deste testimonio dio la dicha cesta del pan cencenno a uno llamado Anthon de Santangleo y esto era de uno del estudio del dicho Anthon de Santnagelo y el dicho Anthon de Santangelo hizo graçias al que gelo enviava con el quel dicho pan cencenno le truvo (Le leen la declaración). Testes: Martinez Perez, notarius, et Johanes Torrejon, nuncios inquiscionis.

Die VII julii anno Mº CCCC LXXXVIIII. Calatayubii.

- (Pag. 9) Eadem die coram reverendo domino Martino Garsie inquissitore comparvit Salomon Avayut judio habitant Calatayubii... qui sequitur

Dize este testimonio que al tiempo que naçio Mose Constantin que era fijo de don tradoz Gostantin, judio desta ciudat, que havra quaranta annos poco mas o menos dize que stando este testimonio con el dicho don Tradoz, dize que le enviaron luego como fue naçido el dicho mosse Costantin a casa de Enyego de Condon que a este testimonio con la nueva y a casa de la muxer de Pedro de Santangel y a casa de Jorge de la Cabra y a casa de Anthon de Santangel y este testimonio les dixo las nuevas y el dicho Enyego le dio medio florin de albriçias y la de Pedro de Santangel le dio seys reales y Anthon de Santangel ocho reales y Jorge de la Cabraun lorin su muxer presa que sta por la inquisición quatro relaes y Brianda, madre del dicho Jorge, otro medio florin y la muxer de Jayme Garcia, madre de Bernat Garcia, seys reales y dize qu la muxer del dicho Jorge que sta presa vio este testimonio como fue a la circunision y estreno una pieça de almeria y dize que vio como todos les susso dicos fueron a la dicha circuncinsion del dicho Mosse Costantin y dize que estrenaron en la dicha circuncisión porque no le acuerda lo que estrenaron (le leen la declaración). Testes: Jacobus de Monclus, nunciis, et Guallardus de Cardessa, familiares dicti inquisidor.

Die XV febroari anno Mº CCCC LXXXVIII. Calatayubii.

- (Pag. 9 vto.) Eadem die coram domino inquisitore et vicario generali Egidius Trosera, testis qui juravit per Deum sup crucem domini nostrii Ihesu Crhisti qui diçeret amniodam veritatem de hiis et sup quipus interrogatus esset qui per juramentum respondit in modum qui sequitur.

Dize que oyo dezir a maestre Johan el Lançero que havia oydo dizir a hun cunyado suyo que estando con Anthon de Santangel a la ora de su muerte havia dicho oracion en ebrayco el dicho anthon de Santangel (Le leen la declaración). Testes: Micael Boyl et Johanes Martínez, notarius.

Die VIII junii anno Mº CCCC LXXXVI. Çesarauguste.

- Eadem die coram domino inquisitore comparvit Garsias de Noviercas habitant civitas Calatayubii testis qui juravit per Deum sup crucem domini nistri Ihesu Cristi qui diceret omnidam veritatem (pag. 10) de hiis qui ciret et sup quibus interrogatus esset qui per juramentum respondit in modum qui sequitur.

Dize seyer vierdat que en el anno mas cerqua passado de LXXXV estando este deposante en casa de Anthon de Santangel de Calatayut, justicia que era a la sazon, oyo dezir este testigo al dicho Anthon de Santangel estas palavras o quasi que vos parece destos traydores de conversos en matar a maestre epila y el dicho testigo respondio ellos o otri la verdat se sabra y el dicho Santangel respondio y cuerpo de Dios eran locos o havra se bevido el seso los conversos que lo havran de matar han le matado ellos diziendo de los cristanos de natura y ha lo muerto hun lavrador porque se echava con su muger el dicho maestre epila (le leen la declaración). Testes: Johan Domp, notario e micer Johan Marrtinez, rector de Sancta Cruz habitant de Calatayut.

Die XXVI augusti anno Mº CCCC LXXXVI.

- (Pag. 10 vto.) Pedro Sancho menor de Calatayut dixo ha oydo dezir públicamente en Calatayut que los confesos de Calatayut tenian bolsa contra la inquisición e mas dixo que ha hun anyo poco a meneos que oyo dezir a Venito Ram, mercader de Calatayut que ya le costava la bolssa trenta florines e mas oyo dezir a miçer Bines que si su cunyado Martin Clara havia intervenido en la bolssa que Ferrando Diaz era causa y lo ahvia ffecho. E mas que ha oyd dezir este deposant a ssu padre Pero Sancho, mayor, que Alonso Diaz comia carne en cuaresma estando sano y lo ha oydo dezir a otros e mas que se ha dicho públicamente en Calatayut que eran deputados de la bolssa Martin Clara, Ferrando Diaz e Anthon de Santangel e Martin Perez.

Die XXI febroarii anno Mº CCCC LXXXVIII.

- Eadem die coram reverendis dominus inquisitoribus comparvit Antohon Seron habitant civitas (pag. 11) Calatayubii qui juravit in posse dicte reverendus inquisitoris per Deum et cruçem sancta domini nostri Ihesu Cristo e sup sacro santa quatuor evangelia coram eo posita et per eum reverendus inspecta eius propiis manibus corporaliis tacta et per juramentum dixit per juramentum qui sequitur.

Item mas dize este deposant que una vez le dixo uno llamado Martin de Motagudo habitant de Calatayut que le aconsexasse por quanto Anthon de Santangel havia tomado a su moço cuyo nombre no le acuerda porque tuvo en el tinte de Anthon de Cordona una cristiana hun judio toda la noche y el dicho Anthon de Santangel como supo quien era el judio solto al moço y fizo que la muger callasse. Testes: Johanes Torrexon et Dominicus Egidii portarii habitant Calatayubii.

Die XXX julii anno M° CCCC LXXXVI. Çesaraguste.

- Eadem diem coram reverendo domino frate Michael de Monterruvio inquisitore perdicto comparvit Duenya muger de Jaco Enrodrich judeus (pag. 11 vto.) aljama judeorum citias Calatayubii, testis ad instancia procurator fiscales predictum que juravit per Deum et decem precepta legis Moysi et per juramentum dixit juramentum per sequitur.

Et primo dize la dicha deposant que puede haver vinte anyos poco mas o menos que esta deposant estava fuyda por las muertes con su madre llamada riqua en companya de una tia suya llamada Soli muger que fue de Mosse Quatorze en el luguar de Villilla y vio como la dicha tia suya judia llamada Soli judia muger que era de Mosse Quatorze enbiava de los potajes que pa su casa guisava a una monja llamada Gostança de Santangel de la Orden de Sancta Clara y del mosesterio de la ciudat de Calatayut, la qual dicha monja morava en la mesma casa de la dicha Soli juduia tia desta deposant morava, salvo que estavan apartados cadahuna a una parte de la dicha casa que estava portida por dos partes y la dicha monja estava también fuyda por las mertes. E mas dize la dicha deposant que oyo dezir no sabe a quien (pag. 12) quel dicho potaje era para hun ermano de la dicha monja llamado Anthon de Santangel el qual dicho Anthon de Santangel morava en Maluenda que etava alli fuydo por las muertes empero vinia muchas vezes el dicho Anthon de Santganel a ver a la dicha Gostança de Santangel monja ermana suya y haun dize la dicha deposant que lo passavan el dicho potaje acontiemiento de los dichos Gostança y Anthon de Santangel a su pareçer e que aquel potage era de carabaças y que no sabe en que dia era salvo que le parece era viernes e sinse carne la una vegada (le leen la declaracion). Testes: Johanes Torrexon y Dominicus Gil, nunciis sancte inquiscionis Calatayubii.

Die XXVII julii anno M° CCCC XLLLVIIII. Calatayubii.

- Eadem die coram reverendo domino Martino Garsia inquisitore comparvit Jehuda (pag. 12 vto.) Avayut judeo habitant aljame judeorum civitas Calatayubii testes qui juravit per Deum sup decem precepta legis Moysi.

Item mas deposa que oyo dezir a Anthon de Santangel desta ciudat que dixo a Yuçe Paçagon judio desta ciudat que porque no el enviaba el turrado que le havia mandado (le leen la declaración). Testes: Johanes Castillo, notarius e Jacobus de Monclus, nuncio habitant Calatayubii.

Die XIII septembris anno M° CCCC LXXXVIIII. Calatayubii.

- (Pag. 13 vto.) Eadem die coram Alfonso Dalarcon inquisitore comparvit Jehuda Benardut, judio habitant en la aljama de judios de la ciudat de Calatayut testimonio por parte del procurador fiscal producio sçitado por la excomunicaçion echado en su sinoga para provar lo contenido en las denunciaciones dadas contra los infrascriptos qui juravit per Deum et decem precepta legis Moysi.

Et primo dize que empues que fue muerto mastre Epila inquisidor de buena memoria que fue fama en esta ciudat como Ferrando Lopez, micer Domingo presos que estan por la sancta inquisición en esta dicha ciudat y Anthon de Santangel habitant en la dicha ciudat plegavan pa la bolsa por esta ciudat de los confesos y que les dizian a los que no tenian dinero que dixiessen quanto querian dar y por dia gelos darian y ellos lo ponian por ellos y haun lo oyo dezir lo suso dicho a micer Joan de Nueros y a Rodrigo de Cabanyas y que esto fazian por una letra que dizian les havian escripto micer de Montesa y Domingo Lanaja.
(Pag. 14) Item dize fue acaso de dos anyos empues del suso dicho este deposante torno.
Item deposa que antes que matassen a mastre Epila inquisidor este deposant estava en Çaragoça que seria dos meses o dos y medio poco mas o menoes y era mucho amigo de mircer Montesa por heretico comdempnado porque havia seydo mucho tiempo su advocado hun dia este deposant ffue a fablar con el dicho micer Montesa y fallo en su estudio al dicho micer Montesa y Francisco del Rio, micer Francisco Ram, jurista, Garcia de moros heretico, Francisco de Montesa, procurador de don Lope Ximenez hernano del dicmo micer Montesa, micer Santa Fe, asesor del governador, Gilaber Dalitiaçan y otros muchos cuyos nombres no le acuerda a este deposant que eran fasta quinze personas y dize que como entro en el dicho estudio el dicho micer Montesa le dixo a este deposant Benardut esperaos alla de ffuera hun poco y este deposant sallio de ffuera del dicho estudio y mandole cerrar la puerta del dicho estudio y este deposant de sallida cerrola asais y assentose luego en hun escalon de parte de fuera del dicho estudio y estando assi oyo este deposant quando estava fablando los suso dichos y dizian alli unos a otros que no se fallarian en los (pag. 14 vto.) converssos de Aragon cient mil florines y que davan a tal noble tanto y a tal tanto y alopostre e yo este deposant como entre ellos dizian assi Joan Sanchez tenia cargo de cobrar los dineros de tal ciudat que no lo pudia oyr que ciudat nombravan claramente y assi Garcia de Moros mayor detal y otros que alli nombraron que no le acuerda a este deposante repartiendose entre ellos cadauno el cargo que havia de tener y que este deposant no lo pudo oyr todo claro lo que entre ellos confabulavan y que estuvieron los suso dichos en el dicho a just ser fabla ora y media porco mas o menos.
Item mas deposa que acabo de dos dias empues de lo suso dicho este deposant torno a casa del dicho micer Montesa heretico por negociar con el y llego a la puerta del estudio y sintio al dicho micer Montesa y empues al sallir vio a Joan de Pero Sanchez eretico, mossen Luys de Santangel heretico, Anthon de Santangel desta ciudat de Calatayut y Galçeran de Leon y Adeigo de Gotor, heretico y procuradores y Domigno Lanaja y micer Domingo de Sanctacruz, preso desta ciudat y a otros (pag. 15) cuyos nombres no le acuerdan. Y mas dize que quando llego a la puerta del dicho estudio hallola cerrada y oyo roydo de gente dentro y no quiso entrar

sino aturosse de ffuera junto a la dicha puerta del dicho estudio y estando assi este deposant oyo que fablavan los suso nombrados de lo mesmo quel primo dia les havia oydo fablar a los nombrados que si havran ffalado en el primo dia y a just e dizian como a Johan de Pero Sanchez havian dado tal cargo y a Garcia de Nueros tal los cargos que dicho ha departe de suso y oyo mas como dixieron las oras al suso dicho Anthon de Santangel que el que huviesse de tomar cargo desta ciudat de Calatayut de plegar y assi estuvieron alli junctos los suso dichos hablando de secreto por espacio de media ora y assi este deposant los vio sallir a los susos nombrados y conocio muy bien quando sallian (le leyeron su declaración). Testes: ad predicta Michael Domingo e Johanes Duncastillo, notarius.

Die XVIII febroari anno Mº CCCC LXXXVIII.

- (Pag. 15 vto.) Reverendos padres lo que yo Joan de Nueros se y puedo deposar por virtud del juramento en lo de la inquisicion de assi de vivos como de muertos es lo que se sigue.

Assi mesmo he oydo dezir a Anthon de Sanctangel que de Çaragoça havian venido el fixo de Joan Lopez y hun fixo de Gaspar de Sancta Cruz a casa de Ferrando Lopez e vinieron con letras de creença dereçadas a micer Domingo al dicho Anthon de Sanctantel para haver dinero de los converssos para que truxiessen bullas enpero si era pa eso o no que el no lo sabe salvo que le dixo el dicho Anthon de Santangel que los Diaz havian pagado quinze florines de oro a micer Domingo e porque demandaron a Johan Martinez a Venito Ram y a Joan Perez de Fariza e otros muchos e que porque no quisieron pagar que geles havia tornado si fue assi o no que no lo sabe.

- Senyores muy reverendos e padres inquisidores de la sancta fe en la ciudat de Calatayut a las revendas paternidades vuestras yo Anthon de Miedes, ciudadano de la dicha diudat digo que (Pag. 16) estando obediente a los mandamientos de la madre sancta yglesia e de vosotros senyores e por descargo de mi anima y consciencia digo que he oydo dezir a Garcia de Morlans que Ferrando Diaz mercader ciudadano de la dicha ciudat havia covydado a hun clamado Garci Cortes, escudero habitant en la dicha ciudat que si queria que los dos matassen a hun testimonio que havia deposado contra miçer Montesa.
Item dize que he oydo dezir que vino letras a persona a Anthon de Santangel de los converssos de Çaragoça para que le demandasse e plegasse para ladicha bolsa e que havia demandado a Francisco Martinez notario e que no quiso dar quien le demando o quien que no le sabe.

Die XXVI jannuari anno Mº CCCCLXXXVIII.

- Eadem die coram reverendo domino Martino Navarro inquisitore comparvit Garsias Cortes, vicinus Calatayubii qui exoneravit eius concienciam juravit in posse dicti reverendi inquisitoris per Deum et per juramentum et in vini qui dixi per sequitur.

(Pag. 16 vto.) Item mas dize este deposant que havra seys meses poco mas o menos fallandose este deposant en el lugar de la Viluenya en su casa de Joan mercader teçedor vezino de la Viluenya fablando con el dicho deposant le dixo ven aqua Joan por tu vida que sabes de los converssos de Calatayut que en algo sabras porque has estado judio llamado Acrix muchos sabados el dicho mi padre me enviaba a las casas de Gabriel Lopez el bivo y de Santangel cuyo nombre propio no se acuerda con sendas escudillas de hamin dava a los dichos Gabriel Lopez, (blanco) de Santangel es asaber a cadauno uno una escudilla y delante del dicho Joan mercader lo comian y lo vio el comer y esto sabe (le leen la declaración). Testes: Johanes Torrexon e Petrus Torrexon, protari.

Die VIII augusti anno Mº CCCCLCCCVIIII.

- (Pag. 17 vto.) Eadem die coram reverendo domino Martinez Garsia inquisitore comparvit Brahem Alpastan judeus habitator aliame judeorum civitate Calatayubii, testis in modum probaciones per pro procurador ficalis per dictius et precitatis qui juravit in pose dicti domini inquisidor per Deum et decem precepta legis Moysi et per juramentum dixit qui sequit.

Dize este testimonio que abra vinti seys annos poco mas o menos tiempo que hun tio deste testimonio llamado Alpastan judio y este testigo fueron muchas vezes en dias senyalados de fiestas de cristianos como son Sant Joahn, corpus Cristo, Sant Pedro y Sant Marcal (Marcial)a casa de Benito Ram el largo, notario que vivia en la Rua fijo de Benito Ram, e vio en aquellos dias comer en la dicha casa a los dichos Benito Ram y a Anton Ram y a Benito Ram, notario, fijos suyos y a una nieta con este testimonio y el dicho su tio de las viandas judaycas quel dicho Alpastan judio havia fecho apexar en la dicha casa de Benito Ram y vevian del vino judayco y estuvieron a la vendicion de la mesa quel dicho Alpastan judio fizo (pag. 18) (Le leen la declaración). Testes: Miguel Domingo, notario e Jacobus de Monclus, nunçius sancte inquissicionis habitant Calataybii.

Die XX augusti anno Mº CCCCLXXXVIII.

- Eadem die coram reverendo domino Michaele de Monterubeo inquisitore comparvit Anthonius de Blanes, pro inquisitorem qui de licencia testis a instanciam porcurator fiscalis per edictum qui juravit in pose dicti dominus inquissitoris per Deum et per juramentum de possuit per ut sequit.

Dize este testimonio que pude haver cinquo annos poco mas o menos tiempo que praticando entrando y falliendo en casa de Anthon de Santangel de aquesta ciudat este testimonio vio como le demando hun judio por elimosna y el dicho Anthon de Sangangel le dio no sabe quanta quantidat lo qual fue quando compro una casa que tienen a la puerta Terrer y conesto dize que algunas otras vezes le vio

(Pag. 18 vto.) dar limosna a judios no se le acuerda quantas vezes salvo dize que fueron mas de tres vezes a los quales judios alguien el dicho Anthon de Santangel deva limosna de present no se acuerda ni quien son per juramentum (le leen la declaración). Testes: Johanes Torrexon et Dominicus Egidii, nuncio officii sante inquissiciois.

Die quinta junii anno M° CCCCLXXXVIIII. Calatayubii.

Eadem die coram reverendo domino Martinez Navarro inquisidor comparvit Anthonius de Blanes olim cursor habitant calatayubii, testis qui juravit per Deum.

Et primo dize que abra mas de dos annos que hoyo dizir este deposante a Pedro el Platero que le havian empados Anthon de Sanctangel e Martin Calara y Ferrando Diez de Calatayut (pag. 19) para que les dase cinquo florines pa hover bullas y dar al Rey dineros pa que la inquisición no se fiziesse y quel no les quiso dar cosa ninguna (le leen la declaracion). Testes: Andres Gutierrez de Quintanilla, asesor de la sancta inquisición et mossen Domingo de Senya, clerigo habitant en Çaragoça.

Die quinta maii anno M° CCCCLXXXVIII.

- Eadem die coram reverendo domino fratre Michaele de Monterubeo inquissitore predicto comparvit Jehuda Abenardut, judeus habitant civitatis Calatayut qui jurvit per Deum et decem precepta legis que Deus dedit Moysi in monte Sinay et per juramentum dixit stuee ad quod sequitur.

Et primo dize este deposant que havia a diziocho annos poco mas o menso se acuerda este testimonio como una vez fue este deposant a casa de huno llamado Anthon de Santangel fijo de Pedro de Anthon de Santangel (Pag. 19 vto.) habitant en Calatayut que mora en la calle del Obispo de Taraçona en ffruente de casa del magnfiffico micer Johan de Nueros jurista por negociar con el dicho Anthon de Santangel al qual fallo este testimonio estava en el estudio de su casa con hun su fijo llamado Pedro de Santangel que hoy vive que roma en las casas suso dichas del padre acuerdase muy bien como ablando este depsoant con el dicho Anthon de Sanctangel en presencia del dicho su fijo sobre razones dixo el dicho Anthon de Santangel a este deposant Benardut porque no vos azeys cristiano que stays avatido captivo y vitupado de un muyo que es huna cosa de no soffrir el uno vos da huna pedrada el otro vos dize judio perro si hos azeys cristiano estareys honrrado acatar vos ha y entrareys en oficios y otras mil honrras, y queste deposante dixo al dicho Anthon de Santangel estas palabras yo Anthon de Santangel por nada dessas honrras ni por sallir destos vitupios no me quiero fazer cristiano por quanto y otengo (pag. 20) bien mi ley y creo que en aquella me tengo de salvar y tanto quanto mas vitupios passare por sostener la dicha mi ley tanto mas me salvara Dios mi anima y quel dicho Anthon de Santangel replico y dixo a este deposant Benardut vos bien sabeys que vuestro Mesias adesser desser de nuestro linatge, Ihesu Cristo es de nuestro linatge pues porque no lo tomareys por mesias y queste testimonio dixo al dicho Anthon de Santangel que todo lo que haveys dicho es verdat, y si a Ihesu Chisto los cristianos teman solo por mesias y no por Dios y hombre ha hun me peteria que me doblegaria a creerlo empo que es Dios y hombre nunqua lo creer y que entoce el dicho Anthon de Santangel dixo y respuso a este deposante vos BENARDUT tomar ne lo que bien vos venga creer que lo que es messias y no Dios y hombre que asi lo ago y lo creo yo y que entonce este deposant dixo al dicho Anthon de Santangel (pag. 20 vto.) mal habláis Anthon de Santangel quessa opinión ya seria quarta ley, y que entocçe el dicho Anthon de Santangel dixo a este deposante yo no tengo sino una ley es asaber la vuestra de los judios que es ley sancta y buena. Empo creo que es venido el mesias y vos podriades lo tener assi y saliriades de aquexa captinidat y que entodas las dichas palabras estuvo present el dicho Pedro de Santangel su fijo (le leen la declaración). Testes: Magnificus Johanes de Ardiles, asesor et Dominicus Gil, nunciis sancte inquisicionis.

Die XIII mensis augusti anno M° CCCCLXXXVIII.

- Eadem die coram reverendo domino fratre Michaele de Monterrubeo inquisitore predicto comparvit Juçe Çadoch, judeus habitant aliame (pag. 21) judeorum civitatis Calatayubii testis predictum ad instanciam procurationis fiscales fiscales qui juravit in posse dicti reverendo domino inquissicinis per Deum et decem precepta legis Moysi, et per juramentum deposuit ad sequit.

Dize el presnte testimonio deposant que sabe que huno llamado Anthon de Sanctangel fijo de Pedro de Sanctangel que mora el dicho Anthon de Sanctangel en la present ciudat de Calatayut do casa de micer Johan de Nueros, el qual Anthon de Sanctangel tiene dos fijos los quales viven en la present ciudat de Calatayut y se llaman el uno Anthon de Santangel y el otro Pedro de Santangel, dayuno el ayuno de quipur que ayunan los judios et esto sabe el presnt testimonio deposant por quanto toniendo mucha amistat, e demostrandose tener mucho amor el present testimonio y el dicho Anthon de Sanctangel quel en grant segreto fiandose mucho deste testimonio el dicho Anthon de Sanctangel puede haver siete annos poco mas o menos tiempo el dicho Anthon de Sanctangel dixo a este testimonio deposant por su (pag. 21 vto.) propia boca quel ayunava el ayuno de quipur en la forma y manera que lo ayunan los jodios et hoc per juramentum

Item dize mas el presente testimonio ser verdat que puede haver siete annos poco mas o menos tiempo que juntamente fablando con este deposant el dicho Anthon de Sanctangel dixo por su propia boca al presente testimoio deposant estas palabras formadas por dos o tres vegadas quel creya que la creencia que los cristianos crayan era falsa y errada. E que pues que estava entrellos no podia fazer otros sino dismular como quese que creya el contrario de lo que demostrava et hoc per juramentum.

Item asimismo deposa el present testimonio deposant que puede haver seys o siete annos poco mas o menos tiempo que asi mismo el dicho Anthon de Santangel dio por dos o tres vezes quando cinquo sueldos quando quatro y asi deziale a este testimonio deposant que aquellos diese pa partir a judios pobres y pa olio a la lampeda en la sinoga y asi este testimio tomava los dichos dineros (pag. 22) del dicho Anthon de Sanctangel y aquellos y en nombre del dicho Anthon de Sanctangel los partia a jodios pobres et hoc per juramentum (le leen la declaración). Testes: Johanes Duncastillo et Johanes Torrexon, nuncios offiii sancte inquissicionis.

Die XI junii anno Mº CCCLXXXVIIII.

- Eadem die coram reverendo domino Martino comparvit Johannes Garcia tendero habitant en Calatayut testimonio por parte del procurador fiscal qui juravit per Deum.

Et primo dize que abra vint o vintidos annos poco mas o menos que vio como Anthon de Sanctangel y su fijo llamado Pedro de Sanctangel que vive en las casas de su padre, como los dos padre y fijo guardavan los sabados (pag. 22 vto.) y esto vio este deposant desta manera que busquela desta deposoante llamada Aldolça Garçia era noduça del dicho Anthon de Sanctangel y entrava mucho y salia en casa del dicho Anthon de Santangel y este deposante yba con su aquela y asi lo vio por dos sabados como los dichos padre y fijo y la muxer del dicho Anthon de Santangel que guardaron dos sabados y dize que vio como havia ciefuelos encendidos en el viernes en la noche en casa del dicho Anthon de Sanctangel y que veya que eran muchos cienfuelos y que era ceremonia de judios porque este deposante entrava muchas vezes a fazer fuego a los judios seyedon pequenyo y vio como estava alli presente el dicho Pedro.

Item mas que vio habra vinte annos o mas que trayan presentes de rosquillas de la juderia de casa de Tradoz judios, padre de Bienvenis Tradoz de Calatayut a los dichos Anthon de Sanctangel y a su fijo Pedro y los vio comer dichas y pasada la pascua de judios en enviavan pan liendo y lechugas a los judios (le leen la declaración). (Pag. 23). Testes: Mossen Domingo de Senya, clerigo y Guallart de Cardessa, familiar del sennor inquisidor.

Die VII Marcii anno Mº CCCCLXXXVIIII.

- Eadem die coram reverendo domino fratre Michaele de Monterrubeo inquissitore comparvit Vitalis Avayut medicus habitan aljame judeorum Calatayubii qui juravit in pose dicte domini inquissitoris per Deum et decem precepta legis Moysi et per juramentum dixit scire per sequit.

Item mas dize et deposa que abra nueve annos poco mas o menos visitando este deposant y el maestre mayor del Studio llamado maestre Pedro Colobor a uno llamado Anthon de Sanctangel, mercader, habitant en Calatayut que morava cabe casa de micer Johan de Nueros y estando el dicho Anthon de Sanctangel muy debilitado y desbragado dixo este deposant al dicho Anthon de Sanctangel que de que le venia gana y el dicho Anthon de Sanctangel dixo que de carabaça y buscaronlo por la ciudat y visto que no se fallo dixo este deposant al dicho Anthon (no hay más texto).

Die V febroari anno Mº CCCC LXXXVIII. Calatayut.

- Eadem die coram reverendo domino Michaele de Monterubeo inquisidor comparvit Johanes Aznar, vicinus loci de Maluenda dictus predicti qui juravit in posse domini inquisitor per Deum

Dize este deposant que hoyo de huno llamado Francisco Sandero de Panmunyoz vezino de Aguisca que havra mes y medio poco mas o menos quexandose de los fijos de Anthon de Sanctagel dixi el dicho Francisco a este deposant pues por Dios han paso, que muriendo el dicho Anthon de Santangel lo encubrió que puede y con todo dixo que le dixo un hombre el qual el bien conoscia, Francisco era cristiano o judio y el dicho Francisco dixo que porque quando el alma le quiso el alma del cuerpo le hoy dezir una oracion en ebrayco (pag. 24) por judio y no por cristiano y dize que la vido fazer muchas cosas que no eran de buen cristiano y que le veya tenia conversación con su Dios y se apartava a regoçiar con ellos muchas vezes (le leen la declaración). Testes: Agostin Catalan y Pedro Torcat, nucios habitantes Calatayut.

- Eadem coram dicto domino in dicte compares Francisco de Cabria, habitant civitatis Calatayut qui de eius predicte et per juramentum deposuit ut sequit.

Dize este deposant ser verdat habra setze annos poco mas o menos yendo scudero con Anthon de Santangel mayor ciudadano de la dicha ciudat dize artivaron a Villareal de la Plana en el reyno de Valencia a donde dize adelecio y murio el dicho Anthon de Santangel (pag. 24 vto.) y dize que en despues de muerto y puesto en un tarnero deun notario cuyo nombre no se acuerda salvo morava en una calle passada la plaça camino de Valençia, e qual dixo con este deposant que un cunyado del dicho notario que era speciero cuyo nombre tampoco se le acuerda dixo a dicho notario que stava muy frandalizado el dicho speciero que frando en la dolencia de la qual murio el dicho Anthon de Sanctagel le havia hoydo rezar o hablar en ebrayco al dicho Anthon de Santangel y dize murio el dicho Anthon de Sanctagel en un meson de uno llamado Franci, et hoc dixit per juramentum (le leen la declaracion). Testes: qui supra.

Die XX aprilis annos e loco qui supra.

- Eadem die coram dicto domini in dite e comparvit Joannes Sardinillo, habitant Calatayut qui juravit de eius predicte et per juramentum deposuit ut sequit

Dize es verdat que abra seys annos poco mas o menos que Pedro de Sanctangel su fijo de (pag. 25) Anthon de Santangel dixo con ste deposant que la inquisición no era cosa de Dios ni de la yglesia sino por robarles lo suyo y esto le dixo a la baxada de la cruz de Pacuellos de Xiloca.

Item dize que havra mas de veynte cinco annos abuyendo este deposant con Jorge de la Cabra yndo a casa de Anthon de Santangel mayor en el tiempo de la pascua del pan cencenyo hallo cenando al dicho Anthon de Sanctangel y le vio stava comiendo alcahalillas y pan cencenyo y crehe gelo havian enviafo de casa de don Tradoz y esto sabe porque el mismo dia que delo vio comer estando este deposnat en casa del dicho Tradoz que havia ydo pa traer a casa del dicho Jorge de las dichas Alcahalillas y pan cencenyo hoyo dixo al dicho Tradoz que dixo a un moço suyo leva destas alcahalillas y panes cencenyos al dicho Anthon de Sanctangel y dize que vio como el dicho moço de Tradoz levo las dichas alcahalillas y pan cencenyo al dicho Anthon de Sanctangel y dize que el dicho Jore de la cabra envio luego a este deposant eal dicho Anthon de Santangel y que le dixesse si le havian enviado un poco de casa de Tradoz sin que el le enviara y assi dize que fue y le dixo lo que le mando el dicho Jorge y le respondio (pag. 25 vto.) el dicho Anthon de Santangel que si y los dias questava cenando y comiendo de las dichas alcahalillas y pan cencenyo y dize mas que tenia eal dicho Anthon de Sanctangel por un fino judio y no por cristiano y esto dize porque lo vio tratava con Dios y tenia mucha conversación con ellos y le vio hazer otras cosas que no le acuerda queo eran de arte de cristianos sino de judio y esto dize por el destarso de su conceiencia porque no se le acuerda si lo havia deposado et hoc dixit per juramentum (le leen la declaración). Testes: qui supra.

- (Hoja suelta al final del proceso de una declaración incompleta que una testigo judía declara contra el acusado) (Pag. 26 vto.) "De santagel siquieria que la madre deste deposante lo fiziesse y quel dicho Anthon de Sanctangel dixo que mucho plazer abria y este deposant ne fiziesse fazer en su casa a su madre deste deposante llamada Reyna el qual finieron de carne judiega y seche gele envio este deposant con uno cuyo nombre no le acuerda el qual levaron a su casa del dicho Anthon de Sanctangel y depuse este deposant pestudo al dicho Anthon de Sanctantel si havia comido de lo que lenvio y como le supo y quel dicho Anthon de Sanctangel dixo a esta deposant que comio dellos empo no le acuerda a este deposant si le dixo que le supo bueno o malo y este dixo saber porque le vio (le leen la declaracion). Teste: Magnificatus Franciscus de Contamina et Johanes Torrexon, nunciis officii sancte inquisicionis.

3.- PROCESO CONTRA ANTHONIUS XIMENEZ DE RUEDA (ALIAS ARRUET)

FALTA ACUSACION DEL FISCAL, INTERROGACIÓN AL ACUSADO Y COMIENZA CON LA DECLARACION DE TESTIGOS CONTRA DEL ACUSADO.

Die XVIII febroari anno Mº CCCCLXXXVIII.

- (Pag. 27) Eadem die coram reverendis dominis inquisitoribus comparvit Jacobus de Fuentes del lugar de Villaluenga qui juravit im pose dictorum reverendorum dominorum quisitorisbus per Deum et crucem sanctam dominum nostri Ihesu Christi eius sacro sancta quatuor evangelia eoram propys manibus corporal tacta et per juramentum dixit se sare per sequit.

Dize este deposant que abra trenta anyos poco mas o menos estando este depsoant en casa de huno llamado Anton Ximenz de Rueda, mercader habitant en Calatayud vio como el dicto Anthon Ximenez los mas sabados comia carne en la cuaresma, comia guebos y hamin sus fijos comian carne en sabados.

(Pag. 27 vto.) Item mas dize este deposant que algunas vezes enviava el dicho Anthon Ximenz a este deposant a la juderia por carne. Item mas dize este deposant que vio como el dicho Anthon Ximenz y su muxer ayunavan hun ayuno apres escalços fasto la tarde que no se le acuerda que tiempo.

Die decima Marcii anno Mº CCCCLXXXVIII.

- Eadem die coram reverendo domino inquisitore et vicario generali comparvit mossen Anthon Vicent canonigo de senora sancta Maria la Mayor de la present ciudat testimonio per dictum civitatis.

Item dizeque hoyo dizir a Jayme de Fuentes, vezino de Villauenga queseando en serviçio de Anthon Ximenz de Rueda y de su muxer havia visto como enviavan con el dicho Jayme a la juderia por muchos comeres de judios y que los dichos sus amos los comian, y mas le dixo (pag. 28) que los viernes a la tardes tenian los dichos Anthon Ximenz de Rueda y su muxer ciertas lampadillas. Testes: Johanes Martienez, notarius.

Die XXI julii anno Mº CCCCLXXXVIII.

Eadem die coram reverendo domino fratre Michaele de Monterubeo inquissitore predicto comparvit Bellida de Juçe Mayorvidas, Judea habitant aljame e judeorum civitas Calatayut ad instanciam procurador fiscales per edictum sçitata que juravit poer Deum et decem precepta legis Moysi et per juramentum dixit qui sequit.

Et primo dize este deposant que abia vinte annos poco mas o menos estando esta deposant pequenya en casa de su padre llamado Mosse Levi, judio vio e se fallo present que el çaguero dia de la pascua del pan cencenyo a la tarde de uno clamado Anthon Ximenz, botiquero que entonçe morava en la rua desta ciudat de Calatayut tenia su moça cuyo nombre no se acuerda una vez envio a casa del (pag. 28 vto.) padre deste deposant pan liendo lechugas y nuevos y rosquillas masadas con guebos y el padre desta deposant con la dicha moça de retorno enviava en el dia pan cencenyo y turrado y alcahalillas (le leen la declaración). Teste: Ferrando de Rebolledo, alguazirius et Johanes Torrexon, nuncios officii sancte inquisiçionis.

Die quinta augusti anno Mº CCCCLXXXVIII.

- Eadem die coram reverendo domino fratre Michaele de Monterubeo inquissitore predicto comparvit Struga fija de Yuçe Paçagon, Judea habitant aljame e judeorum civitas Calatayut ad instanciam procurador fiscales per edictum sçitata que juravit poer Deum et decem precepta legis Moysi et per juramentum dixit qui sequit.

Dize la presente testimonio deposant (pag. 29) ser verdat que puede haver nueve annos poco o menos tiempo y dende a esta parte que sando la present testimonio deposant pequenya en casa de Yuçe Paçagon padre desta deposant vio como la madre desta deposant llamada Riqua enviava algunas pascuas de pan cencenyo alqualhalillas y turrado a casa de Anthon Ximenz habitant de aquesta ciudat y esto dentro de las ochavas de la pascua del pan cencenyo algunas vezes y otras vezes ya passada la pascua del pan cencennyo el qual levavan serviores de la casa del padre desta deposant judios quando uno quando otro no sabe especificar esta deposant qual de los moços ni como se llamava, y conesto dize algunas vezes senyaladamente quando dentre de la pascua del pan cencenyo le enviavan a la casa del dicho Antho Ximenz de Rueda el dicho pan cencenyo enviava de casa del dicho Anthon Ximenz de Rueda a casa deste deposant pan liendo y lechugas esto (pag. 29 vto.) el ultimo dia de la dicha pascua del pan cencenyo ya tarde y esto sabe esta deposant porque leyendo pequenya oy en casa del dicho su padre asi lo vio et hoc per juramentum (le leen la declaración). Testes: Johanes de Medina et Dominicus Egidii, nucçi officii sancte inquisssicionis.

Die X marcii anno Mº CCCCLXXXVIII.

- Eadem die coram reverendo domino fratre Michaele de Monterubeo inquissitore predicto comparvit Davi Levi judeus habitant aljame e judeorum civitas Calatayut ad instanciam procurador fiscales per edictum sçitata que juravit per Deum et decem precepta legis Moysi et per juramentum dixit qui sequit.

Item dize este deposant que abra trenta annos poco mas o menos pessando esta deposant por la rua de la ciudat de Calatayut (pag. 30) llamo a este deposant uno llamado Anthon Ximenez de Rueda botiquero que morava en la Rua de la dicha ciudat de Calatayut, el qual dixo a este deposant ven aqua fijo llamame a tu padre y este deposant fue a llamar al dicho su padre que se llama Mosse Levi, judio con el qual su padre deste depsosant vino y en presencia deste deposant el dicho Anthon Ximenz dixo al dicho su padre deste deposant Mosse Levi ago bodas y de mi fija llamada Riqua el domingo primero vienient ve toma siete pes de gallinas que fallaras don Abran Alpastan judio y deguellalas y dan hun par a seys judios cuyos nombres no le acuerdan a este deposant a cadauno hun par y tiente tu el un par y el dicho su padre las partiesse según el dicho Anthon Ximenez le dixo (le leen la declaración) Testes: petrus Larraz, notario, et Johanes Torrexon, nuncios officii sancte inquissicionis.

Die XVII julii anno Mº CCCCLXXXVIII.

- (Pag. 30 vto.) Eadem die coram reverendo domino Martino Navarro inquisitore predicto comparvit Maria Gil de Cervera testis çitara per edictum que in pose dicti domini inquisoris juramentum per deum super curçem domini nostri Ihesu Chisti eius facto sacta quatuor evangelia coram eo posita at corporali tacta et per juramentum et in juramentum dixit se sire qui sequit.

Dize este testimonio que puede haver quarenta annos poco mas o menos estando este deposant en la ciudat de Calatayut en la casa y servicio de huno llamado Anthon Ximenz de Rueda y de su muxer Isabel que solian vevir en el Baynelo se le acuerda a esta deposant que muchas y diversas vezes por mandato de los dichos Anthon Ximenez de Rureda y de su muxer les turxo hamin de la juderia en dias de sabado a pexado con carne el qual hamin esta deposoante dava a los dichos Anthon Ximenz de Rueda y a su muxer por no se le acuerda a esta (pag. 31) y acuerda se le que lo trayda de casa del padre del dicho Anthon Ximenez que era judio.
Item dize esta deposoante que quando el dicho Anthon Ximenz de Rueda en el mismo tiempo traya carne y era pierna hazia obrir por medio y assi a la dicha pierna como a qualquiere otra pieça en llegando a casa dentra del çaputo donde la dicha carne venia el dicho Anthon Ximenz le hazia echar sal y asi estava la dicha carne con la sal hun rato fasta que labrian poner a cozer o assar po nunqua vio quel dicho Anthon Ximenez fiziesse purgar la dicha carne de las grassas ni quitar la landrezilla de la pierna (le leen la declaración). Testes: Magnificus Franciscus de Contamina, alguazii et Johanes Martienz, notarius habitant civitas Calatayubii.

Die XV augusti anno Mº CCCC LXXXXVIII locum de Fuentes de Xiloqua.

- (Pag. 31 vto.) Eadem die coram reverendo domino fratre Michaele de Monterubeo inquissitore predicto comparvit Bienvenist Arrueti judeus habitant aljame e judeorum civitas Daroce, testis ad instanciam procurador fiscales per edictum sçitata que juravit per Deum et decem precepta legis Moysi et per juramentum deposuit per ut sequit.

Item dize el presente testimonio que puede haver quarenta annos poco mas que tuniendo pratica y notiçia con Anthon Ximenez de Rueda o hermano de Yuçe Arrueti, padre deste testimonio deposant y Rica Ximenez su muxer de la ciudat de Calatayut los quales tenian la casa en el aljama de la dicha ciudat y entrando y saliendo en casa de los suso dichos este deposant por tiempo de tres annos y mas vio este testimonio deposant como los dichos Anthon Ximenez de Rueda y Riqua su muxer fazian mas vida de judios que de cristianos porquanto en todo el dicho tiempo de tres anyos continuos (pag. 32) y mas que alli pratico y continuamente comio el present testimonio deposant porque stava oy encomendado por mano a su padre pa que le diese de comer porque estudiava aquí con un rabi, vio como comia carne de la juderia y su hamin en el sabado fecho del viernes el qual se fazia en la dicha casa de la dicha carne y comian de la dicha carne en toda la cuaresma y en la semana sancta y en viespras de fiestas de cristianos y esto vio este testimo porque como dicha ha continuamente comia en su casa de los dichos Anthon Ximenez de Rueda y Riqua su muxer y sabe mas que ni enguila ni cosa que judios no comen y esto sabe porque en todo el dicho tiempo nunqua le vio guisaron en la casa y dixeron los dichos anthon Ximenz y Riqua su muxer que en toda su vida lo havian comido. E asi mismo porgavan la carne de las grassas a modo judayco y quitavan la landrezilla de la pierna lo qual todo por sus ojos vio el presente testimonio deposante et hoc per juramentum.

Item assi mesmo depossa el presente testimonio depossante que en le dicho tiempo de tres annos (pag. 32 vto.) y mas que ay pratico como dicho ha vio como los dichos Anthon Ximenz de Rueda y Rica su muxer davan dineros para la çedaca a judios senyaladamente se acuerda que les vio dar para la çedaca a Çalema el Vayo y a Davit Absalon judios de la juderia de la dicha ciudat de Calatayut.

Item asi mismo depossa el presente testimio depossante que de los dichos tres annos quel como dicha ha pratico en la dicha casa vio un anno o dos ayunar a la dicha Riqua Ximenez el dayno de quipur en la forma y manera que los judios lo ayunaban absteniendose de comer todo el dia fasta la nothe et hoc dixit per juramentum.

Item asi mismo deposa que en todo el dicho tiempo de tres annos que mas que ay estuvo y tuvo pratica con los dichos Anthon Ximenez y Rica su muxer y senyaladamente de casa de Açach Paçagon y de casa de Abraham Alpastan judios, sen el tiempo de la pascua del pan çençenno y dentro de las ochavas de su pascua de judios enbiavan pan çençenno alcahalillas (pag. 33) y turrado a los dichos Anthon Ximenez de Rueda y Rica su muxer, con sus servidores judios y aquellos ellos recibian y comian del en ladicha pascua y el postrero dia de la pascua de judios del pan çençenno enbiavan los dichos Anthon Ximenez de Rueda y Rica su muxer adaquellos judios que les enbia el dicho pan çençenno pan liendo lechugas y guebos y esto enbiavan con sus moços, lo qual vio este testimonio depossante todas las tres pascuas de los tres annos que como dicho ha alli pratico entro y sallio y como de continuo et hoc per juramentum.

Item asi mismo dize el presente testimoio deposante que por quanto el dicho Anthon Ximenez de Rueda y la dicha rica su muxer eran tios deste deposante y va a su casa y estava y comia alli assi como si fuera a casa de un judio y ellos le dizian a este testimonio deposante que bien podia comer quellos quanto comian todo era judayco y assi este testigo lo comian sin ningun enpacho y asi mismo (pag. 33 vto.) dize el presente testimonio deposante que quando este testimonio depossante sallia descuela vesava las manos a los dichos Anthon Ximenz de Rueda y a la dicha rea su muxer y ellos le pasavan la mano por la cara como los judios le acostumbran fazer y dizianle "el Dios te faga tan buen judio como tu padre y algarroz beses a tu mama", et hoc per juramentum (le leen la declaración). Testes: Fuit presentes Franciscus de Contamina, alguaziri, et Petris de Laraz, notario habitant Calatayut.

Die XIIII mensis augusti anno Mº CCCCLXXXVIII. Apud locum de Azret (Acered).

- Eadem die coram reverendo domino Martino Navarro inquisitore predicto comparvit Johana Dexca, uxor Pascuali de Bennia, habitant loçi de Alarba (pag. 34) testis sçitata per edictum qui juravit per Deum sup crurçem domini nostri Ihesu Chiste eisus sacro sancta quatuor evangelia viam ea possita sup propiis manibus corporaliter tacta et deum reverienter inspecta et per juramentum et in vini per dixit se sçire qui sequit.

Que esta depossante que havra quarenta y dos annos pcoo mas o menos estando esta depossante en la ciudat de Calatayut en la casa y serviçio de uno llamado Anthon Ximenez de Rueda trapero y de su muller lamada Rica Ximenez que sabran habitan en la juderia, vio esta depossante que la dicha Rica Ximenez pugarva la carne quitando de aquella las grassas en forma judayca y quando trahian pierna, la dicha Rica abrala dicha pierna y saquava la landrezilla y las grassas que cabo ella estan.

Item dize esta depossant que en el mismo tiempo vio que algunas vezes un judio cuyo nombre esta depossante ignora esta cabe era padre de a dicha Rica Ximenez, benia algunas vezes a comer a casa de los dichos Anthon Ximenez y de Rica (pag. 34 vto.) Ximenez su muxer y comian con ellos y dize esta depossante que quando el dicho judio venia a comer con los dichos Anthon Ximenez y con Rica Ximenez su muxer esta depossante por mandado dellos trahia la carne de la carniçeria de los judios (le leen la declaración). Testes: magnifficus Françiscus de Contamina, alguaziri et Johanes Martinez, noarius habitant civitas Calatayubii.

Die XXVIIII septembirs anno Mº CCCCLXXXVI.

- (Pag. 35 vto.) Rabi Manuel, judio vezino de la villa de Magallón, testigo dixo que Anthon Ximenez de Calatayut y su muger hermana del dicho Joan Diaz de Calatayut comian carne de judios y fazian cirimonyas de judios y comian pan cotaço, arruquaques y turrado y ayunavan el ayuno de quipur y encendian candiles el viernes a la noche y comian hamin el viernes guisado pa el sabado y en las bodas que fazian siquiere cristanos siquiere judios comian comeres de judios esto dize sabe porque entrava e sallia en su casa y era deudo de su muger. Testes: Anthon Juncado, nuncio, et Joan de Bares, escrivient habitant Çeçarauguste.

Die XVI junii anno Mº CCCCLXXXVIII. Daroçe.

- Eadem die coram domino inquisitore comparvit Joana Garcia, muger de Benito Xanar, vezino de Langa testimio qui juravit (pag. 36) in posse inquisidor y Deum.

Et primo dize que havra cerca de quinze anyos que estando esta deposant en casa de Joan de Rueda aquí en la presente ciudat de Daorca dize que vio como los viernes en las noches se fazian amanar la madre de Joan de Rueda y su muger y Anthon de Rueda que agora bive aquí en Daroca las camisas y ropas limpias para el sabado y el sabado se las mandavan la dicha madre de Joan de Rueda y Joan de Rueda y su muger y el dicho Anthon de Rueda (termina aquí la declaración).

Die VI menssis octubre anno Mº CCCC LXXXVIII apud villam de Valladolit regni Castelle.

- Eadem die coram dictus revendis domius inquisitoribus heretice e apostatice pravitat in dicta villa de Valladolid resadentibus comparvit Yuçe Çarfati, judeus habitant aljame judeorum dicte ville de Valladolid, testis scitatis ad in stanciam dicta procurador fiscales e ministri sancte inquisicionis qui juravit in posse dicto reverendos domini inquisitor per decem precepta legis Moysis et per juramentum et in bini dixit se sobre qui sequit.

(pag. 36 vto.) Item dize este deposant que havra vinte y cinquo anyos poco mas o menos estando este deposant en la ciudat de Calatayut este deposante y uno llamado Anthon Ximenz de Rueda huvieron de yr a Almaçan y estando concertando hun dia de jueves la partida, el dicho Anthon Ximenez dixo a este deposant que el viernes yria fasta fariza y el sabado ternian en Fariza y el domingo yrian a Almaçan y este depsoant le respuso que era bien dicho lo que el dizia y assi el dicho dia de viernes este deposant y el dicho Anthon Ximenez Darruet partieron de la ciudat de Calatayut y llegaron a la villa de Hariza a donde assa este deposant como el dicho Anthon Ximenez folgaron y guardaron el sabado sinque este deposante viesse ni supiesse que el dicho Anthon Ximenz tuviesse que hazer cosa ninguna en la dicha villa de Hariza y comieron entramos juntamente a una mesa carne degollada de judios y el domingo de manyana partieron los dos junctos para Almaçan y andando (pag. 37) por el camino entre muchas razones que pasaron el dicho Anthon Ximenez de Rueda dixo a este deposant quel ayunava el ayuno de quipur de los judios (le leen la declaración). Testes:magnificus dominus Johanes Ardiles assesor oficii sancte inquisicionis civitas Calatayubii et Petrus Larraz, notarius in dicta villa de Valladolid de present residentes.
Die VIII junii anno Mº CCCC LXXXX.

- Eadem die Jehuda Benardut, judeus aliame judeorum Calatayubii coram domino Martino Garsie inquisitore aplicam deputato in episcopatu Tirasony et diociesis Çesarauguste qui juravit per Deum et supo deçem precepta legis Moysi de veritate diceda. Et illto dominus senyan procurator fiscalis in causis inquisitor pendet asquuacio ad probandum sup veritate contra quos tangit inffrascripta deposicio per dixit in testem dictum Jehuda de fuit a divinis et despouait per ut sequit.

Item dize que puede haver unos XXV anyos que por feria de Sant Maheu estando este testigo en Daroca y tambien otra vez en dia de sabado posado en casa de Bienvenis Arrueti, judio, vio como dicho Bienvenis Arruet con hun moço cristiano enbiava una olla de hamin ffuera de su casa y este testigo pestudo le que pa do la enbiava dixo el dicho Bienvenis que para casa de Anthon Ximenez de rueda la enbiava y dize que apres desto estando el dicho Anthon Ximenez (pag. 38) de Rueda en Calatayut con su muger que fue el anyo aldelante comprandole este testigo unas cubillas al dicho Anthon Ximenez de Rueda y estando en diferençias sobre el precio jurole el dicho Anthon Ximenez diziendo por los diez mandamientos de la ley sancta de Moysen en que vos e yo creemos que tanto crende dan. Este testigo dixole entonces que porque no jurava su jura de cristiano respondiole que porque tenia por sancta ley y buena la ley de los judios y que por esto la jurava y de alli en entraran en sallos y dixo le acuerda sente que estando en Daroca de casa de Bienvenis vio levar una olla de hamin en sabado e dixole el dicho Anthon de Rueda quien vos le dixo respondio este testigo yo lo vi y entonçes dixole el dicho Anthon de verdat era dixo le este testigo buen olla ende levavan quien ve comio dixo el dicho Anthon de Rueda yo y mi muger y mas fixos y que aque en Calatayut tiende fazia su muger de la carne de la carneceria de los judios y el (pag. 38 vto.) y su muger y fixos lo comian el dia del sabado y dize mas que le dixo el dicho Anthon de Rueda como el y su muger y sus fijos a saber es su fijo elabat que se llama Mossen Rueda y esta en daroca y los otros todos sus fixos ayunavan el ayuno de quipur y guardavan el sabado (le leen la declaración). Testes: Dominus Andreas de Quintanilla, asesor sancte inquisicionis y Johanes del Bost, notarius dicti sacte officii.

Die XVI Marcii anno Mº CCCC LXXXVIII.

- Item dize Anthon Ximenez de Rueda fixo de Pero Ximenez que en casa de Anthon Ximenez de Rueda tio suyo guisavan muchas vezes hamin y assi mismo muerto su tio la muger viuda lo guisava y todos lo comian y assi mesmo veya presentar a los suso dichos pan cotaço y turrado y arruquaques a los judios.

4.- PROCESO CONTRA JOHAN DE SAYAS

FALTA ACUSACION DEL FISCAL, INTERROGACIÓN AL ACUSADO Y COMIENZA CON LA DECLARACION DE TESTIGOS CONTRA DEL ACUSADO.

Die XI febroari anno Mº CCCC LXXXVIII.

- (Pag. 39 vto.) Eadem die coram reverendo domino fratre Michaelle de Monterrubeo inquisitore comparvit Johana de Santestevan, uxor Martini de la Cruz, habitant Calatayut testes qui juravit per Deum sup crucem domini nostri Ihesu Chirsti per diceret omniodam veritate de hiis qui citeris qui per juramentum respondit in modum qui sequitur.

Dize esta deposante que havra ocho o nueve annos poco mas o menos oyo dezir esta deposante a Martin el Panicero, vezino desta ciudat que huna vez huno llamado Johan de Sayas el sastre, vezino de Aquesta ciudat dixo al dicho Martin el panicero en cuaresma que comia en aquel dia y que el dicho Martin el panicero dixo al dicho Johan de Sayas que lo que le davan en su casa y entoce dixo el dicho Johan de Sayas al dicho Martin el panicero pues veni conmigo y dar vos e yo hun par de manielles que es hun comer de cuaresma y el dicho Martin el Panicero fue a comer con el dicho Johan de Sayas y que vio comio pa el dicho Johan de Sayas sacaron hun par de torcaços y pa su muger y companya congrio y quel dicho Martin el Panicero no quiso comer de los dichos torcaços (le leen la declaración). (Pag. 40) Testes: Johanes Perez, notario, e dominicus Egidii, nuncio oficii sancta inquissicionis.

Die VII Marcii anno Mº CCCC LXXXVIII.

- Eadem die coram domino inquisitore comparvit Martinus Dalmaçan habitant Calatayut testis qui juravit per Deum sup crucem domini nostri Ihesu Chisti qui diceret omniodam veritate qui per juramentum respondit in modum qui sequitur.

Dize este deposante que puede haver cinquo o seys annos poco mas o menos estando fablando con Johan de Sayas sastre habitant en esta ciudat el dicho Johan de Sayas empresenua suya y del Maturano dixo que havia ydo a Cathalunya y a Barcelona y que uva a las juderías que el dicho Johan de Sayas se mostrava seer estando con los judios y que assi los sabados (pag. 40 vto.) como los otros dias y comia, dormia y estava con los dichos judios en la juderia y que comia de los comeres que los judios comian y a hun le pareçe a este testigo que dixo el dicho Johan de Sayas que tambien dava a entender a los dichos judios que ayunava sus ayunos (le leen la declaración). Testes: Johanes Martinez, notario, e Dominicus Egidii.

Die XXV junii anno Mº CCCC LXXXVIII. Calatayut.
- Eadem die coram domino inquisitore comparvit Bienvenis Arruet, judio habitant Çaragoça testis qui juravit per Deum sup decem precepta legis Moysi qui diceret omniodam veritate de hiis qui ciret qui per juramentum respondit in modum qui sequitur.

Dize seyer verdat que conoce a Johan de Sayas sastre, vezino de Calatayut de vista y pratica que (pag. 41) havra quatorze annos poco mas o menos que fue a tasar hunos panyos a Daroqua y era en la cuaresma de los cristianos y que vio como yva a comer a su casa deste deposante y a casa de Mose Abbez ayen Daroqua y vio como conmia carne de los judios y potajes guisados por los judios y que le vio dar limosna algunos bezes a los judios pa la çedaqua (le leen la declaración). Testes: Jayme de Monclus y Anthon de la Miel, nuncios habitantes en Çaragoça.

Die XVIII Marcia anno Mº CCCC LXXXVIII.

- Eadem die coram domino inquisitore comparvit Alfonsus Bravo calçetero habitant en Calatayut, testis qui juravit per Deum sup crucem domini nostri Ihesu Christi qui diceret omniodam veritatem qui per juramentum respondit in modum qui sequitur.

(Pag. 41 vto.) dize este deposante que indo camino este testigo con Johan de Sayas y el dicho Johan de Sayas sastre el yva sermonando en ebrayco especialmente le acuerda a este testigo que hun dia vinieron este testigo y el dicho Johan de Sayas y hun judio que se dize canynto el dicho Johan de Sayas yva sermonando en ebrayco lo que dizie no lo sabe (le leen la declaración). Testes: Michael Boyl e Johanes Martinez, notario.

Die XXVIII Marcii anno Mº CCCC LXXXVIII. Calatayubii.

- Eadem die coram domino inquisitore comparvit Martinus de san Estevan habitant civitas Calatayubii testis qui juravit per Deum sup crucem domini nostri Ihesu Christi qui diceret omniodam veritatem qui per juramentum respondit in modum qui sequitur.

(Pag. 42) Dize este deposante que puede haver seze o dizisiete annos poco mas o menos este testigo oyo dizir a huno que se dizia Asensio Munyoz el viejo que havia visto como Johan de Sayas el congrio y hun par de torcazos todo junto en huna olla y este testigo por saber si era verdat se fue al dicho Johan de Sayas y dixo le han me dicho que en quaresma teniays huna olla de congrio con hun par de torcazos pa comer y el dicho Johan de Sayas dixo a este testigo pues que la han fallado verdat es tu eres rrancio que no comes destos comeres y esto es de nuestro comer diziendo por los torcazos y tu comer es el congruio (le leen la declaración).

Die XVI Maii anno Mº CCCCLXXXVIII. Calatayut.

- (Pag. 42 vto.) Eadem die coram domino inquisitore comparvit Mosse Jaco judeus habitant aliame judeorum citias Calatayut testis qui juravit per Deum sup decem precepta legis Moysi qui diçeret omniodam veritate de hiis a cçret qui per juramentum respondit in modum qui sequitur.

Dize este deposante que ha hunos seys annos poco mas o menos estando este deposante en casa de Johan de Sayas sastre habitant en el mercado de la ciudat de Calatayut por obrero a jornal en donde estuvo hun anno poco mas o menos en el dicho tiempo que estuvo en la dicha casa en el tiempo de la cuaresma pasando algunas personas perdices et gallinas por delante de la puerta de la casa de Johan de Sayas vio este deposante por muchas de vezes en el tiempo de la quaresma al dicho Johan de Sayas mercar gallias y perdices muchas e que quando alguna o algunas personas estavan presentes quando merquava la dichas galinas y perdices el dicho Johan de Sayas padre suyo e que algunas vezes veya este deposant en los dichos dias de cuaresma pelar las dichas gallinas e perdices a huna clamada Maria fija del dicho Johan de Sayas (pag. 43) pa el dizia que las merquava por el comendador de Sant Angostin e Lope de Berdejo tinturero habitant en aquesta ciudat por que estavan enojados y asi luego que las havia mercado en presencia de las dichas personas cuyos nombres no le acuerda davan las dichas perdices et gallinas a huna fija suya clamada Lucrecia, diciéndole que las levase a los dicho comendador e Berdejo e que cobrase los dineros e assi la dicha Lucrecia yva de fuera de Calatayut e de aquí a poco rato este deposante veya venir a la dicha Lucrecia e le baya que traya todas las perdices e gallinas que el dicho Johan de Sayas padre suyo le havia dado y esto lo traya escondidamente e las puyava y geles vio que las puyava alto a la casa suso dicha del dicho Johan de Sayas padre suyo e que algunas vezes veya este deposant en los dichos dias de cuaresma pelar las dichas gallinas e perdices a huna clamada Maria fija del dicho Johan de Sayas e cree este deposante que los dichos Johan de Sayas e Anthona muger (pag. 43 vto.) suya que de presente havia en las dichas casas en semble con los dichos sus fijos comian todos en el dicho tiempo de la cuaresma las dichas gallinas e perdices y esto dize saber por quanto vio este deposante las muchas circunstancias e que es verdat que este deposante nunqua les vio comer las dichas gallinas e perdices porque en el tiempo que los dichos Johan de Sayas et su muger comian este deposante guardava la botiga e mas dize este deposante que quando el dicho Johan de Sayas merquava las dichas perdices e gallinas estava presente la dicha Anthona muger suya del dicho Joan de Sayas.
Item mas dize este deposante que en eldicho tiempo que havra hunos seys annos poco mas o menos estando este deposante como dicho ha en casa del dicho Johan de Sayas en el tiempo de la quaresma por muchas viezes dize este deposante que oydo dezir al dicho Johan de Sayas que vive do de fuera de casa estas palabras endreçandolas a este deposante o victoria como matan vuenas carnes en la carneceria de los judios que juro a Dios hun pedaço traygo de carne de la (pag. 44) carneceria de los judios que vale hun florin demostrandole la dicha carne y este deposante vio la dicha carne e le dizia al presente deposante toma hun pedaço desta carne pues es de la judería e assatela e cometela et este deposante le respuso que no queria comer de la dicha carne aunque fuese de la juderia y estas razones pasavan el presente deposante e Johan de Sayas en presencia de hun obrero que estava en la dicha casa del dicho Johan de Sayas que cuyo nombre no le acuerda.
Item dize este deposante que en el dicho tiempo de seys annos poco mas o menos que hun sabado a la noche vino este deposante a casa del dicho johan de Sayas sastre a fazer facienda aquela noche del sabado e asi mesmo a fazer facienda el siguiente dia que era domingo de ramos en casa del dicho Johan de Sayas et la dicha noche del sabado este deposante ciertas candelas que havia merquado pora velar a las noches tomolas dichas candelas e levolas a volcar en huna caxa que estava en casa el dicho Johan de Sayas (pag. 44 vto.) et este deposante hubieno que huvo la dicha caxa vio huna olla grande de dos dineros de dentro de la dicha caxa e miro la dicha olla que havia de dentro vio como dentro della por encima cubierta toda de grasa gela dose asi tomo este deposante huna candela de las que traya e creba hun poco de la dicha grasa e vio este deposante que baxo de la dicha grasa havia carne e huevos e que comieron que era hamin guisado del dicho dia del sabado e que despues el domingo derramose queriendo sallir de misa vio este deposoante la mesma olla que havia visto con el dicho hamin que estava en el fuego a calentarse e tiro la cobertera de la dicha olla e vio el dicho hamin que primero havia visto al dicha olla e no vio que huviese otro pa comer los dicho Johan de Sayas e la dicha su muger sino el dicho hamin seguiso otra vianda pa comer en la dicha casa sino el dicho hamin porque este deposante estuvo presente e vio que no se guiso otra vianda en la casa pa comer.
(pag. 45) Item dize este deposante que havra seys annos poco mas o menos que este deposante Osua Arruest, Yento Arruet, judios obreros que eran del dicho Johan de Sayas y muchos de vezes por mandado del dicho Johan de Sayas fazian facienda en los dias de domingos e de pascuas de dentro de casa del dicho Johan de Sayas y esto escondiendamentes e asi mesmo vio esta depsoante que el dicho Johan de Sayas fazia facienda los dichos dias de domingos cortando panyo se da o fustanes pa dar facienda a los dichos obreros suyos e que este deposante hun dia de domingo de ramos vio al dicho Johan de Sayas como corto seda y pannos (le leen la declaración). Testes: Michael Boylioris e Johanes Torrejon, nunciis officii sante inquiscionis.

Die XIIII madi anno Mº CCCC LXXXVIII. Calatayut.

- (Pag. 45 vto.) Eadem die coram domino inquisitore comparvit Brahem Lapapa, minor diem, judeus habitant aliame judeorum citias Calatayut testis qui juravit per Deum sup decem precepta legis Moysi qui diceret omniodam veritate de hiis a ciret qui per juramentum respondit in modum qui sequitur.

Dize este deposante que havra quatro annos huno llamado Johan de Sayas sastre habitant de Calatayut en tiempo de quaresmaestando sano y sin ninguna necessidat le vio el presente testimonio comer muchas vegadas carne de la cristianidat y torquaços. Et dize mas el presente deposante que biviendo el en casa del dicho Johan de Sayas estando doliente en la cama en tiempo de la pascua de pan çançenno de los judios estando muy malo que al otro dia murio demando a este deposante pan çançenno lo qual este deposante no le quiso dar. E dize mas el presente tesgio qu vio al dicho Johan de Sayas coser ropas en los dias de pascua de navidat (pag. 46) y de resurrección y en otras fiestas como si fuera judia todo el dia (le leen la declaración). Testes: Johanes Torrejon e Dominicus Egidii nuncio officii sancte inquisicionis.

Die VIII julii anno M° CCCC LXXXVIII.

- Eadem die coram domino inquisitore comparvit Ysach Alazar judeus habitant aliame judeorum citias Calatayut testis qui juravit per Deum sup decem precepta legis Moysi qui diceret omniodam veritate de hiis a ciret qui per juramentum respondit in modum qui sequitur.

Dize este testimonio que havra hunos siete annos poco mas o menos que este deposante estuvo en casa de huno llamado Johan de Sayas sastre que morava (pag. 46 vto.) en el mercado de la presente ciudat en la qual casa estuvo obrero este deposante hunos ocho meses poco mas o menos et en el dicho tiempo muchos domingos e fiestas e algunas pascuas de cristianos el dicho Johan de Sayas de manyana dava a este deposante algunas ropas a coser que estavan ya compeçadas por sus parroquianos huviese reçando que los atenniasse e as ieste deposante oras y a solas en casa del dicho Johan de Sayas oras con el dicho Johan de Sayas en los dichos dias de domingos fiestas e algunos dias de pascua de cristianos entramos a dos consian las ropas et oras havia dos o tres oras de amnyana e oras fasta medio dia demanera que el dicho Johan de Sayas no sallia de casa fasta empues de comer. E mas dize este deposante que en algunos de los dichos dias en domingos y fiestas e pascuas el dicho Johan de Sayas algunas vezes no teniendo prisa dava a este deposante ropas que fiaiese y assi este testimonio las fazia en los dichos dias (pag. 47) (le leen la declaración). Testes. Johanes Murillo, notario, e Dominicus Egidii, nuncio habitant Calatayubii.

Die XV octobris anno M° CCCCLXXXVIII en Valladolit.

- Eadem die coram dominis inquisitoris comparvit Yuçe Çarfati judeus habitant aliame judeorum citias Calatayut testis qui juravit per Deum sup decem precepta legis Moysi qui diceret omniodam veritate de hiis a ciret qui per juramentum respondit in modum qui sequitur.

Dize este deposante que puede haver vinte y cinquo annos poco mas o menos tiempo que huno llamado Johan de Sayas sastre que morava en el mercado de la ciudat de Calatayut vino a casa del presente deposante hun dia de la pascua del pan cancenno assi (pag. 47 vto.) a ora de viespras y entro ayen casa deste deposante y comio alli pan cancenno alquahalillas y turrado y bevio del vino judeo reyendo y tomando plazer que era esto en la semana Santa y estuvose ay huna ora poco mas o menos tiempo (le leen la declaración). Testes: Magnificus dominus Johanes de Ardiles, jurisperitor asesor officii sancte inquisicionis et Petrus Larraz, ntoarius in dicta villa de Valladolid de prsenteis residentes.

Die XVI octubirs anno M° CCCC LXXXVIIII en Valladolit.

- Eadem die coram dictis dominis inquisitoribus comparvit Çeti Enforna judea habitant aliame judeorum citias Calatayut testis qui juravit per Deum sup decem precepta legis Moysi qui diceret omniodam veritate de hiis a ciret qui per juramentum respondit in modum qui sequitur.

(Pag. 48) Dize esta deposante que en el mesmo tiempo en dias de sabados vio como ciertos moços y moças de judios cuyos nombres no le acuerda muchas vezes levavan a casa de huno llamado Johan de Sayas, sastre que morava en el mercado de la dicha ciudat de Calatayut huna escudilla encima de otra cree esta deposante que era hamin parejado en la juderia y veya esta deposante como los que levavan las dichas escudillas quando sallian las sacavan bazias (le leen la declaración). Testes: qui supra.

Die X mensis Marcii anno M° CCCC LXXXVIII. Calatayut.

- Eadem die coram domino inquisitore comparvit Salomon Yara judeus habitant aliame judeorum citias Calatayut testis qui juravit per Deum sup decem precepta legis Moysi qui diceret omniodam veritate de hiis a ciret qui per juramentum respondit in modum qui sequitur.

(Pag. 48 vto.) Dize este deposante que havra ocho annos poco mas o menos llevo este deposante a huno llamado Johan de Sayas sastre habitant de Calatayut que morava en el mercado huna redoma de vino blanquo y huna pierna de carnero degollada de judio lo qual dio este depsoante a la muger del dicho Johan de Sayas cuyo nombre no le acuerda lo qual recibio (le leen la declaración). Testes: Petrus Larraz, notarius e Johanes Torrejon, nuncius.

Die XIIII Marciianno M° CCCCLXXXVIII. Calatayubii.

- Eadem die coram dicto domino inquisitore comparvit Asser Abencrespo judeus habitant aliame judeorum citias Calatayut testis qui juravit per Deum sup decem precepta legis Moysi qui diceret omniodam veritate de hiis a ciret qui per juramentum respondit in modum qui sequitur.

(Pag. 49) Dize este deposante que havra diez annos poco mas o menos oyo dezir muchas vezes a huno llamado Johan de Sayas, sastre habitant de Calatayut como huna vez fallando se en hun lugar de Catalunya y faltando le los dineros dixo que havra dicho como era judio y se fue al hiddes que quiere dezir espital y que ay entre los judios estuvo mas de quinze dias y yva a la sinoga con ellos a fazer la oracion que fazian los judios (le leen la declaración). Testes: Petrus de Larraz, notarius e Johanes Torrejon, nuncius.

Die XXVIIII Febroari anno Mº CCCC LXXXVIII. Calatayubii.

- Eadem die coram domino inquisitore comparvit Salomon Avayut judeus habitant aliame judeorum civitias Calatayut testis qui juravit per Deum sup decem precepta legis Moysi qui diceret omniodam veritate de hiis a ciret qui per juramentum respondit in modum qui sequitur.

(Pag. 49 vto.) Dize este deposante que asi mesmo Johan de Sayas sastre que le rogo a este deposante que le fiziese hamin porque queria comer del dicho hamin hun sabado y que queria venir a comerlo a su casa deste testigo y que este fue contento y hun sabado al tiempo del comer vinieron el dicho Johan de Sayas y Pero Çit que la ora estava moço y morava con el dicho Johan de Sayas y esto puede haver dizisiete annos poco mas o menos los quales Johan de Sayas y Pero Çit comieron en la casa deste testigo el dicho hamin en sabado (le leen la declaración). Testes: Johanes Torrejon e Petrus Torrejon.

Die XIII julii anno Mº CCCC LXXXVII. Daroce.

- (Pag. 50) Eadem die coram domino inquistoribus comparvit Açach Xuet judeus habitant aliame judeorum civitas Daroce testis qui juravit per Deum sup decem precepta legis Moysi qui diceret omniodam veritate de hiis a ciret qui per juramentum respondit in modum qui sequitur.

Dize el presente testimonio deposante que conocio bien a Johan de Sayas vizino de Calatayut de vista y pratica que con el tenia e que cosiendo el presente deposante en casa el dicho Johan de Sayas le dixo que huna buelta se havia acertado en huna juderia de hun lugar de Cathalunya el nombre del lugar no le acuerda y que se fue a casa del Gabbay que es replegador y dador de las almosnas y que le dixo como era foydo de su tierra por "bahadi de Goya" que quiere dezir "que lo havran athaquado con huna cristiana" y assi que lo rrogava lo en crubiesse y le ayudase de almosna y que luego el dicho gabbay lo levo a casa de hun judio en donde (pag. 50 vto.) tuvo el sabbat y comio de los comeres dudaycos que los otros momieron e que quando se partio le dieron de alimosna hun florin o vinte sueldos.

Item dize el dicho testimono que huna vez vio que el dicho Johan de Sayas tenia huna ymagen de nuestro sennor Ihesu Chirsto en hun tavlado en donde tenia los vestidos cortados e que este deposante le demanda que ymagen era aquella e que le respuso nuestro Dio (Dios) no les conoxes que es Ihesu Chisto que me lo han dado que le faga hun manto pa este invierno el ani que no se muera de frio y que el dicho Johan de Sayas comia carne en cuaresma estando sano.

Item dize el mesmo deposante que muchas vezes lo vio coser en dias de domingos y de pascuas mayormente teniendo prisa e que en los dichos dias enterrava obreros judios pa fazer facienda en su casa entre los quales estuvo este deposante algunas vezes e que leyendo este deposante tan mala vida fazia que ni bien era cristiano ni bien judios le dixo que entendia de fazer o qual ley queria seguir porque vo que vos no teneys vuestra ley y dezir mal de los jduios y de su ley y de los (pag. 51) moros y de su ley no se por el Dio que vos haveys de fazer en el otro mundo. E que le respuso tu loco eres no sabes que este mundo todo es ayre sino nacer y morir y que el anima de hun perro entra en el cuerpo de hun hombre y la del hombre en el cuerpo de hun perro con todo entiendo de encomendar mi anima a todas las tres leyes y la que mejor derecho tenga que se la bien.

Item dize que ha oydo dezir a muchos de Calatayut que el dicho Johan de Sayas era gran sodomita de lo qual oyo tambien dezir que se le fazia presente so en Calatayut (le leen la declaración). Testes (no hay).

5.- PROCESO CONTRA SIMONEM DE SANCTA CLARA , IN MAJOREM

FALTA ACUSACION DEL FISCAL, INTERROGACIÓN AL ACUSADO Y COMIENZA CON LA DECLARACION DE TESTIGOS CONTRA DEL ACUSADO.

Testes pro parte procurador fiscales recepti contra Simonem de Sancta Clara in Majorem.

Die VII febroarii anno Mº CCCCLXXXVIII.

- (Pag. 51 vto.) Coram reverendis dominus inquisitoribus comparvit Yuçe de Buenavida, ebreus habitant aliame civitatis Calathajubii qui juravit in psse dictoris reverendoris dominus inquisitoribus per Decem precepta legis qui dende dedit Moysi in monte Sinay et coram eo posita e per deum corporaliter tacta et de veritate dicenda.

Dize este deposant que avra quinze o vinte annos poco mas o menos por muchas vezes estando enfermo Simon de Sancta Clara el viejo, vezino de aquesta ciudat fue Aljafar muger deste deposant a servir al dicho Simon de Sancta Clara y que sabe este deposant que enviava por carne a la carniceria de los judios y de aquella comian el dicho Simon y este deposant y su muger y que sabia este deposant que sabia oraciones muchas en ebrayco y que las rezava empo que no las entendia este deposant. Testes: ad predicta Johanes Perez, notarius, et Johanes (pag. 52) Torrejon, protarius sacte inquisicionis habitant de presente Calathajubis.

Die XI febroarii anno domini Mº CCCC LXXXVIII.

- Coram reverendo domino fratre Micahele de Monterubio inquisitore comparvit Petrus Xuarez, agricultor habitator loci de Yllueca, testis instante procurador fiscali citatis qui juravit in posse reverendis dominis inquistoris per Deum e crucem domini nostri Ihesu Christi e sup sacro sacta quatuor evangelia per eum reverenter inspecta eius per propiis manibus corporaliter tacta e per eum reverenter e per juramentum dixit se scite qui sequitur.

Dize este teste que abra vinticinquo annos poco mas o menos estando este deposant en el mercado vio como uno llamado Simon de Sancta Clara dixo a un lavrador en cuaresma que trahia una libra de congrio curira cornello como vas engañado no valen mas este par de perdices que cuestan doze dineros que no essa livra de congrio que tanvien se cuesta otros doze dineros (pag. 52 vto.). Testes: ad predicta Joannis Perez, notarius e Dominicus Egidii, portuarius.

Die VI febroarii anno Mº CCCLXXXVIII.

- Eadem die Martinus Clara habitant Calathajubii testis predictum citatus eis qui juravit per Deum et sup crucem eis de veritate dicenda que virtute juramentum in posse domini inquisitoris per sçiti dixit deposuit qui ut sequitur.

Dize el dicho teste que desde edad de diez annos a esta parte le acuerda que conoció muy bien a su aguelo Simon de Sancta Clara, el qual conocio muy biejo de edad de ocheta annos arriba y que vio muchas vegadas como levantandose el dicho su aguelo rezava el parter nostrer y el ave Maria y el credo y la salve y se santiguava assi como qualiere buen cristiano es verdat que también lo oyo rezar en ebrayco muchas vezes salvo que no sabadiava como los judios del qual rezar en ebracyuo que el dicho su (pag. 53) aquel fazia este teste lo increpava mucho siendo ya hombre porque rezava en ebrayco y el dicho Simon aguelo suyo le respondia que curase en hora mala de su alma que el curaria de la suya porque aquello quel rezava eran los siete salmos penitenciales y que no los sabra en otra manera sino en ebrayco como los dezia.
Item dize mas el dicho teste que vio muchas vegadas al dicho su aguelo Simon de Sancta Clara comer carne en cuaresma y en sabado y en viespras de vigilias es verdat que era muy antigo y apasionado de muchas dolencias. Testes: Johan Martinez, notarius, e Joan Torrejon, nucio.

Die XXVIII ultima febroarii anno Mº CCCC LXXXVIII.

- Eadem die coram reverendo domino Martino Mavarro inquisitore comparvit Sabastianus Dutrilla, presbiteri beneficatus in loco de Terrrer testis qui juravit per Deum et sup crucem sanctam domini nostri Ihesus (pag. 53 vto.) Chisti eis sacro sancta quatuor evangelia de veritate dicenda e per juramentum dixit scire qui sequitur.

Dize este deposante que un moro llamado Ali Alamin, alias botero, vezino de Terrer estadndo una vez en el mercado de la present ciudat de Calatayud ayo dizir a un hombre llamado Simon de Sancta Clara el viejo que dixo a uno llamado Blanes, padre deste Blanes que oy vive y a Joan Alazan, vezinos de Calatayud, "pora quel que fizo los doze tibus de Israel que no como ni bevo ni duermo en mi lecho que no haga la veraha que no ay mas noble cosa en el mundo" y el dicho Blanes dixo yo algo fago y el dicho Joan Alazan dixo yo que caqllo fago bien que bezmelites hay de caga. Testes Johanes Perez, notarius e Dominicus Legidii portarius.

Die XVII mensis Marcii anno Mº CCCC LXXXVIII.

- Eadem die coram domino fratre Michaele de Monterubio, inquisitore comparvit Mosse Catorçe, judio vezino del aljama de Illueca, testis (pag. 54) deposuit ut sequitur.

Dize el presnt deposant que abra XXX annos poco mas o menos este deposant estava do de presente esta en el dicho lugar de Illueca y fuyeron caqui de la present ciudat de Calatayud por la peste mucha gente entre los quales fuya ay uno clamado Simon de Sancta Clara, el qual Simon de Sancta Claara demostrava a este deposant "pazmom" que quiere dezir "prosas", "quinos" que quiere dezir "endechas" y esto muchas dias gelo demostrava a este deposant fasta que este deposant lo supo y que el dicho Simon ensenyava el dicho "quinos" a este testigo con mucha devocion, loando las dichas oraciones y las tenia por buenas.
Item mas dize el present deposant que havra trenta y tres annos entras este deposant estando en Daroca en dia de Corpus Cirsti vido este deposant como los cristianos fazian un entremes (obra de teatro) que levaban un canastillo cubierto de lienço de armas reales y que yban unos diez cristianos como judios cantando y dezian los unos essa cancion, "de las coles (pag. 54 vto.) con el culantro", oreganu, y el dicho Simon de Sancta Clara llamo a este testigo y dixole "Catorçe mira no vees el escarnio que fazen de tu ley pues el Dios bien lo vee y este teste dixo si aya lo vee mas el Dio es grande y aspador y el dicho Simon de Sancta Clara dixo a este testigo a la he la una ley, la otra todo es "abalum" que quiere dezir "burla" y mas le dixo el dicho Simon de Sancta Clara a este teste in rote et ni conciencia que si como vino fray vicent uviese agora un fray Mahoma de tres la faria y que a lo que este testigo conocio al dicho Simon de Sancta Clara conocio ni era cristiano, judio ni moro. Teste, qui supra.

Die XVII mensis Marcii anno domini Mº CCCC LXXXVIII.

- Eadem die coram domino inquisitore comparvit Leon Catorze, judeus habitant ville de Illueca, teste qui juravit per Deum et supo decem precepta legis Moysi de veritate dicenda e per juramentum depssuit ut sequitur.

Dize este testigo que conocio muy (pag. 55) bien a Simon de Sancta Clara el viejo, el qual por muchas vezes dezia a este testigo tal dia teneis tal fiesta y abreis dezir tal "pizmonnim" y tales "oynas" quando se perdio la casa Sancta y otras muchas oraciones que los judios dizen y las cantava la mesmo son que los judios las cantan y esto dezia a este testigo y en su presencia, y dize este testigo que oyo dizir muchas vezes al dicho Simon de Sancta Clara estas palabras "yo al Dio en un tallador lo tengo y o he tenido la Ley sancta de Moysen yo he tenido la Ley de Ihesu Christo y a un si agora salliesse o viniesse un sant Mahoma por el Dio de tres la faria y si esto acabase no avria miedo al Dio pues todas las leyes avra andado" y tanbien dixo el dicho Simon a este testigo que el no se queria fazer christiano sino que su padre lo havia fecho hazer por fuerça christiano y que pues el Dio comportava aquellos cuernos que también los comportaria el pues mas no podia fazer y esto puede haver quarenta annos pco mas o menos.
(Pag. 55 vto.) Item dize que muchas vezes vio e oyo jurar al dicho Simon de Sancta Clara por los sanctos diez mandamientos de la Ley Sancta de Moysen y también jurava otras vezes por la sancta Ley de Moyse. Teste qui supra.

Die XXVIIII septembris anno Mº CCCC LXXXVI.

- Eadem die Rabi Manuel, judio vezino de la villa de Magallón, testigo qui juravit e deposuit coram domino inquisiotore ut sequitur.

Dize el present deposant que oyo dezir a Simon de Sancta Clara de Calatayud muchos vituperios contra la fe cristiana y comparava a la virgen Maria con la thorá diziendo este verso en ebrayco "acol taluy bematizal afitlu" sancta Maria en el altar. Fuit sibi lectu per sevannis. Testis: Anthon Junquares, nuncio, e Joan de Bajes, scrivient habitantes in Çaragoça.

Die XXII marcii anno Mº CCCC LXXX octavo.

- (Pag. 56) Eadem die coram reverendo domino fratre Micahelis de Monterubio, inquisitore comparvit Joannes Gormedino, agricultor habitant civitatis Calathayubi qui juravit per Deum, crucem Sancta domini nostre Ihesu Christi in sup sacro santa quatuor evangelia eis de veritate dicenda eis per juramentum deposuit per ut sequitur.

Dize este deosant que avra quarenta annos poco mas o menos estando este deposant muchas vezes en el mercado desta present ciudat de Calatayut con uno llamado Simon de Sancta Clara habitant de Calatayud oyo dezir este deposant al dicho Simon de Sancta Clara que no havia otro paraíso en el mundo sino el mercado de Calatayud (le leen la declaración). Testes: Johanes Torrejon e Dominicus Egidii, nuncii dicti officii sancte inquisicionis.

Die XXIII Marcii anno Mº CCCC LXXXVIII. Calatayubii.

- (Pag. 56 vto.) Eadem die coram domino inquisitore comparvit Johana de Sayas, uxor Simonis de Sancta Clara, habitant civitastis Calatayubii, testis qui juravit per Deum sup crucem domini nostri Ihesu Christi qui diceret omniodam veritatem de hiis qui vinet que per juramentum respondit in modum qui sequitur.

Dize este testigo que puede haver vinte annos pco mas o menos vio como su suegro Simon de Sancta Clara rezava en ebrayco y que esta testigo lo reprendia dello y el dizia que dizia los salmos del salterio en ebrayco porque no las sabia de otra manera.
Item dize assi mesmo este tesgo que vio como algunas vezes huna judia muger de Yuçe Buenavida venia a guisar de comer al dicho su suegro (le leen la declaración). Testes: Johanes Martinez, notarius e Dominicus Egidii.

Die XXVII Marcii anno Mº CCCCLXXXVIII.

- (Pag. 57) Eadem die coram dicto domino inquisitore comparvit Johana Clara uxor Alfonso de Sayas, habitant civitas Calatayuvii, testis qui juravit per Deum sup crucem domini nostri Ihesu Christi qui diceret omniodam veritatem de hiis qui vinet que per juramentum respondit in modum qui sequitur.

Dize esta depsoante que vio como hun su aguelo que se dizia Simon de sancta Clara que dizia cierta oracion lavando selas manos y que no le parecia que aquella oracion la dizia demanera que los cristianos la dizen (le leen la declaración).

Die XXVIII Marcii anno Mº CCCC LXXXVIII.

- Eadem die coram somino inquisitore comparvit Maria Ximenez, muger de Pedro Bayllo habitant en Calatayut, testis qui juravit per Deum sup crucem domini nostri Ihesu Christi qui diceret omniodam veritatem de hiis qui vinet que per juramentum respondit in modum qui sequitur.

(pag. 57 vto.) Dize este testigo que pude haver dizinueve annos bivio cinquo annos en casa de Simon de Sancta Clara, habitant en Calatayut y dize que vio como Simon de Sancta Clara el viejo dizia oracion y que no sabe que oracion era sino que muchas vezes oya quel dicho Simon de Sancta Calara el joven le dizia el dicho su padre que para que dizia la oracion en ebrayco et el dicho viejo dizia que tan buena oracion dizia el como el dicho su fijo y como qualquiere.

Item dize esta testigo que vio como quando la muger de Simon de Sancta Calara el joven que es tia deste testigo pario hun ninyo que ya es muerto el dicho Simon de Sancta Clara el viejo fue con huna anthorja o dos y dio la bendicion al dicho ninyo y dizia la bendicion de Isaac y Jacob.

Item dize mas esta deposante que vio como quando el dicho Simon de Sancta Clara rinya con su nuera envía por huna judia que es muger de Buenavida pa que lo seriviese y ella lo sirvia (le leen la declaración). Testes: Johanes Ardiles, asesor e Dominicus Egidii.

Die X mensis aprilis anno Mº CCCC LXXXVIII.

- (pag. 58) Eadem die coram reverendo domino ffratre Michaelle de Monterubio, inquisitore comparvit Maria uxor Bartholomey el çapatero, habitant loci de aninyon, testis qui juravit per Deum sup crucem domini nostri Ihesu Christi qui diceret omniodam veritatem de hiis qui vinet que per juramentum respondit in modum qui sequitur.

Dize esta deposante que havra quatroze annos poco mas o menos estando esta deposante en casa de huno llamado Simon de Sancta Clara el viejo, huna vez estando malo en la cama dixo a esta deposante dame huna candela que se me yxe el alma y que esta deposante dixo dar vos la he de cera mal diagin en tu casa nomdes la de cera deampmela de sevo (le leen la declaración). Testes: Johanes Torrejon e Dominicus Gil, nuncii.

Die XXVIIII Marcii anno Mº CCCC LXXXVIII.

- (Pag. 58 vto.) Eadem die coram dicto domino Martino Navarro, inquisitore comparvit Lope de Verdejo, civis civitas Calatayubii, testis qui juravit per per Deum sup crucem domini nostri Ihesu Christi qui diceret omniodam veritatem de hiis qui vinet que per juramentum respondit in modum qui sequitur.

Dize este deposante que ha mas de vinte y cinquo annos que huyo dizir a Simon de Sancta Clara, padre de Simon de Sancta Clara que agora esta preso por la sancta inquisición huna oracion en ebrayco la qual oracion el dicho Simon de Sancta Clara de claro a este deposante diziendo le primero en ebrayco la dicha oracion e despues dixo le el dicho Simon de Sancta Clara a este deposante esta es la oracion que fazen los judios que quiere dezir que ruegan a Dios que les dexe veer el cabo de la fusta et que este deposante oyo dezir al dicho Simon de Sancta Clara que la dicha oracion que fazian y acostumbran fazer los judios e que el dicho Simon la havia fecho et la fazia cada hun anyo y que este deposante segon dicho ha (pag. 59) fela oyo fazer la dicha oracion al dicho Simon de Sancta Clara (le leen la declaración). Testes: Michael Boyl, notario e Dominicus Gil, nuncii officii sancti inquisicionis civitatis Calatayubii.

Die XXVI augusti anno Mº CCCC LXXXVIII. Calatayubii.
- Eadem die coram reverendo domino fratre Michaelle de Monterrubio, inquisitore comparvit Anthonius de Blanes, habitant civitatis Calatayubii, testis qui juravit per per Deum sup crucem domini nostri Ihesu Christi qui diceret omniodam veirtatem de hiis qui vinet que per juramentum respondit in modum qui sequitur.

Dize este deposante que havra doze annos poco mas o menos hun dia de sabado este deposante vio como hun judio llamado Çalama el Bayo vino a casa de huno llamado Simon de Sancta Clara padre deste Simon de Sancta Clara que oy bive y esta preso por la (pag. 59 vto.) inquisición y vio este deposante que el dicho Simon de Sancta Clara estando en la puerta de su botiga dixo al dicho Çalema judio a tantos de resodes es la pascua y el dicho judio le respuso que era verdat y assi el dicho Simon de Sancta Clara y el dicho judio se entraron en la botica y encima de hun tablero el dicho judio y el dicho Simon rezavan a vezes quando el huno quando el otro en ebrayco lo qual les duro mas de media ora gruesa a questo sabe el presente testigo por quanto assi lo vio como lo deposa (le leen la declaración). Testes: Johanes de Huncastillo, notarius, et Dominicus Egidii, nunciis habitatoris Calatayubii.

Die V augustus anno Mº CCCC LXXXVIII.

- Eadem die coram reverendo domino fratre Michaellle de Monterubio, inquisitore comparvit Duenya de Israel, vidua testis qui juravit per Deum sup decem precepta legis Moysi qui diceret omnidam veritatem de hiis que viret (pag. 60) que per juramentum respondit in modum qui sequitur.

Dize la dicha deposante que puede haver trenta annos poco mas o menos que yva esta deposante por muchas vezes los dias de Sant Johan y de Sant Pedro y en otros plazeres en el mercado desta ciudat a casa de Simon de Sancta Clara el viejo, padre deste Simon de Sancta Clara el que agora bive y estando la dicha deposante alli en la dicha casa mirando oya muchas vezes como el dicho Simon de Sancta Clara el viejo, cantava en ebrayco y a hun muchas vezes hablava en ebrayco y dizia muchas palabras indignenyas según los judios dizen empo dize esta deposante que no entendia que oraciones dizia el dicho Simon de Sancta Clara ni que se queria dezir lo que cantava ni hablava en hebraico salvo conocia que era en ebrayco y indignenyo lo que dizia. E dize mas la dicha deposante que segunt las razones que muchas vezes oyo al dicho Simon de Sancta Clara que era muy afectado a la ley de Moysen (le leen la declaración) (pag. 60 vto.) Testes: Johanes Torrejon e Dominicus Gil, nuncio sancte inquisicionis.

Die prima augusti anno Mº CCCC LXXXVIII. Calatayubii.

- Eadem die coram dicto domino inquisitore comparvit Rabi Salomon Axequo, judeus habitant aliame judeorum civitas Calatayubii, testis qui juravit per Deum sup decem precepta legis Moysi qui diceret omnidam veritatem de hiis que viret que per juramentum respondit in modum qui sequitur.

Dize el presente testimonio deposante que sabe como huno clamado Simon de Sancta Clara, que morava en el mercado de la presente ciudat de Calatayut ayunava el ayuno de quipur, interrogado como lo sabe respuso y dixo que lo sabe por quanto puede haver trenta annos poco mas o menos tiempo que fablando el dicho Simon de Sancta Clara mayor con el presente testimonio (pag. 61) deposante el dicho Simon de Sancta Clara dixo al presente testimonio como el ayunava el ayuno de quipur.
Item dize el dicho testimonio seyer verdat que puede haver trenta annos poco mas o menos tiempo que el dicho Simon de Sancta Clara fablando con este testimonio le dixo como tambien dava pa la çedaqua.
Item dize el dicho testimonio que sabe como el dicho Simon de Sancta Clara dava olio pa la sinoga interrogado como lo sabe respuso e dixo que lo sabe por quanto el dicho Simon de Sancta Clara fablando con el presente testimio deposante le dixo como el dava olio apa la sinoga puede haver que gelo dixo trenta annos poco mas o menos tiempo.
Item dize el presente testimonio deposante seyer verdat que sabe que el dicho Simon de Sancta Clara en el tiempo que bivia guardava los sabados y las fiestas de los judios esto sabe este testimonio deposante por quanto assi gelo dixo a este testimonio el dicho Simon de Sancta Clara, puede haver hunos trenta annos ocmo el guardava los sabados y las fiestas de los judios lo mejor que podia que ya (pag. 61 vto.) sabia este testimonio que era cristiano y que no los podia guardar como los devia guardar mas que fazia lo que podia.
Item dize el presente testimonio deposante que puede haver vinte y ocho o trenta annos poco mas o menos tiempo tiempo que este testimonio vio como el dicho Simon de Sancta Clara dizia oracion en ebrayco estando ay en su tienda del mercado y que parece que lo dizia por escarnio de los judios po en el coraçon el sabe lo que y de tenia (le leen la declaración). Testes: Johanes de Medina e Dominicus Gil, nuncio officii sancte inquisicionis.

Die VIII maii anno M° CCCC LXXXVIII.

- Eadem die coram dicto domino inquisitore comparvit Vidal Benpesat, judues habitant aliame judeorum civitas Calatayubii, testis qui juravit per Deum sup decem precepta legis Moysi qui diceret omnidam veritatem de hiis que viret que per juramentum respondit in modum qui sequitur.

(Pag. 62) Dize este deposante que puede haver quinze annos poco mas o menos estavan en el mercado desta ciudat huno clamado Simon de Sancta Clara, padre deste Simon de Sancta Clara que oy es bivo y huno clamado Anthon Ram padre de Benito Ram el trapero que oy bive y con ellos algunos judios de los quales no se acuerda agora este deposante y este deposante con ellos y entraron a fablar en menos como el turço (turco) benia y que se creya que todas estas partidas tomaria y destruyria dixeron el dicho Simon de Sancta Clara et el dicho Anthon Ram, estas o semblantes plavras pongan se del duelo que si el turquí aqua viene fazerla hemos de tres y esto cree este deposante que dizian por quanto havran (pag. 62 vto.) estado judios, e se havran fecho cristianos e que se farran moços si el dicho turco venia y esto les oyo dizir al dicho Simon de Sancta Clara y a Anthon Ram las suso dichas palabras.
Item dize este deposante que ha hunos doze annos poco mas o menos que estando el presente deposante a la puerta de casa del dicho Simon de Sancta Clara que oyo el presente testimonio deposante que el dicho Simon de Sancta Clara que cantava en ebrayco las vendiciones que dize hun muchacho judio en la sinoga cada sabado despues que ha leydo el rabi en la tribuna en la tora y esto le oyo dezir este deposante muchas de vezes (le leen la declaración). Testes: Johanes Torrejon, nunius, e Garsias de Noviercas, civis Calatayubii.

Die XXVI junii anno M° CCCC LXXXVIII. Calatayubii.

- (Pag. 63) Eadem die coram dicto domino inquisitore comparvit Yeuda Benardut judeus habitant aliame judeorum civitas Calatayubii, testis qui juravit per Deum sup decem precepta legis Moysi qui diceret omnidam veritatem de hiis que viret que per juramentum respondit in modum qui sequitur.

Dize este deposante que havra doze annos poco mas o menos sabe este deposante como huno llamado Simon de Sancta Clara ayunava el ayuno de quipur y esto sabe este deposante por quanto el dicho Simon de Sancta Clara gele dixo a este deposante como ayunava el ayuno de quipur por muchas vezes estando este deposante hablando con el dicho Simon de Sancta Clara de las leyes de los Cristianos y de los judios.
Item dize este deposante sabe como el dicho Simon de Sancta Clara dava olio a la sinoga elimosna a judios pobres y a la çedaqua y este sabe este deposante por quanto como dicho ha hablando este deposante con el dicho Simon de Sancta Clara de las leyes de los cristianos y de los judios no (pag. 63 vto.) encubiendo se punto deste deposante el dicho Simon de Sancta Clara dixo a este deposante estas palabras por muchas vezes yo Abenardut con vos no pienso errar también doy olio a la sinoga y limosna a judios pobres y a la çedaqua y fago quanto puedo por la ley de Moysen como hun judio.
Item dize este deposante sabe como tambien el dicho Simon de Sancta Clara guardava los sabados y las fiestas de los judios y esto sabe porque como dicho ha este deposante hablando con el dicho Simon de Sancta Clara de las dichas leyes de los cristianos y de los judios el dicho Simon de Sancta Clara por mostrar a este deposante que guardava muy bien la Ley de Moysen le dizia como guardava el sabado y las fiestas y pascuas de judios como hun judio.
Item mas dize este depsoante que negociando con el dicho simon de Sancta Clara muchas vezes quando se ofrecía que el dicho Simon de Sancta Clara havia de jurar alguna cosa jurava en esta manera "por los diez mandamientos de la ley sancta de Moysen que yo creo

(pag. 64) y por ay Adonai que quiere dezir por uno Dios que tal cosa es verdat" y esto sabe este deposante porque gelo oyo dezir al dicho Simon de Sancta Clara según dicho este deposante (le leen la declaración). Testes: Johanes de Hucastillo, notarius et Johanes Torrejon, nuncios sancte inquisicionis.

Die prima mensis julii anno Mº CCCC LXXXVIII. Calatayubii.

- Eadem coram dicto domino inquisitore comparvit Brahem Alpastan judeus habitant aliame judeorum civitas Calatayubii, testis qui juravit per Deum sup decem precepta legis Moysi qui diceret omnidam veritatem de hiis que viret que per juramentum respondit in modum qui sequitur.

(Pag. 64 vto.) Dize este testimonio deposante que de vinte annos a esta parte poco mas o menos estando algunas vezes este deposante a la puerta de la casa de Simon de Sancta Clara que morava en el mercado desta ciudat arrimado algunos dias dentre semana este deposante oya rezar al dicho Simon de Sancta Clara oraciones et historias en ebrayco estando dentro de su casa a la puerta e que començavan las dichas oraciones en ebrayco en esta mernera "ohila la el hahale paman esala mi menum mane la son", e atemamiento en esta manera "y hun leraçon yembre si behe yon libbi lefanea Adonai çuri begoali", que quiere dezair rogare al Dio esperare sus pradades demandare responsion de lengua, el atemanyento quiere dezir sean por voluntat dichos de hun boca y no fable si no de mi coraçon delante de ti Adonai mi fuerte y mi redimidor, e que otras muchas oraciones dizia en ebrayco. Et las dichas oraciones et otras muchas oraciones en ebrayco e historias este deposante algunas vezes le oyo dezir al dicho Simon de Sancta Clara, las quales al presente (pag. 65) no le acuerda. E mas dize este testimonio que el dicho Simon de Sancta Clara dixo a este deposante algunas vezes que no havia dia que desde "metilat y adayn y edonay desama fasta alenuve sablea ladon hacol", que no lo dizia que quiere dizir "los dichos motes en ebrayco lavadura de moni, ni Dios alma fasta sobre nos pa alavar al Señor de lo todo" (le leen la declaración). Testes: magnificus Johanes de Ardiles, jurispredictus e Johanes Torejon, nuncis officii sancte inquisiciois.

Dicti die mensis e anno.

- Eadem die coram dicto domino inquisitore comparvit Simuel Çadoch judeus nuncior habitant aliame judeorum civitas Calatayubii, testis qui juravit per Deum sup decem precepta legis Moysi qui diceret omnidam veritatem de hiis que viret que per juramentum respondit in modum qui sequitur.

(Pag. 65 vto.) Dize este testimonio que havra diziocho annos poco mas o menos que hun dia que era cerqua de la pascua de las estrellas de los judios passado este deposante por la puerta de Simon de Sancta Clara, padre de Simon de Sancta Clara que esta preso por la inquisición el dicho Simon de Sancta Clara clamo a este deposante e le dixo muy gento que haveys leydo et este deposante le respuso la "mi camoa" et el dicho Simon de Sancta Clara dixo las oras a este deposante que le dixiese la "mi camoa" et le dava huna toronja, et este deposante gele dixo toda en ebraco et el dicho Simon de Sancta Clara dio le a este deposante la dicha toronja. Et dize este testigo que la "mi camoa" es huna oracion la qual fazen los judios antes de la dicha fiestas de las estrevas et comená en esta manera en ebrayco "mi camota vehem camota mi domela" que quiere dezir en momanze "quien como tu y no ay como tu, quien semjante a ti" (le leen la declaración). Testes: qui supra.

Die IIII Marcii anno Mº CCCC LXXXVIII.

-(Pag. 66) Eadem die coram dicto domino inquisitori comparvit Yuçe Buenavida judeus nuncior habitant aliame judeorum civitas Calatayubii, testis qui juravit per Deum sup decem precepta legis Moysi qui diceret omnidam veritatem de hiis que viret que per juramentum respondit in modum qui sequitur.

Dize este deposante que havra trenta annos poco mas o menos Aljoar muger deste deposante enbiava con Jamila fija deste deposante a casa de huno llamado Simon de Sancta Clara, mercader habitant de la dicha ciudat de Calatayut por las pascuas de pan cancenno de los judios pan cancenno,turrado y alcahalillas, el qual la muger de dicho Simon de Sancta Clara, cuyo nombre no le acuerda empo que sabe torno loca, lo recebia y en su casa lo recebian y el zaguero dia de las dichas pascuas la dicha muger de Simon de Sancta Clara enviaba con huna su moça, cuyo nombre no le acuerda a este deposante pan liendo, lechugas y nuevos y esto por espacio de tres annos poco mas.
(pag. 66 vto.) Item mas dize este deposante que havra diez o doze annos poco mas o menos estando este deposoante en huna botiga de la casa del dicho Simon de Sancta Clara empues de embridado el dicho Simon de Sancta Clara, rrogo a este deposante le depasse a la dicha su muger aljohar, pa que lo sirviesse y el dicho deposante lo fizo la qual muger del dicho deposante llamada Aljahar lo sirvio en repetidas hun mes poco mas o menos en esta manera que el dicho Simon de Sancta Clara dava dineros a este deposante pa que mercase carne de la juderia y la que huviese menester y lo dava a la dicha su muger deste deposante y ella lo guisava y comia de lo que la dicha su muger guisava el dicho Simon de Sancta Clara y este deposante y la dicha aljohar su mujer juntos todos de hun pan y de huna vianda.
Item dize este deposante que bendicia la mesa al principio y al su presencia del dicho Simon de Sancta Clara que entre tanto que este deposante vendicia la dicha mesa vio este deposante como el dicho Simon de Sancta Clara rezava baxiquo e no sabe lo que rezava.
(Pag. 67) Item mas sabe este testigo que havra trenta annos pco mas o menos truyendo este deposante grande conversación en la casa de dicho Simon de Sancta Clara por causa que sabe la hermana del dicho Simon de Sancta Clara, judia, era madre deste deposante y por aquello y ciertos tractos que con el tenia entrava y sallia muchas y diversas vezes en la casa del dicho Simon de Sancta Clara y vio muchas y diversas vezes como el dicho Simon de Sancta Clara por las manyanas quando se levantava rezava en ebrayco huna oracion

que suelen y acostumbran de dezir los judios por las manyanas quo se levantan que empieá assi "heloay desama" que quiere dizri "mi Dio esta alma" y que este rezar vio por espacio de tres annos poco mas o menos.

Item dize este deposante que havra quinze annos poco mas o menos tuvo este deposante companya de mercaderia con el dicho Simon de Sancta Clara el qual ponia el cabal y este deposante los trabajos y havian de partir la ganancia los dos beniendo huna vez a conto el dicho Simon (pag. 67 vto.) de Sancta Clara, este deposante el dicho Simon de Sancta Clara se le alço a este deposante con cabal y gananci con todo y binieron en mucha altercacion el dicho Simon de Sancta Clara y este deposante negando le muchas cosas el dicho Simon de Sancta Clara estando este deposante mucho desespado dixo el dicho Simon de Sancta Clara yo lo jurare si quereys y el dicho testigo visto que no lo podia provar le dixo al dicho Simon de Sancta Clara a su jura y entonce el dicho Simon de Sancta Clara sacose del seno los sanctos quantro evangelios y los diez mandamientos de la Ley de Moysen escriptos en ebrayco y dixo a este deposante do quieres que jure en los sanctos evangelios o en los diez mandamientos de la ley de Moysen los quales estavan escriptos en ebrayco en hun pergamino y que este deposante dixo al dicho Simon de Sancta Clara, traydor rrobador pues eres ciristiano pa que dizes juraras en los diez mandamientos de la ley de Moysen y el dicho Simon de Sancta Clara dixo a este deposante vos no cureys de res que yo juratre do querias y que este deposante biendo que ni era judio ni christiano a su parecer ni tendria (pag. 68) ningun juramento dexolo estar y no quiso que jurase porque si jurava el dicho Simon de Sancta Clara perdiera este deposante su drecho (le leen su declaración). Testes: Johanes Torrejon e Petrus Torrejon.

Die VI Marcii anno Mº CCCC LXXXVIII. Calatayubii.

- Eadem die coram dicto domino inquisitoris comparvit Yuçe Çadoch judeus nuncior habitant aliame judeorum civitas Calatayubii, testis qui juravit per Deum sup decem precepta legis Moysi qui diceret omnidam veritatem de hiis que viret que per juramentum respondit in modum qui sequitur.

Dize este deposante que no se le acuerda quanto tiempo ha empo que fue seys annos antes que muriese huno llamado Simon de Sancta Clara, habitant en Calatayut, enta muchas razones que el dicho Simon de Sancta Clara y este deposante hablando dixo el dicho Simon de Sancta Clara (pag. 68 vto.) a este deposante que el continuamente hazia sus oraciones ordinarias en ebrayco y qualesquiere otras oraciones que dizia las dezia en ebrayco judaycas de las que hacen y dizen los judios en su sinoga.

Item mas dize este depsoante que el dicho Simon de Sancta Clara dixo a este deposante que quando yva a missa junqua fazia oraciones de cristianos sino oraciones de judios de alas que dizen los judios en la sinoga y esto le dixo a este deposante en el mesmo tiempo.

Item mas dize este deposante que le pregunto al dicho Simon de Sancta Clara si su fijo Simon de Sancta Clara sabia como el rezava las dichas oraciones judaycas que rezan los judios en la sinoga el qual dicho Simon de Sancta Clara le dixo a este deposante que si que bien lo sabe el dicho su fijo Simon de Sancta Clara.

Item mas dize este depsoante saber que muchas vezes el dicho Simon de Sancta Clara, estando en su botiga que salle al mercado de la presente ciudat de Calatayut a voz alta cantava prosas y oraciones judaycas de las que dizen los judios en su sinoga, los quales oyan en diversas vezes muchos judios cuyos nombres no le acuerdan y sabe como lo veyan y oyan su fijo Simon de Sancta Clara y su (pag. 69) nieto Martin Clara y esto dixo sabe este deposante porque muchas vezes lo vio y oyo y esto es muy publico en la juderia y el dicho Simon de Sancta Clara rezava assi cantando las dichas oraciones judiegas y asi mesmo dixo este deposante que quando el dicho Simon de Sancta Clara rezava las dichas oraciones judiegas vio este deposante estavan ay presentes el dicho Simon de Sancta Clara, su fijo y Martin Clara su nieto (le leen la declaración). Testes: Johanes e Petrus Torrejon.

Die VII Marcii anno Mº CCCC LXXXVIII.

- Eadem die coram dicto domino inquisitore comparvit Mosse Gostantin, mercator judeus nuncior habitant aliame judeorum civitas Calatayubii, testis qui juravit per Deum sup decem precepta legis Moysi qui diceret omnidam veritatem de hiis que viret que per juramentum respondit in modum qui sequitur.

(Pag. 69 vto.) Dize este depsoante que havra diez annos poco mas o menos paseando por el mercado de la presente ciudat este depssoante algunas vezes solo algunas vezes en companya de otros judios quando eran los judios cabe algunas fiestas suyas muchas vezes clamo a este deposante huno llamado Simon de Sancta Clara que morava en el mercado de la dicha ciudat de Calatayut, el qual dezia a este deposante veamos tal fiesta viene agora y haveys de cantar tal oracion nombrandola en ebrayco assi ocmo venia cantemos la y que este deposante y el dicho Simon de Sancta Clara cantavan la dicha oracion en ebrayco assi media voz y que esto por muchas fiestas de los judios y eran las oraciones las que los judios cantan en la sinoga (le leen la declaración). Testes (no hay).

Die XVII Marcii anno Mº CCCC LXXXVIII.

- (Pag. 70) Eadem die coram reverendo domino Martino Navarro inquisitore comparvit Yeuda Gargonna judeus nuncior habitant aliame judeorm civitas Calatayubii, testis qui juravit per Deum sup decem precepta legis Moysi qui diceret omnidam veritatem de hiis que viret que per juramentum respondit in modum qui sequitur.

Dize este deposante que havra vinte annos poco mas o menos viniendo huno llamado Simon de Sancta Clara dixo algunas vezes hablando este deposante con el dicho Simon de Sancta Clara dixo muchas vezes el dicho Simon de Sancta Clara que no creya nada de la ley de los cristianos sino que todo era burla a la ley de los judios (le leen la declaración). Testes: Petrus Larraz, notarius, e Johanes Torrejon.

Die XXI Marcii anno M° CCCC LXXXVIII.

- (Pag. 70 vto.) Eadem die coram fratre Michaelle de Monterubio, inquisitore comparvit Yuçe Buenavida judeus nuncior habitant aliame judeorum civitas Calatayubii, testis qui juravit per Deum sup decem precepta legis Moysi qui diceret omnidam veritatem de hiis que viret que per juramentum respondit in modum qui sequitur.

Dize este deposante que havra quinze annos poco mas o menos tractando muchas vezes con huno llamado Simon de Sancta Clara habitant de la ciudat de Calatayut sobre qualquiere contracto que con el fiziesse este deposante y huviesse de jurar le dizia a este deposante el dicho Simon de Sancta Clara, yo juro por los diez mandamientos de la ley sancta de Moysen que tal cosa es verdat (le leen la declaración). Testes (no hay).

Die XXVIII febroarii anno M° CCCC LXXXVIII. Calatayubii.

- (Pag. 71) Eadem die coram domino inquisitore comparvit Simuel Alazar judeus nuncior habitant aliame judeorum civitas Calatayubii, testis qui juravit per Deum sup decem precepta legis Moysi qui diceret omniodam veritatem de hiis que viret que per juramentum respondit in modum qui sequitur.

Dize este testigo que algunas vegadas leyendo bivo Simon de Sancta Clara el viejo en el mercado se parava a fablar con este testigo y otros judios diziendo el dicho Simon de Sancta Clara yo quando era hecho en la sinoga dizia esta oracion "verahot y pizmonim" las quales oraciones el dicho Simon de Sancta Clara ahun era viejo dizie antando a medio tono en presencia deste testigo y de los otros judios y dize este testigo que "verahot" quiere dizir "bendiciones" y "pizmonim" otra manera de cantar (le leen la declaración). Testes (no hay).

Die XXIII julii anno M° CCCC LXXXVIII, en Terrer.

- (Pag. 71 vto.) Eadem die coram reverendo domino Martinuo Navarro inquisitore predicto comparvit Ali el Alfaqui agarenus habitant loci de Terrer testis qui juravit Ville ille Alladi, et dira verdat de lo que sabia qui per juramentum respondit in modum qui sequitur.

Dize este deposante que havra quaranta annos poco mas o menos estando este deposante en la ciudat de Calatayut hun dia de viernes vio que Simon de Sancta Clara e Anthon de Blanas y Johan Alazan estavan hablando de la Ley y este deposante huyo que el dicho Simon de Sancta Clara dixo para quel que fizo los doze tribus de Israel no ha mas dulce cosa en el mundo que es la "beroha" ni como ni como ni bevo ni me echo en mi lecho sino que la diga (le leen la declaración). Testes: Dominicus Parient, presbiter habitant loci de Terrer e Johanes Larraz habitant civitas Calatayubii.

Die prima septembirs anno M° CCCC LXXXVIII. Calatayubii.

- (Pag. 72) Eadem die coram dicto domino inquisitore comparvit Mose Alpastan judeus nuncior habitant aliame judeorum civitas Calatayubii, testis qui juravit per Deum sup decem precepta legis Moysi qui diceret omnidam veritatem de hiis que viret que per juramentum respondit in modum qui sequitur.

Dize el presente testimonio deposante que puede haver diziocho anno poco a menos tiempo que razibabdi ek oresebte testunibui deoisabte cib gybi kkanadi Simon de Sancta Clara, padre de Simon de Sancta Clara preso por la sancta inquisición le dixo a este testimonio deposante el dicho Simon de Sancta Clara tales o semejantes palabras en efecto contenientes o quasi que pensays Mosse Alpastan ni de la Ley de los cristianos ni de la de los judios ni de la de los moros no sende puede saber la verdat de mi os digo que creo que no ay sino nacer y morir y que lo que del otro mundo se dizia que era burla (pag. 72 vto.) que ninguna ende venia ninguno que lo que a el le parecia era mercar trigo a ocho o a niez dinero el cafffiz y venderlo a trenta sueldos (le leen la declaración). Testes: Anthius de Henera e Rodericus de Vega comensales alguazilis officii sancte inquisicionis.

Die VII julii anno M° CCCC LXXXVIII. Calatayubii.

- Eadem die coram domino Magistro Martino Garsie inquisitotre comparvit Israel Çarruz sutor habitant aliame judeorum civitas Calatayubii, testis qui juravit per Deum sup decem precepta legis Moysi qui diceret omnidam veritatem de hiis que viret que per juramentum respondit in modum qui sequitur.

(Pag. 73) Dize el presente testimonio deposoante que havra vinte y seys annos poco mas o menos conocio al padre de Simon de Sancta Clara llamado Simon de Sancta Clara, al qual vio rezar muchas vezes en ebrayco como judio y le vio comer hamin en sabado fecho de la juderia, e que en cuaresma donde pudia haver buena perdiz o buena have no la dexava y que dizia no me pesa sino que dura poco la cuaresma porque entre tanto que dura la cuaresma he las haves abasto y quando venian las fiestas de los judios como son daynos y esto que le vio muchas vezes dezir tal dia es quipur tal oracion haveys de dezir tal cosa haveys de fazer mejor que si fuera judio y sabia bien las oraciones (le leen la declaración). Testes: Andreas Gutierrez de Quintanilla, asesor e Jacobus de Monclus, nucius sante inquisicionis.

Die XV mensis julii anno Mº CCCC LXXXVIII, en Torralba.

- (Pag. 73 vto.) Eadem die coram domino Martino Navarro inquisitore heretice e pasotacie pravedat comparvit Pascala Casado, mujerr de Johan Diago, habitant en el lugar de Torralba de Aninyon, testis que juravit per Deu sup crucem domini nostri Ihesu Christi diceret omiodam veritatem de hiis que viret e sup quipus interrogatus esset qui per juramentum respondit in modum qui sequitur.

Dize la presente deposante que havra vinte y tres annos poco mas o menos estando esta deposante en servivio de huno clamado Simon de Sancta Clara, habitant en la ciudat de Calatayut vio hun dia estando esta deposante estando malo el dicho Simon de Sancta Clara fizo clamar a huna judia pa que le guisase el comer a hunque el tenia su nuera en casa que le guisava de comer y ahunque la nuera del dicho Simon dixo a esta deposante mirar que cosa esta ocho potajes tengo pa el y no quiere comer sino de lo que la judia guisa.
Item mas dize esta depsoante que hun dia vinieron hunos judios a casa del dicho Simon de Sancta Clara y entraron en el palacio donde estava y en esto sobre vino hun fijo suyo que se clama Simon de Sancta Clara habitant en la (pag. 74) ciudat de Calatayut, e que el fijo del dicho Simon tomo hun tocho pa dar a los judios y lanzelos de casa y fecho esto torno el dicho fijo pa el padre y dixo le estas palabras no enreys (enredéis) don viejo malo que yo vos fare cremar y esta deposante dixo las oras a otra moça que estava alli en casa del dicho Simon de Sancta Clara cuyo nombre dize no se le acuerda salvo que ya es muerta, porque ni restramo se ha ensanyado malamente y ha lançado los judios con tal de casa respondio la dicha moça ya muera a esta deposante porque fazian los dichos judios oracion con su padre en el palacio.
Item mas dize la dicha deposante que quando el dicho Simon de SanctaClara se levantava no queria trobar bararendo las moças ni ninguno ni tampoco trobar la escoba que stuviese echada porque dizia el dicho Simon que era mal en encuentro encontrat la escoba guando se levantava y que esta deposante y la otra moça havian toda via desconder la escoba que el no la viese (le leen la declaración). Testes: Franciscus de Contamina locium alguaziliii officii sancti inquisicionis e Johanes Martinez, notarius habitant Calatayubii.

Die XVII mensis julii anno M CCCC LXXXVIII. Cervera.

- (Pag. 74 vto.) Eadem die coram domino inquisitore comparvit Bartholomea Abbat, muger de Porrunto, habitant loci de Cervera testis que juravit per Deu sup crucem domini nostri Ihesu Christi diceret omiodam veritatem de hiis que viret e sup quibus interrogatus esset qui per juramentum respondit in modum qui sequitur.

Dize la presente deposante que estando con Simon de Sancta Calara habitant en la ciudat de Calatayut havra viente annos poco mas o menos biviendo el padre del dicho Simon de Sancta Clara vio esta deposante como el dicho Simon de Sancta Clara todos los ayunos mandados por la iglesia sabados y cuaresma comia carne estando sano y que estando esta deposante le dixo moseyer no haveys cargo de comer carne en cuaresma e daynos a donde yra vuestra anima respuso el dicho Simon a esta deposante calla corneya que yo honrro la fiesta comiendo este, este comer e vosotros deshonráis la cogiendo hun rrobo de sardina.
Item mas la dicha deposante que nunqua le vio comer al dicho Simon de Sancta Clara congrio ni tocino ni queria que ende eschase en su olla ni comia enguila ni liebre ni conejo.
(pag. 75) Item mas dize la dicha deposante que le vio fazer oracion al dicho Simon muchas de vezes por huna cambra paseando y que como fazia la dicha oracion yva sabadeando con la cabeça y mas dize esta deposante que oyo a la muger de Simon de Sancta Clara clamada Johana de sayas que le havia ella dicho al dicho Simon su suegro padre pa que dezis esta oracion assi y que el dicho Simon respuso a la dicha su nuera calla corneya que nunqua tus aguelos la supieron que esta es la oracion de Moysen.
Item mas dize la dicha deposante que en la cambra donde el estava no havia oratorio ninguno como quiere que havia en otra parte donde el fijo habitava.
Item dize la dicha deposante que huna vegada en la cuaresma vio como les hablo hun judio clamado Juçe Buenavida a casa de los dichos Simon de Sancta Clara e su fijo por la pascua de los judios turrado et ellos lo comieron et empues en la pascua de flores nuestra enviaron ellos en crienumieracion de aquel turrado al dicho judio pan liendo e lechugas (pag. 75 vto.) (le leen la declaración). Testes: Ffranciscus de Contamina alguaziri e Johanes Martinez, notarius habitant civitas Calatayut.

Die VII julii anno Mº CCCC LXXXVIII. Calatayubii.

- Eadem die coram reverendo domino Martino Garsie inquisitore comparvit Salomon Avayut judio sastre mayor de dias habitant en la aliama de judios de la ciudat de Calatayut testimonio qui juravit per Deu diceret omiodam veritatem de hiis que viret e sup quipus interrogatus esset qui per juramentum respondit in modum qui sequitur.

Dize el presente testimonio deposoante que havra diez annos poco mas o menos teniendo cargo este deposante de llegar la limosna pa la çedaqua dize que le dio Simon de Sancta (pag. 76) Clara y que lo sabe porque el la recibio la dicha limosna del dicho Simon de Sancta Clara y que sabe que era el dicho Simon de Sancta Clara porque lo conocia muy bien por que tenia vista y pratica del (le leen la declaración). Testes: Martinus Perez, notarius officii Sancta Inquisiciois e Jacobus de Monclus, nuncius oficii Sancte Inquisiciois.

Die XXI julii anno Mº CCCC LXXXVIII. Calatayut.

- Eadem die coram dicto domino inquisitoris comparvit Sento Enforna sutor judeus aliame judeorum civitas Calatayut, testis qui juravit per Deu diceret omiodam veritatem de hiis que viret e sup quipus interrogatus esset qui per juramentum respondit in modum qui sequitur.

(Pag. 76 vto.) Dize este testimonio deposante que havra tiempo de vinte y cinquo annos poco mas o menos que teniendo conocimiento con huno clamado Simon de Sancta Clara, mercader desta ciudat deze que le vio muchas pascuas y viespras de fiestas de judios que dizia su oracion judayca en ebrayco como qualquiere judio (le leen la declaración). Testes: Michael Domingo, notarius e Jacobus de Monclus, nuncius officii sancte inquisicionis.

Die XX augusti anno Mº CCCC LXXXVIII. Calatayubii.

- Eadem die coram dicto domino inquisitore comparvit Sento Enforna judeus nuncior habitant aliame judeorum civitas Calatayubii, testis qui juravit per Deum sup decem precepta legis Moysi qui diceret omnidam veritatem de hiis que viret qui per juramentum respondit in modum qui sequitur.

(Pag. 77) Dize este testigo que havra hunos quarenta annos poco mas o menos estando dentro de la alquaceria de la dicha ciudat vio et oyo este testigo que estando hunos diez conffeso desta ciudat alli entre los quales conoscio a Simon de Sancta Clara, estando alli tenia huna mesa encima la qual estava echado huno llamado Adamcon sus vestidos y los otros sobre dichos estavan alderredro del dicho Adam e oyo e vio que cantavan los responsos judaycos que cantan los judios quando tiene muerto algun judio e son los siguientes "azurtamin pault" (le leen la declaración). Testes: Petrus Margarit, alguazirius e Johanes Domp. Notarius officii sancte inquisicionis habitant Calatayubii.

Die XXIIII augusti anno M1 CCCC LXXXVIII. Calatayubii.

- Eadem die coram domino inquisitore comparvit Brahem Panyero, judeus nuncior habitant aliame judeorum civitas Calatayubii, testis qui juravit per Deum sup decem precepta legis Moysi qui diceret omnidam veritatem de hiis que viret que per juramentum respondit in modum qui sequitur.

(Pag. 77 vto.) Dize este deposane que havra hunos viente annos poco mas o menos que muchas de vezes passando por la puerta de las casas de huno que se llamava Simon de Sancta Clara el viejo padre deste Simon de Sancta Clara que esta preso, el dicho Simon de Sancta Clara el viejo llamava a este testigo e apartavalo a huna parte a solas e le dizia según la pascua de los judios que venia estas palabras catar panyero que en esta pascua que viene haveys a dezir tal dezir o tal "pizmon" yesto le dizia en ebrayco nombrando le las palabras todas en ebrayco assi como los judios las acostumbran a dezir en la sinoga según la pascua que era (le leen la declaración). Testes: Magnificus Benardinus Montanyes, alguazicus et Dominicus de Senna, clericus habitator Calatayubii.

Die XXV januari anno M1 CCC LXXXVIII. Calatayubii.

- (Pag. 78) Eadem die coram domino inquisitore comparvit Berengarius de Sanctangelo, notarius habitator civitas Calatayubii testis qui juravit poer Deum sup crucem domini nostri Ihesu Christe qui diceret omniodam veritatem de hiis que viret e sup quipus interrogatus esset qui per juramentum respondit in modum qui sequitur.

Dize el presente deposante que se le acuerda que en timpo passado quando bivia Simon de Sancta Clara y paseando el presente deposante por el mercado desta ciudat vio la dicho Simon y a otro hombre que se clama Johan Perez de Fariza que estavan asentdos en hun vanquo y este deposante llegase a ellos e vio estava fablando en ebrayco y dixo el dicho Simon al dicho Johan Perez digamos hun "pizmon" e tomaron se a cantar baxo en ebrayco que dizian o que no se le acuerda ni en tiende tal lenguaje (le leen la dclaración). Testes: Johanes Perez, notario e Johanes Torrejon.

Die prima septembirs anno Mº CCCC LXXXVIII. Calatayubii.

- (Pag. 78 vto.) Eadem die coram domino Alfonso de Alarcón inquisitore comparvit Açach Benforna judeus habitant aliame judeorum civitas Calatayubii, testis qui juravit per Deum sup decem precepta legis Moysi qui diceret omnidam veritatem de hiis que viret que per juramentum respondit in modum qui sequitur.

Dize que se acuerdaque quando los judios desta ciudat peor rrogarias que llamosse sacaron las toras en la calle del barranco delante de la casa de Brahem Paçagon que puede haver esto XIIII o XV annos poco mas o menos que entonces havia gran carescia de pan porque no llevia dize que vio estar en huna ventana de la casa del dicho Brahem Paçagon a Simon de Sancta Clara, padre deste Simon y vio que estuvo presente a las rogarias que finieron los dichos judios estruyendo el dicho Simon dentro de la casa del dicho Brahem a huna ventana que havia en ella huna rexa y que quando los judios finieron aquella ceremonia tocando los cuernos y cantando e faziendo los judios planto porque le viesse vio como el dicho Simon de Sancta Clara palavra mucho y movia mucho los labios como que me rezava tanto como qualquiere judio que rezasse e plorasse de todo su coraçon no cantavan a altas vozes y esto vio que fizo el dicho Simon (pag. 79) estuviendo amagado dentro de la dicha ventana que podia mirar las thoras y toda la ceremonia que se fizo en aquel dia en la qual se fallo presente este deposante e vio en ella todo lo sobre dicho y dize este deposante que el dicho Simon fue judio y sabia bien el ebrayco y lo entendia bien el ebrayco y lo cantava como qualquiere judio (le leen la declaración). Testes: Matinus Perez e Johanes de Huncastillo.

Die XVII septembris anno Mº CCCC LÇXXXVIII. Calatayubii.

- Eadem die coram reverendo domino Martino Garsie inquisitore comparvit Mosse Alpastan maste in medicina judeus habitant aliame judeorum civitas Calatayubii, testis qui juravit per Deum sup decem precepta legis Moysi qui diceret omnidam veritatem de hiis que viret que per juramentum respondit in modum qui sequitur.

(Pag. 79 vto.) Dize este testimonio que havia vinte annos poco mas o menos que este testimonio sabrerazones de las leyes oyo dezir a huno llamado Simon de Sancta Clara que el creya que lo de Moysen y de Ihesu Christo era verdat y que tanbien creya que lo de Mahoma era verdat, que menos tenia lo de Mahoma que lo de los otros porque entendia que otro paraíso no y de havia sino el mercado de Calatayut y que este mucdo no era sino nacer y morir que huna de las cosas que veya pa creer esto era que de los que alla yvan no venia ninguno ni havia querido dezir que havia alla por no dezir metira a ninguno (le leen la declaración). Testes: Michael Domingo e Johanes de Huncastillo, notario officii Sancte Inquisicionis.

Die VI octobris anno Mº CCCC LXXXVIII. En Valladolit.

- (Pag. 80) Eadem die coram reverendis dominis fratre Michaelle de Monterrubio e Martino Navarro inquisitoribus comparvit Yuçe Çafati judeus habitant aliame judeorum civitas Valladolit, testis qui juravit per Deu sup crucem domini nostri Ihesu Christi diceret omiodam veritatem de hiis que viret e sup quipus interrogatus esset qui per juramentum respondit in modum qui sequitur.

Dize este testimonio deposante que havra vinte annos poco mas o menos estando este testimonio deposante en la ciudad de Calatayut muchas y diversas vezes vio que huno llamado Simon de Sancta Clara el viejo dizia muchas oraciones de las que los judios acostumbran a dezir en la sinoga assi entre semana como en las pascuas las quales oraciones judaycas este deposante oya dezir al dicho Simon de Sancta Clara el viejo, algunas dellas cantando y algunas dellas rezadas al modo judayco.
Item dize este testimonio deposante que en el mismo tiempo vio como el dicho Simon de Sancta Clara, ablando de algunos negocios con este testigo pa que este deposante creyesse mejor lo que dizia el dicho Simon de Sancta Clara, jurava y dizia "por aquella ley sancta y verdadera de Moysen Que todos creemos que es verdat lo que yo os digo".
Item dize mas este testigo que en el mismo tiempo vio que el dicho Simon de Sancta Clara en el tiempo de cuaresma y en la semana Sancta estando sano salvo que sabe que era gotoso, muchas vezes comia carne y senaladamente le acuerda a este deposante que huna vegada en la dicha semana sancta el dicho Simon de Sancta Clara, empues de haver comido huna gallina en presencia deste deposante echo los guesos a la calle y dava a dalgun cristiano cuyo nombre ignora con ellos y dizia "avati christiani y ponti del duelo conto cuaresma".
Item dize este testimonio que en el mismo tiempo poco mas o menos estando huna vegada doliente el dicho Simon de Sancta Clara, este deposanate porque vio que huna llamada Johana de Sayas, muger de Simon de Sancta Clara menor que oy (pag. 81) bive rogava al dicho Simon de Sancta Clara que se confesase y fiziese obras de christiano este deposoante porque pues el dicho Simon era christiano huviera plazer que finiera obras de christinao començo a rogar al dicho Simon que se confesase y fiziese obras de cristiano como su nuera le rogava y el dicho Simon respondio a este deposante duelu les venga que se le acuerda a este deposante si dixo vinte y siete o trenta y siete o quarenta y siete annos ha que me confesse y esto entendio este tstigo porque havia tanto tiempo que era conffesso y se havia fecho christiano.
Item dize este depsoante que havra diziocho annos poco mas o menos estando este deposante en la ciudad de Calatayut huna vegada fallandose en casa del dicho Simon de Sancta Clara hun dia que a los cristianos era prohibido de comer carne po no le acuerda si era viernes o sabado o cuaresma y queriendo el dicho Simon acabar de comer dixo a Simon de Sancta Clara menor fijo suyo que oy bive en Calatayut que contra con el juntamente en la mesa "venaqua amatu" pues havermos comido digamos (pag. 81 vto.) la "beraha" y el dicho Simon de Sancta Clara menor dixo pues començar vos y assi el dicho Simon de Sancta Clara dixo la "beraha" que es vendicion en ebrayco y el dicho Simon de Sancta Clara menor respondia quando era necesario "amen" al modo judayco (le leen la declaración). Testes: Magnificus dominus Johanes de Ardiles, jurisprudenter asesor officii sancti inquisicionis civitas Calatayubii e Petrus Laraz notarius in dicta villa de Valladolid de presenti residentes.

6.- PROCESO CONTRA ANTHONIUM DE BLANAS (ANTONIO DE BLANAS)

FALTA ACUSACION DEL FISCAL, INTERROGACIÓN AL ACUSADO Y COMIENZA CON LA DECLARACION DE TESTIGOS CONTRA DEL ACUSADO.

Testes recpti contra Antonium de Blanas.

Die prima Marcii anno Mº CCCC LXXXVIII.

- (Pag. 82 vto.) Eadem die coram reverendo domino inquisitoris predicto comparvit Sebastianus Dutrilla presbiter benefficiartus in loco de Terrer qui juravit in posse dicit reverndi domini inquisitoris per Deum cruçem domini nostri Ihesu Christi e sup sacro sancte quatuor evangelia coram eo posita et per enim reverenter inspecta enim sup propiis manibus coporalitar tacta et per juramentum dixit se scire qui sequitur.

Item mas dize este deposante que hun moro llamado Ali Alami, bochero, vezino de Terrer que estando una vez en el mercado de la presente ciudat de Calatayut oyo dezir a hun hombre llamado Simon de Sancta Clara el viexo, que dixo que uno llamado Blanes, padre deste Blanes y a Johan Alazan, vezinos de Calatayut por aquel que fizo los dize tribus de Israel que no como ni bevo ni duermo an mi lecho que no haga la (pag. 83) "beraha" que no ay mas noble cosa en el mundo y el dicho Balnas dixo yo algo fago y el dicho Joan Alazan dixo yo que callo hago he que hago bien que bezmelites ay de çaga. Testes: Johanes Martinez, norarius, et Johanes Torrexon, portarius dicti officii.

Die V menssis marcii anno M CCCC LXXXVIII.

Eadem die coram revendo domino fratre Michaelle de Monterruvio inquisitore predicti comparvit Yehuda Abenardut judeus habitant aliame judeorum civitas Calatayubii, testis qui juravit per Deum sup decem precepta legis Moysi qui diceret omnidam veritatem de hiis que viret que per juramentum respondit in modum qui sequitur.

Item mas dize este deposante que havra doze annos poco mas o menos teniendo pratica y amistat con uno llamado Anthon de Blanas, trepador habitant de Calatayut se acuerda este deposante como el dicho Anthon de Blanas, y su muger del dicho Anthon de Blanas, cuyo nombre no le acuerda a este deposante salvo sabe que es muerta y ffue madre deste Anton de Blanas, corredor, que oy bive fizo del dicho Anthon de Blanas, los dichos marido e muger donan olio (pag. 83 vto.) a la sinoga y eso sabe este deposant por quanto algunas vezes el dicho Anthon de Blanas y la dicha su muger davan olio a la sinoga y esto sabe este deposant por quanto algunas vezes el dicho Anthon de Blanas y la dicha su muger assa conjuntamente como algunas vezes cadauno por siempre daron dineros a este deposant pa olio a la sinoga empero que no se le acuerda bien a este deposant quantos dineros davan a este deposant por cada vez y que este deposant tomava los dichos dineros y los fazian merçar de olio y lo enbiava a la sinoga y algunas vegadas en presencia deste deposoant daron los sobredichos Anthon de Blanas y su muger dineros para olio a la sinoga a otros judios (le leen la declaración). Testes: Magnificus Johanes Ardiles, asesor et Dominicus Gil, nuncio sanctem inquisicionis.

Die V menssis augusti anno Mº CCCC LXXXVIII.

- (Pag. 84) Eadem die coram reverendo domino fratre Michael de Monterruvius inquisitore predicto comparvit Duenya Castiel, viuda muger que fue de Jaco Castiel, judey habitant aliame judeorum civitas Calatayubii, testis qui juravit per Deum sup decem precepta legis Moysi qui diceret omnidam veritatem de hiis que viret que per juramentum respondit in modum qui sequitur.

Item dize la dicha deposant que puede haver nueve annos poco mas o menos que estando esta deposant donzella en casa de su padre llamado Jehuda Castiel, corredor, vio como vino hun dia a la dicha casa del dicho su padre uno llamado Anton de Blanes, corredor, el qual tenia muy grande amistat con el dicho su padre porque eran de hun officio el qual dicho Anthon de Blanas comio juntamente con el dicho su padre Jehua Casteil y en su tabla de todas las viandas y potages quel para su casa tenia guisados y bevio de su vino judiguenyo empero era quando el dicho Anthon de Blanas comio alli en casa del dicho su padre dia de (pag. 84 vto.) comer carne de christianos.

Item dize la dicha deposant que puede haver siete annos poco mas o menos que hun sabado vino assu casa el dicho Anthon de Blanas, corredor, el qual comio hamin y de todos los potajes que esta deposant y su marido llamado Jaco Castiel comieron juntamente con ellos y en una tabla e bevio de su vino judiego y estuvo el dicho Anthon de Blanas a la bendicion empo no dixo nada ni respuso a ella.

Item dize la dicha deposant que puede haver siete annyos poco mas o menos queseando la muger del dicho Anthon de Blanas llamado Urssula de Sayas enoxada de hun mal parto que huvo esta deposant por la amisticia que tenia con su marido Anthon de Blanas ffue hun dia a ver (en blanco).

7.- PROCESO CONTRA JOAN DE ROMERAL

FALTA ACUSACION DEL FISCAL, INTERROGACIÓN AL ACUSADO Y COMIENZA CON LA DECLARACION DE TESTIGOS CONTRA DEL ACUSADO.

Die XXXI augusti anno Mº CCCC LXXXVIII. Calatayubii.

- (Pag. 86) Eadem die coram reverendo domino Martino Garsie inquisitore comparvit Mosse Jabba, sastre judio habitant en la aljama de judios de Calatayut, testimonio qui juravit per Deum sup deçem precepta legis Moysi.

Item mas deposa que conocio a Mossen Joan del Romeral, cavallero que murio en Cetina y esta soterrao en el monesterio de Piedra porque era tio deste deposant hermano de su padre y dize que havra quatorze anyos poco mas o menos que passando por aljama bino alli el dicho mossen Romeral a fablar con el padre deste deposant y bino hun judio en companya deste depsoant y este deposant que se llama Açach Manyan judio que bive en Cetina y truxo hun quarto de cordero y huna bota de vino judiego y que era la carne degollado de judio y vio como comio el dicho mossen Romeral de la dicha carne e bevio del dicho vino juncto a huna mesa con el padre deste deposant y con el dicho judio y que (pag. 86 vto.) no le acuerda si estuvo presente a la bendicion de la mesa quel padre deste deposante y el otro judio echaron en la mesa (le leen la declaración). Testes: Martin Perez, notario e Mossen Anthon Navarro, clerigo habitant en Calatayut.

Die secunda menssis augusti anno Mº CCCC LXXXVIII apud Villa de Cetina.

- Eadem die coram reverendo domino Martin Navarro inquisitor predicto comparvit Simuel Ezdra judeus habitant ville de Cetina, testis qui juravit per Deum sup decem precepta legis Moysi qui diceret omnidam veritatem de hiis que viret que per juramentum respondit in modum qui sequitur.

Item dize este deposant que havra quatorze anyos poco mas o menos en la villa de hariza vio como huno llamado Joahn del romeral y su muxer cuyo nombre ygnora que eran suegros de mossen Linyan, senyor de la villa de Cetina, en dias pasados comian hamin (pag. 87) aparexado con carne y huevos al modo judayco del viernes pa el sabado el qual hamin este depsoant levo a los dichos Joan del Romeral y a su muger a ruegos suyos (le leen la declaracion). Testes: Venerabiliter Dominicus Egidii Perez presbiter habitant ville de Fariza e Johanes Martinez, notarius habitante civitas Calatayubii.

Die III menssis augusti anno Mº CCCC LXXXVIII.

- Eadem die coram reverendus domino Matin Navarro inquisitor predicto comparvit Oro Abenmayor uxor Huda Azay judey habitant ville de Cetina, testis qui juravit per Deum sup decem precepta legis Moysi qui diceret omnidam veritatem de hiis que viret que per juramentum respondit in modum qui sequitur.

Dize esta deposant que havra vente anyos poco mas omenos uno llamado Joan de Romeral (pag. 87 vto.) y su muger cuyo nombre ygnora, padre y madre que eran de la senyora de Cetina, muchas e diversas vezes davan dineros a esta deposant pa que los diesse a la çedaqua y para olio a la sinoga los quales esta deposante recibia y dava dellos a la çedaqua y dellos a la bolssa de las lamparas de la sinoga (le leen la declaración). Testes: Venerabiliter fratre Michael German, prior ville de Cetina e Johanes Martinez, notarius habitant civitas Calatayubii.

Die II septembiis anno Mº CCCC LXXXVIII. Calatayubii.

- Eadem die coram reverendo domino Michael Garsie inquisitor comparvit Açach Manyan judeus habitant ville de Cetina, testis qui juravit per Deum sup decem precepta legis Moysi qui diceret omnidam veritatem de hiis que viret que per juramentum respondit in modum qui sequitur.

Dize el presente testimonio deposant que havra quinze anyos poco mas o menos que estando este (pag. 88) testimonio deposant en Cetina uno llamado Joan del Romeral, padre que era de la muger de mossen Linyan, senyor de Cetina dixo y rogo a este testigo que por quanto hun hermano del dicho Johan del romeral judio lo venia a ver que se ffuesse este deposant a Alhama, aldea de Calatayut y ay que guisasse de comer para todos y assi este testimonio traxo a Çetina hun quarto de cordero degollado por su judio y su pan y su vino y ay en Alhama en casa de Anthon Gil comieron el dicho Joan del Romeral y su hermano y hun fixo de su hermano judios y este deposoant a una mesa y de unas veandas y de hun vino y estuvo presente el dicho Joan del Romeral a la bendicion de la mesa no sabe este testigo ni se acuerda que respondiesse el dicho Joan del Romeral a la bendicion et hoc per juramentum.
Item dize el presente testimonio depsoant que fablando y razonando los dichos Joan del Romeral y su muger con este testigo asercadamente le dixeron que se querian enterrar en tierra virgen y assi se enterraron en piedra en tierra virgen et hoc per juramentum (le leen la declaración) (pag. 88 vto.) Testes: Antonius Navarro, clerigus e Johanes de Valdaviesso, nuncius officii sante iqnuisicionis.

Die quarta menssis augusti anno Mº CCCC LXXXVIII apud ville de Cetina.

- Eadem die coram reverndo domino Maritno Navarro inquisitore predicto comparvit Maria Vallester, uxor Yvanyes Adam, habitant ville de Cetina, testis qui juravit in posse dicit reverendi domini inquisitoris per Deum cruçem domini nostri Ihesu Christi e sup sacro sante quatuor evangelia coram eo posita et per enim reverente inspecta enim sup propiis manibus coporalitar tacta et per juramentum dixit se scire qui sequitur.

Dize esta deposant que havra vinte y dos anyos poco mas o menos estando esta deposant en la casa y servicio de huno llamado Joan del Romeral y de su muger cuyo nombre ygnora vio esta depsoant por tiempo de diez meses que en la dicha casa estuvo que los dichos Joan del Romeral y la dicha su muger en los dias de sabado continuamente se vistian camisas (pag. 89) (Le leen la declaración). Testes: Venerabititer Michael German prior Ville de Cetina et Johanes Martinez, notarius habitant civitas Calatayubii.

- Eadem die coram dicot reverendo domino Martino Navarro inquisitor predicto comparvit Michael de la Yna, notarius ville de Cetina, qui juravit in posse dicit reverndi domini inquisitoris per Deum cruçem domini nostri Ihesu Christi e sup sacro sante quatuor evangelia coram eo psita et per enim reverente inspecta enim sup propiis manibus coporalitar tacta et poer juramentum dixit se scire qui sequitur.

Dize el presetne deposant que havra doze anyos poco mas o menos viniendo a la muerte assa uno llamado Joan del Romeral, como Beatriz su muger habitant dle lugar de Cetina suegro suegra que era de mossen Linyan, Senyor de la villa de Cetina dixieron y rogaron a este deposant (pag. 89 vto.) que si por ellos havia de hazer quel tuviesse modo amo assi el dicho Joan del Romeral como a la dicha Beatriz su muger los enterrassen en tierra virgen y este deposant les dixo y ofreció quel lo haria assi como ellos le rogavan y apres que fueron muertos este deposant rogo a los monges del monesterio de Piedra donde los dichos Joan del Romeral y la dicha su muger estan enterrados que assi e el como a ella enterrassen en el dicho monestierio donde vio que los suso dichos fueron enterrados en tierra virgen (le leen la declaración). Testes: Frater Michael German prior ville de Cetina e Johanes Martinez, notarius habitant civitas Calatayubii.

Die Vi menssis augusti annos M° CCCC LXXXVIII apud loci de Ybdes.

- Eadem die coram reverendo domino Martino Navarro inquisitore predicto comparvit Hacernia Salido, uxor Joannis Tossera, habitan loci de Jarava, (pag. 90) qui juravit in posse dicit reverendi domini inquisitoris per Deum cruçem domini nostri Ihesu Christi e sup sacro sancte quatuor evangelia coram eo posita et per enim reverente inspecta enim sup propiis manibus coporalitat tacta et per juramentum dixit se scire qui sequitur.

Dize esta deposant que havra vinte y quatro anyos poco mas o menos estando esta deposant nodriça en el castillo de Cetina criando hun fixo de mossen Linyan, senyor de Cetina vio como huna llamada Maria de Romeral muger de Joan del Romeral madre de la senyora de Çetina el dia del viernes a la tarde fariz y aparexava hamin con carne el qual en los dias de sabados esta depsoant vio comer a la dicha Maria del Romeral y algunas vezes al dicho Joan del Romeral y a su fixa, senyora de Cetina cuyo nombre no le acuerda a esta deposante (le leen la declaración). Testes: Johanes Martinez, notarius habitant Calatayubii, e Johanes Manyoz, juratus loci de Ybdes.

8.- PROCESO CONTRA MARIA DEL ROMERAL, MUJER DE JOAN DEL ROMERAL

FALTA ACUSACION DEL FISCAL, INTERROGACIÓN AL ACUSADO Y COMIENZA CON LA DECLARACION DE TESTIGOS CONTRA DEL ACUSADO.

Die III menssis augusti anno M° CCCC LXXXVIII apud villam de Cetina.

- (Pag. 91) Eadem die coram reverendo domino Martino Mavarro inquisitore predicto compavit Vellida Crenago, uxor Huda Ezdra havitant ville de Cetina testis stitata predictum qui in posse dicit domini inquisitori juravit per decem precepta legis Moysi e per juramentum dixit se fare qui sequitur.

Dize este deposant que havra trenta nyos poco mas o menos una llamada Maria muger de Joan Romeral, suegra que era de mossen Linyan, senyor de Cetina la qual se fizo christina en Cetina quinze dias poco mas o menos pres que se fizo cristiana la dicha muger del dicho Joan del Romeral dio a esta deposant dineros pa comprar una libra de azeyte otra libra de cirios de cera pa la sinoga. Et dize mas esta deposant que algunas vezes vio que la dicha muger del dicho Joan del Romeral dava dineros assi pa la çedaqua como pa otras limosnas de judios (le leen la declaración). (pag. 91 vto.) Testes: Frater Michael German prior ville de Cetina e Johanes Martinez, notarius habitant civitas Calatayut.

Die III menssis auguste anno M° CCCC LXXXVIII apud villa de Cetina.

- Eadem die coram reverendo domino Michael Navarro inquissitore predicto comparvit Oro Abenmayor, uxor Huda Azay, Judea habitant ville de Cetina, testis qui juravit per Deum sup decem precepta legis Moysi qui diceret omnidam veritatem de hiis que viret que per juramentum respondit in modum qui sequitur.

Dize esta deposant que havra vitne anyuos poco mas o menos uno llamado Joan del Romeral y su muger cuyo nombre ygnoro padre y madre que eran de la senyora de Cetina, muchas e diverssas vezes davan dineros a esta deposant pa que los diesse pa la çedaqua y para olio a la sinoga los quales esta deposant recibia y dava dellos a la çedaqua y dellos a la bolssa de las lamparas de la sinoga (le leen la decalracion) (pag. 92) Testes: Fratre Michael German prior ville de Cetina e Johanes Martinez, notarius loci civitas Calatayubii.

Die II septiembris anno M° CCCC LXXXVIII. Calatayubii.

- Eadem die coram reverendo domino Maritno Garsie inquisitore comparvit Açach Manyan judeus habitant ville de Cetina testis qui juravit per Deum sup decem precepta legis Moysi qui diceret omnidam veritatem de hiis que viret que per juramentum respondit in modum qui sequitur.

Item dize este deposant que conocio assi mesmo a la muger de Joan del Romeral madre que era de la senyora de Cetina muger de mossen Linyan el nombre de la qual no sse acuerda salvo que siendo judia se llamava Ladossana y era muger del dicho Joan del Romeral a la qual teniendo mucha pratica y conocimiento con ella este testigo vio y conocio en ella que era mas judia que no cristiana porque dizia su oracion en ebrayco ad mariamente como quando era judia y dezia a este testigo que ella no (pag. 92 vto.) creya cosa ninguna de los christianos antes se estava judia en la voluntat y que solo el nombre y demostrava que tenia de cristiana. (le leen la declaración). Testes: Anthonius Navarro, clericus e Johanes de Valdivieso, nuncius sancte officii habitant Calatayubii.

Die quarta menssis augusti anno Mº CCCC LXXXVIII apud villa de Cetina.

- Eadem die coram reverendo domino Michael Navarro inquisitore predicto comparvit Maria Vallester, uxor Yvanyes Adam habitant ville de Cetina, testis qui juravit in posse dicit reverndi domini inquisitoris per Deum cruçem domini nostri Ihesu Christi e sup sacro sante quatuor evangelia coram eo posita et per enim reverente inspecta enim sup propiis manibus coporalitat tacta et per juramentum dixit se scire qui sequitur.

Dize esta deposant que havra vinte y dos anyos pco mas o menos estando esta deposant en la casa y servicio de uno llamado Joan del (pag. 93) Romeral y de su muger cuyo nombre ygnora vio esta deposant por tiempo de diez meses que en la dicha casa estuvo que los dichos Joan del Romeral y la dicha su muger en los dias de sabado continuamente se vistian camisas limpias (le leen la declaración). Testes: Fratre Michael German prior ville de Cetina e Johanes Martinez notarius habitant civitas Calatayubii.

- Eadem die coram dicto reverendo domino Michael Navarro inquisitore predicto comparvit Michael de la Yva, torarius habitant ville de Cetina qui juravit in posse dicit reverendi domini inquisitoris per Deum cruçem domini nostri Ihesu Christi e sup sacro sancte quatuor evangelia coram eo posita et per enim reverente inspecta enim sup propiis manibus coporalitat tacta et per juramentum dixit se scire qui sequitur.

Dize el presente testigo deposant que havra doze anyos poco mas o menos viniendo a la muerte assi uno llamado Joan de Romeral e Beatriz (pag. 93 vto.) su muger del lugar de Cetina suegro y suegra de mossen Linyan, senyor de la villa de Cetina dixeron y rogaron a este deposante que si por ellos havia de hazer que el muy este modo como assi al dicho Joan del Romeral como a la dicha Beatriz su muger los enterrassen en tierra virgen y este deposant les dixo y ofreció quel lo haria assi como ellos le rogavan y apres que fueron muertos este deposant rogo a los monges del monesterio de Pidra donde los dichos del romeral y la dicha su muger estan enterrados que assi a el como a ella enterrassen en tierra virgen y este deposante se hallo presente en el dicho monesterio donde vio que los suso dichos fueron enterrados en tierra virgen (le leen la declaración). Testis: qui supra.

Die sexta menssis augusti anno Mº CCCC LXXXVIII apud loci de Ybdes.

- (Pag. 94) Eadem die coram reverendo domino Michael Navarro inquisitore predicto comparvit Hacernia Salido, uxor Joannis Trossera havitan loci de Jarava, testis qui juravit in posse dicit reverendi domini inquisitoris per Deum cruçem domini nostri Ihesu Christi e sup sacro sante quatuor evangelia coram eo posita et per enim reverente inspecta enim sup propiis manibus coporalitat tacta et per juramentum dixit se scire qui sequitur.

Dize esta deposant que havra vinte y quatro anyos poco mas o menos estando esta deposant un dia en el castillo de Cetina criando hun fixo de mossen Linyan, senyor çe Çetina vio como una llamada Maria del Romeral, muger de Joan del Romeral, madre de la senyora de Cetina el dia del viernes a la tarde fazia y aparexava hamin con carne el qual en los dias de sabados esta deposant vio comer a la dicha Maria del Romeral y algunas vezes al dicho Joan del Romeral y a su fixa, senyora de Çetina cuyo nombre no le acuerda a esta deposant.
(Pag. 94 vto.) Item dize esta deposant que en el mesmo tiempo vio que la dicha Maria del Romeral en los dias de sabados se abstenia de hazer hazienda tanto que la cama donde durmia no consintia que en los dichos dias de sabados se hiciese fasta la noche y vio esta deposante como la dicha Maria del Romeral en los dias de sabados se vistia ropas limpias y beatillas limpias y esso si fuesse fiesta la qual vio esta deposant hazer a la dicha Maria del Romeral mas en los dichos dias de sabados que en otro dia alguno de toda la semana (le leen la declaración). Testes: Johanes Martinez, notarius habitant civitas Calatayubii et Johanes Munnyoz, habitant loci de Ybdes.

9.- PROCESO CONTRA GABRIEL DE SANCTA CRUZ

FALTA ACUSACION DEL FISCAL, INTERROGACIÓN AL ACUSADO Y COMIENZA CON LA DECLARACION DE TESTIGOS CONTRA DEL ACUSADO.

- (Pag. 95) Eadem die coram domino inquissitore comparvit Gabriel de Casp, habitant ville de Casp, testis predictus pretatus juratus et per juramentum inposse reverendo domino inquisitorum per crucem in qui deposuit ut sequitur.

Dize este testimonio que vio muchas y diversas vezes como uno llamado Grabiel de Sancta Cruz mercader ciudadano de Calatayut dava limosna pa la çedaqua y comia carne de la carniçeria de los judios esto sabe este deposante por quanto le dio limosna pa la çedaça y comprava este testigo carne de la carniçeria de los judios pa el dicho Grabiel y de aquella comia y esto era en el timpo que este testigo era judio.

Item dize que vio como el dicho Grabiel de sancta Cruz fazia el dayno de quipur con todas aquellas ceremonias que los judios acostumbran de fazer en tal y semblate dia como es el quipur (le leen la declaración). Testes: Mossen Garçia de Penyafiel, clerigo y Joan Ferrandez de Aybar Escolar.

Die XXVI januarii anno M CCCC LXXXVI.

- (Pag. 95 vto.) Eadem die coram reverendo domino inquissitore comparvit Grabiel de Casp habitant en la villa de Casp que vio y sabe este testimonio que mcuhas de vezes Grabiel de Sancta Cruz mercader de Calatayut dava a este testimonio limosna y le comprava este testimonio carne de los judios por su mandado y de aquella comia. Item dize que vio quel dicho Grabiel fazia el ayuno de quipur con todas las çerimonias de los judios.

Die VIII junii anno M° CCCC LXXXVIII.

- Eadem die coram reverendo domino inquissitore comparvit Johanes Garçez, lavrador habitan en Terrer aldea de la ciudat de Calatayut testimonio pro parte del procurador fiscal producido putado, stirado per edictum qui juravit per Deum sup cruçem et per juramentum deposuit ut sequitur.

Dize este testimonio que vio como comia el dicho Gilabert de Sancta Cruz carne en la quaresma estando sano y esto sabe este testimonio porque la traya de la carniçeria de los cristianos por mandado suyo y el sey de yva con este testimonio a la carniceria y la comprava y gela mandava levar (pag. 96) a casa y esto vio que fazia el dicho Gilabert la mas de la cuaresma (le leen la declaración). Testes: Mossen Domingo de Senya y Jayme de Monclus, nuncio habitant en Çaragoça.

Die VIIII junii anno M° CCCC L XXX VIII.

- Eadem die coram domino inquisitore comparvit Yuçe Aym judio sastre que mora en Villafelix, testimonio qui juravit per Decem precepta legis Moysi et per juramentum deposuit ut sequitur.

Dize este testimonio que havra vintiquatro anno que stuviendo en Calatayut con su padre llamado Aym por mandado del dicho su padre levava este testimonio pan cotaço turrado y arruquaques a casa de Jayme Alvarez de Calatayut que que moraba en la Ruva y a casa de Grabiel de Sancta Cruz de Calatayut del qual pan cotaço comain todos los fijos del dicho Grabiel y este sabe por que yban los fijos del dicho Grabiel a casa del dicho (pag. 96 vto.) su padre a comer lo y que otro no le acuerda (le leen la declaración). Testes: Mossen Domingo de Senya et Jayme de Monclus, nunçio habitant en Çaragoça.

Die XI mensis januarii anno M° CCCC LXXXVIII.

- Eadem die coram reverendo domino fratre Michaele de Monterubeo inquisssitore comparvit Jaco Lopiel judeus cilurgicus habitant aliame judeorum civitate Calatayubii qui juravit per Deum et deçem precepta legis Moysi in monte Sinai et per jurametnum dixit se stire qui sequitur.

Dize este testimonio que havra vintecinquo annos poco mas o menos se acuerda muy bien como un dia yndo este testimonio con uno llamado mastre Huda Lupiel judio hermano deste testimonio por la presente ciudat de Calatayut en el mercado de la dicha ciudat se juntaron el dicho Jehuda Lupiel y este testimono deposante y Gabriel de Sancta Cruz mercader habitant de la msima ciudat de Calatayut padre deste Grabiel de Sancta Cruz que hoy vive y otros cuyos nombres no acuerdan a este testimonio (pag. 97) ni sabe quien se eran salvo sabe que habia otros cristianos con el dicho Grabiel de Sancta Cruz los quales todos estavan fablando y disputando con el dicho Yehuda Lupiel hermano deste testigo de las leyes se acuerda muy bien este testimonio como el dicho Grabiel de sancta Cruz dixo estas palabras "serva pora otro sino para cobrar los deudos con la espada en la mano me sierne pa mucho" y esto sabe este testimonio por que lo hoyo y se fallo en la dicha fabla segunt dicho ha (le leen la declaración). Testes: Magnificus Johanes Ardiles, jurisprudenter et Johanes Murillo, notarius habitant civitas Calatayubii.

Die XVI julii anno Mº CCCC LXXXVIII.

- Eadem die coram reverendo domino Martino Garsia inquissitore comparvit Yuçe Romi, judeus habitant aliame judeorum ville de Arandiga, testis qui juravit per Deum sup decem precepta legis Moysi qui diceret omnidam veritatem de hiis que viret que per juramentum respondit in modum qui sequitur.

(pag. 97 vto.) Dize este testimonio que conoce a Ramon Lopez presso y a Grabiel Lopez, hermnos desta ciudat de vista y pratica que con ella tenian y dixo que havra trenta anyos poco mas o menos que vio este testimonio como los dichos Ramon Lopez y Grabiel Lopez quando paria su cunyada muxer de Brahem Paçagon desta ciudat vio como comian alli aves degolladas de judios y a una mesa con ellos y que vio como estrenavan a la nobia judia (le leen la declaración). Testes: Martinez Perez, notarius et Jacobus de Monclus, nuncius habitant Calatayubii.

Die VIIII junii anno Mº CCCC LXXXVIII.

- Eadem die coram reverendo domino inquisitore comparvit Yuçe Aym judio saste que mora en Villa Felix, testimonio qui juravit in posse reverendi domini inquissitori per Deum sup decem precepta legis Moysi et per juramentum dixit qui sequitur.

Dize este testimonio que havra mas de vintiquatro (pag. 98) annos que asistiendo en Calatayut con su padre llamado Salomon Aym por mandado de su padre levava este depsoant pan cotaço turrado y arruquaques a casa de Jayme Albarez de Calatayut que moraba en la Rua y a casa de Grabiel de Sancta Cruz de Calatayut del qual pan cotaço comia todos los fijos del dicho Grabiel y esto sabe porque yban los fijos del dicho Grabiel a casa del dicho su padre a comerlo y que otor no y sabe (le leen la declaración). Testes: Dominicus de Senya, capellanes et Jacobus de Monclus, nuncius.

10.- PROCESO CONTRA ALFONSUM DE SANCTA CRUZ

FALTA ACUSACION DEL FISCAL, INTERROGACIÓN AL ACUSADO Y COMIENZA CON LA DECLARACION DE TESTIGOS CONTRA DEL ACUSADO.

(Pag. 102) Testes recepti prote procurador fiscales contra Alfonsum de Sancta Cruce.

Die VII febroarii anno Mº CCCC LXXXVIII. Calatayubii.

- Eadem die coram reverendis patribus fratri Michaele de Monterubeo et Martino Navarro inquisitoribus comparvit Yuçe Buenavida ebreus habitrant aliame judeorum civitate Calatayubii qui juravit in posse dictorum reverendos dominorum inquisitorum per decem precepta legis Moysi coram eo posita per eum corporaliter tacta.

Dize este deposante que havra trenta annos poco mas o menos uno llamado Alonso de Sancta Cruz mercader vezino de aquesta ciudat lenviava a este testimonio con una su moça cuyo nombre no le acuerda tres o quatro dineros y quatro o cinquo guebos algunos viernes y que duro quinze annos poco mas o menos pa que ste depostante fiziesse hamin el qual este deposante fazia y quel sabado por la manyana enviava la dicha moça o otra no se le acuerda por el dicho hamin el qual este testimonio lenviava y sabe que lo comia por quanto el le dizia alguan vez a este testimonio que habia seydo bueno y tan bien que lenviava en tiempo de pascua este depasant al dicho Alonso de Sancta Cruz pan çençenno turrado y alcahalillas y el enviava a este testimonio pan liendo y lechugas. Testes: Johanes Perez y Johanes Martinez, notarii.

Die XIIII febroarii anno Mº CCCC LXXXVIII.

- (Pag. 102 vto.) Eadem die coram reverendo domino fratre Michaelle de Monterubeo inquisitore predicto comparvit Yehuda el Semas, sinagoche majoris citaris pre dictus per putati per procuratorem fiscales qui juravit in posse dicti reverendi domini inquisitoris per Decem precepta legis que Deus dedit Moysi in monte Sinay.

Dize este deposant que havra quarenta y cinquo annos poco mas o menos dio a este deposante uno llamado Alonso de Sancta Cruz, padre de micer Domingo de Sancta Cruz, vezino de Calatayut ocho dinero para que mercase dos libras de olio y lo echase en las lampedas de la sinoga y asi este depossante lo hizo y estos dineros le dio el dicho Alonso de Sancta Cruz estando este testimonio en la plaçuela do solia estar la carneçeria de los cristianos en la juderia y era un dia que fazian los judios una procision por augua. Testes qui supra.

Die XXIIII julii anno Mº CCCC LXXXVIII. Calatayubii.

- Coram reverendo domino Martino Navarro iqnuisitore predicto comparvit Dominicus Donadilla, agricultor habitant Calatayubii juravit in posse dicti reverendi domini inquisitoris per Deum et cruçem domini (pag. 103) nostri Ihesu Christi eiusque satre sancta quatuor evangelica coram eo predicta penum reverendi in specta sinsque propiis manibus corporaliter tacta qui dixit diceret veritatem quam stiret.

Dize este deposante que havra setze annos poco mas o menos entrando este deposoante en casa del padre de micer Domingo mossen Johan de Sancta Cruz habitant de la dicha ciudat algunas vio este testimonio como el dicho Sancta Cruz ante que lo viese estava sabadeando y rezando vaxiquo en ençima la mesa empo que no sabe ni entendio este testimonio lo que rezaba. Testes: Johanes Duncastillo, notarius, Jacobus de Monclus, nuncius habitant civitas Calatayubii.

Die XIIII febroarii anno M° CCCC LXXXVIII. Calatayubii.

- Eadem die coram reverendus dominus inquissitoribus comparvit Johana, uxor Anthonius de Monton habitant civitas Calatayubii, testis predictum citatis qui juravit in posse dicti reverendi domini inquisitoris per Deum et cruçem domini nostri Ihesu Christi eiusque satre sancta quatuor eveangelica coram eo predicta penum reverendi in specta sinsque propiis manibus corporaliter tacta qui dixit diceret veritatem quam stiret.

(Pag. 103 vto.) Dize este testimonio que havra vintres annos poco mas o menos que bivio en tres annos en casa de servicio de Alonso de Sancta Cruz y de su muxer Blanca y vio que los dichos sus annos Alonso de sancta Cruz y su muxer en los dias de los sabados comian hamin lo qual guisavan en la juderia en casa de hun judio que se dizia Buenavida el viexo y que muchas vezes vio como los viernes a las tardes los dichos sus amos algunas vegadas el dicho Alonso de Sancta Cruz y otras vegadas la dicha su muxer enviavan dineros al dicho judio para que les merquase carne y nuevos y lo necesario pa fazer el dicho hamin los quales dineros a vezes le le traia el dicho judio Buenavida esta deposante y otras vegadas otra moça que se llamava Johana que sta agora casada en Terrer y no sabe con quien caso salvo que tiene un fijo volteador y dize que los dichos sus amos en los dichos sabado comio hamin con los guebos que les trahian dentro.
Item dize que los dichos sus amos algunas de vezes se mandaban camisas limpias en los dias de los sabados y sabelo porquella lo vio algunas vezes po no todos los sabados.
Item dize que vio como los dichos sus amos en las cuaresmas continuamente comian carne y questavan sanos salvo que eran viexos y que no comian carne en los viernes y sabados de las dichas (pag. 104) cuaresmas ni en la semana Santa bien es verdat que vio que los dichos sus amos algunas vegadas en los sabados de la cuaresma comian hamin y que por a este hamin en la cuaresma ellos no davan dineros antes geles enpresentavan de casa del dicho Buenavida.
Item dize que vio que al tiempo de la pascua del pan çençenyo de los judios algunos judios cuyos nombres no le acuerdan enviavan a los dichos sus amos pan çençenyo del qual dicho pan çençenyo luego que geles traían los dichos sus amos asi el como ella lo comian desta manera que porque eran viexas lo fazian moler en hun mortero y despues de molido esta deposante geles dava en hun plato y ellos lo comian con sendas cuxaretas.
Item dize mas que vio como la carne que los dichos sus amos comian la dicha su duenya la adiecava desta manera que quitava de la dicha carne todas las grasas todas de alderredor. E asi mismo la dicha su duenya tomava la dicha carne y antes de echar la a cozer despues que havia quitado las grassas de la dicha carne de qualquiere taxo que fuesse y lavando la una vez tomava la dicha carne y salavala y asi salada la dexava estar hun rato en hun enequo y despues lavava la otra vez y enchavala (pag. 104 vto.) a cozer en la olla. Testes Michael Buyl, notarius, et Dominicus Egidii.

Die V augusti anno M° CCCC LXXXVIII.

- Eadem die coram dicto reverendo domino fratre Michaele de Monterubeo inquisitore conparvit Mosse Alpastan, judeus habitant aljame judeorum civitas Calatayubii ad instanciam procuratoris fiscalis citarus predictum qui juravit per Deum et decem precita legis Moysi et pre juramentum dixit per qui sequitur.

Item dize este depsoante que obra hunos trenta annos poco mas o menso estando este deposant de diez o dotze annos poco mas o menso hun dia este deposante con su padre clamado don simuel Alpastan judio a casa de son Alfonso de Sancta Cruz, padre de micer Domingo de Sancta Cruz, jurista y estando don Simuel Alpastan judio favlando a la puerta de la dicha casa con el dicho Alonso de Sancta Cruz que era hun viernes a la tarde en presencia deste deposant estando asi favlando el dicho don Alonso de Sancta Cruz estermido e dende que hun estermidado luego en continent dixo estas palabras "rahamana amitomim" que quiere dizir "Sennor piadoso vidas (pag. 105) buenas", las quales palabras dize este deposant son en ebrayco y acostumbran los dizir algunos judios luego que han estermidado (le leen la declaración). Testes: Johanes Larraz, notarius, et Johanes Torrexon, nuncius habitant civitas Calatayut.

Die VII augusti anno M° CCCC LXXXVIII. Calatayubii.

- Eadem die coram reverendo domino ffratre Michaele de Monterubeo inquisitore prefato comparvit Mira de Bayo, uxor Çalema el Bayo, testis ad instanciam procuratoris fiscales predictum citara que juravit inpose reverendi domini inquisitore per Deum et decem precepta legis Moysi et per juramentum deposuit per ut sequitur.

Dize la present deposant que puede haver quinze annos poco mas o menos tiempo y dende a esta parte que andando contratando (pag. 105 vto.) la present testimonio deposant en casa de Alonso de Sancta Cruz y de su muxer Blanqua, que morava et tenian la casa aquí en la present ciudat de Calatayut a la puerta de la juderia hoyo que dixo el dicho Alonso de Sancta Cruz, padre de Paulo de Sancta Cruz et de Pedro de Sancta Cruz y de Martin de Sancta Cruz y de micer Domingo de Sancta Cruz, razonando de hun judio que se havia tornado cristiano de su enturado del ira del Dio le vengua que yo homera trocado, y asi mismo dize que hoyo por muchas vezes a la dicha dona Blanca muxer del dicho Alonso de Sancta Cruz y madre de Pedro de Sancta Cruz y Paulo de Sancta Cruz y de Martin de Sancta Cruz y de mossen Johan de Sancta Cruz razonando y fablando de algunos judios que se tornavan cristianos ira del Dio les vengua que yo trocava bien cuellos y porque lo fazen (le leen la declaración). Testes: Johanes de Medina et Dominicus Gil, nuncio officii sancte inquisicionis.

Die XXV maii anno Mº CCCC LXXXVIII. Calatayubii.

- (Pag. 106) Eadem die coram domino inquisitore comparvit Yuçe Alvalit judio habitator en Arandiga qui juravit per Deum et decem precepta legis Moysi de veritate diçenda et per juramentum deposuit ut sequitur.

Primo dize que conoscia a Dalfonso de Sancta Cruz y a su muxer que le paresce que le dizian dona Blanqua y yndo este deposant por mandado de huna sutra a casa de los dichos Alonso de Sancta Cruz y de su muxer vido este deposant como tenian la mesa parada un viernes en la tarde de la foma e manera que los judios lo acostumbran fazer y pregunto la dicha dona Blanqua a este depsoant si ençendian ahun los judios y este deposant dixo le que no y asi vino este deposant a casa de la dicha su tia Çedilla que se dizia dona Blanqua asi tienen parada la mesa como nosotros (le leen la declaración). Testes: Mossen Domino de Senya et Garcia de Valladolid, familiar del sennor asesor Quintanilla.

Die prima mensis aprilis anno Mº CCCC LXXXVIII.

- (Pag. 106 vto.) Eadem die coram reverendo domino ffratre Michaele de Monterubeo inquisitores predicto comparvit dona Mira, uxor que fuit Çalema el Bayo, judeus habitant aliame judeorum civitas Calatayubii qui juravit in pose dicit reverendi inquisitoris per Decem precepta legis que Deus dedit Moysi in monte Sinay et per juramentum dixit se scite qui sequitur.

Item mas dize esta deposant que abra vinte annos poco mas o menos vio esta deposant como Alonso de Sancta Cruz mayona y arde dizia su "tafila" como hun judio y conoscia en su presençia y fablar esta deposante quel dicho Alphonso de Sancta Cruz era judio (le leen la declaración). Testes: Magnifficus Johanes Ardiles, jurisprudentis et Johanes Larraz, notarius habitant Calatayut.

Die XIII mensis aprilis anno Mº CCCC LXXXVIII.

- Eadem die coram reverendo domino Martino (Pag. 107) Navarro inquisitore predicto comparvit Salomon Axequo, habitant judeus habitator aljame juderoum civitas Calatayubii et de present ville de Çetina qui juravit per Deum et decem precepta legis Moysi et per juramentum dixit scire qui sequitur.

Dize este depsoant que abra vitne quantro anno poco mas o menos estando este depsoante en la misma ciudat de Calatayut sabe como uno llamado don Alonso de Sancta Cruz, padre de mossen Johan de Sancta Cruz ayunava el ayuno de quipur y esto sabe este depsoant porque el dicho Alonso de Sacnta Cruz gele dixo a este depsoant muchas vezes y tanbien que quando venia el dicho ayuno de quipur el dicho Alfosno de Sancta Cruz demandava a este depsoant le restase algun libriquo do estase aquellas oraçiones que los judios dizen e rezan pora quel dia del ayuno de quipur y este depsoante gele prestava (le leen la declaración). Testes: Johanes Torrexon et Dominicus Gil, nuncio sancte inquisiçionis.

Die XXI mensis aprilis anno Mº CCCC LXXX octavo.

- (Pag. 107 vto.) Eadem die coram reverendo domino ffratre Micaela de Monterubeo inquisitore predicto comparvit Brahem Xavar, judeus Assahonator habitant aljame judeorum civitas Calatayubii qui juravit per Deum et decem precepta legis que Deus dedit Moysi in monte Sinay et per juramentum dixit se sçire qui sequitur.

Dize este deposant que abra vinte annos poco mas o menos sabe este deposant como uno llamado Alphonso de Sancta Cruz padre de micer Domingo de Sancta Cruz, llamo a este deposant y le dio quatro dineros rogando le a este testimonio el dicho de Sancta Cruz que merquase de aquellos dineros una libra de olio y lo levase a la singoa y queste deposante tomo los dichos dineros y merquo dellos una libra de olio, y lo levo a la sinoga y lo puso en las lampedas de la dicha sinoga.
Item mas idze este deposant que en el mismo tiempo poco mas o menos sabe este depsoante como el dicho Alonso de Sancta Cruz y su muxer llamada dona Blanqua ayunavan el ayuno de quipur esto sabe este deposante por quanto el dicho Alonso de sAncta Cruz y la dicha (pag. 108) Blanqua su muxer gele havian dicho a este deposant de sus boquas como ayunavan el dicho ayuno de quipur.
Item dize este deposante sabe como en el mismo tiempo poco mas o menos los dichos Alonso de Sancta Cruz y su muxer llamada dona Blanqua davan a la çedaqua y esto sabe este deposante por quanto los dichos Alonso de sancta Cruz y su muxer dona Blanqua a danno dellos por su parte davan a este deposant quatro o cinquo dineros que los dase por çedaqua este deposant adalgunos judios pobres y queste deposant tomava los dichos dineros y los dava por ellas adalgunos judios pobres que a este testimonio le pareçia, y

questo fue por mas de diez vezes (le leen la declaración). Testes: Magnificus Johanes de Ardiles, jurisprudenter, asesor et Johanes Torrexon, nuncius habitant Calatayubii.

Die XVIIII julii anno Mº CCCC LXXXVIII.

- Eadem die coram reverendo domino ffratre (pag. 108 vto.) Michaele de Monterubeo inquisitore predicto comparvit Mayr Banobarius, judieus habitant aljame judeorum civitas Calatayubii loci de Almonazir de la Sierra, qui juravit per Deum et decem precepta legis que Deus didit Moysi in monte Sinay et per juramentum dixit se sçire qui sequitur.

Item dize este deposant que de quinze anyos poco mas o menos a esta parte este deposant muchas de vezes salliendo de la juderia et yndo a la cristiandad por muchas vezes con otros muchachos judios, vio a Dalonso de Sancta Cruz, padre de Pedro de Sancta Cruz questa presso por la inquisición estava en un miradorciquo de su casa con hun libro delante del y estava rezando en el dicho libriquo en ebrayco y que segunt lo que leya et las palabras que rezava era el dicho libro la Bibria y que le veya rezar muchas dias senyaaladamente en los dias de viernes e que de mayana (mañana) siempre lo vio rezar y que lo le acuerda a este deposante los motes en ebrayco que dizia el dicho Alonso de sancta Cruz, específicamente quales eran mas acuerda bien que eran de la Bibria (le leen la declaración). Testes: Johanes Ardiles, açessor et Johanes Torrexon, nuncius officii sancte inquissiçionis.

Die IIII marcii anno Mº CCCC LXXXVIII.

- (Pag. 109) Coram reverendo domino ffratre Michaele de Monterubeo inquisitore predicto comparvit Yuçe Buenavida judeus habitant aljame judeorum civitas Calatayut, qui juravit per Deum et decem precepta legis que Deus didit Moysi in monte Sinay et per juramentum dixit se sçire qui sequitur.

Dize este deposant que abra trenta annos poco mas o menos que huno llamado Alonso de Sancta Cruz, vezino deaquesta ciudat. Enviava cada viernes tres o quatro dineros a la casa desde deposant por sus moças cuyos nombres no le acuerdan a este deposant los quales dineros davan las dichas moças quando a este deposant quando a la muxer deste deposant para que mercasen carne de la carniceria de lso judios y le finiesen hamin en su casa deste deposant. Enviava les también cada viernes quatro o cinquo guebos rogando le a este deposante que los garvanços que los puesiese de su casa este deposante y este deposante quando se fallava o la dicha Aljaffar su muxer mercavan carne de los dichos dines que les enviava el dicho Alfonso de sancta Cruz de la carniceria de los jduios y los dichos viernes para los sabados segunt paresce deposante (pag. 109 vto.) seguisava en su casa guisavan el hamin junto con el suyo en huna olla y el dicho Alonso de Sancta Cruz los sabados por la mayana a ora de comer enviava las dichas moças cuyos nombres no le acuerdan por el dicho hamin el qual hamin este deposant o la dicha su muxer davan a las dichas moças del dicho Alonso de Sancta Cruz y lo levavan a su casa del dicho Alonso de Sancta Cruz y sabe este deposant como el dicho Alonso de sacnta Cruz, en los sabados y este por quanto asi el dicho Alonso de Sancta Cruz como la dicha dona Blanqua su muxer algunas de vezes dizia a este deposant o que bueno ha seydo el hamin de hoy.
Item dize este deposant que duro el tiempo po que el dicho Alonso de Sancta Cruz enviava los dichos dineros y nuevos pora merquar la dicha carne para fazer el dicho hamin y este depsoante fecho y guisado en su casa lo llevan sus moças del dicho Alonso de Sancta Cruz cuyos nombres no le acuerdan por spacio de vinticinquo annos poco mas o menos y se le acuerda a este deposant que también algunos viernes en cuaresma el dicho Alonso de Sancta Cruz enviava los dichos dineros y nuevos pa azer el dicho Hamin y lo azia segunt arriba (pag. 110) dicho ha y los sabados siguientes los llevavan las dichas moças a la casa del dicho Alonso de Sancta Cruz en todo el tiempo de los vinticinquo annos y que en todo este tiempo faltaron poco viernes quel dicho Alonso de Sancta Cruz no enbiase por el y este deposante no gele enviase.
Item mas dize este deposant que quando el dicho Alonso de sancta Cruz rogo a este deposant le hiciese continuamente el dicho hamin ofreció a este deposant por el serviçio suso dicho a azer assi continuamente el dicho hamin que le casava a este deposant huna fija suya mayor la primera que casase este deposante.
Item mas dize este deposante saber como los dichos Alonso de Sancta Cruz y dona Blanqua su muxer comian carne en cuaresma estando sanos y esto dixo saber porque asi el dicho Alonso de sancta Cruz como la dicha dona Blanqua su muxer gele dizia a este deposant.
Item mas dize este deposante que mas de diez o dotze annos sabe que de su casa envio la dicha Aljahar, muxer deste depsoante pan çençenyo y alcahalillas y turrado a la casa del dicho Alono de Sancta Cruz por una su fjija deste (pag. 110 vto.) deposante llamada Jamila, y esto por las pascuas del pan çençenyo de los judios y ellos lo recibia, y la dicha dona Blanqua muxer del dicho Alphonso de sancta Cruz el dia zaguero de las dichas pascuas del dicho pan çençenyo en pues de viespras enviava con sus moças a este depsoant pan liendo lechugas y huevos (le leen la declaración). Testes: Johanes Torrexon, portarius et Petrus Torrexon.

Die XXV febroarii anno Mº CCCC LXXXVIII.

- Eadem die coram reverendo domino inquisitore comparvit Yuçe el Bayo, judeus habitant Calatayubii testis citatius predictum ac etiam vocatus mandato et posse et de eius mandato jurvit per Deum et decem precepta legis Moysi diçere veritate et per juramentum respondit sçire sequitur.

Dixo mas et depsoo el dicho testimonio que de trenta annos a esta parte y mas conoscio muy bien a Alonso de Sancta Cruz y (pag. 111) a su muxer dona Blanqua, porque los ha tunido y tuvo vientre vinieron por sus vezinos siempre y la cosa suya deste deposant se pasava y pasa oy por dentro a la casa de los dichos Alonso de Sancta Cruz y su muxer, y su muxer en todos sus tratos y pratiquas y en los comeres y ayunos eran judios mas que christianos y sabe con este testimonio porque el testimonio le vio que solepnizavan y gardavan los dias de los sabados absteniendose en los tales dias de azer faziendas y esto sabe este testimonio porque entrava y sallia continuamente en la casa del dicho Alonso de Sancta Cruz y de su muxer y veya como el no negoçiava en sabado ninguna negociación de los que en los otros das negoçiava, y veya como la dicha muxer dona Blanqua ni filava ni cosia ni aspava en sabado ni fazia ningunas cosas de los que los otros dias fazia, mas antes veya como estava folgando y vicia este testimonio como los viernes a las tardes antes del sol puesto a manana sus camisas como los judios acostumbran fazer.

Item dize este testimonio que vio como los (pag. 111 vto.) sobredichos Alonso de Sancta Cruz y su muxer todos comian carne y hamin en los dias de sabados el qual dicho hamin este testimonio levava a la casa de los dichos defunctos en los mismos dias de sabados y este deposante y su madre y su muxer deste testimonio lo guisavan en su casa del viernes para el sabado y los dichos Alonso de Sancta Cruz y su muxer le davan los dineros pora ello si lo comian, o no lo sabe porque no lo vio por rehe que si pues que gele mandavan azer.

Item dize esta testimonio que vio que la dicha dana Blanca porgava continuamente la carne que comian en su casa la porgava y salava y Salanova al modo y costumbre judayco asi como judia.

Item dize que vio que algun sabado como los sobre dichos Alonso de Sancta Cruz y su muxer se mudavan comisas limpias los sabados como judios y creye que continuamente lo fazian asi y esto sabe porque como dicho ha vidia hamanar las camisas los viernes a las tardes y despues las vidia vistidas las dichas camisas limpias en los sabados.

Item dize que vio como la dicha Blanqua los viernes a las tardes quontinuamente (pag. 112) adreçava y fazia adreçar en su casa las cresoletas limpias al modo judayco.

Item dize que asi mismo este testimonio sabe que los sobredichos Alonso de Sancta Cruz y su muxer de trenta annos a esta parte fasta que murieron ayunaron el ayuno de quipur y el ayuno de purin y del dia de la perdiçion de la casa sancta y otros ayunos que los judios acostubran fazer porque los dichos Alonso de Sancta Cruz y su muxer hun dia antes o mas enviava por este testimonio para que les dixiese que dia era el ayuno y en speçial vio algunas vezes como por ayunar el dicho ayuno de quipur la viespra del dicho ayuno en presencia deste deposant los dichos defunctos se lavavan los pies y se cortavan las hunyas y fazian otras cosas por solepnidat del dicho ayuno que los judios acostumbran fazer y llamavan a este testimonio y querian qustase presente quando fazian las dichas celimonias porque si en algo erravan geles corrigiese.

Item dize que vio como los dichos Alonso de Sancta Cruz y su muxer continuamente (pag. 112 vto.) davan para la çedaqua y olio para la sinoga muchas vegadas y sabelo esto este deposante por quanto por su mano lo davan y lo dieron los dichos Alonso de Sancta Cruz y su muxer muchas vegadas asi el olio pora la sinoga como el çedaqua y este dicho testimonio repartia a los pobres el çedaqua y el mesmo levavan el olio a la sinoga.

Item dize que muchas vegadas en el tiempo de la pascua del pan çençenyo la dicha dona Blanqua dava trigo a este testimonio para que fiziese pan çençenyo y este testimonio lo fazia y lo levava a los dichos aAlonso de Sancta Cruz y su muxer y ellos lo comian en las dichas pascuas y que cree que no comian otro pan en las dichas pascuas segunt la quantidat de los panes que les levava que los fazia vinticinquo o trenta panes zanzeyos y este dicho pan çençenyo le mandaron fazer los dichos Alonso de Sancta Cruz y su muxer algunos annos y dize que quando adoleció la dicha Blanqua de la qual dolencia murio la dicha dona Blanqua, vio por este testimonio y le dixo dos dias ha que no he comido bocado por no tener pan liendo pensando que fuesemos ya en la pascua del pan çençenyo y este testimonio le dixo que era verdat questava ya en la (pag. 113) dicha pascua y de alli se paro mala anas questava y de aquella dolencia murio luego.

Item dize mas el dicho deposante que la dicha Blanqua murio en sabado y luego enpues de muerta vino a este testimonio mossen Johan de Sancta Cruz su fijo y le dixo Juçe mi madre es muerta y mencomiendo al tiempo de su muerte que si en sabado muria que no le dexase enterrar en fado fasta el sabado ser suelto y al tiempo de su muerte no la depose ver morir a ninguna persona y yo asi lo fize y mas me dixo que sin ninguna cerimonia de cristiana la enterrase y por esso vos Yuçe quando vosotros ayays soltado el sabado dizir me lo heys porque yo faga lo que me mando y dize este testimonio que despues en el dicho dia del sabado el dicho mossen Johan de Sancta Cruz vino a este testimonio siete u ocho vezes diziendo si era suelto el sabado o no, y que quando el dicho sabado fue suelto este dicho deposante lo fue a dizir al dicho mossen Johan de Sancta Cruz. Testes: Petrus Torçon et Dominicus Gil.

Die IIII mensis julii anno Mº CCCC LXXXVIII.

- (Pag. 113 vto.) Eadem die coram reverendo domino Martino Navarro inquisitore predicto comparvit Johana Garçia viuda uxor qui fuit Johannis Ramon, habitant loci de Terrer testis çitata per edictum cuie in pose dicti domini inquisitoris juravit per deum sup cruçem domini nostri Ihesu Christi et qui facro sancta quatuor evangelia coram ea posita suis propiis manibus corporaliter tacta et per eam reverenter inspecta et per juramentum dixit se sçire qui sequitur.

Dize esta deposante que abra vint y ocho annos poco mas o menos estando esta deposante en la ciudat de Calatayut en la casa y servicio de uno llamado Alonso de Sancta Cruz y de su muxer cuyo nombre ygnora padre y madre de micer Domingo de Sancta Cruz vio que los dicho Alonso de Sancta Cruz y su muxer algunos dias en la quaresma comian hamin apexaso en la juderia con carne y ceremonia judayca el qual hamin ciertos judios trayan de la juderia a los dichos Alonso de Sancta Cruz y su muxer. Et dize mas que en los sabados entre el anno los dichos Alonso de Sancta Cruz y su muxer comian del dicho hamin pero no sabe (pag. 114)esta deposante de donde geles trayan salvo sabe que no se apexava en casa de los dichos Alonso de Sancta Cruz y de su muxer.

Item dize esta deposant que en el mismo tiempo vio que la muxer del dicho Alonso de Sancta Cruz, en los sabados se mudava beatillas limpias y estava ablando con judios y judias (le leen la declaración). Testes: Venerabiliter Dominus Sabastianis Utrillas, presbiter habitant loci de Terrer et Johannis Martinez, notarius habitant Calatayubii.

Die decima tercia augusti anno M1 CCCC LXXXVIII. Apud locus de Olves.

- Eadem die coram reverendo domino Martino Navarro inquissitore perdicto comparvit Maria Panyan, uxor Pascual de Ixar habitant loci de Olves, testis çitata per edictum cuie in pose dicti domini inquisitoris juravit per deum sup cruçem domini nostri Ihesu Christi e qui facro sancta quatuor evangelia coram ea posita suis propiis manibus corporaliter tacta et per eam reverenter inspecta et per juramentum (pag. 114 vto.) dixit se stire qui sequitur.

Dize esta deposant que abra hunos vint y ocho annos poco mas o menos estando esta deposant en la ciudat de Calatayut en la casa y servicio de uno llamado Alonso de Sancta Cruz, habitant de la ciudat de Calatayut, que solia habitant en Villanueva y era padre de micer Domingo y de Pedro y de Paulo de Sancta Cruz, vio quel dicho Alonso de Sancta Cruz algunos viernes dava a hun judio llamado Yuçe Buenavida dineros para que con aquellos comprase carne de la juderia y de aquella le hiziese hamin a bueltas del que havia de azer pa su casa y este deposante y esta deposante vio como el dicho judio recibio los dichos dineros en los dichos dias de viernes y en los dias de sabado esta deposante por mandado del dicho Alonso de Sancta Cruz yva a casa del dicho judio y traya el dicho hamin apejado en la juderia del viernes para el sabado del qual hamin esta deposanteen los dichos dias de sabado vio comer a los dichos Alonso de Sancta Cruz y a su mujer llamada dona Blanqua (le leen la declaración). Testes: Johanes Lopez, agricola habitant loci de Olves, et Johanes Martinez, notarius habitant Calatayut.

Die XV augusti anno Mº CCCC LXXXVIII apud locum de Xiloqua (no pueblo).

- Eadem die coram reverendo domino ffratre Michaele de Monterubeo inquissitore comparvit Rabi Bienvenis Arrueti, judeus aljame civitas Daroçe, testis ad instançiam procuratoris fiscalis per dictum stitaius qui juravit in pose dicti domini inquisitoris per Decem precepta legis Moysi et per juramentum deposuit per ut sequitur.

Item asi mismo deposa el presente testimonio que podia haver quarenta annos poco mas o menos tiempo quel presente testimonio deposante tenia mucha notiçia y cononençia con hunos llamados Alonso de Sancta Cruz y dona Blanqua Chibilla, su muxer padre y madre de micer Domingo de sancta Cruz, la qual dona Blanqua seyendo judia se llamava tambien dona Blanqua y no se quiso mudar el nombre al fazer se cristiana segunt a esta deposant ella misma le dixo y con esto dize que vio traer muchas de vezes carne de la carniçeria continuamente y de aquella comia en la dicha casa el dicho don Alonso y su muxer Blanqua y algunas vezes entrando ay el presente testimonio deposante (pag. 115 vto.) le dizian bien no puedes comer bienvenisico que todo yes alel que nosotros no comemos sino de alla diziendo lo por carne de la juderia y esto vio muchas vezes por muchos annos de los quarenta annos a esta parte et hoc per juramentum.
Item dize que el present testimonio deposant que praticando en casa del dicho Alonso de Sancta Cruz vio por dos annos habia quaranta annos poco mas o menos como la dicha dona Blanqua su muxer ayunava el ayuno de quipur absteniéndose de comer cosa alguna en todo el dia y faziendo todas las otras ceremonias y cosas que judios acostumbran fazer y fazen en aquel dia como es no comer y estar escalça (descalza) y no fazer facienda y lo sabe tan bien porque ella misma gele dixo como ayunava el dicho ayuno de quipur et hoc per juramentum (le leen la declaración). Testes: Franciscus de Contamina, alguazirii sancte inquisicionis.

DECLARACION DE GRABIEL DE SANCTA CRUZ CONTA EL ACUSADO.

Die III novenbriis anno Mº CCCC LXXXVIII.

- (Pag. 116) Coram reverendis dominsi Alfonsso Dalarcon et Martinis Garsie inquisioritubes comparvit micer Gabriel de sancta Cruz, jurista preso que esta por la sancta inquisicion el qual dixo que dava como drecho dio una conffession escripta de su propia mano ante sino reziencias supliçando a sus reverencias la qui fuessen recebir y admetir la dicha su conffession y los dichos sennores inquisitores ante omnia mandaron le prestar juramento e luego juro por Dios sobre la cruz e los sanctos quatro evangelios por sus propias manos corporalmente tocados que todo lo suso escripto de su mano es verdat por el juramento por el prestado assa de si como de otros y fue de Ley la de palabra a palabra y por el juraron ento dixo que era verdat.
Que yo Grabiel de Sancta Cruz jurista reconsozco que yo he tonido la creencia de la Ley de Moysen y he creydo por aquella me pudia salvar y toviesse también la ffe de Ihesu Christo por aquello que dixo Iheus Christo no veni salvare legem set adjuplere et en el ayuno mio lo he tenido assi dende vinyon porque lo oy a mi aguelo y en esta mesma credulidad han estado mis tios que son mossen Jayme, micer Domingo, Martin de Sacnta Cruz, mayor, Pedro de (pag. 116 vto.) Sancta Cruz y Paulo de lo que yo en muchas vegadas senti despulo que vine destudio que havra setze anyos porque a mossen Jayme a el y a micer Domingo les oy esto mesmo tener y creer y creer y les oy muchas vezes que havian servado y guardado las cerimonyas judaycas fasta que ffuemos y sos y estos fue a juductius de los dichos mis aguelos Alonso de Sancta Cruz e Blanqua muxer suya y la conmutación grande que tenian con muchos judios senyaladamente con hun judio llamado Buenavida , mayor e menos de dias que dizian eran parientes de los dichos mis aguelos. Testes qui supra.

DECLARACION DE PEDRO DE SANCTA CRUZ CONTRA EL ACUSADO.

- Dize se contaba vinte y coho del mes de octubre anno sobre dicho contado anativitate domini millesimo quadrigetesimo octagesimo nono a las diez oras antes de medio dia en una camara baxa que esta juncto con las casas donde los dichos reverendos senyores residen la qual esta bien lexos de la torre del tormento y estando el dicho Pedro de Sancta Cruz en la cama echado ante todas cosas por mandado de dichos reverendos inquisidores y e nsus manos y poder juro a Dios sobre la curz e los sanctos quatro evangelios por sus manos corporalmente tocados reverentement de dezir enteraemtne la (pag. 117) verdat assi de los crimynes de heregia por el cometidos como de los que otros per ssi nos ffuxiesse y de todo lo que supiere y sus reverencias le pregunaren dezir la verdat y assi por el juramento precisamente dixo e conffesso según se sigue.

Item dixo que los padre y madre deste conffessant bivian como judios en lo que este conffessant conosia y observaban la Ley de Moysen lo mas que pudian syendo christianos bautizados y que muchas vezes exortaron a este conffessant diciéndole que guardasse la Ley de Moysse que todo lo otro era burla y cree y assi como lo exortava a este conffessant assi lo exortava a los otros sus fixos y dixo que estan enterrados en Sant Pedro Martir. Testigos fueron presentes y asistentes mossen Domino de Spanya, clerigo y Johan Duncastillo, notario habitant en Calatayut.

DECLARACION DE JACOBO (JAIME) DE SANCTA CRUZ CONTRA EL ACUSADO.

Die X deçembris anno domini Mº CCCC LXXXVIII. Calatayubii.

- Eadem die reverndus domino Alfonssus Dalarcon inquisitore pressent ad examinaçionem seu interrogacionem Jacobus (Jayme) de Sancta Cruce canonicus qui ante amoniam juravit per deum sup cruçem domini nostri Ihesu Christi e qui facro sancta quatuor evangelia de veritate dicenda de his que stierim cum desse (pag. 117 vto.) per de aliis causam heretis qui Jacobus no vitimere net aliqua alia causa set solum ut dixit e facto veritatis dixit et confessus fuit per sequitur.

Et primo dize e conffiessa que estando este conffessant en casa de su padre Alfonsso de Sancta Cruz e de dona Blanca su madre deste conffessant los quales tenian casa juncto con la juderia desta ciudat de Calatayut dize que estando assi en casa de los dichos sus padre y madre festa hedat de XX anyos pco mas o menos dize que viendo a la dicha dona Blanca su madre no estava firme en la ffe de nuestro senyor Ihesu Christo eque no sequia sus pisadas porque le aya dezir que la Ley de Moysen era sancta y buena y le conocia tener afección a aquella y fablar mucha dize este conffessant que criando se alli en casa con la dicha su madre este conffessant puso en su fantasía que la dicha Ley de Moysen era sancta e buena.

Item dize que del dicho tiempo aqua quando cahian las pascuas de los judios como era la del pan cotaço y la del cuerno que es dicha de la Ley y la de las cabanyvelas dize que la semana este conffessant en su coraçon teniendo firme proposito que si pudiera hazer todas las cosas que los judios servavan en tales dias las servara sino por la honra deste testimonio (pag. 118) que las dexava de hazer por no ser descubierto, es verdat que estando en casa de la dicha su madre dona Blanca por el tiempo de la pascua del pan çançenyo de los judios comio este conffessant del dicho pan çançeyo y de los arruquaques que los judios enbiavan a casa de su padre deste testigo. E assi mismo dize que estando en casa de los dichos sus padre y madre guardo y observo las pascuas de las cabanyvelas porque alli estando vehian que tenian hun faxo de finoxo en la cambra donde los dichos sus padre y madre dormian al tiempo que los judios tenian la dicha pascua la qual no faisán en otros tiempos y que en aquellos dias assi el padre y madre deste conffessant como el se alegravan se folgavan.

Item dize que vido como en casa de su padre e madre comian hamin en sabado dello guisado en sabado en su casa dello en viernes en la noche para el sabado y vezes que gele enbiavan de la juderia esse mesmo dize que la dicha su madre guardava el sabado porque no le vehia filar en sabado ni le vehia fazer en el sabado tanta facienda como en los otros dias e que por agora mas no le acuerda.

Die XXV januarii anno Mº CCCC LXXXVIII.

- (Pag. 119) Eadem die Hacerina muxer de Bartholome Fustero, habitant en Calatayut juramento mediant y por el descargo de su conçiençia.

Dize que conocio bien a la madre de micer Domingo de Sancta Cruz porque puede haver veynte anyos poco mas o menos bivio con ella y con su marido Alonso de Sancta Cruz hun anyo poco mas o menos.

Item interrogado si les vio fazer algunos ritos o ceremonias judaicas respondio e dixo que lo sabe e que vio como la dicha su duenya quando trayan pierna de carne la fazia hender por medio e quitavale o le fazia quitar a la dicha pierna la landrezilla y las grassas assi de la dicha pierna como de otros taxos de carne que hoviese de comer y traer pa casa.

Item dize vio que los dichos annos assi el dicho Alonso de Sancta Cruz como su muxer comian carne en Cuaresma algunos dias excepto los viernes e sabados y que aunque eran viexos estavan sanos.

(Pag. 119 vto.) Item dize que en todo hun anyo que en la dicha casa estuvo nunqua a la dicha su duenya vio yr a misa excepto hun dia que huna su fixa, madre de Ferran Lopez, medio por fuerça la levo a misa a San Pedro Martil. Item dize que el dicho su amo Alonso de Sancta Cruz muchas vegadas cabe el fuego, rezava en unas oras y que al parecer desta testigo no eran christianos, interrogada como lo sabe dize que tenian hunas letras grandes fechas como al reves que no parecian letras de cristiano. Testes: Fray Pedro de la Yglesiuela y Pedro Torrexon.

- Eadem et gran sancte criminal et expreçepto reverendi domini patrorum inquisitore sancte fidey Catholice ego Johanes de Ortega presbiter canonicus eclesie majoris sancte Marie civitas Calatayubii, ressero omniam que audivi juxta anatemam et scio juxta mandata.

Et primo ha grant tiempo que me pareçe pas de trenta a quaranta anyos fue fama asa extrema en esta ciudat que Alonso de Sancta Cruz qui era padre de Martin, mossen Jayme, micer Domingo, Gaspar, Mossen Johan, Paulo e Pedero de Sancta Cruz que ciertos dias clamava sus (pag. 120) a los sobre dichos quando havian comido e fazian cierta oracion pronunciando al uno bueno e al otro malo et havian a responder "amen, amen, amen" la oracion o palabras que dezian no le sse sino que assi lo he oydo a muchos.

- Eadem die Jehuda Abenardut, judeus aljame juderoum Calatayubii coram domino Martino Garsie inquisitoris auctem aplicam deputado juez Çesarauguste juruavit per Deum sup decem precepta legis Moysi de beritate deçeda.

Item dize que conocio a Alfonso de Sancta Cruz y a ssu muxer habitant en Calatayut por pratica y noticia y dize que havia XXV anyos poco mas o menos que vio el dicho Alfonso de Sancta Cruz por una vez que hazia oracion en la cambra de las muxeres de la sinoga y era la noche primera del quipur y lo que rezava era "arbit" y vio que dava çedaqua y azeite pa la sinoga al Samas Castiel judio de Calatayut que plegava dineros y a lo susos dicho y vido que gelo dava en dinero y vido quel dicho Alonso de Sancta Cruz ayunava el ayuno de quipur porque la noche prima del ayuno lo vio fazer oracion según dicho (pag. 120 vto.) ha le levava espartenyas y le dixo a este testigo que ayunava el Quipur y quera bien ayunava su muxer. Assi mismo dize y vio que la dicha muxer de Aolonsse de Sancta Cruz dava dineros al dicho Castiel judio para la çedaca y azeyte cada viernes pa la sinoga era bien ellos gelo dizian como lo davan y estonçes tenian casa dentro de la juderia estos eran padre y madre de micer Donnys.

Die XIII julii anno Mº CCCC LXXXVII coram inquisitori intimate Daroçe.

- Eadem die coram dictus inquisitoribus comparvit Brahem Alpastanye, judeus de Calatayubii testis scitarius qui juravit per decem precepta legis Moysi de veritate dicedam.

Item dize que huno clamado Yuçe Buenavida judio de Calatayut paret a paret e que la muxer del dicho Buenavida enbiava los mas de los sabados hamin a casa de Alfonso de Sancta Cruz padre del dicho mossen Johan e sabe lo por quanto lo vio levar y la dicha muxer del dicho Buenavida gelo dizia hoc en cara le dizia mas (pag. 121) a este deposant la dicha judia quel dicho Alfonso de Sancta Cruz e su muxer no tenian sino los nombres de cristianos. (le leen la declaración). Testes: Domingo Çit, notarius e Joan Lopez de la Plata, nunio y el Rabi Gedahias, judio habitant en Daroca.

Die XVIII febroarii anno domini Mº CCCC LXXXVIII.

- Coram reverendiis dominis inquisitoribus comparvit Ferdinandus de Sayas, scuderis, habitant Calatayubii qui juravit in posse dicti reverendi domini inquisitoris per Deum et supo cruçem domini nostri Ihesu Christi en sup sacro sancta quatuor evangelia et per juramentum deposuit per ut sequitur.

Dize este testigo saber que una vez dixo a este deposant Brahem Buenavida el joven, judio, que en casa de su padre Yuçe Buenavida y suya havian guisado hamin (pag. 121 vto.) para los sabados para Alonso de Sancta Cruz, padre de micer Domingo de Sancta Cruz quatro o cinquo annos.
Item mas dixo este depsoant que una vez yndo este deposant de Calatayud a Çaragoça con el dicho Alonso de Sancta Cruz dixo el dicho Alonso de Sancta Cruz a este deposant que hombre que ayunasse el ayuno de quipur no podia morir pobre y que el dicho deposant le respuso si lo havia el ayunado y el dicho al dicho de Sancta Cruz le dixo que no sin causa el tenia tantos bien el atrogandole haverlo ayunado (le leen la declaración).

Die XXVIII octobris anno Mº CCCC LXXXVIII.

DECLARACION DE PEDRO DE SANCTA CRUZ CONTRA EL ACUSADO.

- (Pag. 122) Eadem die coram de las diez oras ante de medio dia en una camara baxa questa juncto con las casas donde los reverendos senyores Alfonsso Dalarcon y mastre Martin Garcia inquisidores resta, en la qual esta bien lexos de la torre del tormento y estando el dicho Pedro de Sancta Cruz en la cama echado ante todos cosas pro mandado de los dichos reverendos Senyores inquisiores y en sus manos e poder juro a Dios sobre la cruz e los sanctos quatro evangelios por sus manos corporalmente tocados y reverentemente mirados de dizir enteramente la verdat assi de los crimenes de heregia por el cometidos como de los que por otras persoans supiesse y todo lo que supiesse y ssu reverencias le preguntaren de dezir verdat y assi por el juramento dixo y conffesso la que se siguie.

Dize y confiesa este conffessante que su padre y su madre deste conffessante bivia como judios en lo que este conffessante conocia y observavan la Ley de Moysen lo que mas que pudia leyendo cristianos bautizado y que muchas vezes exortavan a este conffessante diziendo le guardasse la Ley de Moysen que todo lo otro era burla y cree que assi como lo exortava a este conffessante assi lo exortava a los otros sus fixos y dixo que estavan en terrala en Sant Pedro Martir. Testes: fueron a lo suso dicho qui presentes y asistentes estavan mossen Domingo de Senya, clerigo y Joan Duncastillo, notarius habitant Calatayubii.

11.- PROCESO CONTRA JOHAN DAÇA

FALTA ACUSACION DEL FISCAL, INTERROGACIÓN AL ACUSADO Y COMIENZA CON LA DECLARACION DE TESTIGOS CONTRA DEL ACUSADO.

Die XXI febroarii anno Mº CCCC LXXXVIII.

- (Pag. 124) Eadem die coram reverendis dominis inquisiotis comparvit Johanes de Menguejon, agricultor, vicinun loci de Fuentes, qui juravit in posse dicti reverendi domini inquisitoris per Deum et supo cruçem domini nostri Ihesu Christi en sup sacro santa quatuor evangelia et per juramentum deposuit per ut sequitur.

Dize este deposant que havra diez anyos poco mas vino este deposant a la presente por negocios suyos y que se topo con huno llamado Joan Daça, vezino desa ciudat, el qual convido a este deposant a yantar y era en sabado y que este deposant fue a yantar a la casa del dicho Joan Daça y que en presencia deste deposoant dixo el dicho Joan Daça a su muger, cuyo nombre no se le acuerda, muger haveys enviado olio a la sinoga y la dicha su muger respuso ya ende ha levado la moça y haver es recordant que la moça es de Torralba de Aninyon y que (pag. 124 vto.) este deposant dixo al dicho Joan Daça porque enbiays olio a la sinoga, el dicho Joan Daça le dixo porque mi aguelo y mi padre fueron judios y yo mantengo una lampada en la sinoga y no soy solo que tanbien mantienen los de mi generacion.
Item mas dixo el dicho Johan Daça a este deposant fablando de las leyes tan atrocinada es la fe de los cristianos que ya no saben do sse van todos van perdidos.

Die XXVI menssis junii anno Mº CCCC LXXXVIII. Calatayubii.

- Eadem die coram reverendo domino Michael de Rodrigo inquisitore e vicario quali compravit Açach Naçan, judios habitant aliame judeorum civias Calatayut, qui juravit per Deum et decem precepta legis Moysi qui per juramentum dixit se sçire qui sequitur.

Et primo dize este deposant que havra trenta y seys annyos poco mas o menos se acuerda muy bien este deposant enbiavan por las pascuas del pan çançenyo de los judios a las casas de Miguel Ram e Johan Daça, habitant habitadores de la ciudat de Calatayut pan çançenyo turrado y alçahalillas (pag. 125) el qual pan çançenyo turrado y alcahalillas recibian en las casas de los dichos Miguel y Joan Daça esto todo sabe este deposant por quanto algunas vezes levo este depsoant por mandado de la dicha su madre a las dichas casas de los dichos Miguel y Joan Daça que el dicho pan çançenyo turrado y alcahalillas otras vezes lo vio enviar este deposant por algunas moças de la dicha su madre el dicho pan çançenyo.
Item dize este deposant que en el mismo tiempo poco mas o menos sabe este deposoant como el dicho Joan Daça comio carne en una cuaresma estando sano y este sabe este depsoant porque lo vio (le leen la declaración). Testes: Johanes Duncastillo, notarius e Joannes Torrexon, nuncius sancte inquisicionis.

Die XX julii anno Mº CCCC LXXXXVIII, apud locum de Villarroya.

- Eadem die coram reverendo domino Martino Navarro inquisiotre predicto comparvit Maria Ximenez (pag. 125 vto.) vidua uxor que fuit Johanes Lopez habitant loci de Villarroya testis sçitata per edictum que in posse domini inquisicionis juravit per Deum sup cruçem domini nostri Ihesu Christi eim sup sacro sanctus quatuor evangelia ea posita fuit sup propiis manibus corporaliter tacta et per eam reverenter inspecta per juramentum e dixit se stire qui sequitur.

Dize esta deposant que havra quarenta annyos o mas estando esta deposant en la ciudat de Calatayut en la casa y servicio de uno llamado Joan Daça el viexo y de su muger cuyo nombre esta deposant ygnora los quales habitavan en el Banyuelo de la dicha ciudat vio esta deposoant por tiempo de dos annyos que con ellos estuvo que los dichos Joan Daça y su muger en as cuaresmas los dias de Domingos, lunes, martes, miércoles y jueves comian carne como si no fuera cuaresma y los viernes y sabados el dicho Joan Daça no comia carne antes ayunava en los dichos dias de viernes y sabados de la dicha cuaresma como en otros dias (pag. 126) comia quando carne quando huevos quando leche y senyaladamente se le acuerda a esta deposant que el dia viernes sancto vio comer carne a la dicha muger del dicho Joan Daça.
Item dize esta deposant que en el mismo tiempo los dichos Joan Daça y su muger tenian huno fixo llamado Miguel Daça, el qual acostumbrava yr a las fferias de Median y quando yva siempre la dicha su madre prometia de ayunar hun dia porque Dios lo trusiesse con bien y esta deposant por tiempo que la dicha su muger del dicho Johan Daça tres vegadas los dichos ayunos desta manera que en todo el dia no comia y a la noche çenava carne pero dize esta deposant (pag. 126 vto.) que no le acuerda en que temporada del ayuno era quando la dicha muger del dicho Joan Daça ayunava (le leen la declaración) Testes: Franciscus de Contamina, alguacilii e Johanes Martinez, notarius habitant Calatayubii.

Die XV menssis augusti anno Mº CCCC LXXXVIII apud locum de Fuentes.

- (Pag. 127) Eadem die coram dicto reverendo domino fratre Michaele de Monerubio inquisitore comparvit Joana, uxor Joannis de la Figuera, habitant loci de Morata de Xiloqua aldee civitas Calatayubii, estis stiçata per edictum que in posse domini inquisitoris juravit per Deum sup cruçem domini nostri Ihesu Christi eim sup sacro sanctus quatuor evangelia ea posita fuit sup propiis manibus corporaliter tacta et per eam reverenter inspecta per juramentum e dixit se scire qui sequitur.

Primo dize esta deposant que havra quatorze annyos poco mas o menos estando esta deposant moça de soldada en servicio de huno llamado Joan Daça, padre de Alonso Daça e Joan Daça que morava en el Vanyuelo de la dicha ciudat de Calatayut en la qual casa estuvo esta deposant moça de soldada por tiempo de tres annyos poco mas o menos en el qual tiempo le acuerda muy bien a esta deposant que toda la cuaresma exceptado la primera semana de cuaresma e la semana Sancta muchos dias de sabados estando (pag. 127 vto.) bueno e sano el dicho Joan Daça esta deposant vio como el dicho Joan Daça comia carne la qual carne esta deposant por mandado del dicho Joan Daça, quando no hallava en la cristiandad la mercava e la traya de la carnicieria de los judios.

Die XXIII junii anno M° CCCC LXXXVIII. Calatayubii.

- Eadem die coram reverendi domini Michael Garsie inquisitoris comparvit Jehuda Abenardut judio habitant en la ciudat de Calatayut testimonio et qui juravit per Deum et sup decem precepta legis Moysi.

Item densa mas que comocio a Johan Daça mercader desta ciudat de pratica y vista que ha tenido con el y dize que havra vinte y cinquo annyos poco mas o menos que hun dia de pascua de pan çançenyo vio este deposant como una moça del dicho Joan Daça levava una olla de hamin cubierta (pag. 128) y este deposant conocia bien la moça y dixo le a la dicha moça que lievas ay y la dicha moça le dixo hun poço y este deposant llegase hazia la moça y olio el hamin que levava y dixo le olla de hamin lievas que yo lo huelgo y la moça lo nego y que era aquel dia pascua y sabado y que acabo de dos dias este deposant tenia que negociar con el dicho Joan Daça e fue a fablar con el assu casa y estando fablando con el dixo le este deposant que aolla de hamin traya vuestra moça y la moça nego melo y el dicho Joan Daça tuvo se a reyr y dixo verdat es.
Item mas deposa que en el mesmo tiempo oyo dezir al dicho Joan Daça tales palabras a vos Bernardut bien se puede dezir que a buena fe y do mas limosna pa çadeca que los quatro meyores judios desa juderia y mi muxer da olio a la sinoga que pocos son los viernes que no de envio (le leen la declaración). Testes: Bernalditius Ximenez, alguazirii, et Jacobus de Monclus, nuncius habitant Calatayubii.

Die XV jannuarii anno M° CCCC LXXXVIII.

- (Pag. 128 vto.) Eadem die in audiencia sancti officii inquisicionis coram reverendis dominis inquisitoribus fratre Michaellle de Monterubeo e Martinus Navarro comparvit Martin Serrano, major die vicinum loci de Marha, qui juramentum mediant in manibus e posse dicti reverendi domini inquisitor scito per Deum sup cruçem domini nostri Ihesu Christi eim sup sacro santus quatuor evangelia ea posita fuit sup propiis manibus corporaliter tacta et per eam reverenter inspecta per juramentum e dixit se stire qui sequitur.

Dize el dicho Martin Serrano sabe que uno comisso llamado Joan Daça, mercader vezino desta ciudat, quando contava a algunos aldeanos que tuviesen de jurar sacava una ostia redonda de la manera quel sacerdote la levara en la yglesia y ponia la ensomo (encima) de hun libro e dizia catat aquí, este es el verdadero cuerpo de Dios jurat aquí, que si cristianos soy no podiys passar ni fazer el contrario de lo que aquí jurays. Y esto sabe este deposant porque puede haver quantro o cinquo anyos poco mas o menso queriendo et dicho Joan Daça tomar certificación deste testigo que acierto tiempo le pararia ciertos dineros que de logros le devia al dicho Joan Daça vio como el dicho Joan Daça (pag. 129) saco de una caxa la dicha hostia como arriba dicho ha y la puso sobre hun libro y le dixo bedes aquí este es el cuerpo verdadero de Dios aquí haveys de jurar y si christiano soys no podeys hazer et contrario ni passar de aquí y que en el mesmo punto y en la mesma forma juro su fixo Martin Serrano porque en la obligacion y dendo estavan obligados ambos junctos e cadauno dellos por ssi y dize que hun Joan de Torralba vezino de Marha le ovo dicho como vio como uno de Murero o de Manchones havya jurado en poder del dicho Joan Daça en la sobre dicha forma (le leen la declaración). Testes: Michael Boyl, notarius et Petrus Torrexon.

Die XV Jannuari anno M° CCCC LXXXVIII.

- Eadem die ante el reverendo padre mastre Martin Navarro inquisitor y vicaris General de la heretica y apostatica pravedat parecio e fue personalment continuydo Guiral Ferrandez vezino del lugar de Marha el qual por descargo de su concienia y en virtut del juramento por el (pag. 129 vto.) prestado en manera e poder del dicho reverendo padre inquisidor sobre la cruz e los quatro sanctos evangelios que sabe y es verdat lo que se sigue.

Dize el dicho testigo que puede haver siete o ocho annyos poco mas o menos vio como Joan Daça vizino desta ciudat de Calatayut saquo una hostia en hun libro la qual dizia que era consagrada y fizo que jurasen en ella Martin Serrano mayor y Martin Serrano menor vezinos de Marha y juraron de darle a cierto dia el deudo que le devian sobre la dicha hostia diziendo el dicho Joan Daça que era consagrada (le leen la declaración). Testes: Petrus Torrexon e Johanes Torrexon.

Die XI jannuarii anno M° CCCC LXXXVIII.

- Eaden die Joannes Lopez, notarius habitant loci de Fuentes comparvit ante presencia reverendi inquissitoris qui juravit inposse dicti domini inquisitoris per Deum et sup cruçem e debitatore (pag. 130) diçenda qui exhorerando dixti y de qui sequiis vidalis que oyo dezir a Joan Lopez de Menguejon vezino de Fuentes que Joan Daça que levava olio a la sinoga y que esto havra medio anyo y lo oyo dezir en Fuentes muchas vezes.

Item dize mas que oyo dezir a Martin Serrano vezino de Fuentes que el mesmo Joan Daça tenia una hostia que dizia era consagrada sobrre la qual fazia jurar a los que se le obligavan por deudos dando les a entender que era consagrada y esto havia que gelo oyo dezir quinze dias poco mas o menos.

Item oyo dezir a artholome Marin vezino de Murero que sabra cierta heregia del mesmo Joan Daça el viexo mas no le dixo que ni que no (le leen la declaración). Testes: Petrus Torrexon e Dominicus Torrexon, habitatoris Calatayubii.

Die XVI augusti anno Mº CCCC LXXXXVIII apud locum de Fuentes de Xiloqua.

- Eadem die coram reverendo domino fratre Michaelle de Monterruvio inquisitore predicto comparesce (pag. 130 vto.) Joannis de Menguexon agricultor habitant dicti loci testis pre edictum scitarus qui juravit in posse dicti domino inquisitoris per Deum et cruçem domini nostri Ihesu Chirsti e sup sacro sancta quatuor evangelia coram eo posita e penum reverendi inspecta qui per juramentum dixit y qui sequitur.

Et primo dize este deposant que havra diez anyos poco mas o menos teniendo este deposant arrondado el lugar de Monton los quartos e primita del dicho lugar e unos llamados Martin de Sancta Cruz e Joan Daça rogaron a este deposant que les quisiesse a coxer en la dicha arrendación del dicho lugar e hun dia fallando se este deposant en la ciudat de Calatayut por quanto havia visto en una casa de la dicha ciudat de Calatayut esta cerca las tranquas havia venido olio fue este deposant fablo con Martin de Sancta Cruz el que esta preso por la inquisición e Joan Daça padre de Joan Daça que es el que agora bive habitant en la dicha ciudat e les dixo estas palabras sabe pues que tenemos arrendada esta arrendación entre otros cargos que esta arrendaron tiene es mantener una lampara en la dicha yglesia del dicho lugar de Monton e no tiene olio de presente merquevio olio e assi este deposant et los dichos Martin (pag. 131) de Sancta Cruz e Joan Daça fueron a una botiqua que estava cerca las tranquas de la dicha ciudat e alli mercaron hun hodre de olio para la dicha lampara de la yglesia del dicho lugar e dende que el huvieron mercado el dicho Joan Daça dixo al dicho Martin de Sancta Cruz en presencia deste deposant estas palabras: dat aqua Martin de Sancta Cruz pues aquí nos fallamos merquemos olio para lo que sabeys que ya no tengo pan e le dicho Martin de Sancta Cruz dixo al dicho Joan Daça dexemos lo agora que enpues ende mercaremos et el dicho Joan Daça le respuso que tenemos desperar sino pues que aquí ay que luego lo merquemos e assi mercaron los dichos Joan Daça e Martin de Sancta Cruz hun odre de olio e despues de ay se ffueron.

Die XI januari anno Mº CCCC LXXXVIII.

- Eadem die Joan Lopez, notarius habitn loci de Fuentes conparecient ante presenciam domini inquisitoris qui juravit in posse dicti domini inquisitoris per Deum e sup curçen e de veritate diçenda qui ex bone dixit per sequitur.

Ene oyo dizir a Joan Lopez de menguejon vezino de Fuentes que (pag. 131 vto.) Joan Daça que levava olio a la sinoga y que esto hacia medio anyo que geolo oyo dezir en fuentes muchas vezes.

Item mas dize oyo dezir a Martin Serrano vezino de Fuentes que el mesmo Johan Daça tenia una hostia que dizia que era consagrada sobre la qual fazia jurar a los que se le obligavan por deudos dando les a entender que era consagrada y desto havra que gelo oyo dezir XV dias poco mas o menos.

Item oyo dizir a Bartholome Martin vezino de Murero que sabia certa eregia de Joan Daça el viexo mas no le dixo que ni que no (le leen la declaración). Testes: Petrus Torrexon et Dominicus Torrexon, nuncio habitant calatayubii.

Die XV jannuarii anno Mº CCCC LXXXVIII.

- (pag. 132) Eadem die Martin Serrano menor vezino del lugar de Marha constituydo personalmente ante el reverendo mastre Martin Navarro inquisidor e vicario general de la heretica pravidat juro en manos e poder del dicho senyor inquisidor por Dios sobre la cruz e los sanctos quatro evangelios y en virtud del dicho juramento y por descargo de su conciencia dixo e depuso lo que se sigue.

Dize el dicho testigo que es verdat que puede haver quatro o cinquo anyos poco mas o menos siendo este testigo y su padre Martin Serrano obligados en cierta quantidat a Joan Daça que morava en el Banyuelo en esta ciudat el dicho Joan Daça los avisava mucho que pagasen este testigo y su padre viniendo le a rogar que les compacompatasse por aqlgun tiempo el dicho Joan daça dixo que no le faria sino que le jurasen sobre una hostia que cumplirian con el deudo pel el dia que pusiesen y este testigo y su padre fueron contentos de jurar y el dicho Joan Daça saco hun libro donde en hun çendal havia una ostia redonda y ancha assi como la que el (pag. 132 vto.) sacerdote levanta quando dize la missa y el dicho Joan Daça dixo vedes aquel el verdadero cuerpo de Dios en que los christianos creyen y creo si christianos soys cumpleireis lo que aquei jurays y no verneys a menos y assi este dicho testigo y su padre juraron sobre la dicha hostia cumplir con el la dicha quantidat del deudo y el dicho Joan Daça tomo el dicho libro con su hostia a una caxa donde antes estava.

Item dize que hun dia de sabado viniendo a rezar al dicho Joan Daça el disse tiempo pora pagar cierto deudo queste testigo le devia lo fallo en la juderia abellado como si fuera pascua y despues de muchas razones dixo el dicho Joan Daça a este testigo quere pareçe desta juderia no ay tal juderia ni tan de ley cosa en Christianos como es esta juderia y que no sabe si era fiesta de christianos o no (le leen la declaración). Testes: Joan Torrexon e Pedro Torrexon.

Die XX feboarii anno Mº CCCC LXXXX in civitate Calatayubii.

- (Pag. 133) Eadem die coram a dominus inquisitore comparvit Luys de Heredia portero habitant en Calatayut testimonio scitado per edicitum qui juravit per Deum.

Item deposa que oyo dezir a Bartholome Marin y a su muger que biven en Murero havia dos anyos que ellos sabian quel padre de Joan Daça desta ciudat de Calatayut havia dexado en su testamento quel dicho Joan Daça dasse una libra de olio para la sinoga cada semana (le leen la declaración). Testes: Johanes Martinez, notarius et Miguel Luzon, carcelero habitant en Calatayut.

Die IIII junii anno Mº CCCC XXXX. Çesarauguste.

Eadem die coram reverendo domino Alfonso Dalarcon inquisitore comparvit Jehuda Benardut habitant en Calatayut testimonio pro parte del procurador fiscal preduxido para probar lo contenido en las denunciaciones dadas (pag. 133 vto.) por su parte qui juravit per Deum, sup decem precepta legis Moysi.

Item mas deposa que conoçe a la muger de Joan Daça de Calatayut que es biva que mora a la puerta de la juderia cuyo nombre no sabe y dize que la conoçe de vista y pratica que ha tendio con ella e dize que havra unos quinze o seze anyos poco mas o menos que este deposant estando en la juderia vio como bivia una moça de la muger del dicho Joan Daça cuyo nombre no le sabe salvo que la conocia porque tenia mucha pratica con la muger del dicho Joan Daça y con el y yva y venia mucho a casa del dicho Joan Daça y veya alli aquella moça y la dicha moça levava una çesta en la cabeça covixada con unas tonaxas y era la semana antes de la pascua de los judios y este deposante pregunto a la dicha moça que de donde vinia y la dicha moça no le quiso dezir de donde vinia y vio como levava del pan de pascua en la dicha çesta y como fue passada la pascua hun dia passando este deposoante por delante de casa del dicho Joan Daça como vio a la muger del dicho Joan Daça acordo sele del pan çançenyo (pag. 134) que vio traer a su moça y este deposant dixo a la dicha muger del dicho Joan Daça buena cesta del pan de pascua que os traya el otro dia vuestra moça y la dicha muger del dicho Joan Daça le dixo como lo visteys vos que covixado vinia con unos manteles dixo este deposoant que passando la moça por çabo et que lo havia olido y que havia levantado hun cabo de los manteles y que lo havia visto y que le dixo la dicha muger del dicho Joan Daça y el dicho Joan Daça que sil lo havia visto otri sino el y este deposoant dixo que no lo havia visto las oras otri sino este deposant y que le dixieron que le regavan mucho que no lo dixiesse a ninguno que a el se decubrian como abuen amigo porque sabian que el havria plazer dello que por otras pascuas les trayan pan de pascua y guardavan los dos las pascuas de los judios e los sabados y ayunavan el ayuno de quipur que hazen los jduios y que la muger del dicho Joan Daça dava olio para la sinoga y limosna y esto le dixieron los dos marido y muger en secreto rogandole mucho que no lo dixiesse aninguno (le leen la declaración) (pag. 134 vto.) Testes: Petrus Margarit, alguazirius officii Sancte inquisicionis et Domincus Senya, prebiter habitant Calatayubii.
Die duodecima menssis augusti anno Mº CCCC LXXXVIII apud locii de Maluenda.

- (Pag. 135) Eadem die coram reverendo domino Martino Navarro inquisitoris vicario generali heretice et apostatice pravidat a fideii in civitate Calatayubii comparvit Teresia Benian uxor dominici de Fuentes habitant loci de Maluenda testis scitata per edictum que in posse dicti domini inquisitoris juravit per Deum sup cruçem domini nostri Ihesu Christi e in sacro sancti quatuor evangelia coram ea posita suis per propiis manibus corporaliter tacta per eam revertenter inspecta et per juramentum dixit secire qui sequitur.

Dize esta depsoant que avra quarenta y ocho annos pcoo mas o menos estando esta deposant en la ciudat de Calatayut en la casa y servicio de uno llamado Joan Daça que solia havitar en el Banyuelo de Calatayut se lacuerda a esta deposant por tiempo de un anno que en la dicha casa e servicio los mas dicho biernes el dicho Joan Daça enviava a esta deposant a casa de un judio llamado Huda Campillo el viejo hermano del dicho Johan Daça, que esta deposante levava los dichos huevos los dichos dias de viernes y en los dias de sabados esta deposante por mandado del dicho Joan Daça vovia a casa del dicho Huda Campillo y trahia un escudillo (pag. 135 vto.) de hamin el qual hamin esta deposante vio comer al dicho Joan Daça y a su mujer llamada Mari Garcia en los dichos dias de sabados.
Item dize esta deposante que en el mesmo tiempo estando en la dicha casa por el timpo de la pascua del pan çenzenno de los judios una vegada vio esta deposante un judio llamado Salomon Adan comio pan çenzenno turrado y alcahalillas las quales esta dexo e ante vio comer al dicho Joan Daça y a la dicha su mujer que no se la acuerda si era dentro la pascua de los judios o apres e dize mas esta deposant vio que el dicho Johan Daça y la dicha su mujer el dia que la dicha pascua de pan çenzenno de los judios salia enviaron a casa de Salomon Azan pan liendo y lechugas las quales aparescer desta dexo pan lieno ella misma pero no vio esto mas de una vegada (le leen la declaración). Testes: Johanes Martinez, notarius habitant civitas Calatayut et Dominicus Cortes, agricola habitant loci (blanco).

12.- PROCESO CONTRA FELIPUS DE MOROS

FALTA ACUSACION DEL FISCAL, INTERROGACIÓN AL ACUSADO Y COMIENZA CON LA DECLARACION DE TESTIGOS CONTRA DEL ACUSADO.

Die VIII febroarii anno Mº CCCC XXXVIII. Calatayubii.

- (pag. 136) Eadem die coram domino Martino Navarro inquisitore predicto comparvit Dominicus Calbo, Caligarius habitant civitas Calatayubii testis scitata per edictum que in posse dicti domini inquisitoris juravit per Deum sup cruçem domini nostri Ihesu Christi e in sacro sancti quatuor evangelia coram ea posita suis per propiis manibus corporaliter tacta per eam revertenter inspecta et per juramentum dixit secire qui sequitur.

Dize este deposant que havra vinte annos poco mas o menos estando este deposante en casa de huno llamado Felipe de Moros vezino de Calatayut vio como en la dicha casa comieron hamin el qual comian el dicho Felipe de Moros y su muger Cathalina y todos los de casa por dos vezes en domingo empo silo guisaron en casa o en otra parte. Item mas que tenia el dicho Felipe de Moros hunas orar en ebrayco escriptas y que quantos actos tenia escrivia en ebrayco (le leen la declaración). Testes: Johannes Torrejon e Dominicus Gil, portarii.

Die VIII aprilis anno Mº CCCC LXXXVI. Çesarauguste.

- (Pag. 136 vto.) Eadem die coram domino inquisitore comparvit Felipus de Moros de la Almunia, testis scitata per edictum que in posse dicti domini inquisitoris juravit per Deum sup cruçem domini nostri Ihesu Christi e in sacro sancti quatuor evangelia coram ea posita suis per propiis manibus corporaliter tacta per eam reverenter inspecta et per juramentum dixit secire qui sequitur.

Dize que sabe que Felipe de Moros tio suyo de Calatayut ayudava de los suyo a huna su tia judia que le dize en Cinha y esto muchas vezes et mas dize que el tiempo que bivia su padre de Felipe de Moros primo deste depsoante que le dizian felipe de Moros vio traya muchas vezes a comer a la dicha Cinha a casa del dicho padre de Felipe de Moros e por amor de la judia comia de la carne de la carneceria de los judios muchas vezes. Item dize el dicho testigo que en la pascua de pan cançenno la dicha judia embiava a casa del dicho Felipe de Moros pan cotaço et arruquaques et rurrado e passada la pascua el dihco Felipe embiava pan liendo a la dicha y esto todas las pascuas de pan cotaço (le leen la declaración).

Die XIIII marcii anno Mº CCCC LXXXVIII. Calatayubii.

- (Pag. 137) Eadem die coram domino inquisitore comparvit Michael de Peralta civis et bajulus civitas Calatayubii, testis scitata per edictum que in posse dicti domini inquisitoris juravit per Deum sup cruçem domini nostri Ihesu Christi e in sacro sancti quatuor evangelia coram ea posita suis per propiis manibus corporaliter tacta per eam revertenter inspecta et per juramentum dixit scire qui sequitur.

Dize este deposante que vio muchas vezes como rezaba en ebraico Felipe Perez de Moros leya en hunas oras y hun libro de letra judiega y que levava las dichas oras ebraycas a la yglesia y que en ellas rezaron no sabe que oraciones havia ni dizia (le leen la declaración). Testes: Joannes Martinez, notarius et Dominicus Egidii.

Die XXVIIII marcii anno Mº CCCC LXXXVIII. Calatayubii.

- Eadem die coram domino Martino Navarro inquisitore comparvit Lope de Berdejo civis civitas Calatayubii, testis qui juravit per (Pag. 137 vto.) Deum sup cruçem domini nostri Ihesu Christi e in sacro sancti quatuor evangelia coram ea posita suis per propiis manibus corporaliter tacta per eam revertenter inspecta et per juramentum dixit scire qui sequitur.

Dize este deposante que ha hunos quinze annos poco mas o menos que Felipe de Moros, que tiene hun fijo que se clama Felipe de Moros, mercader habitant en aquesta ciudat de Calatayut murio et ante cinquo annos e mas que muriese el diho Felipe de Moros vio este deposante por muchas de vezes al dicho Felipe de Moros que estando en misa tenia hunas oras en las manos hubiertas faziendo oracion et rezando la dichas oras et este deposante estava cerqua del dicho Felipe de Moros et miro la letra de las dichas oras et no la supo leer e veyo que era escripta en ebrayco. E mas dize este deposante que en el dicho tiempo vio hun libro de "den y deg" en casa el dicho Felipe de Moros el qual libro estava escripto en ebrayco et este deposante vio el dicho libor hubierto e lo fallo en la botiga del dicho Felipe de Moros e no lo supo leer por quanto estav escripto en ebrayco (le leen la declaración). Testes: Michael Gol, notarius et Dominicus Gil, nuncii officii sancte inquisicionis.

Die VI mensis madi anno Mº CCCC LXXXVIII.

- (pag. 138) Eadem die coram reverendo domino fratre Michaelle de Monterrubio inquisitore comparvit Salomon Avayut judeus habitant aliame judeorum civitas Calatayubii testis qui juravit per Deum sup Decem precepta legis Moysi qui diceret omniodam veritate de hiis qui ciret et sup quibus interrogatus esset qui per juramentum respondit in modum qui sequitur.

Dize este deposante que havra seze annos poco mas o menos teniendo este deposante mucha amistat con huna judia llamada dona Cinha judia muger ue fue de Mosse Çadoch y tambien porque estava su vezino se acuerda este deposante como por quatro o cinquo vezes la dicha Cinha rogo a este deposante que le fuese a casa de huno llamado Felipe Perez de Moros, merquader que morava en Calatayut que a la sazon era calcero padre de Felipe Perez de Moros que oy bive el aquel Felipe Perez de Moros era ermano de la dicha Cinha pa que este deposante le rogase al dicho Felipe Perez de Moros de parte de la dicha Cinha judia que le dase aquello que sabia y que este deposante fue por todas aquellas quatro o cinquo vezes al dicho Felipe Perez de Moros y le dizia como la dicha Cinha su hermana lo embiava a el pa que le diese lo que sabia y que el dicho Felipe (pag. 138 vto.) Perez de Moros por cada vez se ponia la mano al esquero y dava a este deposante por cada vez tres o quatro sueldos ya de parte destos dineros dava a este deposante el dicho Felipe Perez de Moros seys dineros y dizia le a este deposante dat estos tres o quatro sueldos a mi hermana Cinha y estos seys dineros a de parte dizirle que los de donde sabe y que este deposante tomava assi los dichos dineros y los levava y dava a la dicha Cinha asi e segunt el dicho Felipe Perez de Moros le mandava y que la dicha Cinha dixo a esta deposoante que geles dava el dicho Phelipe Perez de Moros pa sustentarse (le leen la declaración) Testes: Johannes Castillo, notarius, et Dominicus Gil nuncii sancte inquisicionis.

Die XI mensis julii anno Mº CCCC LXXXVIII.

- Eadem die coram dicto domino inquisitore comparvit Jeuda Benardut, judeus habitant aliame judeorum civitas Calatayubii testis qui juravit per Deum sup Decem precepta legis Moysi qui diceret omniodam veritate de hiis qui ciret et sup quibus interrogatus esset qui per juramentum respondit in modum qui sequitur.

(Pag. 139) Dize que de vinte y cinquo annos a esta parte poco mas o menos vio este testimonio deposante que dentrando et salliendo en casa de huna judia por muchas de vezes por la mucha noticia et pratica que tenia en la dicha casa vio este testimonio muchas de vezes assi en dias de sabados como en dias de viernes e de quaresma et otros muchos dias a huno llamado Felipe de Moros habitant en Calatayut cerqua a la puerta Terrer de la presente ciudat de Calatayut comer a huna tavla juntamente con la dicha judia carne judayca y hamin guisado al modo judayco et otros muchos menjares judaycos que la dicha judia tenia pa aquellos dias aparesados.
Item mas dize este testimonio que en el dicho tiempo poco mas o menos hun dia de pascua de los judios del pan çançenno vio este deposante al dicho Felipe de Moros que comia a huna tavla con la dicha judia juntamente carne judayca et otros menjares judaycos que la dicha judia tenia aparejados et asi mesmo comer pan çançenno turrado y alcahalillas.
Item mas dize este testimonio que en el dicho tiempo poco mas o menos hun dia de pascua de los judios del pan çançenno vio este deposante que el dicho (pag. 139 vto.) Phelipe de Moros dio a la dicha judia hermana del dicho Felipe de Moros tres sueldos los quales tres sueldos le dixo que mercasse olio et lo dase a la sinoga que la dicha judia tomava los dichos dineros a la qual judia huyo dizir este deposante como havia mercado de los dichos tres sueldos olio et lo havia dado a la sinoga e que a otra parte dio de los dichos dineros a pobres judios por limosna.
Item dize este deposante que en el dicho tiempo huyo dizir este deposoante a Felipe de Moros muchas de vezes como fazia limosna et dava a la çedaqua a su hermana juda et que el dicho Felipe de Moros ayunava el ayuno de quipur et otros muchos ayunos de judios e esto le dizia a este deposante sobre rrzbes o fablando de la ley de los judios (le leen la declaración). Testes: Johannes Murillo, notarius, e Johannes Torrejon, nuncius habitant Calatayubii.

13.- PROCESO CONTRA JOHANNES DE MALUENDA, MAIORE

FALTA ACUSACION DEL FISCAL, INTERROGACIÓN AL ACUSADO Y COMIENZA CON LA DECLARACION DE TESTIGOS CONTRA DEL ACUSADO.

Die XV febroarii anno Mº CCCC LXXXVIII. Calatayubii.

- (Pag. 140) Eadem die coram domino Matino Navarro inquisitore comparvit Anthonius Garsie, sartor habitant loci de Alharva aldee civitas Calatayubi, testis qui juravit per Deum sup Decem precepta legis Moysi qui diceret omniodam veritate de hiis qui ciret et sup quibus interrogatus esset qui per juramentum respondit in modum qui sequitur.

Dize este deposante que havra XXXV annos poco mas o menos estando este deposante en casa de huno llamado Johan de Maluenda, sastre, depues se fizo trapero y cambiador vio como en casa del dicho Johan de Maluenda fazian hamin y comian del empo no sabe si en sabado o en que dia.
Item mas vio como purgava la carne gutando la grasa della. Item mas vio como la viespra de pascua florida mataron en su casa del dicho Joahn de Maluenda hun par de gallinas y que el dicho Johan de Maluenda el viejo (pag. 140 vto.) se comio en la dicha vespra los menu encias (le leen la declaración). Testes: Johannes Perez, notarius.

Die XXV junii anno Mº CCCC LXXXVII. Daroce.

- Eadem die coram domino inquisitore comparvit Pascuala muger de Martin de Garaya habitant civitas Calatayubii, testis qui juravit per Deum sup Decem precepta legis Moysi qui deceret omniodam veritate de hiis qui ciret et sup quibus interrogatus esset qui per juramentum respondit in modum qui sequitur.

Dize la presente deposante que puede haver trenta y seys annos poco mas o menos estava en Calatayut en casa de Johan de Maluenda trapero se que veya el dicho su amo y su duenna clamada Aldonça bivian como judios, (pag. 141) interrogada como lo sabe respuso porque veya que muchas vezes comian hamin e lo guisavan el sabado pa el domigo y que la mas de la carne que comian era de la juderia (le leen la declaración).

Die IIII julii anno M° CCCC LXXXVIII.

- Eadem die coram domino inquisitore comparvit Açach Enforna, minor sutor habitnat Calatayubii, testis qui juravit per Deum sup Decem precepta legis Moysi qui deceret omniodam veritate de hiis qui ciret et sup quibus interrogatus esset qui per juramentum respondit in modum qui sequitur.

Dize este testimonio que de diez annos a esta parte poco mas o menos vio por muchas de vezes que por mandado de su aguelo cuyo nombre (pag. 141 vto.) no le acuerda quando alguna quando a la otra pora algunas pascuas de los judios se pan çançenno levar a casa de Johan de Maluenda, canviador, que morava cerqua la juderia de cara de casa de Domingo Ferrer notario pan çançenno turrado y alcahalillas y carne judayca e asi mismo este testimonio en el dicho tiempo por mandado del dicho su aguelo en las dichas pascuas algunas vezes este deposante levava a casa del dicho Johan de Maluenda pan çançenno y turrado y alcahalillas e carne judayca e que lo dava oras ya al dicho Johan de Maluenda oras ya a su muger cuyo nombre no le sabe salvo sabe que esta presa en la inquisicion et los dichos Johan de Maluenda e su muger tomavan el pan çançenno turrado y alcahalillas y carne judayca. E asi mesmo dize este testimonio que vio por muchas de vezes en el dicho tiempo que el çaguero dia de la pascua de pan çançenno a la tarde los mesages del dicho Johan de Maluenda cuyos nombres (pag. 142) no le acuerda quando el huno quando el otro trayan a casa Jaco Enforna pan liendo lechugas y rosquillas y guevos (le leen la declaracón). Testes: Johannes Torrejon e Dominicus Egidii nuncii officii sancte inquisitionis civitas Calatayubii.

Die XVI minesis octobris anno M° CCCC LXXXVIII en Valladolit.

Eadem die coram dominus inquisitoribus comparvit Juçe Çarfati judeus habitant aliame judeorum ville de Valladolit, testis qui juravit per Deum sup Decem precepta legis Moysi qui diceret omniodam veritate de hiis qui ciret et sup quibus interrogatus esset qui per juramentum respondit in modum qui sequitur.

Dize este testimonio deposante que puede haver vinte y siete annos poco mas o menos tiempo hun dia de sabado fue este testimonio deposante (pag. 142 vto.) a casa de Johan de Manuenda vezino de la ciudat de Calatayut que morava cabe el Banyuelo y hallolo sobre la mesa comiendo al dicho Johan de Maluenda y a su muger madre de Garcia de Maluenda que oy bive cuyo nombre no sabe y al dicho Garcia de Maluenda y a Johan de Maluenda el que se afogo (ahogó), fijos del dicho Johan de Maluenda los quales todos en huna mesa los vio comer hamin con carne el dicho dia de sabado mas no sabe si era de la juderia (le leen la declaración). Testes: magnificus Johannes Dardiles açessor officii sancte inquisicionis et Petrus Larraz notarius in dicta villa de Valladolit de present residentes.

Die XVIII marcii anno M° CCCC LXXXVIII. Calatayubii.

Eadem die coram domino inquisitore comparvit Jeuda Truchas, judeus habitant aliame judeorum civitas Calatayubii, testis (pag. 143) qui juravit per Deum sup Decem precepta legis Moysi qui deceret omniodam veritate de hiis qui sciret et sup quibus interrogatus esset qui per juramentum respondit in modum qui sequitur.

Dize este deposante que havra doze annos poco mas o menos sabe este deposoante como de casa de su padre llamado Brahem Truchas embiava con hun mesage de casa cuyo nombre no le acuerda por la pascua de pan çançenno pa n çançenno alcahalillas y turrado a huno llamado Johan de Maluenda, cambiador padre de Garcia de Maluenda por heretico condempnado el qual recibia en su casa empo no sabe quien y que el diho Johan de Maluenda embiava a este deposante pan liendo lechugas y guevos (le leen la declaraicón). Testes: Garcias de Noviercas e Petrus Larraz, notario.

Die XXVII marcii anno M° CCCC LXXXVIII. Calatayubii.

Eadem die coram domino inquisitore comparvit Maria uxor Martini del Fraxno, locii de Torralva, testis qui juravit per Deum sup Decem precepta legis Moysi qui deceret omniodam veritate de hiis qui ciret et sup quibus interrogatus esset qui per juramentum respondit in modum qui sequitur.

Et primo dize este testimonio que havra trenta annos poco mas o menos estando este deposante en casa de huno llamado Johan de Maluenda, cambiador, poadre de Garcia y Pedro de Maluenda habitant de Calatayubii vio esta deposante como la muger del dicho Johan de Maluenda cuyo nombre no le acuerda empo que es madre de los Pedro y Garcia de Maluenda que oy bive embiava a esta deposante muchos sabados y quasi todos a casa de hun judio llamado Truchas casado con huna hermana judia de la dicha muger del dicho Johan de Maluenda, pa adobarles la lumbre al dicho judio y que en todos aquellos sabados la muger del dicho Truchas cuyo nombre no le acuerda dava a esta deposante hamin el qual esta deposante tray a casa del (pag. 144) dicho Johan de Maluenda su amo desta deposante el qual hamin comia en los mismo sabados los dichos Johan de Maluenda y su muger y esto sabe porque lo vio comer y que los dichos Johan de Maluenda y su muger dizian a esta deposante que comiese del dicho hamin y que esta deposante no queria comer del y que entonce la dicha muger de Johan de Maluenda dezia a esta deposante o coruella donde yrian cinquo o seys almas no puede yr la tuya.

Item mas dize esta deposante que en le mesmo tiempo poco mas o menos vio esta deposante como los dichos Johan de Maluenda y su muger que oy bive comian carne en sabado en carnal estando sanos y en quaresma.

Item mas dize esta deposante que en el mismo tiempo de trenta annos poco mas o menos vio esta deposante que quando en la casa del dicho Johan de Maluenda merquavan pierna antes que la echasen en la olla la dicha muger del dicho Johan de Maluenda cuyo nombre no le acuerda quitava la landrezylla de la dicha pierna y las grasas.

(Pag. 144 vto.) Item dize esta deposante que el dicho Johan de Maluenda y su muger cuyo nombre no le acuerda se mudavan siempre los sabados las camisas limpias y esto sabe esta deposante por que via como el viernes en los tardes saquavan camisas limpias y por la manyana que eran sabados veya los vestidos las camisas limpias.

Item mas dize esta deposante que siempre todos los viernes en las tardes encendian hunos cresoleras de tierra encima de huas tablicas de fusta fincadas en las paredes no se le acuerda quanteas y que esto vio todos los viernes del tiempo que estuvo en su casa.

Preguntada la dicha deposante si en la dicha casa de Joan de Maluenda entre semana encendian las mismas cresolicas dixo y respuso que no sino los dichos viernes en las tardes y que los otros dias encendian otros candiles de mano no aquellos que siempre se estavan fincados (le leen la declaración) Testes: Johannes Ardiles, assesor e Johannes Torrejon, nuncius.

Die XX augusti anno Mº CCCC LXXXVIII. Calatayubii.

- (Pag. 145) Eadem die coram domino inquisitore comparvit Sento Enforna, judeus habitant aliame judeorum civitas Calatayubii, testis qui juravit per Deum sup Decem precepta legis Moysi qui diceret omniodam veritate de hiis qui sciret et sup quibus interrogatus esset qui per juramentum respondit in modum qui sequitur.

Dize este deposante que havra hunos quarenta annos poco mas o menos dentro de la alquaceria de la dicha ciudat vio et oyo este testigo que estando hunos diez confessos desta ciudat alli entre los quales conocio a Hadam que tenia hun fijo que se llama Adam Adam Martin Ximenez su fijo de Martin Ximenes, Simon de Sancta Clara, Johan de Maluenda y su fijo Johan de Maluenda que se desespero estando alli tendia huna mesa encima la qual estava echado el dicho Adam con sus vestidos y los otros sobre dichos estavan alderredor del dicho Adam et oyo e vio que cantavan los responsos judaycos que cantan los judios quando tienen muerto algun judio e son los siguientes: "Azur tamim paulot" (le leen la declaración). Testes: Magnificus Petrus Margarit, e Johannes Domp, notarius officii sancte inquisicionis.

Die VII julii anno Mº CCCC LXXXVIII. Calatayubii.

- (Pag. 145 vto.) Eadem die coram domino Martino Garsie inquisitore comparvit Salomon Avayut judeus habitant aliame judeorum civitas Calatayubii, testis qui juravit per Deum sup Decem precepta legis Moysi qui deceret omniodam veritate de hiis qui ciret et sup quibus interrogatus esset qui per juramentum respondit in modum qui sequitur.

Dize este deposante que havra diez annos poco mas o menos teniendo cargo este deposante de llegar la limosna pa la çedaqua dize que le daron indo llegando aquella limosna benito Ram, Joham de Maluenda, Simon de Sancta Clara y lo suso dicho sabe porque la recibia la dicha limosna de los suso dichos y los conocio muy bien a los suso dichos de vista y pratica que tuvo con ellos (le leen la declaración). Testes: Martin Perez, notarius de la sancta inquisicion e Jayme de Monclus, nuncius officii sancte inquisicionis habitant Civitas Calatayubii.

Die XXVIIII junii anno Mº CCCC LXXXVIII.

- (Pag. 146) Eadem die coram reverendo domino Martino Navarro inquisitore comparvit Brahem Abençaçon judeus habitant aliame judeorum civitas Calatayubii, testis qui juravit per Deum sup Decem precepta legis Moysi qui deceret omniodam veritate de hiis qui sciret et sup quibus interrogatus esset qui per juramentum respondit in modum qui sequitur.

Dize este testimonio que estuviendo moço en casa de Açach Enforna judio en la qual casa estuvo ocho annos poco mas o menos de ha mas de diez annos que sta fuera de casa en el dicho tiempo que stava en la dicha casa por mandado del dicho Açach Enforna amo suyo cada Calanonao un dia despues de la pascua del pan çençenno de los judios levaba pan çençenno turrado y alcahalillas a casa de Leonar de Sancta Fe (pag. 146 vto.) e a casa de Maluendas Johan de Maluenda, Garçia de Maluenda et Pedro de maluenda que moraba las horas çerca del Banyuelo, y en presencia de los sos dichos Garçia, Johan y Pedro de Maluenda lo daba a los mesajes de la dicha casa cuyos nombres no le acuerda. E asi mismo la daba en preseçia del dicho Leonart de Sancta Fe e de su muxer cuyo nombre no sabe salvo sabe que es la que oy bive y su moça dicha cuyo nombre no sabe lo tomaba y le fazian graçias muchas. E mas dize este testimonio que en le dicho tiempo vio algunas de vezes que de retorno de las casas de los suso dichos con sus moças cuyos nombres no sabe que trahian al dicho su amo Açach Enforna judio passada la dicha pascua pan liendo y lechugas (le leen la declaración). Testes: Johannes de Ardiles asessor officii sancte inquisicionis e Johannes Murillo, notarius.

Die prima julii anno Mº CCCC LXXXVIII.

- (Pag. 147 vto.) Eadem die coram reverendo domino fratre Michaele de Monterubeo inquisitore predicto comparvit Brahem Alpastan, Abençaçon judeus habitant aliame judeorum civitas Calatayubii, testis qui juravit per Deum sup Decem precepta legis Moysi qui deceret omniodam veritate de hiis qui sciret et sup quibus interrogatus esset qui per juramentum respondit in modum qui sequitur.

Dize este testimonio que havra unos quinze annos poco mas o menos una dos o tres vezes hoyo dizir a Johan de Maluenda que moraba cerqua de Sancta Maria de media villa que le habian enviado por pascua de pan çençenno ade los judios pan çençenno turrado y alcahalillas y que comio en la dicha pascua de los judios pan çençenno turrado y alcahalillas que le habian enviado segunt dicho ha (le leen la declaración). Testes: Magnifucus Johannes de Ardiles, jurisprudenter asesor, e Johannes Torrejon, nuncius dicti sancte oficii civitas Calatayubii.

Die XIII marcii anno Mº CCCC LXXXVIII.

- (Pag. 148) Eadem die coram reverendos dominus fratre Michaelle de Monterubeo e Martino Navarro inquissitoribus dictis comparvit Brahem Arruet, Abençaçon, judeus habitant aliame judeorum civitas Calatayubii, testis qui juravit per Deum sup Decem precepta legis Moysi qui deceret omniodam veritate de hiis qui sciret et sup quibus interrogatus esset qui per juramentum respondit in modum qui sequitur.

Dize el presente testimonio depossante que havra quinze annos y ende aqua ha oydo a Johan de Maluenda y a Pedro de Maluenda, tintoreros de Calatayut, que quando los dichos Pedro de Maluenda y Johan de Maluenda quan con verar alguna cosa pa que fuessen creados continuamente juravan por los diez mandameitnos de la Ley deMoyssen (le leen la declaración). Testes: Jacous Torrejon et Dominicus Egidii, nunciii officii sante inquisssiçionis residentes Calatayubii.

14.- PROCESO CONTRA FERRANDO LOPEZ, EL MUDO

FALTA ACUSACION DEL FISCAL, INTERROGACIÓN AL ACUSADO Y COMIENZA CON LA DECLARACION DE TESTIGOS CONTRA DEL ACUSADO.

Die XVII menssis marcii anno Mº CCCC LXXXVIII.

- (Pag. 150) Eadem die coram reverendo domino Michaele de Monterubio inquisitore predicto comparvit Mosse Quatorze, judeus habitant aliame judeorum civitas Calatayubii, testis qui juravit per Deum sup Decem precepta legis Moysi qui diceret omniodam veritate de hiis qui ciret et sup quibus interrogatus esset qui per juramentum respondit in modum qui sequitur.

Dize como el dicho Ferrando Lopez y su padre comian carne degollada de judios y esto en Ylluequa en casa de bienvenis Avenpesat.

Die decima sexta menssis octobris anno Mº CCCC LXXXVIII apud villa de Valladolit regni Castille.

- Coram reverendus dominus Michaelle de Monterubio ordinis predicator in sanctam theologia licenciato e Martino Navarro in sancta thelogia magistro inquisitoribus heretice e apostatice pravetat per omnia rena terras et dominaciones serenisisum dominum comprarvit Yuçe Çarfati, judeus habitant aliame judeorum (pag. 150 vto.) civitas Calatayubii, testis qui juravit per Deum sup Decem precepta legis Moysi qui diceret omniodam veritate de hiis qui sciret et sup quibus interrogatus esset qui per juramentum respondit in modum qui sequitur.

Item dize el presente testimonio deposant que havra diez anyos poco mas o menos tiempo estando el presente testimonio deposant en la ciudat de Calatayut un dia que los christianos fazian precession porque no llovia y passando la procession de los christianos por el mercado de la dicha ciudat uno llamado Ferrando Lopez el mudo mercader que mora encima de las carnicerias cerradas en unas casas que havian seydo de paranico en la dicha ciudat estava ay en el mercado de la dicha ciudat juntamente con este testimonio y como vio la procession por quento havian echado pena de al que no ffuesse a la procssion dixo el dicho Ferrando Lopez a este testimonio poneos me delante que no me vean e est este testimonio lo fizo pusose delante y passo la presession y no lo vieron en pues de passada la proçession dixo el dicho (pag. 151) Ferrando Lopez o de los borrachos quientos vienen cantando duelos les vengan pa que se han enborrachado piensa que les havia de oyr Dios no bivan mas que Dios los oya y esto dizia el dicho Ferrando Lopez faziendo se escarnio de la procession y de los que binian en ella y assi razonando este testimonio deposant con el dicho Ferrando Lopez dixo le el dicho Ferrando Lopez a este testigo deposant y vosotros saquays la Tora porque plueva entonces dixo este testimonio si essas oras dixo el dicho Ferrando Lopez el mudo verdaderametne no creo que haya otra cosa sino la Ley de Moysen que yo he leydo la biblia y fallo que no ay otra cosa sino lo que en ella esta escripto senyaladamente hoviendo leydo tantas maravillas que fazia la Tora y que el dicho Ferrando Lopez el mudo dixo que tenia grant devocion en la dicha Tora (le leen la declaración). Testes: magnificus Joannes Ardiles et Petrus Laraz, notarius habitant Calatayubii.

Die XII junii anno M° CCCC LXXXVIII.

- (Pag. 151 vto.) Eadem die coram domino inquisitore comparvit Calema Abenardut, judio habitant en Calatayut, testis qui juravit per Deum sup Decem precepta legis Moysi qui deceret omniodam veritate de hiis qui ciret et sup quibus interrogatus esset qui per juramentum respondit in modum qui sequitur.

Et primo dize que hun mes poco mas o menos antes que muriesse uno llamado Ferrando Lopez el mudo que estando fablando sobre la inquisicion el dicho Ferrando Lopez el mudo vezino de Calatayut y este deposant dixo el dicho Ferrano Lopez a este deposant Benardut porque no me days porque no estudiays en essa Ley tan sancta e dada por tal mediador que es Mosse Rabeno, este deposant le dixo ya lo hago porque lo dezis dixo el dicho Ferrano Lopez el mudo porque a noche leyendo en la Biblia tope con una ihistoriaque dezia como elrey Gerogoan demando a nebot elizre eli que le bendiesse su heredat que conffrontava con la heredat del rey y que le dixo Nobot que no plaquiesse que la heredat que havia heredado de sus parientes que la bendiesse y que la reyna Agabel le dio el consexo y que assi se llama (pag. 152) esta como aquella que le confexo que fiziesse haver dos testimonio de su tierra que testifficassen sobre el que havia blasfemado del Dio y que lo mataria y que assi se alçaria con la heredat y que vino el proffeta y que dixo al rey no cure que alli en aquel lugar mismo por haver fecho lo que has fecho seras matado y lameran los perros tu sangre y assi se cumpliuo y dixo el dicho Ferrando Lopez el mudo assi sera ni mas ni menos esto y dixo Dios gelo demande a nuestros antespassados que bien nos estavamos que ellos nos han puesto en quanto ffuego esta mas, dixo este deposant porque respondio el dicho Ferrando Lopez porque nos estavamos bien en nuestra Ley que quien tiene bien y vista mal esto le contece (le leen la declaracion). Testes: Magnificus Andreas Gurtierrez de Quintanilla assssor sante inquisicionis et Dominicus de Senya, clericus familiaris reverendi domin inquisitoris.

Die VII julii anno M° CCCC LXXXVIII. Calatayubii.

- (Pag. 152 vto.) Eadem die coram reverendo domino Martino Garsie inquisitore comparvit Salomon Avayut, judio sastre mayor de dias habitant en la aljama de judios de la ciudat de Calatayut testimonio por mossen Domingo de Senyan clerigo procurador fiscal produzido et para probar lo contenido en las denunciaciones contra los infrascriptos qui juravit per Deum et sup decem precepta legis Moysi.

Item assi mismo dize que havra diez anyos poco mas o menos teniendo cargo este deposant de llagar la limosna para la çedaqua dize que le daron judo llegando aquella limosna Benito Ram preso y Pedro de Sancta Cruz, Gonçalvo de Vera, preso, Ferrando Lopez el mudo et muchos otros y lo suso dicho sabe porque la recibia la dicha limosna de los susos dichso y los conocio y conçe muy bien a los suso dichos de vista y pratica que con ellos tuvo y ha tenido (le leen la declaraicón). Testes: Martin Perez, notarius de la sancta inquisicion et Jayme de Monclus nuncio.

Die III augusti anno M° CCCC LXXXVIII.

- (Pag. 153) Eadem die coram reverendo domino magistro Martino Garsie inquisitore comparvit Jaco Carillo, judeus habitant loci de Arandiga regni Aragonum qui juravit per Deum sup Decem precepta legis Moysi qui deceret omniodam veritate de hiis qui sciret et sup quibus interrogatus esset qui per juramentum respondit in modum qui sequitur.

Dize este testigo que havra unos trenta anyos poco mas o menos que indo este testimonio muchas de vezes a las ferias de Medina e otras ferias en companya de Ferrando Lopez hermano de Frrrando Lopez que esta preso por la inquisicion Esperanden Ram e Pedro de Sancta Cruz que esta preso por la inquisicion quando con uno quando con otro con este testigo juntamente a una mesa gallinas, cabritos degollados por este testigo e otros manjares judaycos y que estavan presentes a la bendicion de la mesa que este testigo fazia (le leen la declaración). Testes: Mossen Domingo de Senyan, clerigo e Jacobus de Monclus, nuncio de la sancta inquisicion.

15.- PROCESO CONTRA LEONARDUM DE SANCTO ANGELO

FALTA ACUSACION DEL FISCAL, INTERROGACIÓN AL ACUSADO Y COMIENZA CON LA DECLARACION DE TESTIGOS CONTRA DEL ACUSADO.

Die XXIIII marcii anno M° CCCC LXXXVIII.

- (pag. 154 vto.) Eadem die coram reverendo domino inquisitore comparvit Michael Ferrando agricultor habitant Calataybii testis per edictum çitatus qui juravit per Deum sup Decem precepta legis Moysi qui deceret omniodam veritate de hiis qui sciret et sup quibus interrogatus esset qui per juramentum respondit in modum qui sequitur.

Dize este testimonio que teniendo pratica en la casa de Leonart de Sanctangel este testigo muchas de vezes le vio comer carne en sabados y en quaresmas estuviendo sano. E assi mismo le vio comer carne e un dia de ayuno mandado guardar por la sancta madre yglesia. Testes : Johannes Torrejon et Dominicus Egidii.

Die XXVII marcii anno M° CCCC LXXX octavo.

- Eadem die coram reverendo domino fratre Michaele de Monterrubeo inquisitore comparvit Johannes Mercader Texedor habitant loci de la Viluenya qui juravit per Deum sup Decem precepta legis Moysi qui deceret omniodam veritate de hiis qui ciret et sup quibus interrogatus esset qui per juramentum respondit in modum qui sequitur.

(Pag. 155) Dize este testimonio que muchas vezes levo hamin a casa de uno que se dezia Leonart de Sanctangelo que morava cabe sant Jayme el qual dicho hamin comian en sabado el dicho leonart de Sanctantel y su muxer cuyo nombre no le acuerda. Testes: Johannes Torrejon et Dominicus Egidii.

Die XXVIII marcii anno M° CCCC LXXXVIII.

- Eadem die coram dicto reverendo domino inquisitore comparvit Johana Ximenez uxor Michaelis Ferrando testis predictum citatus qui juravitet posse dicit reverendi domini inquisitori per Deum suo crucem sanctam domini nostri Ihesu Christi et per juramentum dixit per sequitur.

Dize este testimonio que puede haver dotze annos poco mas o menos entrnado y tobiendo pratica y conversacion este testimonio en la casa de Leonart de Sanctangelo vio este testigo como el dicho Leonart de Santangel cada sabado de carnal comia carne y assi mismo en quaresma le vio comer carne en los dias de quaresma algunos dias de sabado de la quaresma y en aquellos dias hoyo dizir al dicho Leonart (pag. 155 vto.) que stava malo. E dize esta deposante que quando el dicho Leonart comia carne en sabado y en quaresma estava sano a su pareçer salvo que eran hombre antigo po en los sabados del carnal continuamente comia carne y que stava sano. Testes: Johannes Ardiles, asessor, et Dominicus Egidii.

Die II maii anno M° CCCC LXXXVIII.

- Eadem die coram reverendo domino fratre Michaele de Monterubeo inquisitore predicto comparvit Johannes Martell, habitant civitas Calatayubii qui juravit posse dicit reverendi domini inquisitori per Deum suo crucem sanctam domini nostri Ihesu Christi et per juramentum dixit per sequitur.

Dize este testimonio que havra vinte annos poco mas o menos se acuerda este testimonio deposant en casa de uno llamado Leonart de Sanctangel ciudadano habitant de la misma ciudat de Calatayut en la qual casa en partida estuvo este testimonio por tiempo de diez annos poco mas o menos vio este testimonio como los mas annos poco mas o menos este testimonio estuvo en la dicha casa por las pascuas del pan çençenno enviava un judio cuyo nombre se llamava a su pecor (pag. 156) deste testimonio Haym judio pariente del dicho Leonart de Sanctangel segunt le dizia a la casa quel dicho Leonart de Sanctangel pan çençenno turrado alcahalillas de qual pan çençenno vio este testimonio como el dicho Leonart de Sanctangel y su muxer llamada Margarita de Montesa comieron y también sus fijas llamadas Isabel de Sanctangel muxer de Garçia de Santangel menor de dias y Catalina de Sanctalgel también comieron del pan çençenno en la pascua del pan çençenno.
Item mas se acuerda este testimonio como el dicho Haym judio enviava muchos sabados de dicho tiempo a la casa del dicho Leonart de Sanctangel hamin del qual hamin vio este testimonio como los dichos Leonart de Sanctangel y su muxer y fijas suso dichas comian y que algunas vezes sabe este testimonio como los dichos Leonart de Sanctangel y su muxer enviava dineros con la dicha Maria de Sanctangel, bastarda, a la casa del dicho Haym judio pa que les guisase hamin y que a su pareçer deste testimonio el viernes y que también se enviava las dichas sus fijas dineros por su de parte con la dicha moça a la casa del dicho Haym judio por el dicho moço esto sabe este testimonio porque lo vio (le leen la declaración). Testes: Johanes Torrejon et Dominicus Egidii nuncio sancte inquisicionis.

Die XVI mensis junii anno M° CCCC LXXXVIII.

- (pag. 156 vto.) Eadem die coram reverendo domino fratre Michaele de Monterubeo inquisitore predicto compravit Maria Marques uxor Petri Moracho habitant civitas Calatayubii, qui juravit per Deum sup Decem precepta legis Moysi qui diceret omniodam veritate de hiis qui sciret et sup quibus interrogatus esset qui per juramentum respondit in modum qui sequitur.

Dize este testimonio que havra quatorze annos poco mas o menos estuviendo esta deposante en casa de Leonart de Sanctangel habitant desta ciudat aguelo desta deposant vio este testimonio muchs de vezes que trahian de la juderia a casa de Leonart de Sanctangel pan çençenno hamin turrado y alcahalillas y que no le acuerda a esta deposante si geles trahian en dia de viernes ni en sabado ni en que dia et vio como el (pag. 157) dicho Leonar de Sanctangel comia del dicho hamin y del dicho pan çençenno y turrado y alcahalillas ensemble con su muxer clamada Margarita e que el dicho Leonart dava del dicho pan çençenno y turrado y alcahalillas y hamin a este testimonio y este testimonio comia dello y que en aquel tiempo que sta deposante comio del dicho pan çençenno turrado y alcahalillas era de edad de diez annos poco mas o menos y que agora es de tiempo este testimonio de vintiquatro anno. E mas dize esta deposante que en el dicho tiempo vio como los dichos Leonart de Sanctangel et su muxer enviava a la judería pan liendo y lechugas y que no sabe aquien lo enviava (le leen la declaración). Testes: fuit Michael Loyl, notarius et Johanes Torrejon, nuncius officii sancte inquisicionis habitant civitas Calataybii.

Die VIII julii anno M° CCCC LXXXVII. Daroce.

- Eadem die coram reverendo domino inquissitore (pag. 157 vto.) comparvit Soli uxor de Açach Axuet judia habitant en Daroca testis cita pre dicta por parte procurator fiscales qui juravit per decem precepta legis Moysi e veritate disenti.

Dize este testimonio que puede haver dotze annos poco mas o menos que stuviendo en la ciudat de Calatayut envio muchas de vezes a casa de Leonart de Sanctangel en los sabados hamin y caçuelas y albondaquillos y al berenjenas, lo qual el dicho Santangel y su muxer de Calatayut lenviavan de mandar con una boida de casa del dicho Santangel e que en la pascua de los judios les enviava algunas vezes esta deposant pan çençenno turrado y arruquaques y pasada la pascua lenviava pan liendo y otras cosas (le leen la declaración). Testes: Dominicus Çit, notarius et Johanes Lopez de la Plata, nuncio el rabi Thedayas judio habitant en Daroqua.

Die XXVIIII junii anno M°CCCC LXXXVIII.

- Eadem die coram reverendus dominus inquisitoribus (pag. 158) comparvit Açach Xuen vezino de la ciudat de Daroca citado juro sobre los diez mandamientos de la Ley de Moysen.

Dize este testimonio que conocio a uno llamado Leonart de Sanctangel de Calatayut y dize que bibiendo su padre de madre deste testimonio le daban quantos potajes comian en sabado y pan cotaço y arruquaques y turrado e carne de los judios. Testes: mossen Pedro de Montalban y Johan Sancho habitant çivitas Daroçe.

Die VII Marcii anno M° CCCC LXXXVIII.

- Eadem die coram reverendo domino fratre Michaele de Monterubeo inquissitore comparvit Yuçe Catalan judeus habitant aliame judeorum civitas Calatayut qui juravit per Deum et sup decem precepta legis Moyssi et per juramentum hoc se sçite qui sequitur.

Dize este testimnio avra seys annos poco mas o menos estubiendo ardendo este testimonio unas telas en casa de uno llamado Leonart de Sanctangel que moraba a las espaldas de Pamplona de Calatayut sabe este testimonio como el dicho Leonart de Sanctangel saco de un estudio una camisa de ras de judios a este testimonio y dos rrides de los que echan los judios por encima la cabeça y que ste testigo le pregunto al dicho Leonart de sanctangel si le querria dar unas de las rrides que era de seda por un florin y quel dicho Leonart le respuso a este testimonio por tampoco precio no gela dava yo antes me la qurra tener pues que su padre xe la via leseado (dejado).
Item mas dize este testimonio quel dicho Leonart de Sanctangel le mostro en la mesa ora un pedaço de seda y le dixo que era buena pora una cobertura de Tora (le leen la declaración). Testes: Johanes Torrejon et Petrus Torrejon.

Die prima augusti anno M° CCCC LXXXVIII apud villa de Fariza.

- Eadem die coram reverendo domino Martino Navarro inquissitore predicto comparvit Davit Xuen judeus habitant ville de Fariza, testis qui juravit per Deum et sup decem precepta legis Moyssi et per juramentum hoc se sçite qui sequitur.

(Pag. 159) Dize este testimonio que havra unos dos annos poco mas o menos se le acuerda por mas de vinte vegadas por mandado de Bio Xuet madre suya que le levo, a casa de Leonart de santangel ciudadano de Calatayut que bivia cade la plaça, con carne judayca de Sant Jayme, hamin apexado en la juderia con carne judayca del viernes pa el sabado el qual hamin este testimonio daba el mismo Leonart de Sanctagel o el qual dizia a este testimonio que no comia el dicho hamin fasta el domingo. E dize mas este testimonio que algunas vegadas bidio que una moça del dicho Leonart de Sanctangel levava a casa de la madre deste testimonio dinero y huebos en dia de viernes pa que comprassen carne con la qual y con los dichos huevos a parejasen hamin pa el dicho Leonart de Sanctangel.
Item dize este testimonio que en mismo tiempo este testimonio por mandado de la dicha su madre por la pascua del pan çençenno de los judios y dentro la dicha pascua algunas vezes levo a casa del dicho Leonart de Santangel pan çençenno turrado y alcahalillas los quales este testimonio dedopsant en presencia del dicho Leonart de Sanctangel dio a la muxer del dicho Leonart cuyo nombre ygnora.
E dize mas este testimonio que la noche de la (pag. 159 vto.) pascua del dicho pan çençeno de los judios sallia el dicho Leonart de Sanctangel envio algunas vezes a casa del padre deste testimonio pan liendo lechugas y otra la qual levava una moça del dicho Leonart cuyo nombre este deposante ignora (le leen la declaración). Testes: Venerabiliter dominus Egidius Perez, presbiter, et Bartholomeus Sanchez agricola habitant ville de Fariza.

Dicte die anno et loco.

- Eadem die coram reverendo domino Martino Navarro inquisitore comparvit Simuel Avenxuen, judeus habitant ville de Fariza, testis çitatus per edictum qui in posse domini inquisitoris juravit per deçem precepta legis Moysi et per juramentum et in veritatem dixit se sçire qui sequitur.

Dize este testimonio deposante que havra quatroze annos poco mas o menos estando en la ciudat de Calatayut (pag. 160) se le acuerda que por muchas y diversas vezes por mandado de su padre llamado Haym Abenxuen levo a casa de uno llamado Leonart de Sanctangel ciudadano de Calatayut que bedia cabe la plaça de San Jayme en dias de sabados hamin apejado en la juderia con carne judayca del viernes pa el sabado el qual hamin en presencia deste testimonio del dicho Leonart de Sanctangel este deposant dio a su muxer y a dos fijas suyas cuyos nombres ignora y como quien que a los judios es prohibido sacar ellos mismos el dicho hamin de la juderia hazia lo este testimonio por mandado del dicho su padre y por aquel dicho Leonart de Santangel que era pariente deste deposante y de su padre.

Item dize este testimonio que en el mismo tiempo por la pascua del pan çençenno de los judios y dentro en la dicha pascua este testimonio se le acuerda que por cinquo annos a saber es cadauno una vegada por mandado del dicho su padre levo a casa del dicho Leonart de Santangel pan çençenno turrado y alcahalillas las quales en presencia del dicho Leonart de Santangel este deposante dava a la muxer y fijas sobre dichas del dicho Leonart de Santangel. E dize mas este testimonio que en cabo pascua de los suso dichos (pag. 160 vto.) salliendo la dicha pascua el dicho Leonart de Santangel enviava a casa del dicho padre deste testimonio pan liendo lechugas y huevos con una sobrina bastarda del dicho Leonart llamada Maria aquesto dize sabe este testimonio por quanto asi lo ha visto como lo deposa (le leen la declaración). Testes: Egidius Perez agricola habitant ville de Fariza et Johanes Martinez notarius habitant civitas Calatayubii.

Die XIIII julii anno Mº CCCC LXXXVIIII. Calatayubii.

- Eadem die coram reverendo domino Martino Garsie heretica pravitat inquisitore comparvit rabi Salomon Axequo judeus aljame ville de Çetina testis qui juravit in posse dicti reverendi domini inquisitionis per Deum et decem precepta legis Moysi et per juramentum deposuit ut sequitur.

Dize el presente testimonio deposante que puede (pag. 161) haver trenta y cinquo annos poco mas o menos que tobiendo conocimiento con uno llamado Leonart de Santangel vezino desta ciudat que entonçe moraba en la juderia de la pesente ciudat de Calatayut conoció este testigo en el dicho Leonart de Santangel que a unque de nombre fuesse christiano de voluntad era judio y le vio comer sus hamines en sabados y sus cosas pero porquanto el dicho Leonart de Santangel era hombre discreto y tanto habia sus cosas muy secretas y cautament y assi este testimonio no pudo veer mas del dicho conocimiento que tenia del ser en la voluntad judio et hoc per juramentum (le leen la declaración). Testes: Bernardinus Montantes, alguazirius et Jacobus de Monclus nuncius officii sancte inquisssiçionis.

Die XII augusti anno Mº CCCC LXXXVIII apud locum de Maluenda.

- Eadem die coram reverendo domino Martino (pag. 161 vto.) Navarro inquisitore et vicario generali heretice pravitat residente in civitate Calatayubii comparvit Sançia Martell habitator loci Maluenda testis scitata que in posse domini inquisicionis qui juravit per Deum sup cruçem domini Ihesu Christi ei qui sacro sancta quatuor evangelium fuit propiis manibus corporaliter tacta et per reverenter inspectam et per juramentum dixit se sçire per sequitur.

Dize este testimonio que havra diziueve anno poco mas o menos estando este deeposant en Calatayut en casa de un aguelo suyo llamado Leonart de Santangel vio quel dicho Leonart de Santangel comia hamin en dia de sabado apejado en la juderia del viernes pa el sabado el qual hamin trahia de la juderia una moça llamada Maria de Santangel de Calatayut el qual hamin cree este testimonio trahia la dicha moça de casa de una judia llamada la de Haym y esto vio esta deposante muchas diversas vezes.

Item dize esta deposante que en el mismo tiempo vio que la dicha (pag. 162) la moça llamada Maria de Santangel por mandado del dicho Leonart de Santangel y de su muxer cuyo nombre ingora. En el tiempo de la pascua del pan çençenno de los judios trahia del dicho pan çençenno turrado y alcahalillas las quales este testimonio deposante vio comer dentro la pascua del dicho pan çençenno a los dichos Leonart de Santangel y a su muxer. E apres passada la dicha pascua vio que la dicha moça por mandado del dicho Leonart de Santangel y de su muxer levavan a la juderia no sabe esta depossante a cuya casa pan liendo y lechugas y esto vio esta deposante muchas vezes (le leen la declaración). Testes: Johanes Martinez notarius habitant civitas Calatayubii et Dominicus Cortes agricola habitant loçi de Maluenda.

Die XI Marcii anno Mº CCCC LXXXVIII.

- (Pag. 162 vto.) Eadem die coram revrendo domino inquisitore et vicario generali comparvit Jaco Lupiel judeus cirurgicus habitant ville de Almaçan testis qui juravti per Deum et sup decem precepta legis Moysi de veritate dicenda.

Dize este deposante que hoyo dezir a su padre y a su madre de Calatayut que Leonart de Santangel y su mujer vezinos que eran del padre deste deposante fazian ceremonias de judios asi como judios desta manera que guardaban los sabados y ayunaban los ayunos de judios y que fazian todas las ceremonias judaycas que los judios acostumbran fazer y oraciones de judios y mas deposa que hoyo dezir a un fijo especiero que solia ser del dicho Leonart que su padre le havia dexado ciertos vestimentos judaycos los quales queria vender y que por mano de Davit Levi judio corredor le dava Ravi Jocen cincuenta sueldos de la una y no gela queria dar (Le leen la declaración). Testes: Jacobus Monclus et Anthonius de Lamiel, nuncius.

Die XXVIII julii anno Mº CCCCLXXXVIII. Calatayubii.

- (Pag. 163) Eadem die coram dicto reverendo domino fratre Michaelle de Monterubeo, inquisitor comparvit Salomon Abayu, sastre judio de la presente ciudat, testis citatus per edictum in in frante procurator fiscali qui juravit in posse dicti dicti reverendi domini inquisitor per decem precepta legis Moysi et per juramentum deposuit ut sequitur.

Dize este testimonio deposante ser verdat que puede haver trenta y quatro annos o trenta y cinquo annos poco mas o menos tiempo que tractando se matrimonio entre este deposant de una parte y una fija de Haym Abenxober de la otra llamada Çidilla uno clamado Leonart de Santangel de aquesta ciudat estando se praticando del matrimonio ablo a este deposante, el dicho Leonart de Santangel diziendo le beniaqua Salomon dicho mean que stays en tracto de conclusión del matrimonio de mi sobrina e della que os puedo deya buena proffaga al qual este testimonio respuso ser no dixo el porque dixo este testimonio por que de las promessas no nos abenimos dixo entonçe el dicho Leonart de Sanctagel no yo doy mil sueldos y mi hermano do quinientos florines diziendo por un hermano que tenia e lqual morava ençima de casa de Martin de Sayas y este (pag. 163 vto.) testimonio no sabe del el nombre, y mas diciendo le no tengays temos de entrar en ello que yo vos atraçare hazieda que vos balga mas que moça el casamiento y asi alabando a este judio deposant de muhcas cosas diziendo que era buena y de buena parte y dixo este testimonio aca sennor yo vos volvere respuesta, la qual este testimonio nunca bolbio. E con esto dize que en pues caso la dicha Çidilla en Aguaron con uno llamado Mayr Gallego e le dixo el dicho Leonart los mil sflorines que a este testimonio ofreció esto sabe este testgio por confesión de dicho Mayr Gallego el qual dizia como havbia recibido del dicho Leonart de Santangel los dichos mil florines ha un al dicho Leonart mismo hoyo dizir cata aqui avra Salomon ture prediste buen matrimonyo que depostrava en todo su hablar y obras. El dicho Leonart de Santangel ser mucho acertado a judios (le leen la declaración). Testes: Johanes de Segovia et Dominicus Gil, nuncio officii sancte inquisiçionis.

Die VIIII Marcii anno Mº CCCC LXXXVIII.

- (Pag. 164) Eadem die coram reverendus inquissitoris comparvit Alfonsus de Sancto Angelo filius Leonardo de Sancto Angelo habitant civitas Calatayubii, qui juravit in posse citurum reverendisso dominorum inquissitorum per Deum et Crucen sanctam domini Ihesu Christi ei qui sacro sancta quatuor evangelium fuit propiis manibus corporaliter tacta et per reverenter inspectam et per juramentum dixit se sçire per sequitur.

Et primo fuit interrodo si sabe quel dicho su padre llamado Leonart de Santangel tuviese ningunos vestimentos de Rabi de judios o no dize que no salvo que sabe que quando murio el dicho su padre vino llamado Davi Levi judios habitant de Calatayut demandaron si tenia unas toballolas y vestiduras quel dicho su padre tenia y que por esto este quonfessante los fallo en casa del dicho su padre dos toballoalas de seda la una de color, la otra blanqua listada y una vestidura de seda como sobre pelliz y un pedaço de coton como de bantlecho.
Interrogado que fizo las dichas vestiduras respuso que las tiene un judio llamado (blanco) que esta en fariza yque no las tiene en penyadas y vendidas y quel uno de los de bantlecho viendio por manos de Davi Levi judio y que tiene en su casa en en troz de çendal o de seda. Testes: Johanes Perez et Johanes Martínez notarius.

Die XVII junii anno Mº CCCC LXXXVIII.

- (Pag. 164 vto.) Eadem die coram reverendo domino Michaele de Monterubeo inquissitore predicto comparvit Açach Acrix, judeus texidor habitant aliame judeorum civitas Calatayut qui juravit in posse dicti dicti reverendi domini inquisitor per decem precepta legis Moysi et per juramentum deposuit ut sequitur.

Dize este testimonio que puede haver dotze annos poco mas o menos se acuerda muy bien este testimonio como muchas de vezes vio que de casa de uno llamado Leonart de Sanctangel enviava con una moça de la casa del dicho Leonart de Santangel cuyo nombre de la moça no le acuerda este testimonio por hamin a casa de su padre deste deposoant llamado y Ento Acrix habitant de la misma aljama de Calatayut el qual hamin vio este testimonio como lo daba en casa del dicho su padre deste testimonio a la dicha moça del dicho Leonart de Santangel esto sabe este testigo por que lo vio (le leen la declaración). Testes: Johanes Duncastillo, notarius, et Dominicus Egidii, nuncius sancte inquisicionis.

Die VIII augusti anno Mº CCCC LXXXVIII. Calatayubii.

- (Pag. 165) eadem die coram reverendo domino fratre Michaele de Monterubeo inquisitore comparvit Mayr Galleguo, judeus aljame judeorum loçi de Aguaron, testis pre edictum a instançiam pro parte fiscalis scitatis qui juravit in posse dicti dicti reverendi domini inquisidor per decem precepta legis Moysi et per juramentum deposuit ut sequitur.

Dize el presetne testimonio ser verdat que puede haver diez annos poco mas o menos que andando uno clamado Leonart de Santangel ciudadano de Calatayud al qual este testimonio conoció muy bien, a la ciudat de Çaragoça un sabado a la noche, noche de domingo ya tarde lleguo al lugar de Anguaron en donde el presente testigo tiene en su casa habitaçion alli descavalgo y estuvo alli en su casa del presente testigo todo el dia siguiente que era domingo endo de por hazer le honrra el presente testimonio por quanto el dicho Leonart de Sanctangel et tio de la muxer deste testimonio deposant clamada Çidilla mato dos gallinas este testimonio y fizo le guisar de comer lo mexor que pudo y ay comio el dicho Leonart de Santangel a la mesa deste testimonio juntamente con el de las dichas gallinas degolladas de mano deste teste (pag. 165 vto.) y bebio de su bino judayco y estuvo a la bendición de lamesa y ceno alli el mismo dia asi meismo que lo que çeno este testimonio y la dicha muxer y despues de mayava que era lunes se fue su camino de Çaragoça et hoc per juramento.

Item dize el presente testimonio deposant ser verdat que ha hoydo dizir a la dicha Çidilla su muxer que stando la dicha çidilla en casa de su padre judio clamado Haym Abexoe en la juderia de la presente ciudat de Calatayut veya la dicha Çedilla como muchos domingos levava hamin fecho de carne de la juderia a casa del dicho Leonart de Santangel pa el dicho Leonart el qual el demandava, puede haver esto segunt la dicha Çidilla dizia de vinticinquo annos arriba y a un de trenta annos que se lebaba el dicho hamin et hoc per juramentum (le leen la declaracion). Testes: Johanes de Medina et Dominicus Gil, nuncio officii sancte inquiscionis.

Die XXV junii anno Mº CCCC LXXXVIII.

- (Pag. 166) Eadem die coram reverendis dominus inquisitoribus e vicario generali comparvit Yeuda Benardut judeus habitant aliame judeorum civitas Calatayubii, qui juravit in posse dicti dicti reverendi domini inquisitor per decem precepta legis Moysi et per juramentum deposuit ut sequitur.

Et primo dize este tstimonio que havra diez annos poco mas o menos soabe este testimonio que unos llamados Leonart de Santangel y su muxer cuyo nombre no le acuerda a este testimonio lavo que eran aqua que a la sazon ella ho Leonart de Santangel tenia y a su pareçer deste deposant que era de los Montesas habitantes de Calatayut que moravan a la parrochia de Sant Jayme, ayunaban el ayuno de quipur también y con tanta çerimonia quanto ayunar lo podia vir judio y esto sabe este testimonio por quanto este teste era mucho amigo y de la casa del dichoLeonart de Santangel y ablado ste testimonio muchas de vezes assi con el dicho Leonart de Santangel como la dicha su muxer que a la sazon vebia de las Leyes de los christianos de las de los judios los dichos Leonart de Santangel y la dicha su muxer que entonçe tenia quando junçios quando cada qual por su parte dixeron a este testimonio (pag. 166 vto.) como ayunaban el ayuno de quipur y también por quanto se acuerda muy bien como una vispra del dicho ayuno de quipur el dicho Leonart de Santangel envio por este testimonio y este testimmonio fue a la casa del dicho Leonart de Santangel al qual y a la dicha suya fallo este deposante en un palacio de la dicha casa retraydos, los quales senyaladamente el dicho Leonart de Santangle estava con su taller que quiere dezir un habito que se ponen los judios rabis el qual taller era de seda y dixo este testimonio que los judios que lo pueden fazer y quieren bien ayunar el dicho ayuno de quipur se ponen aquel dicho taller. Item esavan mas los dichos Leonart de Santangel y su muxer con dos pes (peces) de spetenyas ya a pejados para ayunar el dicho ayuno de quipur y que ste deposant dixo al dicho Leonart de Santangel y su muxer como estays ya en forma y apexados y que los dichos Leonart de Santangel y su muxer respondieron y dixeron a este testimonio hoch a la fe que nosotros también lo ayunamos este dia como qualquiere judio y que entonçe este testimonio dixo al dicho Leonart de santangel dixo a este testigo estas palabras Abenardut yo y mi muxer (pag. 167) havemos enviado por vos por que somos çiertos que nos teneys soçieros y asi os lo rogamos que nos fagays un plazer y que ste testimonio les deys de plazer y entonçe el dicho Leonart de Santangle dixo a este testimonio en presençia de la dicha su muxer Benardut tomar estos dineros y mercas los del olio y darlo pa la sinoga y queste testigo rensona de tomar los y que ala postre tanto lo inputacion que ste testimonio thomo los dichos dineros los quales dineros eran unos ocho y los merquo de olio este testimonio y los enbio y dio a la singoa segunt este testimonio a via seydo rogado.

Item dize este testimonio que sabe como los dichos Leonart de Santangel y su muxer aquella que a la sazon bivia dava limosnas a judios pobres y a la çedaqua y olio a la sinoga y guardaban las fiestas de los judios y los sabados en la voluntad como judios y este testimonio sabe esto por quanto los dichos Leonart de Santangel y su muxer ge lo dixieron a este testimonio por diversas fablas.

Item mas dize esta depsoante como el dicho Leonart de Santangel a la sazon tenia una mançeba judia y dormia y comia el dicho Leonart de Santangel (pag. 167 vto.) con la dicha judia mançaba en la juderia y en su casa de la dicha mançeba y esto sabe este testimonio por que lo vio (le leen la declaración). Testes: Johanes Duncastillo, notarius et Dominicus Egidii, nuncius sancte inquisicionis civitas Calatayubii.

Die XVI octobris anno Mº CCCC LXXXVIII, in villa de Valladolit.

- Eadem die coram reverendis domini fratre Michaelle de Monterrubeo et Martino Navarro inquisitoribus heretiçe pravedat per omnia regna terras et domminaçiones serenisimus dominios nostros especiali creat per reverendum dominum fratre Thomas de Eniçe ciemata puorem sancte crucis inquisitor qualem didcte heretiçe pravitat in oris terris et dominacionibus per dicti regnis Aragonum e Castelle comparvit Juçe Çarfati judeorum habitant aljame judeorum ville de Valladolit testis (pag. 168) çitatus ad in stançiam procurator fiscalis dicti sancti officii qui quidem testis juravit in posse dominos reverendis dominos inquissitoris per deçem precepta legis Moysi et per juramentum dixit sequitur.

Dize este testimonio que habra diziocho annos poco mas o menos estando este testimonio en la ciudat de Calatayut y seyendo receptor de laliama de los judios (clavario bolsa y receptor)de los dicha ciudat huvo de pagar e su testimonio a uno llamado Leonart de Santangel ciudadano de la ciudat de Calatayut que moraban cabo casa de Miguel de Heredia una pension de un censal quel dicho Leonart de Sanctangel le tenia sobre lliama de los judios de la dicha ciudat y estuviendo sobre la paga en çierta deserçion, el dicho Leonart de Sanctangel dixo a este testimonio por mas por entero creays que digo verdat y lo jurare donde vos quereys y assi el dicho Leonart de Santangel por verificar los dizia en presençia de este testimonio y tuviendo le dela mano juro por los diez mandamientos de la Ley de Moysis y por el Dio de Abraham Ysaac y Jacob y por otras cosas judaycas que a este testimonio no acuerda quel dizia era verdat assi ocmo el dizia (le leen la declaración) (pag. 168 vto.) Testes: fuit predictus magnificus Dominus Johanes de Ardiles, jurisprudenter, asesor officii e Petrus Laraz, notarius in dicta villa de valladolit.

16.- PROCESO CONTRA JAYME (JACOBO) GARCIA, EL VIEXO

FALTA ACUSACION DEL FISCAL, INTERROGACIÓN AL ACUSADO Y COMIENZA CON LA DECLARACION DE TESTIGOS CONTRA DEL ACUSADO.

Die XXV febroarii anno M° CCCC LXXXVIII.

- (Pag. 169) Eadem die coram reverendo domino fratre Michael de Monterrubeo inquisidor predicto comparvit comparvit Bicencius Raymundi agrícola habitant loci de la Viluenya, qui juravit in posse citorum reverendisso dominorum inquissitorum per Deum et Crucen sanctam domini Ihesu Christi ei qui sacro sancta quatuor evangelium fuit propiis manibus corporaliter tacta et per reverenter inspectam et per juramentum dixit se sçire per sequitur.

Dize este deposoant que havra mas de veynte anyos oyo dizir este deposant a muchos cuyos nombres no le acuerda que Jayme Garcia el viexo e su muxer vizinos de Calatayut enbiavan olio a la sinoga (le leen la declaración). Testes: Johanes Torrexon et Dominicus Egidii nuncio dicte santi officii.

Die XXVII febroarii anno M° CCCC LXXXVIII.

- (Pag. 169 vto.) Eadem die coram reverendo domino Martino Navarro inquisitore predicat comparvit Anthonius Assenssio, habitant loci de Torrixo, qui juravit in posse citurum reverendisso dominorum inquissiotrum per Deum et Crucen sanctam domini Ihesu Christi ei qui sacro sancta quatuor evangelium fuit propiis manibus corporaliter tacta et per reverenter inspectam et per juramentum dixit se sçire per sequitur.

Dize este deposant que havra trenta y quatro anyos poco mas o menos estando este deposant en casa de huno llamado Jayme Garcia menor de dias en cuya casa tanbien estavan en hun apartamiento Jayme Garcia mayor de dias padre del dicho del dicho Jayme Garçia menor y su madre del dicho Jayme Garçia menor cuyo nombre no le acuerda en cuya casa estuvo este deposant seys meses poco mas o menos dize este deposant que vio como el dicho Jayme Garcia el viexo e su muger cuyo nombre no le acuerda comieron una vez hamin enpero que en dia de carne y esto dixo saber porque lo vio que fue llamado este deposante por ellos para que comiesen del dicho hamin.
(pag. 170) Item mas dize este deposant que los dichos Jayme Garcia y su muger cuyo nombre no le acuerda guardavan el sabado y esto dixo saber porque en los sabados no hazian nada sino que se estavan retraydos en su instancia e no salian como otros dias e también porque el dicho Jayme Garçia el joven gele dixo a este deposant y también le dixo una mosa cuyo nombre no le acuerda que estava en la misma casa le dixo que no la dexavan barrir los dichos sabados. Testes: Johanes Martinez, notarius, et Johanes Torrexon, portarius dicti sancte officii.

Die XXII julii anno M° CCCC LXXXVIII. Apud locum de Villaluenga.

- Eadem die coram reverendo domino Martino Navarro inquisitore predicto comparvit Teresa Falcon ucor Michaellis Munyoz habitant loci de Villaluenga, testis citata per edictum que in posse citurum reverendissimo dominorum inquissitorum per Deum et Crucen sanctam domini Ihesu Christi ei qui sacro sancta quatuor evangelium fuit propiis manibus corporaliter tacta et per reverenter inspectam et per juramentum dixit

Que segunt (pag. 170 vto) item dize esta deposant que en el mismo tiempo de XXXV anyos por mandado de los dichos Jayme Garçia y de su muger, aguelos del dicho Bernat Garcia, en el tiempo en le tiempo de las pascuas del pan çançenno de los judios truxo de casa de hun judio llamado don Tradoz de Calatayut pan çançenno turrado y alcahalillas los quales esta depsoante dio y vio comer a los dichos jayme Garçia y a su muger. E dize que por semejante en el mesmo tiempo en recompenssa del dicho pan çançenno turrado y alcahalillas les levava pan liendo, lechubas y berdura (le leen la declaración). Testes: Benerabiliter dominus Marcus Loçano, habitant loci de Villaluenga et Franciscus de Contamina habitant en Calatayut.

Die XVIII julii anno M° CCCC LXXXVIII en Villarroya.

- Eadem die coram reverendo domino Martinus Navarro, inquisitore predicto comparvit Haternia Sanchez, uxor Joannis Daranda habitant loci de Villarroya, testis sçitata per edictum que (pag. 171) in pose citurum reverendissimo dominorum inquissitorum per Deum et Crucen sanctam domini Ihesu Christi ei qui sacro sancta quatuor evangelium fuit propiis manibus corporaliter tacta et per reverenter inspectam et per juramentum dixit se sçire per sequitur.

Dize esta deposant de puede haver vinte y ocho anyos pco mas o menos estando esta deposant en la ciudat de Calatayut en casa y servicio de huno llamado Jayme Garcia habitant de la dicha ciudat padre deste Bernat Garçia que oy bive esta depsoant por mandado de su duenya muger del dicho Jayme Garcia cuyo nombre a esta deposant no le acuerda por el tiempo de la pascua del pan çançenyo de los jduios una vegada levo pan liendo a casa de hun judio cuyo nombre no le acuerda que era pariente de la dicha su duenya y el dicho judio dio a esta deposant pan çançenno y alcahalillas los quales pan çançenno alcahalillas esta deosoante dio a la dicha su duenya y gele vio comer a ella y al dicho Jayme Garcia (le leen la declaración). Testes: magnificus franciscus de Contamina, alguazirii, e Johanes Martinez, notarius habitant civitas Calatayut.

Die VIIII menssis augusti anno M° CCCC LXXXVIII en Carenas.

- (Pag. 171 vto.) Eadem die coram reverendo domino Martinus Navarro inquisitoris predicto comparvit Luna Gansa, uxor Joannis de Molina habitant loci de Carenas, testis sçitata per edictum que in posse citorum reverndissimo dominorum inquissitorum per Deum et Crucen sanctam domini Ihesu Christi ei qui sacro sancta quatuor evangelium fuit propiis manibus corporaliter tacta et per reverenter inspectam et per juramentum dixit se sçire per sequitur.

Dize esta deposant que havra trenta anyos poco mas o menos estando esta deposant en la cidudat de Calatayut en la casa y servicio de uno llamado Jayme Garcia notario desta ciudat pobre deste Bernat Garcia que oy bive esta deposant por mandado de Jayme Garcia pobre del dicho su amo continuamente por tiempo de quatro meses que en la dicha casa etuvo traya la carne que comian de la carniceria de los judios (le leen la declaración). Testes: Benerabilitar Dominus Joannes de Pradas, presbiter habitant loci de Carenas e Johannis Martinez notarius habitant Calatayubii.

Die XI augusti anno M° CCCC LXXXVIII. Calatayubii.

- (Pag. 170) Eadem die coram reverendo domino Martino Garsie inquisitore comparvit Mosse Gostantin judeus aliame judeorum civitas Calatayubii testis qui juravit cum rotulo in collo et per juramentum deposuit ut sequit.

Dize este testigo deposant que se acuerda que de vinte y ocho anyos a esta parte vio como alguans pascuas de pan çançenyo el çaguero dia de la pascua empues de medio enviavan quando a casa de George de la Cabra, quando a casa de Jayme Garcia quando a casa de Jayme Remon desta ciudat de casa de Mosse Gostantin pan çançenyo alcahalillas y turrado y aquel en las dichas casas recibian y enbiavan antes de las dichas casas pan liendo lechugas e guevos y dize que aquellos que trayan el pan liendo y las lechuas y guevos ellos mesmos levavan el pan çançenyo y alcahalillas e turrado a casa de los sobre dichos et hoc per juramentum (le leen la declaración). Testes: Dominicus de Senyan, clericus et Jacobus de Monclus, nuncius officii sancte inquisicionis habitant Calatayubii.

Die XXX julii anno M° CCCC LXXX VIII.

- (Pag. 170 vto.) Eadem die coram domino inquisitore comparvit Gehuda Abenardut judio habitant en Calatayubii testis qui juravti inposse dicti inquisicionis per Deum et decem precepta legis Moyse de veritate dicenda et per juramentum deposuit ut sequitur.

Item deposa mas que conocio a Jayme Garcia y a ssu muger que le pareçe le dizian Blanca y a Jayme Garcia fixo dellos los quales dize que vido como rogavan a la madre de Yuçe Çadoch que les guisasse hamin en su casa el biernes pa el sabado el qual hamin vio este deposant levar a una moça de los sobre dichos que no se le acuerda como la llamavan y dize que teniendo este depsosant grant amistat y platica con ellos y entrando e salliendo en su casa de los sobre dichos porque todos estavan en una casa vido este deposant como guardavan el sabado y que tenian bestidos las mexores (pag. 171) ropas que tenian y dize que le dixieron todos los sobre dichos como ayunavan el ayuno de quipur y vio mas que una biespra del ayuno de quipur embio dineros con aquella moça que levava el hamin a la dicha judia de Yuçe Çadoch y dize que dixo a la dicha moça da estos dineros a la madre de Yuçe Çadoch y que este deposant le dixo pa que los lieva y dixo el dicho Jayme Garcia pa que los parta oy pa limosna a pobres y para olio a la sinoga y estos dineros vieron dar la muger y el fixo y este deposant dixo a dicho Jayme y a su muger y fixo pues porque no lo diziades a la moça como los havian de partir respondieron ellos ya sabe ella como lo ha de hazer y que ha esto trenta anyos poco mas o menos (le leen la declaración). Testes: Magnificus Andres Gutierrez de Quintanilla assessor e Jacobus de Monclus nuncius oficii sancte inquisicionis. EJEMPLO PARA VISPERAS DE QUIPUR Y COSTUMBRE EN ESTA FIESTA DE REPARTIR LIMOSNAS EN POBRES, LOS CONVEROS PARTICIPAN

Die VII octubris anno M° CCCC LXXXVIII.

- (Pag. 172) Eadem die coram domino Michael Garsie inquisitore comparvit Gomeriq de Cienfuegos, procurator fiscalis qui ad probandum contenta in denunciacionibus oblat contra quos forssam deponet per dixit in teste Jamila uxorem de Jehuda Remoch el Catalan, habitant en la aliama de judios de Calataybii qui fuit adivissa et juravit per decem precepta legis Moysi e de veritate.

Item dize seyendo esta deposant moçuela e praticando en casa de don Tradoz Gostantin judio desta ciudat a causa de sus fijas donzellas dize que una vegada la muger del dicho don Tradoz llamada dona Oro la embio hun dia de sabado con cierto guisado a casa de Jayme Garçia el viexo el qual guisado dio esta deposant en anos de la muger del dicho Jayme Garcia llamada dona Blanca esto puede haver que lo levo mas de vinte y ocho anyos o que se acuerda esta deposant que guisado era porque era pequenya a la sazon (le leen la declaración) (pag. 172 vto.) Testes : Martinus Perez et Joannes de Huncastillo, notarius.

17.- PROCESO CONTRA JACOBUM ALVAREZ

FALTA ACUSACION DEL FISCAL, INTERROGACIÓN AL ACUSADO Y COMIENZA CON LA DECLARACION DE TESTIGOS CONTRA DEL ACUSADO.

(FALTA EL DIA, EL TESTIGO Y PARTE DE LA DECLARACIÓN) (Pag. 173) «...El dicho Jayme (Jacobo) Alvarez rezava era en ebrayco resondio e dixo que porque el sabe latin y ha oydo fablar de a algunos judios en ebrayco respondio e dixo que porque el sabe latin y ha oydo fablar a algunos judios en ebrayco y que no era latin lo que el dicho Jayme Alvarez dizia mas antes era ebrayco. Testes : Joannes Martinez, notarius, e Dominicus Egidii.

Die VIIII junii anno M° CCCCLXXXVIII.

- Eadem die coram domino inquisitore comparvit Yuçe Haym judio sastre testimonyo que mora en Villafelich testimonio qui juravit per decen precepta ligis Moysi et per juramentum deposuit ut sequitur.

Et primo dize que havra mas de vitne y quatro anyos que estando en Calatayut con su padre llamado Salomon Haym por mandado de su padre levava este deposant pan cotaço turrado e arruquaques a casa de Gabriel de Sacnta Cruz de Calatayut del qual pan cotaço comian todos los fixos del dicho Grabriel y esto (pag. 173 vto.) sabe porque yban los fixos del dicho Gabriel a casa del dicho su padre a comer lo que otro no le acuerda (le leen la declaración). Tetes : Mossen Domingo de Senya y Jayme de Monclus, nuncio habitant en Çaragoça.

Die prima marcii anno M° CCCC LXXXVIII.

- Eadem die coram reverendo domino Martino Navaro inquisiotre predicto comparvit Justa uxor Joannis de la Yda, agricultuoris vicii et habitatoris loci Buvierca que juravit imposse dicti reverendi inquisitoris per Deum et cruçem sanctam domini nostri Ihesu Christi enim su sacro sancta quatuor evangelia coram ea posita et per eam reverendi inspecta eius propis manibus corporaliter tacta et per juramentum dixit se sçire per sequitur.

Item mas que havra vitne y quatro anyos pco mas o menos estando esta deposant en casa de uno llamado Jayme Alvarez botiquero que como el dicho Jayme alvarez comia carne en cuaresma (le leen la declaración). Testes: Joannes Martinez notarius et Joannes Torrexon portarius sancte officii.

Die XIIII marcii anno M° CCCC LXXXVIII.

- (Pag. 174) Eadem die coram reverendo domino fratre Michael de Monterubeo inquisitore predicto compavti Açach de Funes judeus habitant aljame judeorum civitas Calatayubii qui juravit inposse dicti inquisitoris per Deum et decem precepta legis Moysi per juramentum respondit qui sequitur.

Item mas dize este deposant que havra vinte anyos (pag. 174 vto.) poco mas o menos que este deposant con hun otro judio cuyo nombre no le acuerda fue a casa de Jayme Alvarez e dentro en la dicha casa en donde vio hun libro e tomo el dicho libro e le abrio e vio en el dicho libro e vio quel dicho libro era en pargamino encuadernos por ligar al qual libro era la meytar del genesi escripto en ebrayco e que estava presete hun frayle fixo del ciho Jayme Alvarez cuyo nombre no se le acuerda ni sabe de que orden er. Item mas dize este deposant que sabe quel dicho libro escripto en ebrayco era del dicho Jayme Alvarz y sablo porque su padre deste deposant llamado Mosse de Funes ovo tendio aquel libro por suyo y este deposant havia leydo en el en casa del dicho su padre e el dicho su padre ovo dicho a este deposant que havia baratado el dicho libro con uno otro libro que tenia el dicho Jayme Alvarez tabien escripto en ebrayco pero no vido que libro era y quando este deposant vio el dicho libro medio genesi escripto en ebrayco en casa del dicho Jayme Alvarez conocio lo por la razon suso dicha (le leen la declaración). Testes: Joannes Torrexon e Dominicus Egidii, nuncii sancte inquisicionis officii.

Die XXII junii anno M° CCCC LXXXVIII.
- (Pag. 175) Eadem die coram reverendo domino Martino Navarro inquisitore predicto comparvit Gehuda Enffrona Judeus habitant aljame judeorum civitas Calatayubii, qui juravit in posse dicti inquisitoris per Deum et deçem precepta legis Moysi per juramentum respondit qui sequitur.

Item dize este deposant que havra vinte anyos poco mas o menos que oyo dizir a algunas perssonas de la presente ciudat los nombres de las quales no le recuerda que en casa de Jayme Alvarez el viexo que havia visto hun libro judayco (le leen la declaración) Testes: Michael Boyl notarius et Dominicus Egidii nunciius officii sancte inquisicionis residentes Calatayubii.

Die prima julii anno M° CCCC LXXXVIII.

- Eadem die coram reverendo domino Martinus Navarro inquisitore predicto comparvti Mosse Serrano Judeus (pag. 175 vto.) habitant aljame judeorum civitas Calatayubii, qui juravit in posse dicti inquisitoris per Deum et deçem precepta legis Moysi per juramentum respondit qui sequitur.

Et primo dize este deposant que de doze anyos a esta parte poco mas o menos este deposant acostumbrava dentrar e sallir en casa de Jayme Alvarez e hun dia estando este deposant en casa del dicho Jayme Alvarez que havia ydo a cortar le huna ropa vio este deposant ençima de una mesa de la dicha casa hun libro e fue al dicho libro e lo tomo en sus manos e lo abrio e lio en el e vio que era escripto en ebrayco e havia algunas "camores" e oraciones judaycas et el dicho libro era de papel con cubiertas de pargamino muy mal ligado de la froma menor e tenia de altaria unos dos dedos poco mas o menos. E depues el mesmo dia este testimonio deposant merquo el dicho libro del dicho Jayme Alvarez en quatro sueldos y medio y el dicho Jayme Alvarez tomo los dichos dineros de la merqua del dicho libro. E mas dize el dicho testimonio que alcabo de dicho libro lio reglones que estavan en ebrayco e dizia este libro esta empenyado por hun judio el nombre del qual no le acuerda en cierta quantidat la qual quantidat no le acuerda (pag. 176) como dizia (le leen la declaración). Testes: magnificus Joannes Ardiles assesor e Joannes Torrexon nuncius officii sancte inquisicionis civitas Calatayubii.

Die XXII julii anno Mº CCCC LXXXVIII apud locum de Torrixo.

- Eadem die coram reverendo domino Martino Navarro inquisitore predicto comparvit Elysia Mazateron uxor petri Vela habitant loci de la Penya Baltaçar, testis sçitata per edictum que inpose citarum reverendissimo dominorum inquissiotrum per Deum et Crucen sanctam domini Ihesu Christi et qui sacro sancta quatuor evangelium fuit propiis manibus corporaliter tacta et per reverenter inspectam et per juramentum dixit se sçire per sequitur.

Dize esta deposant que havra vinte anyos poco mas o menos estando esta deposant en la ciudat de Calatayut en la casa y servicio de uno llamado Jayme Alvarez mercader pobre de Jayme Alvarez el viexo que oy bive y aguelo de Jayme Alvarez el notario de la (pag. 176 vto.) cort del official de Calatayut vio como hun judio cuyo nombre ygnora en el tiempo de la pascua del pan çançenyo de los judios y dentro la dicha pascua levo a casa del dicho Jayme Alvarez pan çançenyo almendolas y garvanços turrados por dos anyos cada anyo una vegada. El qual pan çançenyo esta deposant vio comer al dicho Jayme Alvarez y su muger cuyo nombre ygnora. E dize mas que passada la pascua de los dichos judios esta deposante por mandado del dicho Jayme Alvarez levo pan liendo y lechugas dos vegadas a casa de una judia cuyo nombre esta deposant ygnora.
Item dize esta deposant que en el mesmo tiempo y por espacio de dos anyos y medio que este deposant estuvo en la casa y servicio de los dichos Jayme Alvariz y de su muger nuqua los vio santiguar ni los vio yr a missa sino los domingos (le leen la declaración). Testes: Magnificus Franciscus de Contamina, alguazirii e Joannes Martinez, noarius habitant Calatayubii.

Die VIIII menssis augusti anno Mº CCCC LXXXVIII. Apud locum de Carenas.

- (Pag. 177) Eadem die coram reverendo Martino Navarro inquisitore predicto comparvit Haternia Matheu uxor Joannis Yust habitnat loci de Carenas testis sçitata per edictum que inpose citurum reverndissimo dominorum inquissiotrum per Deum et crucen sanctam domini Ihesu Christi et qui sacro sancta quatuor evangelium fuit propiis manibus corporaliter tacta et per reverenter inspectam et per juramentum dixit se sçire per sequitur.

Dize esta deposant que havra vinte y seys anyos poco mas o menos estando esta deposant en la ciudat de Calatayut en la casa y servicio de huno llamado Jayme Alvarez mercader habitant en la ciudat de Calatayut aguelo de Jayme Alvarez notario que bive cabe sancta Maria de Media Villa muchas e diverssas vezes esta depsoant oyo al dicho Jayme Alvarez dezir aracion la qual assu pareçer era en ebrayco y esto dize sabe por quanto entre las palabras que dezia esta deposante oyo que dizia «adonay» algunas vezes. E dize mas esta deposante vio quel dicho Jayme Alvarez que assi antes de comer como apres continuamente leya en unos libros judaycos que tenia.
(Pag. 177 vto.) Item dize esta depoante que en el mesmo tiempo y estado en la dicha casa vio quel dicho Jayme Alvarez los mas sabados dentre el anyo y todas las cuaresmas comia carne la qual las mas vezes esta deposant por mandado del dicho Jayme Alvarez truxo de la carniceria de los judios.
Item dize esta deposant que en el mesmo tiempo estando en la dicha casa vio quel dicho Jayme Alvarez quando esta deposant traya pierna de carne tomava la dicha pierna y abria la por medio y quitava della la landrezilla y las grassas que cabe estan (le leen la declaración). Testes: benerabilis dominus Joannes de Pradas habitant loci de Carenas e Joannes Martinez, notarius habitant civitas Calatayubii.
Die XVII augusti anno Mº CCCC LXXVIII. Calatayubii.

- Eadem die coram reverendo domino fratre Michaele de Monterrubio inquisitore prefacto comparvit Bienvenis Arrueti Judeus habitant aljame judeorum civitas Daroce (pag. 180), qui juravit in posse dicti inquisitoris per Deum et deçem precepta legis Moysi per juramentum respondit qui sequitur.

Item assi mesmo deposa el presetne testimonio deposant que puede haver vitne anyos poco mas o menos que viniendo a negociar este testimonio deposant a la ciudat presente de Calatayut fallo a la puerta Terrer y de ffuera de la dicha puerta Terrer a uno llamado Jayme Alvarez que morava cerca sancta Maria de Meida Villa pade de Jayme Alvarez al qual vio y oyo este deposant como estava liendo (leyendo) e oyo estas palabras «beata adonay mahem bahadi» y oidas dixo le este testimonio que ye esso don Jayme Alvarez y respuso que digo los «sibem oscam peçoquim» los quales tenia escriptos en ebrayco y los leya e mostro al presente testimonio deposant et hoc per juramentum (le leen la declaración). Testes: Joannes Duncastillo, notarius et Joannes Torrexon, nuncius officii sancte inquisicionis.

Die XV menssis agutusti anno Mº CCCC LXXXVIII apud locum de Fuentes de Xiloqua.

- Eadem die coram dicto reverendo domino fratre Michaele de Monterrubeo inquisitore predicto comparvit Dominicus Garsias agricultor habitant loci de Morata aldee civitas Calataybii testis ad instanciam procutator fiscalis officii sancte inqusicionis predictum sçitaus juravit in posi dicit domii inquisiotris per Deum et crucem sanctam domini Ihesu Christi ei qui sacro sancta quatuor evangelium fuit propiis manibus corporaliter tacta et per reverenter inspectam et per juramentum dixit se sçire per sequitur.

Primo dize este deposant que havra unos trenta anyos poco mas o menos este deposnat muchas de vezes ffue logado por uno llamado Martin Ximenez mercader que morava dentro en la juderia de la ciudat que lo acompanyasse algunos caminos e assi este testimonio deposant acompanyo muchas vezes por caminos al dicho Martin Ximenez y a Jayme Alvarez habitantes en la dicha ciudat de Calatayut que tenia una botiqua en le mercado de la dicha ciudat e por tres vezes acompanyando a los dichos Martin Ximenez e a Jayme Alvarez por caminos este testimonio vio como los (pag. 179) dichos Jayme Alvarez e Martin Ximenez paravan las mulas en el camino por donde yvan e les vio que estavan sabadeando remeciendo la cabeça e rezando en ebrayco e que no sabe que es lo que rezavan salvo entre otras palabras les oyo dezir cados e que siempre que quedavan de rezar fablavan con la gorga este sabe por quanto sabia leer de chritianego et entendia que lo que rezaba no era sino en ebrayco (le leen la declaración). Testes: Magnificus Joannes Ardiles assessor officii sancte inquisicionis e Joannes Murillo, notarius.

Die XVIII marcii anno Mº CCCC LXXXVIII.

- Eadem die coram reverendo domio Michael de Monterrubio inquisitore predicto comparvit Yohabet uxor Mosse el Bayo Judea habitant aljame judeorum civitas Calatayubii qui juravit in posse dicti inquisitoris per Deum et deçem precepta legis Moysi per juramentum respondit qui sequitur.

(Pag. 179 vto.) Item mas dize este deposant que havra XX anyos poco mas o menos oyo dezir esta deposant que su madre llamada Ester que uno llamado Jayme Alvarez el viexo que era judio propio e tenia su Çaddur que es hun libro donde dize la oracion los judios tres vezes en el dia e fazian su tefila sus tres vezes el dia e tefila quiere dezir una oracion que los judios dizean a manyana y tarde (le leen la declaración). Testes : Petrus de Laraz, notarius, e Joannes Torrexon.

Die XXXI menssis marcii anno Mº CCCC LXXXVIII.

- Eadem die coram reverendo domio fratre Michaele de Monteruvio inquisitore predicto comparvit Gehuda Çarfati, Judeus habitant aljame judeorum civitas Calatayubii qui juravit in posse dicti inquisitoris per Deum et deçem precepta legis Moysi per juramentum respondit qui sequitur.

Item mas dize este deposant que havra XXX anyos poco mas o menos entrando e salliendo este deposant en casa de huno llamado Jayme Alvarez que morava en la Ruva de la dicha ciudat por (pag. 180) quanto era presente deste deposant vio este deposant como el dicho Jayme Alvarez tenia las profecias y el salterio y la çidur en ebrayco y vio muchas vezes como el dicho Jayme Alvarez que leya en todos los suso dichos libros (le leen la declaración). Testes: Joannes Torrexon et Dominicus Egidii nunciii sancte inquisicionis.

Die XXVII marcii anno mº CCCC LXXXVIII.

- Eadem die coram reverendo domino inquisitore comparvit Yuçe el Bayo ebreus habitant Calataybii, testis predictum sçitatis qui juravit et posse dicti reverendi domini inquisitoris juravit per Deum e deçem precepta legis moysi et dicte veritate e virtute dicti juramentum respondit se scite qui sequitur.

Item mas dize este teste que puede haver XXV anyos (pag. 180 vto.) poco mas o menos yendo este testigo con su padre a levar una tela a casa de Jayme Alvarez el viexo fallaron lo en su casa a el y a su muger y el dicho Jayme Alvarez dizia su oracion en hun libro judayco y fallaron lo liendo (leyendo) en hun testo que dizia «casa de Jacob andat y andaremos en luz de Adonay nuestro Dios que todos los pueblos andan cada huno en nombre de su Dio» y el dicho Jayme Alvarez dixo al padre deste testigo, que quiere dezir este testo y su padre deste testigo le dixo declarando lo de ebrayco en nuestra lengua que quiere dezir como arriba esta declarado "andar y andaremos en la Ley de Adonay y que todos los pueblos yvan a adorar en nobre de su Dios" y entoces el dicho Jayme Alvarez dizo no dize assi sino "que los otros pueblos andan en nobre de baron a servicio del ombre uqe no es Dios que el maestro es Dios Adonay". Item dize mas este testigo que algunas vegadas mercando algunos mercaderias de la botiga de Jayme Alvarez que oy bive y mora caba sancta Maria de Media Villa (le leen la declaración) Testes: Joannes Torrexon e Dominicus Egidii.

Die tercia augusti anno Mº CCCC LXXXVIII.

- (Pag. 181) Eadem die coram reverendo domino Martino Garsie inquisitore comparvit Jaco Carillo habitant loci de Arandiga regni Aragonum de presenti civitas Calataybii qui juravit per Deum et deçem precepta legis Moysi e per juramentum dixit qui sequitur.

Item dize este teste que en el tiempo que bivia Joan Lopez padre deste Ferrando Lopez que esta preso por la inquisicion muchas de vezes el dicho Joan Lopez comia con este testigo juntamente a su mesa de las biandas que estavan aparexadoas pa este testigo y bevia del vino judayco y esto algunas vezes en Daroca estando en ferias como en otras partes. E assi mesmo Lazaro Alvarez e Jayme Alvarez hermanos por ser primos deste testigo havitava es asaber el dicho Jayme Alvarez en la Ruva de la dicha ciudat de Calatayut e Lazaro Alvarez estava en Medina y era cotador entonçes de Leon de Medina que agora es (Pag. 181 vto.) Duque comian quando uno quando otro quando en tramos con este testis de las viandas judaycas aparexadas pa este testigo juntamente a una mesa con este testigo y estavan presentes a la bendicion de la mesa que hazian este testigo (le leen la declaración). Testes: Mossen Domingo de Senya, clerigo e Jayme de Monclus nuncio de la inquisicion habitant Calatayubii.

Die XXV jannuarii Mº CCCC LXXXXI. Calatayubii.

- Senyores padres muy reverendos Joan Cortes notario intimus a vias a vuestras paternidades lo que sse y siento de algunos malos christianos que haviendo e son algunos muertos y dellos bivos.

Et primo me recuerda en las Cortes de Calatayut en el anyo de xixanta y uno teniamos la escrivanya del justicia de Aragon que estava con Domingo Agostin en casa de Jayme Alvarez el viexo que (pag. 182) morava en la ruva en la casa que mora agora Viçent Marquo e hun dia como escrivia en sus libros de datos e receptas en ebrayco e algunas bueltas lo vidia que Mediana como judio sabadeando e dizia en ebrayco callando su oracion et algunos sabados me pareçe que los guardava que no negociava pero en que era mercadero lo pudia bien ver.

18.- PROCESO CONTRA MARIAM DAÇA UXOREM BENEDICTI RAM

FALTA ACUSACION DEL FISCAL, INTERROGACIÓN AL ACUSADO Y COMIENZA CON LA DECLARACION DE TESTIGOS CONTRA DE LA ACUSADA.

Die XVIII marcii anno Mº CCCC LXXXVIII.

- (Pag. 183) Eadem die coram dicto reverendo domino Martino Navarro inquisitore comparvti Justa muxer de Boyremag habitant loçi de Nuevalos testis predictum çitata qui juravit in manibus et posse dicti domini inquissitoris per Deum sup crucem domini nostri Ihesu Christi et sancta quatuor evangelios e diçeret veritatem.

Dize este testimonio que puede haver trenta y cinquo annos poco mas o menos vibio un anno y medio con Benito Ram y con su muxer Maria Daça padre y madre de Benito Ram y dize que vio como los dichos sus amos comian en cuaresma y la dicha su duenya comia carne toda la cuaresma y la Semana Sancta estando sanos y que en la Senyora Semana Sancta le truyo a la dicha su duenya carne guisada de la juderia la qual ella comio. Item dize mas este testimonio que vio como la dicha su duenya algunos viernes a la tarde daba por limosna a una judia dineros y alguna torta de pan. Testes: Johanes Ardiles asesor et Dominicus Egidii.

Die V augusti anno Mº CCCCLXXXVIII.

- (Pag. 183 vto.) Eadem die coram reverendo domino fratre Michaelle de Monterrubeo inquisitorie comparvit Mosse Alpastan judeus habitant aljame judeorum civitas Calatayubii a instancia procurator fiscales çitara per edictum qui juravit per Deum et sup decem precepta legis Moysy et per juramentum dixit qui sequitur.

Dize este testimonio que habia quatorze annos poco mas o menos que es muerta la madre deste testigo clamada dona Riqua Alpastan et que de quatorze annos poco mas o menos fasta el dicho tiempo que murio la dicha Riqua este testimonio en el dicho tiempo muchas de vezes se fallo presente y vio que la dicha Riqua Alpastan enbiava con su mesaje que entonçe tenia cuyo nombre no le acuerda a este testimonio de de oras este testimonio yva con el dicho mesaje y algunas de vezes con el mesaje de la madre de Benito Ram el notario llamada Maria Daça que moraba en la calle Nueva en los dias de los sabados a casa de la dicha Maria Daça una estudilla de hamin guisado del viernes para el sabado con carne judayca y que este testimonio en los dias de los sabados que yba con el dicho mesaje a levar el dicho hamin vio como la dicha Maria Daça recibia el dicho hamin mas que no lende vio comer. Item dize este testimonio que en el dicho tiempo poco (pag. 184) mas o menos este testimonio se fallo presente y vio que en las ochavas de la pascua del pan çençenno muchas de vezes la dicha Riqua Alpastan madre deste testimonio con sus mesajes judios que entonçe renia cuyos nombres no le acuerda quando con uno quando con otro enbiava a la dicha Maria Daça madre del dicho Bentio Ram pan çençenno turrado y alcahalillas y assi mismo los dias çagueros de la dicha pascua a la tarde la dicha Maria con su mesaje cuyo nombre no sabe este testigo por muchas de vezes enbiava a casa de la dicha dona Riqua de Alpastan pan liendo lechugas y guebos de retorno (le leen la declaración). Testes: Johanes Laraz, notarius et Johanes Torrejon, nuncius habitant civitas Calatayubii.

Die VII Marcii anno M° CCCCLXXXVIII.

- (Pag. 184 vto.) Eadem die coram dicto reverendo domino Martino Navarro inquissitore comparvit Johanes Serrano vizino civitas Calatayubii habitant de presenti loci de Guermeda qui juravit in posse dicti reverendi domini inquissitor per Deum et qui dixit et diçenrd viritate.

Dize este testimonio que havra quarenta y ocho anyos poco mas o menos que ste testimonio vibiendo con uno clamado Benito Ram vezino desta ciudat fuydos por las muertes en Alarba en el qual lugar habia muchos judios fuydos por la peste entre las quales habia dendos del dicho Benito Ram y que stando alli el presente testimonio en casa del dicho su amo y una moça ensemble con el clamada Justa, casada en la Villuenya y agora es viuda dixo la dicha moça a este testimonio Serranito nuestra duenya clamada Maria Daça muxer del dicho Benitho Ram ayuna hoy como los judios y que ste testigo no la vio comer en todo el dia fasta la noche y a la noche este testimonio vio comer a la dicha Maria Daça un huevo duro cozido con garbanzos y que le pareçe que estava escalça y dize que era en tiempos de las hubas quando la dicha Maria Daça fazia esto y mas que diziendo los duios quaquiere gracia que de mandava en aquel ayuno el Dio geles daba (le leen la declaración). Testes: Domingo Gil, portero.

Die XXVI Marcii anno M° CCCC LXXXVIII

- (Pag. 185) Eadem die coram reverendo domino Berengario Martinez de Daroqua decretorum doctore priore eclesia collegiale beate Marie, vicario generalis espernalibus et temporalibus reverendi in christo et comisario predicáis patribus et dominus inquistoribus heretice pravitat residentibus de protis in civitas Çesaraguste comparvit Mosse Alpastan judeus habitant aljame judeorum civitas Calatayubii a instancia procurator fiscales çitara per edictum qui juravit per Deum et sup decem precepta legis Moysy et per juramentum dixit qui sequitur.

Dize este testimonio que conoscio bien por vista y por pratiça a Maria Daça muxer que fue de Bentio Ram notarius y procurador de carisas (pag. 185 vto.) y que havra trenta annos poco mas o menos a la qual vido este testimonio estar a la defunción de un judio que se clamaba Brahem Alpastan y ploro alli como parienta y thomo su panyezuelo en las manos pa limpiar selos ojos y la cara al modo judayco y estuvo en aquella ceremonia de la defunción del muerto en la casa empo no fue a lenterrar (le leen la declaración). Testes: fueron a las suso dichas cosas presentes el magnifico Francisco de Contamina ciudadano y mossen Miguel Prada clerigo de la diocesis de Taraçona habitant en la ciudat de Calatayut.

Die XVIII augusti anno M1 CCCCLXXXVIII.

- Eadem die coram reverendo domino Martino Garsie inquisitor comparvit Brahem Alpastan judeus habitant aljame judeorum civitas Calatayubii a instancia procurator fiscales çitara per edictum qui juravit per Deum et sup decem precepta legis Moysy et per juramentum dixit qui sequitur.

Dize est testimonio que havra vintiseys annos poco mas que un tio deste testimonio llamado Alpastan judio y este testimonio fueron muchas de vezes en dias senyalados y fiestas de christianos como son San Pedro, Sant Johan, Sant Marçal y Corpus Christi a casa de Benito Ram el Largo notario que mora en la (pag. 186) Ruva fijo de Benito Ram et vio en aquellos dias en la dicha casa comer a los dichos Benito Ram e a Bentio Ram notario fijo del dicho Benito y a su muxer del dicho Benito Ram y sus fijos cuyos nombres no le acuerda salvo que la una es casada con micer Grabiel y la otra con Bernart Garçia y micer Francisco Ram a una mesa con este testimonio e su tio de las mismas viandas judaycas quel dicho Alpastan judio habia fecho apexar en la dicha casa de Benito Ram y Bebian vino judayco y estuvieron a la bendición de la mesa quel dicho alpastan judio fizo (le leen la declaración). Testes: Michael Domingo notarius et Jacobus de Monterubeo nuncius offici sancte inquisicionis habiant civitas Calatayubii.

Die IIII augusti anno M1 CCCC LXXXVIII villa de Çetina.

- Eadem die coram reverendo domino Martino Nabarro (pag. 186 vto.) inquisitore comparvit Mosse Alpastan judeus aljame judeorum civitas Calatayubii testis ad instanciam procuratoris fiscales pre edictum citatus qui juravit per Deum et sup decem precepta legis Moysy et per juramentum dixit qui sequitur.

Dize el presente testimonio deposante que puede haver trenta annos poco mas o menos tiempo que a la fiesta de la muerte de un judio llamado Brahem Alpastan que los judios y judios fazian en la presente ciudat de Calatayut vio como una llamada Maria Daça muxer de Benito Ram y madre de Benito Ram el luengo notario que por entonçes moraba cerqua sancta Maria de Media Villa de la presente ciudat de Calatayut estuvo y entrevino en la fiesta de los judios y judias fazian con su planto llorano y faziendo como las otras judias ençima del dicho Brahem Alpastan judio muerto y recibio su trapet como los otras otras judias que alli estavan lo qual todo vio este testimonio depossant como dicho he (le leen la declaración). Testes: fuit presentis Anthonius de Orera et Rodericus de Bega, comensales alguazirii officii sancte inquissicionis.

Die XXXI maii anno M° CCCC LXXXVIII. Calatayubii.

- (Pag. 187) Eadem die coram reverendo domino Michaelle de Monterubeo inquissitore comparvit Çidilla muxer de mordohay (Abencrespo) Sastre habitant en Calatayubii, testis ad instanciam procuratoris fiscales pre edictum citatus qui juravit per Deum et sup decem precepta legis Moysy et per juramentum dixit qui sequitur.

Dize la present deposante ser verdat que puede haver diez annos poco mas o menos tiempo que stando esta depossante en casa de su padre llamado Davit Exalon y leyendo muchacha vio como una moça de Benito Ram el luengo vezino de aquesta ciudat la qual moça esta deposante no se acuerda de su nombre traxo carne no sabe si de la juderia o de la christiandat la qual carne la dio la dicha moça de Benito Ram a la madre desta depossante llamada Jamila de Davit Exalon (pag. 187 vto.) y le dixo quel dicho su amo Benito Ram la enviava a ella para que le hiciese una olla de hamin pa el domingo por que era sabado a la noche y sallido la estrela quando la dicha moça traxo la dicha carne y assi la dicha madre desta depossante clamada Jamila fizo hamin de la dicha carne y favas que la dicha moça habia traydo y assi aquel fecho, domingo de manyana la presente de posante de mandado de la dicha su madre levo el dicho hamin asi fecho a casa del dicho Benito ram y aquello dio a la madre del dicho Benito Ram cuyo nombre bien no se acuerda bien le pareçe que se llamava Maria y que dicha madre del dicho Benito Ram recibio y esto sabe por entrevenar en ello y veer lo et hoc per juramentum (le leen la declaración). Testes: Petrus Laraz, notarius e Johanes de Segovia, nuncius officii sancte inquissicionis habitant Çesarauguste.

Die V octobri anno Mº CCC LXXXVIII. Calatayubii.

- (Pag. 188) Eadem die coram reverendo domino Alonso de Alarcon inquisiotore comparvit Jamila de Margallon judea uxor de don Mosse Margallon judey habitant aljame judeorum civitas Calatayubii testis per escomunicacionem judeo scitata qui juravit per Deum et decem precpta legis Moysi et per juramentum dixit e dixit qui sequitur.

Item dize esta deposant que abra unos vinte cinquo annos poco mas o menos que muchas de vezes estando esta testimonio algunas de vezes en casa de la madre de Bento Ram notario y de Anthon Ram consiendo algunas ropas cadonando asi en los dias de los lunes e viernes como en otros dias vio muchas de vezes a la madre del dicho Benito Ram notario que cuyo nombre no le acuerda que entoçe bivia e havitava en esta ciudat los dias de los lunes e viernes a hun muchacho judio llamado Yuçe de los de Avenrros que venia en los dichos dias a la dicha casa cada dia de lunes e biernes dos dineros y le dizia toma e los dineros y dalos allado sabes y el dicho muchacho judio tomava los dineros y los levava (le leen la declaración). (Pag. 188 vto.) Testes: Martinus Perez, notarius et Anthonius Ram, nuncii officii sancte inquisicionis.

Die XIII marcii anno Mº CCCC LXXXVIII.

- (Pag. 189) Eadem die reverendo domino Martino Nabarro inquisitore compavit Garcia Munyoz civis Calatayut qui per juramento per Deum y deposuit ut sequitur.

Dize este deposant que siendo muchacho pude haver XX annos poco mas o menos sirvio en la casa de Bentio Ram y su mujer cuyo nombre no le acuerda y dize que vehia y vio muchas vezes como la dicha mujer del dicho Bentio Ram quando un fijo suyo que ya es muerto cortava alguna pierna de carne despues de cozida la fazia quitar y sacar la landrezilla de media la pierna y el dicho su fija que se llamava Anthona por mandado de la dicha su madre la sacava en presencia del dicho Bento Ram. Testes: Johanes Martinez, notarius et Dominicus Egidii.

Die VI fabroarii anno qui supra.

- (Pag. 189 vto.) Eadem die coram reverendo domino inquisitore comparvit Dominicus Perez civis Calatayubii testi per edicto qui medio juramento per Deum.

Dize que peude haver un mes poco mas o menos que hoyo dezir a Garcia Rotes que una mujer de la Viluenya nodriça del dicho Cortes que havia bivido con Benito Ram notario y de micer Ram havia dicho a la mujer del dicho Garcia Cortes que la dicha nodriça havia visto como un dia la mujer del dicho Benito Ram havia ydo a la juderia a quien esta ciudat y que la dicha nodriça la havia acoxavyado a una casa de la dicha juderia y que la havia mandado la dicha mujer de Benito Ram a la dicha nodriça que se tomasse a una de un (pag. 190) nyno de la dicha su duenya y que fantes creatura y que despues llorando mucho la dicha criatura visto que tanto la dicha su duenya se tardava la dicha nodriça stando mora de casa tuvo el dicho nyno y fuese con el a la juderia a la casa donde havia dexado a la dicha su duenya y que subio de subito a la dicha casa y que havia visto alli judios y judias apres de stalcos que no le acuerdava si lo su duenya stava dentrellos. Testes: Michael Bayl, notarius e Joanes Torrexon.

19.- PROCESO CONTRA MARIAM LOPEZ DE MOROS, MUJER DE REMON LOPEZ

FALTA ACUSACION DEL FISCAL, INTERROGACIÓN AL ACUSADO Y COMIENZA CON LA DECLARACION DE TESTIGOS CONTRA DE LA ACUSADA.

Prima marcii anno Mo CCCC LXXXVIII.

- (pag. 191) Coram reverendo domino Martino Navarro inquisitor predicat comparvit Lucia uxor Jannis Capellan habitant Calatayubii qui juravit in posse reverendi inquisioris per Deum curçem sancta domini nostri Yhesu Christi sup sacro sancta quatuor evangelia coram ea posita et per eam reverente inspecta eim sup propiis manibus corporaliter tacta et per juramentum dixit se scire y de quod sequitur.

Dize esta depsoante que havra quatorze anyos poco mas o menos estando este deposant en casa de uno llamado Remon Lopez mercader vezino de Calatayut donde tenia huna madre llamada dona Yusta vio esta deposant como la dicha dona Yusta comia en hamin en sabado y otros comeres judaydocs los quales le embiava hun judio llamado Brahem Paçagon judio vezino desta ciudat y otros judios cuyos nonbres no le acuerda y tanbien pan çançenno turrado y alcahalillas de los quales comian el dicho Remon Lopez y su muxer llamada Maria de Moros y la dicha su madre y que ellos despues de la pascua de los judios embiavan a los dichos judios pan liendo y lechugas. Testes. Joannes Perez, notarius e Dominicus Egidii, portarius.

Die ultimo menssis septembis anno M CCCCLXXXVIII

- (Pag. 192) Eadem die coram reverendo domino Martino Navarro inquisitor comparvit Mosse Alpastan judeus aljame judeorum civitas Calatayubii testis ad instanciam procuratoris fiscales pre edictum citatus qui juravit per Deum et sup decem precepta legis Moysi et per juramentum dixit qui sequitur.

Item mas dize el presente testimonio deposant que puede haver vitne y huno o vinte y dos anyos poco mas o menos que vio este testimonio deposant a una muxer de Ramon Lopez la prima muxer que el dicho Ramon Lopez huvo la qual era fixa de Felipe de Moros el calçetero al qual este testimonio vio que estuvo en huna festa de levar bestidos y joyas a una fixa de don Brahem Paçagon judia ybalo ay y fizo collacion y saquo la novia de la mano y recibio las joyas como parienta de la novia y canto ay (le leen la declaración) Testes: Anthon de Herrera e Rodericus de Vega comenssale alguazirii officii sancte inquisicionis.

Die III junii anno M° CCCC LXXXVIII.

- (Pag. 192 vto.) Eadem die coram dicto revrendo domino inquisitoris comparvit Açach Frances, judio habitant en el lugar de Almonazir de la Sierra qui juravit per Deum et sup decem precepta legis Moysi et per juramentum dixit qui sequitur.

Item dize que huna parienta de la madre deste deposant que es muxer de Ferrando Lopez de Calatayut que era castellana y la muxer primera de Remon Lopez mayor de la dicha ciudat madre de Garçi Lopez y algunas otras conffessas ha mas de vinte anyos ffueron a unas bodas de huna judia fixa de Mosse Alazan judio de Calatayut tio deste deposant y vio que baylaron en las dichas bodas y fizieron collacion de rosqueras y bino de lo qual todos los de la fiesta comian y bebia. E assi mismo dize que las sobre dichas cosas ensemble con los otros judios e judias parientas y otras que en otras pascuas y fiestas yvan a casa del dicho Mosse Alazan judio a visitar e alli comían e bevian e fazian collacion todos (le leen la declaración). Testes: Mossen Sebastian Donperet y Jayme de Monclus, nuncio.

Die VIIII menssis augusti anno M° CCCC LXXXVIII apud locum de Carenas.

- (Pag. 193) Eadem die coram reverendo domino Martino Navarro inquisitor predicto comparvit Teresa Paricio uxor Parici Martinez habitant loci de Carenas testis qui juravit in posse reverendi inquisioris per Deum cruçem sancta domini nostri Yhesu Christi sup sacro sancta quatuor evangelia coram ea posita et per eam reverente inspecta eim sup propiis manibus corporaliter tacta et per juramentum dixit se stire y de quod sequitur.

Dize esta depsoant que havra trenta anyos poco mas o menos estando esta deposant en la ciudat de Calatayut en la casa y servicio de huno llamado Ramon Lopez habiant de la ciudat de Calatayut que agora esta preso por la sancta inquisicion esta deposant que la muxer del dicho Ramon Lopez llamada Maria fixa de Felipe el calçetero quando trayan alguna pierna de carne la dicha Maria abra la dicha pierna por medio y sacaba della la landrezilla y todas las grassas que cabe ella estan y esta depsante pregunto algunas vezes a la dicha Maria porque hazia aquello la qual le respuso que porque no queria comer aquellas grasas las quitava (le leen la declaración). Testes: venerabiliter Dominicus Joannes de Pradas habitant loci de Carenas e Joannes Martienez, notarius de Calatayubii.
Die XXVI maii anno M° CCCCLXXXVIIII. Calatayubii.

- (Pag. 193 vto.) Eadem die coram domino inquisitore comparvit Açach Frances judio habitant en la aljama de judios de Almonazir testimonio por parte del fiscal produzido e sobre lo contenido en los denunciaciones qui juravit in posse inquisitoris per Deum sup deçem precepta legis Moysi.

Item mas deposa havra mas de vitne anyos que vio este deposant faziendo bodas huna fixa de Mosse Alazan judio desta ciudat como hun dia de sabado ffueron muchos converssos a fazerle fiesta y eran la Montalegra muxer que era de Ferrando Lopez el negrillo preso y la muxer del suso dicho Remon Lopez de aquí de Calatayut que era hermana de Felipe de Moros y otros muchos que no le acuerda los nonbres y que baylaron alli y fizieron collacion de rosqueras e confites e bevieron alli del vino judiego (le leen la declaración). Testes: Bernardino Montanyes, alguazir y mossen Domingo Senyan, clerigo habitant en Calatayubii.

Die XVIII jannuarii anno Mº CCCC LXXXVIII. Calatayubii.

- (Pag. 194) Eadem die coram reverendis dominis inquisitoibus et vicarii generali comparvit Maria Diaz, uxor Joannis Aznar habitant civitas Calatayubii testis qui juravit in posse reverendi inquisitoris per Deum cruçem sancta domini nostri Yhesu Christi sup sacro sancta quatuor evangelia coram ea posita et per eam reverente inspecta eim sup propiis manibus corporaliter tacta et per juramentum dixit se scire y de qui sequitur.

Dize que seyendo de bedat de doze o quatorze annyos poco mas o menos viviendo en casa de Remon Lopez hermano de Brahem Paçagon el rico que murio e de Garci Lopez vio como de casa del dicho Brahem Paçagon le embiavan pan çançenyo y arruquaques y alcahalillas de lo qual comia esta deposant e el dicho Remon Lopez que agora bive y su muxer Maria cuyo padre se dizia Felipe el Calçeçero y esto puede haver trenta y siete anyos y este dicho pan çançenyo los enviavan en las pascuas del pan çançenyo y que la dicha su senyora le dizia los sabados quando guisavan berças que tomasse del dicho pan çançennyo y que lo picasse con el queso y que lo echasse en las berças y esta deposant assi lo fazia.
Mas dize que la dicha su senyora le mandava quando massava que para ver si era la massa lienda que abriessa la massa e tomasse hun pizco de la (pag. 194 vto.) de la dicha massa que lo echasse en el fuego y que esta testimonio assi lo fazia.
Item dize que muchas vegadas el dicho Remon Lopez su amo en los dias de sabado dizia a esta testimonio Martica anda ve a casa de mi hermano y dile que te de huna escudilla de lo que guisan para ni duenya que esta mala y esta testimonio yva a casa del dicho Brahem Paçagon y traya hamin del qual comian la dicha su senyora en sabado y que al dicho su amo no lende vio comer en sabado.
Item dize mas que quando trayan carne de qualquiere lomo de carnero o de qualquiere res la dicha susenyora le mandava quitar la grassa del rinyon y esta testimonio assi lo fazia y alguans vezes dizia esta testimonio senyora dexar lo que yo me lo cormere y la dicha su senyora dizia quita lo alla no lo eches en la olla y dize que ahunque no viniesse rinyon que tanbien mandasse quitar la grassa.
Item dize que se acuerda mas que la dicha su senyora le mandava quando havia de degollar esta testimonio alguna ave que covixasse bien la sangre de las dichas aves y que esta deposant assi lo hazia que la covillava con estiercol o con tierra. (le leen la declaración).
Testes: Frater Petrus de la Ygleshuela et Petrus Torrexon habitant Calatayubii.

Die XVIII jannuarii anno Mº CCCC LXXXVIII.

- (Pag. 195) Maria Diaz muxer de Joan Aznar.

Dize que seyendo de edat de doze o quatorze anyos poco mas o menos bivendo en casa de Remon Lopez, hermano de Paçagon el rico que murio y de Garçia Lopez vio como de casa de Brahem Paçagon le embiavan pan çançenyo y arruquaques y alcahalillas de lo qual comia esta deposant y el dicho Remon Lopez que agora bive y su muxer Maria cuyo padre se dezia Felipe el Calçetero y esto puede haver mas de trenta y siete anyos y este dicho pan çançenno les embiavan en las pascuas del pan çançenyo y que la dicha su senyora le dizia los sabado quando guisava berças que tomasse del dicho pan çançennyo y que lo picasse el queso y que lo echasse (pag. 195 vto.) en las berças y esta deposante lo fazia.
Item dize el dicho testigo que muchas vezes vio que en casa del dicho su amo Remon Lopez guisavan hamin con carne y garvanços y huevos muy duros fasta que se paravan cardenos (morado) del qual comer comian el dicho Remon Lopez y su muxer Maria y todos lo de casa y esto de comer carne y que en otro dia no comer carne no gelos vio comer al dicho su amo.
Item dize que muchas vegadas vio que la dicha su senyora guisava albondaquillos en esta manera que capolava la carne y con salssas fazia de la dicha carne unos redolinos y feia los en azeyte y comian los los dichos sus amos pero no le acuerda que los comiessen sino en dia de carne, otras vezes tomava los dichos albondaquillos y metia los dentro de unos alnillos de carnero y atados con filo echava los a cozer en el caldo. Testes: qui supra prime.

Die XXI julii anno Mº CCCC LXXXVIII apud lucum Villarroya.

- Eadem die coram reverendo domino Martino Navarro inquisitor predicto comparvit Maria (pag. 196) Doluega, uxor Joannis Ferrando habitant loci de Villarroya, testis qui juravit in posse reverendi inquisioris per Deum cruçem sancta domini nostri Yhesu Christi sup sacro sancta quatuor evangelia coram ea posita et per eam reverente inspecta eim sup propiis manibus corporaliter tacta et per juramentum dixit et scire y de qui sequitur.

Dize esta deposant que havra diez y ocho anyos poco mas o menos estando esta deposant en la ciudat de Calatayut en la casa y servicio de uno llamado Remon Lopez que agora esta preso el dicho Remon Lopez en dias de sabado enbiava a esta deposant a la juderia a casa de hun judio cuyo nombre no le acuerda salvo que sabe que era hermano del dicho Remon Lopez de donde esta deposant por mas de vinte vezes en dias de sábados turxo hamin apexado de la juderia con carne y a la forma judayca el qual hamin esta deposant vio comer al dicho Remon Lopez y assu mujer llamada Maria fixa de Felipe el calçetero.

- 553 -

Item dize esta deposant que en el mesmo tiempo esta deposant vio algunas vegadas venir a comer a casa del dicho Remon Lopez preso hun judio cuyo nombre esta deposant ygnora salvo sabe que era (pag. 166 vto.) hermano del dicho Remon Lopez a donde esta deposant vio al dicho judio degollar las aves que havia de comer de los quales aves degolladas del dicho judio comian el dicho Remon Lopez y la dicha su muxer (le leen la declaraicón). Testes: Maginficus Franciscus de Contamina alguazirii e Joannes Martinez, notarius habitant Calatayubii.

Die XVI maii anno Mº CCCC LXXXVIII.

- Eadem die coram vreverendo domino fratre Michaelle de Monteruvio inquisitore predicito comparvit Jaco Paçagon judeus aljame judeorum civitas Calatayubii testis ad instanciam procuratoris fiscales pre edictum citatus qui juravit per Deum et sup decem precepta legis Moisy et per juramentum dixit qui sequitur.

(Pag. 197) Item dize el presente deposant que havra veynte anyos poco mas o menos huna llamada Maria de Moros fixa de Felipe de Moros primera muxer de Remon Lopez preso continuando muchas vezes de yr a casa de Brahem Paçagon hermnao del dicho Remon Lopez padre deste deposant se le acuerda a este deposant que la dicha Maria de Moros alias Lopez huna vegada que huna fixa del dicho Brahem Paçagon hermano del presente testigo fizo bodas la dicha Maria de Moros fue a las dichas bodas y affeyto y arreo la novia estuvo en la bendicion y vio toda la cirimonya que los dichos judios en las dichas bodas hizieron y a la noche fecha la cirimonya se ffue assu casa (le leen la declaración). Testes: Michael Boyl et Joannes Duncastillo, notarius scribanus sancte officii inquisicionis residentes Calatayubii.

Die III julii anno MºCCCCLXXXVIII.

- (Pag. 197 vto.) Eadem die coram reverndo domino fratre Michaelle de Monterubio inquisitore predicto comparvit Brahem Alazan maior diem judeus aljame judeorum civitas Calatayubii testis ad instanciam procuratoris fiscalem pre edictum citatus qui juravit per Deum et sup decem precepta legis Moysi et per juramentum dixit qui sequitur.

Dize el presente deposant que havra diziocho anyos poco mas o menos faziendo bodas este deposant en la ciudat de Calatayut con huna llamada Çeti fixa de Brahem Paçagon hun dia de domingo a la tarde que era la mayor fiesta de la boda andando este deposant por la casa de Mosse Alazan su padre quando la gente çenava entro en huna retreta de la dicha casa a donde fallo ocho personas poco mas o menos entre hombres y muxeres los quales eran christianos e porque este deposante se havia criado en estudio y conocia muy poco en Calatayut conocio de aquellas ocho personas sino huna llamada que las oras era muxer de Agostin de loba y agora es muxer de Joan Martines, notario de Calatayut y otra muxer de Remon Lopez cuyo nobre (Se acaba la declaración).

Die X menssis aprilis anno Mº CCCC LXXXVIII.

- (Pag. 198) Eadem die coram reverendo domino fratre Michaele de Monterrubeo inquisitore predicto comparvit Salomon Quatorze judeus aljame judeorum civitas Calatayubii qui juravit per Deum et decem precepta legis que de qui decid Moysi in monte Sinay et e per juramentum dixit se scire qui sequitur ad dendo eius deposicionibus per eum desup facti.

Item mas dize este deposant que havra veynte anyos poco mas o menos quando se desposo este deposant con Vida judia su muxer deste deposant huna llamada Maria hermana de Felipe Perez de Moros muxer que fue deste Remon Lopez que agora esta preso por la sancta inquisicion estuvo en todos los esposorios y cirimonias dellos y baylo y folgo ay con los judios y comio de las biandas que este deposoant tenia para los dichos esposorios guisados juntamente a una mesa con los judios y havia que al pareçer deste deposant le pareçe que dormio la dicha Maria en casa del suegro deste deposant.

Item que assi mismo estuvo en las bodas deste deposant y de la dicha Vida su muxer y a todas las cirimonias de las bodas y baylo y comio y bevio de todas las viandas que este deposant tenia guisadas para (pag. 198 vto.) la dicha boda jutnamente a huna mesa y bevio de su vino (le leen la declaración). Testes: Joannes Torrexon e Dominicus Gil, nuncii sancte officii inquisicionis.

20.- PROCESO CONTRA PAULO DE DAROQUA

FALTA ACUSACION DEL FISCAL, INTERROGACIÓN AL ACUSADO Y COMIENZA CON LA DECLARACION DE TESTIGOS CONTRA DE LA ACUSADO.

Die XXIII febroarii anno Mº CCCC LXXXVIII. Calataybii.

- (pag. 199 vto.) Eadem die coram reverendo domino fratre Michaelle de Motnerubio inquisitore comparvit Maria uxor Joannes Sabastian testis que juravit per Deum sup cruçem domini nostri Ihesu Cristi qui diceret omniodam veritatem qui per juramentum respodit in modum qui sequitur.

Dize este deposante que havra trenta annos poco mas o menos estaba esta deposante en casa de huno llamado Paulo de Daroqua mercader que bivia sobre la carneçeria cerrada el dicho Paulo de Daroqua muchas vezes embiava a esta deposante a la juderia de la presente ciudat a casa de hun judio cuyo nombre no le acuerda en sabado por hamin el qual hamin comia en sabado el dicho Paulo de Daroqua.

Item mas dize esta deposante que muchso sabados el dicho Paulo de Daroqua comia carne en quaresma y esto dixo saber porque lo vio (le leen la declaración). Testes. Johannes Torrejon e Dominicius Gil, nuncii dicti sancti officii inquisicionis.

Die VIII mensis marcii anno Mº CCCC LXXXVIII. Calatayubii.

- (Pag. 200) Eadem ie coram dominio inquisiotre comparvit Johannes Perez Almaçan civis civitas Calatayubii testis que juravit per Deum sup creçem domini nostri Ihesu Cristi qui diceret omniodam veritatem qui per juramentum respodit in modum qui sequitur.

Dize este deposante que havra vinte y seys annos poco mas o menos hablando este deposante con huno llamado Paulo de Daroqua mercader habitant de Calatayut de la estiologia dixo el dicho Paulo de Daroqua a este deposante que los profetas muchas cosas que dizian dizian con arte estiologia (le leen la declaración). Testes. Johannes Martinez, notarius e Dominicus Gil, nuncius habitant Calatayubii.

Die VII mensis marcii anno Mº CCCC LXXXVIII.

- Eadem die coram domino Martino Navarro inquisitore comparvit Johana de Peralta vidua uxor que fuit dominicii Ferrer habitant civitas Calatayubii testis que juravit per Deum sup cruçem domini nostri Ihesu Cristi qui diceret omniodam veritatem qui per juramentum respodit in modum qui sequitur.

(Pag. 200 vto.) Dize esta deposante que oyo dizir a trenta dias poco mas o menos a hun judio que se clamava maestre Jaco Lupiel vezino desta ciudat curando a la dicha deposante de hun colpe del ojo que no sabia ningun mal christiano en aquesta ciudat de Calatayut sino huno que se clamava Paulo de Daroqua que levando huna causa devant del bayle de los judios lo contradizian por seyer christiano porque lo querian fazer testigo contra los judios respuso e dixo el dicho Paulo de Daroqua al dicho judio que tanbien era judio y mas que judio y que creya el dicho judio que asi era como lo dizia (le leen la declaración). Testes: Johannes Perez, notarius, et Dominicus Gil portarii habitant civitas.

Die XXVIIII septembris anno Mº CCCC LXXXVIII.

- Eadem die coram domino inquisitore comparvit Rabi Manuel judio habitant en la villa de Magallon testis qui juravit per Deum et sup decem precepta legis Moysy qui diceret omniodam veritatem qui juramentum respondit in modum qui sequitur.

(Pag. 201) Dize esta deposante que Paulo de Daroqua vezino de Calatayut siempre contratava de leer el talmut y se hazia procurador en la cort de los judios por que se electava en tener aquel talmut y porque tenia mas devocion en el que no en la fe christiana (le leen la declaración). Testes: Anthonius Juquares, nuncius et Joahnnes de Bajes Estrada habitantes civitas Calatayubii.

Die XXVIII julii anno Mº CCCC LXXXVIII.

- Eadem die coram reverendo domino fratre Michaelle de Monterrubeo inquisitore comparvit Mira uxor de Benahem Abayut judey habitant aliame judeorum civitas Calatayubii testis qui juravit per Deum sup decem precepta legis Moysi qui diceret omniodam veritatem qui per juramentum respondit in midium qui sequitur.

Et primo dize la dicha deposante que havra quarenta annos poco mas o menos que estando en casa de huno llamado Paulo de Daroqua que morava cerqua la carneceria del mercado de la presente ciduat vio como el dicho Paulo de Daroqua que traya judios pa degollar quando gallinas quando quabrito quando aquello que comian en su casa que ay se huviese de degollar.

Item dize mas la dicha deposante que oyo dezir por muchas vezes estando segunt dicho ha en la dicha casa del dicho Paulo de Daroqua al dicho Paulo de Daroqua estas palavras a huna moça suya del dicho Paulo de Daroqua ves Andreyca a la carnceria de los judios y di al carnicero que te de carne y vio la dicha deposante como la dicha moça llamada Andreyca traya la carne de la juderia del nombre del dicho carnicero no se le acuerda a la dicha deposante y trayda la dicha carne segunt dicho ha la dicha deposante tomava la dicha carne y lavavala y le echava en sal y la porgava assi y segunt en casa de su padre Yuçe Çarfati judio la lavava y recava y esto por mandado del dicho Paulo de Daroqua y de su muger llamada dona Marquesa tia de la dicha deposante, hermana de su madre y no ponia tocino en la olla antes bien la lavava muy bien antes que la carne echase en ella esto sabe la dicha deposant porque estuvo en la dicha casa del dicho Paulo de Daroqua con su muger del dicho Paulo de Daroqua tia desta deposante dos o tres (pag. 202) meses porque la tenia alli apretada porque no la casasen con quien el no queria y en todo el dicho tiempo de los dichos dos o tres meses vio como por muchas vezes degollavan judios los havian que alli comian en casa del dicho Paulo de Daroqua y se treya la carne de la carneceria de los judios y la dicha deposante comia ensemble con ellos de la dicha carne porque ella la guisava según los judios la guisan pa su comer y dize mas la dicha deposante que quando ellos comian perdizes o algunos otros potages que ella no de comia porque no eran comeres de judios que le davan en huna retreta de la dicha casa del dicho Paulo de Daroqua a comer guevos y fruta.

Item dize la dicha deposante que havra quarenta annos poco mas o menos que vio como huna moça llamada Andreyca y a hun otras moças los nombres de los quales no se le acuerda del dicho Paulo de Daroqua venian en los sabados a casa de su padre de la dicha deposante llamado Yuçe Çarfati por hamin en la dicha casa de su padre geles dava el dicho hamin en los dichos sabados y esto por muchas vezes (le leen la declaración). Testes: Johannes Torrejon e Dominicus Egidii, nucii sancte inquisicionis.

Die XVI aprilis anno Mº CCCC LXXXVIII.

- (pag. 202 vto.) Eadem die coram domino inquisitore comparvit Rabi Salomon Axequo, judeus habitant aliame judeorum ville de Cetina testis qui juravit per Deum sup deçem precepta legis Moysi qui diceret omniodam veritatem his per juramentum respondit in modum qui sequitur.

Et primo dize este deposante que havra dizieocho anno poco mas o menos estando este deposante en la presente ciudat de Calatayud y teniendo este deposante mucha pratica y amistat con huno lllamado Paulo de Daroqua procurador que morava cabe el mercado de la presente ciudat de Calatayut muchas vezes el dicho Paulo de Daroqua rogo a este deposante le embiase hamin los sabados del que este deposante guisase y aparejase pa si y que este deposante muchos sabados y otros dias embio con hun mesage deste deposante hamin a casa del dicho Paulo de Daroqua el qual hamin el dicho su mesaje levava y lo tomavan en casa del dicho Paulo de Daroqua y otras vezes el dicho Paulo de Daroqua embiava a la casa deste deposante por el dicho hamin con algun mesage de su casa cuyo nombre este deposante no sabe el qual hamin levava assi en sabados como en otros dias.
Item mas dize este depsoante que en mesmo tiempo poco mas o menos sabe este deposante como el dicho Paulo de Daroqua ayunava el ayuno de quipur esto (pag. 203) sabe este deposante porque muchas vezes el dicho Paulo de Daroqua gele dixo a este deposante por su propia boqua como havia ayunado y ayunava el dicho ayuno de quipur.
Item mas dize este deposante que puede haver dizisiete annos poco mas o menos adolecio y enfermo el dicho Paulo de Daroqua que de tal enfermedad que penso morir el dicho Paulo de Daroqua y el dicho Paulo embio por este deposante y este deposante fue a la casa del dicho Paulo de Daroqua el qual fallo en la çama y que empues de hablados algunas palabras el dicho Paulo de Daroqua con mucha afección y gana rrogo a este deposante por quanto se sentia mal y pensava morir de aquella enfermedad que le prestase hun librico de confesión que los judios tienen y lo claman "el budduy" que lo fazen los judios quando se quiere morir y esta este "bidduy" en el "çiddur de quipur" que quiere dezir regla de quipur y que este deposante le traxo la dicha confesion llamada en ebrayco "biddu" la qual confesion dio este deposante al dicho Paulo de Daroqua el qual Paulo de Daroqua tomo la dicha confesion y estando se el dicho Paulo de Daroqua en la cama en presencia deste deposante salvo que este deposante se aparto hun poco dixo y reço la dicha confesion en el dicho librico que este deposante le dio y que sabe este deposante que el dicho Paulo de Daroqua no fallecio (pag. 203 vto.) de aquella enfermedad que despues se le tuvo el dicho librico de la confesion y sabe este deposante como el dicho Paulo de Daroqua y muchas vezes rezo la dicha confesion de judios y esto sabe este deposante porque lo vio y lo oyo y porque tanbien el dicho Paulo de Daroqua selo dizia a este deposante y tanbien le dixo el dicho Paulo de Daroqua que queria morir en la Ley de Moysen y cree este deposante que despues que torno a enfermar y murio que murio en la Ley de Moysen y esto cree por lo uqe de suso ha dicho y por que mostrava mucha afección a la Ley de Moysendize do bien de aquella y mal de la de los christianos (le leen la declaración). Testes: Johanes Torrexon e Dominicus Gil, nuncio officii sancte inquisicionis.

Die XI mensis jannuari anno Mº CCCC LXXXVIII.

- Eadem die coram dicto domino inquisitore comparvit Jaco Lupiel judeus habitant aliame judeorum civitas Caaltayubii testis qui juravit per Deum sup deçem precepta legis Moysi qui diceret omniodam veritatem his per juramentum respondit in modum qui sequitur.

(pag. 204) Dize este deposante se acuerda muy bien que havia vinte annos poco mas o menos dos hermanos deste deposante llamados maestre Yeuda Lupiel y Açach Lupiel judios pleyteavan delante del Bayle de la presente ciudat de Calatayut cuyo nombre del Bayle que entonçe era no le acuerda a este deposante y que el dicho maestre Yeuda Lopiel tenia por procurador a huno clamado Paulo de Daroqua, notario y procurador de la dicha ciudat sabe este deposante como pro parte del dicho Açach fue dada y ofrecida huna çedula en proceso en la qual el dicho Açach deduzco como el dicho Paulo de Daroqua no podia seyer procurador entre judios y judio por Ley de judios y el dicho Paulo de Daroqua notario respondiendo a la dicha çedula dio lofrecio en el dicho proceso otra cedula en la qual deduzco y provo como el no era christiano y provolo por rrabi Moisés de Egipto el qual dizia que el judio que se fazia christiano no era christiano antes era mal judio y que esto dixo el dicho Paulo de Daroqua en ebrayco assi "Ysrael semistamat analpi semistamat ysa eliu" que quiere dezir lo suso dicho y asi esta scripto en el dicho proceso (le leen la declaración). Testes: Magnificus Johanes Ardiles inquisidor y Johanes Murillo, notarius habitant Calatayubii.
Die X mensis Marcii anno Mº CCCC LXXXVIII.

- (Pag. 204 vto.) Eadem die coram dicto domino inquisitore comparvit Davit Levi judeus habitant aliame judeorum civitas Calatayubii testis qui juravit per Deum sup deçem precepta legis Moysi qui diceret omniodam veritatem his per juramentum respondit in modum qui sequitur.

Dize este deposante que havra vinte y cinquo annos poco mas o menos dixo a este deposante huno llamado Paulo de Daroqua que morava en la calle de Sant Miguel de la ciudat de Calatayut que fuese a hun judio llamado rabi Abram Axequo y dile por amor mio que he supido que han muerto en la judería huna buena res que me tiene hunos tres dineros pa que me faga huna escudilla de hamin pal el sabado que yo embiare huna moça por el (pag. 205) y este deposante gele dixo al dicho Rabi Abram Axequo y que le dixo a este deposante que enbuena ora (le leen la declaración). Testes: Petrus Larraz notarius y Johanes Torrejon, nuncius habitant civitas Calatayubii.

Die II septembris anno M° CCCC LXXXVIII. Calatayubii.

- Eadem die coram reverendo domino Martino Garsia inquisitor comparvit Mayr Benalguez judeus sitor habitant aliame judeorum citias Calatayubii qui juravit per Deum sup deçem precepta legis Moysi qui diceret omniodam veritatem his per juramentum respondit in modum qui sequitur.

Dize que Paulo de Daroqua queso desta ciudat huna vegada estuvyendo en la cama enfermo en indispuesto embio a casa de su padre deste deposante por tiempo de cuaresma que le fiziese cierto menjar judayco que no se acuerda si era de queso o de carne y assi este deposante por mandado de su padre y madre judios gelo levo aquel guisado y gelo dio al dicho Paulo e dixo le a este testigo ahunque he comido salmon ahun me lo combre y esto era por tiempo de pascua del çançenno y de aquel guisado le vio comer este depsoante alli quando gelo levo (le leen la declaración). Testes: Dominus Petrus Margarit, alguazirius, e Bernardinus Montannyes locum Alquazirii.

Die XXVI jannuarii anno M CCCC LXXXVIII.

- (Pag. 207 vto.) Eadem die coram domino inquisitore comparvit Simuel Abenxuen judio de Borja testis.

Dize este testimonio que yendo a ver un su tio que se llama Pablo de Daroca que vibia en Calatayut que le dava su tio dineros para que mercase carne de la carneceria de los judios para su comer y veya que christianos y judios todos mercaban carne de la dicha carneceria.
Asimismo dize que pestuando una vez al dicho su tio un judio que yba en su companya que qual era la mejor Ley y dize que no les respuso qual era la mejor Ley salbo que les dixo que dezia cada dia sesenta paternostres para el alma y dos vezes el "alfabeta" de los judios que quiere dezir un salmo del salterio que los judios dizen el sabado en la tarde porque no le fatasen dineros (le leen la declaración). Testes: (no testigos).

Die XIII augusti anno M° CCCC LXXXVIII. Arandiga.

- (Pag. 208) Eadem die coram reverendo domino Alonso de Alarcon inquissitore comparvti Açach Alquer, judio habitant en Yllueca qui juravit per decem precepta legis Moysi et per juramentum dixit in modum dixit qui sequitur.

Dize que conoçio a Paulo de Daroca habitant en Calatayut el qual era pariente de su padre deste testimonio deposante por parte de su muxer del dicho Paulo y vio como de casa deste testigo les enviavan hamin y carne judayca y otros comeres judaycos por lo que morava en Calatayut y se llamaba Yuçe Alquer en dias de sabados muchas de vezes levaba guebos cozidos en hamin y otras vezes hamin en los otros dias de sabados al dicho Paulo de Daroqua. Testes: ad predicta Anthonius de Lamiel, nuncius et Martinus de Alarcon, familiaris reverendi domini inquissitoris.

ACUSACION DEL FISCAL A TODOS LOS ACUSAD@S.

(Pag. 208 vto.) Coram bobis reverendis dominis inquisiotribus et vicario generali heretice et apostatice pravitatis fatre Petro de Valladolid e Martino Garsie in sacta theologia magistris a sancta fe de apostolica et autem ordinaria in toto rego Aragonum ditos et deputantis comparvit et compet Michael sancte inquisicionis dicte heretice et apostatice pravitatis qui norem et vicario insinuando et denunciando athillis in dioçibus via modo et forma quibus de juramentum et alis facere potem et debum et infrascrita eius proposito et intencioni pleni qui utilis et eficandi valent et posuit aplicari pestit agit et denunciat que et ad usus et a diversus.

Mariam Daça
Alfonsi de sancta Cruce
Simone de Sancta Clara
Felipum Perez de Moros
Jorgum de la Cabra
Johannem Lopez Coscollan
Joanem de Sayas, sastre
Maria de Moros
Ferdinandum de Buendia
Johannem de Maluenda
Joannem de Buendia
Dicanim de la Torre
Anthonium de Sancto Angelo
Joannem Lopez de Mayr
Leonardum de Sancto Angelo
Ferdinanum Lopez
Jacobum Albarez

Gabrielem de Sancta Cruz
Anthonium de Blanas
Elisabet de Linyam
Jacobum Garcia
Joannem del Romeral
Marim Eius uxorem
Joannem Daça
Anthonyum Eximenez de Rueda
Paulum de Daroca

Et querim eorum defuntos reso et criminosos habitatores (pag. 209) civitatis Calatayubii et denunciatibus heresis et apostasie vehementer inspectos difamatos et culpabilis apud graves non solumdum vitam in humanis agebant... et dad putem acusacionem et denunciacionem por los infrascriptos declaratam et designatam singula singulis per comentis referendo tenoris sequitis.

Et primeramente dize el dicho procurador fiscal que los dichos defuntos reos y criminosos y qualqueire dellos en el tiempo que bivian thoniendo sperança y devocion en la Ley de Moysen fizieorn y observaron ritus y cerimonias judaycas crimene de hergia y apostasia cometiendo y perpetrando que nuestra sancta ffe catholica dixieron y ablaron y el otro dellos dixo y fablo muchas y diversas palavras hereticales diziendo y dem no teniendo publicamente que la ley de Moysen era buena y sancta y dava salvacio y que tambien se podia salvar el judio en su Ley como el cristiano en la suya diziendo y rezando salmos y oraciones judaycas y tal de lo suso dicho fue era y es voz comun y fama publica.
(Pag. 209 vto.) Et dize el dicho procurador fiscal que los dichos muertos reos y criminosos y qualquiere dellos faziendo y observando los ritus y cerimonias judaycas han guardado y costumbrado guardar en el tiempo que vivian el sabado como qualquiere judio bestiendo se los dias del sabado las mejores ropas que tenian faziendo diferencia en el bestir aquel dia de los otros dias, assimesmo guardando las pascuas y otras fiestas, olim pues de los judios mayormente la pascua del pan cotaco y de las cabanyvelas y daron olio y dineros para olio a las lampedas de la sinoga de los judios y daron limosna a los judios pa la çedaqua y fazian quitar y quitavan las grasas de la carne lavandola con sal y agua ante de ponerla en la olla y que no trayan pierna o fazian traher sacavan y fazian quitar la landrezilla de la pierna y vendezian la mesa a modo judayco y las muxeres que massavan echavan y fazian echar hun pedago de masa en el fuego y los hombres fueron artimasso y se fizieron artimador y stuvieron en bodas y circuncissiones de judios y comieron en ellas y costumbraron de ayunar y ayunaron en el tiempo que venian ayunos judaycos y senyaladamente el ayuno de quipur de la reyna Ester y del pedimento de la casa sancta y tal es la voz comun y fama publica.
Item dize el dicho procurador fiscal que los dichos muertos reos y criminosos en el tiempo que bivian (pag. 210).) y qualquiere dellos comieron con judios a una messa de sus viandas judaycas y respondiendo a la bendicion que los judios dezian "amen" y comieron han comido hamin en sabado fecho y guisado en la juderia y comieron y han comido pan cotaco arruquaques y turrado en el tiempo de la pascua de los judios y comieron y aan comido carne en la quaresma stando sanos y en dias proyvidos por la sancta madre yglesia y comieron y han comido otros potages y manjares fechos al modo y cosumbre judayco y no comian ni costumbraron comer congrio anguilas caracoles ni conejo ni liebre ni tocino ni pescado sin staca y tal de lo suso dicho es voz comun y fama publica.
Item dize el dicho procurador fiscal que los dichos defuntos reos y criminosos y qualquiere dellos al tiempo que morieron no quonfessaron los dichos crimenes de heregia y apostasia ni confessaron ni comulgaron ni fizieron ordenes de christianos y assi como hereticos y apostatas thoniendo sperança en la Ley de Moysen murieron y fenescieron sus dias extremos y vanirales y tal de lo suso dicho fue era y es voz comun y fama publica.
Item dize el dicho procurador fiscal que los suso dichos denuciados en el tiempo que bivian y qualquiere dellos tenian fama y reputacion de malos christianso de haver cometido crimenes de heregia y apostasia y por tal eran thonidos nonbrados y reputados donde quiere que edellos se havian verdadera notica y tal de lo suso dicho es voz comun y fama publica.
(pag. 210 vto.) Item dize el dicho procurador fiscal que todas las cosas susos dichas y cadauna dellas furon eran y son verdaderas y ellas ser verdaderas puestas maniffiestas y notorias los dichos reos y criminosos y qualquiere dello en el tiempo que venyan se jactaron en presencia de muchos y fidedignas personas y esto es verdat.

NO HAY PENAS DESPUES DE HABERLOS DECLARADO CULPABLES DE HEREGIA Y APOSTASIA POR PRACTICAR RITOS Y CEREMONIAS JUDAICAS.

9.- INDICE